CB013070

TEOLOGIA SISTEMÁTICA

Lewis Sperry Chafer

volumes 5 & 6

Lewis Sperry Chafer
D.D., Litt.D., Th.D.
Ex-presidente e professor de Teologia Sistemática no
Seminário Teológico em Dallas.

Copyright © 1948, 1976 por
Dallas Theological Seminary
Originalmente publicado por Kregel Publications.
Título original: *Systematic Theology*

Tradução
Heber Carlos de Campos

Revisão
Edna Batista Guimarães

Diagramação
Atis Produção Editorial

Capa
Douglas Lucas

Editora
Marilene Terrengui

1ª edição - março de 2003
2ª edição - fevereiro de 2008
3ª edição - junho de 2013
Reimpressão - agosto de 2020

Coordenador de produção
Mauro W. Terrengui

Editoração, impressão e acabamento
Imprensa da Fé

Todos os direitos reservados para:
Editora Hagnos Ltda
Av. Jacinto Júlio, 27
04815-160 - São Paulo - SP - Tel (11)5668-5668
hagnos@hagnos.com.br - www.hagnos.com.br

Dados Internacionais de Catalogação na Publicação (CIP)
(Câmara Brasileira do Livro, SP, Brasil)

Charles, Lewis Sperry
Teologia Sistemática - Lewis Sperry Chafer; (tradução : Heber Carlos Campos) -- São Paulo, SP: Hagnos, 2003.

1. Teologia dogmática I. Título

03-0105   CDD-230

Índices para catálogo sistemático:
1. Teologia sistemática: Cristianismo   230

ISBN 85-89320-06-5

Conteúdo do volume 2:
5: Cristologia
6: Pneumatologia
7: Sumário Doutrinário
8: Índices Biográficos

Editora associada à:

Dedicatória

Esta obra de Teologia Sistemática é dedicada com profunda afeição ao corpo discente de todas as épocas do Seminário Teológico em Dallas.

ÍNDICE

VOLUME 5

CRISTOLOGIA   13

CAPÍTULO I - O VERBO PRÉ-ENCARNADO – O FILHO DE DEUS   13
Introdução   13
I.   A Divindade de Cristo   16
II.   Cristo e a Criação   31
III.   O Pacto Eterno   34
IV.   O Messias no Antigo Testamento   35
V.   O Anjo de Jeová   38
VI.   Implicações Bíblicas Indiretas   40
VII.   Afirmações Bíblicas Diretas   40
    Conclusão   45

CAPÍTULO II - INTRODUÇÃO À DOUTRINA DO VERBO ENCARNADO   46
I.   A Doutrina Como um Todo   46
II.   As Predições do Antigo Testamento   50

CAPÍTULO III - O NASCIMENTO E A INFÂNCIA DO VERBO ENCARNADO 54
I.   O Nascimento   54
II.   A Infância   59

CAPÍTULO IV - O BATISMO DO VERBO ENCARNADO   62
I.   O Batizador   62
II.   A Necessidade   65
III.   O Modo   68
IV.   O Batismo de Cristo e o Batismo Cristão   74
V.   Outros Batismos   75

CAPÍTULO V - A TENTAÇÃO DO VERBO ENCARNADO   78
I.   Três Fatores Fundamentais   78
II.   A Relação de Cristo com o Espírito Santo   83
III.   O Teste de Cristo Feito por Satanás   84

CAPÍTULO VI - A TRANSFIGURAÇÃO DO VERBO ENCARNADO   88
I.   A Importância   89
II.   A Razão   90
III.   A Realidade   93
IV.   Uma Apresentação do Reino   93
V.   A Aprovação Divina   96

CAPÍTULO VII - OS ENSINOS DO VERBO ENCARNADO   97
I.   Os Principais Discursos   98
    Conclusão   158
II.   Parábolas   158
III.   Ensinos Especiais   160
IV.   Conversas   161

ÍNDICE

CAPÍTULO VIII - OS MILAGRES DO VERBO ENCARNADO 162
    Conclusão 168
CAPÍTULO IX - OS SOFRIMENTOS E MORTE DO VERBO ENCARNADO 169
    I.   Nos Tipos 169
    II.   Na Profecia 173
    III.   Nos Sinóticos 179
    IV.   Nos Escritos de João 180
    V.   Nos Escritos de Paulo 191
    VI.   Nos Escritos de Pedro 212
    VII.   Na Carta aos Hebreus 213
CAPÍTULO X - A RESSURREIÇÃO DO VERBO ENCARNADO 218
    I.   A Doutrina no Antigo Testamento 221
    II.   A Doutrina no Novo Testamento 225
    Conclusão 243
CAPÍTULO XI - ASCENSÃO E INTERCESSÃO DO VERBO ENCARNADO 244
    I.   A Ascensão 245
    II.   A Intercessão 256
CAPÍTULO XII - O SEGUNDO ADVENTO DO VERBO ENCARNADO 261
CAPÍTULO XIII - O REINO MESSIÂNICO DO VERBO ENCARNADO 293
    I.   Assegurado pelos Pactos de Jeová 295
    II.   Suas Várias Formas 309
CAPÍTULO XIV - O REINO ETERNO DO VERBO ENCARNADO 331
    I.   A Soltura de Satanás 332
    II.   A Revolta Sobre a Terra 332
    III.   O Passamento do Céu e da Terra 333
    IV.   O Julgamento do Grande Trono Branco 334
    V.   A Criação do Novo Céu e da Nova Terra 336
    VI.   A Descida da Cidade-Noiva 337
    VII.   A Renúncia do Aspecto Mediatorial 339

VOLUME 6

PNEUMATOLOGIA 351
    Prefácio(que todo estudante deveria ler) 351
CAPÍTULO I - O NOME DO ESPÍRITO SANTO 354
    I.   O Tríplice Nome da Divindade 355
    II.   Títulos Descritivos 366
CAPÍTULO II - A DIVINDADE DO ESPÍRITO SANTO 370
    I.   Atributos Divinos 371
    II.   Obras Divinas 373
    Conclusão 392
CAPÍTULO III - TIPOS E SÍMBOLOS DO ESPÍRITO SANTO 393
    I.   Óleo 393
    II.   Água 396

III.	Fogo	397
IV.	Vento	398
V.	Pomba	399
VI.	Penhor	400
VII.	Selo	400
VIII.	Servo de Abraão	401
	Conclusão	401

Capítulo IV - O Espírito Santo e a Profecia — 402

I.	O Autor da Profecia	402
II.	O Sujeito da Predição	405
	Conclusão	411

Capítulo V - O Espírito Santo no Antigo Testamento — 412

I.	De Adão a Abraão	412
II.	De Abraão a Cristo	416

Capítulo VI - O Caráter Distintivo da Presente Era — 426

I.	Uma Intercalação	427
II.	Um Novo Propósito Divino	427
III.	Uma Era de Testemunho	428
IV.	Israel Dormente	428
V.	O Caráter Especial do Mal	429
VI.	Uma Era de Privilégio Gentílico	429
VII.	A Obra do Espírito Santo no Mundo	430

Capítulo VII - A Obra do Espírito Santo no Mundo — 431

I.	O Restringidor do Cosmos	431
II.	O Que Convence os Não-salvos	434
	Conclusão	442

O Espírito Santo em Relação ao Cristão — 444

Capítulo VIII - Introdução à Obra do Espírito Santo no Crente — 444

Capítulo IX - A Regeneração e o Espírito Santo — 448

I.	A Necessdade	448
II.	A Comunicação da Vida	450
III.	Aquisição da Natureza de Deus	452
IV.	Introdução na Família de Deus	453
V.	Herança da Porção de um Filho	454
VI.	O Propósito de Deus para a sua Eterna Glória	454
VII.	A Base da Fé	456
	Conclusão	465

Capítulo X - Habitação do Espírito Santo — 466

I.	De Acordo com a Revelação	468
II.	Em Relação à Unção	475
III.	De Acordo com a Razão	476
IV.	Em Relação ao Selo	478

Capítulo XI - O Batismo no Espírito Santo — 480

I.	A Palavra ΒΑΠΤΙΖΩ	480

II.	Os Textos Determinantes	482
III.	A Coisa Realizada	492
IV.	A Clareza	497
	Conclusão	499

A Responsabilidade do Crente — 501

Capítulo XII - Introdução à Responsabilidade do Crente — 501

I.	Motivos Inteligentes	501
II.	Obrigações Prescritas	503
III.	Dependência do Espírito	505
IV.	Palavra de Deus	506
V.	Uma Transformação Espiritual	510
VI.	A Terminologia Usada	511

Capítulo XIII - O Poder para Vencer o Mal — 514

I.	O Mundo	516
II.	A Carne	519
III.	O Diabo	529
	Conclusão	530

Capítulo XIV - O Poder para Fazer o Bem — 532

I.	O Fruto do Espírito	533
II.	Os Dons do Espírito Santo	547
III.	A Oferta de Louvor e Ação de Graças	552
IV.	O Ensino do Espírito	553
V.	A Direção do Espírito	556
VI.	A Vida de Fé	559
VII.	A Intercessão do Espírito	560
	Conclusão	561

Capítulo XV - Condições Exigidas para a Plenitude — 562

I.	"Não Entristeçais o Espírito de Deus"	563
II.	"Não Extingais o Espírito"	577
III.	"Andai no Espírito"	587

Capítulo XVI - Doutrinas Relacionadas — 593

I.	A Participação do Crente na Morte de Cristo	598
II.	A Perfeição	605
III.	A Santificação	606
IV.	O Ensino Sobre a Erradicação	607
	Conclusão	610

Capítulo XVII - Uma Analogia — 611

I.	O Estado de Perdição	611
II.	O Objetivo e o Ideal Divinos	612
III.	O Dom de Deus	612
IV.	A Obra da Cruz	613
V.	O Lugar da Fé	614
	Conclusão	615

Notas — 619

Volume 5

Cristologia

Lewis Sperry Chafer
D.D., Litt.D., Th.D.
Ex-presidente e professor de Teologia Sistemática no
Seminário Teológico em Dallas

CRISTOLOGIA

CRISTOLOGIA

CAPÍTULO I

O Verbo[1] Pré-encarnado – O Filho de Deus

Introdução

A CRISTOLOGIA, (Χριστός, λόγος), à qual este volume todo é dedicado, é a doutrina que fala sobre o Senhor Jesus Cristo. Na tentativa de escrever sobre esta pessoa digna de adoração ou a respeito de suas realizações incomparáveis – realizações essas quando concluídas trarão redenção perfeita, exercida para a sabedoria infinita do atributo da graça divina, que manifestou o Deus invisível às suas criaturas, e subjugou um universo rebelde no qual ao pecado foi permitido demonstrar a sua muitíssima malignidade – às limitações de uma mente finita que está enfraquecida por uma percepção errônea de que tudo é aparente demais. Samuel Medley expressou este senso de restrição quando escreveu:

Ah! se eu pudesse falar do valor inigualável;
Ah! seu eu pudesse anunciar publicamente as glórias
Que em meu Salvador brilham;
Eu me elevaria, e tocaria os instrumentos celestiais,
E competiria com Gabriel, enquanto ele cantasse
Em notas quase divinas.

Assim, além disso, a mesma incapacidade é sentida e expressa por Carlos Wesley:

Ah! se milhares de línguas cantassem
O louvor do meu grande Redentor;
As glórias de meu Deus e rei,
Os triunfos de sua graça.

Deste Incomparável Ser é dito que "no princípio era o Verbo, e o Verbo estava com Deus e o Verbo era Deus. E ele estava no princípio com Deus"; todavia, esse Incomparável Ser que ocupou o lugar mais elevado da divindade em companhia do Pai e do Espírito Santo "se fez carne, e habitou entre nós".

Aquele que é de eternidade a eternidade, mas foi nascido de uma mulher e morreu numa cruz. Aquele que, de acordo com a mente do Espírito, é Maravilhoso, mas foi cuspido pelos homens. Aquele que, pela mesma mente, é Conselheiro, mas foi rejeitado pelos homens. Aquele que é o Deus Forte, mas foi crucificado em fraqueza profunda. Aquele que é o Pai da Eternidade, mas foi um

Filho que aprendeu a obediência pelas coisas que sofreu. Aquele que é o Príncipe da Paz, mas teve de pisar o lagar da fúria e da ira do Deus Todo-Poderoso; porém, o "dia da vingança" está em seu coração e quebrará as nações com um cetro de ferro e irá parti-las em pedaços como a um vaso de oleiro. Aquele que disse: "Sou entre vós como aquele que serve", também disse: "Não penseis que vim para trazer paz à terra: Eu não vim para trazer paz, mas a espada". Aquele que é inocente, o amante dos Cânticos de Salomão e o Rei da glória, mas que é poderoso nas batalhas. Aquele que criou todas as coisas, mas ocupou o berço de uma criança. Aquele que é santo, inocente, imaculado e separado dos pecadores, mas foi feito pecado em favor de outros. Aquele que é o Pão da Vida, mas Ele mesmo teve fome. Aquele que é o doador da Água da Vida sobrenatural, mas teve sede. Aquele que é o Dom da Vida que Deus deu para um mundo perdido, mas foi Ele mesmo morto. Aquele que morreu, mas agora está vivo para sempre.

O alcance da vida e da influência de Jesus Cristo, como está revelado na Escritura, é tal que pode compreender as coisas infinitas e finitas, de Deus e dos homens, do Criador e da criatura, das coisas no céu e na terra, da eternidade e do tempo, da vida e da morte, do superno, da glória celestial e dos sacrifícios e sofrimentos deste mundo. Nenhuma difusão maior das realidades pode ser concebida do que aquela que é feita quando se fala da pessoa que é ambos, verdadeiro Deus e verdadeiro homem. Pode perguntar-se como Deus poderia nascer da forma humana e morrer, como poderia crescer em sabedoria e estatura, como poderia ser tentado, como poderia estar sujeito à lei, como poderia ter necessidade de orar, como o poder lhe poderia ser dado, o qual não possuía antes, e como poderia ser exaltado, além do que era antes.

Assim, também, pergunta-se como um homem visível e identificado sobre a terra poderia curar todas as espécies de doenças por Sua própria autoridade, como poderia parar as ondas com uma palavra de sua ordem, como poderia discernir os pensamentos de todos os homens, como poderia final e normativamente perdoar pecados, como poderia ter domínio completo sobre as esferas angelicais, como poderia estar associado com o Pai e o Espírito Santo em atribuições majestosas da glória celestial, como poderia ser ligado aos títulos, aos atributos e à adoração pertencentes à divindade. A resposta encontra-se na verdade de que Aquele que, como nenhum outro jamais poderia ser, era tanto Deus quanto homem, uma pessoa passível de ser adorada. Ninguém precisa ficar surpreso de que este Ser é diferente e, pela ausência de um paralelo na história do universo, seja incompreensível para as mentes finitas. Se Ele fosse somente um homem, mesmo o maior dentre eles, Seus companheiros poderiam apreendê-lo; mas, primeiramente, Ele é o Deus de toda eternidade; e por causa desse aspecto de sua pessoa incompreensível, a mente finita nunca pode sondar as profundezas imensuráveis ou medir as alturas ilimitadas do seu Ser.

Um número incontável de homens devotos e mesmo aqueles que carecem de um reconhecimento devido da autoridade divina, tem disputado uns com os outros no esforço de definir ou circunscrever a pessoa de Cristo. A Cristologia se propõe a apresentar essa pessoa ímpar; mas a verdadeira Cristologia, diferentemente do tratamento restrito imposto pela Teontologia, deveria se estender à vida, às atividades de Cristo, e acima de tudo mais para a redenção que Ele operou, e para o seu eterno poder e glória.

Nenhuma apologia apareceu no curso de um sistema completo de doutrina, oferecida para a reconsideração numa tese conectada de verdades que já foram estudadas, em sua ordem apropriada. Há benefício suficiente para justificar o esforço em juntar numa dissertação os aspectos essenciais da revelação divina a respeito da Pessoa e obra da Segunda Pessoa da Trindade – como há igual vantagem num estudo abrangente da Pessoa e obra da Terceira Pessoa da Trindade. Se esses grandes temas fossem alargados para incorporar a história dessas doutrinas, a matéria haveria de transcender em muito o plano desta obra. Os aspectos históricos aqui, como em toda parte desta coleção, são eliminados na grande expectativa de que eles venham a ser explicados numa outra disciplina no curso do estudante, ou seja, *a História da Doutrina Cristã*.

A divisão mais ampla e usual da Cristologia é dupla – a Pessoa de Cristo e Sua obra. A obra de Cristo, por ser geralmente restrita à redenção que Ele realizou, não inclui outros aspectos essenciais – sua vida sobre a terra, seus ensinos, sua manifestação dos atributos divinos, seus ofícios como Profeta, Sacerdote e Rei, ou seus relacionamentos com as esferas angelicais. É com esta consideração mais ampla da Cristologia em mente, que buscaremos uma divisão sétupla deste extenso tema: (1) O Verbo pré-encarnado (cap. I), (2) o Verbo encarnado (caps. II a VIII), (3) Os sofrimentos e a morte do Verbo encarnado (cap. IX), (4) a ressurreição do Verbo encarnado (cap. X), (5) a ascensão e sessão do Verbo encarnado (cap. XI), (6) o segundo advento e o reino do Verbo encarnado (caps. XII-XIII), e (7) o reino eterno do Verbo encarnado (cap. XIV).

Uma avaliação verdadeira e digna da Pessoa de Cristo é o fundamento de uma Cristologia adequada. A medida ou a avaliação superficial de Cristo que não se estende muito mais do que dizer que Ele começou com o seu nascimento humano, que viveu 33 anos sobre a terra, que morreu crucificado, ressuscitou e ascendeu ao céu, é, à luz da história humana que os evangelhos apresentam, uma dedução natural. Tal inferência é, não obstante, incomensurável e é, portanto, enganosa. Os efeitos danosos de tal compreensão restrita de Cristo são sentidos não somente no campo da verdade que se estende meramente às questões temporais e deste mundo; ela envolve o reconhecimento próprio que o homem tem de seu Deus e Criador. Em tais esferas, nenhuma avaliação com respeito ao efeito pode ser colocada sobre a enormidade do erro.

A diferença é grande na verdade, se um homem altamente capacitado e divinamente favorecido começou a existir, quando Cristo nasceu de uma mulher, ou se uma pessoa da Trindade eterna se tornou encarnada em forma humana. A disposição natural da mente humana para pensar de Cristo como um homem a quem os elementos divinos incomuns foram acrescentados, talvez inconscientemente, faça parte de muita coisa do pensamento religioso moderno. Que Cristo é Deus no sentido mais absoluto e que através da encarnação um membro da Trindade digno de adoração entrou na raça humana e tornou-se parte dela, é uma proposição muito diferente. A questão sobre quem Jesus Cristo é se torna a questão fundamental na Cristologia. Se é verdadeiro Deus, como Ele o é, então o seu nascimento, sua vida sobre a terra, seus ensinos, sua morte, sua ressurreição, sua presença no céu, e seu retorno assumem proporções que são tão ilimitadas como infinitas.

Por outro lado, se a Cristologia se ocupa meramente com um homem, seja Ele para sempre exaltado e favorecido de Deus, estes aspectos com respeito a Ele não são mais do que detalhes dessa exaltação humana. Portanto, é essencial, antes de qualquer investigação digna das grandes realidades que compõem o empreendimento divino em Jesus Cristo e através dele possa ser feita, que a mente e o coração do estudante possam estar conscientes num grau que controle todo o seu pensamento, isto é, de que *Cristo é Deus*. A declaração absoluta e dogmática de que Cristo é Deus é a premissa básica em toda lógica a respeito da Pessoa e obra de Cristo. Sem um reconhecimento completo de Sua divindade, cada aspecto da Cristologia deve estar errado no grau fatal. Como acontece num grande número e variedade de temas, a única fonte da qual pode ser extraída uma informação a respeito da Pessoa de Cristo é o Texto Sagrado.

Neste Texto, Deus falou a respeito da divindade e da existência eterna de Cristo – isto, também, não de um modo limitado, mas em cada ponto onde o assunto corretamente aparece na Palavra de Deus; e não muito como uma passagem, quando propriamente exposta, implica o contrário. Aqueles que têm questionado a verdade de que Cristo é Deus o têm feito através de um entendimento limitado daquilo que está escrito, ou através de uma rejeição atrevida daquilo que é, sem dúvida, a mais clara de todas as revelações. Para o teólogo cuja tarefa é descobrir, harmonizar e defender a verdade de que Deus falou, a tarefa relativa à divindade absoluta de Cristo é simples, na verdade. A ligação da doutrina da humanidade de Cristo com o ensino de sua divindade cria um problema que exige a consideração mais exata e cuidadosa; mas a doutrina a respeito da divindade de Cristo, quando isolada, é sem complicações.

As divisões gerais da revelação divina a respeito da preexistência do Verbo podem ser compreendidas sob um arranjo sétuplo da verdade: (1) Cristo é Deus, daí a sua preexistência; (2) Cristo é o Criador, daí a sua preexistência; (3) Cristo é uma das partes do pacto eterno, daí sua preexistência; (4) a predição que o Antigo Testamento faz do Messias que corresponde a Cristo é a de que Jeová é Deus, daí a sua preexistência; (5) o Anjo de Jeová do Antigo Testamento é Cristo, daí a sua preexistência; (6) afirmações bíblicas indiretas declaram Cristo ter preexistido; (7) afirmações bíblicas diretas declaram que Cristo existiu previamente.

I. A Divindade de Cristo

A linha de evidência que demonstra a preexistência de Cristo com base na verdade – afirmada acima – de que Ele é Deus, é totalmente simples. Por ser Deus, Ele existiu desde toda eternidade e será o mesmo de ontem, hoje e eternamente. Para o crente mentalizado espiritualmente, o procedimento que empreende provar a divindade de Cristo é redundante; todavia, para o incrédulo, a reafirmação desta evidência esmagadora sempre será vantajosa, se porventura houver uma sinceridade suficiente para recebê-la. Tal declaração da divindade de Cristo é exigida em qualquer tentativa de desenvolver uma Cristologia digna. A linha de argumento a ser seguida deve ser clara, a saber, que, como a divindade de Cristo é verificada, tanto a sua preexistência quanto a sua existência eterna são asseguradas. Neste assunto, a suposição dos arianos, a qual afirma que Cristo preexistiu, mas era uma criação de Deus e, portanto, não igual a Deus, deve ser refutada. Sobre Deus, a *Confissão de fé de Westminster* declara:

I. Há um só Deus vivo e verdadeiro, o que é infinito em seu ser e perfeições. Ele é um espírito puríssimo, invisível, sem corpo, membros ou paixões; é imutável, imenso, eterno, incompreensível, onipotente, onisciente, santíssimo, completamente livre e absoluto, e faz tudo segundo o conselho da sua própria vontade, que é reta e imutável, e misericordioso, longânimo, muito bondoso e verdadeiro galardoador dos que o buscam, e, contudo, justíssimo e terrível em seus juízos, pois odeia todo pecado; de modo algum terá por inocente o culpado.

II. Deus tem, em si mesmo, e de si mesmo, toda a vida, glória, bondade, e bem-aventurança. Ele é todo-suficiente em si e para si, pois não precisa das criaturas que trouxe à existência; não deriva delas glória alguma, mas somente manifesta a sua glória nelas, por elas, e para elas e sobre elas. Ele é a única origem de todo ser; dele, por ele e para ele são todas as coisas e sobre elas tem Ele soberano domínio para fazer com elas, para elas e sobre elas tudo quanto quiser. Todas as coisas estão patentes e manifestas diante dele; o seu saber é infinito, infalível e independente da criatura, de modo que para Ele nada é contingente ou incerto. Ele é santíssimo em todos os seus conselhos, em todas as suas obras e em todos os seus preceitos. Da parte dos anjos e dos homens e de qualquer outra criatura lhe são devidos todo culto, todo serviço e toda obediência, que Ele houve por bem requerer deles.[2]

É provável que nenhuma outra declaração mais abrangente a respeito de Deus tenha sido formulada do que esta; todavia, é esta infinidade do Ser que as Escrituras atribuem a Cristo. Nada há mencionado ser verdadeiro de Deus que não seja dito ser verdadeiro de Cristo no mesmo grau de perfeição infinita. É verdade que Ele tomou sobre si a forma humana e que, ao fazer isso, problemas importantes surgem com respeito à Pessoa teantrópica que Ele veio a ser. Estes problemas foram considerados sob Teontologia e ainda serão retomados mais tarde, quando estudarmos a encarnação e a vida terrena do Salvador. A questão fundamental é que Cristo é Deus. Isto já foi provado anteriormente e será demonstrado novamente. O estudante é ordenado a não se esquecer dessas provas e a conseguir uma convicção profunda da divindade de Cristo. Se ele vacilar a respeito desta verdade fundamental, deveria reexaminar cada argumento e tentar não caminhar até que esta crença esteja adquirida definitivamente, pois, à parte desta convicção, nenhum verdadeiro progresso será feito.

Se, por outro lado, tal convicção não é adquirida, o estudante está fundamentalmente errado e pode, sob tal incredulidade anormal e falta de obediência às Escrituras, não ser digno de tornar-se um expositor do Texto Sagrado. O próprio Senhor declarou que "todos honrem o Filho, assim como honram o Pai" (Jo 5.23). O Filho é desonrado quando lhe é atribuído um lugar inferior do que o do Pai. Tal desonra ao Filho não é agradável ao Pai, e um ministério é vão, mesmo que sincero, quando se desenvolve sob o desprazer do Pai. A divindade do Pai é plena e universalmente admitida, assim também a divindade do Espírito Santo, mas a divindade do Filho é contestada. Tal dúvida não teria surgido se o Filho não tivesse se encarnado. É a sua entrada na esfera humana que proporcionou um campo para a descrença. Assim, é exigido que o testemunho mais exato da Palavra de Deus seja dado em sua plena autoridade.

Como se o Autor divino antecipasse a tentação para a incredulidade que haveria de existir através do entendimento errôneo da Pessoa teantrópica, também a evidência mais firme é suprida com respeito à divindade de Cristo. As Escrituras são tão claras e conclusivas em suas expressões a respeito da divindade de Cristo como elas são a respeito da sua humanidade. A sua humanidade é revelada pelo método natural de atribuir-lhe títulos e atributos humanos, ações humanas e relacionamentos humanos. Semelhantemente, a sua divindade é revelada na mesma maneira por atribuir a Cristo títulos divinos, atributos divinos, ações divinas e relacionamentos divinos.

1. Os Nomes Divinos. Os nomes encontrados na Bíblia – especialmente aqueles aplicados às pessoas divinas – são muito mais do que títulos vazios. Definem as pessoas a quem eles pertencem. O nome *Jesus* é sua designação humana, mas ele também incorpora o propósito redentor total da sua encarnação (cf. Mt 1.21). Títulos semelhantes como "o Filho do homem", o filho de Maria, "o filho de Abraão", o "filho de Davi", asseveram a sua linhagem humana. De igual modo, as designações "Verbo" ou Logos, "Deus", "Senhor", "Deus Forte", "Pai da Eternidade", "Emanuel", "Filho de Deus", dizem respeito à sua divindade. Entre esses nomes divinos, alguns são concludentes em suas implicações.

A. Designações do Relacionamento Eterno: *Logos* (Λόγος). Como a linguagem expressa o pensamento, assim Cristo é a Expressão, o Revelador e o Manifestador de Deus. O termo *Logos* – usado somente pelo apóstolo João como um nome da Segunda Pessoa – indica o caráter eterno de Cristo. Como *Logos*, Ele era no princípio, Ele estava com Deus, e Ele era Deus (Jo 1.1). Ele igualmente se fez carne (Jo 1.14) e assim é – de acordo com as funções divinas – a manifestação de Deus ao homem (cf. Jo 1.18). Em sua manifestação, tudo o que pode ser revelado relativo à Pessoa de Deus não estava somente residente em Cristo – "porque nele habita corporalmente toda a plenitude (πλήρωμα) da divindade" (Cl 2.9) – mas todas as coisas da competência de Deus – conhecimento insuperável, de fato – estavam residentes nele. Nenhuma declaração mais estranha da divindade de Cristo pode ser feita além da que está indicada pelo cognome Logos.

Sem o uso deste título específico, o apóstolo Paulo também escreveu em Colossenses e em Hebreus [conforme o entendimento do autor, a carta aos Hebreus é de autoria do apóstolo Paulo] sobre a mesma preexistência de Cristo; e a respeito da origem deste título e do fato de que o apóstolo João o emprega sem explicação – a fim de sugerir um entendimento geral de seu significado – uma leitura paralela pode ser feita (cf. Dean Alford, M. R. Vincent, e a *International Standard Bible Encyclopaedia*, s.v. Alexander.).

O bispo Lightfoot, em seu comentário sobre Colossenses, capítulo 1, versículo 15 e seguintes, declarou o significado de *Logos* e de seu uso no Texto Sagrado. Ele escreve.

Como a idéia do *Logos* subjaz a totalidade desta passagem, embora o termo em si não apareça, umas poucas palavras explicativas deste termo serão necessárias como uma espécie de prefácio. A palavra λόγος então, que denota tanto "razão" quanto "linguagem", era um termo filosófico adotado pelo judaísmo alexandrino antes de Paulo ter escrito, para expressar a manifestação do Deus Invisível, o Ser Absoluto, na criação e no governo do mundo. Ela incluía todos os modos pelos quais Deus faz-se a si mesmo conhecido do homem. Como Sua *razão*, ela denotava seu propósito ou desígnio; como Sua *linguagem*, ela sugeria sua revelação. Se este λόγος foi concebido meramente como a energia divina personificada, ou se a concepção tomou uma forma mais concreta, eu não preciso parar agora para perguntar; mas espero dar uma narrativa mais plena do assunto num volume posterior. É suficiente para o entendimento do que se segue dizer que os mestres cristãos, quando adotaram este termo, exaltaram e fixaram o seu significado por lhe atribuir duas idéias precisas e definidas: (1) "O Verbo é uma pessoa divina", ὁ λόγος ἦν πρὸς τὸν θεὸν καὶ θεὸς ἦν ὁ λόγος ; e (2) "O Verbo se tornou encarnado em Jesus Cristo", ὁ λόγος σὰρξ ἐγένετο. É óbvio que estas duas proposições devem ter alterado materialmente a significação de todos os termos subordinados conectados com a idéia de λόγος; e que, portanto, o uso deles nos escritores alexandrinos, tal como Filo, não pode ser tomado para *definir*, embora possa ser trazido para *ilustrar*, o significado deles em Paulo e João. Com estes cuidados a fraseologia alexandrina, como uma preparação providencial para o ensino do Evangelho, propiciará importante ajuda para o entendimento dos escritos apostólicos.[3]

Unigênito (μονογενής) – *João 1.14,18*. Este, um dos mais elevados dos títulos jamais empregados, porta uma indicação da relação eterna existente entre o Pai e o Filho. Aqui R. Govett declara:

Esta glória era do "*unigênito* do Pai". Estas palavras, então, refutam as idéias de alguns dos "homens mais inteligentes", de que há muitas como que emanações procedendo de Deus. Não! Ele é o Unigênito. Ele está relacionado ao Pai, como o filho único está relacionado ao pai terreno.

Ele é "gerado, não feito", participante em plenitude da divindade de seu Pai. "Mas se é assim, você não introduz outra dificuldade? Se Ele é o unigênito de Deus, procedendo do Pai, você não está sugerindo, que Ele não é eterno, mas tem um começo, após o Pai?" A esta altura dois erros podem querer entrar: "Jesus Cristo é *Deus*; portanto, não um *Filho* de Deus". Então surge o triteísmo, ou a doutrina de três deuses. Ou, "Jesus Cristo é *Filho* – portanto, ele não é *Deus*". Então, entra o arianismo. Testificamos de forma contrária, então, usando a Escritura, e dizemos que Jesus Cristo é o Eterno Filho de Deus, e é Deus. A expressão "decretos eternos" contém a mesma dificuldade que "Filho Eterno". A eternidade introduz dificuldades, além de nossa linha de compreensão. Jesus é o "Unigênito" em relação aos muitos figurativos "filhos de Deus". Os anjos são filhos de Deus por *criação*; mas no sentido em que Cristo é, eles não são filhos de forma alguma. Ele permanece único. Num outro sentido, aqueles gerados de novo pelo Espírito se tornam filhos *adotados* de Deus. Mas eles *começam* a ser assim, após terem se tornado homens. Cristo era Filho desde toda a eternidade. Ainda mais, para colocar a matéria de um modo claro, o Espírito de Deus acrescenta – "Unigênito *do Pai*", como distinto do Pai eternamente, e o enviado do Pai. Jesus usa esta frase em referência a si próprio (Jo 3.16-18). A palavra, então, deve ser tomada no sentido mais elevado de que ela é capaz, pois o fato de Jesus ser dado é alegado ser o maior dom que é possível. Quanto mais elevada a pessoa de Cristo, maior é a glória de Deus no dom de seu Filho.[4]

Imagem (εἰκών) – *Colossenses 1.15. Imagem* conta mais do que mera semelhança; ela implica que há um protótipo e que a imagem é a sua realidade revelada. Sobre este termo Dean Alford pode ser citado:
...a imagem do Deus invisível (o adjunto invisível é de peso total para o entendimento da expressão). O mesmo fato sendo o fundamento da totalidade como em Filipenses 2.6 e seguintes, de que o Filho *subsistia em forma de Deus*, que este aspecto do fato é destacado *aqui*, que aponta para o Seu ser a manifestação *visível* de que em Deus que é *invisível*: a *palavra do silêncio eterno*, o *brilho* da glória que nenhuma criatura pode suportar, a *marca expressa* daquela pessoa que é incomunicavelmente de Deus; em uma palavra, o *declarador* do Pai, a quem ninguém jamais viu. Assim, enquanto o epíteto invisível inclui nele não somente a *invisibilidade*, mas a incomunicabilidade de Deus, o termo imagem também não deve ser restrito a Cristo corporalmente visível na encarnação, mas que se entenda Dele como a manifestação de Deus em sua Pessoa total e obra – preexistente e encarnado. Está óbvio que nesta expressão o apóstolo aborda bem de perto a doutrina alexandrina do *Logos* ou *Verbo*; quão próximo por ser visto por um extrato de Filo: "Como aqueles que não podem olhar para o sol, que olhem para os raios solares opostos a ele como ele mesmo, e para as fases mutantes da lua como sendo ele próprio:

A DIVINDADE DE CRISTO

assim os homens apreendem *a imagem de Deus, Seu Anjo, a Palavra, como sendo Ele próprio*". Paulo está, na verdade, como João esteve, adotando a linguagem daquela erudição à medida que representava a verdade divina, e resgatando-a de ser usada a serviço do erro.[5]

Imagem Expressa (χαρακτήρ) – *Hebreus 1.3*. M. R. Vincent afirma: "Aqui o ser essencial de Deus é concebido como estabelecendo a sua marca distintiva sobre Cristo, vindo numa expressão definida e característica em sua pessoa, de modo que o Filho porta a impressão exata da natureza e do caráter divinos.[6]

Unigênito (πρωτότοκος). Este título – algumas vezes traduzido como Primogênito – indica que Cristo é Primogênito, o mais velho em relação a toda criação; não a primeira coisa criada, mas a antecedente a todas as coisas assim como a causa delas (cf. Cl 1.16).

Deste título, o Dr. John F. Walvoord escreve: "Este termo é usado duas vezes no Novo Testamento, sem se referir a Cristo (Hb 11.28; 12.23), e sete vezes como Seu título. Um exame dessas referências revelará um uso tríplice: (a) Antes de toda criação (Rm 8.29; Cl 1.15). Como o "primogênito de toda criação" (Cl 1.15), o título é obviamente usado, a fim de esclarecer que Cristo existia antes de toda criação; daí, eternamente auto-existente. (b) Primogênito de Maria (Mt 1.25; Lc 2.7; Hb 1.6). Aqui a referência é claramente ao fato de que Cristo era o primeiro filho nascido de Maria, um uso em contraste ao que fala de sua filiação eterna. O termo é usado, então, de sua pessoa pré-encarnada, e também da sua pessoa encarnada. (c) Primogênito pela ressurreição (Cl 1.18; Ap 1.5). O significado aqui é que Cristo é o primeiro a ser ressuscitado dentre os mortos na vida ressurrecta; daí, 'o primogênito dos mortos' (Cl 1.18). Em relação à eternidade de Cristo, este título é outra prova de que Cristo é auto-existente, Deus incriado mencionado em Romanos 8.29, Colossenses 1.15, e que, em vista de sua pessoa eterna, Ele também tem a honra de ser o primeiro a ser ressuscitado dos mortos na vida ressurrecta".[7]

Um estudo destes nomes não pode senão imprimir na mente devota a verdade de que o Senhor Jesus Cristo existiu como Deus desde toda a eternidade, e que Ele assim existirá por toda a eternidade vindoura.

B. DESIGNAÇÕES PRINCIPAIS DA DIVINDADE: *Deus*. Embora em poucos exemplos o nome *Deus* seja usado com uma aplicação inferior, ele é quase universalmente uma referência à divindade. Quando aplicado a Cristo, como muitas vezes acontece, ele O declara ser da divindade e, portanto, como tendo existido desde toda a eternidade. O uso dessa designação para Cristo começa no Antigo Testamento e continua por todo o Novo. Uma evidência abundante pode ser citada que faz com que Isaías 40.3 venha a ser uma antecipação do ministério do primeiro advento de Cristo como anunciado por João. A passagem diz: "Eis a voz do que clama: Preparai no deserto o caminho do Senhor; endireitai no ermo uma estrada para o nosso Deus". Neste texto, o Espírito Santo assevera que o Messias, ou Cristo, é tanto Jeová quanto *Elohim*. Do mesmo modo, o mesmo profeta, por inspiração, escreve: "Porque um menino nos nasceu, um filho se nos deu; e o governo estará sobre os seus ombros; e o seu nome será: Maravilhoso Conselheiro, Deus Forte, Pai Eterno, Príncipe da Paz. Do aumento do seu governo e da paz não haverá fim, sobre o trono de Davi e no seu reino, para o estabelecer e o fortificar em retidão e em justiça, desde agora e para sempre; o zelo do Senhor dos exércitos fará isso" (Is 9.6,7).

Cristo somente é o membro da divindade, de quem poderia ser dito que Ele seria nascido e que se assentaria no trono de Davi. Assim, também, Isaías declara que esse Ser vindouro seria *Emanuel*, e o identifica como Aquele que seria nascido de uma virgem (Is 7.14). Mateus interpreta o nome *Emanuel* como o "Deus conosco" (Mt 1.23). A importância deste título é mais do que Deus estando presente com seu povo; é que, pela encarnação, Deus se tornou um membro da raça humana. Lucas registra o anjo dizendo de Cristo que João converteria muitos ao Senhor seu Deus (Lc 1.16); e isto quer dizer que ele os converteria ao Messias. Assim, também, em oposição a toda revelação relativa à humanidade de Cristo que o Novo Testamento apresenta, é a revelação no mesmo Testamento sobre a verdade de Sua divindade absoluta, feita pela aplicação repetida a Ele do nome *Deus*.

Como foi visto acima, o apóstolo João, quando introduzia Cristo como o sujeito de seu evangelho, afirma que o *Logos* é Deus, e imediatamente acrescenta que este mesmo *Logos* (que é Deus) foi quem criou todas as coisas. Quando Tomé viu as feridas do Salvador, ele disse: "Senhor meu e Deus meu" (Jo 20.28). Tal declaração, se fosse inverídica, seria idolatria e um pecado repreensível; todavia, Cristo não o reprovou, mas antes afirma que, por causa disso, Tomé veio a crer o que era verdadeiro a respeito dEle. Tão certamente como é Cristo que virá novamente, assim certamente Ele porta o título de grande Deus e nosso Salvador (Tt 2.13). Foi Deus que derramou seu sangue para comprar a Igreja (cf. At 20.28). Quando o Salmo 45.6 é citado em Hebreus – claramente referindo-se a Cristo – a mensagem afirma: "O teu trono, ó Deus, é para todo sempre". É, assim, nos termos mais expressos, que Cristo é dito ser *Deus*, e a razão assevera que, se Ele é Deus, Ele existiu desde toda eternidade. Ele é o "verdadeiro Deus", o "Deus bendito", e o "Deus que é sobre todos".

Jeová. Por último, deve ser observado que o mais elevado de todos os nomes da divindade, que é o de *Jeová*, é livre e constantemente aplicado a Cristo. Do caráter exaltado desse nome está escrito: "Eu sou o Senhor, este é o meu nome; a minha glória, pois, a outrem não a darei, nem o meu louvor às imagens esculpidas" (Is 42.8). O nome Jeová é próprio a apenas um; ele nunca pode ser corretamente aplicado a outro. Outros títulos da divindade, como *Elohim*, implicam uma correspondência com outros. "Para que saibam que só tu, cujo nome é o Senhor (JEOVÁ), és o Altíssimo sobre toda a terra" (Sl 83.18). É Jeová que fala em Zacarias 12.10, todavia, somente Cristo poderia ser identificado como Aquele que foi traspassado. Assim o profeta escreve: "Mas sobre a casa de Davi, e sobre os habitantes de Jerusalém, derramarei o espírito de graça e de súplicas; e olharão para aquele a quem traspassaram, e o prante{}arão como quem prante{}ia por seu filho único; e chorarão amargamente por ele, como se chora pelo primogênito".

João parecia considerar este texto, quando disse: "Eis que vem com as nuvens, e todo olho o verá, até mesmo aqueles que o traspassaram; e todas as tribos da terra se lamentarão sobre ele" (Ap 1.7). Ter tanto a divindade quanto a humanidade em vista como declara Jeremias 23.5,6, é uma evidência certa de que é de Cristo que o profeta escreve, quando diz: "Eis que vêm dias, diz o Senhor, em que levantarei a Davi um Renovo justo; e, sendo rei, reinará e procederá sabiamente, executando o juízo e a justiça na terra. Nos seus dias Judá será salvo, e Israel habitará seguro; e este é o nome de que será chamado: "O SENHOR JUSTIÇA NOSSA". É Cristo que é feito para o crente *justiça* (1 Co 1.30; 2 Co 5.21). No Salmo 68.18, Jeová aparece novamente. A passagem diz, "Tu subiste ao alto, levando os teus cativos; recebeste dons dentre os homens, e até dentre os rebeldes, para que o Senhor Deus habitasse entre eles".

E é com este próprio texto que, quando citado pelo apóstolo em Efésios 4.8-10, ele se refere definitivamente a Cristo. O Salmo 102, onde o nome Jeová aparece ao menos oito vezes, é citado em conexão com Cristo em Hebreus 1.10 e seguintes, assim "Tu, Senhor, no princípio fundaste a terra, e os céus são obra de tuas mãos...". Assim, também, em Isaías 8.13,14 Ele é dito ser a Pedra de tropeço: "Ao Senhor dos exércitos, a ele santificai; e seja ele o vosso temor e seja ele o vosso assombro. Então ele vos será por santuário; mas servirá de pedra de tropeço, e de rocha de escândalo, às duas casas de Israel; de armadilha e de laço aos moradores de Jerusalém". Desta profecia sobre Cristo, Pedro escreve: "E assim para vós, os que credes, é a preciosidade; mas para os descrentes, a pedra que os edificadores rejeitaram, essa foi posta como a principal da esquina, e: Como uma pedra de tropeço e rocha de escândalo; porque tropeçam na palavra, sendo desobedientes; para o que também foram destinados" (1 Pe 2.7,8). Sobre esta importante passagem – Isaías 6.1-13, em sua relação com João 12.41, o Dr. William Cooke escreve:

Em João 12.41, o evangelista, ao falar de Cristo, diz: "Estas coisas disse Isaías, quando ele viu sua glória, e falou dele". As coisas que Isaías falou estão afirmadas no versículo anterior, e vemos esta profecia revelada em Isaías 6. O evangelista afirma que o profeta viu a glória de Cristo no tempo da revelação; e ali vemos a manifestação sublime a que ele se refere, e os serafins cobriam suas faces diante de sua majestade terrível. Mas aquele de quem o evangelista fala como o Cristo, em seu estado de humilhação, encarnado, o profeta identifica em sua glória preexistente como Jeová, e os serafins o adoram como *Jeová dos exércitos*. Esta passagem é importante demais para ser omitida: "No ano em que morreu o rei Uzias, eu vi o Senhor assentado sobre um alto e sublime trono, e as orlas do seu manto enchiam o templo. Ao seu redor havia serafins; cada um tinha seis asas; com duas cobria o rosto, e com duas cobria os pés e com duas voava. E clamavam uns para os outros, dizendo: Santo, santo, santo é o Senhor dos exércitos; a terra toda está cheia da sua glória" (Is 6.1-3). A evidência de que Cristo é aqui chamado de Jeová dos Exércitos, é muito fulgurante para ser resistida, e a autoridade sacra

CRISTOLOGIA

demais para ser impugnada. Ora, que o leitor se lembre da declaração que previamente apresentamos da Palavra de Deus, que proclama que "Aquele cujo nome somente é *Jeová* é o Altíssimo sobre toda a terra", e então compare essa afirmação com o fato diante de nós, de que o nome "Jeová", e suas várias combinações, como "Jeová Deus", "Jeová nossa justiça", e "Jeová dos exércitos", são aplicados a Cristo, e o leitor terá diante de si uma demonstração completa da própria divindade de Cristo. O Novo Testamento é escrito em grego, e o nome Jeová, que é hebraico, não ocorre nele; a palavra não é usada pelos evangelistas ou apóstolos em referência mesmo ao Pai, Filho ou ao Espírito. Na verdade, esse nome havia cessado de ser pronunciado, exceto pelo sumo sacerdote no templo. Na versão da Septuaginta, a palavra Κύριος, Senhor, está em seu lugar, seja esse nome aplicado ao Pai, Filho ou Espírito Santo; e, na verdade, em suas próprias composições essa palavra é constantemente aplicada à divindade, seja qual for a pessoa que possa estar em mente. Esta palavra, em seu significado radical, significa existência, como a palavra Jeová; e embora os costumes não a tenham restringido a Deus somente, todavia, quando aplicada a ele, deve ser entendida como apresentando o significado pretendido pelo nome Jeová. Isto não será discutido em referência ao Pai; mas, como mostramos abundantemente que a palavra Jeová, com todas as suas combinações sagradas, é aplicada a Cristo, segue-se necessariamente que a palavra Κύριος, Senhor, é também aplicável a ele em seu sentido mais elevado – como o substituto de Jeová, no mesmo sentido em que ele é aplicado ao Pai, e é, assim, aplicado a ele numa multidão de casos. As numerosas passagens citadas no Antigo Testamento, e aplicadas pelos apóstolos a Cristo, estabelecem plenamente isto para mostrar que os nomes "Jeová" e "Senhor" são termos permutáveis quando aplicados a Cristo, e a palavra "Senhor" é aplicada ao Redentor cerca de mil vezes no Novo Testamento. Algumas vezes, tanto no Antigo quanto no Novo Testamento, a *perífrase* é usada para expressar a mesma idéia de Jeová – a saber, diversas palavras são empregadas como explicativas do seu significado. Uns poucos exemplos deixarão isto bem claro: "Escuta-me, ó Jacó, e tu, ó Israel; a quem chamei; eu sou o mesmo, eu o primeiro, e também o último" (Is 48.12); "Eu, o Senhor, que sou o primeiro, e que com os últimos sou o mesmo" (Is 41.4); e ainda: "assim diz o Senhor, Rei de Israel, seu Redentor, o Senhor dos exércitos: Eu sou o primeiro, e eu sou o último, e fora de mim não há Deus" (Is 44.6). Destas passagens, fica claro que os termos "O Primeiro e o Último" são não somente títulos da divindade, mas são explicativos do nome Jeová – são expressivos daquele que é eterno em sua existência e imutável em sua natureza. Ora, estes títulos divinos são atribuídos a nosso Senhor e Salvador: "Eu sou o Alfa e o Ômega, o princípio e o fim, o Primeiro e o Último". (Ap 22.13); "Eu, Jesus, enviei o meu anjo para vos testificar estas coisas a favor das igrejas"

A Divindade de Cristo

(Ap 22.16); "Quando o vi, caí a seus pés como morto; e ele pôs sobre mim a sua destra, dizendo: Não temas; eu sou o primeiro e o último, o que vivo; fui morto, mas eis aqui estou vivo pelos séculos dos séculos" (Ap 1.17,18); "Eu sou o Alfa e o Ômega, diz o Senhor Deus, aquele que é, e que era, e que há de vir, o Todo-poderoso" (Ap 1.8). As duas primeiras passagens muito claramente se referem a Jesus; e o que a terceira faz, é altamente provável, vem tanto do contexto quanto da fraseologia. Visto, então que o título, "o Primeiro e Último", é a perífrase para Jeová no Antigo Testamento, e isto é aplicado a Jesus no Novo, ele fornece uma declaração adicional de sua própria divindade. Nos textos a que já nos referimos, diversos outros termos são introduzidos que são expressivos do mesmo significado. Ele é chamado Alfa e Ômega. Alfa é a primeira e Ômega a última letra no alfabeto grego, e a importância disto é que Ele é a origem e o objeto de todas as coisas. Ele é chamado de "Aquele que é, que era e que há de vir"; e isto é apenas outra perífrase para Jeová – outro modo de expressar a sua natureza eterna e imutável. Parece que ele também é chamado de Todo-poderoso, cuja palavra se explica como um nome adequado para ele somente que no mais alto sentido é Deus. A palavra Todo-Poderoso ($\pi\alpha\nu\tau\omega\kappa\rho\acute{\alpha}\tau\omega\rho$) é freqüentemente usada, e ela sempre significa, como Schleusner diz: "o Ser onipotente, que tem todas as coisas sob seu próprio poder, e de cuja vontade e prazer todos os seres criados são dependentes". E (*est nomem soli Deo proprium*) – "é um nome próprio somente para Deus". A seguinte passagem ilustra e confirma esta idéia: "Grandes e admiráveis são as tuas obras, ó Senhor Deus Todo-poderoso; justos e verdadeiros são os teus caminhos, ó Rei dos séculos. Quem não te temerá, Senhor e não glorificará o teu nome? Pois só tu és santo" (Ap 15.3,4).[8]

Muita coisa pode ser dita dos títulos Jeová do Templo e Jeová do Sábado, quando aplicados a Cristo. Para o judeu, o templo era maior do que tudo mais, exceto Aquele que se agradava em habitar ali. Malaquias declarou que Jeová viria para o seu templo (3.1), e Cristo cumpriu essa predição. Do templo, Cristo disse: "Vós tornastes a minha casa em covil de salteadores", e "minha casa será chamada casa de oração". O templo não poderia ser a casa de Cristo, a menos que fosse verdade que Cristo é Jeová. De igual modo, o sábado era o dia de Jeová. Ele o ordenou e Ele deveria ser honrado pelo sábado; mas Cristo chamou-se a si mesmo também "Senhor do sábado". O sábado era o dia de Jeová também no sentido em que ele veio para ser Seu através da seqüência de seis dias da criação. Assim, quando Cristo anunciou que era Senhor também do sábado Ele, através disso, assumiu o lugar do Criador de todas as coisas. Todavia, mais pode ser dito do nome que Cristo traz. A salvação é através do seu nome (cf. At 4.12); e todos os ajuntamentos do povo de Deus são feitos em Seu nome, que, portanto, é Deus.

Fica assim demonstrado que todo nome divino é atribuído tão livremente a Cristo como ao Pai, e se estes títulos não asseveram a divindade do Filho então, com sinceridade, eles não asseveram a divindade do Pai. Visto que está declarado por esses nomes que Cristo é Deus, então segue-se que Ele existiu como Deus antes de sua encarnação.

2. Os Atributos Evidenciais. Igualmente conclusivo de que Cristo é Deus é a evidência retirada de seus atributos. Somente uma porção deste material precisa ser indicada.

Eternidade. Deveria ser mantida uma distinção entre aquilo que é meramente estendido e indefinido com respeito ao tempo e aquilo que é eterno no sentido absoluto. Milhões de eras podem ter acontecido, mas nenhuma multiplicação de eras pode jamais perfazer uma eternidade. De Cristo está dito que "as suas saídas são desde os tempos antigos, desde os dias da eternidade" (Mq 5.2). No texto de nossas traduções a expressão "no princípio" serve tanto para iniciar o livro de Gênesis quanto o de João. O começo de Gênesis, contudo, é comparativamente uma história moderna quando comparado ao mencionado por João. Gênesis relata a origem das coisas materiais, enquanto João pressiona a linguagem para ela atingir o seu último grau de expressão e declarar aquilo que é eterno. Num começo que antedata todos os atos criadores, o *Logos* ali estava. Ele não começou a existir ali, mas Ele próprio era tão antigo e tão todo-suficiente naquela época como agora.

Este Logos que *era* tem sido identificado como o Senhor Jesus Cristo. Ele é quem João apresenta como o Sujeito de seu evangelho. Assim, também, pela aplicação do nome Jeová "Eu Sou" (Jo 8.58), Cristo alegou a respeito de si mesmo que Ele é Jeová, e nenhuma afirmação tão forte poderia ser feita por Ele a respeito de sua eternidade do que assumir essa designação. Que Ele é Jeová é uma verdade à qual nenhuma criatura poderia fornecer uma evidência conclusiva. Ele dá testemunho de Si próprio, e isto poderia ser, como na verdade foi, confirmado pelo Pai e pelo Espírito Santo. O testemunho que Cristo dá de si mesmo é sustentado pelo seu caráter inatacável. Nisto ele não foi nem auto-enganado nem ignorante. Semelhantemente, e pela autoridade da inspiração do Espírito Santo, é dito por Isaías que Cristo é o Pai Eterno, declaração essa que é melhor traduzida como *Pai da Eternidade*. O apóstolo declara que "ele é antes de todas as coisas, e nele subsistem todas as coisas" (Cl 1.17).

Aquele que existia antes de qualquer coisa ter sido criada é necessariamente em si mesmo incriado e eterno. João afirma que Cristo é "o Primeiro e o Último". Esta é uma das mais fortes declarações de Jeová a respeito de si mesmo (cf. Is 41.4; 44.6; 48.12). As eras passadas e futuras estão incluídas nesta proclamação. Na verdade, como poderia o Salvador ser a fonte da vida eterna a todos que crêem e Ele próprio não ser eterno? Com referência ao começo de Sua humanidade, Ele está relacionado ao tempo, embora sua humanidade nunca venha a conhecer um fim.

Imutabilidade. A imutabilidade da divindade é atribuída a Cristo. Quando Jeová anuncia: "Eu sou o Senhor, eu não mudo" (Ml 3.6), Ele afirma aquilo que pertence à divindade somente. Tudo mais está sujeito à mudança. Portanto, é significativo que de Cristo esteja escrito: "Eles perecerão, mas tu permaneces; e todos eles, como roupa, envelhecerão, e qual um manto os enrolarás, e como roupa se mudarão; mas tu és o mesmo; os teus anos não acabarão... Jesus Cristo é o mesmo ontem, e hoje e para sempre" (Hb 1.11, 12; 13.8).

Onipotência. O *Todo-poderoso* é um nome que pertence somente à divindade. Todavia, de Cristo se diz que Ele tem "eficaz poder de até sujeitar a si todas as coisas" (Fp 3.21), e no final do Milênio, vai vencer todos os inimigos angelicais "e todas as coisas serão submetidas a ele" (1 Co 15.28). Nenhuma referência particular ao poder mostrado em suas obras poderosas enquanto aqui na terra é necessária quando nos lembramos de que repetidamente se diz que Ele é o Criador de todas as coisas.

Onisciência. Além disso, outro atributo que pertence somente à divindade está em vista, e em muitos exemplos direta e indiretamente esta competência ilimitada é atribuída ao nosso Senhor Jesus Cristo. Que a onisciência é uma característica da divindade, está revelada em muitas passagens do Antigo Testamento: "...(pois tu, só tu conheces o coração de todos os filhos dos homens)" (1 Rs 8.39); "Eu, o Senhor, esquadrinho a mente, eu provo o coração; e isso para dar a cada um segundo os seus caminhos e segundo o fruto de suas ações" (Jr 17.10; cf. 11.20; 20.12). De Cristo se diz que Ele conhecia a mente e os pensamentos de todos os homens. Ele não precisava que alguém lhe desse testemunho sobre o que havia no homem. "Ele conhece os pensamentos dos homens." Não é uma contradição desta grande verdade quando Cristo disse de si próprio: "Quanto, porém, ao dia e à hora, ninguém sabe, nem os anjos no céu nem o Filho, senão o Pai" (Mc 13.32). Estaria totalmente dentro da esfera da pessoa teantrópica conhecer perfeitamente, olhando do seu lado divino e, ainda não conhecer do lado humano.

Como poderia Ele conhecer e, todavia, não conhecer, está além do entendimento humano, mas não impossível como Deus; contudo, é provável que o Salvador tenha empregado uma forma de linguagem que seja comum à Palavra de Deus. Como o apóstolo disse aos Coríntios: "Porque nada me propus saber entre vós, senão a Jesus Cristo, e este crucificado" (1 Co 2.2), assim Cristo pode ter falado. Nesta afirmação aos Coríntios o apóstolo declara que ele determinou limitar a sua mensagem a um tema. Certamente, ele não se tornou ignorante daquela hora em diante de tudo mais o que havia conhecido. É facilmente crido que não era e não é o propósito de Deus revelar o dia e a hora do retorno de Cristo. Ao falar da glória, Cristo disse: "...e todas as igrejas saberão que eu sou aquele que esquadrinha os rins e os corações; e darei a cada um de vós segundo as suas obras" (Ap 2.23). João 10.15 é muito conclusivo a respeito da onisciência de Cristo assim como Mateus 11.27: "Todas as coisas me foram entregues por meu Pai; e ninguém conhece plenamente o Filho, senão o Pai; e ninguém conhece plenamente o Pai, senão o Filho, e aquele a quem o Filho o quiser revelar".

Onipresença. De Jeová está escrito: "Mas, na verdade, habitaria Deus na terra? Eis que o céu, e até o céu dos céus, não te podem conter; quanto menos esta casa que edifiquei" (1 Rs 8.27); "Sou apenas Deus de perto, diz o Senhor, e não também Deus de longe? Esconder-se-ia alguém em esconderijos, de modo que eu não o veja? Diz o Senhor. Porventura não encho eu os céus e a terra? diz o Senhor" (Jr 23.23,24). Do mesmo modo Cristo se apresenta como Aquele que estaria presente onde quer que dois ou três se reunissem em Seu nome, e que estaria com eles até a consumação dos séculos. Igualmente prometeu que Ele com seu pai viriam e fariam morada com todos os que os amam (Jo 14.23).

Pode ser assinalado de uma forma definitiva que os atributos divinos do amor infinito, santidade, justiça e verdade são predicados de Cristo como são de seu Pai. Cada atributo divino pertencente a Cristo é uma evidência inquestionável de que Cristo é Deus e, portanto, aquele que existiu desde toda a eternidade.

3. As Obras Poderosas Evidenciais. Estes aspectos da prova a respeito da divindade e da preexistência de Cristo não precisam incluir os seus milagres enquanto Ele estava aqui sobre a terra, tema esse que será visto posteriormente. Os muitos empreendimentos, que o homem nem mesmo pode compreender, são atribuídos a Cristo. Alguns deles são:

Criação. Embora de acordo com a Bíblia a obra da criação seja atribuída a cada uma das pessoas da divindade por sua vez, isso não diminui o escopo dessa obra no caso de qualquer uma delas. Alguns têm argumentado que João 1.3 assevera que o Pai criou através do Filho como Agente, e que o Filho não foi, portanto, a causa original da criação. Sobre esta distinção importante, o Dr. William Cooke escreveu assim:

A fim de neutralizar a força deste argumento para a divindade do Salvador [de que Ele criou o universo], tem sido alegado que a nossa tradução de João 1.3 "todas as coisas foram feitas *por ele*", é forte demais para o original, e que a preposição grega δι' denota mais propriamente o instrumento *através* de quem uma coisa é feita, do que o *agente* por quem ela é feita; que, portanto, embora Cristo possa ser a causa *instrumental*, ele não pode ser a causa *eficiente*; e em apoio a esta idéia eles nos remetem ao texto de Hebreus 1.2: ..."por quem fez também o mundo". Mas esta crítica não passará pelo teste do exame; pois, em primeiro lugar, διά, como um genitivo, é evidentemente usado para a causa eficiente em numerosas passagens. Assim, é aplicado ao Pai, cuja agência eficiente não será questionada; conseqüentemente, lemos: "Fiel é Deus pelo qual (δι' οὗ) fostes chamados para a comunhão de seu Filho Jesus Cristo nosso Senhor" (1 Co 1.9; veja também Rm 11.36; Hb 2.10, onde διά expressa a agência direta do Pai). Se, então, a palavra denota eficiência quando aplicada ao Pai, devemos admitir que ela denota a mesma coisa quando aplicada ao Filho, a menos que estejamos preparados para violar os princípios comuns de linguagem, para sustentar um sistema decadente. Mas deveria ser observado que διά não é a única preposição empregada em referência à operação do poder do Salvador. A preposição ἐν é usada, e esta, também, é expressiva de agência imediata e eficiente, como em Colossenses 1.16,17. Com relação a essa passagem, "por quem também ele fez os mundos", enquanto isto implica a agência do Pai, ela não exclui a agência do Filho, mas denota a agência unida deles, porque a obra da criação é atribuída eficientemente às três pessoas na trindade gloriosa; e talvez a passagem sugira que a agência do Filho era, de alguma forma inefável, especialmente mostrada nesta obra.[9]

Deixando de lado a verdade de que a criação em toda parte é somente um empreendimento divino, é pertinente observar que há quatro afirmações diretas no Novo Testamento, as quais afirmam que Cristo criou todas as coisas. Estas passagens dizem: (1) "Todas as coisas foram feitas por ele, e nada do que foi feito sem ele se fez" (Jo 1.3). Num sentido positivo, todas as coisas foram criadas por Ele, e, num sentido negativo, nada sem Ele se fez. (2) "Ele estava no mundo; e o mundo foi feito por ele, mas o mundo não o conheceu" (Jo 1.10). Um relacionamento estranho é asseverado aqui: Ele está no mundo que Ele havia feito. (3) "Porque nele foram criadas todas as coisas nos céus e na terra, as visíveis e as invisíveis, sejam tronos, sejam dominações, sejam principados, sejam potestades; tudo foi criado por ele e para ele" (Cl 1.16). De Cristo se diz que Ele não somente é o Criador, mas o Objeto de toda criação. Tudo foi criado por Ele e para Ele. (4) "Tu, Senhor no princípio fundaste a terra, e os céus são obra de tuas mãos" (Hb 1.10). Este texto serve para selar tudo o que foi dito antes, e à luz destes textos ninguém com sinceridade haverá de negar que Cristo é o Criador de todas as coisas. Se Ele cria, Ele é Deus; se Ele é Deus, Ele existiu como Deus eternamente.

Preservação. Quem quer que tenha construído este vasto universo também o sustenta e o preserva. Tudo isto é atribuído a Cristo. Em Hebreus 1.3 é dito que Cristo "sustenta todas as coisas pela palavra do seu poder". Semelhantemente, o apóstolo, em Colossenses 1.17, afirma que "Ele é antes de todas as coisas; nele tudo subsiste". Assim, o sistema ilimitado dos mundos é dito ser sustentado por alguém que não o Salvador da raça, aquele que foi alimentado nos braços de uma mãe humana.

Perdão de Pecado. Ninguém sobre a terra tem direito ou autoridade para perdoar pecado. Ninguém poderia perdoar exceto Um contra quem todos pecaram. Quando Cristo perdoou pecado, como certamente aconteceu, Ele não exercia uma prerrogativa humana. É Jeová que "apaga as nossas transgressões", e se diz que Cristo era o Príncipe e Salvador exaltado que dá arrependimento a Israel e perdão de pecados (At 5.31). O apóstolo escreve: "...suportando-vos e perdoando-vos uns aos outros, se alguém tiver queixa contra outro; assim como o Senhor vos perdoou, assim fazei vós também" (Cl 3.13). Visto que ninguém exceto Deus pode perdoar pecados, fica demonstrado conclusivamente que Cristo, visto que perdoou pecados, é Deus, e, por ser Deus, existe desde sempre.

A Ressurreição dos Mortos. Cristo atribuiu a si mesmo o título divino e exaltado de *A Ressurreição e a Vida*. É Deus quem levanta os mortos e, portanto, Cristo anunciou-se a si mesmo como Deus. Está escrito: "Em verdade, em verdade vos digo que vem a hora, e agora é, em que os mortos ouvirão a voz do Filho de Deus, e os que a ouvirem viverão. Pois assim como o Pai tem vida em si mesmo, assim também deu ao Filho ter vida em si mesmo; e deu-lhe autoridade para julgar, porque é o Filho do homem. Não vos admireis disso, porque vem a hora em que todos os que estão nos sepulcros ouvirão a sua voz e sairão: os que tiverem feito o bem, para a ressurreição da vida, e os que tiverem praticado o mal, para a ressurreição do juízo" (Jo 5.25-29); "Porque, assim como por um homem veio a morte, também por um homem veio a ressurreição dos mortos" (1 Co 15.21).

Todo Julgamento. Em vista da verdade de que se assentar para julgar é a mais elevada função de qualquer governo, isto é uma indicação de que todo julgamento está entregue ao Filho. Em tal exercício de autoridade e poder, o Juiz deve conhecer os segredos de todos os corações e a história de cada criatura. Ele próprio deve ser o Justo que sustenta todos os padrões de seu justo governo. No Salmo 9.7,8 está escrito a respeito de Jeová: "Mas o Senhor está entronizado para sempre; preparou o seu trono para exercer o juízo. Ele mesmo julga o mundo com justiça; julga os povos com eqüidade". Todavia, está afirmado que o Pai não julga alguém, mas confiou todo julgamento ao Filho (Jo 5.22), e também está escrito: "Porquanto determinou um dia em que com justiça há de julgar o mundo, por meio do varão que para isso ordenou; e disso tem dado certeza a todos, ressuscitando-o dentre os mortos" (At 17.31). De conformidade com esta grande revelação, fica visto que o julgamento das nações é desempenhado pelo Rei sobre o trono de Davi (cf. Sl 2.7-9; Is 63.1-6; Mt 25.31-46; 2 Ts 1.7-10; Ap 19.15), que Ele julga Israel (cf. Mt 24.37–25.13), que Ele julga as obras dos crentes (cf. 2 Co 5.10), e que Ele ainda julgará todos os poderes angelicais (cf. 1 Co 15.25, 26). Visto que Ele é Deus e que todo julgamento lhe é entregue, é Ele que vai se assentar sobre o grande trono branco no julgamento dos ímpios mortos (cf. Ap 20.12-15). Como sua consorte, sua Noiva também se assentará no julgamento com Ele.

As poderosas obras, como seus nomes e atributos, apontam para a verdade de que Cristo é Deus, e, por ser Deus, é eterno.

4. O RELACIONAMENTO NA TRINDADE. Como uma evidência adicional e final a ser desenvolvida na prova da divindade de Cristo, pode ser observado que em toda revelação a respeito do relacionamento trinitário, o Filho ocupa um lugar de igualdade essencial com o Pai e com o Espírito Santo. Para o Filho, são atribuídas a mesma adoração, a mesma honra e a mesma glória. Não há base para qualquer suposição de que o Pai ou o Espírito Santo são mais reverenciados do que o Filho. Qualquer coisa que seja verdadeira do Pai e do Espírito Santo neste relacionamento é, em cada caso, o mesmo e é verdadeiro do Filho. As Escrituras sustentam este testemunho a despeito da condescendência imensurável do Filho na encarnação, e a despeito da verdade de que Ele permanece encarnado em forma humana por toda a eternidade vindoura. A humanidade de Cristo, como já foi visto, embora perfeita, tem as limitações daquilo que é humano; mas em nenhum caso a sua humanidade restringe a sua divindade.

Ele permanece o que Ele é, a saber, não Deus *mutilado* pela carne, mas Deus *manifesto* em carne. O fato de que Cristo deve ser adorado, e isto com a autoridade do Texto Sagrado e inspirado, é indicativo do que Ele é no relacionamento da divindade. Ele aceitou a adoração de homens, e Ele, tanto quanto o Pai ou o Espírito Santo, deve ser adorado. Quando abordado pelo jovem rico como "Bom Mestre", perguntou-lhe: "Por que me chamas bom?" O significado total desta pergunta depende do lugar onde é colocada a ênfase. Evidentemente, Cristo não disse: "Por que me chamas *bom*?", mas declarou: "*Por que* me chamas bom?" Com isso conseguiu, tanto quanto pôde, a estima em que este administrador de riquezas o tinha. Não há base aqui para a alegação unitariana de que Cristo não acreditava na sua própria divindade. Aqueles que pensam principalmente nos termos da humanidade de Cristo, naturalmente recuam diante do que parece ser a adoração de um homem. A correção desta impressão pode vir somente quando se dá a devida atenção à verdade, que é perfeitamente estabelecida, de que Ele é Deus.

Para aqueles que crêem no testemunho da Bíblia a respeito do modo triúno da existência divina, não pode haver dúvida de que Cristo é a Segunda pessoa nessa Trindade; nem pode dúvida ser nutrida com razoabilidade sobre se a Segunda Pessoa é, em cada aspecto, igual à Primeira ou à Terceira.

Concluindo esta divisão que trata da divindade de Cristo, pode ser reafirmado que a quarta prova – seus nomes, atributos, suas obras poderosas, e o seu lugar legítimo na Trindade – estabeleceu a verdade de que *Cristo é Deus*, e, visto que Ele é Deus, existiu desde toda a eternidade.

II. Cristo e a Criação

De longo alcance em seu valor evidencial a respeito da divindade de Cristo, é a verdade de que Cristo é o Criador que deve reaparecer nesta discussão. A criação já foi listada entre as Suas obras poderosas. Nesta altura, o tema é apresentado como uma prova importante sobre a preexistência de Cristo. Enquanto quatro passagens principais que ensinam sobre Cristo como Criador já foram citadas acima, somente uma destas deve ser desenvolvida posteriormente sob esta divisão deste trabalho.

Em si mesmo, o ato criador é um empreendimento incomparável. Em sua criação das coisas materiais, Deus chamou-as à existência do nada. Tal declaração está muito longe da noção de que o nada produziu alguma coisa. É óbvio que do nada, nada pode surgir. A declaração da Bíblia é antes que dos recursos infinitos de Deus tudo veio à existência. Ele é a Fonte de tudo que existe. A vontade autodeterminadora de Deus causou a existência do universo material, como está afirmado em Romanos 11.36: "Porque dele, e por ele, e para ele, são todas as coisas; glória, pois, a ele eternamente. Amém". Neste texto, a criação de todas as coisas é atributo de Deus; mas em Colossenses 1.16,17 está asseverado nos mesmos termos gerais que todas as coisas foram criadas por Cristo e para Ele, que Ele existe antes de todas as coisas e por meio dele todas as coisas se compõem.

Este é um pronunciamento razoável somente ao grau em que Cristo é Deus. O poder de criar – seja a produção de um universo, de uma nova criação, ou de um novo céu e de uma nova terra – pertence somente a Deus, e é predicado semelhante de cada uma das três pessoas da Trindade. É certo que se Cristo é Deus, Ele é capaz de criar todas as coisas. Contudo, a afirmação que diz respeito a esta divisão do tema é que, visto que se diz que Cristo criou todas as coisas, Ele é por um raciocínio correto nada além do que próprio Deus.

A única passagem a ser considerada agora é Colossenses 1.15-19. Por ter declarado a redenção que é proporcionada através do sangue de Cristo e a remissão de pecados com base nesse sangue (cf. Cl 1.14), o apóstolo penetra numa descrição extensa e reveladora do Filho que faz essa redenção. Este contexto todo deveria ser comparado com Hebreus 1.2-12 e é distintivo no sentido em que ele apresenta a divindade do Filho sem referência direta à sua humanidade. Esta proclamação exaltada da divindade de Cristo, como em Hebreus 1, é seguida de uma porção do texto que anuncia a sua humanidade. Estes versículos de Colossenses 1.15-19 serão considerados separadamente.

Versículo 15: "O qual é a imagem do Deus invisível, o primogênito de toda a criação".

Há pouco, numa discussão anterior, os dois títulos eternos empregados neste versículo já foram considerados. A isto pode ser acrescentado que, para asseverar, como faz o apóstolo a esta altura, Cristo é o εἰκών ou imagem de Deus e é equivalente à afirmação de João com respeito ao λόγος – que Ele é não somente a manifestação de Deus, mas que Ele é Deus. Nenhuma afirmação maior a respeito de Cristo poderia ser feita do que esta aqui que diz que Ele é a imagem exata de Deus. Assim, além disso, em Hebreus 1.3 está declarado que Cristo é o resplendor da glória do Pai e que toda a plenitude divina – πλήρωμα – está nele.

Versículo 16: "Porque nele foram criadas todas as coisas nos céus e na terra, as visíveis e as invisíveis, sejam tronos, sejam dominações, sejam principados, sejam potestades; tudo foi criado por ele e para ele".

Neste versículo, a razão é dada para atribuir a Cristo o título encontrado no versículo 15, ou seja, "Primogênito de toda criação". Como esta designação coloca Cristo num ponto de tempo, antes de toda criação, Ele deve ter existido antes de todas as coisas. Esta passagem, como o bispo Lighfoot assinala, não ensina que Cristo foi em si mesmo criado antes de todas as outras criaturas; ela antes assevera "a absoluta preexistência do Filho".[10] A respeito de uma revelação tal como esta que atribui a Cristo a causação de todas as coisas – que é muito distante da idéia de que Ele é em si mesmo uma dessas coisas criadas – e inclui coisas celestiais e coisas terrestres, e coisas visíveis e invisíveis, deve ser esperado que os estudiosos de todas as gerações tenham escrito tanta coisa. A exegese exata deste versículo deveria ser seguida; contudo, para o presente propósito nesta obra, será suficiente afirmar, como acima, que o texto atribui a Cristo a origem de todas as coisas.

A sugestão de que Cristo foi meramente um agente através de quem Deus operou na criação, é recusada por todos que não são preconceituosos a respeito da preexistência absoluta e da obra criadora de Cristo. Sobre a regra bem estabelecida de que a repetição de uma verdade no Texto Sagrado é para ênfase, é muitíssimo significativo que a frase "todas as coisas foram feitas por ele" ocorra duas vezes neste mesmo versículo. A enumeração das coisas que foram criadas por Cristo atinge as esferas celestiais. Há coisas visíveis no céu assim como as invisíveis e há coisas invisíveis – como as almas dos homens – assim como as visíveis na terra. Na verdade, embora as coisas mundanas sejam mencionadas apenas por uma rápida menção das coisas que estão na terra, aqui a contemplação é basicamente das coisas que estão no céu. Uma proporção devida é provavelmente preservada neste ponto com relação à importância relativa destas duas esferas.

Não há desprezo pelas coisas deste mundo. É somente que as coisas celestiais são mais extensas. Assim, é acentuada a obra criadora insuperável do Filho de Deus. Se fosse esta a única referência na Bíblia à obra criadora de Cristo, naturalmente, ela seria apenas uma declaração isolada; mas, como foi afirmado anteriormente, esta mesma revelação ocorre em outros textos, notadamente, João 1.3,10; 1 Coríntios 8.6; Efésios 3.9; Hebreus 1.10. A enumeração das coisas celestiais fica restrita aos seres celestiais. A passagem em Hebreus 1.10 atribui a Cristo o lançamento dos fundamentos da terra. Diferentemente, aquilo que permanece primeiro na avaliação divina não são as coisas materiais, mas as criaturas vivas; e as criaturas vivas do céu parecem exceder em muito a importância dos seres vivos da terra. Neste contexto, será observado que no assunto dos julgamentos de Cristo de todos os seres vivos, o tempo designado para as duas esferas – terra e céu – é muito desigual. O julgamento dos povos da terra – judeus e gentios – quando muito é um assunto de um dia ou dias, enquanto que o julgamento dos impérios angelicais, de acordo com 1 Coríntios 15.24-26, pode exigir todo o período milenar.

O apóstolo registrou duas vezes as várias posições ou divisões dos seres celestiais. Em Efésios 1.21, ele revela que, quando Cristo ascendeu ao céu, foi exaltado à direita do Pai "muito acima de todo principado, e autoridade, e poder, e domínio". Esta enumeração quádrupla não é totalmente idêntica à de Colossenses 1.16, o que sugere que a lista em cada caso é parcial, e que os itens são mencionados somente para satisfazer a um propósito geral. O mesmo apóstolo lista os grupos angelicais quando declara o reino subjugador de Cristo (cf. 1 Co 15.24-26). Ali, ele fala do governo, da autoridade, do poder, e sugere que estes são "inimigos" que devem ser colocados sob os pés de Cristo. Entre esses inimigos, está a morte – um fator que em si é impessoal e de nenhum modo deve ser classificado com as criaturas racionais. Assim, amplo é, de fato, o estudo dos inimigos do reino de Deus.

A mui importante afirmação de Colossenses 1.16 é sintetizada na segunda declaração, a saber, "tudo foi criado por ele". O ato foi dele e com a visão de glorificá-lo. Cristo é o *fim* da criação. Foi *para* ele. Neste contexto, duas passagens em Apocalipse apresentam uma verdade acrescida: "O anjo que vi em pé sobre o mar e sobre a terra levantou a mão direita ao céu, e jurou por aquele que vive pelos séculos dos séculos, o qual criou o céu e o que nele há, e a terra e o que nela há, e o mar e o que nele há, que não haveria mais demora" (Ap 10.5,6); "Digno és, Senhor nosso e Deus nosso, de receber a glória e a honra e o poder; porque tu criaste todas as coisas, e por tua vontade existiram e foram criadas" (Ap 4.11).

Versículo 17: "Ele é antes de todas as coisas, e nele subsistem todas as coisas".

Esta porção do contexto acrescenta a revelação importante de que é pela aplicação direta e incessante do poder de Cristo, que todas as coisas existem, ou, mais literalmente, *subsistem*. Além disso, há um paralelo a esta verdade em Hebreus 1.3, onde é dito que "ele sustenta todas as coisas pela palavra do seu poder". A revelação é, assim, feita para que Ele que criou todas as coisas incessantemente as sustente.

Versículo 18: "Também ele é a cabeça do corpo, da igreja; é o princípio, o primogênito dentre os mortos, para que em tudo tenha a preeminência".

Não somente Cristo é a Cabeça de toda a criação, mas ele é a Cabeça sobre a nova criação – a Igreja. Com respeito à Igreja, Cristo é o seu começo e o Primogênito dentre os mortos. 1 Coríntios 15.20,23 proclama Cristo como as primícias dos que dormem. Apocalipse 3.14 chama-o de "o princípio da criação de Deus". Isto é, sem dúvida, uma referência à nova criação, na qual Ele é uma parte. Por causa de tudo isto, a Ele seja a preeminência! A Ele, que criou todas as coisas, que sustenta sua criação, que é a Cabeça de todas as criações, pertence a preeminência.

Versículo 19: "Porque aprouve a Deus que nele habitasse toda a plenitude".

É, de acordo com o desígnio e propósito do Pai, que a preeminência deve ser dada ao Filho. No Filho, todo o πλήρωμα habita (cf. Cl 2.9). Assim, o propósito do Pai é realizado e assim o Pai é glorificado no Filho.

A declaração de que Cristo preexistia é sustentada no grau mais elevado pela revelação de que Ele criou todas as coisas.

III. O Pacto Eterno

Os expositores não têm concordado sobre a natureza exata do pacto que está mencionado em Tito 1.2, que diz: "...na esperança da vida eterna, a qual Deus, que não pode mentir, prometeu antes dos tempos eternos" (cf. 2 Tm 1.1,9). É crido por alguns que a referência aqui é feita a um acordo entre as Pessoas da Trindade que envolveu e providenciou tudo para o plano da redenção, que é atribuído a cada um Sua parte no empreendimento. Para outros o texto indica não mais do que a presciência de Deus a respeito da promessa que o Evangelho haveria de proclamar.

Sobre este último ponto Dean Alford escreve, "A solução da dificuldade, que nenhuma promessa foi realmente feita até que a raça do homem existisse, deve ser encontrada por considerar, como em 2 Timóteo [1.9], a construção como uma mistura – composta da promessa real feita no tempo, e com o propósito divino do qual essa promessa fluiu, fixada na eternidade. Assim, como é dito que Deus nos deu graça em Cristo desde as eras eternas, para significar que o dom aconteceu como o resultado de um propósito divino fixo desde a eternidade, assim é mencionado aqui que Ele prometeu a vida eterna antes dos tempos eternos, para significar que a promessa deu-se como o resultado de um propósito fixo desde a eternidade".[11]

Sobre o tema geral de um pacto feito antes do tempo, o Dr. A. A. Hodge apresenta sete pontos: "*Primeiro*. Como foi mostrado na abertura deste capítulo [XXII], tal Pacto está virtualmente implícito na existência de um plano eterno de salvação mutuamente formado pelas três pessoas e executado por elas; *Segundo*. Que Cristo representou seus eleitos nesse Pacto, está necessariamente implícito na doutrina da eleição pessoal soberana para a graça e salvação. Cristo diz de suas ovelhas: "Eram teus, e tu mos deste", e "guarda-os no teu nome, os que me deste" etc. (Jo 17.6, 12). *Terceiro*. As Escrituras declaram a existência da promessa e de condições de tal Pacto, e as apresentam em conexão (Is 53.10, 11). *Quarto*. As Escrituras expressamente afirmam a existência de tal Pacto (Is 52.6; Sl 89.3). *Quinto*. Cristo faz constante referência a uma comissão prévia que Ele havia recebido do Pai (Lc 22.29; Jo 10.18). *Sexto*. Jesus alega uma recompensa que havia sido condicionada ao cumprimento dessa comissão (Jo 17.4). *Sétimo*. Cristo constantemente assevera que o seu povo e a sua glória esperada são dados a Ele como uma recompensa pelo seu Pai (Jo 17.6, 9, 24; Fp 2.6-11).[12]

É certo que a Trindade existia desde a eternidade, que todas as coisas foram predestinadas, e que um acordo existiu entre as pessoas da divindade concernente à parte a ser executada individualmente por elas. Se a Trindade existia desde a eternidade, a Segunda Pessoa existia e Cristo, sendo essa Pessoa, existia desde toda a eternidade.

IV. O Messias no Antigo Testamento

O que é freqüentemente esquecido é o fato de que o Messias predito no Antigo Testamento é repetidamente declarado ser Jeová. Deve também ser observado que, dentro do mistério da Trindade, Jeová e o Messias são duas pessoas separadas. No Salmo 2.2, é dito que os reis e governantes da terra "juntos conspiram contra o Senhor e contra o seu ungido". (Aqui ungido é melhor traduzido como 'Messias'). Embora a mente finita hesite por falta de capacidade de entender o que está declarado, há muitas passagens de interpretação inquestionável nas quais se diz que o Messias é Jeová. Na verdade, isto é verdadeiro na grande maioria das predições messiânicas. Algumas destas podem ser indicadas aqui.

Deuteronômio 30.3: "O Senhor teu Deus te fará voltar do teu cativeiro, e se compadecerá de ti, e tornará a ajuntar-te dentre todos os povos entre os quais te houve espalhado o Senhor teu Deus".

Nesta passagem, que é a primeira menção dentro do Texto Sagrado do segundo advento, é Jeová Elohim, o qual proclama que Ele retornará; mas não pode retornar, se não estivesse antes ali. Isto é somente verdadeiro a respeito de Cristo, que estava aqui e depois partiu, e então retornará, e quando Ele retornar, como está afirmado nesta passagem, reunirá Israel, e reinará sobre a terra. Nenhuma interpretação opcional está disponível. É Cristo somente que satisfaz esta descrição e Ele é aqui identificado como Jeová Elohim.

Jeremias 33.14-17: "Eis que vêm os dias, diz o Senhor, em que cumprirei a boa palavra que falei acerca da casa de Israel e acerca da casa de Judá. Naqueles dias e naquele tempo farei que brote a Davi um Renovo de justiça; ele executará juízo e justiça na terra. Naqueles dias Judá será salvo e Jerusalém habitará em segurança; e este é o nome que lhe chamarão: O SENHOR É NOSSA JUSTIÇA. Pois assim diz o Senhor: Nunca faltará a Davi varão que se assente sobre o trono da casa de Israel".

Desta profecia pode ser visto que o Renovo, ou o Filho, de Davi completará a promessa de que a Davi nunca faltará quem se assente no seu trono. A linhagem dos reis legítimos continuou desde Davi até Cristo, mas nenhum outro rei precisa surgir, e nenhum outro rei surgirá. De Cristo está declarado que o seu reino é eterno (cf. Dn 7.14), e Ele reinará para sempre e sempre (Ap 11.15). No seu anúncio a Maria sobre o nascimento do Messias, o anjo lhe disse que o menino seria Filho do Altíssimo, que Ele se sentaria no trono de Davi, e que Ele reinaria para sempre. Este Filho, por não ter pai humano, é o Filho de Deus (Lc 1.31-35). Fica assim conclusivamente demonstrado que Cristo é Jeová.

Isaías 9.6,7: "Porque um menino nos nasceu, um filho se nos deu; e o governo estará sobre os seus ombros; e o seu nome será: Maravilhoso Conselheiro, Deus Forte, Pai Eterno e Príncipe da Paz. Do aumento do seu governo e da paz não haverá fim, sobre o trono de Davi e no seu reino, para o estabelecer e o fortificar em retidão e em justiça, desde agora e para sempre; o zelo do Senhor dos exércitos fará isso".

Títulos incomparáveis são aqui atribuídos a essa pessoa singular que nunca é duplicada no céu ou na terra, que junta, a humanidade como uma criança nascida e a divindade como um Filho que é dado. Aqui é dito que Ele é Maravilhoso, Conselheiro, Deus Forte, Pai da Eternidade e Príncipe da Paz; todavia, este é Aquele – Jeová – que, como declarado acima, se assentará no trono de Davi. Tudo o que pode ser atribuído a Jeová Elohim é designado também a Cristo; portanto, Cristo é Jeová.

Zacarias 9.9: "Alegra-te muito, ó filha de Sião; exulta, ó filha de Jerusalém; eis que vem a ti o teu rei; ele é justo e traz a salvação; ele é humilde e vem montado sobre um jumento, sobre um jumentinho, filho de jumenta".

No cumprimento desta predição, registrado em Mateus 21.1-14 e João 12.12-15, Cristo é proclamado como o Filho de Davi que vem em nome do Senhor (Jeová); e quando entrou no templo, expulsou os vendilhões, e disse que haviam transformado a sua casa em covil de salteadores, quando devidamente a chamou de "casa de oração". Malaquias predisse que Jeová assim viria ao seu templo. Era o templo de Jeová, e Cristo assevera que Ele é Jeová quando chamou o templo de "minha casa". Assim Zacarias 9.9 é uma predição messiânica que faz o Messias ser Jeová, e Cristo cumpriu esta profecia. A conclusão é que Cristo é Jeová.

Zacarias 1.4,9,16: "Não sejais como vossos pais, aos quais clamavam os profetas antigos, dizendo: Assim diz o Senhor dos exércitos: Convertei-vos agora dos vossos maus caminhos e das vossas más obras; mas não ouviram, nem me atenderam, diz o Senhor... Então perguntei: Meu Senhor, quem são estes? Respondeu-me o anjo que falava comigo: Eu te mostrarei o que estes são... Portanto, o Senhor diz assim: Voltei-me, agora, para Jerusalém com misericórdia; nela será edificada a minha casa, diz o Senhor dos exércitos, e o cordel será estendido sobre Jerusalém".

As predições da Bíblia conhecem apenas um Rei, um trono, e um Filho de Davi que reinará para sempre sobre o trono de Davi. Que Cristo é esse Rei e, portanto, o Messias não precisa ser demonstrado novamente; mas Zacarias distintamente declara que o Messias-rei não é outro senão Jeová. Ele será adorado porque é Jeová.

Isaías 40.1-3: "Consolai, consolai o meu povo, diz o vosso Deus. Falai benignamente a Jerusalém, e bradai-lhe que já a sua malícia é acabada, que a sua iniqüidade está expiada e que já recebeu em dobro da mão do Senhor, por todos os seus pecados. Eis a voz do que clama: Preparai no deserto o caminho do Senhor; endireitai no ermo uma estrada para o nosso Deus".

João Batista cumpre a predição daquele que, como preparação para o advento do Messias, é uma voz que clama no deserto. Ele próprio disse que era essa voz (Jo 1.22,23; cf. Mt 3.3; Mc 1.3; Lc 3.4-6). Não importa que, por causa da rejeição do Rei, o cumprimento completo desta expectativa seja retardado até o Seu segundo advento. João era a voz que preparava o caminho para o Messias e a profecia de Isaías assevera que a voz era para preparar o caminho a Jeová.

Jeremias 23.5,6: "Eis que vêm dias, diz o Senhor, em que levantarei a Davi um Renovo justo; e, sendo rei, reinará e procederá sabiamente, executando o juízo e a justiça na terra. Nos seus dias Judá será salvo, e Israel habitará seguro; e este é o nome de que será chamado: O SENHOR JUSTIÇA NOSSA".

O Rei que reinará e prosperará é o Messias, o Filho de Davi. Ele é quem executará juízo e justiça na *terra*. Ele é quem salvará tanto Judá quanto Israel (cf. Is 63.1; Rm 11.26,27). Ele é quem será chamado *Jeová nossa Justiça* – não um título sem significado, mas porque Ele é Jeová.

Embora apenas uma seleção limitada de passagem tenha sido introduzida aqui, será visto que o Messias é sempre declarado como Jeová, e visto que Ele é Jeová, existe desde a eternidade.

CRISTOLOGIA

V. O Anjo de Jeová

Uma das provas mais atraentes e indiscutíveis de que Cristo preexistiu é encontrada na verdade de que Ele é o Anjo de Jeová cujas várias aparições estão registradas no Antigo Testamento. Sobre esta doutrina o Dr. John F. Walvoord escreveu uma análise que bem pode ser incluída neste texto:

Definição. Uma teofania é uma manifestação de Deus em forma visível e corpórea antes da encarnação. Usualmente, o termo *teofania* é limitado às aparições de Deus na forma de homem ou anjos, e outros fenômenos, como a glória do *Shekinah*, não são considerados uma teofania. As teofanias são principalmente aparições do Anjo de Jeová, que é claramente distinto dos seres angelicais.

O Anjo de Jeová Identificado como Jeová. Um estudo das referências ao Anjo de Jeová no Antigo Testamento revelará que Ele é freqüentemente identificado como o próprio Jeová. Quando o Anjo de Jeová falou a Agar (Gn 16.7-13), Ele se identificou como Jeová (v. 13). A narrativa do sacrifício de Isaque (Gn 22.11-18) permite a mesma identificação do Anjo de Jeová e o próprio Jeová. Outras passagens confirmam esta interpretação (Gn 31.11-13; 48.15,16; cf. 45.5; Êx 3.1ss; cf. At 7.30-35; Êx 13.21; 14.19; Jz 6.11-23; 13.9-20).

O Anjo de Jeová como uma Pessoa Distinta de Jeová. Enquanto muitas passagens identificam o Anjo de Jeová como Jeová, outras passagens com quase igual número distinguem o Anjo de Jeová como uma pessoa distinta. Em Gênesis 24.7, por exemplo, Jeová é descrito como o que envia o "seu Anjo". O servo de Abraão testifica para a realidade disto em Gênesis 24.40. Moisés fala de Jeová que envia um anjo para guiá-los (Nm 20.16). Um exemplo claro é encontrado em Zacarias 1.12, 13, onde o Anjo do Senhor fala a Jeová: "Então o anjo do Senhor respondeu, e disse: Ó Senhor dos exércitos, até quando não terás compaixão de Jerusalém, e das cidades de Judá, contra as quais estiveste indignado estes setenta anos? Respondeu o Senhor ao anjo que falava comigo, com palavras boas, palavras consoladoras". Outras passagens fazem uma distinção semelhante (Êx 23.20; 32.34; 1 Cr 21.15-18; Is 63.9; Dn 3.25-28). Há algumas passagens que afirmam a divindade do Anjo de Jeová, mas não o identificam especificamente com Jeová ou com uma pessoa distinta de Jeová (Jz 2.1-5; 2 Rs 19.35).

O Anjo de Jeová é a Segunda Pessoa da Trindade. Enquanto para a mente natural a aparente disparidade na terminologia e no uso do termo *Anjo de Jeová* é irreconciliável, a dificuldade é facilmente eliminada quando se percebe que Cristo é o Anjo de Jeová. Como tal, Cristo é Jeová, e ao mesmo tempo, como uma Pessoa, Ele é distinto na Trindade, como a Segunda Pessoa. Assim, quando o Anjo de Jeová é identificado como Jeová, é uma declaração de sua divindade. Quando o Anjo de Jeová é distinto de Jeová, é a distinção das Pessoas na divindade, e com toda a probabilidade o Pai em distinção do Filho. Esta solução se mantém com a doutrina da Trindade revelada na totalidade das Escrituras. Ao admitir que o Anjo de Jeová é Deus, é relativamente um problema menor, para provar que Ele é a Segunda Pessoa, não o Pai nem o Espírito.

A prova de que Cristo é o Anjo de Jeová é apoiada por quatro linhas de evidência: (a) *A Segunda Pessoa é o Deus Visível do Novo Testamento.* Quando nos voltamos para o Novo Testamento, a Segunda Pessoa é vista no Deus encarnado, que possui um corpo humano; portanto, é visível. Enquanto a voz do Pai é ouvida do céu, e o Espírito Santo é visto na forma de pomba, Cristo, a Segunda Pessoa, é a manifestação plena de Deus em forma visível. Seria lógico que a mesma pessoa da divindade, que é visível no Novo Testamento, também devesse ser a escolhida para aparecer na forma do Anjo de Jeová no Antigo Testamento. (b) *O Anjo de Jeová do Antigo Testamento Não Mais Aparece após a Encarnação do Verbo.* O Anjo de Jeová é muitíssimo ativo por todo o período do Antigo Testamento, e aparece a muitas pessoas em períodos bem separados. No Novo Testamento, conquanto haja referências a anjos, em nenhum caso é encontrado onde o Anjo de Jeová aparece. É uma inferência natural que Ele agora aparece como o Filho encarnado. (c) *Ambos, o Anjo de Jeová e Cristo São Enviados pelo Pai.* O Antigo Testamento revela o Anjo de Jeová como enviado por Jeová para revelar a verdade, para conduzir Israel, e para defender e julgá-los. No Novo Testamento, Cristo é enviado por Deus para revelar Deus em carne, para revelar a verdade, e para se tornar o Salvador. Na natureza da Trindade, é o Pai que envia o Filho e o Espírito; a Primeira Pessoa nunca é enviada. O caráter similar de ministério do Anjo de Jeová e de Cristo serviria para identificá-los. (d) *O Anjo de Jeová Não Poderia Ser o Pai nem o Espírito Santo.* Pelo processo de eliminação, pode ser demonstrado que o Anjo de Jeová deve ser a Segunda Pessoa. De acordo com João 1.18, "Ninguém jamais viu a Deus. O Deus unigênito, que está no seio do Pai, esse o deu a conhecer". Este versículo de fato afirma que somente Cristo era visível ao homem, e não há outro ser capaz de ver Deus o Pai ou o Espírito Santo em sua glória, senão Cristo. Como o Anjo de Jeová é o Enviado, Ele não poderia ser o Pai, a Primeira Pessoa. Como o Anjo de Jeová é Deus em forma corpórea, Ele não poderia ser o Espírito Santo, já que o atributo da imaterialidade é sempre possuído pelo Espírito Santo, e seu ministério nunca é caracterizado por atributos físicos. Não há uma simples razão válida para negar que o Anjo de Jeová é a Segunda Pessoa, e todo fato conhecido aponta para a Sua identificação como o Cristo do Novo Testamento.

Aparições de Cristo Além do Anjo de Jeová. Um número de ilustrações é admitido no Antigo Testamento de aparições de Cristo em outra forma além do da forma do Anjo de Jeová. Em Gênesis 18.1-33, Jeová aparece como um homem, acompanhado por dois outros homens que são provavelmente anjos. A experiência de Jacó de lutar com Deus também envolve com toda probabilidade a aparição de Cristo a ele na forma de um homem (Gn 32.24-32). A aparição aos anciãos de Israel do Deus de Israel provavelmente deve ser identificada como uma aparição de Cristo (Êx 24.9-11). A nuvem do Senhor, a glória do Senhor (Êx 40.38), e a "coluna de nuvem" (Êx 33.9-23) são também formas de aparição de Cristo no Antigo Testamento. É provável que toda manifestação visível de Deus em forma corporal deva ser identificada com o Senhor Jesus Cristo (Js 5.13-15; Ez 1.1-28; Dn 10.1-21).

As Teofanias São uma Prova da Preexistência de Cristo. As teofanias do Antigo Testamento, por ser a manifestação de Cristo, a Segunda Pessoa, em forma visível, constituem um argumento para a preexistência na história, quando contrastadas com a afirmação direta do Novo Testamento. O testemunho abundante sobre o ministério vital de Cristo no período do Antigo Testamento e seu relacionamento evidente com muitas cenas de revelação no Antigo Testamento, são uma prova convincente de sua preexistência. Um exame do caráter de seu ministério como o Anjo de Jeová e sua manifestação em outras formas não somente revelarão a sua preexistência, mas também exigirão reconhecimento de sua divindade. Como o Anjo de Jeová, Ele é Deus, e a revelação dele no Antigo Testamento, conquanto algumas vezes esvaziada de sua glória inerente, mesmo quando Ele é visto durante a sua vida sobre a terra após a encarnação, é, não obstante, claramente uma exibição dos atributos de Deus.[13]

VI. Implicações Bíblicas Indiretas

Há muitas frases usadas no Novo Testamento que implicam a preexistência de Cristo. Ele disse de si mesmo que foi enviado ao mundo (Jo 17.18); está escrito que se fez carne (Jo 1.14); que participou da carne e sangue (Hb 2.14); que foi achado na forma de homem (Fp 2.8); que declarou: "Eu vim de cima" (Jo 8.23); e: "Eu não sou do mundo" (Jo 17.14); Ele alegou ter descido do céu (Jo 3.13). Outros textos dignos de nota neste contexto são: João 1.15, 18, 30; 3.16, 17, 31; 6.33, 42, 50, 51, 57, 58; 7.29; 8.23; 9.39.

VII. Afirmações Bíblicas Diretas

A evidência final da preexistência de Cristo é aquela que é direta e positiva. A Palavra de Deus assevera Sua preexistência em termos que não podem ser questionados por uma pessoa devota. Mesmo que elas tenham sido observadas num volume anterior, algumas destas passagens são listadas aqui.

João 1.1-4,14: "No princípio era o Verbo, e o Verbo estava com Deus e o Verbo era Deus. E ele estava no princípio com Deus. Todas as coisas foram feitas por intermédio dele, e sem ele nada do que foi feito se fez. Nele estava a vida, e a vida era a luz dos homens... E o Verbo se fez carne, e habitou entre nós, cheio de graça e de verdade; e vimos a sua glória, como a glória do unigênito do Pai".

Não somente Cristo é aqui apresentado como Criador de todas as coisas, mas, tanto quanto a linguagem pode expressar o pensamento, Ele é declarado como o que existiu desde toda a eternidade. Nesse começo, que precedeu toda a criação, quando o universo – tal como ele possa ter sido – foi habitado somente pelo Deus triúno, o *Logos* que existia, e isto quer dizer desde toda a eternidade. Numa profundeza de significado, que está além do entendimento humano, o *Logos estava* com Deus como um companheiro distinto e separado, e Ele *era* Deus. Ele não é outro além do único Deus.

João 6.33,38,41,50,51,58,62. Nestes sete versículos, que não precisam ser citados, uma declaração sétupla é feita por Cristo, de que Ele desceu do céu (cf. Jo 3.13,31). A mais extensa revelação de João 6.62 é conclusiva: "Que seria, pois, se vísseis subir o Filho do homem para onde primeiro estava?" Somente a descrença mais obstinada rejeitará uma revelação da verdade celestial tão irrespondível como é esta apresentada nesta sétupla afirmação que Cristo fez de si mesmo. A invenção sociniana de que Cristo algum tempo após o seu nascimento foi recebido no céu para que pudesse ser instruído nas coisas celestiais e que de lá Ele desceu, seja talvez uma explicação tão boa como poderia ter sido se houvesse um vestígio da verdade sobre a qual ela pode ser baseada. A mente devota revolta-se diante de tal impiedade e deve inquirir por que qualquer esforço é feito para livrar um Cristo tão humanizado, para que sua existência cesse de ser em qualquer momento. Ele desceu do céu onde Ele, como Deus, sempre teve a sua habitação. Cada texto sustenta plenamente esta alegação.

João 8.58,59: "Respondeu-lhes Jesus: Em verdade, em verdade vos digo que antes que Abraão existisse, eu sou. Então pegaram em pedras para lhe atirarem; mas Jesus ocultou-se, e saiu do templo".

O comentário de Dean Alford sobre esta passagem está incluído aqui: "Como Lücke observa, toda explicação imparcial destas palavras deve reconhecer nelas uma declaração da preexistência essencial de Cristo. Todas essas interpretações como *'antes que Abraão se tornasse Abraão'*, i.e., o pai de muitas nações (Socino e outros), e enquanto *'Eu fui predeterminado, prometido por Deus'* (Grócio e os intérpretes socinianos), são um pouco melhores do que *ninharias desonestas*. A distinção entre foi feito (ou *foi nascido*) e *sou* é importante. O presente, eu sou, expressa *existência essencial* (veja Cl 1.17), e foi usado freqüentemente por nosso Senhor para asseverar o seu Ser divino. Neste versículo, *a divindade de Cristo está envolvida*; e isto os judeus *entenderam claramente, pela conduta deles para com Ele...* Provavelmente, havia pedras (para construção) ao redor do pátio exterior do templo, onde estas palavras parecem ter sido faladas. A razão dos judeus fazerem isto [v. 59] é dada por eles numa ocasião semelhante, 10.33, *por que tu, sendo homem, te fizeste Deus a ti mesmo*".[14]

João 17.5: "Agora, pois, glorifica-me tu, ó Pai, junto de ti mesmo, com aquela glória que eu tinha contigo antes que o mundo existisse."

As circunstâncias peculiares em que o Salvador está se dirigindo ao Pai antes do seu retorno ao céu – circunstâncias totalmente à parte de qualquer relacionamento com os homens e caracterizadas por um alto grau de verdade que deve haver quando duas pessoas da divindade conversam – tornam esta referência da parte de Cristo à sua preexistência no céu cheia de solene importância – como somente aqueles que perdem toda capacidade de respeito para com Deus podem questionar. Em sua *Exposition of the Gospel of St. John*, R. Govett faz a seguinte observação sobre esta passagem:

Como o resultado de tal glorificação do Pai, Ele pede a sua própria glorificação. E para uma forma especial dela – a restauração a Ele da glória divina que Ele possuía antes de se tornar homem. Ele aqui testifica sua preexistência, e sua habitação com o Pai, e em sua glória divina, antes da criação ter começado. Jesus, então, é o Filho do Eterno Pai. Ele não é alguém que começou a existir na criação. Como Paulo diz, Ele existia "em forma de Deus", e humilhou-se e esvaziou-se da glória, ao se tornar homem. Ora, a parte mais amarga dessa humilhação – a morte na cruz – estava próxima; mas, além disso, Ele prediz uma passagem pelas trevas, que o Pai, como Pai, o favoreceu de exaltá-lo acima de todas as criaturas como Seu Filho. Isto aparece também em Hebreus 1. Jesus, por sua geração eterna, *era* o Filho; acima de todos os anjos, num sentido que não pode com justeza ser atribuído a eles. Mas Paulo continua a testificar que pela sua perfeição de serviço durante a sua encarnação, Ele reconquistou o lugar de superioridade sobre os anjos. Ele novamente foi saudado como "o Filho", quando o Pai o ressuscitou dentre os mortos (Hb 1.5). Este lugar jamais qualquer anjo ganhou pela obediência. Os anjos não-caídos por sua obediência apenas cumpriram a obra exigida deles, mas nada mais. Eles não são servos meritórios do Altíssimo, que possam reivindicar uma recompensa, e *tal* recompensa como merecida. Nem Deus nem seu Filho começaram a existir. O mundo começou. Houve eras incontáveis antes do mundo ser criado. Por outro lado, o Pai falando ao Filho, após sua obra sobre a terra, que Ele possui sua divindade; e atribui-lhe o reino como resultado de seu perfeito amor e justiça, e ódio da iniqüidade (Hb 1.8,9). Então, há três aspectos da matéria apresentados neste versículo: (1) Jesus, como o Filho, tinha glória com o Pai antes de toda criação; (2) Ele esvaziou-se daquela glória para se tornar o servo. Ele viveu sobre a terra, de forma que o Pai foi glorificado, e Ele pode reivindicar glória no tempo futuro, quando o Altíssimo lhe atribuirá a cada um a recompensa de suas obras. Mais ainda, a glória deve começar imediatamente. "Agora." "Glorifica-me *contigo mesmo* (isto é, ao teu lado)." A glória de Jesus é começar imediatamente na presença do Pai em sua ascensão; e a mesma glória divina que Ele desfrutava antes do seu nascimento humano, deve lhe ser restaurada. Quem dentre os meros homens poderia dizer tais coisas como verdade? Quem poderia ter tais pretensões sem blasfemar? E o eterno desprazer do Pai? "Mas não pode 'a glória que tive contigo antes que houvesse mundo' significar somente que Cristo teve aquela glória nos conselhos do Pai, antes que Cristo tivesse existência?" Assim falam alguns, cuja alegação é justamente a oposta à do Pai, para diminuir, tanto quanto possível, a honra dada na Escritura ao Filho. Onde quer que você encontre isto, fique de guarda! Não! Primeiro, se Jesus é um mero homem, como Ele sabia qual era a glória destinada a Ele, antes que a criação existisse? Segundo, isto não era peculiar a Ele. Deus havia destinado uma glória especial a Abraão, Davi, e a outros também. Terceiro, o sentido natural das palavras é importante – que Jesus não somente existia antes da criação, mas morava na glória na presença do Pai. Quarto, isto é sustentado por muitas outras passagens, especialmente no evangelho de João e nas cartas. "O Verbo era Deus. *Ele estava no princípio com Deus.*" Sua era a glória antes da criação; porque Ele criou tudo, e a causa deve ser antes do efeito; enquanto a glória do Criador deve ser infinitamente acima da glória da criatura. Além disso, *O que seria se vísseis o Filho do homem ascender para o lugar onde ele estava antes?* "Antes que Abraão *existisse, eu sou*". "Existindo em forma de Deus, esvaziou-se" (Fp 2). "Aquele que não tem o Filho de Deus, não tem a vida." "Todo aquele que vai além do ensino de Cristo e não permanece nele, não tem a Deus" (2 Jo 1.9). Observe como o "nos" nessa oração coloca Jesus no mesmo nível do Pai (vv. 11,21,22). O Filho é o Objeto da adoração e o Doador da vida.[15]

Filipenses 2.6: "O qual, subsistindo em forma de Deus, não considerou o ser igual a Deus coisa a que ele devia aferrar".

Um extenso comentário sobre este texto pelo Dr. John Hutchison servirá para enfatizar o testemunho desta passagem:

Esta passagem não é de dificuldade simples. As controvérsias das eras têm se acumulado ao redor dela. Anos não seriam suficientes para dominar a sua vasta literatura. Quase cada palavra nestes versículos tem sido um campo de batalha na discussão. Um senso de confusão, entretanto, bem pode se instalar na mente, ao se tentar estudar este tema; e, todavia, quanto mais o estudamos, o senso de sua grandeza cresce, mais ele é dominante. Ele é o tema de toda a Escritura. Seu ensino é o ponto de encontro de todos os corações crentes e humildes. Todavia, a exposição dele não pode apenas ser débil, quando o que é exposto "torna o fôlego pequeno e a linguagem incapaz", – transcende, numa palavra, todo o pensamento mortal. Devemos nos contentar com o simples esforço de apresentar o significado das palavras numa luz mais clara. Na escolha dos termos empregados, vemos como o apóstolo escreveu, como se fosse com a ponta de um diamante. Como Farrar bem observa: "As verdades principais da mais profunda Cristologia não poderiam ter sido expressas com maior grandeza, e ao mesmo tempo mais sucintamente do que neste rápido esboço das passagens do Cristo que se humilhou, passo a passo, a partir das alturas infinitas para um abismo total de auto-humilhação, e então a sua subida para uma superexaltação de domínio inimaginável".[16] Ou poderíamos usar as palavras de Daillé, o notável teólogo reformado francês do século XVII: "O significado é tão nobre e tão bem estabelecido que nada mais poderoso poderia ser imaginado; o apóstolo martelou estas poucas palavras que o inferno tem sempre inventado contra o fundamento sacro e inviolável de nossa fé". Ou, voltando muito mais longe na literatura da Igreja, é digno de nota como, nos dois sermões muito notáveis de Crisóstomo, esta passagem em suas diversas cláusulas é usada como uma arma pela qual todas as variadas heresias de seu tempo se quebraram em pedaços. Contudo, nós temos de lembrar por toda a nossa exposição que o apóstolo em nenhum sentido proposital está formulando a doutrina da divindade, da humanidade, da obra expiatória e da glória e domínio mediatorial de nosso Senhor. Tudo isto, na verdade, é feito; todavia, o alvo direto e imediato é simplesmente reforçar e ilustrar as palavras precedentes: "não olhe cada um somente para o que é seu, mas cada qual também para o que é dos outros" (v. 4). É simplesmente como a obrigação suprema deste dever cristão que as verdades tremendamente profundas e misteriosas aqui ensinadas sobre Jesus Cristo devem ser estudadas. "Quem", isto é, aquele que nós agora adoramos igualmente como o eterno Filho do eterno Pai, e como Jesus Cristo, o Filho do homem. Mas as necessidades do contexto fazem referência a Ele como no seio do pai antes da sua encarnação. "Subsistindo em forma de Deus" – a palavra "subsistindo" é enfática. Ela significa "estando a começar com", ou como na margem da Revised Version: "sendo originalmente". Ela enfatiza sobre a realidade de Sua existência, não necessariamente, contudo, sobre a preexistência eterna, embora isto de fato esteja envolvido na cláusula tomada como um todo. Ele é descrito então como assim existindo "em *forma* de Deus". A palavra é notável em tal contexto como este. Ela certamente não significa "moda" ou "mera lembrança", de um lado, nem ela significa exatamente "natureza, essência", de outro lado. Ela antes tem nuanças dos dois significados. Ela representa o caráter específico real – aquilo que manifesta a natureza essencial. Naturalmente esta palavra, quando aplicada a nosso Senhor, sugere Sua posse dos atributos divinos, pois, como Crisóstomo diz: "não é possível ser de uma essência, e ter a forma de outra", e, além disso, ela é colocada em oposição à "forma de servo", e como esta última significa seguramente a verdadeira condição, assim deve ser a primeira. A nossa passagem, é, na realidade, idêntica às palavras de abertura do prólogo do evangelho de João, inacessivelmente grandes; todavia, palavras simples: "No princípio era o Verbo, e o Verbo estava com Deus e o Verbo era. Ele estava no princípio com Deus". A escolha da palavra "forma" é ainda de importância adicional. Ela dirige os nossos pensamentos especialmente, não para a natureza divina em si, mas, antes, para a majestade infinita e gloriosa pertencente a ela. Isto é colocado como ninguém por Daillé: "Subsistir na forma de Deus significa não somente ser Rei, possuir majestade e poder, mas também ter a insígnia da realeza, sua comitiva e seu equipamento... Assim, anteriormente entre os romanos, nós poderíamos observar a forma de um cônsul, em que o equipamento e a pompa com as leis e os costumes daquele povo investiam aqueles que exerceram o ofício: a púrpura, a cadeira de marfim, os doze oficiais que acompanham os magistrados em público com seus feixes e cetros, e coisas como tais. Quando, então, o apóstolo aqui diz que o Senhor, antes de tomar sobre si a nossa natureza, subsistia em forma de Deus, ele não meramente supõe que Ele era Deus em si mesmo, e que Ele tinha a verdadeira natureza da divindade, porém, ainda mais, que Ele possuía a glória, e desfrutava toda a dignidade, majestade e grandeza devidas a tão elevado nome. Isto é exatamente o que Nosso Senhor significa em João pela glória que Ele diz que tinha com o Pai antes que houvesse mundo". Foi isto somente que em sua humilhação Ele renunciou. Ele não poderia esvaziar-se a si mesmo de suas perfeições essenciais, pois, na verdade, uma dessas perfeições é a própria imutabilidade.[17]

Concluindo a discussão desta declaração de exaltação apresentada neste versículo, a paráfrase feita pelo bispo Lightfoot dos versículos 5 a 11 é citada aqui:

"Reflitam em suas próprias mentes a mente de Cristo Jesus. Sejam humildes, como Ele também foi humilde. Embora existindo antes dos mundos na divindade eterna, todavia Ele não se apegou com avidez às prerrogativas de sua majestade divina, não exibiu ambiciosamente sua igualdade com Deus; mas desvestiu-se das glórias do céu, e tomou sobre si a natureza de um servo, e assumiu a semelhança de homens. E isto não foi tudo. Por ter assim aparecido entre os homens na forma de um homem, Ele humilhou-se ainda mais, e levou sua obediência até à morte. Nem Ele morreu de uma morte comum: Ele foi crucificado, como o mais vil dos malfeitores é crucificado. Mas como esteve em sua humildade, assim também esteve em sua exaltação. Deus elevou-o a uma altura proeminente, e lhe deu um nome e uma dignidade muito acima de todas as outras dignidades e nomes. Para que ao nome e majestade de Jesus, todas as coisas criadas no céu e na terra e o inferno possam prestar homenagem dobrando os seus joelhos; e toda língua com louvor e ação de graças declarem que Jesus Cristo é Senhor, e nEle e para que Ele glorifique Deus o Pai."[18]

Conclusão

Os argumentos que provam a preexistência de Cristo são conclusivos e há toda razão para atribuir ao Senhor Jesus Cristo tudo o que pertence à divindade. Fracassar em fazer isto é tirar-lhe a adoração e a honra que legitimamente lhe pertencem.

CAPÍTULO II

Introdução à Doutrina do Verbo Encarnado

I. A Doutrina Como um Todo

Na busca de um estudo ordenado da Cristologia, o próximo tema – extenso de fato – é o da encarnação, tema esse que inclui as predições do Antigo Testamento, o nascimento de Cristo, e a vida e o ministério de Cristo sobre a terra. Embora a doutrina da encarnação atinja tudo o que Cristo sempre será e fará na eternidade vindoura, ela não é traçada aqui além de sua vida e seu ministério. A morte e tudo o que se segue estão reservados para posteriores divisões deste trabalho. A importância na avaliação divina desta segunda divisão da Cristologia é expressa pelo fato de que um pouco menos da metade do Novo Testamento – os quatro evangelhos – é devotada à sua vida e ministério, para nada dizer das predições do Antigo Testamento sobre essa vida e esse ministério. As Escrituras, como tem sido visto, não subestimam a importância da preexistência de Cristo ou de outros aspectos da doutrina cristológica – Sua morte, ressurreição, presença no céu, ou sua vinda novamente; mas os três anos e meio de seu ministério sobre a terra como o Filho encarnado de Deus são tratados como algo que poderia parecer um modo desproporcional.

Tal ênfase divina deveria ser reconhecida e sobre ela deveríamos ponderar numa verdadeira Cristologia. O Cristo histórico é apresentado nos sinóticos, inclusive por João também, mas enquanto Mateus e Lucas declaram o nascimento humano do Salvador e assim explicam a sua humanidade, João em seu evangelho traz alguém da Trindade para a esfera humana e, assim, ele desenvolve o maior conjunto de verdades a respeito da encarnação. Em referência à narrativa que João faz do advento de Cristo ao mundo, o Dr. B. B. Warfield escreve de um modo um tanto extenso o seguinte:

João nos diz que este Verbo, eterno em sua subsistência, o companheiro eterno de Deus, o próprio Eu do eterno Deus, que veio em carne, era Jesus Cristo (1 Jo 4.2). "E o Verbo se fez carne" (Jo 1.14), ele afirma. Os termos que ele emprega aqui não são expressões que indicam substância, mas personalidade. O significado não é que a substância de Deus foi transmudada naquela substância que nós chamamos "carne". "O Verbo" é um nome pessoal do Deus eterno; "carne" é uma designação apropriada da humanidade em sua inteireza, com as implicações de dependência e fraqueza. O significado, então, é simplesmente que Aquele que tinha apenas sido descrito como o Deus eterno se tornou um homem, por um ato voluntário feito no tempo. A natureza exata do ato pelo qual Ele "se tornou" homem está fora desta afirmação; ela foi assunto de conhecimento comum entre o escritor e o leitor. A linguagem empregada insinua meramente que foi um ato definido, e que ele envolveu uma mudança na história de vida do Deus eterno, aqui chamado "o Verbo". A ênfase total recai sobre a natureza dessa mudança em Sua história de vida. Ele se fez *carne*. Isto que dizer que Ele entrou num modo de existência em que as experiências que pertencem aos seres humanos também seriam suas. A dependência, a fraqueza, que constituem a própria idéia de carne, em contraste com Deus, entrariam agora em Sua experiência pessoal. E é precisamente porque estas são as conotações do termo "carne" que João escolhe esse termo aqui, ao invés do termo denotativo "homem" que é uma expressão mais simples. O que ele quer dizer é meramente que o Deus eterno se tornou homem. Mas ele resolve dizer isto na linguagem que atinge melhor a idéia do que significa se tornar homem. O contraste entre o Verbo como o Deus eterno e a natureza humana que Ele assumiu como carne, é a articulação da afirmação. Se o evangelista tivesse dito (como o faz em 1 Jo 4.2) que o Verbo "veio em carne", a continuidade através da mudança teria sido mais enfatizada. Quando ele diz antes que o Verbo se fez carne, conquanto a continuidade do sujeito pessoal seja, naturalmente, sugerida, e a realidade e a perfeição da humanidade assumida, que se torna mais proeminente... Que, ao se fazer carne, o Verbo não cessou de ser o que Ele era antes de entrar nesta nova esfera de experiências, o evangelista não deixa, contudo, à mera sugestão. A glória do Verbo estava longe de ser apagada, em sua visão, por Ele se fazer carne, que ele nos dá imediatamente a entender que foi antes como "nuvem carregada de glória" que Ele veio. "E o Verbo se fez carne", ele diz, e imediatamente acrescenta: "e habitou entre nós cheio de graça e de verdade; e vimos a sua glória, como a glória do unigênito do Pai" (Jo 1.14). A linguagem é colorida pelas reminiscências do Tabernáculo, no qual a glória de Deus, o *Shekinah*, morava. A carne de nosso Senhor se tornou, quando assumida pelo Verbo, o Templo de Deus na terra (cf. Jo 2.19), e a glória do Senhor encheu a casa do Senhor. João nos diz expressamente que esta glória era visível, que ela foi precisamente o que era apropriado ao Filho de Deus como tal. "E vimos a sua glória", ele diz; não predita, ou inferida, mas percebida. Ela estava aberta à vista, e era o real objeto de observação. Jesus Cristo era obviamente mais do que um homem; Ele era obviamente Deus. Sua glória realmente observada, João diz-nos mais, era uma "glória como do unigênito do Pai". Era uma glória singular; nada igual a ela jamais foi visto em outro. E a sua singularidade consistia exatamente em sua consonância com o que o singular Filho de Deus, enviado pelo Pai, naturalmente teria; os homens reconheceram e não puderam senão reconhecer em Jesus Cristo o Filho singular de Deus. Quando este Filho singular de Deus é posteriormente descrito como "cheio de graça e de verdade", os elementos dessa glória manifesta não devem ser supostos como exauridos por esta descrição (cf. 2.11). Certos itens dela somente são selecionados para uma menção particular. A glória visível do Verbo encarnado era de tal glória que o Filho singular de Deus, enviado pelo Pai, que era cheio de graça e de verdade, naturalmente manifestaria. Que nada deveria faltar à declaração de continuidade de tudo que pertence ao Verbo como tal nesta nova esfera de existência, e sua plena manifestação através do véu de sua carne, João acrescenta no fechamento de sua exposição a sentença notável: "Ninguém jamais viu a Deus. O Deus unigênito, que está no seio do Pai, esse o deu a conhecer" (Jo 1.18). O Verbo encarnado aqui é chamado de "unigênito de Deus". A ausência do artigo nesta designação é sem dúvida devido ao seu paralelismo com a palavra "Deus" que fica na ponta da cláusula correspondente. O efeito de sua ausência eleva a ênfase da qualidade, ao invés da mera individualidade da pessoa assim designada. O adjetivo "unigênito" comunica a idéia, não de derivação ou de subordinação, mas de singularidade e consubstancialidade: Jesus é tudo que Deus é, e Ele somente é isto. Deste "unigênito de Deus" está declarado que Ele "é" – não "era"; o estado não é aquele que foi deixado por detrás da encarnação, mas aquele que continua ininterrupto e sem modificação – "dentro" e não meramente "em" – "do seio do Pai" – o que significa que Ele continua na mais completa e íntima comunhão com o Pai. Embora encarnado agora, Ele está ainda "com Deus" no pleno sentido da relação externa sugerida em 1.1. Por ser isto verdadeiro, Ele tem muito mais do que simplesmente visto Deus, e Ele é capaz plenamente de "interpretar" Deus para os homens. Embora ninguém jamais tenha visto Deus, todavia Jesus Cristo, o "Deus unigênito", viu o Pai (cf. 14.9; 12.45). Nesta notável sentença há afirmação na maneira mais direta da plena divindade do Verbo encarnado, e da continuidade de sua vida como tal em sua vida encarnada; assim, Ele é apropriado para ser a revelação absoluta de Deus ao homem. Esta afirmação condensada de toda doutrina da encarnação é somente o prólogo de um tratado histórico. O tratado histórico que o introduz, naturalmente, está escrito do ponto de vista do seu prólogo. Seu objetivo é apresentar Jesus Cristo em sua manifestação histórica, como obviamente o Filho de Deus em carne. "Estes estão escritos", o evangelho testifica, "para que creiais que Jesus é o Cristo, o Filho de Deus" (Jo 20.31); esse Jesus que veio como um homem (1.30) era totalmente conhecido em sua origem humana (7.27), confessou-se homem (8.40), e morreu como um homem morre (19.5), era, não obstante, não somente o Messias, o Enviado de Deus, o cumpridor de todas as promessas divinas de redenção, mas também o verdadeiro Filho de Deus, que Deus somente gerou, que, por habitar no seio do Pai, é o seu único intérprete adequado. Desde o início do evangelho, este propósito é buscado: Jesus é descrito como sempre, enquanto verdadeiramente homem, todavia manifestando-se igualmente como verdadeiro Deus, até que o véu que cobria os olhos dos seus seguidores fosse retirado totalmente, Ele fosse saudado como ambos, Senhor e Deus (20.28). Mas embora o propósito primordial deste evangelho seja mostrar a divindade do homem Jesus, nenhum obscurecimento de sua humanidade está presente. É na divindade do homem Jesus que se insiste, mas a verdadeira humanidade de Jesus está tão proeminente na apresentação como em qualquer outra parte do Novo Testamento. Também não está presente um ocultamento da humilhação de sua vida terrena. Para o Filho do homem vir do céu teria de haver uma descida (3.13), e a missão que Ele veio cumprir era uma decisão de contradição e conflito, de sofrimento e morte. Ele trouxe sua glória consigo (1.14), mas a glória que era sua sobre a terra (17.22) não era toda a glória que Ele tinha com o Pai antes que houvesse mundo, e à qual, após sua obra ter sido feita, Ele retornou (17.5). Aqui também a glória celeste é uma e a glória terrestre é outra. De qualquer forma, João não tem dificuldade em apresentar a vida de nosso Senhor sobre a terra como a existência de Deus em carne, e em insistir imediatamente na glória que pertence a Ele como Deus e na humilhação que é trazida a Ele pela carne. É uma vida distintamente dual que ele atribui a Cristo, e ele lhe atribui sem dificuldade todos os poderes e modos de atividade apropriados de um lado à divindade e de outro à sua natureza humana sem pecado (Jo 8.46; cf. 14.30; 1 Jo 3.5). Num sentido verdadeiro a sua descrição de nosso Senhor é uma dramatização do Deus-homem que ele apresenta para a nossa reflexão em seu prólogo.[19]

Nenhuma mente humana pode jamais captar a importância da ocorrência e conseqüência da encarnação. Essa pessoa da Trindade deveria se tornar um membro da raça humana – a esfera de sua própria criação – com a visão de permanecer nessa forma, embora glorificada, e por toda a eternidade continuar no mistério insolúvel para as criaturas deste mundo. A luz lançada sobre o problema está contida na revelação divina que mostra a vantagem da redenção tanto para Deus quanto para o homem! Através da mediação da pessoa teantrópica, o coração de Deus fica satisfeito no exercício da graça e os filhos dos homens se tornam os filhos de Deus e seus herdeiros para sempre.

A análise da verdade a respeito do Cristo encarnado, que é desenvolvida aqui, será adotada sob estas divisões gerais, ou seja: (1) A Expectativa do Antigo Testamento a respeito do Verbo encarnado; (2) o nascimento e a infância do Verbo encarnado; (3) o batismo do Verbo encarnado, (4) a tentação do Verbo encarnado, (5) a transfiguração do Verbo encarnado, (6) o ensino do Verbo encarnado, e (7) os milagres operados pelo Verbo encarnado.

II. As Predições do Antigo Testamento

Como foi visto, enquanto o Verbo pré-encarnado aparece no Antigo Testamento como o Anjo de Jeová, Ele, com respeito à sua vida terrena, é também predito tanto nos tipos quanto nas profecias. Para o estudante da Escritura, na dispensação anterior houve a liberação de prefigurações suficientes do Verbo encarnado por meio das quais um entendimento abrangente pode ter sido adquirido a respeito de sua ascendência, seu nascimento, sua vida, sua morte, sua ressurreição e seu segundo advento. Foi então, como agora, basicamente uma matéria de crer em sua interpretação natural das coisas que estão escritas. Uma Cristologia relativamente completa pode ser construída a partir das Escrituras do Antigo Testamento. Este fato serve como uma contradição efetiva à afirmação persistente de que o Antigo Testamento é deficiente com respeito à verdade vital. Com o material ilimitado proporcionado por ambos os testamentos, que é tão interdependente e entrelaçado, há pouca coisa a ser ganha pela segregação daquilo que é encontrado no Antigo Testamento; todavia, o estudante será enriquecido por um estudo da Cristologia do Antigo Testamento. As duas prefigurações podem bem ser consideradas separadamente.

1. Os Tipos. O Dr. John F. Walvoord em suas notas não-publicadas sobre Cristologia esboçou uma lista dos principais tipos de Cristo (que aparece, mas sem comentário, no índice da *Scofield Reference Bible*) composta de 41 tipos de Cristo. Esta lista está inserida neste texto e deveria ser estudada cuidadosamente.

1. *Arão*: como Sacerdote (Êx 28.1; Lv 8.12). 2. *Abel*: Cristo como Pastor (Gn 4.2). 3. *Madeira de Acácia*: a humanidade de Cristo e sua origem como "a raiz de uma terra seca" (Êx 26.15; Is 53.2). 4. *Adão*: Cristo, Cabeça da nova criação como Adão o é da velha criação (Gn 5.1; Rm 5.14; 1 Co 15.22). 5. *Altar de Bronze*: tipo da cruz sobre o qual Cristo foi oferecido (Êx 27.1). 6. *Altar do Incenso*: Tipo de Cristo nosso Intercessor, através de quem nossas orações e louvores sobem a Deus (Êx 30.1; Jo 17.1-26; Hb 7.25; 13.15; Ap 8.3,4). 7. *Arca da Aliança* (Êx 25.10); cf. Scofield Bible, p. 101, nota 1. 8. *Arca de Noé*: Tipo de Cristo como salvação do julgamento (Gn 6.14; Hb 11.7). 9. *Graça e União* (Zc 11.7): cf. Scofield Bible, 975, nota 1. 10. *Benjamim* (Gn 35.18; 43.34): a. *Ben-oni*: filho da tristeza, para sua mãe; b. *Benjamin*: Filho de minha mão direita, para seu pai. Veja Scofield Bible, 51, nota 3; p. 62, nota 1. 11. *Os dois pássaros* (Lv 14.4): a. *O pássaro morto*: morte de Cristo; b. *O pássaro mergulhado no sangue*: ressurreição de Cristo. 12. *O sangue sacrificial* (Lv 17.11): veja Scofield Bible, 150, nota 1, 2. 13. *Ofertas Queimadas* (Lv 1.3): veja Scofield Bible, 126. a. *Boi*: servo paciente e esforçado. b. *Ovelha* ou *cordeiro*: rendição sem resistência à morte de cruz (Jo 1.29; Is 53.7). c. *Bode*: tipifica Cristo como substituto do pecador. d. *Pombo*: inocência lamentosa e pobreza do Filho do homem. 14. *Candelabro Dourado*: tipo de Cristo nossa Luz (Ez 25.31; cf. Is 11.2; Jo 1.4; Hb 1.9).

15. *Espiga da Terra Prometida*: tipo de Cristo ressuscitado e glorificado (Js 5.11). Cf. Scofield Bible, 263, nota 2. 16. *Davi como Rei* (1 Cr 17.7): Davi primeiro pastor, então rei. Cf. Scofield Bible, 475,76, nota 2. 17. *Primeiras Três Festas de Jeová* (Lv 23.1-14): a. *Páscoa*: Cristo, nosso Redentor (Êx 12.11; 1 Co 5.7). b. *Pão sem Fermento*: Andar santo do crente com Cristo (1 Co 5.6-8; 2 Co 7.1; Gl 5.7-9). c. *Primícias*: Cristo ressuscitado (1 Co 15.23). 18. *Porta*: somente uma porta para o tabernáculo (Êx 27.16; Jo 10.7). 19. *Os Dois Bodes* (Lv 16.5-10). a. *Bode sacrificado*: típico da morte de Cristo, para satisfazer todas as justas exigências de Deus (Rm 3.24-26). b. *Bode expiatório*: típico de Cristo, que toma os nossos pecados de diante de Deus (Rm 8.33,34; Hb 9.26. Cf. Scofield Bible, 147, nota 1. 20. *Isaque* (Gn 21.3; 22.9; 24.1): a. *Como obediente até a morte* (Gn 22.9). b. *Como noivo de uma noiva chamada* (Gn 24). Cf. Scofield Bible, 31, nota 2; 33, nota 1; 34, nota 2. 21. *José* (Gn 37.2). Cf. Scofield Bible, 53, nota 2. 22. *Josué* (Js 1.1): O nome significa "Jeová Salvador". Cf. Scofield Bible, 259, nota 1. 23. *Redentor Parente* (Lv 25.49; Is 59.20; Rt 2.1; 3.10-18; 4.1-10). Cf. Scofield Bible, 161, nota 1; 765. nota 1. 24. *Lavatório*: Tipo de Cristo limpo da poluição (Êx 30.18; Jo 13.2-10; Ef 5.25-27; 1 Jo 1.9). 25. *Luz*: tipo de Cristo a luz do mundo (Gn 1.16; 1 Jo 1.5). 26. *Maná*: Tipo de Cristo como o pão da vida descido do céu (Êx 16.35; Js 5.11). Cf. Scofield Bible, 91, nota 1.; 263, nota 2. 27. *Oferenda de Comida*: Cristo em sua perfeita humanidade, testado pelo sofrimento (Lv 2.1). Cf. Scofield Bible, 127, nota 3. 28. *Melquisedeque*: tipo de Cristo como Rei-sacerdote ressuscitado (Gn 14.18; Sl 110.4; Hb 6.20; 7.23,24). Cf. Scofield Bible, 23, nota 1. 29. *Moisés*: tipo de Cristo como libertador e profeta (Êx 2.2). Cf. Scofield Bible, 72, nota 1. 30. *Nazireu*: separado totalmente para Deus (Nm 6.2). Cf. Scofield Bible, 173,74, nota 2. 31. *Oferta pacífica*: Cristo feito paz, proclamado paz, e é a nossa paz (Lv 3.1; Cl 1.20; Ef 2.14,17). Cf. Scofield Bible, 128, nota 4. 32. *Cordeiro*: tipo de Cristo nosso substituto (Gn 22.9; Lv 16.3; Hb 10.5-10). 33. *Novilho Vermelho*: sacrifício de Cristo como base da limpeza do crente (Nm 19.2; 1 Jo 1.7,9). Cf. Scofield Bible, 192, nota 1. 34. *Rocha*: Cristo golpeado para tornar possível o derramamento do Espírito (Êx 17.6; Nm 20.8; Mt 21.44; 1 Co 10.4; 1 Pe 2.8). Cf. Scofield Bible, 193, nota 1. 35. *Cetro de Arão*: Tipo de Cristo na ressurreição (Nm 17.8). 36. Serpente de Bronze: Tipo de Cristo feito pecado por nós (Nm 21.9; Jo 3.14). 37. *Pão exposto*: Tipo de Cristo como pão da vida (Êx 25.30). Cf. Scofield Bible, 102, nota 1. 38. *Oferta pelo pecado*: Cristo visto no lugar do pecador (Lv 4.3). Cf. Scofield Bible, 129, nota 1. 39. *Oferta de cheiro suave*: Cristo em suas perfeições, ao oferecer seu mérito por nós (Lv 1.9). Cf. Scofield Bible, 127, nota 2. 40. *Oferta pelas transgressões*: Cristo, ao expiar pelo dano do pecado (Lv 5.6; 7.1-7; Sl 51.4). 41. *Véu do Tabernáculo*: Tipo do corpo de Cristo, através do qual temos acesso a Deus (Êx 26.31; Mt 26.26; 27.50; Hb 10.20). Cf. Scofield Bible, 104, nota 1.[20]

2. As Profecias. Além disso, há incorporada neste texto a admirável lista de profecias do Antigo Testamento a respeito de Cristo, que é também usada nas notas não publicadas sobre Cristologia, escritas pelo Dr. Walvoord:

INTRODUÇÃO. A palavra Messias é uma forma modificada da representação grega da palavra hebraica ou aramaica *māshiāḥ*, cujo equivalente grego é *Christos*. Seu significado de raiz é o do *ungido*, usado na forma adjetivada para sacerdotes no Antigo Testamento (Lv 4.3,5,16; 6.22), e para reis como um substantivo (cf. Saul, 1 Sm 24.6,10; Davi, 2 Sm 19.21; 23.1; Zedequias, Lamentações 4.20). Cf. *International Standard Bible Encyclopaedia*, verbete "Messiah".

Dois tipos de profecias messiânicas podem ser observados no Antigo Testamento, especialmente:

(1) GERAL: linguagem que somente um Messias poderia cumprir (1 Sm 2.35).

(2) PESSOAL: conectada com o Messias por algum termo específico. Ilustrada em Isaías 7.14: *Emanuel.*

Ambos os tipos de profecia messiânica são genuínos e contribuem vitalmente para o conjunto da doutrina. Naturalmente, quando a profecia está conectada com o Messias por algum termo específico, o seu caráter messiânico é mais facilmente estabelecido.

Quatro características importantes da profecia messiânica podem ser observadas:

(1) PROFECIA INTENCIONALMENTE EM LINGUAGEM OBSCURA. Um exame da profecia messiânica revelará que ela é freqüentemente dada em linguagem obscura, de modo que somente os crentes conduzidos pelo Espírito Santo podem discernir como uma predição messiânica. Este aspecto, naturalmente, pode ser observado na profecia em muitos assuntos. O conteúdo total da Escritura é designado para exigir iluminação espiritual para o seu entendimento.

(2) PREDIÇÃO FREQÜENTEMENTE EM LINGUAGEM FIGURATIVA. Conquanto a linguagem figurativa não seja necessariamente incerta em seu significado, as predições do Messias são freqüentemente vestidas de linguagem que exige interpretação. Por exemplo, de Cristo é dito que Ele é como um "cetro da raiz de Jessé", e como "renovo" que "crescerá de suas raízes" (Is 11.1).

(3) O FUTURO É FREQÜENTEMENTE CONSIDERADO COMO PASSADO OU PRESENTE. Como em toda profecia, a predição messiânica é freqüentemente vista como uma narrativa dos eventos já passados. Por exemplo, as grandes profecias de Isaías 53 estão basicamente no tempo passado. O hebraico freqüentemente usa o perfeito para a profecia. De acordo com a gramática hebraica de A. B. Davidson, "este uso é muito comum na linguagem elevada dos profetas, cuja fé e imaginação tão vividamente projetam diante deles o evento ou cena que eles predizem aquilo que já aparece realizado. É uma parte do propósito de Deus, e,

portanto, para os claros olhos do profeta, já tão bom quanto realizado".[21] O uso do tempo perfeito, então, no Antigo Testamento meramente concebe do evento como certo do complemento sem especificar se ele é passado, presente ou futuro.

(4) PROFECIA É VISTA HORIZONTAL, NÃO VERTICALMENTE. Conquanto a ordem dos eventos proféticos seja geralmente revelada na Escritura, a profecia necessariamente não inclui todos os passos intermediários entre os grandes eventos em vista. A grande montanha fala da profecia revelada, sem levar em conta a expansão dos vales entre os picos. Conseqüentemente, a profecia do Antigo Testamento freqüentemente salta dos sofrimentos de Cristo para a sua glória, sem considerar o tempo que decorre entre esses aspectos. É comum haver grandes períodos de tempo para separar profecias intimamente relacionadas (cf. Is 61.1,2; Lc 4.18,19).

Uma teologia do Antigo Testamento que almeja sua integralidade incluirá suas Teontologia, Angelologia, Antropologia, Hamartiologia, Soteriologia, Cristologia e Pneumatologia. Nenhuma obra como esta existe e o mundo teológico desde há muito espera o seu aparecimento. O valor de tal obra, além da verdade efetiva que ela desenvolve, será demonstrar o escopo da verdade harmonizada dos santos do Antigo Testamento e realçar a estima e veneração do Antigo Testamento que é devida a ele e que, todavia, tão geralmente lhe é recusada.

CAPÍTULO III

O Nascimento e a Infância do
Verbo Encarnado

DEVE-SE CHAMAR A ATENÇÃO novamente para a distinção entre o nascimento de Cristo e sua encarnação, o primeiro por ser apenas um incidente de tudo o que compõe o último. A encarnação – este estupendo empreendimento de Deus – abrange o advento da Segunda Pessoa da Trindade na raça humana e com uma visão de uma participação eterna nisso. Este advento é um dos sete maiores empreendimentos divinos na história do universo – a criação dos anjos, das coisas materiais, inclusive a vida na terra, a encarnação, a morte do Encarnado, a ressurreição do Encarnado, o seu retorno em glória, e a criação dos novos céus e terra. A enormidade do significado da encarnação não poderia ser compreendida pelo entendimento humano. Ele pertence à esfera do céu, embora o propósito redentor gracioso permita alguma luz sobre a obra que, de outra forma, seria inexplicável.

I. O Nascimento

Admitindo que foi propósito divino que a Segunda Pessoa entrasse para a esfera humana e se tornasse verdadeiramente homem, por qual método poderia Ele obter esse fim? Ele deve ter o Seu próprio espírito, alma e corpo humanos identificados; mas estes não seriam assegurados, se Ele meramente tomasse posse ou se apropriasse de algum ser humano já existente. Essa espécie de arranjo resultaria em algo não mais do que uma habitação. Por outro lado, Ele não simplesmente apareceria entre os homens como um deles sem uma origem humana natural. Em tal caso a Sua verdadeira humanidade nunca poderia ser estabelecida nem a sua relação legítima com um povo da terra. Assim, torna-se essencial que um membro da Trindade, quando entra na família humana, chegue do modo como os outros surgem. Por tal procedimento, nenhuma questão poderia ser levantada a respeito da genuinidade de sua humanidade ou na permanência dela.

É verdade que, por causa da deidade imutável, Ele não poderia nascer de um pai humano. Tivesse ele sido nascido de um pai e mãe humanos nada teria havido para identificar Sua humanidade como propriedade legítima de Sua deidade. Por outro lado, se Ele tivesse aparecido sem qualquer relacionamento com seus ancestrais humanos, não haveria uma base legítima para o fato de sua humanidade. O arranjo operado divinamente pelo qual Ele é gerado por obra e graça do Espírito Santo e nascido de uma mulher, é a solução perfeita para o problema. Sofismas sobre se a mãe pode comunicar uma natureza humana completa e perpetuar a raça são silenciados pelo testemunho das Escrituras com a verdade de que Ele, embora gerado pelo Espírito Santo, possuía uma completa humanidade – espírito, alma e corpo. Ele é da descendência de Abraão, da tribo de Judá, e herdeiro do trono de Davi.

Para este conjunto de evidência de sua completa humanidade, pode se acrescentar as genealogias que remontam sua origem a Abraão e a Adão. Este perfeito parentesco humano foi exigido para que Ele, como Mediador, empreendesse a obra da redenção. Ele deve ser de ascendência adâmica com o mais claro título e o cumpridor da promessa do pacto abraâmico, pacto esse que estipula que através da descendência de Abraão todas as nações da terra seriam benditas. Com o fim de que esta pessoa singular pudesse se assentar no trono de Davi, Ele devia estar na linhagem direta de Davi e ser o herdeiro legítimo de seu trono. Adequadamente e na fidelidade de Deus, a Segunda Pessoa, ao tornar-se homem, nasceu na raça adâmica e se tornou o cumpridor legítimo dos pactos, por ter nascido na família de Israel, da semente de Abraão, da tribo de Judá, e da linhagem real de Davi.

Ao apresentar esta Pessoa teantrópica incomparável, as Escrituras afirmam por uma outra linha de testemunho incontroverso que, na encarnação, esta Pessoa reteve a sua divindade intocada e imaculada. Com respeito à presença da divindade nesta Pessoa singular, pode ser observado que, visto que uma pessoa – divina ou humana – não pode ser dividida, aumentada ou diminuída, não pode haver uma redução da presença divina. Afirmar que Deus estava em Cristo é afirmar que tudo de Deus está em Cristo, e sobre esta sublime verdade as Escrituras testificam: "...porque aprouve a Deus que nele habitasse toda a plenitude" (Cl 1.19); "...porque nele habita corporalmente toda a plenitude da divindade" (Cl 2.9). Portanto, é certo que a partir daquele momento, quando Cristo se tornou uma Pessoa teantrópica – seja no nascimento ou anteriormente – a divindade não-diminuída estava presente nele no sentido em que a divindade era o aspecto essencial daquela Pessoa.

Como os outros homens são triplicemente compostos – corpo, alma e espírito humanos – esta pessoa incomparável é quadruplamente composta, a saber, divindade, corpo, alma e espírito humanos. Na medida em que uma pessoa da Trindade pode ser localizada ou manter uma identidade de existência, a segunda pessoa localizada está onde esta pessoa teantrópica singular se encontra. Por 33 anos, Ele esteve aqui sobre a terra; desde então, está assentado à destra do Deus Pai em glória. Essa pessoa incomparável retornará para a terra e reinará. Como uma acomodação à ênfase humana sobre as coisas materiais, é natural sugerir que onde quer que essa humanidade esteja, sua divindade também está. Por outro lado, a verdadeira consideração seria que, onde quer que a sua divindade determina estar, também estaria necessariamente a sua humanidade. Embora assim reconhecendo a humanidade perfeita e verdadeira que a Segunda Pessoa adquiriu no nascimento virginal, a divindade está, não obstante, inalterável e sem diminuição, que é o fator principal neste Cristo teantrópico singular de Deus.

Semelhantemente, a despeito do fato de que a Segunda Pessoa veio a fazer parte da raça, cada membro dela sem exceção, exceto Ele próprio, está totalmente arruinado pelo pecado; todavia, a sua divindade de modo algum é danificada por esse parentesco. Visto que ela é universal, é natural supor que a pecaminosidade da raça seja um aspecto integral de um ser humano. Contudo, será lembrado que o pecado entrou como uma intrusão nas vidas daqueles que, por criação, eram sem qualquer mancha do pecado sobre si. Portanto, não deveria ser julgado incrível que outro Adão se levantasse e que fosse igualmente imaculado e que Ele, por ser verdadeiro Deus, nunca pudesse cair através do pecado. A humanidade de Cristo apresenta certos paralelos, assim como contrastes quando comparada com a humanidade não-caída de Adão.

Primeiro, uma distinção importante deve ser vista na maneira em que estes dois homens chamados Adão vieram a fazer parte da raça humana. O primeiro Adão foi uma criação direta de Deus e, portanto, veio a possuir uma existência livre de pecado através de sua criação. O fato dele ser sem pecado é garantido para o primeiro Adão com base na verdade de que Deus não criaria um ser pecaminoso. Em oposição a isto, o último Adão entrou nesta existência humana pelo nascimento; todavia, Ele é protegido do vírus do pecado herdado por uma intervenção divina especial. Aqui, dois fatos devem ser avaliados:

(1) Com respeito à geração da humanidade da pessoa teantrópica, deveria ser observado que o gerador é também um membro da Trindade e que sua contribuição ou comunicação é, assim, de uma fonte sem pecado. Foi obra e graça do Espírito Santo a geração da humanidade de Cristo.

(2) Este é um assunto diferente do que seria se houvesse uma geração da divindade de Cristo. Muito freqüentemente tem sido suposto que Cristo recebeu sua divindade do Pai divino e sua humanidade da mãe humana; mas do lado divino Ele nunca foi gerado ou em qualquer sentido nunca foi o produto de outro. Ele era em si mesmo a divindade, e aquilo que Ele tinha sempre sido, foi juntado em identificação eterna com sua humanidade. A obra geradora do Espírito Santo permanece um mistério; nem é a obra geradora de um pai humano livre daquilo que é misterioso. Aquele que cria todas as coisas faz uma virgem conceber e, assim, gera um Filho. Este ato criador é para que a humanidade de Cristo possa ser assegurada. Segue-se, portanto, que qualquer que seja a parte dessa criança singular, é operada pelo Santo Espírito, e ela será tão sem pecado como quem a produziu.

Surge uma dificuldade em algumas mentes a respeito da mãe que a si mesma se reconheceu carente de um Salvador (cf. Lc 1.47). Embora esteja declarado em Hebreus 4.15 que o Senhor Jesus Cristo era sem uma natureza pecaminosa, o texto central se encontra em Lucas 1.35, que registra as palavras do anjo a Maria.

O Nascimento

A passagem afirma: "Respondeu-lhe o anjo: Virá sobre ti o Espírito Santo, e o poder do Altíssimo te cobrirá com a sua sombra; por isso, o que há de nascer será chamado santo, Filho de Deus". Maria havia sido previamente avisada (cf. v. 31) que ela geraria um filho. Nesta afirmação, nenhum procedimento sobrenatural está sugerido; mas quando lhe foi dito que o gerador seria o Espírito Santo, também lhe foi dito que a criança seria santa e legítima e propriamente seria o Filho de Deus.

A natureza caída da mãe é divinamente evitada. Este é o significado da certeza de que o filho que ela geraria seria santo. Deve se ter cuidado no estudo, para que não se tenha a impressão de que Deus, que não é humano, não pudesse gerar a humanidade do último Adão. Aquele que criou o primeiro Adão pode gerar a humanidade do último Adão. Nisto o Espírito Santo não é tanto um progenitor, quanto Ele é um criador. O estado não-caído, que no caso do primeiro Adão foi assegurado pela criação direta do santo Deus, está no caso do último Adão assegurado pela verdade revelada de que é Ele gerado pelo Espírito Santo com um controle divino daquilo que a mulher poderia contribuir.

Segundo, outra diferença igualmente importante entre a humanidade não-caída de Adão e a de Cristo, é que Adão permaneceu só sem relação alguma a ninguém mais, enquanto que a humanidade de Cristo era e é indissoluvelmente ligada à divindade. É verdade que a humanidade sozinha, tal como a que pertencia a Adão, poderia pecar; de modo contrário, no caso da pessoa teantrópica, as peculiaridades humanas que não envolviam questões morais – tais como fraqueza, fome, sede – puderam ser experimentadas, mas é igualmente verdadeiro que qualquer coisa que a humanidade de Cristo fez, sua divindade também fez. Visto que Deus não pode ser comprometido com o mal, a capacidade normal da humanidade não-caída para pecar, como aquela humanidade foi apresentada em Cristo, nunca poderia ser exercida mesmo no mais suave grau.

A natureza humana não-caída, que é unida a Deus, não pode pecar, visto que Deus não pode pecar. Alguns teólogos têm ficado satisfeitos com a afirmação enfraquecida de que Cristo, por causa de sua sabedoria e força divina, *não pecaria*, e nenhuma segurança mais da impecabilidade de Cristo é alegada por eles. Esta posição ignora a verdade de que Deus *não pode* pecar. Dizer que Deus não pode pecar não o despoja de qualquer atributo ou capacidade divina. O pecado é aquela coisa maldita que tem arruinado a criação de Deus, mas ele não pode arruinar Deus. Aqueles que asseveram que Cristo poderia ter pecado devem afirmar que Cristo não é Deus ou que Deus pode em si mesmo ser arruinado pelo pecado. Visto que toda posição sustentada pelo cristão é obtida somente pelo fato de que ele está no Cristo ressurrecto, seria um sério dano para essas posições, se fosse verdade que o último Adão poderia cair como o primeiro Adão caiu.

Se Cristo pudesse ter pecado sobre a terra, Ele pode pecar no céu. Ele é o mesmo ontem, hoje, e para sempre. Se Ele pode pecar agora, não há uma certeza final de que Ele não venha a pecar e, assim, traga à ruína toda esperança humana baseada na redenção. Tais conclusões são um insulto a Deus e não podem ser toleradas por aqueles que se curvam em adoração perante o Cristo de Deus.

Cristo pode ser chamado de supersobrenatural, visto que Ele não era somente sobrenatural em sua existência divina original, mas quando a divindade e a humanidade sem pecado são combinadas numa pessoa, que é totalmente nova, surge, tanto para a divindade quanto para a humanidade. As duas naturezas são combinadas em uma só pessoa. Ele não é mais Deus somente, nem é Ele homem somente. Ele não é duas pessoas. Ele é uma. Ele é a Pessoa teantrópica – a primeira, a última, e a única de sua espécie no céu ou na terra. A divindade neste caso não foi tomada livremente numa relação indeterminada ou equivocada com a humanidade. Em Cristo, a divindade e a humanidade são unidas numa pessoa como a imaterial e o material estão unidos num ser humano. As duas naturezas em Cristo podem ser consideradas separadamente, mas elas não podem ser separadas.

Ao escrever a respeito das características peculiares desta pessoa singular e sobre a maneira em que ela é apresentada nas Escrituras, o Dr. B. B. Warfield diz:

A doutrina das duas naturezas de Cristo não é meramente a síntese do ensino do Novo Testamento, mas a concepção que subjaz cada um dos escritos do Novo Testamento respectivamente; não é somente o ensino do Novo Testamento como um todo, mas de todo o Novo Testamento, parte por parte. Historicamente, isto significa que não somente a doutrina das duas naturezas tem sido invariavelmente a pressuposição do ensino total da Igreja desde a era apostólica em diante, mas que todo o ensino da era apostólica repousa sobre ela como a sua pressuposição universal. Quando a literatura cristã começa, esta já é a suposição comum de toda a Igreja. Se desejarmos traduzir isto em termos de cronologia positiva, o que deve ser dito é que antes do começo da sexta década do primeiro século (pois supomos que 1 Tessalonicenses deve ser datada por volta do ano 52 d.C.), a doutrina das duas naturezas já estava firmemente estabelecida na Igreja como o fundamento universal de todo pensamento cristão a respeito de Cristo. Tal afirmação cronológica, contudo, dificilmente faz justiça ao caso. O que precisa ser enfatizado é que não há literatura cristã em existência que não se baseie, como um fundamento já firmemente lançado, na doutrina das duas naturezas. No que respeita ao testemunho da literatura cristã, jamais houve qualquer outra doutrina tão reconhecida na Igreja. Esta literatura em si mesma remonta a vinte séculos ou mais da morte de Cristo; e naturalmente – visto que ela não criou, mas reflete esta fé – tem um valor retrospectivo como testemunho para a fé dos cristãos... Assim somos trazidos à questão final. A doutrina das duas naturezas de Cristo é a síntese de todos os dados bíblicos com respeito a Cristo. A doutrina das duas naturezas subjaz individualmente todos os escritos do Novo Testamento, e nos é recomendada pela autoridade combinada de todos aqueles seguidores primitivos de Jesus que escreveram os registros de sua fé. É a única doutrina de Cristo que pode ser discernida e que remonta os nossos registros formais na tradição pré-escrita; ela é a fé aborígine da comunidade cristã. Ela é a única alternativa para um Cristo não-existente; devemos escolher entre o Cristo de duas naturezas e um simples Cristo mítico. Assim como Jesus viveu, assim também é certo que o Jesus que viveu é a pessoa que unicamente nos é testemunhada como tendo vivido – o Jesus que, por ser Ele próprio de origem celestial e superior aos próprios anjos, veio à terra numa missão de misericórdia, para buscar e salvar aqueles que estavam perdidos, e que, após ter dado sua vida em resgate por muitos, está para vir novamente nas nuvens do céu, a fim de julgar o mundo. Nenhum outro Jesus além deste jamais viveu. Sem dúvida, Ele viveu como homem, sua vida adornada com todas as características graciosas de um homem de Deus. Mas Ele não pode ser desprovido de suas alegações divinas. Já tivemos oportunidade de nos referir a uma contradição grosseira que está envolvida na suposição de que tal homem, como Ele foi, poderia ter preservado aquele fino sabor de humildade para com Deus, que caracterizou a manifestação total de sua vida e, ainda, tem falsamente se imaginado ser aquele ser exaltado em cuja personalidade fantasiosa Ele viveu sua vida aqui na terra. O traço que tornou possível para Ele colocar-se como companheiro de Deus teria feito a humildade do coração e do comportamento que denunciava como impossíveis todas as suas relações com Deus. Os nossos humanitários modernos, naturalmente, lisonjeariam a contradição psicológica; mas eles não podem impedir o reconhecimento do contraste dos traços que devem ser oficialmente reconhecidos a qualquer Jesus que possam realmente ser cridos – mesmo com seus postulados – que sempre existiram. Por exemplo, H. Werner exclama: "Ele era ao mesmo tempo humilde e orgulhoso, de mente aguçada e de mente fraca, de visão clara e cego, de mente soberba e fanático, com conhecimento profundo dos homens e sem nenhum autoconhecimento, convicto em sua visão do presente, e cheio de sonhos fantásticos do futuro. Sua vida era, como Lipsius notavelmente disse: 'uma tragédia de fanatismo'".[22] Diante deste quebra-cabeças de Sua manifestação de vida, Adolf Harnach escreve: "Somente aquele que tem tido uma experiência semelhante poderia ir até o limite aqui. Um profeta poderia talvez tentar levantar o véu; tal como devemos ficar contentes em assegurar para nós mesmos que Jesus que ensinou um autoconhecimento e humildade, todavia deu-se a si mesmo, e a si mesmo somente, o nome de Filho de Deus".[23]

II. A Infância

Por ser designado para escrever sobre a humanidade de Cristo, Lucas forneceu a narrativa mais completa do nascimento e da infância de Cristo, embora Mateus, que foi designado para escrever sobre a realeza de Cristo, de acordo com aquilo que diz respeito a um rei, registrou o seu nascimento,

CRISTOLOGIA

sua ascendência, seu nome, e delineou a proteção divina sobre Ele. Como Lucas delineia a genealogia desde Adão – a cabeça da raça humana – assim Mateus delineia sua genealogia desde Abraão, através de Davi; e as Escrituras são cuidadosas em afirmar que tanto Maria quanto o pai adotivo José são de linhagem davídica. Visto que Marcos declara Cristo como servo, não há ocasião para ele incluir uma genealogia; e visto que João descreve a divindade do Salvador, não há para o *Logos* eterno um ancestral. As duas genealogias – importantes por si mesmas – consistem um estudo em si mesmas.

Havia três eventos designados na vida de um menino em Israel – a *circuncisão* ao oitavo dia (Lv 12.3), a *apresentação* quando completava quarenta dias (Lv 12.4-7), e a *confirmação* aos doze anos (Êx 34.23; 23.17) – e os meninos começavam a ser contados aos doze anos de idade. No caso de um menino designado para um serviço público, havia um reconhecimento e consagração, quando o serviço designado começava, mas não até o homem ter ao menos trinta anos de idade (Nm 4.3). No que respeita à observância dos três eventos, a lei que os requeria foi observada perfeitamente. Em conexão com a quarta, Cristo, por ter trinta anos de idade, foi separado e consagrado no seu batismo. Sobre isto mais coisas serão ditas no capítulo seguinte.

Do lado humano, "o menino ia crescendo e fortalecendo-se, ficando cheio de sabedoria; e a graça de Deus estava sobre ele" (Lc 2.40), e "crescia Jesus em sabedoria, em estatura e em graça diante de Deus e dos homens" (Lc 2.52). Cada fase destas declarações é reveladora. Elas registram o desenvolvimento dAquele muito mais daquilo que é normal na infância. Aquilo que O diferenciava dos outros é o fato de que Ele nunca, nem mesmo no menor grau, cometeu qualquer pecado. Ele chegou à maturidade e ao seu ministério público, sem ter praticado ou mesmo pensado aquilo que poderia ser indigno de Deus. Ele foi para a cruz como um cordeiro imaculado de Deus, santo, sem defeito, e separado dos pecadores. A maneira de sua aparição no templo aos doze anos confirma o caráter distintivo do Cristo menino.

Todavia, em toda sua pureza e impecabilidade, que o separou completamente de todos os outros e o trouxe para Deus, é dito que Ele era "submisso" aos seus pais. A totalidade dos trinta anos deve ser julgada por essas escassas revelações, mas que são suficientes, se devidamente analisadas, para revelar a infância incomparável, a juventude e a maturidade do Cristo de Deus. Maria na verdade tinha muitas coisas a ponderar e muitos ditos ela guardou no coração.

Assim, a pessoa teantrópica fez parte da família humana. Seu advento – a importância do qual sobrepassa o conhecimento – já foi antecipado em todas as Escrituras sagradas por todos os profetas e videntes. Esta expectativa remonta-o desde o proto-evangelho de Gênesis 3.15 ao Seu retorno à terra em glória. Ele é a bênção de todas as nações na promessa abraâmica, o *Shiloh* da tribo de Judá, o Rei eterno sobre o trono de Davi, e o nascido virginalmente previsto por Isaías. É responsabilidade de cada uma das duas passagens que predizem seu nascimento mostrar que Ele tenha nascido na linhagem davídica e que se assente para sempre no trono de Davi (cf. Is 9.6,7; Lc 1.31-33). Dos dois grandes propósitos divinos – um para a terra centrado em Israel e um para o céu centrado na Igreja – Cristo é o executor e o consumador de cada um deles. Como o ocupante eterno do trono de Davi, toda a terra será cheia de sua glória. Como o cordeiro cujo sangue da redenção foi derramado e que ressurgiu dos mortos, Ele se tornou o Primogênito dentre muitos irmãos, cujo grupo Ele conduz para a glória celestial.

Agora, Ele é um filho num sentido quíntuplo – o Filho de Adão, o Filho de Abraão, o Filho de Davi, o Filho de Maria e o Filho de Deus. Igualmente, Cristo estava para ser uma expectativa quádrupla de Jeová. Sobre este aspecto da verdade, o Dr. C. I. Scofield escreveu: "(1) 'O Renovo de Jeová' (Is 4.2). a saber, o caráter 'Emanuel' de Cristo (Is 7.14) a ser plenamente manifesto para o Israel convertido e restaurado, após o seu retorno em glória divina (Mt 25.31); (2) 'O Renovo de Davi' (Is 11.1; Jr 23.5; 33.15), isto é, o Messias 'da descendência de Davi de acordo com a carne' (Rm 1.3), revelado em sua glória terrestre como Rei dos reis, e Senhor dos senhores; (3) Servo de Jeová, o Renovo (Zc 3.8), a humilhação e a obediência do Messias até à morte, conforme Isaías 52.13-15; 53.1-12; Fp 2.5-8; (4) 'O homem cujo nome é Renovo' (Zc 6.12,13), isto é, Seu caráter como Filho do homem, o 'último Adão', o 'segundo Homem' (1 Co 15.45-47), reinando, como Sacerdote-rei, sobre a terra no domínio dado ao primeiro Adão e perdido por ele.

Mateus é o evangelho do 'Renovo de Davi'; Marcos do Servo de Jeová, o Renovo; Lucas do 'homem cujo nome é Renovo'; João do 'Renovo de Jeová'.[24]

No seu advento ao mundo, Cristo tornou-se o cumpridor de todos os propósitos divinos e de toda expectativa do Antigo Testamento, e a resposta a todas as necessidades de um mundo perdido.

CAPÍTULO IV

O Batismo do Verbo Encarnado

Esta discussão particular do tema geral da vida e ministério do Filho encarnado de Deus está centrada sobre um evento, a saber, o seu próprio batismo. No volume VII desta obra será considerada a doutrina do batismo ritual ou batismo com água relacionado aos judeus e cristãos. A esta altura, o estudo é somente de um batismo peculiar, o de Cristo. Nenhuma fase da vida de Cristo sobre a terra é mais incorretamente entendida do que o seu batismo. Este entendimento errôneo é evidenciado pela grande variedade de significados e modos mais ou menos contraditórios atribuídos a ele. É óbvio que, todos esses significados e modos atribuídos não são verdadeiros, não mais do que um deles pode ser verdadeiro. À luz desta confusão de idéias que prevalece e o modo dogmático em que as teorias são expressas, há a necessidade de que seja exercido um cuidado para que este assunto possa ser abordado de um modo sem preconceito.

Uma investigação completa não pode ser introduzida aqui, nem é um desejo nutrido gerar mais luta entre aqueles que, acima de todas as coisas, devem possuir uma só mente perante o mundo incrédulo. As perguntas gerais a serem respondidas aqui, são: (1) Por quem Cristo foi batizado? (2) Por qual razão foi Ele batizado? (3) Por qual modo foi Ele batizado? (4) É o batismo de Cristo um exemplo para os crentes nesta dispensação? (5) Quais outros batismos foram experimentados por Cristo?

I. O Batizador

É uma grande coisa considerar aquele que recebeu a tarefa de batizar a pessoa teantrópica – um dos membros da Trindade diante de quem todos os anjos se dobram em incessante adoração, o Criador de todas as coisas, por quem todas as coisas foram criadas e por quem todas elas subsistem, o Governador eterno do universo, o Redentor do mundo perdido, e o Juiz final de toda criação, inclusive dos anjos e dos homens. Mais tarde é revelado que Ele próprio batizou com o Espírito Santo e com fogo. Embora alguns possam questionar por que Ele deveria ser batizado, Ele é, não obstante, batizado tanto com água quanto com sofrimento até a morte (cf. Mt 20.20-23 com Mt 26.42; Jo 18.11). Para João Batista, é a mais alta honra dada, ao batizar o Salvador, e ele é declarado ser o último dos profetas da antiga ordem (cf. Mt 11.13), aquele que foi o maior dentre os nascidos de mulher (cf. Mt 11.11), e o mensageiro divinamente designado – o precursor que foi especificamente enviado para anunciar o advento do Messias, que é Jeová.

Isaías predisse de João: "Eis a voz do que clama: Preparai no deserto o caminho do Senhor; endireitai no ermo uma estrada para o nosso Deus. Todo vale será levantado, e será abatido todo monte e todo outeiro; e o terreno acidentado será nivelado, e o que é escabroso, aplanado. A glória do Senhor se revelará; e toda a carne juntamente a verá; pois a boca do Senhor o disse" (Is 40.3-5). Malaquias também anunciou como a palavra de Jeová: "Eis, eu enviarei meu mensageiro, e ele preparará o caminho perante mim". Isto é seguido pela mensagem predita de João Batista, o caráter da qual está plenamente de acordo com a pregação registrada de João Batista – uma comparação que não deveria ser deixada de lado – pois ela relaciona o ministério de João Batista, na maior parte, com o sistema de mérito de Moisés e de modo algum ao sistema da graça que veio através da morte e ressurreição de Cristo.

A designação do mensageiro e precursor de Jeová é uma responsabilidade que excede em muito a responsabilidade entregue a qualquer outro homem. A João foi divinamente delegada a tarefa de "preparar o caminho" do Jeová-Messias (Cf. Mc 1.2; At 19.4), e que "ele [Cristo] seria tornado manifesto a Israel [e agora] "portanto eu vim batizando (Jo 1.31). Com respeito a isso, a mensagem do anjo a Zacarias, o pai de João Batista, a respeito do nascimento e serviço de João Batista, como foi registrado em Lucas 1.13-17, é reveladora: "Mas o anjo lhe disse: Não temas, Zacarias; porque a tua oração foi ouvida, e Isabel, tua mulher, te dará à luz um filho, e lhe porás o nome de João; e terás alegria e regozijo, e muitos se alegrarão com o seu nascimento; porque ele será grande diante do Senhor; não beberá vinho, nem bebida forte; e será cheio do Espírito Santo já desde o ventre de sua mãe; converterá muitos dos filhos de Israel ao Senhor seu Deus; irá adiante dele no espírito e poder de Elias, para converter os corações dos pais aos filhos, e os rebeldes à prudência dos justos, a fim de habilitar para o Senhor um povo preparado".

Aqui, seria bom observar a descrição extensa da entrevista de João Batista com os sacerdotes e levitas que foram enviados a inquirir sobre quem ele poderia ser: "E este foi o testemunho de João, quando os judeus lhe enviaram de Jerusalém sacerdotes e levitas para que lhe perguntassem: Quem és tu? Ele, pois, confessou e não negou; sim, confessou: Eu não sou o Cristo. Ao que lhe perguntaram: Pois quê? És tu Elias? Respondeu ele: Não sou. És tu o profeta? E respondeu: Não. Disseram-lhe, pois: Quem és? para podermos dar resposta aos que nos enviaram; que dizes de ti mesmo? Respondeu ele: Eu sou a voz do que clama no deserto: Endireitai o caminho do Senhor, como disse o profeta Isaías. E os que tinham sido enviados eram dos fariseus. Então lhe perguntaram: Por que batizas, pois, se tu não és o Cristo, nem Elias, nem o profeta? Respondeu-lhes João: Eu batizo em água; no meio de vós está um a quem vós não conheceis, aquele que vem depois de mim, de quem eu não sou digno de desatar a correia da alparca. Estas coisas aconteceram em Betânia, além do Jordão, onde João estava batizando" (Jo 1.19-28).

Esta passagem é importante, por causa das várias revelações que ela registra; mas não mais importante do que o batismo pelos profetas que estava plenamente reconhecido e estabelecido nas mentes das autoridades como um procedimento correto, e também que o Messias batizaria quando viesse. Neste contexto, é necessário considerar que os discípulos do Messias também batizaram. Sobre este fato foi escrito posteriormente: "Depois disto foi Jesus com seus discípulos para a terra da Judéia, onde se demorou com eles e batizava" (Jo 3.22). Contudo, em João 4.1-3 é dito que o Cristo propriamente não batizava. Esta passagem diz: "Quando, pois, o Senhor soube que os fariseus tinham ouvido dizer que ele, Jesus, fazia e batizava mais discípulos do que João (ainda que Jesus mesmo não batizava, mas os seus discípulos), deixou a Judéia, e foi outra vez para a Galiléia".

Uma reação desfavorável dos fariseus contra o batismo feito pelos discípulos de Cristo indica novamente aquilo que era geralmente reconhecido como a lei judaica a respeito da prática do batismo. É provável que o batismo de João servisse como um selo de sua pregação de reforma. A revelação do Messias foi cumprida quando ele disse: "Eis o Cordeiro de Deus que tira o pecado do mundo" (Jo 1.29). Igualmente o batismo singular de Cristo serviu para designar o Messias. Com toda esta designação divina – da qual ele estava devidamente cônscio, pois disse: "Eu sou a voz do que clama no deserto: Preparai o caminho do Senhor, como disse o profeta Isaías" – João Batista retrocedeu diante da responsabilidade de batizar Cristo. Disto está escrito: "Então veio Jesus da Galiléia ter com João, junto do Jordão, para ser batizado por ele. Mas João o impedia, dizendo: Eu é que preciso ser batizado por ti, e tu vens a mim? Jesus, porém, lhe respondeu: Consente agora; porque assim nos convém cumprir toda a justiça. Então ele consentiu" (Mt 3.13-15).

A hesitação de João Batista e a resposta segura de Cristo estão bem descritas por Gregory Thaumaturgus:

"Como tocarei tua cabeça imaculada? Como colocarei a minha mão direita sobre ti que tens estirado os céus como uma cortina e estabelecido a terra sobre as águas? Como colocarei os meus dedos servis sobre a tua divina cabeça? Como lavarei o imaculado e o que é sem pecado? Como eu iluminarei a luz? Como farei oração a ti que recebes as orações daqueles que não te conhecem? Em batizando outros eu batizo em teu nome, para que eles possam crer em ti vindo em glória; batizando-te, de quem farei menção? Em nome de quem deverei te batizar? No nome do Pai? Mas tu tens o Pai em ti mesmo, e tu és tudo no Pai. Ou, em nome do filho? Mas não há outro além de ti, por natureza, o Filho de Deus. Ou, em nome do Espírito Santo? Mas Ele é em tudo unido contigo, da mesma natureza que tu, e da mesma vontade, e da mesma mente, e do mesmo poder, e da mesma honra, e que contigo recebe adoração de todos. Batiza, portanto, se tu queres, ó Senhor, batiza-me, ó Batista. Faze-me, a quem tu fizeste nascer, ser nascido novamente. Estende a tua respeitosa mão direita que tens preparado para ti mesmo, e coroa com teu toque a minha cabeça, a fim de que o precursor do teu reino, e coroado como um precursor, possa pregar a pecadores, clamando a eles: 'Eis o Cordeiro de Deus que tira os pecados do mundo...' Jesus é apresentado como respondendo: 'É necessário que agora Eu deva ser batizado com este batismo, e, daqui por diante, conferir a todos os homens o batismo da Trindade. Dá-me a tua mão direita, ó Batista, para a presente administração... Segura minha cabeça que os serafins adoram. Batiza-me, que estou para batizar os que crêem (δι ὕδατος, καὶ πνεύματος, καὶ τυπὸς) *pela* água, e Espírito e fogo; (ὕδατι) *pela* água, que é capaz de lavar a sujeira do pecado; (πνεύματι) *pelo* Espírito, que é capaz de tornar o terrestre espiritual; (πυρὶ) com fogo, consumidor, por natureza, dos espinhos das transgressões'. O Batista, tendo ouvido estas coisas, estendeu sua trêmula mão direita, e batizou o Senhor."[25]

Não deveria ser esquecido de que João Batista era filho de um sacerdote, Zacarias, do turno de Abias, e que sua mãe era uma filha direta de Arão (Lc 1.5). João Batista era, portanto, um sacerdote de direito, embora nenhum registro exista de que ele tenha sido consagrado ao ofício sacerdotal, e nenhum registro existe de que ele não tenha sido consagrado. Ele era legitimamente um sacerdote, assim como o maior dos profetas do Antigo Testamento, e este fato entra basicamente no significado de seu ministério de batizar. Foi através deste incomum sacerdote-profeta divinamente designado que Cristo foi batizado.

II. A Necessidade

Certas teorias têm sido desenvolvidas a respeito do batismo de Cristo, mas qualquer teoria está destinada a falhar quando não explica a idéia central desenvolvida por Cristo, quando disse: "...porque nos convêm cumprir toda a justiça" (Mt 3.15). Estas teorias podem ser mencionadas brevemente.

Primeira, é alegado que Cristo recebeu o batismo de João Batista, que era de arrependimento e para a remissão de pecados. A verdade de que Cristo era sem pecado num grau infinito e, portanto, não precisava de arrependimento ou remissão de pecado, não é negada por aqueles que fazem esta alegação. É antes asseverado que de algum modo não definido claramente e que Cristo estava, em algum grau, em seu batismo, a fim de identificar-se com pecadores, ou que já os substituía como Aquele que mais tarde tomaria o lugar deles numa morte sacrificial. Anteriormente, nesta obra, foi assinalado que a obra redentora substitutiva de Cristo foi restrita aos sofrimentos e morte de cruz. Sobre esta teoria, e em defesa dela, Dean Alford observa:

Por que o nosso Senhor, que *era sem pecado*, teria de vir a um *batismo de arrependimento*? Porque Ele foi *feito pecado por nós*: razão pela qual

CRISTOLOGIA

também sofreu a maldição da lei. Ao tornar-se Ele *semelhança de carne pecaminosa*, teve de passar pelos ritos e purificações designados que pertenciam à carne. Não há mais estranheza em Ele ter sido batizado por João Batista do que ter observado as páscoas. Um rito, como o outro, pertencia a *pecadores – e com os transgressores Ele foi contado*. As palavras proféticas no Salmo 40.12, faladas na pessoa de nosso Senhor, indicam, no meio da inocência, a mais profunda apreensão dos pecados daquela natureza que Ele tomou sobre si. Eu não posso supor que o batismo tenha sido procurado por nosso Senhor meramente *para honrar João Batista*, ou como *ciente que seria a ocasião de um reconhecimento divino* de sua messianidade, e assim preordenado por Deus: mas *bona fide* (fez isso), como portador das enfermidades e condutor das tristezas da raça, e assim começa aqui o tríplice batismo de água, fogo e sangue, duas partes das quais foram agora cumpridas, e de um terço das quais Ele mesmo fala, Lucas 12.50, e o apóstolo amado, 1 João 5.8 – seu batismo, como era o ato de *fechamento* da obediência sob a lei, e sua vida até então escondida da submissão legal, o seu cumprimento de toda a justiça, assim foi a *Sua inauguração solene e sua unção para a vida oficial mais elevada de satisfação mediatorial* que agora lhe foi aberta. Veja Romanos 1.3,4. Não devemos nos esquecer de que *o cumprimento da perfeita justiça em nossa carne* pela observância total e imaculada da lei de Deus (Dt 6.25), foi, na maior parte, *cumprida durante os trinta anos prévios do ministério oficial do Senhor*.[26]

A interpretação do batismo de Cristo, embora sustentada pela maioria daqueles que interpretam a água do batismo como um símbolo do sepultamento e ressurreição de Cristo, nunca foi sustentada pela Escritura. A fraqueza da argumentação de Dean Alford é evidenciada quando ele assemelha o batismo de Cristo à sua participação na festa da Páscoa, e quando ele declara que ambos, o batismo e a Páscoa, pertencem a pecadores. A respeito da Páscoa, pode ser dito que ela era somente um memorial que celebrava o tempo quando Deus não condenou, mas salvou o seu povo da morte no Egito. A Páscoa não tinha um significado direto a respeito dos pecados das gerações futuras que poderiam celebrar aquela festa. Aqueles que nas gerações futuras participaram daquela festa não a relacionavam a seus próprios pecados ou esperavam que Deus, por causa daquela festa, esquecesse os pecados deles.

Esta argumentação toda pode bem ser classificada como muito fortemente asseverada, mas uma teoria sem prova. Deveria ser lembrado que o ministério inicial de Cristo foi totalmente confinado à nação de Israel (cf. Mt 10.6; 15.24; Rm 15.8), e que a realidade total da cruz aparece e é consumada somente quando Ele foi rejeitado por aquela nação. Está claro que a cruz reconhece a necessidade do mundo todo, assim como de Israel (Jo 3.16; Hb 2.9; 1 Jo 2.2). Esta teoria pode incorporar o cumprimento de toda justiça somente de um modo mais indireto e insatisfatório. O que Cristo fez no batismo era necessariamente relacionado com esse ministério aos israelitas e diz respeito

A Necessidade

ao que Israel devia cumprir de toda justiça. Há pouca base para uma teoria que conectaria a suposta identificação de Cristo com pecadores através do batismo como cumprimento de toda justiça.

Segunda, é alegado que pelo seu batismo Cristo foi separado para o seu ministério messiânico. Neste contexto, é sugerido que, como o reino no qual o Messias deve reinar será introduzido pelo aparecimento da justiça eterna (cf. Dn 9.24), há alguma referência a isto nas palavras de Jesus a João Batista a respeito do cumprimento da justiça. Esta teoria é especialmente fraca no sentido em que não há uma real conexão entre estas duas referências à justiça, nem há uma base bíblica sobre a qual a teoria possa repousar.

Terceira, é também desenvolvida como uma hipótese que Cristo em seu batismo tornava a sua suposta parte com o remanescente fiel de Israel que respondeu à pregação de João Batista; mas, novamente, não há uma base definida para esta suposição de que, ao fazer isso, Cristo tenha cumprido toda justiça.

Quarta, é assinalado que os três eventos – o batismo, a transfiguração e o assentar-se futuro de Cristo sobre o trono de Davi (cf. Mt 3.16,17; 17.5; Sl 2.6,7) – são sinalizados por uma voz divina vinda do céu. É crido que a voz vai falar outra vez como uma atestação divina. É igualmente observado que, evidentemente, a voz da transfiguração é uma atestação do ministério profético de Cristo, visto que em todas as três narrativas as palavras acrescentadas são "a ele ouvi". Assim, o batismo é relacionado ao ofício sacerdotal e a voz que falou é uma atestação da designação de Cristo como um sacerdote. É verdade que o exercício do ministério de sacerdote não começou, até que Ele tenha se oferecido a si mesmo sem mancha a Deus, e que o exercício final do serviço de Rei-sacerdote, que é segundo a ordem de Melquisedeque, será manifesto no reino milenar.

Contudo, é razoável para Cristo, por ter a idade designada de trinta anos, ser consagrado como Sacerdote. É significativo que quando Cristo veio a ser batizado, está declarado que "ao começar o seu ministério, tinha cerca de trinta anos" (Lc 3.23). Tal detalhe não é colocado sem significado, e, quando se revê a Lei Mosaica, é descoberto que o menino que entrasse no sacerdócio não era elegível para fazê-lo, senão quando completasse os trinta anos de idade (cf. Nm 4.3), e a partir do fato acrescentado de que não haveria outro ministério público que prescrevesse sua idade limite, é razoável concluir que o batismo de Cristo tivesse tudo a ver com sua consagração ao ofício sacerdotal. Será lembrado que Cristo era da tribo de Judá e que, de acordo com a lei mosaica, nenhum sacerdote poderia surgir naturalmente de Judá; todavia, ninguém pode questionar que Cristo é um Sacerdote, tanto tipificado por Arão quanto segundo a ordem de Melquisedeque.

A epístola aos Hebreus, capítulos 5 a 10, é uma demonstração da verdade de que Cristo é um sacerdote. Hebreus 7.14-17, afirma: "Visto ser manifesto que nosso Senhor procedeu de Judá, tribo da qual Moisés nada falou acerca de sacerdotes. E ainda muito mais manifesto é isto, se à semelhança de

Melquisedeque se levanta outro sacerdote, que não foi feito conforme a lei de um mandamento carnal, mas segundo o poder de uma vida indissolúvel. Porque dele assim se testifica: Tu és sacerdote para sempre, segundo a ordem de Melquisedeque". Assim, é divinamente reconhecido que o sacerdócio de Cristo era excepcional em seu caráter. Não somente Ele surge de Judá, mas segue a semelhança de Melquisedeque, que não era da linhagem de Arão, nem era de Israel. Visto que o sacerdócio de Cristo era uma exceção, é razoável esperar que a consagração seja excepcional; e realmente o foi.

Ela foi cumprida por João Batista, que não somente superou o sumo sacerdote na designação divina, mas superou todos os profetas do Antigo Testamento na autoridade e no reconhecimento divino. Na verdade, uma das comissões divinas de João Batista era, assim, apresentar o Messias – o Profeta, o Sacerdote, e o Rei de Israel. Resta somente enfatizar a verdade que, de acordo com a lei mosaica, o próprio Deus decretou e que o povo fosse ensinado a honrar, que todo sacerdote deve ser ordenado e que a Cristo, por ser Sacerdote, não foi permitida uma exceção em matéria de ordenação. Sua submissão à lei divinamente estabelecida constituía o cumprimento de toda justiça. "A justiça da lei" é uma frase que significa nada mais além do cumprimento da lei no seu mais alto grau (cf. Rm 2.26; 8.4).

Pode ser concluído, então, que Cristo, embora pertencente à tribo de Judá e, portanto, não reconhecido como sacerdote por qualquer sumo sacerdote, não obstante é o Sacerdote por excelência, e que Ele, em submissão à lei que Jeová estabeleceu, foi consagrado e ordenado ao ofício sacerdotal, e, feito assim, Ele, cuja vida terrena foi vivida sob a lei e que perfeitamente observou a lei, cumpriu toda justiça no sentido em que foi separado devidamente para o ofício sacerdotal. Aquele que era desqualificado de acordo com as regras impostas sobre o sumo sacerdote para ser ordenado ao sacerdócio foi ordenado pelo sacerdote e profeta designado por Deus de quem o próprio Cristo disse, um profeta... e mais do que um profeta", e que entre os nascidos de mulher ninguém maior do que João tinha aparecido (Mt 11.9,11). Nenhuma coisa mais vital poderia ser feita na preparação do caminho do Jeová-Messias (cf. Is 40.3; Jo 1.23) do que aquela dedicação legal do Sacerdote acima de todos os sacerdotes que deveria ser cumprida.

III. O Modo

Nessa divisão do assunto, a tentativa é feita para determinar o modo do batismo de Cristo. Isto não é feito para induzir uma discussão relativa ao modo próprio do batismo cristão; pois, como o caso é concebido, não há uma relação direta existente entre o batismo de Cristo e o de um crente. Uma diferença muito ampla também existe entre o que é chamado *batismo de João Batista* e o batismo do Messias por João Batista. Embora Cristo tenha sido batizado por João, não era o batismo usual de João um batismo de arrependimento e para remissão de pecados. Como uma preparação para o Messias, um batismo designado para pecadores não poderia ser exigido. Como foi sugerido antes, todas as tentativas de se identificar o Messias com os pecados do povo em seu batismo caem no perigo de desonrar o Senhor da glória, e são sem suporte bíblico. A penitência de um pecador de modo algum é o cumprimento da justiça. Qualquer coisa que possa envolver um absurdo deve ser considerada como inverossímil.

O "arrependimento", "frutos dignos de arrependimento", e "remissão de pecados", embora sejam a base do batismo de João Batista, são totalmente estranhos à pessoa do Senhor. Ele nunca pecou; portanto, Ele nunca se arrependeu nem produziu frutos dignos de arrependimento. Deveria ser afirmado que o batismo de Cristo foi somente a forma e não a substância, e é bom lembrar que nenhum batismo existe à parte de sua substância. É claro que o batismo de João não era o batismo cristão, senão o apóstolo não teria rebatizado os doze discípulos de João Batista – o único caso no Novo Testamento de rebatismo (At 19.4,5). É até mais claro que o batismo de Cristo, como realizado por João Batista, não é o batismo cristão, e a injunção freqüentemente repetida de "seguir Cristo no batismo", é tanto infundada quanto confusa. Os cristãos podem seguir Cristo em questões morais ou espirituais, mas não nos atos oficiais; e o batismo de Cristo não envolvia uma questão moral além daquilo que é operado pela obrigação peculiar que recaiu sobre Ele.

A lei que gerou esta obrigação nunca poderia se aplicar a um crente na presente era. A injunção familiar, contudo, usualmente significa não mais do que o cristão deveria se submeter ao mesmo modo de batismo como aquele que é suposto que Cristo foi batizado; mas por qual modo foi Cristo batizado? Esta não é uma pergunta nova, mas é aquela que, se as controvérsias passadas revelam alguma coisa, não será determinado por qualquer quantia de evidência que possa ter sido desenvolvida. Que Cristo foi imerso no rio Jordão, é puramente uma inferência, visto que não há tal declaração inequivocamente apresentada nas Escrituras. Tivesse havido tal declaração, mais do que três quartas partes da igreja inclusive a vasta maioria dos grandes eruditos – dificilmente haveria uma mente em oposição.

Um interessante incidente é registrado por John Goff[27] a respeito de um brilhante advogado que presumiu que Cristo foi mergulhado no rio Jordão e que lhe foi perguntado se tivesse havido uma lei nos dias de João que proibisse a imersão como batismo, ele poderia convencer João Batista de uma evidência existente. Ele supôs que poderia fazer isso facilmente, mas descobriu que, quando o assunto passou pelo ácido teste da prova indiscutível, a evidência era menos que circunstancial. Aqueles que, com toda sinceridade, afirmam que Cristo foi imerso no rio Jordão, o fazem sobre duas linhas de suposta atestação, a saber, a evidência filológica, e o registro inspirado do batismo de Cristo ou a evidência exegética.

1. A EVIDÊNCIA FILOLÓGICA. Esta linha de raciocínio assevera que o modo do batismo de Cristo é determinado pelo significado da palavra βαπτίζω. Esta

CRISTOLOGIA

palavra é usada cerca de oitenta vezes no Novo Testamento e ao menos vinte destes usos pertencem a situações em que não poderia haver uma intusposição física ou envolvimento, e assim a declaração dogmática de que esta palavra significa 'mergulhar ou imergir', onde quer que seja encontrada no Novo Testamento, é sujeita à dúvida. Um ensino mais acurado é encontrado no fato de que βαπτίζω, igual sua palavra relacionada βάπτω, tem tanto um significado primário quanto um secundário. O termo Βάπτω é usado apenas três vezes – duas com seu significado primário, 'imergir' (Lc 16.24; Jo 13.26), e uma vez em seu significado secundário (Ap 19.13, com a mesma situação descrita mais definidamente em Is 63.3).

Onde o significado secundário é usado, a imersão física desaparece e um objeto, tal como a roupa de Cristo, está conectada com βάπτω, se ela é imersa ou manchada por qualquer meio. Semelhantemente, βαπτίζω aparece com o significado primário que é 'imergir ou submergir', i.e., despachar com apenas um movimento, tudo aquilo que não dá uma autoridade para elevar (como é verdade no caso de βάπτω) do estado de submersão, enquanto o significado secundário reconhece que o objeto foi trazido sob algum poder de influência, ou tenha sido caracterizado por algum agente batizador. Há aqueles que sustentam que o batismo ritual exige um envolvimento completo em água que, com base no significado primário da palavra βαπτίζω, Cristo assim foi batizado; contudo, os sacerdotes da antiga ordem, quando empossados no ofício sacerdotal, eram aspergidos com água e ungidos com óleo – este último um símbolo do Espírito Santo.

Assim Cristo, quando consagrado como sacerdote, foi batizado com água e ungido com o Espírito Santo. O significado de βαπτίζω, por ser uma condição totalmente mudada, é assegurado pela influência do agente batizador, assim Cristo, por um batismo formal com água, foi totalmente mudado ao grau em que Ele foi constituído Sacerdote de acordo com as exigências mosaicas.

Deve ser lembrado que a presente discussão é restrita ao modo do batismo de Jesus. Resta demonstrar, tanto quanto possível, que Cristo entrou para o ofício sacerdotal da maneira prescrita pela lei de Moisés. De acordo com essa exigência, Ele foi separado pela administração da água e pela unção do Espírito, quando o Espírito Santo desceu sobre Ele em forma de uma pomba. Como estes dois aspectos satisfaziam as exigências da lei, eles se constituíram no cumprimento de toda justiça. Das quatro datas anteriormente mencionadas na vida terrena de Cristo – circuncidado ao oitavo dia; apresentado no quadragésimo dia; confirmado no templo aos doze anos de idade; e consagrado, quando de sua entrada no sacerdócio, aos trinta anos – cada uma delas apresenta uma submissão definida à lei de Moisés. Sua consagração aos trinta anos era tão prescrita quanto a circuncisão ao oitavo dia, e Cristo cumpriu toda justiça, ao ser circuncidado ao oitavo dia.

Se é verdade que o batismo de Cristo foi a sua indução formal no ofício de Sacerdote, resta somente descobrir por qual modo os sacerdotes do sistema mosaico eram consagrados; pois o Seu batismo, se é cumprida toda justiça, não poderia ser diferente das exigências especificadas da lei. Embora em Êxodo 28.1–29.37; Levítico 8.1–9.24, Números 8.5-26 a plena exigência para a entrada no sacerdócio seja prescrita, quase todas essas porções da Escritura se aplicam ao problema de trazer homens pecadores para esse santo ofício. Nenhum desses aspectos era apropriado para a pureza do Filho de Deus. Na verdade, somente a dedicação pelo batismo e a unção com óleo (Êx 29.4,7) poderiam ser aplicáveis a Cristo. Com respeito à aplicação cerimonial da água – no Antigo Testamento por aspersão e não por imersão – somente o pensamento de uma separação formal é encontrado no batismo de Cristo, e sem qualquer referência à purificação.

Como o sacerdote do Antigo Testamento era ungido com óleo como um símbolo do Espírito Santo, Cristo foi ungido com o próprio Espírito. Deveria ser lembrado que estes contrastes e similaridades são entre o sacerdote do Antigo Testamento e Cristo, e que há outro grupo muito diferente de contrastes e comparações a ser visto entre o sacerdote do Antigo Testamento e o crente do Novo Testamento, que é um sacerdote perante Deus. É de grande importância reconhecer que, por causa do envolvimento da pessoa singular e pura – Jeová-Messias – que é o eterno e divino Sacerdote que veio, não da linhagem de Arão, mas da tribo de Judá – um ministro não de um povo caído, mas para um povo caído – o batismo de Cristo deve sempre ser classificado em si mesmo e categorizado como um ato oficial que, por causa de sua distinção, não poderia ser submisso em cada aspecto à uma lei designada para homens pecadores que entravam para o sacerdócio, nem um padrão para os crentes-sacerdotes do Novo Testamento que vieram após ele.

Nenhum batismo anterior poderia ser com o mesmo propósito como o foi o batismo de Cristo. Embora uma discussão mais plena do significado de βαπτίζω esteja reservada para uma posterior consideração do batismo do crente, pode ser reafirmado aqui que nada há no significado da palavra usada no Novo Testamento a respeito do batismo de Cristo nem nas exigências da lei que Ele cumpriu, que exija a crença que Cristo foi imerso em água. Na verdade, tal batismo teria sido uma violação da lei.

2. A Evidência Exegética. Nesta divisão particular do tema geral do batismo de Cristo, o ministério total de batismo feito por João Batista está indiretamente envolvido; pois no meio desse ministério, em relação à sua localização e os aspectos empregados, o batismo de Cristo ocorreu. Estes fatos relativos ao batismo feito por João Batista, com o qual o batismo de Cristo está associado, são encontrados em passagens aqui listadas.

Mateus 3.1, 2: "Naqueles dias apareceu João, o Batista, pregando no deserto da Judéia, dizendo: Arrependei-vos, porque é chegado o reino dos céus".

Embora por toda a história judaica muitos podem ter administrado o batismo, apenas um é designado como *o Batista*, e sem dúvida em parte por causa do grande número que veio a ele para o batismo e mais especificamente por causa de sua missão como aquele que foi divinamente designado para batizar Cristo.

MATEUS 3.11: "Eu, na verdade, vos batizo em [com] água, na base do arrependimento..." (cf. Mc 1.7,8; Lc 3.16; Jo 1.33).

Nesta passagem, como em outras citadas acima com ela onde a palavra também ocorre, a tradução de ἐν pela palavra *com* como indicação do agente instrumental batizador, é justificada. O estabelecimento da relação do Espírito com o crente é também um batismo que Cristo como agente batizador cumpriu. Certo grupo forçaria a tradução de ἐν πνεύματι e ἐν ὕδατι – totalmente similar em forma – para traduzir as palavras 'no Espírito' e 'em água'; mas a grande maioria dos estudiosos sustenta a tradução melhor, 'com' o Espírito e 'com' água.

MATEUS 3.6: ..."e eram por ele batizados no rio Jordão, confessando os seus pecados".

MARCOS 1.4,5: "Assim apareceu João, o Batista, no deserto, pregando o batismo de arrependimento para remissão dos pecados. E saíam a ter com ele toda a terra da Judéia, e todos os moradores de Jerusalém; e eram por ele batizados no rio Jordão, confessando os seus pecados".

LUCAS 3.3: "E ele percorreu toda a circunvizinhança do Jordão, pregando o batismo de arrependimento para remissão de pecados".

JOÃO 3.22,23: "Depois disto foi Jesus com seus discípulos para a terra da Judéia, onde se demorou com eles e batizava. Ora, João também estava batizando em Enom, perto de Salim, porque havia ali muitas águas; e o povo ia e se batizava".

JOÃO 10.40: "E retirou-se de novo para além do Jordão, para o lugar onde João batizava no princípio; e ali ficou".

Uniformemente nestas passagens (duas passagens usam outra palavra) a palavra ἐν seria corretamente traduzida como *em*, e com referência à localidade, Marcos 1.5 não é exceção para esta interpretação. João Batista batizava no Jordão – uma localidade territorial – e não *dentro* do Jordão.

MARCOS 1.9: "E aconteceu naqueles dias que veio Jesus de Nazaré da Galiléia, e foi batizado por João no Jordão".

Esta passagem – e somente esta – à primeira vista e por causa da preposição ser εἰς, parece ensinar que o batismo de João era realmente dentro do Jordão. Se a passagem é traduzida assim, ela contradirá ou irá além das outras passagens, pois as outras passagens, como indicado acima, tratam o Jordão como uma localidade geográfica específica. O Jordão, ou o rio Jordão, é o lugar onde João batizava, contudo, e não a água na qual ele batizava. Esta passagem excepcional, portanto, exige uma consideração cuidadosa. A sentença que este texto apresenta, será visto, está sujeita a mudar na ordem, isto é, a frase, "e foi batizado por João", pode corretamente ser tratada como parentética e introduzida no final, assim como no meio da declaração principal. Assim, a tradução poderia apenas ser: "Jesus veio de Nazaré da Galiléia para [na direção de] o Jordão [localidade] e foi batizado por João".

Por tal tradução, que é plenamente justificada, este texto se conforma a todas as outras passagens similares e não introduz uma idéia que em lugar algum foi

O Modo

desenvolvida no Novo Testamento. Mateus 3.13 é de interesse particular neste ponto, porque diz: "Então veio Jesus da Galiléia ter [πρός] com João, [ἐπί] unto do Jordão, para ser batizado por ele". Naturalmente, para aqueles que são persuadidos de que o nome *Jordão* significa água e não localidade e que o verbo *batizar* precisa ser uma intusposição física, a discussão está fechada e selada; mas tal fechamento e selo não têm uma base certa sobre a qual podem descansar. O termo *Jordão*, que inclui a água, as barrancas, e o território adjacente, no uso Novo Testamento não significa simplesmente água, nem a presença do verbo *batizar* tem qualquer poder de exigir que o termo *Jordão* venha a significar água. Tudo naquela proximidade em relação à água e o modo preciso de batismo empregado, deve ser determinado a partir de outras fontes.

A respeito de uma passagem em questão, o Dr. Dale cita o Dr. R. Wilson, professor de Literatura Sacra, do Royal College, em Belfast, da seguinte maneira: "A preposição εἰς, com uma palavra suposta para significar o elemento batizador, forma a regra de βαπτίζω, uma ocorrência solitária. A exceção singular à qual nos referimos é encontrada em Marcos 1.9: 'Ele foi batizado por João no Jordão'. Tem sido colocada uma grande ênfase sobre esta construção, como se ela necessariamente afirmasse que o nosso bendito Senhor foi imerso no rio de Israel... Não estamos dispostos, entretanto, a nos render a nossos oponentes quanto à preposição εἰς neste testemunho importante. Apoiados pela autoridade do uso do Novo Testamento, sustentamos que em muitas construções, diversas delas intimamente paralelas ao exemplo que está diante de nós, εἰς é empregado, onde o movimento não está indicado pelo verbo com o qual ele está conectado, e onde, portanto, a tradução *dentro* é totalmente incompatível com a sintaxe existente. Bruder, em sua *Concordance* do Grego do Novo Testamento, enumera não menos do que *sessenta e cinco* casos deste tipo de construção, e dentre elas ele inclui o texto sob discussão".[28]

E o Dr. Dale acrescenta que a interpretação de Marcos 1.9 como uma imersão no rio Jordão envolve seis suposições, que ele enumera a seguir: "Tem sido suposto por escritores, na mera base da justaposição de palavras, que 'Jesus foi imerso no Jordão'. Esta suposição não pode ser feita sem uma grande ajuda de outras suposições: 1. A suposição, que εἰς, aqui, significa 'dentro de', enquanto que em outro lugar, ela significa 'para'. 2. A suposição de que 'Jordão' aqui significa *água*, enquanto em outro lugar, significa localidade. 3. A suposição de que a frase εἰς Ἰορδάνην é complementar de βαπτίζω, cuja suposição é baseada na suposição anterior, de que a frase denota *água*, e cuja suposição repousa sobre a suposição antecedente, de que a proximidade faz o complemento. 4. A suposição de que βαπτίζω é, aqui, usada num sentido primário e literal, enquanto que, em outro lugar, ela é usada num sentido figurativo e secundário. 5. A suposição de que βαπτίζω aqui significa *imergir*, enquanto que, em outro lugar, e em todo lugar, não possui tal significado. 6. A suposição de que Marcos em relação à mesma citação que é relatada por Mateus, dá uma apresentação totalmente diferente do seu companheiro evangelista, enquanto sua linguagem é capaz da mais absoluta unidade de interpretação".[29]

IV. O Batismo de Cristo e o Batismo Cristão

Para o leitor de língua inglesa, que depende da *Authorized Version*, há uma confusão gerada pelas traduções variadas de quatro preposições empregadas no texto original. Estas preposições são:

ἐν. Uma palavra a qual é dada uma grande variedade de significados, e, como foi afirmado, não precisa ser necessariamente traduzida pela palavra *em*. Ela é usada no Novo Testamento 330 vezes quando é traduzida como *em, sobre*, ou *com*. João Batista batizava *no* Jordão, e Cristo batizou *com* o Espírito Santo. Assim, também, a *Authorized Version* uniformemente traduz ἐν ὕδατι por *com* água e não *em* água.

ἀπό. A esta preposição são dados ao menos vinte significados no Novo Testamento, e ela é traduzida 374 vezes pela palavra *de* (desde, a partir de). Jesus, quando foi batizado, "saiu logo da água" (Mt 3.16), que bem pode ser também entendida como sair da água a partir de um movimento ascendente.

εἰς. Uma palavra que recebe 26 significados diferentes e, ao todo, é traduzida pela palavra *para* cerca de 538 vezes. Portanto, como em Atos 8.38,39, ambos desceram *para* a água, o que é uma tradução correta.

ἐκ. Uma palavra com 24 significados, esta preposição é traduzida pela palavra *de* (a partir de, desde) 168 vezes. Atos 8.39 bem pode ser traduzido: "Eles saíram da (antes que *para fora da*) água". Assim, qualquer argumento a respeito do modo de batismo construído sobre as preposições é sem substância. João batizava *no* Jordão e aqueles batizados desceram *para* a água e saíram *da* água. O fato de que os tradutores dão às preposições significados que sugerem um modo de batismo, não fornece uma base, a menos que seja demonstrado que certa tradução em si mesma seja igualmente inspirada com o grego original.

À parte de toda consideração do modo pelo qual Cristo foi batizado, é certo que o Seu batismo não era um batismo cristão. Ao assumir que o batismo cristão representa a crucificação, morte, sepultamento e ressurreição, não poderia haver um significado em Cristo que ordenasse aquilo que mais tarde Ele cumpriria em substância. Declarar que Ele agia assim é substituir a ausência de sugestão bíblica pela imaginação humana. Semelhantemente, ao supor que o batismo cristão é um sinal e selo da presença e obra do Espírito Santo no crente, é igualmente estranho a qualquer aspecto do programa de Cristo. Contudo, fosse a imaginação empregada onde não há um texto direto da Escritura, o fato de que Cristo recebeu o Espírito Santo sem medida no tempo do seu batismo poderia indicar que tal era o significado do seu batismo. Como foi declarado anteriormente, os cristãos seguem Cristo em questões morais antes do que em questões oficiais, e o batismo de Cristo foi oficial. Foi assinalado que o Seu batismo era diferente em seu significado e propósito do batismo usual de João; é igualmente demonstrável que o batismo de Cristo difere do batismo cristão usual.

V. Outros Batismos

Em seu uso secundário – que é tão basicamente empregado no Novo Testamento – a palavra βαπτίζω significa que uma mudança total de condição é trazida pelo poder de uma agência batizadora. Houve um batismo *para* arrependimento, um batismo *para* remissão de pecados, e um batismo em Moisés. Há um batismo *em* nome do Pai, e do Filho, e do Espírito Santo, um batismo *para* aquele estado de elevado privilégio concedido àqueles que recebem o Espírito Santo com todos os Seus benefícios, e há um batismo *em* Cristo pelo Espírito Santo. Na dispensação mosaica como na cristã há um batismo por meio da água simbólica – não *em* água, mas *para* aquilo que possa ser o estado objetivo relacionado a determinado batismo. É neste significado de grande alcance de βαπτίζω – que nunca deve ser interpretado como uma imersão momentânea em algum elemento envolvente – que os outros dois batismos foram experimentados por Cristo. Eles são:

1. O BATISMO COM O ESPÍRITO SANTO. Deste batismo está escrito em João 1.32,33: "E João deu testemunho, dizendo: Vi o Espírito descer do céu como pomba, e repousar sobre ele. Eu não o conhecia; mas o que me enviou a batizar em [com] água, esse me disse: Aquele sobre quem vires descer o Espírito, e sobre ele permanecer, esse é o que batiza no [com o] Espírito Santo".

Se é objetado que na passagem não é dito que isto foi um batismo, pode ser respondido que nenhum texto descreve mais claramente aquilo que constitui um batismo perfeito e completo. Pouca coisa é exigida para que um incidente tão verdadeiro venha a ser chamado batismo, a fim de que possa ser reconhecido como tal. Sobre o tema do batismo de Cristo pelo Espírito – não deve ser confundido com qualquer outro batismo do Espírito – o Dr. J. W. Dale escreve:

Evidência demasiada tem sido fornecida para a existência de batismos onde nenhum envoltório foi encontrado de fato, ou que pudesse ser racionalmente concebido. O uso, sob tais circunstâncias, baseado numa similaridade de condição com aquele produzido sobre uma classe de corpos suscetíveis de serem penetrados, permeados, e assim digno de qualidade de algum elemento envoltório. Portanto, esta descida do Espírito Santo e sua permanência sobre nosso Senhor são chamadas batismo, e não por causa de qualquer envoltório externo irracional e impossível. Que todo o ser de 'Cristo' esteve daí por diante sob a influência desta *unção*, as Escrituras testificam abundantemente: 1. Pela declaração através do precursor (Jo 3.34) que "o Espírito não foi dado por medida", e, daí, a afirmação mais completa: "Jesus, sendo cheio do Espírito Santo". Tal dom teria uma influência controladora, não nos é dado inferir; mas está expressamente declarado por João Batista que "aquele que Deus enviou fala as palavras de Deus; porque Deus não dá o Espírito por medida". 2. Este dom foi tão ilimitado na sua continuação quanto foi em medida: "Vi o Espírito descer do céu como pomba, e repousar sobre ele" (Jo 1.32). 3. Sob esta influência Ele pregou: "O Espírito do Senhor está sobre mim, porquanto me ungiu para anunciar boas novas aos pobres... para proclamar o ano aceitável do Senhor... Então começou a dizer-lhes: Hoje se cumpriu esta escritura aos vossos ouvidos" (Lc 4.18,19,21); "...como Deus o ungiu com o Espírito Santo e com poder..." (At 10.38). 4. Seus milagres foram operados por este poder: "Mas se é pelo (ἐν) Espírito de Deus que eu expulso os demônios, logo é chegado a vós o reino de Deus" (Mt 12.28). 5. A oferta de si mesmo como o Cordeiro de Deus foi através do mesmo Espírito: "...muito mais o sangue de Cristo, que pelo Espírito eterno se ofereceu a si mesmo imaculado a Deus..." (Hb 9.14). Foi evidência conclusiva da influência penetrante e controladora de um batismo, que o Salvador imediatamente após tal batismo seja apresentado como sob a plena influência do Espírito divino: "Jesus, pois, cheio do Espírito Santo, voltou do Jordão; e era levado pelo (ἐν) Espírito no deserto" (Lc 4.1). E quando saiu do deserto, veio investido com todo o poder singular deste agente divino: "Jesus voltou para a Galiléia no poder do Espírito" (Lc 4.14).[30]

2. O CÁLICE DO BATISMO. "Jesus, porém, replicou: Não sabeis o que pedis; podeis beber o cálice que eu estou para beber? Responderam-lhe: Podemos" (Mt 20.22).

"Mas Jesus lhes disse: Não sabeis o que pedis; podeis beber o cálice que eu bebo, e ser batizados no batismo em que eu sou batizado? E lhe responderam: Podemos. Mas Jesus lhes disse: O cálice que eu bebo, haveis de bebê-lo, e no batismo em que eu sou batizado, haveis de ser batizados" (Mc 10.38,39).

"Há um batismo em que hei de ser batizado; e como me angustio até que venha a cumprir-se!" (Lc 12.50).

É certo que este simples uso retórico indica que o cálice – ao referir-se propriamente ao gole amargo que ele contém – é um agente batizador. O Salvador não sugeriu que Ele deveria ser batizado *em* ou *dentro* de uma taça, mas que a taça estava para batizá-lo. Este não é um batismo excepcional fora do raio de ação dos batismos bíblicos usuais. Na verdade ele, como o batismo de Cristo pelo Espírito, é fundamental em seu caráter e revela a própria essência de todos os batismos do Novo Testamento, a saber, o trazer do sujeito a um estado de batizado por meio de um agente batizador, seja ele pelo Espírito Santo, um cálice, a nuvem ou o mar, ou mesmo a água. A agência batizadora não é o batismo, assim como a corda de um homem enforcado não é a morte. Há uma concordância geral de que a referência de Cristo ao cálice pelo qual Ele estava para ser batizado, era uma referência à sua morte penal, cujo cálice beberia das mãos do Pai.

Está escrito: "Disse, pois Jesus a Pedro: Mete a tua espada na bainha; não hei de beber o cálice que o Pai me deu?" (Jo 18.11). Igualmente está registrado que ele orou: "Meu Pai, se possível, passa de mim este cálice; todavia, não seja como eu quero, mas como tu queres... Retirando-se mais uma vez, orou, dizendo: Pai meu, se este cálice não pode passar sem que eu o beba, faça-se a tua vontade" (Mt 26.39,42; cf. Mc 14.36; Lc 22.42). Além da esfera da simpatia humana, era impossível para outro beber esse cálice, embora eles próprios pudessem experimentar a morte física. Como um memorial, um cálice é bebido quando contém nele o símbolo do sangue de Cristo derramado – sangue derramado quando bebeu o seu cálice de morte penal, o Justo pelos injustos. O conteúdo do cálice serviu para batizar o Filho de Deus na morte.

Assim, em conclusão, pode ser observado que Cristo tornou-se o sujeito de três batismos:

Primeiro, quando Ele foi separado para o seu ofício sacerdotal, ofício esse que predisse sua única grande realização sacerdotal de oferecer-se a si mesmo sem mancha a Deus. Ele foi batizado nesse ofício por meio de água simbólica de acordo com o modo e maneira prescritos na lei de Moisés. Não há um registro que afirme que Ele foi batizado *dentro* da água. O batismo colocou-o na posição de um sacerdote, de acordo com a lei. Dentro da água e dentro do sacerdócio são duas preposições totalmente diferentes. A água é o agente e não o elemento que se recebe. Portanto, o modo do batismo de Cristo não é determinado por uma asserção dogmática em que Ele foi momentaneamente imerso em água. Ele foi batizado por meio de água na perpetuidade duradoura de seu ofício sacerdotal. Importa pouco se havia muita ou pouca água foi reservada – e de acordo com todas as referências no Texto Sagrado – com respeito à agência batizadora e não é exaltada no lugar do elemento que se recebe.

Esta deve ser a concepção bíblica, como o texto da Escritura declara que Cristo era batizado em seu ofício sacerdotal no Jordão – uma localidade – e não uma imersão momentânea no Jordão. De si mesma, a suposta imersão no Jordão nada poderia cumprir com respeito a uma condição totalmente mudada. Contudo, a água, quando aplicada por um batizado devidamente qualificado e de acordo com a lei prescrita, se tornava um fator integral em assegurar o batismo de Cristo a um ofício sacerdotal. A preposição grega usada não pode ser designada para asseverar que Cristo foi batizado, *em* água e *no* ofício sacerdotal.

Segundo, Cristo foi batizado pelo Espírito Santo. O texto não afirma que foi batizado *no* ou *dentro* do Espírito Santo. O Espírito era o agente batizador e o batismo era para o estado em que Cristo, com respeito à sua humanidade, vivia e servia; pois operou todas as suas obras pelo poder do Espírito e para Ele o Espírito foi dado sem medida (Jo 3.34).

Terceiro, Cristo foi batizado por um cálice que continha a morte penal, e para o estado de morte. Ele não foi batizado *numa* taça, mas *pela* taça Ele foi batizado na morte que somente poderia servir como uma redenção perfeita, uma reconciliação perfeita, e uma propiciação perfeita.

CAPÍTULO V

A Tentação do Verbo Encarnado

I. Três Fatores Fundamentais

Como uma introdução essencial ao estudo do tema complicado a respeito da tentação de Cristo, três aspectos fundamentais da verdade absoluta aparecem para a nossa análise. Eles são: (1) o significado da palavra πειράζω, que é usualmente traduzida como *tentar*; (2) o sentido em que Deus pode ser tentado; e (3) a verdade de que a tentação de Cristo era na esfera de sua humanidade e não na de sua divindade.

1. O Significado de πειράζω. Esta palavra, que aparece no Texto Sagrado cerca de cinqüenta vezes, comunica a idéia de um teste ou do estabelecimento de uma prova. Ela tem duas significações: uma, é a de testar com a idéia de provar ou desenvolver virtude, e a outra é a de instigar para o mal. Desta última, pode ser dito que tal instigação não pode vir de Deus, mas deve surgir da natureza caída dos indivíduos ou de Satanás. Tiago faz uma afirmação positiva a respeito disto, quando diz: "Ninguém, sendo tentado, diga: Sou tentado por Deus; porque Deus não pode ser tentado pelo mal e ele a ninguém tenta. Cada um, porém, é tentado, quando atraído e engodado pela sua própria concupiscência" (Tg 1.13,14). Com respeito à primeira – um teste para desenvolver uma virtude – a experiência de Abraão na oferta de Isaque é um exemplo.

A ordem veio diretamente de Deus. Não havia mal algum em Abraão ser corrigido, e que o texto tenha se finalizado com estas palavras: "Agora sei que temes a Deus, visto que não me negaste teu filho, o teu único filho" (Gn 22.12). O cristão é ordenado a fazer prova de si mesmo, para ele saber se está na fé ou não. Ele deve provar-se por testes, baseado no fato de que Cristo está nele (2 Co 13.5). Em vista da verdade de que Deus não instiga homem algum ao mal, a oração, "e não nos induzas à tentação, mas livra-nos do mal" (Mt 6.13) deve ser interpretada com o significado de que aquele que ora assim, deseja ser poupado do teste, mas se, na sabedoria de Deus, o teste deve ser aplicado, ele deseja ser liberto do mal da obstinação e da infidelidade. O espinho na carne do apóstolo Paulo se tornou um teste que não foi removido. Disto ele escreveu: "...e vós sabeis que por causa de uma enfermidade da carne vos anunciei o evangelho a primeira vez, e aquilo que na minha carne era para vós uma tentação, não o desprezastes nem o repelistes, antes me recebestes como a um anjo de Deus, mesmo como a Cristo Jesus" (Gl 4.13,14).

Tiago também escreveu: "Meus irmãos, tende por motivo de grande gozo o passardes por várias provações... Bem-aventurado o homem que suporta a provação; porque, depois de aprovado, receberá a coroa da vida, que o Senhor prometeu aos que o amam" (Tg 1.2,12). Assim, igualmente, da Grande Tribulação é dito pelo Cristo glorificado que será uma hora de teste que está para vir sobre o mundo inteiro da qual a Igreja será livre (Ap 3.10). Os cristãos mesmo agora estão em "várias provações" que geram tristeza de espírito (1 Pe 1.6); e, todavia, nenhuma tentação será superior às suas forças, e, por capacitação divina, eles podem suportar. Disto está escrito: "Não vos sobreveio nenhuma tentação, senão humana; mas fiel é Deus, o qual não deixará que sejais tentados acima do que podeis resistir, antes com a tentação dará também o meio de saída, para que a possais suportar" (1 Co 10.13). Os santos antigos foram testados (cf. Hb 11.37).

2. Deus Pode Ser Provado. Ao menos 27 incidentes ou referências estão registradas em que é dito que Deus tem sido ou poderia ser provado; mas sempre deve ser considerado à luz da segurança de que Deus não pode ser tentado a fazer o mal, nem Ele assim tenta qualquer homem (Tg 1.13-15). O teste divino se estende a cada pessoa da bendita Trindade. Do Pai, é dito a respeito da imposição da lei mosaica sobre os crentes aperfeiçoados: "Agora, pois, por que tentais a Deus, pondo sobre a cerviz dos discípulos um jugo que nem nossos pais nem nós pudemos suportar?" (At 15.10). Para aqueles que, talvez por causa da ignorância, ensinam que o sistema mosaico é uma regra de vida para o crente já aperfeiçoado em Cristo, a advertência que este texto dá seria efetiva. Não há quaisquer elementos de piedade no ato de impor o sistema mosaico sobre a Igreja; antes, ele é perigoso e uma provocação terrível a Deus.

É significativo que, de toda a impiedade em que os cristãos podem ceder, somente esta grande ofensa contra Deus é mencionada como a causa do Seu teste dos crentes. Assim, também, o Espírito pode ser testado. Nisto há uma similaridade com o precedente, visto que apenas um incidente do teste do Espírito está registrado. Esta experiência aconteceu por uma falsidade proferida por dois cristãos primitivos, cuja desonestidade foi declarada como sendo contra o Espírito Santo. Está escrito: "E perguntou-lhe Pedro: Dizei-me, vendestes por tanto aquele terreno? E ela respondeu: Sim, por tanto. Então Pedro lhe disse: Por que é que combinastes entre vós provar o Espírito do Senhor? Eis aí à porta os pés dos que sepultaram o teu marido, e te levarão também a ti. Imediatamente ela caiu aos pés dele e expirou. E entrando os moços, acharam-na morta, e, levando-a para fora, sepultaram-na ao lado de seu marido" (At 5.8-10). Da tentação de Cristo, o Filho, mais textos há – (cf. Lc 4.1-13; Hb 2.18 e 4.15). A discussão destas declarações importantes será considerada na seção seguinte.

3. Cristo Foi Tentado. Quando declaramos, como acima, que os testes que vieram a Cristo foram na esfera de sua humanidade e não dirigidos diretamente à sua divindade, não somente é a verdade asseverada de que Ele, por ser Deus, não poderia ser instigado a respeito das coisas más; porém, o problema, por inteiro, que pode ser estendido ao infinito, dizia respeito às relações das duas naturezas entre si, que são introduzidas aqui novamente. Há uma concordância geral de que, se Cristo tivesse pecado, a queda teria surgido totalmente de sua natureza humana; mas em toda a discussão a respeito de sua impecabilidade, a verdade freqüentemente ignorada é a de que Cristo estava totalmente livre de uma natureza pecaminosa e de tudo o que a natureza pecaminosa poderia gerar.

Alguns teólogos, assim como os filósofos pagãos poderiam fazer, baseiam suas especulações sobre as limitações reconhecidas dos homens caídos. É argumentado que nenhum homem é livre de pecar e, visto que Ele era um homem, Cristo foi instigado ao mal como qualquer outro ser humano. Em seu discurso sobre o problema da relação pessoal de Cristo com o pecado, o bispo Martensen escreve:

O fato de que o segundo Adão experimentou todas as tentações – incitações ao pecado, ameaças e torturas do corpo e da mente – deve ser explicado com base, não de sua liberdade moral somente, nem da progressividade de sua natureza, mas de ambas as coisas combinadas. As proposições, *potuit non peccare*, "era possível para ele não pecar", longe de ser distinta ou contrastada, pode ser dita para incluir e pressupor uma e outra. A primeira, que significa que o fato dele não pecar era somente uma possibilidade para Cristo, e sugere que Ele experimentou a tentação com um real poder; pois, conquanto ela tenha vindo de fora, deve, se não foi uma mera simulação, ter despertado algum sentimento correspondente dentro dEle; através do que somente Ele realmente tenha sido tentado. E como o contraste entre o cósmico e o sacro – o natural e o espiritual – foi necessário no segundo Adão, a fim de que uma dupla influência sobre a vontade – como o segundo Adão não pode ser visto como tendo uma só vontade, que seria de fato considerá-lo como um monofisita, mas como tendo duas vontades – o mesmo princípio deve ter estado ativo nEle, que tornou possível a queda do primeiro Adão. A possibilidade do mal existia no segundo Adão, mas esta possibilidade nunca se tornou ativa, nunca foi realizada; ela serviu somente como o pano de fundo escuro e obscuro para demonstrar a sua perfeita santidade. Isto foi garantido, não por força da virtude ou inocência, que a própria idéia da tentação torna incerta e duvidosa, pendendo para a provação, nem ainda pela força da natureza divina como distinta da humana, ou da humana como distinta da divina, mas em virtude da união indissolúvel das naturezas divina e humana nEle; esse *laço* que pode na verdade ser forte e sacudido diante da maior tensão e contraste das duas naturezas, mas que nunca pode ser rompido. Isto está expresso na segunda proposição *non potuit peccare*, "era impossível para Ele pecar". Embora a tentação em si e o conflito contra ela não fossem meramente aparentes, mas reais e rigorosamente severos, o resultado nunca poderia ter sido duvidoso; pois o laço entre a natureza divina e a humana, que pode ser severo na criatura, foi indissolúvel nEle que é o Mediador entre o Pai e todas as suas criaturas. Este laço pode ser rompido somente quando a conexão do divino com o humano é meramente representativa e relativa; nunca quando ele é essencial e arquetípico, como nEle, em quem os conselhos do Pai estavam inclusos antes da fundação do mundo.[31]

O Dr. Martensen aqui, com muitos líderes teológicos, mantém uma elevada consideração pela pessoa teantrópica, mas suas implicações são que Cristo sofreu aquelas tentações que pertencem à natureza caída; ainda, Cristo poderia não ter possuído uma natureza pecaminosa sem ter participado da queda, visto que a natureza não pertence à humanidade não-caída. Naturalmente, os únicos exemplos desta forma de existência humana são restritos a Adão antes dele cair e a Cristo. Se Cristo tivesse sido Ele próprio um Ser caído, não poderia ter sido a Redentor-parente que era exigido. Talvez, alguns falharam em perceber a esta altura que a obra salvadora de Cristo se estende até à natureza pecaminosa daqueles que Ele salva, assim como às suas transgressões individuais. Tivesse Cristo sido um homem caído, ele também precisaria ser salvo e não poderia salvar-se a si mesmo ou a qualquer outro. Se, por outro lado, Ele era não-caído e teantrópico em seu Ser, não teria solicitação alguma para o mal tal como aquela que surge de uma natureza pecaminosa.

A santidade divina é intrínseca e é predicado dele (Lc 1.35). Foi declarado nas páginas anteriores e é reafirmado aqui que a Cristo era impecável no sentido de *non potuit peccare*; isto é, era *impossível* para Ele pecar. Aquilo que cria dúvida em muitas mentes devotas é o fato óbvio que, como aconteceu com Adão, um ser humano não-caído é capaz de pecar. Na verdade, o trágico nesse caso, é a falha em reconhecer que o primeiro Adão não teve o suporte na hora de seu teste, mas o último Adão, embora igualmente possuidor de uma natureza não-caída, recebeu esse suporte – como o Dr. Martensen tão bem afirma – por causa da "união indissolúvel das naturezas divina e humana", incapaz de fazer o que Ele poderia diferentemente ter feito, se Sua natureza humana tivesse sido entregue a si mesma, desunião essa das duas naturezas que jamais poderia ocorrer. Mesmo sendo o caso, como com Adão, difere daquele de qualquer dos homens caídos.

Enquanto o homem caído é totalmente inclinado a pecar, os dois, o Adão não-caído e a humanidade de Cristo não tinham tal ímpeto de pecar, e o Adão não-caído poderia facilmente ter evitado aquilo que Ele veio a fazer. Visto que este laço de união que une as duas naturezas de Cristo – porque Ele é uma pessoa – é tão completo, a humanidade de Cristo não poderia pecar. Se sua humanidade pecasse, Deus pecaria. Quando a divindade absoluta de Cristo é reconhecida, não há uma lógica que seja mais inexorável do que esta. Embora não recebendo o suporte, a humanidade não-caída poderia pecar, uma pessoa teantrópica, mesmo quando incorpora uma natureza humana não-caída, é incapaz de pecar. A argumentação de que Cristo *poderia* pecar, mas *não* pecou, é muito distante da argumentação de que Cristo *não poderia pecar*. A primeira nega sua divindade ou até desonra Deus com a afirmação caluniosa de que Deus é em si mesmo capaz de pecar.

Além disso, deve ser declarado que os aspectos humanos de Cristo, que não envolveram questões morais, poderiam ser exibidos livremente. A idéia poderia ser admitida com certa reserva de que Ele era tanto onipotente quanto impotente, onisciente quanto ignorante, infinito quanto finito, ilimitado quanto limitado; mas nunca poderia ser permitido que Ele fosse incapaz de pecar e capaz de pecar. Não há elementos que desonram a Deus na fraqueza humana, na dor humana, na fome humana, na sede humana, ou nas limitações humanas com respeito a várias capacidades – mesmo a morte humana pode ser admitida como uma morte experimentada no lugar de outros, mas não por causa de Si mesmo.

Pode ser visto do que se disse anteriormente que quaisquer que tenham sido os testes vindos a Cristo, eles não encontraram sua expressão na natureza pecaminosa ou através dela. Não obstante, Ele foi testado e provado e, todavia, sem pecado. Com respeito ao homem caído, suas tentações podem surgir tanto do mundo, quanto da carne ou do diabo; mas o teste de que falamos, para estabelecer virtude, vem usualmente de Deus. O mundo não possuía uma reivindicação a fazer daquele que disse: "Eu deste mundo não sou" (Jo 17.14,16), e a carne, concebida como uma natureza caída, não estava nem mesmo latente no Filho de Deus. De Satanás, Ele disse: "Já não falarei muito convosco, porque vem o príncipe deste mundo, e ele nada tem em mim" (Jo 14.30). Como é possível para uma cidade inconquistável ser atacada, assim a Pessoa teantrópica impecável pode ser assaltada.

Cristo foi tentado, não para provar sua impecabilidade, mesmo para Si ou para seu Pai; Ele o foi por causa daqueles que são chamados para confiar nele. Como Deus pode ser testado, assim Cristo foi tentado. Está escrito: "Jesus, porém, percebendo a sua malícia, respondeu: Por que me experimentais, hipócritas?" (Mt 22.18; cf. Mc 12.15; Lc 20.23; Jo 8.6). As principais passagens sobre a tentação de Cristo são:

Lucas 4.1-13 (cf. Mt 4.1-11; Mc 1.12,13). "Jesus, pois, cheio do Espírito Santo, voltou do Jordão; e foi levado pelo Espírito ao deserto, onde, por quarenta dias, foi tentado pelo diabo. E naqueles dias não comeu coisa alguma; e terminados eles, teve fome. Disse-lhe, então, o diabo: se tu és o Filho de Deus, manda a esta pedra que se torne em pão. Jesus, porém, lhe respondeu: Está escrito; Nem só de pão viverá o homem. Então o diabo, levando-o a um lugar elevado, mostrou-lhe num relance todos os reinos do mundo. E disse-lhe: Dar-te-ei toda a autoridade e glória destes reinos, porque me foi entregue, e a dou a quem eu quiser; se tu, pois, me adorares, será toda tua. Respondeu-lhe Jesus: Está escrito: Ao Senhor teu Deus adorarás, e só a ele servirás. Então o levou a Jerusalém e o colocou sobre o pináculo do templo e lhe disse: Se tu és o Filho de Deus, lança-te daqui abaixo; porque está escrito: Aos seus anjos ordenará a teu respeito, que guardem; e: eles te susterão nas mãos, para que nunca tropeces em alguma pedra. Respondeu-lhe Jesus: Dito está: Não tentarás o Senhor teu Deus. Assim, tendo o diabo acabado toda sorte de tentação, retirou-se dele até a ocasião oportuna.

Diante da investigação de três passagens que dizem respeito às tentações de Jesus, a referência de Lucas e duas mais, é bom lembrar uma vez mais que as verdades destas tentações estiveram fora do alcance daqueles fatores na vida humana, que são o resultado da queda, e que estas tentações foram dirigidas somente à Sua humanidade. A tríplice tentação de Cristo, que o texto acima apresenta, indica o fato de que Seu teste e aquilo que está envolvido, é o relacionamento dentro dEle próprio, entre as duas naturezas, sua relação com o Pai e com o Espírito Santo. Há também uma revelação definida de sua relação com Satanás. Todos os três evangelhos sinóticos declaram que, após seu batismo, Cristo foi levado pelo Espírito ao deserto e ali foi tentado, ou testado, por Satanás. O registro assevera que durante esse teste, Satanás levou Cristo a um alto monte e ao pináculo do templo. Por que Cristo deveria ser testado assim, será considerado mais tarde.

O ponto em questão aqui é que Cristo, totalmente sujeito ao Espírito Santo, foi propositadamente trazido para a esfera do poder de Satanás. Por que tal teste pode ser um problema muito além do alcance da compreensão humana? Seria um desleixo, na verdade, falhar em observar aqui que, como em várias outras situações na vida terrena de Cristo, algumas questões estavam envolvidas que pertencem à esfera do relacionamento que existe entre Deus e os seres angelicais, a respeito do fato dos seres humanos não possuírem conhecimento algum além daquelas sugestões que a Bíblia revela. A narrativa deste teste – imensurável em seu alcance – pode ser considerada sob duas divisões gerais, a saber: (1) A relação de Cristo com o Espírito Santo e (2) o teste da humanidade de Cristo feito por Satanás.

II. A Relação de Cristo com o Espírito Santo

Embora este tema específico seja introduzido mais plenamente no estudo da Pneumatologia, ele exige alguma consideração a esta altura. Além disso, precisa ser reafirmado que a dependência que Cristo tinha do Espírito Santo era dentro da esfera de sua humanidade. Com respeito à sua divindade, não houve uma ocasião para Ele estar na dependência do Pai ou do Espírito Santo; e embora Ele possa como Deus ter ministrado às suas próprias necessidades humanas tão plenamente como fez o Espírito Santo, esse acordo O teria movido da posição ocupada por todos os crentes, para quem Sua vida é um padrão. Os cristãos não podem recorrer a tal recurso dentro de si mesmos; assim eles são, como Ele era, lançados totalmente ao poder capacitador do Espírito Santo. O Novo Testamento assevera do começo ao fim – mesmo desde Sua concepção pelo poder gerador do Espírito até sua morte através do mesmo Espírito eterno – que Cristo viveu e operou sob o princípio da dependência de outro.

O estudante atento não pode falhar em observar esta verdade (cf. Mt 12.28; Mc 1.12; Lc 4.14,18; Jo 3.34). A verdade de que Cristo – e com o fim de que Ele possa demonstrar a efetividade da vida que é vivida totalmente na confiança do Espírito – era em si mesmo dependente do Espírito, não poderia ser permitido gerar qualquer falha em reconhecer a divindade absoluta do Salvador. Sua própria autoridade sobre o Espírito em outras esferas de relacionamento e de acordo com os conselhos eternos de Deus, é vista na própria declaração de Cristo: "Todavia, digo-vos a verdade, convém-vos que eu vá; pois se eu não for, o Ajudador não virá a vós; mas, se eu for, vo-lo enviarei" (Jo 16.7).

III. O Teste de Cristo Feito por Satanás

Neste tríplice teste, está declarado que Cristo foi conduzido pelo Espírito ao deserto com o objetivo expresso de que Ele fosse testado por Satanás. Grande importância se junta a esta revelação, que sugere que este teste não se originou com Satanás, embora pode ser crido que tudo foi totalmente de acordo com aquele poderoso anjo. Um paralelo a isto é encontrado na experiência de Jó (1.6–2.8), em cuja experiência Jó é testado por Satanás e totalmente levado pela instigação de Jeová (cf. Jó 1.8; 2.3). O Texto Sagrado não indica que Cristo agiu por sua própria conta, ao ir ao deserto, nem assevera que Ele foi forçado a fazer o que fez contra a sua vontade. Ele próprio era "cheio do Espírito" e, como qualquer indivíduo assim abençoado, lhe agradou fazer tudo segundo a mente e a vontade de Deus. Cristo, de acordo com Lucas, era maduro tanto física quanto espiritualmente.

O combate, assim, se torna crucial em cada aspecto e mais evidentemente alcança as esferas não reveladas do relacionamento entre Cristo e os anjos caídos. É de pouco proveito a especulação sobre por que tal teste foi divinamente ordenado e executado. Isto certamente diz respeito à humanidade do Salvador e o seu valor é, no que diz respeito aos homens, uma questão de demonstrar a impecabilidade absoluta do Filho de Deus. A construção gramatical sustenta a idéia de que este teste continuou impiedosamente durante os quarenta dias, embora apenas três testes específicos estejam registrados e estes, evidentemente, ocorreram no final. Quando Cristo tinha jejuado por quarenta dias, estava faminto e este fato tornou-se a base para o primeiro dos três testes registrados.

Satanás realmente nada origina. Aqui, como em todo exemplo, somente o propósito soberano de Deus é realizado. Isto não significa dizer que Satanás, como o homem mal-orientado, não imagina que ele origina tudo que ocorre em seus esforços. O teste da humanidade de Cristo assegura um valor muito grande ao crente, para ser originado por Satanás. Por três modos de abordagem Satanás procurou persuadir o último Adão a abraçar a sua filosofia de independência de Deus, que ele próprio agarrou logo após sua criação, e que ele impôs com sucesso sobre o primeiro Adão. A questão real ficou clara: A humanidade de Cristo cederia a um apelo de agir independentemente de Deus, mesmo quando todos os reinos deste *cosmos* (cf. Mt 4.8) lhe são oferecidos como um suborno – reinos que, no final, seriam seus, vindos da mão do Pai (cf. Sl 2.7-9; 1 Co 15.24-28; Ap 11.15; 19.16)?

Como um pacto imposto sobre si mesmo, o Filho de Deus tinha dito, quando estava para entrar neste mundo e no que diz respeito à sua humanidade (evidenciada por Ele dirigir-se a *Deus* antes que a seu Pai): "Pelo que, entrando no mundo, diz: Sacrifício e oferta não quiseste, mas um corpo me preparaste; não te deleitaste em holocaustos e oblações pelo pecado. Então eu disse: Eis-me aqui (no rol do livro está escrito de mim) para fazer, ó Deus, a tua vontade" (Hb 10.5-7). Assim, a atitude declarada do Filho era, mesmo antes de ter entrado no mundo, a de fazer a vontade de Deus. Fazer essa vontade é a realização mais elevada e maior de qualquer criatura, seja anjo ou homem. Aquele que é sempre o Padrão Supremo deve ser com perfeição infinita o exemplo daquilo que é a mais elevada responsabilidade do homem.

Ao considerarmos estes três testes separadamente, pode ser visto:

(1) Que a proposta de ministrar à Sua fome, ao tornar pedras em pães, tocaria o próprio centro daquilo que é distintamente humano. Está escrito: "Abres a mão, e satisfazes o desejo de todos os viventes" (Sl 145.16). Para Cristo empregar o seu poder divino na criação, a fim de satisfazer a sua própria necessidade humana, teria sido o abandono da esfera das limitações humanas, esfera essa que era a vontade de Deus para Ele. Tivesse Ele, assim, satisfeito sobrenaturalmente suas próprias necessidades humanas, não teria sido em todos os pontos testado como os homens o são. Os homens são lançados por Deus sem nenhum poder criador pelo qual asseguram alívio.

(2) O segundo teste, já mencionado, de que os reinos deste mundo seriam dados em troca da adoração da parte do Cristo teantrópico, igualmente propôs que a busca da vontade e do plano divinos fosse abandonada pela vontade própria que se lhe opõe; mas este teste alcança as esferas angelicais, onde a compreensão humana não pode entrar plenamente. Comparativamente, não é difícil pensar sobre a autoridade no *cosmos* (que Satanás mantém sob permissão divina), por ser entregue a Cristo por Satanás. Tudo isso será realizado no devido tempo, mas, para observar a audácia, a insolência, e o insulto a Deus, que estiveram envolvidos na sugestão de que o Filho de Deus adorasse uma criatura de Suas próprias mãos, que é o arquiinimigo de Deus, podem ser apenas debilmente reconhecidas neste mundo: sua impiedade somente pode ser medida nas esferas celestiais.

(3) O teste final, registrado por Lucas, era com a finalidade de que Cristo, pelo exercício inútil do poder divino (porque Ele tinha uma reivindicação sobre isto como a Pessoa teantrópica), pudesse fazer uma coisa para a glória de Si mesmo, que não estava incluída na vontade de Deus para Ele.

Em todos esses testes, Cristo foi vitorioso enquanto permaneceu totalmente na esfera dos recursos humanos. Ele foi desafiado pelas palavras: "Se tu és o Filho de Deus". Isto se tornou um teste claro da humanidade de Cristo, em que é proposto o uso dos poderes pertencentes à sua divindade. Ele venceu como o homem pode vencer – pela Palavra de Deus, palavra essa que deve ser estimada como a revelação da vontade divina a que o homem deveria ser submisso. Ser outra coisa, além de submisso, é, como declarado por Cristo, "tentar ao Senhor teu Deus" (Mt 4.7).

Hebreus 4.15: "Porque não temos um sumo sacerdote que não possa compadecer-se das nossas fraquezas; porém um que, como nós, em tudo foi tentado, mas sem pecado".

Embora Sumo Sacerdote e, nesse sentido Ele é o Sumo Sacerdote arquetípico – o verdadeiro Sumo Sacerdote a respeito de quem todos os outros foram apenas sombras – Cristo é, não obstante, capaz de simpatizar-se com os filhos de Deus, que são igualmente testados. Ele em si mesmo era em todos os pontos testado como eles são – exceto que não pecou – isto é, à parte dos testes que surgem de uma natureza pecaminosa caída. Anteriormente, nesta discussão, ficou demonstrado que Cristo não poderia ter tido uma natureza pecaminosa nem poderia ter Ele pecado. Esta passagem não assevera meramente que Cristo foi tentado em todos os pontos, como o homem é tentado, mas que não pecou. Ela também declara que Ele não experimentou tentações que uma natureza pecaminosa gera. Como o Redentor-parente, não pode estar envolvido na calamidade da qual é designado para redimir.

Ele não poderia ser o Cordeiro de Deus santo e imaculado, exigido pela redenção, se Ele possuísse mesmo a mais leve mancha do pecado. Ele serve como um Sumo Sacerdote cheio de simpatia e misericordioso, e não como Aquele que participa daquilo que causa aflição. Ele disse de si mesmo: "...porque vem o príncipe deste mundo, e ele nada tem em mim" (Jo 14.30). Esta declaração, de acordo com o que se segue, é uma referência à sua morte e o fato de que Ele em nenhum sentido era digno de morte. A morte, a penalidade do pecado humano, não tinha uma alegação legítima sobre Ele. Quando morreu, foi seu próprio ato voluntário de obediência à vontade de seu Pai. O ponto em questão neste aspecto deste tema é que Cristo era, na esfera daquilo que não está relacionado à queda, testado em todas as coisas, teste esse que incluía a experiência da enfermidade e das limitações humanas.

Hebreus 2.17,18: "Pelo que convinha que em tudo fosse feito semelhante a seus irmãos, para se tornar um sumo sacerdote misericordioso e fiel nas coisas concernentes a Deus, a fim de fazer propiciação pelos pecados do povo. Porque naquilo que ele mesmo, sendo tentado, padeceu, pode socorrer aos que são tentados".

Nesta passagem, a ênfase cai sobre a muitíssima grandeza da misericórdia de Cristo. É a misericórdia do Deus de toda graça que, tendo a si mesmo sido testado na esfera humana, é capaz também de socorrer aqueles que são testados. Esta é mais uma aptidão do Salvador.

Fica assim demonstrado que Cristo foi testado neste mundo, e é certo que os homens nada sabiam dessa provação que o Seu santo caráter suportou. O escritor aos Hebreus, após apresentar a narrativa dos testes de Cristo, conclui o tema dizendo: "Considerai pois aquele que suportou tal contradição dos pecadores contra si mesmo, para que não vos canseis, desfalecendo em vossas almas. Ainda não resististes até o sangue, combatendo contra o pecado" (Hb 12.3,4). A sugestão é que o teste que Cristo suportou exigiu dEle uma resistência até o sangue. Isto pode conduzir à experiência que foi dEle no jardim, realidade em que nenhum outro pode se entremeter.

Ele não foi testado com a idéia de certificar-se se falharia, mas, antes, para provar àqueles com mente cheia de dúvidas de que Ele não poderia falhar.

Capítulo VI

A Transfiguração do Verbo Encarnado

U M EVENTO MARAVILHOSAMENTE ESPETACULAR – todavia mais significativo do que espetacular – ocorreu no monte da Transfiguração. Para os teólogos que negligenciam a totalidade da era milenar ou para aqueles que têm procurado identificá-la como já acontecida ou para aqueles que afirmam que não haverá tal era no programa de Deus, a transfiguração é basicamente sem significado. Neander, a fim de rejeitar a segunda carta de Pedro como espúria, afirma: "Mas certamente não é natural supor que um dos apóstolos deveria selecionar e apresentar desde a totalidade da vida de Cristo da qual eles haviam sido testemunhas oculares, este fato isolado [2 Pe 1.16ss], que era menos essencialmente conectado com aquilo que era o ponto central e objeto de sua aparição".[32]

Semelhantemente, aqueles defensores da Igreja-reino ou da teologia do pacto estão, por ora, encorajados em sua teoria, pelo fato de que, na transfiguração, os santos do Antigo Testamento – Moisés e Elias – estão presentes com os discípulos – Pedro, Tiago e João – que posteriormente se tornaram apóstolos da Igreja. A suposição é que a transfiguração é uma miniatura da Igreja no céu. O Dr. Charles Hodge, um representante desta escola de teologia, declara: "A transfiguração no monte era um tipo e um penhor da glória do segundo advento".[33] Isto é apenas um reconhecimento parcial daquilo que Pedro declara que a transfiguração foi, a saber, uma apresentação prévia do reino vindouro na terra. A menos que a transfiguração seja abordada como o pano de fundo que toda a revelação do Antigo Testamento a respeito do reino davídico terrestre apresenta, não pode haver um entendimento deste importante evento na vida de Cristo. Os pré-milenistas somente são capazes de dar a este retrato peculiar a sua significação plena e digna e uma explicação. Como será visto, esta manifestação da glória terrestre do reino está longe de ser sem importância. A discussão deste tema pode bem ser feita agora.

A palavra *transfigurar* (μεταμορφόομαι) é usada apenas quatro vezes no Novo Testamento (cf. Mt 17.2; Mc 9.2; Rm 12.2; 2 Co 3.18), e comunica um significado que é peculiar e distinto quando contrastado com μετασχηματίζω, que é traduzido como *transformando* ou *transformado* (cf. 2 Co 11.13-14, onde é dito que Satanás se transforma num anjo de luz; assim, também, o corpo do crente será transformado – cf. Fp 3.21). Está evidente que uma coisa é transformada por influências externas, enquanto que uma coisa é transfigurada pelo excesso de brilho de uma luz ou pela vitalidade que está residente nela. A glória essencial de Cristo foi revelada enquanto esteve aqui sobre a terra, mas no momento da transfiguração o Seu *Shekinah* glorioso intrínseco foi permitido que se irrompesse. Ele não assumia meramente uma glória ou permanecia no esplendor de uma glória exterior que veio sobre Ele.

É esta verdade que empresta grande importância para as duas passagens onde a transfiguração é relacionada aos crentes – Romanos 12.2; 2 Coríntios 3.18. O crente está sujeito à transfiguração e não a uma mera transformação. A presença divina interior é como uma luz, e isto significa ter o seu fulgor normal e operará grandes mudanças dentro do coração onde essa natureza mora.

I. A Importância

A avaliação divina a respeito da importância da transfiguração é sugerida pelo fato de que ela aparece detalhadamente em cada um dos evangelhos sinóticos: Mateus 16.27–17.13; Marcos 9.1-13; Lucas 9.27-36. A descrição total pode ser vista somente quando todas as três narrativas são diligentemente comparadas. Ao todo, 36 versículos do Texto Sagrado são dedicados à descrição desse evento; além destes, há três versículos de 2 Pedro 1.16-18, em cuja porção a interpretação divina está revelada. É significativo também que este grande evento seja relatado somente pelos evangelhos sinóticos – que em grande parte estão preocupados com os aspectos do reino do ministério de Cristo enquanto esteve aqui na terra – o que não está registrado por João que, na maior parte, apresenta a verdade pertencente à presente era que não foi prevista, e à Igreja.

Não há uma admissão a ser feita, contudo, para que esta distinção não seja válida e vital, quando é observado aqui que tais discriminações são desconhecidas da escola dos intérpretes do conceito Reino-igreja. Sem levar em conta as divisões de capítulos que são freqüentemente sem relação quanto à continuidade do contexto, será observado que cada narrativa da transfiguração segue uma declaração de Cristo a respeito de seu segundo advento. O registro declara que Ele disse que o Filho do homem viria "na glória do seu Pai com os santos anjos" (Mc 8.38), ou "na glória do seu Pai com seus anjos" (Mt 16.27), ou ainda "em sua própria glória, e na do seu Pai, e dos santos anjos" (Lc 9.26). Para uma mente judaica, a vinda em glória era inevitavelmente uma alusão ao livro de Daniel 7.13,14. A essa revelação de seu retorno, ele acrescenta: "Em verdade vos digo que, dos que aqui estão aslguns h´´a que de maneira nenhuma passarão pela morte" (Mc 9.1); "Alguns há, dos que estão aqui, que de modo nenhum provarão a morte até que vejam o reino de Deus" (Lc 9.27); "Alguns dos que aqui estão de modo nenhum provarão a morte até que vejam vir o Filho do homem no seu reino" (Mt 16.28).

O Arrebatamento da Igreja não pode cumprir as promessas a respeito do segundo advento de Cristo à terra. Nos evangelhos sinóticos, como em Daniel, essa vinda é para a terra com poder e grande glória. Ela está relacionada, não ao céu, mas ao reino que deverá ser estabelecido sobre a terra no aparecimento do Filho do homem. Embora haja uma semana de anos no meio, todos os evangelistas são cuidadosos em relacionar a transfiguração com a promessa de que alguns dos doze – Pedro, Tiago e João foram mais tarde escolhidos – não provariam a morte, até que vissem o Filho do homem vindo em seu reino. Todos os doze eventualmente viram a morte em sua geração, e certamente setenta gerações são passadas e, todavia, a vinda real é retardada. Fica evidente, portanto, que esta promessa concernente a alguns deles foi cumprida no próprio tempo da geração deles.

Fica também evidente que Pedro – o líder dos três favorecidos no monte – relaciona a transfiguração a esta promessa; isto é, a transfiguração era, de acordo com Pedro, o cumprimento da promessa. A transfiguração não é o aparecimento final de Cristo na glória de seu Pai e dos santos anjos, mas é uma apresentação prévia daquilo que haveria de ser visto e de que as "testemunhas oculares" poderiam dar testemunho. Foi uma ordenação momentânea daquilo que constituirá tanto o reino quanto sua glória, quando ele estiver estabelecido na terra. A presença dos anjos e dos estupendos eventos transformadores do mundo que acompanharão a real vinda de Cristo não está inclusas nessa pré-apresentação; mas tais elementos exigidos para o cumprimento do propósito divino na transfiguração estavam presentes.

II. A Razão

A ocorrência total da transfiguração como um aspecto da vida de Cristo exige alguma explicação sobre o porquê tal inovação peculiar deveria ser introduzida, num programa que, de outra forma, à parte dos milagres, foi caracterizado por condições que estavam dentro do alcance das atividades humanas. Somente os pré-milenistas têm uma solução digna para este problema. A resposta pode ser considerada em duas partes, a saber: (1) a necessidade imediata e (2) a necessidade duradoura.

1. A NECESSIDADE IMEDIATA. Duas passagens importantes que contêm proibições servem para expressar a necessidade imediata da transfiguração. Estas são Mateus 16.20 e 17.9, e elas dizem o seguinte: "Então ordenou aos discípulos que a ninguém dissessem que ele era o Cristo... Enquanto desciam do monte, Jesus lhes ordenou: A ninguém conteis a visão, até que o Filho do homem seja levantado dentre os mortos". Será lembrado que o cognome *o Cristo* é o equivalente neotestamentário do *Messias* do Antigo Testamento. Isto é, quando no Novo Testamento os aspectos messiânicos do ministério de Cristo estão em vista, eles são relacionados a Ele sob a designação de *Cristo* – não de

Jesus, cujo termo fala do fato dele ser servo, e não de *Senhor*, que assevera a sua divindade essencial. Imediatamente antes de dar a ordem para que nenhum homem dissesse que Ele era o Cristo está o primeiro anúncio peculiar da Igreja e da doação das chaves do reino do céu a Pedro.

Até essa altura, os discípulos, com João e Cristo, apresentaram a mensagem messiânica a respeito do Rei e de seu reino, e que ele estava "próximo" na pessoa do Rei (Mt 3.1, 2; 4.17; 10.5-42). Por causa da execução de João Batista e da evidente indisposição do povo – especialmente dos que governavam – de receber o Messias deles (cf. Mt 11.20-26; 16.13,14), a mensagem do reino é concluída; todavia, a base da redenção – o novo tema da graça infinita – não é estabelecida, nem poderia ser assim, até que o Seu sangue fosse derramado. Visto que a rejeição de Cristo tinha se efetivado e é divinamente reconhecida, não há mais uma oferta a ser feita a respeito de Sua messianidade, até que a obra da redenção seja realizada.

Sobre este ponto o Dr. C. I. Scofield bem pode ser citado: "Os discípulos proclamaram Jesus como o Cristo, i.e., o Rei pactuado de um reino "próximo" prometido aos judeus. A igreja, ao contrário, deve ser construída sobre o testemunho dele como crucificado, ressuscitado dentre os mortos, assunto ao céu, e como aquele que é "a cabeça sobre todas as coisas, entregue à Igreja" (Ef 1.20-23). O testemunho do primeiro tinha terminado, o novo testemunho não estava pronto ainda, por causa do sangue do novo pacto que não havia sido derramado ainda, mas nosso Senhor começa a falar de sua morte e ressurreição (Mt 16.21). Este é um momento decisivo, de imensa importância".[34] É significativo que Cristo, após Mateus 16.20, tenha dito diretamente: "Desde então começou Jesus Cristo a mostrar aos seus discípulos que era necessário que Ele fosse a Jerusalém, que padecesse muitas coisas dos anciãos, dos principais sacerdotes, e dos escribas, que fosse morto, e que ao terceiro dia ressuscitasse" (Mt 16.21).

À luz da posposição do reino, reino esse que se constituía na esperança judaica e que era àquela altura o único pensamento de seus discípulos (cf. Mc 9.10; At 1.6,7), era essencial verificar a promessa do reino e, assim, dar uma plena certeza de sua realização final; e que é precisamente a coisa que a transfiguração cumpria. Três testemunhas oculares foram escolhidas, para ver o Filho do homem vindo na glória do seu reino (Mt 17.1). A Pedro, Tiago e João – dois deles foram designados como escritores do texto do Novo Testamento – e mais tarde a Paulo na Arábia, foi dada a importante informação a respeito da certeza da vinda do reino, aquilo que mais tarde seria compreendido em sua relação com a nova ordem da graça. Os discípulos não entenderam o significado da transfiguração àquela altura, mas a certeza dela serviu-lhes bem para resolver os problemas que surgiram com a inauguração do programa divino para o chamamento da Igreja (cf. At 15.13-18; 2 Pe 1.16,17).

Pela afirmação de que ele não mais seria proclamado em seu caráter messiânico, o Senhor não somente retirara todo o plano da proclamação do reino que tinha envolvido a Si próprio, os discípulos, e João até aquela altura, mas Ele se manifestava como alguém que haveria de ser crucificado. Se qualquer base deveria permanecer sobre a qual uma esperança do reino – tão vital em todo pacto e promessa judaicos – poderia repousar, ela exigia uma demonstração vívida que nos dias de transição que se seguiram serviriam como evidência de que as promessas imutáveis para Israel não poderiam nem seriam quebradas. À parte desta demonstração, teria sido natural – bem ilustrada pelo presente entendimento incorreto dos teólogos defensores do conceito de Igreja-reino – para os discípulos ter concluído que Deus tinha quebrado os seus pactos com Israel e que a esperança nacional deles havia sido abandonada.

Assim, a transfiguração serve para preservar a predição judaica como o propósito divino, ainda que seja posposta por uma era. Que a transfiguração teve o efeito definitivo sobre os discípulos escolhidos, é visto da afirmação de Pedro (2 Pe 1.16-18). Intimamente ligada à proibição de Mateus 16.20 – de que a mensagem do Messias não mais deveria ser pregada – está a proibição de Mateus 17.9, que declara: "Enquanto desciam do monte, Jesus lhes ordenou: A ninguém conteis a visão, até que o Filho do homem seja levantado dentre os mortos". E a isto Marcos acrescenta: "E eles guardaram o caso em segredo, indagando entre si o que seria o ressurgir dentre os mortos" (Mc 9.10).

O fato de que eles ponderaram sobre o que a referência dEle à ressurreição poderia significar, fornece evidência de que eles não estavam preparados para tudo o que estava para acontecer breve. Como foi sugerido anteriormente, a força doutrinária da transfiguração não poderia ser realmente captada até sua morte e ressurreição; conseqüentemente, houve o mandado, para que não dissessem a alguém a respeito da transfiguração, até que Ele ressuscitasse dentre os mortos. A publicação do evento da transfiguração antes de sua morte e ressurreição, teria sido, visto que o reino tinha sido proclamado, equivalente à continuação da mensagem do reino, que, como foi visto, necessariamente havia sido retirada.

2. A NECESSIDADE DURADOURA. Qualquer coisa que possa ter sido exigida para livrar os discípulos da convicção de que Deus tinha anulado o seu programa total de um reino terrestre para cumprir aquilo para o que Cristo nasceu (cf. Is 9.6,7; Lc 1.31-33), a mesma necessidade se estende a todas as gerações da Igreja até o fim, para que elas também possam ser inteligentes em sua interpretação da presente era em sua relação com o propósito terrestre imutável de Deus. A conclusão chegou no primeiro concílio da Igreja (At 15.13-18) e a ordem da verdade apresentada na epístola aos Romanos (cf. caps. 9–11 como uma explicação pelo apóstolo da relação dos pactos imutáveis de Deus, até a presente ordem da graça que os capítulos 1–8 apresentam) demonstra quão perfeitamente a Igreja Primitiva entendeu a verdade que a transfiguração anunciou. Foi a deficiência dos reformadores em retornar às conclusões da Igreja Primitiva, que tornou possível o aparecimento das várias formas de teologia sem base bíblica.

III. A Realidade

Há uma ligeira necessidade de conceder espaço para a consideração da teoria incrédula de que a transfiguração foi somente uma visão ou um sonho. Lucas afirma que os três discípulos "se haviam deixado vencer pelo sono; despertando, porém, viram a sua glória e os dois varões que estavam com ele" (Lc 9.32). O Texto Sagrado apresenta o evento como um fato histórico. Estes homens estavam em pé e eles estiveram na presença da glória. Seria estranho de fato para todos os três homens sonhar identicamente a mesma coisa e para Pedro falar aos outros enquanto estava no sonho. Da transfiguração, João testificou: "...e vimos a sua glória" (Jo 1.14), assim também Pedro descreve os três como "testemunhas oculares de sua majestade". Tudo isto diz respeito não a sonhos, mas de uma realidade. As Escrituras declaram: "...e Ele foi transfigurado diante deles" (Mc 9.2).

IV. Uma Apresentação do Reino

Tem sido suposto por aqueles que confundem o reino com a Igreja que a transfiguração era uma antecipação do céu. É verdade que haverá grande glória no céu e que Cristo será o centro dessa glória. Foi assim que João – embora O tivesse visto na glória da transfiguração e de suas aparições pós-ressurreição – O viu em sua glória celestial e ali, também, caiu a seus pés como morto (Ap 1.17). Como já foi mostrado, as Escrituras declaram que a transfiguração foi uma apresentação da vinda do Filho do homem em seu reino. Essa vinda em todo lugar é dita ser em glória insuperável (Dn 7.13,14; Mt 24.30; 2 Ts 1.7-9). É a glória terrestre do Rei.

Quando se referiu a um tratado geral sobre a transfiguração, George N. H. Peters escreveu de maneira conclusiva e detalhada, da seguinte maneira:

A transfiguração, seguindo o anúncio de que "alguns", antes da morte deles, veriam "o Filho do homem vindo em seu reino", é uma apresentação do reino em alguns de seus aspectos, na glória do *"Cristo"* ou *Rei, na presença* (que também "apareceu em glória", Lc 9.31) *do traslado e dos santos mortos, e no testemunho daquela glória pelos homens mortais*. Foi uma demonstração temporária, uma manifestação exterior ou reveladora da majestade e glória *que pertencerá* a Jesus, quando Ele vier *em seu segundo advento em seu reino* com seus santos, para reinar sobre as nações. Que esta é a idéia correta pertencente a esta transação espantosa, é evidente pela referência que Pedro faz a ela. Ele diz: *"Porque não seguimos fábulas engenhosas* (como muitos agora alegam), *quando vos fizemos conhecer o poder e a vinda de nosso Senhor Jesus Cristo, pois nós fôramos testemunhas oculares da sua majestade..."* (2 Pe 1.16-18). Observe que ele chama essa cena da transfiguração de *"a vinda de nosso Senhor Jesus Cristo"*, a fim de identificá-la plenamente com Mateus 16.27, 28.

CRISTOLOGIA

Então, isto é inquestionavelmente ligado ao ainda futuro advento como uma exibição notável da glória que será revelada – que é confirmada por Pedro introduzindo esta alusão para provar que Cristo, assim, viria outra vez, e por isso uniu tal vinda com (1.11) *"o reino eterno de nosso Senhor e Salvador Jesus Cristo"*, e com sua vinda, o novo céu e a nova terra (3.4, 13) da promessa profética. (Veja também as referências a esta vinda na primeira epístola.) Esbocemos estes diversos aspectos. Primeira e suprema permanece a transfiguração de Jesus, mudado em forma, de modo que *"sua face brilhava como o sol, e suas vestes eram brancas como a luz"* (Mateus); *"as suas vestes tornaram-se resplandecentes, extremamente brancas, tais como nenhum lavandeiro sobre a terra as poderia branquear"* (Mc 9.3); *"mudou-se a aparência do seu rosto, e a sua roupa tornou-se branca e resplandecente"* (Lc 9.29). Aqui está o *Rei Teocrático* exibido em luz e glória, sua face brilhava com um fulgor semelhante ao do sol e suas vestes resplandeciam em sua alvura. Assim (cf. Ap. 1.13-16 etc.) o *poderoso Cristo aparecerá* quando Ele vier para restabelecer a Teocracia. A seguir temos *"dois homens"* (Lc 9.30), Moisés e Elias, que também apareceram *"em glória"*. A vinda de Cristo em seu reino é usualmente *associada* com a dos santos, Seus irmãos, que são *co-herdeiros* com Ele na mesma glória. Daí, a apresentação de sua vinda – sua aparição quando de sua vinda – em seu reino era *eminentemente adequada para ter* – preencher a descrição – *os santos, glorificados, também apresentados*. Isto é feito, e em vista do fato de que no seu segundo advento estes são reunidos em dois grupos, os santos *mortos* e os santos *vivos transformados*, estes dois, Moisés e Elias, são *propositadamente escolhidos como uma exibição correta* dos dois grupos – formando uma só classe – que *então aparecerão "em glória" com Cristo*. Moisés representa o conjunto de santos que já morreram, mas que ainda serão glorificados com Cristo; e como ele estava em conversa com o Salvador glorificado, assim eles também estarão em proximidade dele. Moisés e Elias, ambos "em glória", parecem indicar a mesma glorificação do corpo. Elias representa outro grupo, que, igual a si mesmo, não "morrerá", mas será trasladado sem experimentar o poder da morte. Estes dois, os mortos e os vivos, que serão glorificados na vinda de Jesus, são graficamente descritos em 1 Coríntios 15.51,52, e em 1 Tessalonicenses 4.15-17. Estes não somente *vêem* Sua glória, mas *participam* dela (1 Jo 3.2; Fp 3.21 etc.), pois deles é dito: *"Quando Cristo* (observe, como "Cristo") *que é a nossa vida se manifestar, então também vós vos manifestareis com ele em glória"* (Cl 3.4). Mas em adição a isto, para satisfazer os anúncios proféticos e preencher a apresentação, temos *três pessoas*: Pedro, Tiago e João, ainda *não glorificados, homens mortais vivendo sobre a terra*, que vêem este Cristo glorificado e os seus associados glorificados, e ficam profundamente impressionados, e *tão cheios de deleite com a muitíssima glória revelada*, que através do porta-voz, Pedro, uma declaração é feita:

"*Senhor, bom é estarmos aqui*". Assim, se desejar recebê-la, *será* no segundo advento, quando Cristo, "o Cristo", vier em sua glória e com seus irmãos reunidos e glorificados; *então* será poupada a nação de Israel e os gentios, como a predição retrata em linguagem gloriosa, *regozijarão e exultarão* na glória maravilhosa que será manifestada. Jesus aparecerá *pessoalmente* em seu aspecto de realeza; os santos *pessoalmente* estarão presentes na glória deles; os discípulos *pessoalmente* verão e admirarão o esplendor espantoso e a "majestade" da cena. Jesus está aqui, "aquele que vem" (uma frase bem compreendida pelos judeus), quando Ele se mostrar "em seu próprio reino"; os santos foram as "primícias", que, como os reis e sacerdotes preditos, reinam com Cristo em seu reino; e os homens mortais são os servos ou súditos (como a proposta das três tendas indica) que alegremente recebem esta glória, e estão desejosos de permanecer sob esse fulgor. A conversa a respeito da morte iminente em Jerusalém indica que esta era uma elevação temporária de glória, a fim de ser, se assim podemos dizer, uma compensação daquilo que virtualmente – para os judeus – parecia o fim ternamente predito da messianidade de Jesus, dando *uma prova mais direta* de que o pacto e os profetas *ainda seriam cumpridos*. A voz do pai, reconhecendo amoravelmente (tendo produzido previamente em resposta à oração esta mudança sobrenatural no Filho de Davi) a messianidade de Jesus e o poder que lhe foi entregue, *une tudo numa recepção de glória sincera e real*, que, assim apresentada, caracterizaria o Filho de Davi e Senhor, quando viesse para restaurar o trono caído de Davi, e reinasse de fato e de verdade como *o Cristo manifesto*. A presença do Pai e de alguma espécie de declaração, ou confissão, ou aquiescência, é requisito para satisfazer as exigências da predição concernente à vinda do Messias em seu reino (como Dn 7; Sl 2 etc.), e assim *aperfeiçoar* a apresentação da posição *teocrática real* de Jesus. Certamente, quando se considera *quantos* detalhes esta transfiguração satisfaz, *como* ela demonstra *o Cristo* na maneira mais impetuosa; *como* ela supre a evidência adicional da maneira definitiva de procedimento no esquema da redenção, é *insensatez* atribuir tudo isto, comprimido em breves sentenças, aos poderes descritivos naturais de homens "ignorantes e sem formação", ou fazer disso um caso trivial e sem importância não digno de nossa atenção especial. Visto, como temos feito, à luz da grande e importante doutrina do reino, ela permanece *preeminentemente, como uma confirmação divina do reino teocrático de Jesus, da glória de seus santos, e da alegria das nações* que a testemunham – um fato *tão notável e confirmativo* da redenção suprema dos santos e da raça, que Pedro agarra-se a ela como uma *grande prova* de que Jesus virá para tão grande salvação.[35]

V. A Aprovação Divina

Resta ainda ser indicado que, embora muito esquecida, há uma importância de longo alcance nas palavras – relatadas diligentemente pelos três evangelistas – "A Ele ouvi". À parte do testemunho ou da resposta divina registrada em João 12.28, há três atestações divinas de Cristo. Foi dado espaço anteriormente para a evidência de que o batismo de Cristo serviu como a separação do Senhor para o ofício sacerdotal, e nisto Ele foi reconhecido no céu como agradável ao seu Pai. No retorno do Rei e quando Ele, através de seu Pai, se assentar no trono de Davi em Sião (Jerusalém – cf. Sl 2.6), é sugerido que haverá então a mesma atestação divina do Rei: "Tu és meu Filho, eu hoje te gerei" (Sl 2.7). Assim, também, na transfiguração, Ele é divinamente reconhecido como o Profeta de Jeová. Tal é a importância das palavras *a ele ouvi*". Na própria transfiguração, o Senhor falava profeticamente de sua futura vinda em glória. Tal injunção reúne tudo o que Ele havia dito antes e tudo que mais tarde diria na terra (cf. Mt 23.38–25.46) ou da glória, e como tal dirigiu-se a todos os povos em todas as gerações.

Ao concluirmos esta análise da transfiguração, observemos novamente que há somente um significado primário dela. Ela apresenta o poder e a vinda de Cristo em seu reino; ela apresenta especificamente os aspectos e classificações dos homens no reino, e de nenhum modo a relacionou, de acordo com o Texto Sagrado, à Igreja ou à glória que está no céu. A Igreja compartilhará com Cristo na glória do reino terreno, como foi apresentado por Moisés e Elias; mas isto não deve ser confundido com a glória insuperável que pertence à Noiva, no esplendor do céu.

CAPÍTULO VII

Os Ensinos do Verbo Encarnado

POR TODA A BÍBLIA, o profeta pode receber o seu nome tanto proclamando quanto predizendo. Cristo em ambos os aspectos foi um profeta. Ele era Aquele de quem Moisés falou (cf. Dt 18.15,18,19; Jo 1.21), e ninguém jamais satisfez mais completamente a tudo que pertence ao serviço perfeito de um profeta, do que o Cristo de Deus. Ele ensinou e ministrou a Palavra de Deus, que sempre veio acompanhada de Suas poderosas obras, e Ele também fez predições mais diretas e determinantes, mais do que qualquer profeta que tenha andado nesta terra. Na verdade, as predições de Cristo deveriam ser estudadas mais detalhadamente pelo estudante de Escatologia, lembrando que estas são as palavras infalíveis do Filho de Deus. É também importante observar que a mais simples fração de tudo o que Cristo disse em três anos e meio foi registrada nos evangelhos; pois o que está registrado pode ser lido em algumas horas o que levou anos de seu ministério.

Disto João escreve: "E ainda muitas outras coisas há que Jesus fez; as quais, se fossem escritas uma por uma, creio que nem ainda no mundo inteiro caberiam os livros que se escrevessem" (Jo 21.25). Contudo, aquilo que está apresentado no Texto Sagrado foi selecionado pelo Espírito Santo com aquela sabedoria divina e perfeição que caracterizam todas as obras de Deus. Estes registros selecionados servem para dizer tudo que está no propósito de Deus para se revelar às gerações subseqüentes e são, portanto, tudo que é necessário para um entendimento correto de cada aspecto da verdade que pertence à esfera dos quatro evangelhos. Mateus, guiado pelo Espírito, selecionou tais registros como apresentação de Cristo como o Rei dos judeus. Marcos, assim guiado, selecionou tais registros como o que apresenta Cristo como o Servo de Jeová. Lucas, por sua vez, foi conduzido a apresentar Cristo em sua humanidade, enquanto João, pelo mesmo Espírito divino, retrata Cristo em sua divindade essencial.

É provável que nenhum escritor não-inspirado, por ter uma história para contar, que fosse apresentada no final do ministério de Cristo – inclusive seu nascimento sobrenatural, sua infância, seus ensinos, suas obras poderosas, sua morte e ressurreição – poderia ter comprimido sua mensagem nos limites que são reivindicados pelos quatro escritores. Nisto há evidência da obra das mãos divinas como o Autor desses documentos maravilhosos e inestimáveis. Conquanto muita verdade vital seja encontrada naqueles fragmentos de conversa que estão registrados e nos breves ditos registrados nas porções finais do Novo Testamento (cf. At 20.35; 1 Ts 4.15-17; 1 Jo 1.5) e particularmente nas declarações feitas após a ascensão registradas no Apocalipse – capítulos 1–3 e 22 – os ensinos indicativos de Cristo são encontrados em três principais discursos – o Sermão do Monte, o Discurso do Monte das Oliveiras e o Discurso no Cenáculo. No estudo do ministério profético pleno de Cristo, o plano a ser seguido é considerar (1) os três principais discursos separadamente, (2) as parábolas, (3) os ensinos especiais e (4) as conversas.

I. Os Principais Discursos

Antes de fazer um exame destes discursos separadamente, é bom observar que eles apresentam o escopo mais amplo possível neste assunto. Este fato tem sido não somente grandemente negligenciado, mas pode ser explicado somente quando as distinções dispensacionais são reconhecidas. Se os críticos assumem que é possível reivindicar dois Isaías com evidência admitida na diferença de estilo e assunto que as duas partes do escrito de Isaías apresenta, haveria uma prova muito mais conclusiva de ao menos três cristos. Parece não ocorrer a certos grupos de teólogos que estes discursos não somente introduzem princípios que, de um ponto de vista doutrinário, são irreconciliáveis, mas também acontece que eles são endereçados a classes que estão relacionadas a Deus e a Cristo de um modo diferente. Nenhuma prova desta asserção a respeito do caráter variado dos discursos é necessária, além da sugestão de que a eles deve ser dada a devida atenção por colocá-los em comparação um com o outro.

Se tal estudo realmente busca um grau razoável de perfeição, as distinções que serão vistas nesta tese seriam recebidas como verdadeiras. Estes discursos apresentam a doutrina que Cristo ensinou, e será visto que toda divisão principal da Teologia Sistemática não é somente apresentada, porém, mais freqüentemente do que é geralmente percebido, é dita uma palavra final pelo Filho de Deus. Que muita coisa de Seu ensino está expressa numa forma de narrativa e simplificada ao grau em que ela confunde alguns, ao supor que Cristo não ensinou doutrina, e que a apresentação da doutrina foi deixada para escritores posteriores do Novo Testamento – especialmente Paulo. Os discursos de Cristo sobre doutrina foram freqüentemente apresentados em forma seminal e estes foram estendidos em campos mais amplos pelos escritores posteriores. Contudo, o estudante seriamente inclinado deve investigar mais diligentemente os reais ensinos do Filho de Deus. É a intenção deste trabalho tentar um escrutínio abrangente das coisas envolvidas.

1. O SERMÃO DO MONTE. Uma análise um pouco mais extensa deste discurso já foi introduzida anteriormente, quando do estudo de Eclesiologia, e para isto o estudante é novamente dirigido. Seja como for, quando se tenta estabelecer, como acontece neste caso, o tema geral dos ensinos de Cristo, o esforço deve ficar incompleto a um grau inadmissível, se não é dada atenção

neste ponto a este grande discurso. O tratamento deste discurso pelos escritores do passado e do presente revela a extensão da compreensão deles da presente economia divina sob a graça. Aparentemente, a raiz do problema é a falha em reconhecer o que é legitimamente a aplicação primária e o que é legitimamente uma aplicação secundária deste ensino. Quando a aplicação primária é dada a este texto, é usualmente sobre a suposição de que a Igreja é o reino e, portanto, as passagens relacionadas ao reino são dirigidas a ela.

Asseveremos dogmaticamente neste ponto que aqueles que sustentam tais idéias têm falhado em reconhecer o caráter desesperado e explosivo da lei que este discurso anuncia e do qual o cristão foi salvo (Rm 6.14; Gl 5.1), ou eles têm falhado em compreender a presente posição e a perfeição em Cristo, que é o estado de todo crente. Aparentemente os dois grandes sistemas – o da lei e o da graça – se tornam tão confusos que não poderia haver um pensamento ordenado possível. Distorções da revelação divina são devidos, parece-me, a uma aderência servil à interpretação tradicional e não a qualquer investigação pessoal imparcial dos problemas que estão envolvidos. Acompanhando esta desatenção ao caráter exato da doutrina está, muito freqüentemente, a suposição cega de que o estudante que não observa o caráter patente deste discurso e que, portanto, não pode dar-lhe uma aplicação primária à Igreja, é chegar a um acordo com a crítica destrutiva que atrevidamente rejeita a Escritura totalmente.

Dar a este discurso uma aplicação primária à Igreja significa que ele, palavra por palavra, é tornado a regra de vida prescrita para o filho de Deus sob a graça. Uma aplicação secundária à Igreja significa que as lições e princípios podem ser retirados dela, mas que, como uma regra de vida, ela é dirigida ao judeu antes da cruz e ao judeu na vinda do reino, e, portanto, não está em vigor agora. A esta altura não pode ser muito definidamente enfatizado que este discurso todo apresenta uma regra de conduta completo e não está sujeito àquele método destrutivo de interpretação que aceita uma porção dele enquanto rejeita a outra parte. Se o cristão crê que ele está salvo do fogo do inferno, através da imensurável graça de Deus, ele reconhecerá que não tem ligação alguma com aquelas advertências – três vezes pronunciada (Mt 5.22, 29, 30) – concernentes ao perigo do fogo do inferno; mas ele também deve observar que não tem uma relação primária com um sistema em qualquer uma de suas partes que poderia em qualquer lugar ou em qualquer circunstância expô-lo ao perigo do fogo do inferno.

Se há algumas porções deste discurso que são mais graciosas em caráter, estas, como ainda será visto, são também encontradas no sistema da graça, e não é necessário para alguém assumir a posição inconsistente que presume selecionar ou rejeitar à vontade daquilo que, por ser uma unidade em si mesmo, permanece ou cai junto. É exatamente esta liberdade impossível de escolher uma porção e rejeitar outra, que tem impedido uma porção de homens de chegar a um entendimento claro das distinções mais elementares entre os dois sistemas – lei e graça – como princípios governantes na vida diária.

CRISTOLOGIA

A Bíblia proporciona três regras completas e totalmente independentes para a conduta humana – uma para a era passada (não houve necessidade do registro de tais regras para aprovar pessoas que viveram antes da Bíblia ter sido escrita) que é conhecida como a lei mosaica e está cristalizada no Decálogo; uma para a era futura do reino que está cristalizada no Sermão do Monte; e uma para a presente era que aparece no evangelho de João, em Atos, e nas epístolas. A Bíblia é o único livro de Deus para todas as eras, e não deveria haver uma dificuldade para se reconhecer que há porções que pertencem a uma era futura, além de se reconhecer que há porções que pertencem completamente à era passada. Uma reflexão momentânea convenceria uma mente sincera de que houve eventos transformadores da era que servem como uma rachadura entre as condições que são conseguidas sob o sistema mosaico e aquelas que se obtêm na presente era. "A lei foi dada por Moisés, mas a graça e a verdade vieram por Jesus Cristo" (não pelo seu nascimento, mas por sua morte).

O relacionamento com Deus não poderia ser o mesmo com os seus santos após a morte, a ressurreição, a ascensão de Jesus, o advento do Espírito Santo, a colocação dos judeus com os gentios sob o pecado, e a inauguração de um novo sistema pelo qual o principal dos pecadores pode ser justificado para sempre através da justiça – que não faz algo senão crer em Jesus – como era antes. Nem poderia ser o mesmo numa era vindoura após a remoção da Igreja para o céu, o aparecimento glorioso de Cristo para reinar na terra, o julgamento e a restauração de Israel, o julgamento das nações com o término das instituições criadas pelo homem, e com a prisão de Satanás – como tem sido nesta era.

Tudo isto é óbvio; todavia, há aqueles que recuam diante destas distinções sob a impressão de que, por serem privados da maldição da lei e do perigo do fogo do inferno, perdem algum tesouro inestimável. Nem a maldição nem o fogo do inferno são desejados, mas há aspectos destes sistemas que são mais atraentes e estes são reivindicados enquanto o que é indesejável é rejeitado. Bem pode ser reafirmado que nenhum desses elementos atraentes é perdido, porque estão incorporados no sistema da graça e pertencem àqueles que, de uma vez por todas, são aperfeiçoados em Cristo.

Portanto, fica bem firmado que o Sermão do Monte, tanto pela sua colocação no contexto quanto por seu caráter doutrinário – cujas asserções serão ainda mais plenamente mostradas como verdadeiras – pertence em sua aplicação primária à era futura do reino. Ele foi dirigido ao povo que estava diante dEle e dizia respeito à preparação-requisito da parte deles para a admissão nesse reino do céu que, àquela altura, estava próximo. É igualmente declarada a maneira de vida que seria exigida dentro do reino quando se entrava nele. Esta análise deste discurso pode ser desenvolvida sob três divisões gerais – (1) seu ambiente, (2) seu caráter distintivo e (3) o atraso em sua aplicação.

A. O AMBIENTE. Como o Antigo Testamento termina com as predições com respeito à vinda do Messias-rei de Israel como não realizada (Ml 4.1-6), o evangelho de Mateus, como a introdução do Novo Testamento e elo de ligação entre os testamentos, começa com o anúncio da presença do Messias entre o seu povo. Todas as exigências profetizadas são satisfeitas por Ele. Ele é da tribo de Judá, da casa de Davi, nascido de uma virgem em Belém da Judéia. Sua vinda acontece "na plenitude dos tempos", isto é, no tempo designado por Deus. Seu precursor profetizado precedeu-o, e o reino descrito no Antigo Testamento pelos profetas e previsto por todas as Escrituras como a esperança de Israel, é anunciado como "próximo" – sujeito, contudo, à escolha do povo, se eles receberiam ou não o seu Rei. Neste assunto de escolha, há um forte contraste estabelecido quando comparado com o Seu advento final, quando o reino será introduzido sem uma referência à determinação humana, embora Ele terá operado nos corações de seu povo terrestre não somente para recebê-lo como os irmãos de José receberam-no no Egito, mas também para entrar na terra deles, a terra da promessa, e entrarão no seu reino com alegria e regozijo eternos.

O fato importante a ser observado por todos que compreendem os evangelhos sinóticos, e Mateus em particular, é que o reino foi oferecido a Israel no primeiro advento, com o escopo concedido de receber ou de rejeitá-lo. Tivesse estado no "determinado desígnio" de Deus (At 2.23) para que a nação entrasse então no seu reino do pacto, eles teriam feito assim (e com eles ainda debaixo da ação soberana de Jeová). O "determinado desígnio" a respeito do primeiro advento foi antes para que Ele fosse rejeitado e posto à morte e que o reino fosse posposto até que a era imprevista e intercalada da Igreja realizasse o seu curso. Aqueles que não discernem o propósito do reino para Israel ou que supõem que a esperança do Antigo Testamento é realizada na Igreja, por causa dos problemas insuperáveis que a teoria deles gera, não são muito dados à exposição do evangelho de Mateus, nem podem eles ser classificados como expositores seguros de qualquer um dos testamentos.

O evangelho de Mateus começa com uma introdução de Cristo, primeiro, como Filho de Davi e, segundo, como Filho de Abraão. Embora isto seja o reverso da ordem histórica natural, isto se conforma ao plano do evangelho de Mateus, que primeiro apresenta o Rei como Filho de Davi, o consumador do pacto davídico, o Messias de Israel, e posteriormente volta-se para as bênçãos ao mundo que estão relacionadas à morte e ressurreição de Cristo como o cumpridor da expectativa do pacto abraâmico. Neste evangelho, o nascimento de Cristo, por ser o cumprimento de muitas profecias, está registrado. Ele é batizado aos trinta anos de idade, é cheio do Espírito sem medida, sua humanidade é testada por Satanás, e Ele próprio, com os discípulos que escolhera, dá prosseguimento à mensagem de seu precursor João: "Arrependei-vos, porque o reino do céu está próximo" (cf. Mt 3.1, 2; 4.17; 10.5-7).

Ele não permitiu que seus discípulos pregassem a mensagem, senão somente a Israel. Esta proibição é de importância vital, visto que em todas as suas instruções a respeito da pregação do reino (cf. Mt 10), esta instrução aparece primeiro. Está escrito: "A estes doze enviou Jesus, e ordenou-lhes dizendo: Não ireis aos gentios, nem entrareis em cidade de samaritanos; mas ide antes às ovelhas perdidas da casa de Israel; e indo, pregai, dizendo: É chegado o reino

CRISTOLOGIA

dos céus" (Mt 10.5-7). Após isto, restringiu o seu próprio ministério dali por diante àquela nação, e disse: "Não fui enviado senão às ovelhas perdidas da casa de Israel" (Mt 15.24).

O apóstolo Paulo revela o seu próprio entendimento claro deste ministério específico aos israelitas, que devia ser seguido pela era da graça, quando disse: "Digo pois que Cristo foi feito ministro da circuncisão, por causa da verdade de Deus, para confirmar as promessas feitas aos pais; e para que os gentios glorifiquem a Deus pela sua misericórdia" (Rm 15.8, 9). À parte de um reconhecimento de uma distinção dispensacional a esta altura, pode haver pouco entendimento destas discriminações imperativas. É aqui que o estudante deveria observar que, como houve por um tempo um propósito específico para os israelitas no ministério de Cristo, houve, no mesmo momento, uma mensagem peculiar e apropriada para os israelitas que João, Cristo e os seus discípulos declararam. Esta mensagem, se lhe é dada uma consideração digna, não seria confusa com uma proclamação mundial da graça salvadora, que só se tornou possível e exclusivamente normativa pela provisão divina através da morte e ressurreição de Cristo.

Na verdade, é estranho que homens que obtiveram honras como teólogos de primeira magnitude não vejam a diferença entre a proclamação de um reino terrestre dirigida a uma nação eleita para ser estabelecida em bases legais, e a proclamação de uma mensagem graciosa que diz respeito somente a indivíduos judeus e gentios, no mesmo pé de igualdade, sob o pecado, e que oferece em graça soberana àquele que crê em Cristo a participação da herança dos santos em luz. É uma escravidão doutrinária séria, ser comprometido com a teoria de um só pacto com seu suposto propósito divino que estas dessemelhanças imensuráveis devam ser obliteradas em generalidades sem significado.

Durante os seus três anos e meio de ministério na terra, Cristo teve em vista três principais eras já mencionadas – a era mosaica que terminou com Sua morte; a era futura do reino, que era a esperança do judeu instruído, mas que, por ser posposta, começará com o segundo advento; e a presente era, que não foi prevista, que começou com a Sua morte e terminará com o Seu retorno. Cristo viveu sob o sistema mosaico e, portanto, Ele próprio se conformou ao mesmo e sustentou as suas exigências. Ele proclamou a era do reino como "próxima" e deu instruções sobre o seu caráter e os termos de admissão no reino. Igualmente, enquanto a sua rejeição como Rei crescia em força, Ele predisse a presente era e deu ensino explícito a respeito dos seus relacionamentos e doutrinas. A exatidão desta breve análise de todo o ministério de Cristo não precisa ser defendida posteriormente aqui.

Com referência ao ambiente, então, deve ser visto que o Sermão do Monte foi dado no meio e como um aspecto da proclamação do reino que ocupou primeiro o ministério de Cristo na terra. Ele constituiu-se no edito normativo do Rei relativo ao caráter do reino, suas exigências, e as condições de admissão nele. Tinha de ser restrito a Israel, pois pertencia aos israelitas somente, e devia ser legal em seu caráter – embora grandemente avançado em relação ao sistema mosaico (Mt 5.21-48) – porque a predição foi dada por Moisés a respeito do caráter legal desse reino, quando ele disse: "Tu te tornarás, pois, e obedecerás à voz do Senhor, e observarás todos os seus mandamentos que hoje te ordeno" (Dt 30.8; cf. Jr 31.31-34). O assunto contido no Sermão do Monte não somente sustenta a afirmação, que é legal em caráter, mas também assevera que ele pertence ao reino como o contexto diz respeito a isso claramente.

Com isto em mente, a saber: (1) que o primitivo ministério de Cristo foi em si mesmo restrito a Israel e seu reino ligado ao pacto; (2) que o seu caráter é legal e concorda com as predições neste aspecto; (3) que por seu próprio assunto ele se relaciona ao reino; e (4) aquilo que acontece antes como aquilo que se segue a esse sermão no contexto e em cada particularidade do reino, seria muitíssimo difícil de relacionar esta grande regra de vida a qualquer outra era, além da do reino messiânico de Cristo sobre a terra. Este discurso não é relacionado à Igreja como o reino messiânico, davídico e terrestre; e aqueles que aplicam-no à Igreja parecem pouco conscientes dos problemas em que estão envolvidos. Alguns desses problemas serão considerados em conexão com o que se segue.

B. O CARÁTER DISTINTIVO. Conquanto estudado detidamente sob o tema geral da Eclesiologia, a análise deste discurso constitui-se num tema de importância insuperável que deveria ser considerado aqui de um modo pleno. Ele é uma declaração formal – diferente de muitos ensinos de Cristo que aparecem truncados por uma conversa. Nada se ganha com a noção moderna de que isto é uma compilação de "ditos isolados que Jesus falou em várias ocasiões a pessoas diferentes", e que "estes ditos foram conectados um com o outro para formar um discurso contínuo parcialmente por Mateus, parcialmente pelo autor de sua fonte".[36] A asserção clara de que Jesus falou todas estas palavras numa ocasião, é desacreditada e a força acumulativa da mensagem é atribuída a Mateus antes do que a Cristo. Este discurso foi dirigido aos seus discípulos, evidentemente como instrução detalhada para aqueles que no momento serviam como pregadores da mensagem do reino. O discurso termina com as palavras: "Ao concluir Jesus este discurso, as multidões se maravilhavam da sua doutrina; porque as ensinava como tendo autoridade, e não como os escribas" (Mt 7.28, 29), o que indica que as multidões estavam presentes e ouviram, embora Ele tenha falado aos seus discípulos (5.1).

Embora estes discípulos dentro em breve estariam na Igreja e nesta nova era, o discurso foi dirigido a eles, como a oferta do reino a Israel foi de boa-fé. Cristo bem sabia que estes homens não entrariam no reino, mas que seriam salvos para a Igreja, quando sua rejeição fosse completa. Cristo bem sabia também que o reino em si seria recusado e procrastinado até o seu segundo advento. Há grande vantagem em manter na mente o fato de que este foi um discurso do Mestre dos mestres, que foi para os seus discípulos. Sobre o caráter geral do discurso e sua aplicação, o Dr. C. I. Scofield escreve:

> Tendo anunciado o reino do céu como "próximo", o Rei, em Mateus 5–7, declara os *princípios* do reino. O Sermão do Monte tem uma aplicação dupla: (1) Literalmente para o reino. Neste sentido, ele

dá a constituição divina para o governo justo da terra. Onde quer que o reino de Deus seja estabelecido sobre a terra, ele será de acordo com essa constituição, que pode ser considerada como uma explicação da palavra "justiça" da forma em que é usada pelos profetas ao descreverem o reino (e.g., Is 11.4,5; 32.1; Dn 9.24). Neste sentido o Sermão do Monte é pura lei, e transfere a ofensa de um ato público para o motivo (Mt 5.21, 22, 27, 28). Aqui repousa a razão mais profunda por que os judeus rejeitaram o reino. Eles tinham reduzido a "justiça" a mero cerimonialismo, e a idéia de reino do Antigo Testamento a um mero estado de esplendor e poder externos. Eles nunca foram repreendidos por esperar um reino poderoso e visível, mas as palavras dos profetas deviam tê-los preparado para esperar também que somente o pobre de espírito e os mansos poderiam participar dele (e.g., Is 11.4). O salmo 72, que era universalmente recebido por eles como uma descrição do reino, estava cheio destas coisas. Por estas razões, o Sermão do Monte, em sua aplicação primária, não dá um privilégio e um dever à Igreja. Estes são encontrados nas epístolas. Sob a lei do reino, por exemplo, ninguém pode esperar por perdão que primeiro não tenha perdoado (Mt 6.12,14,15). Sob a graça, o cristão é exortado a perdoar porque ele já é perdoado (Ef 4.30-32). (2) Mas há uma bela aplicação moral ao cristão. Sempre permanece verdade que os pobres de espírito, antes do que os orgulhosos, são abençoados, e aqueles que choram por causa de seus pecados, e que são mansos na própria avaliação deles, terão fome e sede de justiça, e os famintos serão saciados. Os misericordiosos serão "bem-aventurados", os puros de coração "verão a Deus". Estes princípios fundamentais reaparecem no ensino das Epístolas.[37]

MATEUS 5.3-12. Este sermão começa com uma proclamação da bem-aventurança daqueles que em mérito pessoal satisfazem certas exigências. Ao pobre de espírito há promessa do reino do céu – o reino davídico, messiânico, terrestre e milenar. Uma grande mudança acontecerá neste mundo, quando o humilde de espírito for honrado pela posse do reino. Através de Isaías, Jeová predisse esta característica inestimável, quando disse: "A minha mão fez todas essas coisas, e assim todas elas vieram a existir, diz o Senhor; mas eis para quem olharei; para o humilde e contrito de espírito, que treme da minha palavra" (Is 66.2). Aqueles que choram serão consolados. Sem dúvida, esta é uma provisão constante através de toda aquela era gloriosa, mas é especialmente verdadeiro que Israel, quando salvo naquele reino, será livre daquele choro que lhes pertence na tribulação.

O próprio Rei no seu segundo advento "consolará todos os que choram". Ele "consolará todos os tristes; e ordenará acerca dos que choram em Sião que se lhes dê uma grinalda em vez de cinzas, óleo de gozo em vez de pranto, vestidos de louvor em vez de espírito angustiado" (Is 61.2, 3). Este choro é descrito por Cristo quando em relação ao seu retorno: "Então aparecerá no céu o sinal do Filho do homem, e todas as tribos da terra se lamentarão, e verão vir o Filho do homem sobre as nuvens do céu, com poder e grande glória"

(Mt 24.30). Dos mansos, Cristo disse que eles "herdarão a terra". Isto, além disso, está muito distante das condições da terra hoje. Os mansos e pobres de espírito surgem para honrar e ter autoridade sobre homens, mas tal recompensa não diz respeito aos cristãos que não têm direito de cidadania sobre a terra. Seria um pensamento provocador se os cristãos que repetem o Decálogo e as Bem-aventuranças com aplicação para si mesmos requeressem a terra "que o Senhor teu Deus te dá" (Êx 20.12) ou que defendessem o seu direito na terra.

Um crente instruído não procura uma vida longa; ele espera pelo seu Senhor que vem do céu. Ele não procura uma terra ou um lugar na terra; sua cidadania está no céu. O judeu somente pode satisfazer a promessa do salmo 37.3 que diz: "Confia no Senhor e faze o bem; assim habitarás na terra, e te alimentarás em segurança". Os mansos de Israel herdarão a terra. Fome e sede de justiça será a experiência daqueles no reino sobre cujos corações Jeová escreveu a sua lei (cf. Dt 30.6; Jr 31.33) e essa fome e sede de justiça será satisfeita. Esta é a tranquilidade prometida aos filhos do Rei. A proclamação de que o misericordioso obterá misericórdia introduz um dos mais fortes contrastes entre os princípios governantes da lei e da graça, e a determinação persistente de reter esta porção deste discurso como aplicável ao cristão tem, ao lado de Mateus 6.12, provocado mais confusão entre os crentes do que quase qualquer outro texto indevidamente aplicado.

A declaração de que o misericordioso obterá misericórdia não requer um ajuste trabalhado para fazê-lo encaixar-se no relacionamento gracioso com Deus. Não pode ser adaptado a isso. Esse princípio pertence a uma era quando a bem-aventurança, que é claramente afirmada, for perfeitamente verdadeira. Na verdade, grande é a diferença entre a concepção da misericórdia meritória individual e as palavras a respeito da misericórdia dirigidas ao cristão desta era: "Mas Deus, sendo rico em misericórdia, pelo seu muito amor com que nos amou, estando nós ainda mortos em nossos delitos, nos vivificou junta-mente com Cristo (pela graça sois salvos)" (Ef 2.4, 5). A misericórdia imerecida e ilimitada será ainda a porção da nação de Israel no dia da sua salvação (Sl 103.8-11). É verdade que o puro de coração sempre vê a Deus; e visto que a paz e a justiça são os aspectos essenciais da vida no reino, os que promovem a paz e os que são perseguidos – antes ou no reino – por causa da justiça, serão recompensados. O registro dessa recompensa devida está guardado no céu (cf. Ml 3.16,17).

MATEUS 5.13-16. A segunda seção deste discurso apresenta os santos do reino como aqueles que são dignos de entrar como "sal da terra" e como "luz do mundo". Tudo isto é revelador visto que sugere a responsabilidade que os homens devem assumir naquela era vindoura. Ninguém negará que os crentes desta dispensação têm obrigações semelhantes, mas o mero paralelo da verdade não coloca os cristãos no reino de Israel, nem coloca Israel como nação dentro da Igreja.

MATEUS 5.17-48. A seção seguinte deveria ser classificada como uma das porções mais determinantes neste grande discurso. Ela revela a sustentação que

CRISTOLOGIA

Cristo dá à lei em vigor, e apresenta o aspecto legal das exigências do reino em sua maneira mais clara. Esta porção deveria ser estudada com o maior cuidado e os seus aspectos drásticos levados muito a sério. Para aqueles que compreendem apenas pouca coisa da "graça e da verdade" que vieram por Jesus Cristo, que não têm tido outro pensamento de si mesmos, além de que estão debaixo da lei, debaixo da obrigação a essas exigências. Na verdade, isto não é perturbado pela suposição deste "jugo de escravidão", e aqueles que possuem tal mente legalista facilmente desacreditarão, como críticos destrutivos, qualquer pessoa que considera que através da graça eles não estão sob obrigação alguma destas e de outras exigências legais.

A pura doutrina não pode ser garantida por seguir a tradição, seja do protestantismo ou de Roma, nem são os meros hábitos de interpretação um guia seguro. Todas essas afirmações legais de Cristo estavam em vigor plenamente quando foram pronunciadas, mas o filho de Deus desta era foi salvo desse sistema total de mérito. O crente é liberto da lei e da morte que ela traz (Rm 7.4, 6). O apóstolo Paulo, quando defendeu as posições e privilégios da graça, não somente asseverou que a lei "se desvanecia" (2 Co 3.11; Gl 3.23-25), mas ele declarou que o cristão não está debaixo da lei (Rm 6.14). Afirmar que os cristãos estão sob a obrigação da lei simplesmente porque Cristo a fez vigorar para os judeus, a quem ela unicamente pertencia e que, antes de sua morte, é contradizer diretamente o ensino da graça com respeito à liberdade da lei – como foi mencionado acima.

Esta divisão deste discurso começa com a certeza de que Ele viera para cumprir tanto "a lei como os profetas", isto é, Ele cumpre todo papel que lhe foi atribuído no Antigo Testamento. E. Schuyler English em seu livro *Studies in the Gospel According to Matthew* (p. 50) afirma: "Não pense que Ele veio para destruir a lei. Ele foi colocado sob a lei (Gl 4.4); Ele viveu em obediência à lei (1 Pe 2.21); Ele cumpriu os tipos da lei (Hb 9.11-28); Ele suportou por nós a maldição da lei (Gl 3.13); e Ele redimiu-nos da posição de servos da lei para a de filhos de Deus (Gl 4.5)". Este fato está evidente em Deuteronômio 30.8, que diz: "Tu te tornarás, pois, e obedecerás à voz do Senhor, e observarás todos os seus mandamentos que hoje te ordeno", que a lei do reino é do sistema mosaico que, como Cristo indicou (Mt 5.21-44), foi agora estendida às esferas muito mais exigentes; e a posição dos homens será medida por sua aderência pessoal à lei que então vigora.

Não é um aspecto pequeno do reino que alguns venham a ser chamados de "grandes" (Mt 5.19; 11.11). A declaração com respeito à grandeza humana vem a seguir com as seguintes palavras: "Pois eu vos digo que, se a vossa justiça não exceder a dos escribas e fariseus, de modo nenhum entrareis no reino dos céus" (Mt 5.20), e aqui é certo somente está em vista a retidão pessoal. Não há uma referência aqui ou em outro lugar qualquer neste sermão sobre a justiça imputada. A justiça dos santos do reino sob o reinado do Messias excederá a dos escribas e fariseus. Na verdade, afinal de contas, tais qualidades e méritos pessoais são exigidos para a entrada nesse reino. Muitos judeus serão julgados indignos de entrar no reino, e entre aqueles que forem julgados estão incluídos os judeus da dispensação passada, que ressuscitarão para esse juízo (cf. Dn 12.1-3), assim como a última geração vivente que entrar nesse julgamento.

Um lembrete a esta altura pode ser importante, que assevere novamente que ao crente é proporcionada nesta era uma justiça que é um dom de Deus tornado possível através do aspecto do suave cheiro da morte de Cristo e com base na posição do crente em Cristo. Do cristão é dito: "Mas quando apareceu a bondade de Deus, nosso Salvador, e o seu amor para com os homens, não em virtude das obras de justiça que nós houvéssemos feito, mas segundo a sua misericórdia, nos salvou mediante o lavar da regeneração e renovação do Espírito Santo" (Tt 3.4, 5). Tais grandes diferenças não deveriam passar despercebidas, como freqüentemente acontece. Continuando ainda na ênfase que Ele pôs sobre a lei, Cristo continua a afirmar que a lei do reino, conquanto não introduzisse um novo assunto de regulamento, não obstante, estende a obrigação para mais distante, do ato para o motivo.

A expressão "ouvistes o que foi dito" – com referência à lei de Moisés – é seguida pela frase "mas eu vos digo" – a exigência do reino. Assim, por todo o texto de Mateus 5.21-44, os contrastes são estabelecidos. Os escribas e fariseus observavam a lei em sua época, mas uma justiça muito maior e mais perfeita do que a deles será exigida daqueles que entram no reino. A proibição anterior contra o assassinato, com a sua penalidade extrema, é desenvolvida para se aplicar àqueles que se iram sem uma causa. Aquele que diz: "tolo" estará em perigo do fogo inferno. A exigência mais severa repousa sobre aquele que não chega a um acordo com o seu adversário rapidamente. A penalidade não é menos que a de ser lançado na prisão e que é sem alívio ou misericórdia. O julgamento que virá sobre o adúltero é imposto sem a graça sobre aquele que lança um olhar concupiscente.

O membro ofensor deve ser sacrificado, para que não seja a pessoa lançada no fogo do inferno. O divórcio será restringido em caso de infidelidade. As comunicações serão livres de todo juramento. A outra face deve ser oferecida quando alguém é espancado. A túnica deve ser dada, quando a capa é tomada. A segunda milha deve ser acrescentada. Presentes devem ser dados a todos os que pedem, e ninguém deve exigir de volta o que foi emprestado. Os inimigos devem ser amados; aqueles que amaldiçoam devem ser abençoados; o bem deve ser feito para aqueles que odeiam; e a oração deve ser feita em favor daqueles que perseguem. Tudo isto é exigido, visto que representa o caráter do Pai. Uma reflexão momentânea convencerá a mente que tal padrão pertence a outra ordem social, que não esta presente ordem. Ela está designada para um dia, quando o Rei reinar sobre este trono terrestre e quando Satanás estiver no abismo.

Do reinado do Rei, Isaías escreve: "E repousará sobre ele o Espírito do Senhor, o espírito de sabedoria e de entendimento, o espírito de conselho e de fortaleza, o espírito de conhecimento e de temor do Senhor. E deleitar-se-á no temor do Senhor; e não julgará segundo a vista dos seus olhos, nem decidirá segundo o ouvir dos seus ouvidos; mas julgará com justiça os pobres, e decidirá com eqüidade em defesa dos mansos da terra; e ferirá a terra com a vara de sua boca, e com o sopro dos seus lábios matará o ímpio. A justiça será o cinto dos seus lombos, e a fidelidade o cinto dos seus rins" (Is 11.2-5). O não discernimento pode levar pessoas ao dever de colocar sobre elas as exigências que para sempre são aperfeiçoadas em Cristo, mas isto seria devido a uma falha em entender o que significa estar em Cristo e o que significa estar aperfeiçoado para sempre. Mesmo aqueles que em sinceridade aplicam estas exigências a si mesmos e a outros, estão totalmente carentes do cumprimento delas.

A presente graça superabundante de Deus não meramente perdoa aquele que viola a lei; ela o salva de qualquer obrigação a um sistema de mérito e o ordena a andar de modo digno da posição em que ele está em Cristo Jesus. O que, então, o apóstolo Paulo quis dizer quando disse: "Para a liberdade Cristo nos libertou; permanecei, pois, firmes e não vos dobreis novamente a um jugo de escravidão" (Gl 5.1; cf. At 15.10; Cl 2.8)? Quem além do mais preconceituoso arminiano pode incorporar no seu esquema de doutrina a tríplice advertência contra o fogo do inferno, que é encontrada nesta porção de Mateus? O crente "não entra em juízo" (Jo 5.24); "ele jamais perecerá" (Jo 10.28); "agora, nenhuma condenação há para os que estão em Cristo Jesus" (Rm 8.1).

Se as advertências com respeito ao fogo do inferno não se adaptam ao sistema da graça – e realmente não se adaptam –, é porque o programa total de relacionamento e de conduta do reino está muito distante daquele que pertence à graça. A regra de vida do reino é uma extensão do sistema mosaico na direção de uma lei mais drástica; ela não é uma modificação da lei em direção da graça. Dizer como alguns têm dito que eles aceitam o Sermão do Monte como a regra de vida deles, mas omitem estas porções que falam da ameaça do fogo do inferno, é desconsiderar a verdade revelada a respeito da lei, a saber, que aquele que aceita a porção menor dela é um devedor de toda a lei (cf. Gl 5.3; Tg 2.10).

MATEUS 6.1-18. Esta, a seção seguinte do Sermão, diz respeito à pretensão exterior de dar esmolas, de fazer orações e de jejuar. É no meio desta porção a respeito da oração, que a chamada "oração do Senhor" é introduzida, oração essa que imediatamente se torna a porção mais difícil deste discurso, porque muitos a liberam do sistema do reino. Na verdade, igual Mateus 5.20, que proclama os termos de admissão no reino para um judeu, a "oração do Senhor" é a petição divinamente prescrita para a vinda desse reino à terra: "Venha o teu reino. Seja feita a tua vontade assim na terra como no céu". É provável que dos muitos que repetem estas palavras apenas uns poucos têm ponderado o significado de longo alcance delas. Nem toda mente pode captar um tema tão vasto; e, quando repetida, ela pode não expressar um desejo pessoal que surge dentro da própria concepção de necessidade que o indivíduo deve ter.

Isto é especialmente verdadeiro a respeito daqueles que não possuem um entendimento do significado que as Escrituras dão para a palavra *reino*. O reino virá e a vontade do Pai será feita na terra como ela é feita no céu, mas somente em virtude do retorno do Messias. O ponto de dificuldade na oração, contudo, não é a petição em favor do reino terrestre, reino esse que virá com o segundo advento e que estava "próximo" quando a oração foi ensinada aos discípulos, mas a dificuldade é a petição: "e perdoa as nossas dívidas, assim como nós perdoamos aos nossos devedores". Por ser esta a única porção da oração que é tomada por Cristo para uma elucidação especial, evidentemente, em Sua mente, exigia que tais observações fossem livres de entendimento errôneo. A despeito do comentário esclarecedor que o Senhor acrescentou – há muita desconsideração por tudo o que ele enfatizou e há determinação de inclinar esta condição legal para conformá-la com a graça.

Seu comentário é o que se segue: "Porque, se perdoardes aos homens as suas ofensas, também vosso Pai celestial vos perdoará a vós; se, porém, não perdoardes aos homens, tampouco vosso Pai perdoará vossas ofensas" (Mt 6.14, 15). Não pode apenas ser reconhecido que esta única petição – a fim de significar o que Cristo insiste que ela signifique – esteja diretamente oposta em princípio à graça ideal como apresentada em Efésios 4.32, que declara: "Antes sede bondosos uns para com os outros, compassivos, perdoando-vos uns aos outros, como também Deus vos perdoou em Cristo". Assim também está afirmado em Colossenses 3.13: "suportando-vos e perdoando-vos uns aos outros, se alguém tiver queixa contra outro; assim como o Senhor vos perdoou, assim fazei vós também". A verdade de que Deus "é rico em misericórdia" mesmo quando estávamos mortos em "delitos e pecados", é a única a respeito da qual o filho de Deus deveria ser zeloso com uma paixão de alma.

Sobre esta verdade deve repousar toda a sua esperança. Na verdade, triste é o espetáculo quando os cristãos presumem que o Sermão do Monte representa o alto chamamento da Igreja e tentam modificar o caráter da graça soberana, a fim de que o possa conformar ao sistema de mérito. Quando é reconhecido que esta petição e esta oração toda não somente está incrustada na proclamação do reino, mas ela em si mesma é um apelo para a vinda do reino, as dificuldades são removidas. Acrescentado ao caráter conclusivo da oração está o fato de que ela não é "em nome" de Cristo. A oração para o cristão deve estar numa base mais elevada do que qualquer uma poderia estar em outra era ou relacionamento. Em suas últimas palavras aos seus discípulos, Cristo abriu para eles uma nova base de oração que é em seu nome (Jo 14.14), e declarou que as orações até então feitas não haviam sido realizadas nesse nome (Jo 16.24). Além disso, o filho de Deus pode ser cheio de grande paixão com respeito a esta nova e maravilhosa abordagem de Deus em oração. Quando o Senhor disse: "...até agora não pedistes nada em meu nome", Ele tinha em mente todas as orações anteriores – inclusive a "oração do Senhor" – que não deve ser comparada com a nova base de oração então aberta aos crentes.

Mateus 6.19-24. A devoção a Deus é o tema discutido nesta divisão do discurso. Os tesouros podem estar no céu, no sentido em que o registro da fidelidade está preservado no céu (cf. Ml 3.16). Nisto, há alguma coisa similar ao relacionamento da graça.

Mateus 6.25-34. O que é profundamente devocional vem a seguir, e supera qualquer coisa encontrada na apresentação que o Antigo Testamento faz do sistema mosaico. Para aqueles que sentem que Mateus 6.19-34 apresenta a verdade de um modo tão rico e proveitoso que deva ser reivindicado como a própria porção deles como cristãos, pode ser reafirmado que toda Escritura é proveitosa, e, portanto, este material, conquanto também ensinado diretamente sob a graça, pode ser empregado com base numa aplicação secundária. Ainda estas verdades pertencem ao discurso em que elas são encontradas. Não é correto ou recomendável para os crentes reivindicar as bênçãos mais ricas que pertencem a Israel, mas deve recusar as suas penalidades e maldições.

MATEUS 7.1-6. Nada mais drasticamente legal ou baseado no mérito humano será encontrado além dos ensinos desta parte deste Sermão. Aqui está escrito: "Não julgueis, para que não sejais julgados. Porque com o juízo com que julgais, sereis julgados; e com a medida com que medis vos medirão também" (7.1,2). Com isto há uma repreensão vigorosa para aqueles que presumem julgar outros quando o autojulgamento tem sido negligenciado.

MATEUS 7.7-11. Cristo aqui retorna novamente ao assunto da oração, com a certeza de que a petição será respondida, que Deus em bondade infinita deseja dar mais boas coisas aos que pedem do que dão os pais terrenos aos seus filhos que lhes solicitam.

MATEUS 7.12-14. Nesta seção aqueles entre Israel são lembrados que, para entrar no reino, uma justiça insuperável é exigida. O tempo de entrar e do julgamento é "naquele dia". A ética comum dos homens morais é proclamada na chamada "regra dourada", que surge não mais elevada do que o que é o interesse próprio dos homens. Esta regra é um padrão para os "homens justos" da ordem do Antigo Testamento. Por tal fidelidade, medida pelo interesse próprio de uma pessoa, a entrada seria feita por uma "porta estreita". Há uma "porta larga" que conduz à destruição e um caminho estreito e apertado que conduz à vida. Aqui "vida" não é apresentada como uma possessão presente dos judeus, como o é a do cristão (cf. Jo 3.36; 10.28; Rm 6.23; 1 Jo 5.12), mas é apresentada como uma esperança, uma herança, que deve ser concedida (cf. Lc 10.25-28; 18.18).

A vida, no aspecto do reino, está no final do caminho que conduz a ela. A nação Israel, a quem estas palavras são dirigidas, virá para um julgamento final, quando alguns entrarão nesse reino e outros não (cf. Ez 20.33-44; Mt 24.37–25.30). "Estreita é a porta e apertado o caminho" é um desenvolvimento do mérito e da justiça pessoal e está muito longe da idéia de salvação, que proporciona uma justificação perfeita e eterna baseada na aceitação do Amado. O cristão foi salvo por um ato de fé e não por perseverar inflexivelmente num caminho estreito. Lucas registra este mesmo dito de Cristo – talvez numa outra ocasião – quando ele registra Cristo dizendo: "Porfiai por entrar na porta estreita" (Lc 13.24); e a palavra aqui traduzida como "porfiai" é ἀγωνίζομαι, que poderia bem ser traduzida como *agonizar*. Não há um descanso aqui na obra consumada de Cristo (cf. Hb 4.9); tudo é mérito pessoal como base da esperança para a entrada no reino do céu.

MATEUS 7.15-20, 21-29. E   porção apresenta duas advertências e com elas o discurso termina. A primeira é contra os falsos profetas e revela o método pelo qual eles podem ser descobertos. A segunda é contra os mestres que prestam um culto com os lábios, que dizem "Senhor, Senhor", mas não fazem a vontade do Pai. Meramente invocam o nome do Senhor (cf. Rm 10.13) ou têm feito obras maravilhosas no nome dEle, o que não é suficiente. A mesma exigência drástica é outra vez afirmada por Cristo e, em conexão com a mesma situação, na parábola das dez virgens. Daquelas rejeitadas na festa de casamento (veja Mt 25.10), o Senhor dirá: "Em verdade vos digo, não vos conheço" (25.12). A vida que é outorgada pelo guardar destes ditos de Cristo – apresentados neste Sermão e quando o reino objetivo está perante Israel, seja nos dias do ministério de Cristo na terra ou quando o Rei retornar – está firmada sobre a rocha, mas isto é puramente um assunto de mérito individual. É "aquele que faz" e não "aquele que crê".

As pessoas ouviram este discurso e ficaram atônitas diante desta doutrina, porque Ele ensinara como quem tem autoridade e não como os escribas. Esta autoridade era a de um Deus e um Rei soberano. Esta autoridade transpirava em cada parte do discurso. "Eu vos digo" acima e no lugar da lei de Moisés era aquilo que nenhum outro ousaria declarar. O Criador de todas as coisas – maior do que Moisés e Autor de tudo o que Moisés disse – não se referiu a alguém senão a si próprio. O que Ele proclamava transpiraria simplesmente, porque disse que seria assim. Nenhum homem jamais falou como este Homem falou.

A conclusão crescente desta análise do discurso é aquela que é o pronunciamento direto e oficial do próprio Rei sobre a maneira de vida que será a base para a admissão no reino do céu e da maneira de vida a ser vivida no reino. Ele se reporta à lei mosaica e aos profetas e não avança para as esferas então desconhecidas da graça soberana. Quando analisado com esta interpretação em mente, este sermão é cheio de significado e livre de problemas insuperáveis. Deverá estar na mente, entretanto, que não há um objetivo divino na presente era para o estabelecimento desse reino terrestre. A oferta do reino, com todas as situações e ensinos relacionados a ele, foi retirada e não faz parte desta era, e será renovada quando a Igreja tiver sido removida e o Rei estiver para retornar em poder e grande glória.

Após apresentar este sumário um tanto limitado do Sermão do Monte, resta investigar aquilo que está excluído deste discurso. É neste contexto que a desatenção de muitos fica revelada. Será descoberto que os elementos mais vitais da relação do crente com as pessoas da Trindade – tais relacionamentos como os que são apresentados no Discurso do Cenáculo – estão todos ausentes neste sermão; mas o aspecto desapontador é revelado quando tantos abraçam um sistema, e fazem exigências de supermérito e parecem não reconhecer que as coisas inestimáveis pertencentes a ambos, uma posição em Cristo e a eterna segurança nEle, são omitidas. Um zelo dominante por aquelas coisas sobre as quais a realidade cristã depende, ao menos seria razoável e natural.

Há no Sermão do Monte um reconhecimento do Pai e do Messias-Filho, mas nenhuma referência será encontrada ao Espírito Santo, cuja habitação e ministério ilimitado são fatores muito grandes nesta era da Igreja. Não há uma referência à morte de Cristo com seus valores de redenção, reconciliação e propiciação. Não há uma referência à regeneração, nem ao princípio da fé como um modo para a graça salvadora de Deus. Há uma referência à fé como princípio de vida (Mt 6.25-34), mas isto não está de modo algum relacionado à salvação do pecado. A grande verdade de uma nova criação obtida e assegurada através da ressurreição de Cristo, está totalmente ausente deste discurso. A frase *em Cristo* com o seu significado infinito relativo às possessões não está presente, nem mesmo é qualquer uma dessas posições sugerida na totalidade dos mais de cem versículos do Sermão. Nenhum poder capacitador pelo qual estas grandes exigências, tanto de caráter quanto de conduta, podem ser realizadas é sugerido.

Ele apresenta uma responsabilidade humana. A grande palavra *justificação* não poderia possivelmente ser introduzida nem a justiça imputada sobre a qual a justificação está fundada. Quão distante está uma mera justiça produzida pelo homem que excede a justiça dos escribas e fariseus (Mt 5.20), do "dom da justiça" concedido àqueles que recebem "a abundância da graça" (Rm 5.17)! E quão grande é a diferença entre os que têm fome e sede de justiça (Mt 5.6) e os que são feitos "justiça de Deus nele" (2 Co 5.21)! Assim, também, grande é a diferença entre os que estão em perigo do fogo do inferno (Mt 5.22, 29, 30) e dos que são justificados sobre o princípio da perfeita justiça divina para a qual nada se faz, exceto crer em Jesus – mesmo os ímpios (Rm 3.26; 4.5).

Assim, além disso, observação deveria ser feita sobre a divergência entre os que alcançam misericórdia por serem misericordiosos (Mt 5.7) e os que encontraram a misericórdia eterna mesmo quando mortos em pecados (Ef 2.4,5), igualmente entre os que esperam ser perdoados com base no próprio perdão que eles concedem a outros (Mt 6.12-15) e os que por causa de Cristo são perdoados (Ef 4.32; Cl 3.13). E, ainda mais, consideração deve ser dada a uma distinção entre os que seguem um caminho – estreito e apertado – com a meta de chegar à vida no final do caminho (Mt 7.14) e aqueles a quem a vida eterna já foi dada como uma possessão presente (Jo 3.36; Rm 6.23; 1 Jo 5.11,12). Finalmente, muito diferente é uma situação em que alguns ouvem o Senhor dizer: "Nunca vos conheci; apartai-vos de mim os que praticais a iniqüidade" (Mt 7.23) e uma certeza de que quem confia em Cristo "jamais perecerá" (Jo 10.28; Rm 8.1).

Com estes e muitos outros contrastes em vista, não pode haver acordo com o professor Martin Dibelius, em seu livro *The Sermon on the Mount*, onde ele diz: "O Sermão do Monte não é o único programa da conduta cristã no Novo Testamento. O Novo Testamento contém muitos outros ditos da mesma espécie, especialmente as instruções para os discípulos, as bem conhecidas símiles e parábolas e as admoestações encontradas nas epístolas. Mas o Sermão do Monte obscurece todos estes e, assim, tem um valor simbólico especial como a grande proclamação da nova justiça".[38] Aparentemente, o professor Dibelius não possui uma falta de apreciação pelos elevados padrões morais apresentados no Sermão do Monte; ele carece, contudo, de entendimento daquilo que faz parte do empreendimento divino total da graça salvadora, nem esse professor, com muitos outros teólogos da mesma categoria, distingue entre o propósito judaico terrestre estabelecido por Deus, que é consumado no reino do céu que é davídico e messiânico e o propósito celestial de Deus, que é consumado na Igreja e seu destino no céu.

c. O ATRASO NA APLICAÇÃO. Nada novo é introduzido sob esta divisão da discussão. Tem sido repetidamente demonstrado em páginas anteriores que tão certo como o próprio reino foi posposto, assim certamente tudo que pertence a ele foi posposto, até que a presente era intercalada da Igreja cumpra o seu curso. A regra de vida que governa esse reino foi, com respeito à sua aplicação, posposta. Tudo que faz parte do fato geral do retardamento do reino, assim como as objeções levantadas contra esta doutrina, foram consideradas anteriormente em detalhes no estudo da Eclesiologia. É suficiente dizer que as exigências do reino pressupõem-no como presente. A ordem social na terra, que o reino prescreve, deve ser tal que torne possível este supermodo de vida. O próprio Rei deverá estar presente e reinará; Satanás deverá ser preso; a lei de Deus deverá ser escrita no coração; e todo Israel deverá conhecer o Senhor desde o menor até o maior (Jr 31.31-34).

2. O DISCURSO DO MONTE DAS OLIVEIRAS. O segundo discurso mais importante feito por Cristo foi pronunciado apenas dois dias antes de sua crucificação. Este limite de tempo está claramente indicado pelas palavras que se seguem imediatamente após o discurso: "E havendo Jesus concluído todas estas palavras, disse aos seus discípulos: Sabeis que daqui a dois dias é a Páscoa; e o Filho do homem será entregue para ser crucificado" (Mt 26.1,2). Este discurso, igual àquele conhecido como o Sermão do Monte, é dirigido a Israel. O lamento de Cristo sobre Jerusalém é a introdução divinamente arranjada para ele. Esse lamento está registrado assim: "Jerusalém, Jerusalém, que matas os profetas, e apedrejas os que a ti são enviados! quantas vezes quis eu ajuntar os teus filhos, como a galinha ajunta os seus pintos debaixo das asas, e não o quiseste! Eis aí abandonada vos é a vossa casa. Pois eu vos declaro que desde agora de modo nenhum me vereis, até que digais: Bendito aquele que vem em nome do Senhor" (Mt 23.37-39).

Esta porção, por sua vez, foi precedida pela condenação drástica dos escribas e fariseus (Mt 23.1-36). Como no Sermão do Monte, este importante discurso é dado aos discípulos "privadamente", e estes doze são aqui tratados como judeus e representantes dessa nação. Eles são considerados aqui, como todos os judeus antes deles, como participantes dos eventos descritos neste discurso. O discurso é da natureza de uma despedida da nação de Israel. O seu propósito não é condenar aquele povo nem instruir os que estavam vivos, além da preparação dos escritores que escreveriam o texto do Novo Testamento, mas instruir aqueles que viviam naquele tempo – com quem o discurso trata – quando essas revelações e instruções se aplicariam. É razoável crer que Deus,

CRISTOLOGIA

que proporcionou esses ensinos, os traria à atenção daqueles, em seu próprio tempo de tribulação, a quem eles pertenciam.

Os judeus na tribulação haveriam de lucrar muitíssimo com estas palavras, e teriam de reconhecê-las como as palavras do Messias-rei deles. O Rei fala, mas totalmente sem o uso do pronome na primeira pessoa. Ele antes usa a forma da terceira pessoa e se refere a si mesmo como "o Cristo, o Noivo, o Filho do homem, e o Rei". Poucas porções do Novo Testamento colocam os eventos registrados numa ordem cronológica mais completa do que este discurso. Este fato é uma verdade essencial que determina muita coisa na interpretação correta. Aquilo que pertence à era da Igreja é apenas provisoriamente mencionado numa seção que pode ser classificada como uma porção introdutória. O discurso propriamente, será visto ainda, começa com uma descrição da Grande Tribulação e estabelece exortações e advertências aos israelitas daquele tempo.

O discurso conclui com um recital de juízos que virão primeiro sobre Israel e, então, sobre as nações. Esses juízos são determinados pelo próprio Rei e ocorrem quando a tribulação termina e quando o Rei retorna à terra. Como a Igreja não é diretamente vista como presente no evangelho de Mateus, exceto quando sua presença está implícita no capítulo 13, e é antecipada em 16.18, assim – e até mais enfaticamente – a Igreja não é vista mesmo que remotamente neste discurso de despedida dirigido a Israel. Dois dias mais tarde, no Discurso do Cenáculo – que será considerado posteriormente –, o Senhor fez a sua mensagem de despedida aos discípulos não como judeus, mas como os que haviam sido limpos pela Palavra (Jo 13.10; 15.3), e que não mais foram classificados como debaixo da lei de Moisés (Lc 15.25).

A grande diferença que se vê entre o Discurso do Monte das Oliveiras e o Sermão do Monte dificilmente precisa de elucidação. Embora os dois tenham sido proferidos pelo Messias à nação de Israel, eles quase nada tiveram em comum. Um deles apresenta a responsabilidade do judeu a respeito da entrada no reino messiânico e a vida nesse reino. O outro dirige e adverte a nação a respeito dos seus sofrimentos na tribulação e dá instruções e predições mais explícitas, relativas ao lugar que a nação deve ocupar no mais significativo dos dias que o mundo verá, a saber, a septuagésima semana predita por Daniel (cf. Dn 9.25-27; Mt 24.15). Os dias de tribulação incomparável estão determinados para o futuro e com eles a disposição final de todos os governos e instituições dos gentios. Israel, também, deve ser julgado e a terra será mudada de um presente governo feito por homens, normatizado por Satanás, o cosmos, para o reino do céu, e a justiça e paz cobrirão a terra como as águas cobrem o mar.

É razoável e digno de apreciação que Cristo, antes de sua partida, deva dar estas instruções explícitas à sua nação amada a respeito de tais dias incomparáveis. Para os que não possuem qualquer entendimento disto e, portanto, não têm interesse algum nestas grandes predições, este discurso nada pode significar mais do que observações sem propósito e inúteis da parte do Salvador. Contudo, o estudante dedicado haverá de contemplar estas declarações importantes com atenção total.

Dificilmente pareceria necessário, à luz de tudo o que já foi apresentado no estudo de Escatologia, reafirmar a verdade que na ordem dos eventos – tudo claramente arranjado pelo Espírito Santo e para ser observado pelos estudantes criteriosos – a Igreja é removida da terra antes que a septuagésima semana de Daniel comece, e que a Igreja não está, portanto, na terra ou não será vista em qualquer destas situações.

É provável que nenhum conjunto de predições em toda a Bíblia seja mais definido ou mais inter-relacionado com a totalidade do campo da profecia bíblica do que este discurso. Cada declaração separada pode ser tomada como um ponto de partida do qual muita predição pode ser vista em sua ordem. Não poderia ser diferente, visto que esta é a predição consumadora da parte do Messias-rei e próxima da hora de sua partida deste mundo. Como foi freqüentemente afirmado antes, nesta obra, Deus tem um propósito duplo, a saber, um para a terra, que está centrada em seu povo terrestre e outro para o céu, que está centrado em seu povo celestial. Portanto, deve ser esperado que Cristo, que é o consumador de cada uma delas, deva pregar duas mensagens de despedida – uma para cada um desses grupos de pessoas. Esta é exatamente a ordem da verdade encontrada nos evangelhos.

Neste contexto será visto que não há uma mistura da verdade que abranja estes dois discursos de despedida. Aquele dirigido a Israel – a ser considerado agora – é totalmente à parte de qualquer referência à Igreja, e aquele dirigido à Igreja – a ser considerado na próxima divisão do capítulo – é totalmente à parte de qualquer complicação com Israel ou seu reino. A análise do Discurso do Monte das Oliveiras pode ser empreendida da seguinte maneira:

MATEUS 23.37-39: "Jerusalém, Jerusalém, que matas os profetas, e apedrejas os que a ti são enviados! quantas vezes quis eu ajuntar os teus filhos, como a galinha ajunta os seus pintos debaixo das asas, e não o quiseste! Eis aí abandonada vos é a vossa casa. Pois eu vos declaro que desde agora de modo nenhum me vereis, até que digais: Bendito aquele que vem em nome do Senhor".

Do ponto de vista de sua abrangência, há poucas declarações proféticas tão extensas como esta. Ela pode ser reduzida a poucas frases significativas – "Jerusalém"; "quantas vezes quis eu ajuntar os teus filhos"; "tu não quiseste"; "Eis aí abandonada vos é a vossa casa"; "de modo nenhum me vereis"; "até que digais: Bendito aquele que vem em nome do Senhor". O discurso é para os filhos de Jerusalém, que, neste caso, são uma representação de toda a nação. Como indicado anteriormente, o discurso todo de Mateus 24.4 em diante (mas para esta porção inicial – 23.37-39), embora imediatamente pronunciado a seus discípulos que ainda são classificados como judeus e representados como um povo que passará pelas experiências descritas neste discurso, é dirigido à nação toda e especialmente para aqueles que vão passar pela provação descrita ali.

A frase "quantas vezes quis eu ajuntar os teus filhos", não somente revela que Ele fala a Israel, mas se refere ao cumprimento de muita profecia a respeito da reunião final de Israel em sua própria terra. No cumprimento de seu propósito no reino, Cristo deve reajuntar Israel. Isto foi indicado em suas mensagens

CRISTOLOGIA

do reino pregadas durante o seu primeiro advento. Mais tarde, neste mesmo discurso, Ele declara, em relação ao seu segundo advento: "E ele enviará os seus anjos com grande clangor de trombeta, os quais lhe ajuntarão os escolhidos desde os quatro ventos, de uma à outra extremidade da terra" (Mt 24.31). Deste mesmo evento, Jeremias disse: "Portanto, eis que vêm dias, diz o Senhor, em que nunca mais dirão: Vive o Senhor, que tirou os filhos de Israel da terra do Egito; mas Vive o Senhor, que tirou e que trouxe a linhagem da casa de Israel da terra do norte, e de todas as terras para onde os tinha arrojado; e eles habitarão na sua terra" (Jr 23.7, 8).

Que Israel "não quis", é a própria identificação da rejeição que eles tiveram de Cristo, o Rei, e seu reino. E esta declaração coloca a responsabilidade sobre a nação. Mais tarde, e em harmonia com este anúncio a respeito de sua rejeição, eles disseram: "Seu sangue caia sobre nós e sobre os nossos filhos" (Mt 27.25). "A vossa casa" é uma referência à casa de Israel que se tornou centrada na linhagem da realeza davídica. Em Atos 15.16, esta entidade é chamada "o tabernáculo de Davi". A passagem diz: "Depois disto voltarei, e reedificarei o tabernáculo de Deus, que está caído; reedificarei as suas ruínas, e tornarei a levantá-lo". O termo "abandonada" é uma das palavras mais severas usada para descrever a situação de Israel no mundo nessa era (cf. "espalhada e despida" – Is 18.2,7; Tg 1.1; 1 Pe 1.1; "deixada", no sentido de abandonada por um período de tempo – Rm 11.15; "quebrada" – Rm 11.17; afligida com "cegueira" – cf. Is 6.9; Rm 11.25; "odiada" – Mt 24.9).

"Não me vereis mais" é uma afirmação que antecipa Sua ausência total, com respeito à sua relação peculiar com Israel "até" que Ele retorne; naquele tempo "todo olho o verá" (Ap 1.7), "e eles verão o Filho do homem vindo nas nuvens do céu com poder e grande glória" (Mt 24.30). Israel então dirá: "Bendito o que vem em nome do Senhor". Quão grande é a fidelidade de Jeová a Israel! Isaías registra a mensagem de Jeová àquele povo sobre o que acontecerá na restauração final: "Por amor de Sião não me calarei, e por amor de Jerusalém não descansarei, até que saia a sua justiça como um resplendor, e a sua salvação como uma tocha acesa. E as nações verão a tua justiça, e todos os reis a tua glória; e chamar-te-ão por um nome novo, que a boca do Senhor designará. Também serás uma coroa de adorno na mão do Senhor, e um diadema real na mão do teu Deus. Nunca mais te chamarão: Desamparada, nem a tua terra se denominará Desolada; mas chamar-te-ão Hefzibá, e à tua terra Beulá; porque o Senhor se agrada de ti; e a tua terra se casará. Pois como o mancebo se casa com a donzela, assim teus filhos se casarão contigo; e, como o noivo se alegra da noiva, assim se alegrará de ti o teu Deus. Ó Jerusalém, sobre os teus muros pus atalaias, que não se calarão nem de dia, nem de noite; ó vós, os que fazeis lembrar ao Senhor, não descanseis, e não lhe deis a ele descanso até que estabeleça Jerusalém e a ponha por objeto de louvor na terra" (Is 62.1-7).

MATEUS 24.1-3: "Ora, Jesus, tendo saído do templo, ia-se retirando, quando se aproximaram dele os seus discípulos, para lhe mostrarem os edifícios do templo. Mas ele lhes disse: Não vedes tudo isto? Em verdade vos digo que não se deixará aqui pedra sobre pedra que não seja derribada. E estando ele sentado no monte das Oliveiras, chegaram-se a ele os seus discípulos em particular, dizendo: Declara-nos quando serão essas coisas, e que sinal haverá da tua vinda e do fim do mundo".

Um breve interlúdio é apresentado nestes versículos que tem a ver com uma profecia cumprida, a saber, a destruição de Jerusalém. Os discípulos chamaram a atenção de Cristo para o tamanho e a preciosidade do templo. Possivelmente, ele não havia exibido a admiração e o espanto usuais do judeu diante das pedras (cf. Mc 13.1; Lc 21.5). Os discípulos pouco perceberam que Aquele, a quem eles falavam, tinha trazido à existência todas as coisas materiais pela palavra de Seu poder. Essas pedras, contudo, Cristo predisse que seriam derrubadas. A mesma coisa havia sido predito antes (cf. Jr 9.11; 26.18; Mq 3.12). Esta afirmação a respeito da destruição do templo, que era muito pessimista para o judeu, levou os discípulos a fazer três perguntas, e as respostas a elas fazem parte basicamente deste discurso. Eles perguntaram: "Declara-nos quando serão essas coisas? e que sinal haverá da tua vinda? e do fim do mundo?" (v. 3).

A resposta à primeira destas três perguntas a respeito da destruição de Jerusalém não está incluída na narrativa de Mateus, mas está registrada em Lucas 21.20-24, da seguinte maneira: "Mas, quando virdes Jerusalém cercada de exércitos, sabei então que é chegada a sua desolação. Então, os que estiverem na Judéia fujam para os montes; os que estiverem dentro da cidade, saiam; e os que estiverem nos campos não entrem nela. Porque dias de vingança são estes, para que se cumpram todas as coisas que estão escritas. Ai das que estiverem grávidas, e das que amamentarem naqueles dias! Porque haverá grande angústia sobre a terra, e ira contra este povo. E cairão ao fio da espada, e para todas as nações serão levados cativos; e Jerusalém será pisada pelos gentios, até que os tempos destes se completem". Que tudo isto foi cumprido por Tito no ano 70 d.C., é bem sabido.

Há necessidade de advertência, contudo, para que nenhuma fraseologia de Lucas seja confundida com a mesma fraseologia da narrativa de Mateus (cf. 24.16-20) e seja suposto com base nesta similaridade que as duas narrativas são paralelas. Na narrativa de Lucas, Cristo descreve as condições e dá instruções aos judeus a respeito do tempo da destruição de Jerusalém, que estava por acontecer; a narrativa de Mateus registra as condições e as instruções oportunas para os judeus que estariam em ordem quando a tribulação chegasse e o Rei estivesse para retornar. Uma comparação cuidadosa desses dois textos justificaria esta afirmação. É neste ponto que a teoria errônea teve o seu começo, isto é, de que a vinda de Cristo foi cumprida na destruição de Jerusalém. A segunda e a terceira perguntas, a saber: "e que sinal haverá de tua vinda?" e "e do fim do mundo?", são respondidas por Cristo em sua ordem reversa. Os discípulos nada conheciam da ordem dos eventos. Esta ordem Cristo corrigiu por responder primeiro a última dessas duas perguntas, e a primeira pergunta relativa ao sinal de sua vinda, Ele respondeu por último.

CRISTOLOGIA

É necessário fazer uma pausa aqui, para uma consideração sobre qual dispensação está em vista, quando eles perguntaram pelo sinal de seu fim. Como foi indicado acima, é provável que a palavra *sinal* deveria ser substituída nesta pergunta. O termo *mundo* é uma tradução da palavra αἰών que significa *era*, ou um período de tempo. A pergunta deles era a respeito do sinal da dispensação em que eles viviam. Embora algumas prefigurações haviam sido dadas por Cristo, como está registrado em Mateus 13, os discípulos nada sabiam a respeito da presente era da Igreja (cf. At 1.6, 7) e, portanto, nada poderiam ter conhecido de seu fim. Eles viviam na dispensação mosaica, a última parte do que Daniel predisse que continuaria por 490 anos. Ele predisse também que os últimos sete anos daquele período – a septuagésima semana de Daniel – seria o tempo da maior revolta humana, inclusive a Grande Tribulação e a presença do homem do pecado a quem Cristo chamou de "o abominável da desolação de que falou o profeta Daniel" (Mt 24.15; cf. Dn 9.26, 27).

Em outras palavras, a Grande Tribulação e o homem do pecado pertencem à era mosaica, que é passada, e não estão totalmente relacionados com a presente dispensação da Igreja. O homem do pecado não "permanecerá no santo lugar", no final da era da Igreja; é sobre o final dessa dispensação em vigor que os discípulos fizeram essa pergunta. O homem do pecado permanecerá no lugar santo durante a tribulação (Mt 24.15; 2 Ts 2.3, 4).

MATEUS 24.4-8: "Respondeu-lhes Jesus: Acautelai-vos, que ninguém vos engane. Porque muitos virão em meu nome, dizendo: Eu sou o Cristo; e a muitos enganarão. E ouvireis falar de guerras e rumores de guerras; olhai não vos perturbeis; porque forçoso é que assim aconteça; mas ainda não é o fim. Porquanto se levantará nação contra nação, e reino contra reino; e haverá fome e terremotos em vários lugares. Mas todas essas coisas são o princípio das dores".

Antes de responder a pergunta a respeito do sinal do fim desta dispensação, Cristo faz um comentário geral sobre o tempo interveniente antes que a era judaica chegue ao fim. Neste ponto, da parte dos discípulos e de todos os outros, havia a necessidade de uma atenção especial a estas palavras de Cristo para que os enganos não surgissem. A despeito de muitos falsos cristos e de guerras etc., os santos deveriam ser instruídos, para que não fossem enganados. Estes eventos – falsos cristos, guerras, fome, pestes e terremotos – não se constituem num sinal do fim da era judaica. Este é o propósito das palavras de Cristo – "*mas ainda não é o fim*". As nações se levantariam contra nações e os reinos contra reinos. Como sempre, fome e pestes se seguem. Nenhum destes jamais constitui um sinal do fim da era judaica, embora eles possam ter e realmente têm uma importância real com respeito a esta era em que ocorrem.

Eles são as características da era intercalada, interveniente e imprevista. Estas características da era são assemelhadas por Cristo ao "princípio das dores". A palavra *tristeza* é melhor traduzida como *angústia*, que significa trabalho de parto, ou aflição. É verdade das dores do nascimento que elas crescem mais intensamente à medida que o nascimento se aproxima. Estas condições, então, que pertencem a esta dispensação, embora possam aumentar em intensidade, são as dores preliminares e devem ser distinguidas das dores excruciantes do nascimento em si mesmo. A dor do parto em si serve para ilustrar a tribulação e as características aceleradoras desta era ilustram o "começo da angústia". A verdade importante revelada por Cristo, é que "o princípio das dores" não é a dor em si mesma que pertence à experiência de Israel e a era anterior a ela, na qual a abominação da desolação, ou o desolador, aparece.

MATEUS 24.9-28. "Então sereis entregues à tortura, e vos matarão; e sereis odiados de todas as nações por causa do meu nome. Nesse tempo muitos hão de se escandalizar, e trair-se uns aos outros, e mutuamente se odiarão. Igualmente hão de surgir muitos falsos profetas, e enganarão a muitos; e, por se multiplicar a iniqüidade, o amor de muitos esfriará. Mas quem perseverar até o fim, esse será salvo. E este evangelho do reino será pregado no mundo inteiro, em testemunho a todas as nações, e então virá o fim. Quando, pois, virdes estar no lugar santo a abominação da desolação, predita pelo profeta Daniel (quem lê, entenda), então os que estiverem na Judéia fujam para os montes; quem estiver no eirado não desça para tirar as coisas de sua casa, e quem estiver no campo não volte atrás para apanhar a sua capa. Mas ai das que estiverem grávidas, e das que amamentarem naqueles dias! Orai para que a vossa fuga não suceda no inverno nem no sábado; porque haverá então uma tribulação tão grande, como nunca houve desde o princípio do mundo até agora, nem jamais haverá. E se aqueles dias não fossem abreviados, ninguém se salvaria; mas por causa dos escolhidos serão abreviados aqueles dias. Se, pois, alguém vos disser: Eis aqui o Cristo! ou: Ei-lo ali! não acrediteis; porque hão de surgir falsos cristos e falsos profetas, e farão grandes sinais e prodígios; de modo que, se possível fora, enganariam até os escolhidos. Eis que de antemão vo-lo tenho dito. Portanto, se vos disserem: Eis que ele está no deserto; não saiais; ou: Eis que ele está no interior da casa; não acrediteis. Porque, assim como o relâmpago sai do oriente e se mostra até o ocidente, assim será também a vinda do Filho do homem. Pois onde estiver o cadáver, aí se ajuntarão os abutres".

Esta extensa passagem da Escritura apresenta a própria mensagem de Cristo a Israel a respeito da Grande Tribulação. Como o versículo 8 com sua referência à angústia fecha a Sua breve descrição desta presente era interveniente, o versículo 9, abre com a palavra *então*, e marca um tempo de agonia e dor de parto. Esta palavra-tempo ocorre por todo este contexto e serve para datar tudo o que está predito dentro dos limites desta tribulação sem precedentes na terra. Ela é ao mesmo tempo referida no versículo 21 como "a grande tribulação" que viria. Este mesmo contesto, ainda será visto, é seguido por outra expressão-tempo no versículo 29: "imediatamente após a tribulação daqueles dias". Assim, os limites deste contexto ficam determinados. O estudante deverá ter em mente a verdade do período da tribulação, que é descrita em várias passagens nos dois testamentos.

Três propósitos divinos distintos podem ser descobertos neste tempo da tribulação. As passagens aqui mencionadas são de grande importância, mas não podem ser citadas na sua integridade. Primeiro, é o tempo da "provação de Jacó". Os julgamentos especiais e finais sobre o povo escolhido, que foram preditos de longa data, terminarão com aflições duradoura deles (Jr 25.29-38; 30.4-7; Ez 30.3; Dn 12.1; Am 5.18-20; Ob 1.15-21; Sf 1.7-18; Zc 12.1-14; 14.1-3; Ml 4.1-4; Mt 24.9-31; Ap 7.13, 14). Segundo, este período será um tempo quando o julgamento virá sobre as nações gentílicas e sobre o pecado de toda a terra (Jó 21.30; Sl 2.5; Is 2.10-22; 13.9-16; 24.21-23; 26.20, 21; 34.1-9; 63.1-6; 66.15-24; Jr 25.29-38; Ez 30.3; Jl 3.9-21; Zc 12.1-14; Mt 25.31-46; 2 Ts 2.3-12; Ap 3.10; 11.1–18.24). Terceiro, este tempo é também caracterizado pelo aparecimento e domínio do homem do pecado cuja carreira, igual ao período em que ele aparece, não pode começar até que a restrição divina seja removida (2 Ts 2.6-10) e termine com o retorno de Cristo e sua vinda "com poder e glória" (2 Ts 2.8).

Este governante mundial é a manifestação adequada dos últimos esforços de Satanás debaixo dessa liberdade presente em sua oposição contra Deus e sua tentativa de exaltação acima do Altíssimo. O que Deus se agradou em revelar a respeito deste tempo de tribulação será compreendido somente quando estes textos e outros similares forem considerados com atenção redobrada. Esta é a tarefa razoável do estudante. Na verdade, há uma grande solenidade nas palavras de Cristo sobre este importante tema.

Esta porção do Discurso do Monte das Oliveiras começa com um conselho específico para Israel a respeito da sorte deles neste tempo de sua aflição. O contexto com certeza determina no versículo 9 que este discurso é dirigido a Israel. Essas pessoas serão odiadas por todas as nações, e, embora o mundo não possa analisar suas próprias paixões, este ódio é o ressentimento deles contra uma raça divinamente escolhida, ressentimento esse que tem continuado como uma herança desde os dias antigos da história de Israel. Este ódio é literalmente "por causa do meu nome", porque esse Seu nome tem estado sobre esse povo desde o princípio. Eles devem ser entregues, afligidos, mortos e odiados. Isto resultará em muitos de Israel serem ofendidos; então trairão uns aos outros. Estes devem ser indevidamente instruídos pelos falsos profetas e a multiplicação da iniqüidade fará com que diminua o amor de muitos.

Nesse tempo, contudo, a salvação é assegurada no final da tribulação. A referência à salvação, é para que a promessa a Israel em Romanos 11.26, 27: "E assim todo o Israel será salvo, como está escrito: Virá de Sião o Libertador, e desviará de Jacó as impiedades; e este será o meu pacto com eles, quando eu tirar os seus pecados". Não há uma referência aqui à salvação dos crentes pela graça por meio da fé, cuja salvação se obtém na presente era. Se fosse assim, não se leria: *Aquele que perseverar até o fim será salvo*. A segurança, é que no final da era virá quando "este evangelho do reino" for pregado como um testemunho a todas as nações da terra. Uma confusão imensurável tem acontecido na tentativa de aplicar este versículo às condições do presente século. Os crentes desta era têm uma comissão de evangelizar todas as nações e isto seria solicitado de cada nova geração, mas a vinda de Cristo para receber sua Noiva nunca foi designada para aguardar tal evangelização mundial.

O que está referido nesta passagem é distintamente o Evangelho do reino, que ocupou o começo do ministério de Cristo e, naquele momento, era o único evangelho conhecido dos discípulos. Este Evangelho será pregado novamente pelos 144.000 selados, de Apocalipse 7.1-8, e por outras testemunhas que Deus possa escolher para esse serviço durante o período da tribulação. É razoável que a mensagem preparada para o seu reino messiânico nos primeiros dias, antes do Messias e seu reino serem rejeitados, deva ser renovada e pregada antes do seu segundo advento, quando esse reino será estabelecido pelo poder de Deus e sem a rejeição do Rei. Não há necessidade de voltar a este ponto para uma nova discussão da diferença que se vê entre o Evangelho do reino, que anuncia uma vez mais que o Rei está próximo, e o Evangelho da graça de Deus, que oferece a salvação eterna em glória aos judeus e gentios individualmente, e com a única condição da fé em Cristo.

É repreensível tomar este versículo fora de seu ambiente como incrustado na própria descrição que Jesus faz da tribulação e dele tirar uma conclusão de que Deus não pode vir à Igreja, até que o presente Evangelho seja pregado a todo o mundo. Cristo declara que o fim virá. A referência é ao fim da era judaica e da porção procrastinada daquela era. Sobre este fim os discípulos inquiriram. Após ter declarado o programa da pregação do reino, Cristo continua a revelar o sinal do fim da era. Isto está afirmado no versículo 15, e não há outra aparição, além desta, predita do homem do pecado no templo restaurado dos judeus. O próprio Jesus deu uma olhada na profecia de Daniel a respeito deste desolador (Dn 9.26, 27). Mais tarde, o apóstolo Paulo descreve o mesmo evento, assim: "Ninguém de modo nenhum vos engane; porque isto não sucederá sem que venha primeiro a apostasia e seja revelado o homem do pecado, o filho da perdição, aquele que se opõe e se levanta contra tudo o que se chama Deus ou é objeto de adoração, de sorte que se assenta no santuário de Deus, apresentando-se como Deus" (2 Ts 2.3, 4).

O templo será o lugar proporcionado pelos judeus incrédulos, quando a eles for dada liberdade por sete anos pelo homem do pecado, e para que possam adorar como quiserem na sua própria terra. Este pacto é quebrado no meio dos sete anos (cf. as predições de Daniel, no livro escrito por ele, e as de João, no Apocalipse). A presença do desolador no lugar santo é a identificação dada sobre ele por toda a Palavra de Deus. É sua presunção ser Deus (cf. Ez 28.1-10). Visto que sua aparição no santo lugar ocupa posição tão importante nas Escrituras proféticas, não é estranho que Cristo dê a ela o caráter de um sinal à nação de Israel, do fim daquela porção procrastinada de sua própria era.

Ao seguir a revelação do sinal do fim da era, Cristo dá instruções específicas a respeito da ação imediata de todos os que observam este sinal. Estas instruções, como já foi dito, embora similares àquelas dadas em Lucas a respeito da destruição de Jerusalém, não obstante, são totalmente diferentes, por serem adaptadas em cada caso à crise iminente. Uma instrução particular na narrativa de Mateus deve ser observada, ou seja: "Orai para que a vossa fuga não suceda no inverno nem no sábado" (24.20). Neste versículo, é encontrada evidência de que a era judaica é restaurada, visto que o sábado está novamente em vigor. Isto é conclusivo para aquele que investigou as distinções que se vê entre o sábado para Israel, e o dia do Senhor da nova criação, que pertence à Igreja.

Igualmente, neste versículo está a injunção de se fazer oração, para que a fuga não se dê no inverno ou no sábado. Estas são petições estranhas, quando vistas em sua relação com a presente era. Ninguém supõe fazer esta oração – mesmo o mais confuso antidispensacionalista. Em oposição a isto está o fato de que estes mesmos indivíduos ficam ofendidos, se é sugerido que alguém desta era não deve orar: "...perdoa-nos as nossas dívidas assim como nós perdoamos aos nossos devedores".

A declaração dos versículos 21 e 22, igual a de Daniel 12.1, deveria silenciar os pós-tribulacionistas que, em defesa da sua teoria de que a Igreja vai passar pela Grande Tribulação, procuram aliviar o caráter daqueles dias excruciantes. Alegar, como alguns o fazem, que o terror desse período é "exagerado", é desafiar o próprio Cristo – sustentado pelo Santo Espírito através de Daniel – o qual disse que nunca no passado nem ainda no futuro qualquer experiência humana se igualará àquela daqueles dias, de sofrimento para Israel e o mundo. Para Israel, os eleitos de Deus, aqueles dias devem ser abreviados ou ninguém será salvo. Deus tem dois povos eleitos: Israel e a Igreja. Este texto, como o seu contexto todo, diz respeito ao Israel eleito.

Nos versículos 23-28, as instruções são novamente renovadas e especialmente com referência à detecção das alegações dos falsos cristos. Embora isto possa vir através do deserto – como o ministério de João Batista – ou em câmara secreta, envolto em mistérios ocultos, ninguém pode reproduzir a maneira do real retorno de Cristo, que será como o brilho de um relâmpago que vai do oriente ao ocidente. A vinda de Cristo descrita em Apocalipse 19.11-16 (cf. Sl 2.7-9; Is 63.1-6; 2 Ts 1.7-10) é acompanhada por uma grande matança e os pássaros do céu são convidados a comer as carnes dos homens e dos animais. É provável que Mateus 24.28: "Pois onde estiver o cadáver, aí se ajuntarão os abutres" seja uma referência a este aspecto do retorno de Cristo, descrito em Apocalipse 19.17-21.

MATEUS 24.29-31: "Logo depois da tribulação daqueles dias, escurecerá o sol, e a luz não dará a sua luz; as estrelas cairão do céu e os poderes dos céus serão abalados. Então aparecerá no céu o sinal do Filho do homem, e todas as tribos da terra se lamentarão, e verão vir o Filho do homem sobre as nuvens do céu, com poder e grande glória. E ele enviará os seus anjos com grande clangor de trombeta, os quais lhe ajuntarão os escolhidos desde os quatro ventos, de uma à outra extremidade dos céus".

Nenhuma divisão de tempo mais explícita poderia ser indicada, além do que está expresso por estas palavras com que esta seção do discurso se inicia – "logo depois da tribulação daqueles dias". Visto que a vinda de Cristo marca o término da tribulação e acontece a destruição do homem do pecado pelo próprio Cristo (cf. 2 Ts 2.8), o esmagamento dos exércitos que representam as nações da terra (cf. Sl 2.7-9; Is 63.1-6; 2 Ts 1.7-10; Ap 19.11-21), o julgamento de

Israel (Ez 20.33-44; Mt 24.37–25.30), e o julgamento das nações (Mt 25.31-46), é provável que a frase "a tribulação daqueles dias" se refira à angústia particular e a provação de Israel como tendo sido consumada antes que todos esses eventos listados acima, e que combinam com a septuagésima semana de Daniel, sejam completados. A esta altura, a qualquer momento que possa ocorrer, há a convulsão da natureza que atinge até as estrelas do céu.

É então que aparecerá "o sinal do Filho do homem". Deve ser lembrado que isto serve para responder, na ordem que vimos, a segunda pergunta que é a última das interrogações do versículo 3 a ser respondida. Não há uma revelação sobre qual tipo de sinal será. Os homens têm desenvolvido suas conjecturas, mas Deus não revelou a natureza do sinal e o Seu silêncio deve ser respeitado. Ele diz, contudo, que será um sinal e que esse indício aparecerá. Será de tal monta que todos reconhecerão a sua importância, especialmente Israel; pois quando o sinal é visto pelos israelitas de todas as tribos – significando a totalidade da casa de Israel (cf. Mt 23.39) – se lamentarão. Eles vão olhar para Aquele que rejeitaram, o qual virá nas nuvens do céu com poder e glória. Só então vão reconhecer o Messias deles. Como os irmãos de José se ajoelharam diante dele, quando a sua identidade lhes foi revelada, de igual modo Israel reconhecerá o seu Messias.

O sinal será notável como uma das maiores de todas as manifestações divinas e o seu efeito será completo. Alguns crêem que este sinal será uma exibição poderosa do símbolo permanente da cruz. É digno de nota que Zacarias, quando falava do retorno de Cristo, declara: "Mas sobre a casa de Davi, e sobre os habitantes de Jerusalém, derramarei o espírito de graça e de súplicas; e olharão para aquele a quem traspassaram, e o prantearão como quem pranteia por seu filho único; e chorarão amargamente por ele, como se chora pelo primogênito" (Zc 12.10). A designação "as tribos da terra", pertence, no uso da Escritura, somente a Israel, mas, através de Zacarias, estas mesmas pessoas são chamadas "casa de Davi". Assim, evidência adicional é apresentada, de que no Discurso do Monte das Oliveiras é dirigido a Israel. Ao mesmo tempo, também, Israel será reajuntado para o período final em sua própria terra.

Desta reunião os profetas falaram, e este evento não pode falhar, visto que a boca de Jeová o disse. Contudo, este reajuntamento é sobrenatural. É dito que ele será realizado pela ministração angelical. Grande e maravilhosa foi a exibição de poder quando Ele tirou do Egito os filhos de Israel. A este estupendo evento Jeová freqüentemente se referiu, quando procurava impressionar o seu povo com o seu poder. Ele disse: "Eu sou o Senhor teu Deus, que te tirei da terra do Egito". Jeremias, pelo Espírito, assevera que o reajuntamento final de Israel em sua própria terra será a maior exibição do poder divino, mais até do que a própria libertação do Egito. Será tão grande, na verdade, que não haverá uma lembrança da libertação do Egito, quando esta é comparada com o último reajuntamento. Jeremias diz: "Portanto, eis que vêm dias, diz o Senhor, em que nunca mais dirão: Vive o Senhor, que tirou os filhos de Israel da terra do Egito; mas vive o Senhor, que tirou e que trouxe a linhagem da casa de Israel da terra do norte, e de todas as terras para onde os tinha arrojado; e eles habitarão na sua terra" (Jr 23.7, 8).

MATEUS 24.32-36: "Aprendei, pois, da figueira a sua parábola: Quando já o seu ramo se torna tenro e brota folhas, sabeis que está próximo o verão. Igualmente, quando virdes todas essas coisas, sabeis que ele está próximo, mesmo às portas. Em verdade vos digo que não passará esta geração sem que todas essas coisas se cumpram. Passará o céu e a terra, mas as minhas palavras jamais passarão. Daquele dia e hora, porém, ninguém sabe, nem os anjos do céu, nem o Filho, senão só o Pai".

Após declarar a *maneira* de sua vinda, Cristo agora volta-se para a *certeza* de seu retorno. A figueira proporciona uma ilustração. O verão está evidentemente próximo, quando as suas tenras folhas aparecem. É sem dúvida verdadeiro que a figueira representa em outros textos a nação de Israel (cf. Mt 21.18-20), mas não há tempo para este significado ser buscado no presente uso deste símbolo. Quando as coisas de que Cristo justamente havia falado, inclusive mesmo o princípio das dores, começassem a acontecer, eles poderiam estar certos que Ele estaria próximo, mesmo às portas. Quando a hora chegasse, estas palavras seriam de maior valor e abençoariam aqueles a quem elas foram dirigidas, e este povo, Israel, não passaria até que todas essas coisas a respeito dele fossem cumpridas; mesmo o céu e a terra poderiam passar – e passarão – mas a promessa de Cristo feita a Israel não passaria. A palavra γενεά, traduzida como *geração*, é uma referência à toda raça de Israel e não é aqui restrita ao povo que então vivia na terra. O comentário de Dean Alford sobre este texto da Escritura é esclarecedor:

Com respeito à parábola – há uma referência à *figueira seca que o Senhor amaldiçoou*: e como isto, em sua infrutuosidade judicial, simbolizou o povo judeu, assim aqui a manifestação da figueira no seu estado de sequidão de inverno, simboliza a *revivescência futura* daquela raça, que o Senhor (v. 34) declara que não passará, até que tudo seja cumprido. Que este é o verdadeiro significado do versículo, deve ser verificado, quando nos lembramos que ele forma a conclusão desta parábola, e ele próprio é unido, por esta *geração* que passa, ao versículo seguinte. Na busca deste cumprimento supremo, não podemos *voltar* à tomada de Jerusalém e fazer as palavras se aplicarem a ela. Como este é um dos pontos sobre o qual os intérpretes racionalistas mais enfatizam para mostrar que a profecia *falhou*, eu tomei as dores para mostrar, em meu *Novo Testamento Grego*, que a palavra aqui traduzida como *geração* tem o significado de *uma raça ou família de pessoas*. Em todos os lugares ali citados, a palavra necessariamente toma esse significado: tendo é verdade um significado de relação amorosa, ele sugere que o caráter de uma geração *se estampa sobre a raça*, como aqui neste versículo também. O uso continuado de *passar* (a palavra é a mesma nos vv. 34 e 35) deveria ter livrado os comentadores do erro de imaginar que a então geração viva estava em vista, vendo que a profecia é pelo próprio versículo levada para o fim de todas as coisas: e que, como matéria de fato, os apóstolos e os antigos cristãos *continuariam a esperar a vinda do Senhor, após aquela geração ter passado*. Mas, como Stier bem observa, "há homens tolos o suficiente agora para dizer que os céus e a terra nunca passarão, mas as palavras de Cristo passarão com o decurso do tempo". Disto, contudo, esperamos a prova.[39]

O Dr. C. I. Scofield escreve sobre Mateus 24.34: "A palavra grega, *genea*, definição principal da qual vêm 'raça, espécie, família, gênero'. (Assim encontra em todos os léxicos.) Que a palavra é usada neste sentido aqui é certo porque nenhuma 'destas coisas', i.e, a pregação do Evangelho do reino a todo o mundo, a Grande Tribulação, o retorno do Senhor em glória visível, e o reajuntamento dos eleitos, ocorreu na destruição de Jerusalém por Tito, no ano 70 de nossa era. A promessa é, portanto, que a geração – nação, ou família de Israel – será preservada até "estas coisas"; uma promessa maravilhosamente cumprida até este dia".[40]

Em oposição à certeza do retorno de Cristo, está a *incerteza* sobre o tempo de sua vinda. Sobre aquele dia e hora nenhum um homem sabe, nem os anjos. Tudo isto, deve ser lembrado, tem a ver com o retorno glorioso de Cristo à terra e, portanto, diz respeito a Israel somente, que estará então na terra e para entrar no seu reino terrestre. O elemento de incerteza sobre o tempo do retorno de Cristo é também indicado naqueles textos que prometem uma vinda anterior nos ares para receber Sua Noiva, a Igreja, textos em que os crentes de cada geração são instados a *esperar* pelo seu Senhor (cf. Rm 8.19; 1 Ts 1.10; Tg 5.7). Assim, deveria ser observado que a incerteza do tempo caracteriza cada um desses eventos; mas essa verdade não serve para constituir os eventos a serem um e o mesmo. A Igreja *espera* por seu Noivo e pelo seu arrebatamento até o céu, enquanto que Israel naquele dia do retorno próximo de Cristo em glória *aguarda a vinda* gloriosa de seu Messias e pela concretização do seu reino terrestre.

Mateus 24.37–25.13: "Pois como foi nos dias de Noé, assim será também a vinda do Filho do homem. Porquanto, assim como nos dias anteriores ao dilúvio, comiam, bebiam, casavam e davam-se em casamento, até o dia em que Noé entrou na arca, e não o perceberam, até que veio o dilúvio, e os levou a todos; assim será também a vinda do Filho do homem. Então, estando dois homens no campo, será levado um e deixado o outro; estando duas mulheres a trabalhar no moinho, será levada uma e deixada a outra. Vigiai, pois, porque não sabeis em que dia vem o vosso Senhor; sabei, porém, isto: se o dono da casa soubesse a que vigília da noite havia de vir o ladrão, vigiaria e não deixaria minar a sua casa. Por isso ficai também vós apercebidos; porque numa hora em que não penseis, virá o Filho do homem. Quem é, pois, o servo fiel e prudente, que o senhor pôs sobre os seus serviçais, para a seu tempo dar-lhes o sustento? Bem-aventurado aquele servo a quem o seu senhor, quando vier, achar assim fazendo. Em verdade vos digo que o porá sobre todos os seus bens. Mas se aquele outro, o mau servo, disser no seu coração: Meu senhor tarda em vir, e começar a espancar os seus conservos, e a comer e beber com os ébrios, virá o senhor daquele servo, num dia em que não o espera, e numa hora de que não sabe, e cortá-lo-á pelo meio, e lhe dará a sua parte com os hipócritas; ali haverá choro e ranger de dentes. Então o reino dos céus será semelhante a dez virgens que, tomando as suas lâmpadas, saíram ao encontro do noivo. Cinco delas eram insensatas, e cinco prudentes. Ora, as insensatas, tomando as lâmpadas, não levaram azeite consigo. As prudentes, porém, levaram azeite em suas vasilhas, juntamente com as lâmpadas. E tardando o noivo, cochilaram todas, e dormiram. Mas à meia-noite ouviu-se um grito: Eis o noivo! Saí-lhe ao encontro! Então todas aquelas virgens se levantaram, e prepararam as suas lâmpadas. E as insensatas disseram às prudentes: Dai-nos do vosso azeite, porque as nossas lâmpadas estão se apagando. Mas as prudentes responderam: Não; pois de certo não chegaria para nós e para vós; ide antes aos que o vendem, e comprai-o para vós. E, tendo elas ido comprá-lo, chegou o noivo; e as que estavam preparadas entraram com ele para as bodas, e fechou-se a porta. Depois vieram também as outras virgens, e disseram: Senhor, Senhor, abre-nos a porta. Ele, porém, respondeu: Em verdade vos digo, não vos conheço. Vigiai, pois, porque não sabeis nem o dia nem a hora.

Conquanto abordado de vários ângulos, o único objetivo desta extensa porção é a exortação a Israel, a fim de estar preparado para a vinda do seu Messias-rei. Na parábola dos servos bons e maus, Ele é assemelhado ao senhor da casa (24.45-51). Na parábola das dez virgens, Ele é o Noivo – não que Israel seja a noiva e Ele o noivo dela, mas, após casar-se com a Igreja no céu (Ap 19.7, 8), Ele retorna com Sua esposa ao seu reino terrestre. Ele assim será saudado como o Noivo. Em apenas um caso, o ponto em questão, e que carrega consigo sua própria advertência, é que alguns estavam despreparados para o retorno de seu Rei. Em Mateus 24.37-39, a história é citada como exemplo desse despreparo. Como foi nos dias de Noé, assim será quando do retorno de Cristo. Esforços têm sido feitos por alguns expositores para demonstrar que esta passagem ensina que a impiedade da parte dos povos antediluvianos será repetida nos dias que antecedem o retorno de Cristo.

Há muitos textos que afirmam que houve impiedade antes do dilúvio e que haverá impiedade antes da volta do Messias, mas esta passagem não traz uma acusação de impiedade contra os antediluvianos, além do despreparo e da incredulidade em face das advertências que lhes foram dadas. Do mesmo modo e com o mesmo propósito, Mateus 24.40-42 é uma declaração da verdade que, devido ao despreparo, onde dois podem estar juntos – no campo ou na moenda – um será tomado e deixado o outro. Além disso, é estabelecido um paralelo entre a experiência do povo daquele tempo do arrebatamento e esta experiência de Israel, mas com os contrastes mais fortes. No caso da Igreja em seu arrebatamento, aqueles que são verdadeiramente salvos são sem exceção levados para o céu e os não-salvos que foram somente professantes externos são deixados para os julgamentos iminentes que se seguem sobre a terra.

A noção que afirma que haverá apenas um arrebatamento parcial, que inclui somente os crentes mais espirituais e que os cristãos infiéis permanecerão aqui para uma suposta disciplina da tribulação, é uma desonra imensurável à graça de Deus. O Senhor tem o seu próprio modo de tratar com os crentes infiéis; mas nenhum salvo por Cristo e que permanece nos méritos de Cristo – como acontece com todos os crentes – será deixado para trás, a um suposto purgatório protestante. Aqueles que sustentam tais crenças devem perceber que aqueles que são salvos são libertos perfeitamente em Cristo e através dele. Se os cristãos devem ser admitidos ou rejeitados no assunto de entrar na glória celestial com base em sua dignidade pessoal, eles todos, sem exceção, seriam rejeitados. A salvação pela graça não é um esquema no qual somente pessoas boas vão para o céu.

Qualquer pessoa pode inventar um plano pelo qual as pessoas boas possam ir para o céu – se há tais no mundo; é diferente, na verdade, inventar um plano pelo qual os pecadores sem mérito e merecedores do inferno – como todos são – serão levados para o céu. Deus executou esse plano através de um custo altíssimo e todos que crêem estão para sempre livres da condenação e do julgamento. Em oposição a tudo isto e de acordo com a passagem sob consideração, aqueles levados são conduzidos para juízo e aqueles deixados entram para as bênçãos do reino. À luz desta verdade, ao judeu daquela época é dito: "...vigiai, portanto, pois não sabeis a hora em que vem o vosso Senhor". Esta não é uma instrução para um judeu dentro da presente era da graça; estes recebem a mensagem do Evangelho da graça.

Ao contrário, é uma palavra para os judeus vivos num período que pode ser definido com respeito ao seu tema e circunstâncias como "quando virdes todas essas coisas, sabei que ele está próximo, mesmo às portas" (24.33). Além disso, a mesma verdade com respeito ao preparo é reforçada pela ilustração (24.43, 44) que "o dono" da casa não deixaria sua casa ser minada nem arrombada pelos ladrões, se soubesse a hora da vinda deles. Isto é seguido, por sua vez, de um apelo: "Por isso ficai também vós apercebidos; porque numa hora em que não penseis, virá o Filho do homem" (v. 44). Em 24.45-51, o preparo é igualmente ordenado, e a parábola do servo bom, que na vinda de seu senhor é achado trabalhando com fidelidade e o mau servo com infidelidade, ordena a mesma obrigação sobre Israel de vigiar e de estar pronto. O senhor do servo mau vem numa hora inesperada.

A penalidade é afirmada mui claramente: "...virá o senhor daquele servo, num dia em que não o espera, e numa hora de que não sabe, e cortá-lo-á pelo meio, e lhe dará a sua parte com os hipócritas; ali haverá choro e ranger de dentes" (vv. 50, 51). Os judeus são, em sua relação com Jeová, santos. Nesta era, a nenhum homem, judeu ou gentio, que creu em Cristo poderia ser imposto qualquer julgamento. Esta é a sentença que aguarda os infiéis e os despreparados dentre Israel.

CRISTOLOGIA

Em continuação no mesmo tema da necessidade de vigiar (cf. 25.13), a nação, na hora de seus julgamentos no retorno de Cristo em glória e quando o reino terreno estiver para ser estabelecido, é assemelhada às dez virgens das quais cinco são sábias e cinco imprudentes. A sabedoria das sábias é mostrada no fato delas terem azeite suficiente, o símbolo da espiritualidade, em suas lâmpadas, enquanto que a falta de sabedoria das imprudentes é vista no fato delas não terem azeite suficiente. Esta parábola tem sido objeto de uma grande variedade de interpretações. Ela é vindicada por aqueles que procuram dividir os filhos de Deus em duas divisões com referência à relação deles e a posição deles diante de Deus. Contudo, há apenas um corpo de crentes (Ef 4.4). O tempo desta parábola será cumprido na vinda gloriosa de Cristo à terra e, portanto, não pode ser uma referência à Igreja.

O lugar é sobre a terra. O Rei retorna do céu à terra com sua Noiva, com quem Ele se casou no céu e após as bodas de casamento do Cordeiro terem sido celebradas. Das bodas no céu está escrito: "Regozijemo-nos, e exultemos, e demos-lhe glória; porque são chegadas as bodas do Cordeiro, e já a sua noiva se preparou, e foi-lhe permitido vestir-se de linho fino, resplandecente e puro; pois o linho fino são as obras justas dos santos" (Ap 19.7, 8). E, numa perfeita ordem cronológica, o Rei é visto retornar à terra após as bodas de casamento (cf. Ap 19.11-16). Deste retorno à terra, Cristo declarou em Lucas 12.35,36: "Estejam cingidos os vossos lombos e acesas as vossas candeias; e sede semelhantes a homens que esperam o seu senhor, quando houver de voltar das bodas, para que, quando vier e bater, logo possam abrir-lhe".

A mesma figura das lâmpadas acesas é usada aqui em Mateus e também o mesmo tema da preparação para o retorno do Rei. Desta passagem, é certo que Cristo virá do seu casamento e não irá para o seu casamento. Israel sobre a terra espera o retorno do Noivo com a noiva (cf. Ap 19.11-16). Alguns manuscritos acrescentam a Mateus 25.1 o que é certamente sustentado por todas as Escrituras proféticas, a saber, que as virgens (Israel) partem ao encontro do Noivo e da noiva. A recepção na terra é caracterizada pela festa de casamento, a cuja admissão, para os judeus na terra, é equivalente à entrada no reino messiânico. O texto de Mateus 25.10, da *Authorized Version*, exige revisão até a importância da adição à palavra festa após "casamento". Esta é uma mudança importante na tradução e evita o erro – desde há muito encontrado no texto da *Authorized Version* — de que Cristo virá, de acordo com esta parábola, *para* o seu casamento, quando, como foi citado acima, é asseverado em Lucas 12.35, 36 que Ele retornará *de* seu casamento.

O objetivo desta parábola é uma vez mais enfatizar a necessidade daquela forma de esperar aquilo que está preparado para o Messias. Além disso, aqueles excluídos não podem representar o verdadeiro crente nesta era da graça. Deles Cristo não poderia dizer "nunca vos conheci" (25.12). Ao descrever esta mesma situação e tempo, Cristo disse: "Nem todo o que me diz: Senhor, Senhor! entrará no reino dos céus, mas aquele que faz a vontade de meu Pai, que está nos céus. Muitos me dirão naquele dia: Senhor, Senhor, não profetizamos nós em teu nome? E em tem nome não expulsamos demônios? E em teu nome não fizemos muitos milagres? Então lhes direi claramente: Nunca vos conheci; apartai-vos de mim, vós que praticais a iniqüidade" (Mt 7.21-23). Na verdade, é tão importante esta cena do Milênio no palácio real (cf. Ez 40.1–48.35), que o arrolamento daqueles presentes é feito em Salmos.

Ali está escrito: "Todas as tuas vestes cheiram a mirra, a aloés e a cássia; dos palácios de marfim os instrumentos de cordas te alegram. Filhas de reis estão entre as tuas ilustres donzelas; à tua mão direita está a rainha, ornada de ouro de Ofir. Ouve, filha, e olha, e inclina teus ouvidos; esquece-te do teu povo e da casa de teu pai. Então, o rei se afeiçoará à tua formosura. Ele é teu senhor; presta-lhe, pois, homenagem. A filha de Tiro estará ali com presentes; os ricos do povo suplicarão o teu favor. A filha do rei está esplendente lá dentro do palácio; as suas vestes são entretecidas de ouro. Em vestidos de cores brilhantes será conduzida ao rei; as virgens, suas companheiras que a seguem, serão trazidas à tua presença. Com alegria e regozijo serão trazidas; elas entrarão no palácio do rei" (Sl 45.8-15).

Nesta descrição vívida do palácio e daqueles presentes são mencionados: (1) o Rei em vestes que cheiram a mirra, aloés e cássia; (2) as filhas do rei entre as mulheres honráveis que estão presentes; acima de tudo (3) a rainha que permanece ao seu lado direito em ouro de Ofir. A rainha é a Igreja, a Noiva do Cordeiro (cf. Ap 19.8, 9). Um discurso é dirigido à rainha nos versículos 10 e 11 sob o título de *filha*. Este discurso é renovado novamente nos versículos 13 e 14, onde bem pode ser lido: *a filha que é a do rei* (noiva); (4) as virgens seguem a Noiva, mas as virgens não são a Noiva. As virgens entrarão no Palácio do Rei, mas algumas, conforme a parábola de Mateus 25.1-13, que começou a encontrar o Noivo e a Noiva, não entram por falta daquele preparo que foi ordenado. Assim, além disso, está revelado que, no aparecimento glorioso de Cristo, Israel será julgado e muitos que escolheram o caminho largo que conduz à morte não podem entrar no reino, enquanto alguns que escolheram o caminho estreito e apertado, que conduz à vida, entrarão ali (cf. Mt 7.13, 14; 19.28, 29).

Conclui-se, então, que, como o evangelho de Mateus é dirigido basicamente a Israel – e o Discurso do Monte das Oliveiras em particular – e visto que não há uma mensagem neste discurso relacionada aos gentios, senão em 25.31, e mesmo 25.31-46 é registrado para a vantagem de Israel, o próprio extenso tema do juízo futuro de Israel está em vista em toda esta seção, a saber, 24.37–25.30. É também concluído que a parábola das virgens representa o julgamento de Israel somente. Eles são os servos que seguem a Noiva e que entram no palácio, mas Israel não é a Noiva.

MATEUS 25.14-30. Esta extensa parábola não precisa ser citada na íntegra. A lição a respeito dos talentos é, como no caso das outras porções do discurso, a respeito da relação de Israel com o rei que se aproxima. Porque Israel tem de vigiar com relação a esse retorno e estar pronto para satisfazer as Suas demandas. A referência anterior aos dias de Noé, sobre a iminente divisão de duas pessoas que trabalham juntas, o dono da casa, os servos bons e maus, as

CRISTOLOGIA

dez virgens, tudo objetiva enfatizar uma admoestação de *vigiar*, no aguardo do retorno do Messias. Tão grande é a ênfase sobre esta determinação, que ela não deve ser deixada de lado. Na parábola das dez virgens e semelhantemente na dos servos bons e maus, há a apresentação de um elemento de valores morais e espirituais – tais obras são exigidas para a admissão ao reino (cf. Mt 5.1–7.29; 19.28-30; Lc 3.8.14).

O servo bom é encontrado pelo Rei, que retorna, no serviço à família e também as virgens prudentes que tinham azeite em suas lâmpadas. Nenhum aspecto novo é introduzido, quando do reconhecimento da porção presente, e prometido àqueles que usaram de modo proveitoso os talentos que lhe foram entregues. Nenhuma parte das Escrituras ligada diretamente a Israel apresenta mais vigorosamente a necessidade do mérito individual como a base da aceitação com Deus do que esta parábola dos talentos. Muito diferente, entretanto, é o veredicto contra o homem de um só talento que não fez uso daquilo que lhe foi entregue (cf. 24.50, 51), em relação ao caminho da graça divina concedido livremente para os pecadores sem qualquer mérito. Do homem que possuía um só talento está escrito: "Devias então entregar o meu dinheiro aos banqueiros e, vindo eu, tê-lo-ia recebido com juros. Tirai-lhe, pois, o talento e dai-o ao que tem os dez talentos. Porque a todo o que tem, dar-se-lhe-á e terá em abundância; mas ao que não tem, até aquilo que tem ser-lhe-á tirado. E lançai o servo inútil nas trevas exteriores; ali haverá choro e ranger de dentes" (Mt 25.27-30).

Uma mudança notável no tema é vista no final da parábola dos talentos. Cristo, então, volta-se para o julgamento dos gentios. O discurso todo até este ponto tinha em mente um povo bem definido a que certas responsabilidades de mérito haviam sido confiadas, e estas pessoas devem ser julgadas com base no cumprimento dessas responsabilidades no retorno do Messias. A primeira exigência sobre eles é que devem ser encontrados vigilantes, com aquela fidelidade que é exigida deles. Que essas pessoas de quem o texto fala são o povo Israel está claramente demonstrado em toda parte do texto. Como foi indicado anteriormente, este discurso é a mensagem final do Messias ao seu povo terrestre, que está relacionado a Deus na base de seu próprio mérito (cf. Êx 19.4-8). O fato de que o Senhor a esta altura discursa com respeito aos gentios indica que na porção anterior Ele contemplava unicamente aqueles que não são gentios, a saber, Israel.

MATEUS 25.31-46: "Quando, pois, vier o Filho do homem na sua glória, e todos os anjos com ele, então se assentará no trono da sua glória; e diante dele serão reunidas todas as nações; e ele separará uns dos outros, como o pastor separa as ovelhas dos cabritos; e porá as ovelhas à sua direita, mas os cabritos à esquerda. Então dirá o Rei aos que estiverem à sua direita: Vinde, benditos de meu Pai. Possuí por herança o reino que vos está preparado desde a fundação do mundo; porque tive fome, e me destes de comer; tive sede, e me destes de beber; era forasteiro, e me acolhestes; estava nu, e me vestistes; adoeci, e me visitastes; estava na

Os Principais Discursos

prisão; e fostes ver-me. Então os justos lhe perguntarão: Senhor, quando te vimos com fome, e te demos de comer? ou com sede, e te demos de beber? Quando te vimos forasteiros, e te acolhemos? ou nu, e te vestimos? Quando te vimos enfermo, ou na prisão, e fomos visitar-te? E responder-lhes-á o Rei: Em verdade vos digo que, sempre que o fizestes a um destes meus irmãos, mesmo dos mais pequeninos, a mim o fizestes. Então dirá aos que estiverem à sua esquerda: Apartai-vos de mim, malditos, para o fogo eterno, preparado para o diabo e seus anjos; porque tive fome e não me destes de comer; tive sede, e não me destes de beber; era forasteiro, e não me acolhestes; estava nu, e não me vestistes; enfermo, e na prisão, e não me visitastes. Então também estes perguntarão: Senhor, quando te vimos com fome, ou com sede, ou forasteiro, ou nu, ou enfermo, ou na prisão, e não te servimos? Ao que ele lhes responderá: Em verdade vos digo que, sempre que o deixastes de fazer a um destes mais pequeninos, deixastes também de o fazer a mim. E irão estes para o castigo eterno, mas os justos para a vida eterna".

Como foi observado acima, este discurso faz uma mudança abrupta em seu tema no começo, em 25.31. Os julgamentos estão ainda para ser executados no retorno do Messias, mas há a mudança do julgamento da nação de Israel para o julgamento das nações. Em cada caso, o julgamento está intimamente relacionado com o aparecimento glorioso de Cristo. Os julgamentos de Israel, como registrados em Mateus 24.37–25.30 são precedidos pela vinda de Cristo com poder e grande glória (24.29-31), e a descrição do julgamento das nações começa com as seguintes palavras: "Quando, pois, vier o Filho do homem na sua glória, e todos os anjos com ele, então se assentará no trono da sua glória; e diante dele serão reunidas todas as nações; e ele separará uns dos outros, como o pastor separa as ovelhas dos cabritos" (vv. 31, 32). Assim, fica revelado que ambos os julgamentos seguem imediatamente o retorno de Cristo à terra.

Se existe uma ordem, ela estará igualmente em conformidade com a cronologia em que estes eventos estão descritos neste discurso. Há pouca necessidade de se chamar atenção daqueles que são fiéis ao significado do Texto Sagrado para uma ampla diferença entre o julgamento das nações e o do grande trono branco (Ap 20.11-15); todavia, muitos têm falhado em observar estas distinções e supõem que as duas são descrições variadas de um grande dia de julgamento. Um deles é no começo do reino milenar de Cristo, e outro é no seu final. Um diz respeito às nações vivas, o outro refere-se aos ímpios mortos de toda a história humana; um divide as nações, e envia alguns para o reino e outros para o lago de fogo, enquanto que outro coloca todos perante o lago de fogo.

De acordo com a ordem dos eventos na profecia bíblica, o Rei, no seu retorno, primeiro receberá de seu Pai as nações. Ele, então, por Si mesmo, as conquista no meio da rebelião aberta que elas fazem. Este é o quadro profético descrito no salmo 2. Este texto diz assim: "Por que se amotinam as nações, e os povos tramam em vão? Os reis da terra se levantam, e os príncipes juntos conspiram contra o Senhor e contra o seu ungido, dizendo: Rompamos as suas ataduras, e sacudamos de nós as suas cordas. Aquele que está sentado nos céus se rirá: O senhor zombará deles. Então lhes falará na sua ira, e no seu furor os confundirá, dizendo: Eu tenho estabelecido o meu Rei sobre Sião, meu santo monte. Falarei do decreto do Senhor; ele me disse: Tu és meu Filho, hoje te gerei. Pede-me, e eu te darei as nações por herança, e as extremidades da terra por possessão. Tu os quebrarás com uma vara de ferro; tu os despedaçarás como a um vaso de oleiro" (Sl 2.1-9).

A seção de abertura (vv. 1-3) apresenta uma descrição da atitude das nações – a palavra *pagão*, na *Authorized Version*, no Antigo Testamento, é equivalente à palavra *gentios* no Novo Testamento – para com Jeová e seu Messias. Os reis da terra lideram o povo nesta rebelião. Em outro texto – Apocalipse 16.13, 14 – onde esta mesma situação é descrita novamente, é dito que estes reis são possuídos pelo demônio. A atitude de Jeová está nos versículos 4,5, e a declaração de Jeová está registrada no versículo 6. Nela, Ele afirma: "Eu tenho estabelecido o meu Rei sobre Sião, meu santo monte". De acordo com o uso do Antigo Testamento, o santo monte é o lugar do trono e Sião é Jerusalém. O trono é de Davi, sobre o qual o Messias deve reinar e isto acontecerá de Jerusalém. Todo o texto se harmoniza com esta grande expectativa. Nos versículos 7-9, o Messias-Rei fala.

Ele declara que o decreto de Jeová o tem reconhecido como Rei sobre tudo; assim, também, Jeová lhe disse: *Pede-me, e eu te darei as nações por herança.* Esta não é a primeira vez que o Pai deu uma porção da humanidade ao seu Filho. Cristo designa os crentes como aqueles "que tu me deste do mundo". Contudo, o método pelo qual estas nações devem ser conquistadas pelo Rei é muito freqüentemente crido como uma conquista missionária pacífica; aqui, ao contrário, Ele as quebra com um cetro de ferro e as despedaça como a um vaso de oleiro. Esta subjugação violenta das nações no retorno do Rei é muitas vezes descrita nas predições da Palavra de Deus.

Nenhuma destas é mais vividamente afirmada do que Isaías 63.1-6, que diz: "Quem é este, que vem de Edom, de Bozra, com vestiduras tintas de escarlate? Este que é glorioso no seu traje, que marcha na plenitude da sua força? Sou eu, que falo em justiça, poderoso para salvar. Por que está vermelha a tua vestidura, e as tuas vestes como as daquele que pisa no lagar? Eu sozinho pisei no lagar, e dos povos ninguém houve comigo; eu os pisei na minha ira, e os esmaguei no meu furor, e o seu sangue salpicou as minhas vestes, e manchei toda a minha vestidura. Porque o dia da vingança estava no meu coração, e o ano dos meus remidos é chegado. Olhei, mas não havia quem me ajudasse; e admirei-me de não haver quem me sustivesse; pelo que o meu próprio braço me trouxe à vitória; e o meu furor é que me susteve. Pisei os povos na minha ira, e os embriaguei no meu furor; e derramei sobre a terra o seu sangue".

Neste contexto deve ser dada atenção a 2 Tessalonicenses 1.7-10 e Apocalipse 19.11-21. O versículo 15 da última passagem refere-se a ambos, o salmo 2 e Isaías 63.1-6. Este assevera: "Da sua boca saía uma espada afiada, para ferir com ela as nações; ele as regerá com vara de ferro; e ele mesmo é o que pisa o lagar do vinho do furor da ira do Deus Todo-poderoso".

Esta subjugação violenta das nações no retorno do Rei forma a preparação para a apreciação da descrição da cena apresentada em Mateus 25.31-46. Nessa cena, estas nações muito ferozes com seus reis e governantes dirigidos pelos demônios estão agora diante do Rei, que está assentado no trono de sua glória, num terrível silêncio. Toda resistência foi derrotada e dissolvida. As armas de guerra, de que muito dependiam, são abandonadas. Tudo permanece em silêncio, à espera do veredicto do Rei. À Sua ordem, aquelas indicadas como nações *ovelhas* são ordenadas a ficar do lado direito dele, e aquelas indicadas como nações *cabritos* são dirigidas para o lado esquerdo. Não há uma hesitação ou vacilação. Elas possuem apenas o temor de desagradar o Monarca que os venceu. Nenhuma descrição poderia mais perfeitamente descrever a derrota e a subjugação completa dessas nações que em tão curto tempo desafiou Jeová e seu Messias, dizendo: "Quebremos as mãos deles em pedaços, e lancemos as suas cordas para longe de nós".

A única questão que agora fica na mente deles é: O que o Rei fará conosco? Para aqueles que estão ao seu lado direito, ele diz: "Vinde benditos de meu Pai, e possui por herança o reino que vos está preparado desde a fundação do mundo". É a esta altura que as interpretações errôneas aparecem com uma confusão infindável de idéias. Não há razão pela qual à palavra *reino* deva ser dado qualquer outro significado nesta passagem, além do que foi designado por todo o evangelho de Mateus. O reino é o governo do milênio, messiânico e terrestre de Israel em que, pela autoridade de um grande conjunto de predições do Antigo Testamento, os gentios entram e terão um lugar subordinado que lhes é atribuído (cf. Sl 72.8-11; Is 14.1, 2; 60.3, 5, 12; 62.2). A razão atribuída por Cristo para a admissão destas nações *ovelhas* no reino é totalmente explícita.

Nelas tem sido operado uma coisa que assegura a aprovação divina e a bênção. Não se trata de conceder a graça divina, mas, antes, de recomendar o puro mérito. Eles proporcionaram o alimento, a bebida, o abrigo, a roupa e o conforto para o Rei. O aspecto notável disto é que eles próprios não identificam qualquer dessas coisas como operada por eles próprios. A primeira palavra a romper aquele terrível silêncio é: *Quando?* De igual modo, aqueles do lado esquerdo são despachados para o lago de fogo preparado para o diabo e seus anjos, e pela razão anunciada de que eles não proporcionaram comida, bebida, abrigo, roupa e conforto para o Rei. Eles, por sua vez, são igualmente inconscientes desta omissão, e, também, quebram o silêncio com a pergunta: *Quando?*

Tudo isto cria um desafio para o estudante ponderado. Há uma questão no mundo tão vasta em sua importância que determina o destino das nações e, todavia, não é totalmente realizada e reconhecida pelas nações que permanecerão diante do Rei? Tal problema é estabelecido neste contexto pelo próprio Rei e não será deixado de lado pelas mentes sinceras. Não faz diferença a esta altura qual método de interpretação é empregado. O problema afirmado

CRISTOLOGIA

tem sua solução por qualquer escola de interpretação. Os que presumem que esta cena é o julgamento dos salvos e dos não-salvos no fim do mundo, acham mais difícil identificar um terceiro grupo a quem o Rei chama de "meus irmãos".

Se as nações *ovelhas* são as pessoas salvas de todas as gerações, quem são esses "irmãos"? Se os "irmãos" são os salvos que constituem a Igreja, quem são as nações *ovelhas*? Como pode a Igreja sempre ser assim colocada de volta na base de aceitação de mérito perante Deus, quando ela já foi aceita no Amado? Como poderia a Igreja entrar no reino como súdito do Rei, quando ela está assentada com Ele no seu trono e reina com Ele? Semelhantemente, a Igreja nunca foi lançada sobre a generosidade do cosmos para o seu conforto e sustento físico. A ela tem sido prometido e cumprido que "meu Deus suprirá todas as vossas necessidades segundo as suas riquezas na glória em Cristo Jesus" (Fp 4.19). Qualquer interpretação que pudesse trazer a Igreja a esta cena como "irmãos" ou como nações *ovelhas* é impossível de qualquer lado que se aborde.

A própria resposta do rei à pergunta: *Quando?* é a resposta que satisfaria o estudante do texto como satisfará as nações que permanecem diante dEle. Qualquer coisa que essas multidões sejam capazes de entender, pode ser entendida pela média das pessoas de hoje, se o assunto for abordado sem preconceito sobre tudo o que está envolvido. O Rei dirá: "...sempre que o fizestes a um destes meus irmãos, mesmo dos mais pequenos, a mim o fizestes". Quem, então, são estes classificados como "meus irmãos"? Para a teologia do pacto, que reconhece apenas duas classes de homens no estado futuro – os salvos e os perdidos – e apenas dois lugares – o céu e o inferno – tem sido um problema insuperável que lhe é imposto na justificativa de um terceiro grupo que é identificado pelo Rei como "meus irmãos". É suposto por esses teólogos que são os salvos de todas as eras que estão do lado direito e os perdidos que estão do lado esquerdo.

Além desses, de acordo com o ensino deles, não pode haver outros; todavia, o Rei indica uma terceira classe. Há dois grupos que podem bem ser identificados como os irmãos de Cristo. (1) Os cristãos, que são co-herdeiros com Cristo (Rm 8.17), e eles são os "muitos irmãos" a quem Ele é revelado como o primogênito (Rm 8.29). Contudo, como já foi indicado, os cristãos não satisfazem um dos aspectos demonstrados nesta descrição. Por outro lado, (2) Israel em sua era permaneceu e ainda deve permanecer na base do mérito, e nesta era Israel é lançado sobre a generosidade do *cosmos*. Aqueles que, na tribulação vindoura, tiverem sofrido pelo nome de Cristo (Mt 24.9), são seus irmãos segundo a carne. O reino que está em vista pertence a Israel, e é adaptado para observar que, visto que certos povos gentílicos devem herdar um lugar no reino de Israel, eles deveriam ser tais que exercitaram previamente uma demonstração de simpatia por Israel, a nação eleita perante Deus.

Não há um mero acidente no fato de que as duas palavras *benditos* e *malditos* apareçam no pacto abraâmico a respeito da atitude dos gentios para com a descendência de Abraão segundo a carne (Gn 12.1-3), e que estas palavras aparecem novamente, quando os gentios forem trazidos a juízo a respeito do tratamento que eles deram ao povo eleito de Deus. Em Gênesis está escrito: "Eu abençoarei aqueles que te abençoarem", e na descrição do julgamento das nações está dito: "Vinde, benditos de meu Pai". Em Gênesis está dito: "Eu amaldiçoarei aqueles que te amaldiçoarem", enquanto que neste mesmo julgamento das nações está dito: "Apartai-vos de mim, malditos, para o fogo eterno". Mas por quê? Somente porque *sempre que o deixastes de fazer a um destes mais pequeninos, deixastes também de o fazer a mim*.

Apesar de existirem sem a devida atenção à Palavra de Deus, as nações nunca perceberam o lugar favorecido que Israel sustenta no amor e no propósito de Deus. Nem elas aceitam esta verdade quando lhes é apresentada. A nenhum outro povo, Jeová disse: "Porque tu és povo santo ao Senhor teu Deus; o Senhor teu Deus te escolheu, a fim de lhes seres o seu próprio povo, acima de todos os povos que há sobre a terra. O Senhor não tomou prazer em vós nem vos escolheu, porque fôsseis mais numerosos do que todos os outros povos, pois éreis menos em número do que qualquer povo; mas, porque o Senhor vos amou, e porque quis guardar o juramento que fizera a vossos pais, foi que vos tirou com mão forte e vos resgatou da casa da servidão, da mão de Faraó, rei do Egito" (Dt 7.6-8). É para este mesmo povo que Ele disse: "Eu te amei com amor eterno" (Jr 31.3).

Eles são guardados por Ele como a menina dos olhos e estão gravados nas palmas de Suas mãos. A respeito do caráter imutável de Jeová por Israel, está escrito: "Porque os dons e a vocação de Deus são irrevogáveis" (Rm 11.29). Tudo isto é verdadeiro, seja admitido ou não pelas nações. Advertências e conselhos lhes têm sido dados. Qual palavra mais enfática ou direta poderia ser dita do que aquela que é encontrada na porção final do salmo 2? Ela diz: "Agora, pois, ó reis, sede prudentes; deixai-vos instruir, juízes da terra. Servi ao Senhor com temor, e regozijai-vos com tremor. Beijai o Filho, para que não se ire, e pereçais no caminho; porque em breve se inflamará a sua ira. Bem-aventurados todos aqueles que nele confiam" (Sl 2.10-12). Estabelecido no final da tribulação, o julgamento das nações diz respeito a uma geração que afligirá Israel durante o tempo da angústia de Jacó. Com todos os presentes sofrimentos de Israel na mão de certos povos gentios, não há ainda uma situação no mundo hoje que possa servir de base sobre quais nações serão julgadas no dia vindouro.

Para alguns, estes veredictos sobre as nações parecem extremos, especialmente aqueles pronunciados aos que estão do lado esquerdo de Jesus Cristo. É provável, contudo, que o lançamento deles no lago de fogo é o que lhes pertence por causa de seu estado de perdição e que o real lançamento deles no lago de fogo será retardado até a hora descrita em Apocalipse 20.11-15 (cf. Mt 13.30). O lugar a ser tomado no reino pelas nações *ovelhas* está preparado e designado para elas desde a fundação do mundo, o que indica uma certa eleição sob a soberania de Deus. O que Ele determinou e declarou, nunca pode falhar.

Como conclusão, pode ser reafirmado que esta é a mensagem de despedida do Messias-rei a Israel. Em suas porções anteriores, está registrada Sua própria descrição da Grande Tribulação. Sua severidade é afirmada e o sinal do fim da porção procrastinada da era judaica é revelado. Anexa a esta previsão está a descrição do retorno do Rei como foi apresentado pelo próprio Cristo. A isto Ele acrescenta uma longa e fiel advertência àquele povo do fim, para que eles possam estar preparados para o dia, quando eles "verão todas essas coisas" começarem a acontecer. Israel deve ser julgado com base na fidelidade e na conduta reta e no assunto da vigilância. A nação deve ser julgada também como uma vindicação do direito e do propósito soberano de Jeová, de exaltar uma nação eleita acima de todas as nações da terra, e na demonstração de Sua indignação pelos sofrimentos que as nações impuseram sobre o povo amado e querido de Deus.

3. O Discurso do Cenáculo. O terceiro e o último dos principais discursos de Jesus está registrado em João, capítulos 13 a 17, e embora dado aos seus discípulos, como o são os outros dois, este discurso é até mais distintivo em caráter e propósito do que os dois já considerados. O estudante atento e com discernimento, deve se tornar cônscio na consideração desta porção em que ele é confrontado imediatamente com aquela forma de doutrina que pertence somente à Igreja na presente era, e que – diferentemente do Sermão do Monte e do Discurso do Monte das Oliveiras, que olham para o ambiente do Antigo Testamento – este contempla as porções seguintes do Novo Testamento, que ainda não haviam sido escritas. Este discurso – chamado uma conversa por alguns – é o canteiro de sementes de todos os ensinos da graça, e é afirmado aqui que em nenhuma outra parte das Escrituras a doutrina cristã é tão simples e mais claramente anunciada.

Em vista do hábito de alguns teólogos chamarem toda a doutrina bíblica de *cristã*, é assinalado novamente que nesta obra de teologia que aquilo que é cristão em caráter, é distinto de judaísmo e está confinado ao propósito de Deus na presente era, a saber, a chamada de ambos, judeus e gentios, daqueles que têm sido transformados pela graça redentora, que são o Corpo e a Noiva de Cristo. A verdade relacionada à Igreja, este povo celestial, é encontrada nas porções finais do Novo Testamento, ou, mais definidamente, em tudo o que se segue aos evangelhos sinóticos. Visto que este grupo celestial deve ser distinguido de todos os outros povos da terra, por diferenças que são imensuráveis, deve ser esperado que precisa haver um conjunto de revelações especificamente dirigido e designado para eles. Para tal grupo de verdade, o seu primeiro pronunciamento foi feito pelo próprio Cristo no Cenáculo.

O Discurso do Cenáculo é, portanto, a voz de Cristo e é o fundamento daquilo que constitui as posições, possessões e privilégio dos cristãos. Além disso, é chamada a atenção para a grande diferença que existe entre os três principais discursos de Cristo – tão grande, na verdade, que eles dificilmente seriam atribuídos à mesma pessoa; mas o Sermão do Monte e o Discurso do Monte das Oliveiras, visto que são relacionados direta ou indiretamente ao reino messiânico vindouro, tem muita coisa em comum. Em oposição a isto, será visto que não há um laço de verdade entre os dois discursos já considerados com o Discurso no Cenáculo. Estas declarações de longo alcance deveriam ser atestadas por todo estudante; e é confiantemente crido que identificar o caráter variado destes discursos é alcançar o fundamento de um entendimento correto do Texto Sagrado.

Isso é especialmente verdadeiro, quando se compreende os ensinos exatos de Cristo no Cenáculo, o que significa tornar-se cônscio daquilo que é puramente cristão em seu caráter. Igualmente, chamamos a atenção para a transição que evidentemente aconteceu nos dois ou três dias que se interpuseram entre o discurso do Monte das Oliveiras, que foi dirigido aos discípulos como representantes do judaísmo, e o Discurso do Cenáculo, que contempla esses mesmos homens como não mais sob a lei judaica (cf. Jo 15.25), mas como limpos pela palavra que "lhes tenho falado" (Jo 13.10; 15.3); e nenhuma transformação maior poderia ser indicada, além da que é asseverada por Cristo quando disse a respeito desses homens: "Eles não são do mundo [*cosmos*], como do mundo eu não sou" (Jo 17.14,16) e esses são agora enviados ao mundo (*cosmos*) como o Pai enviou o Filho ao mundo (Jo 17.18).

Eles estão agora vitalmente relacionados a Cristo como está indicado nas palavras: "Vós em mim, e eu em vós" (Jo 14.20). Eles agora formam uma nova unidade comparável somente àquilo que existe entre o Pai e o Filho. Desta unidade, Cristo disse: "...para que todos sejam um; assim como tu, ó Pai, és em mim, e eu em ti, que também eles sejam um em nós; para que o mundo creia que tu me enviaste. E eu lhes dei a glória que a mim me deste, para que sejam um, como nós somos um; eu neles, e tu em mim, para que eles sejam perfeitos em unidade, a fim de que o mundo conheça que tu me enviaste, e que os amaste a eles, assim como me amaste a mim" (Jo 17.21-23). Para esses mesmos homens um todo novo corpo de doutrina foi entregue e, desde esse tempo em diante, encontraram o seu relacionamento no senhorio daquele que morreu por eles e em quem haviam sido ressuscitados para uma novidade de vida.

Este discurso é claramente datado com referência à sua aplicação. Era para ele entrar em vigor somente após a sua morte, ressurreição e ascensão, e após a descida do Espírito no Pentecostes (cf. Jo 13.19; 14.20, 25; 16.8, 13). Em outras palavras, estes eventos transformadores da era são exigidos antes que essa era pudesse ser inaugurada. Estes homens devem esperar a realização do plano de Deus. Foi dito por Cristo que eles viriam ao conhecimento da verdade e que entenderiam melhor todas as coisas, quando o Espírito Santo se manifestasse (cf. Jo 13.7; 16.12-15; 17.13, 14, 16). Nenhuma doutrina semelhante a essa jamais foi introduzida no mundo antes. Ela é estranha àqueles textos que estudamos antes. Há, ao menos, sete principais doutrinas apresentadas neste discurso. Estas não são abordadas num ensino ordenado e sistemático. O método é mais uma conversação natural como sem dúvida caracterizou Suas instruções a estes homens nos três anos precedentes.

A informalidade disso é demonstrada pelo fato de que Cristo retornava a certos assuntos diversas vezes. Ele se refere à oração três vezes e ao novo ministério do Espírito Santo no mundo ao menos cinco vezes. Este discurso

CRISTOLOGIA

tem sido geralmente apresentado pelos expositores, inclusive a Sua oração sacerdotal, registrada no capítulo 17. O versículo 13 da oração assim relaciona a oração ao discurso, da seguinte maneira: "Mas agora vou para ti; e isto falo no mundo, para que eles tenham a minha alegria completa em si mesmos". Uma exposição completa de tudo o que esse discurso apresenta não pode ser feita aqui. Como foi observado anteriormente, ele abarca o próprio fundamento de tudo que pertence à vida e serviço cristãos e a sua consideração mais explícita deve ser atribuída a outras divisões desta obra de teologia. Será também observado que há pouca referência nesta parte da Escritura ao modo de salvação e sobre a base na qual ela repousa.

Os primeiros doze capítulos de João declaram o Evangelho da graça divina para os não-salvos. Por começar a partir do capítulo 13, a verdade é apresentada e se aplica somente àqueles que são salvos; mesmo João 16.7-11, embora defina a obra do Espírito Santo para os não-salvos, não é uma mensagem para eles, mas é uma palavra de valor imensurável para o crente que dirige o seu testemunho e suas atividades em prol das almas perdidas. Os principais temas que estão inclusos nesse discurso e que são vitais para a vida e o serviço do cristão são: (a) um novo relacionamento com Deus através de Cristo; (b) purificação e comunhão imperdível; (c) permanência em Cristo para produzir frutos; (d) um novo relacionamento com o Espírito Santo; (e) um novo relacionamento entre os crentes; (f) uma nova base para a oração; e (g) uma nova esperança.

A. Um novo relacionamento com Deus. Nas Epístolas – notadamente Romanos – o ato supremo de Deus que consome todos os seus empreendimentos poderosos na salvação dos crentes, é a justificação, e a justificação, que é o reconhecimento que Deus tem da existência perfeita do crente em Cristo, torna-se possível somente por causa da verdade de que o salvo foi vital e eternamente unido a Cristo, e que ele participa real e plenamente daquilo que Cristo é. É dito que Cristo é a justiça de Deus. Estar em Cristo, então, é a maior realidade que pode caracterizar um ser humano. Como a raça está caída por causa de seu lugar no cabeça federal do Adão caído, assim o crente é justificado, por ter sido transferido ou transportado daquele para o último Adão, que é em si mesmo a personificação da justiça de Deus. Tão certamente como o homem, por causa do seu nascimento físico, é um participante daquilo que Adão se tornou através da queda, assim certamente o crente, por causa do seu novo nascimento e de sua união com Cristo através do recebimento do Espírito Santo, participa daquilo que Cristo é, mesmo da justiça de Deus.

Numa discussão anterior, esta maior das realidades foi considerada de um modo mais completo, e espera-se que isso permaneça na mente do estudante. A justificação, então, não torna o crente justo; ela é o reconhecimento divino ou a sua proclamação do fato de que o crente é justo. A fórmula já enunciada permanece, a saber, *o crente é justo porque ele está em Cristo, e ele é justificado porque ele é justo*. O próprio Deus não poderia ser justo e fazer alguma coisa diferente, além de justificar aquele que, por estar em Cristo, é tornado justiça de Deus. O que é declarado ser uma nova criação é a entidade que é formada pela união do Cristo ressurrecto com aqueles que estão nele. O termo *Igreja* é aplicado ao Corpo e Noiva de Cristo. Ela representa o grupo de crente à parte do Cabeça ou em distinção do Cabeça e Noivo; mas a nova criação não permite tal divisão. Ela incorpora o Cristo ressurrecto e todos os que estão nele.

Da nova criação está escrito: "Pelo que, se alguém está em Cristo, nova criatura é; as coisas velhas já passaram; eis que tudo se fez novo" (2 Co 5.17); "Pois todos sois filhos de Deus pela fé em Cristo Jesus. Porque todos quantos fostes batizados em Cristo vos revestistes de Cristo. Não há judeu nem grego; não há escravo nem livre; não há homem nem mulher; porque todos vós sois um em Cristo Jesus" (Gl 3.26-28); "Pois, nem a circuncisão nem a incircuncisão é coisa alguma, mas sim o ser uma nova criatura" (Gl 6.15). Um erro de confusão surge quando é suposto que tudo isto era igualmente verdadeiro a respeito dos santos do Antigo Testamento, no tempo deles. Não pode ter havido santos aperfeiçoados com respeito à sua posição, até que houve um Cristo ressurrecto que pudesse ser a fonte da justiça imputada deles. Por outro lado, não há tal coisa como um cristão na presente era, que não seja aperfeiçoado, estando em Cristo. Portanto, não há tal coisa como um cristão que não seja justificado para sempre.

Essa verdade que suplanta todo conhecimento que se eleva para a revelação do Novo Testamento, supera a do Antigo Testamento. Deve ser óbvio para o observador mais fortuito que nenhum relacionamento como esse é contemplado no Antigo Testamento, nos sinóticos, ou mesmo até o registro do Discurso do Cenáculo feito por João. Como foi afirmado anteriormente, os primeiros doze capítulos de João – à parte do registro do raciocínio de Cristo com os judeus – apresentam o Evangelho da salvação pela graça, e isso não acontece até o registro do Discurso do Cenáculo, onde a palavra aparece no Texto Sacro inteiro, de que o crente está *em Cristo*. A primeira referência a esta união orgânica e vital entre Cristo e os crentes ocorre em João 14.20, que diz: "Naquele dia conhecereis que estou em meu Pai, e vós em mim, e eu em vós".

Mesmo o conhecimento desta união maravilhosa é procrastinado para "aquele dia", dia esse que, de acordo com o contexto, é o dia de Pentecostes, o dia do advento do Espírito Santo ao mundo. Nenhuma revelação mais profunda a respeito do relacionamento tem sido feita, além desta demonstração nestas poucas palavras: "Vós em mim, e eu em vós". Tem sido dito que a revelação total da graça está comprimida neste duplo relacionamento. Estes são imensuráveis empreendimentos feitos pelo Espírito Santo. Estar em Cristo é um relacionamento operado pelo recebimento do Espírito; ter Cristo em nós é um relacionamento operado pelo poder regenerador do Espírito. Esta união vital com Cristo é anunciada não somente aos judeus, que eram seus discípulos, mas a todos os que o Pai havia dado ao Filho; e pela primeira vez na história humana esta realidade estupenda veio realmente a existir.

Esta verdade a respeito da união vital com Cristo e tudo o que ela assegura é novamente enfatizada por Cristo em João 15.2, onde é dito que o ramo está em Cristo (cf. Jo 17.21-23). Igualmente, é afirmado por Cristo que o crente é retirado do sistema do *cosmos* e é agora tão sem relação com esse sistema como o próprio Cristo. Ele declara: "Se o mundo vos odeia, sabei que, primeiro do que a vós, me odiou a mim. Se fôsseis do mundo, o mundo amaria o que era seu; mas, porque não sois do mundo, antes eu vos escolhi do mundo; por isso, é que o mundo vos odeia" (Jo 15.18, 19); "Tenho-vos dito estas coisas, para que em mim tenhais paz. No mundo tereis tribulações, mas tende bom ânimo, eu venci o mundo" (Jo 16.33); "Eu lhes dei a tua palavra; e o mundo os odiou, porque não são do mundo, assim como eu não sou do mundo... Assim como tu me enviaste ao mundo, também eu os enviei ao mundo" (Jo 17.14,18).

Nenhum relacionamento com Deus como esse jamais foi dado a Israel (cf. Rm 9.4, 5), e certamente também isto é verdade dos gentios (cf. Ef 2.11, 12). Uma inclusão muito significativa nesta oração está registrada em João 17.20: "E rogo não somente por estes, mas também por aqueles que pela tua palavra hão de crer em mim". Assim, é asseverado que aqueles que creram através da Palavra dos discípulos, eram igualmente participantes de tudo o que esta oração imensurável revela; mas é muito significativo também que Cristo não tenha orado pelos santos da dispensação judaica. Se é alegado, visto que eles já eram mortos, não haveria uma oportunidade para orar por eles, pode ser asseverado que havia uma geração inteira de judeus vivos sob o judaísmo e estes eram igualmente chamados para compartilhar em Suas orações, como qualquer geração anterior.

Ele não orou pelos santos que então eram do judaísmo. Ele orou por aqueles que haveriam de crer, e os santos do Antigo Testamento não estavam relacionados a Deus numa única base de fé num Salvador. A designação é claramente restrita àqueles desta era que são salvos pela graça somente. Por meio desta oração, as conclusões devem ser tiradas, um empreendimento totalmente novo foi introduzido no mundo, e o seu objetivo é o chamamento de um grupo de santos, e que cada um deles deverá ser aperfeiçoado para sempre, por estar em Cristo, e que cada um alcançou uma posição exaltada apenas por um só ato de fé em Cristo. Com respeito às relações humanas anteriores com Deus, isto é totalmente novo – mesmo para os próprios discípulos – e com a introdução desta verdade apresentada neste discurso, o modo é pavimentado por seu desenvolvimento mais amplo nas epístolas do Novo Testamento.

Mesmo aqueles textos já considerados que tratam da era milenar vindoura, não dão uma sugestão de qualquer coisa relacionada à nova criação que haverá sobre a terra. No mesmo contexto, deverá ser dada atenção ao título pelo qual os crentes são identificados pelo Filho, quando Ele fala com seu Pai. Dentro daquele relacionamento mais íntimo, por qual nome eles são chamados? É provável que quando falava aos Seus a respeito deles próprios o Senhor poderia adaptar Sua linguagem às concepções restritas deles; mas quando falava ao Pai a respeito dos crentes, Ele os identifica pelo título que possui a mais alta associação celestial – o termo comum ao Pai e ao Filho desde toda a eternidade, visto que a identidade deles foi determinada e eles foram escolhidos nEle desde a fundação do mundo (cf. Ef 1.4). Se este nome é em algum grau uma descrição do caráter ou da posição deles, ele se refere ao aspecto mais exaltado deste empreendimento divino.

Nesta oração o Salvador se refere aos crentes sete vezes, mas sob somente um cognome, e, portanto, este título deve ser analisado como a mais alta de todas as designações atribuídas a eles no céu ou na terra. Ele fala deles, embora de formas variadas, como aqueles "que tu me deste do mundo". Visto que nenhuma classificação como esta jamais foi sugerida a qualquer pessoa na terra antes, e visto que ela é totalmente estranha a todos os grupos posteriores que são preditos na profecia, deve ser aceito que a presente era, a respeito da qual o Senhor fala neste discurso, não é somente altamente celestial com respeito ao seu propósito divino, mas contempla um povo celestial que é, por exaltação e transformação divina, totalmente diferente de todos os povos que têm havido ou que existirão sobre a terra.

B. PURIFICAÇÃO E COMUNHÃO IMPERDÍVEL. Na ordem que a própria abordagem de Cristo dá aos temas que este discurso apresenta, a doutrina que fala da purificação do crente para uma comunhão imperdível com o Pai e com o Filho é um tema aberto. Não deveria haver uma confusão sobre esta doutrina com a da salvação dos perdidos, doutrina essa que assevera que há uma remoção completa de toda condenação no tempo e na eternidade daquele que crê. Como tem sido freqüentemente afirmado, aqueles que estão em vista neste discurso são considerados como limpos através da Palavra falada a eles e aceitos, por estarem em Cristo. Mas, visto que o pecado continua em algum grau no cristão, há a necessidade de uma constante remoção dessa poluição. Isto não é uma renovação da salvação, mas é, antes, uma purificação, para que a comunhão com o Pai e o Filho não possa ser impedida.

Ao escrever sobre esta limpeza, o apóstolo João afirma em sua primeira Epístola: "E esta é a mensagem que dele ouvimos, e vos anunciamos: que Deus é luz, e nele não há trevas nenhumas. Se dissermos que temos comunhão com ele, e andarmos nas trevas, mentimos, e não praticamos a verdade; mas, se andarmos na luz, como ele na luz está, temos comunhão uns com os outros, e o sangue de Jesus seu Filho nos purifica de todo pecado" (1 Jo 1.5-7). O ponto a ser considerado agora é que esta mensagem a respeito do sangue de Jesus Cristo, seu Filho, que limpa de todo pecado, é uma mensagem que João declara que "ouvimos dele". É provável que o Senhor tenha falado freqüentemente aos discípulos sobre este tema, mas é digno de nota que Ele o tenha colocado em primeiro lugar, na ordem da verdade considerada no Cenáculo. É possível que João, ao dizer que esta verdade havia sido ouvida diretamente de Cristo, se reportasse ao ensino ministrado no Cenáculo.

Por ter amado os seus que estavam no mundo com um amor eterno, e conhecedor da verdade de que Ele veio de Deus e que estava para retornar a Deus, Cristo deixou de lado as suas vestes, cingiu-se com uma toalha – a insígnia de um servo – e, após ter derramado água numa bacia, começou a lavar os pés dos discípulos e enxugá-los com a toalha com a qual havia se cingido. O contraste é forte, na verdade, entre isto que poderia ser chamado de uma

CRISTOLOGIA

miniatura de uma cena mais ampla – quando Ele surgiu da comunhão celestial e vestiu-se com a humanidade e pelo derramamento de seu próprio sangue providenciou uma salvação perfeita e uma purificação para todos os que crêem. O quadro mais amplo é assemelhado a um banho total, igual o que o sacerdote do Antigo Testamento recebia quando era introduzido no ofício sacerdotal; o quadro menor é assemelhado ao banho parcial, que o sacerdote precisava para si mesmo na bacia de bronze antes de cada serviço no templo.

Era um banho parcial que Cristo operou no Cenáculo, isto é, um banho daqueles de quem Ele falou que estavam limpos. O sacerdote do Antigo Testamento é um tipo do cristão do Novo Testamento. O cristão recebeu o lavar total da regeneração através da Palavra, mas é sempre necessitado de limpeza da corrupção ganha através do contato com o mundo. É através do sangue de Jesus Cristo, o Filho de Deus, que a limpeza de todo pecado se processa (1 Jo 1.7), e "se confessarmos os nossos pecados, ele é fiel e justo para nos perdoar os pecados e nos purificar de toda injustiça" (1 Jo 1.9). Esta é a verdade básica que Cristo demonstrava pelo banho dos pés dos discípulos. Ele assinalou uma aplicação do ato na necessidade de humildade e de serviço entre os próprios discípulos; mas Ele também disse a Pedro: "...o que não sabes agora, saberás depois".

De fato, é clara a sugestão nestas palavras de que havia um significado mais profundo no seu ato de lavar do que poderia ser entendido àquela altura. Será lembrado que Pedro, igual ao restante dos discípulos, não percebeu que Cristo estava para morrer, nem poderiam eles então saber algo que estava baseado em sua morte. Isto eles poderiam saber e realmente saberiam após sua morte ter acontecido. É o sangue de Jesus Cristo, o Filho de Deus, que purifica de todo pecado que estava representado naquele banho simbólico dos pés dos discípulos. Isto não poderia ter sido explicado a eles, até o sangue ter sido realmente derramado. A conversa com Simão Pedro é esclarecedora para todos os crentes, como o foi para ele. A pergunta: "Senhor tu me lavarás os pés?" é um reconhecimento da inconsistência do ato, em vista daquele propósito em seu coração que o havia levado à confissão: "Tu és o Cristo, o Filho do Deus vivo" (Mt 16.16).

Estava longe de ser razoável para Pedro que Cristo lavasse os seus pés. Tendo sido dito que o lavar possuía um significado escondido, Pedro declara: "Tu nunca me lavarás os pés". Este protesto assegurou as palavras de Cristo que revelam o significado desta purificação específica: "Se eu não te lavar os pés, não tens parte comigo". Duas palavras nesta frase de Cristo precisam ser entendidas. A palavra lavar – νίπτω – usada oito vezes neste contexto, refere-se a um banho parcial somente, como Cristo fazia. A expressão *nenhuma parte* (οὐκ μέρος), que significa nenhuma comunhão normal, evidentemente alcançou a parte mais profunda de Pedro, pois isto está indicado pela mudança total de atitude, quando ele disse: "Senhor, não somente os meus pés, mas as minhas mãos e a minha cabeça". A isto o Senhor replicou: "Aquele que se banhou não necessita de lavar senão os pés, pois no mais está todo limpo, e vós já estais limpos, mas não todos" (Jo 13.10).

Neste versículo a palavra *lavados* é λούω e indica um banho completo. É uma coisa já completada no passado – como acontece com os crentes quando eles são salvos. Para tais, não há necessidade posterior, salvo em caso de poluição do pecado na vida do crente. Não somente deve o pecado ser limpo, para que a comunhão seja desfrutada, mas somente Cristo é capaz de limpar. É possível para um discípulo servir a outro em humildade, e esta é a aplicação que, para o momento, Cristo deu ao seu ato e exemplo. Parece desnecessário assinalar que tudo o que está indicado pelo lavar dos pés dos discípulos seja totalmente novo com relação ao Antigo Testamento e ao judaísmo. Havia remédio para os santos dos tempos do Antigo Testamento nos sacrifícios. Para o cristão, há cura para o pecado constante e instantaneamente com base na fé no sangue de Cristo, cuja cura é assegurada pela confissão de pecado. Esta doutrina é nova.

C. A PERMANÊNCIA EM CRISTO PARA PRODUZIR FRUTO. O que é conhecido como uma vida espiritual (1 Co 2.15), é o resultado ou produto da energia liberada do Espírito que em nós habita (Fp 2.13) e que empreende em conexão com duas realidades principais, a saber, a supressão do mal na vida e a expressão daquilo que é bom. Embora de grande valor em si mesmo, uma vida não é espiritual no pleno sentido, quando somente o mal é vencido. Tal realização é negativa. O resultado positivo das virtudes divinas sustentadas pela capacitação divina é exigido também. Um crente não deveria medir a sua espiritualidade por contar somente as coisas más que ele não faz; a vida espiritual é melhor medida pelas coisas que honram a Deus, que ele faz. Na divisão anterior deste trabalho, a remoção da poluição foi o foco de nossa discussão e essa discussão poderia ter sido estendida para o controle daquelas tendências na vida que gera a má conduta.

Na presente divisão, a produção de frutos, a oração eficaz, e a alegria celestial são apresentadas como o resultado da permanência em Cristo. A verdade apresentada na divisão anterior revelada em João 13.1-10, mostra o aspecto negativo da espiritualidade, enquanto que a verdade apresentada na figura de uma videira e os ramos mostra uma espiritualidade positiva. Como uma ilustração de realidade espiritual, a figura da videira e dos ramos é facilmente entendida de modo errôneo. Os arminianos têm lido nesta figura a noção de que ela apresenta o estado do salvo e do não-salvo, isto é, aquele que é salvo conquanto permanece em Cristo e o perdido, quando ele se afasta de Deus. Na verdade, eles percebem pouca coisa do que está envolvido quando o crente é unido ao Senhor e, assim, em Cristo.

A idéia de que o crente se perde, quando cessa de ser frutuoso, dificilmente é o ensino da parábola. Bem no início desta passagem um ramo nEle que não produz fruto é designado, a fim de indicar assim que há tal possibilidade de um ramo não dar fruto; e a experiência humana – mesmo a de um arminiano salvo – demonstra que isto é possível. Este pensamento de permanecer em Cristo não sugere a idéia de permanecer num estado de salvação, mas indica uma comunhão imperdível com Cristo da parte daquele que, através da graça infinita, entrou numa união imutável com Cristo. Esta verdade é estabelecida plenamente pelo próprio Cristo, conforme o registro em João 15.10: "Se guardardes os meus mandamentos, permanecereis no meu amor; do mesmo modo que eu tenho guardado os mandamentos de meu Pai, e permaneço no seu amor".

É certo que a permanência de Cristo no Pai não era com a finalidade dele poder ser salvo, mas para que aquela comunhão imperdível entre eles pudesse ser realizada. Ele sempre fez a vontade de seu Pai e, assim, permaneceu no amor do Pai. Não era uma tentativa de manter a sua relação de filiação. Assim, o crente obediente permanecerá no amor de Cristo e haverá um influxo liberado de vitalidade espiritual que parte de Cristo, igual a seiva da videira, que resultará em frutuosidade. No versículo 2 é dito que aqueles que estão nEle, se não produzem fruto, são cortados. O Pai reserva-se o direito de remover tais pessoas para o céu. Neste ponto, o arminiano protesta, e diz que o ramo, se não é frutífero, não tem o direito de ir para o céu; pois não reconhece a verdade básica de que nenhuma pessoa entrará no céu com base em seu próprio mérito, mas, se ele entra, será com base de um mérito imputado do Filho de Deus.

Deus sabe como tratar justa e perfeitamente com os ramos infrutíferos, e quem dentre os cristãos é capaz de asseverar na verdade que é frutuoso a ponto de agradar totalmente a Deus? Nem todo crente que morre é removido por causa de sua infrutuosidade. Deus reserva para si esta forma de correção e é fiel, a ponto de dar plena advertência a respeito daquilo que possa acontecer. Aqueles ramos em Cristo que produzem fruto são podados, para que possam dar mais frutos. Assim, cada uma das classes em Cristo – os infrutuosos e os frutuosos, são ditos estar sob o cuidado imediato do Pai, que é o agricultor. Totalmente dentro da esfera de seu testemunho público o crente, por não estar ajustado à vontade de Cristo, pode ser "lançado fora, como um ramo" e ser "queimado". Sua profissão é rejeitada pelos seus companheiros e sua vitalidade espiritual é diminuída.

Esta figura, que apresenta a desaprovação dos homens, é muito forte. Não obstante, é verdade que os homens repudiam a pretensão de um crente cuja vida diária se torna uma coisa aborrecida a seus olhos. Na verdade, esta é a justificação pelas obras à qual Tiago se refere, quando escreve: "Assim também, a fé, se não tiver obras, é morta em si mesma. Mas dirá alguém: Tu tens fé, e eu tenho obras; mostra-me a tua fé sem as obras, e eu te mostrarei a minha fé pelas minhas obras... Porventura não foi pelas obras que nosso pai Abraão foi justificado, quando ofereceu sobre o altar seu filho Isaque? Vês que a fé cooperou com as suas obras, e que pelas obras a fé foi aperfeiçoada; e se cumpriu a escritura que diz: E creu Abraão em Deus, e isso lhe foi imputado como justiça, e foi chamado amigo de Deus. Vedes então que é pelas obras que o homem é justificado, e não somente pela fé" (Tg 2.17, 18, 21-24).

É verdade que somente a fé justificará o ser humano diante de Deus (cf. Rm 5.1), e somente as obras o justificarão diante dos homens; assim é a justificação pela fé perante Deus que coroa a totalidade do presente empreendimento divino na salvação pela graça. Incidentalmente, as instruções sobre como um ramo pode ser frutífero para a glória de Deus estão incluídas, mas o objetivo em vista na figura da videira e seus ramos é mostrar a possibilidade de produzir fruto. Uma vida frutífera é aquela que traz honra e glória a Deus, e aquela que é proveitosa. Há pouca necessidade de um caráter totalmente novo deste conjunto de verdade a ser assinalado. Nenhum santo do tempo antigo, sob quaisquer circunstâncias, jamais sustentou uma posição aperfeiçoada em Cristo, e à parte desta posição aperfeiçoada não poderia haver nenhum uso legítimo desta figura. Os santos antigos não tinham uma união vital com Cristo; conseqüentemente, eles não poderiam manter uma comunhão vital com ele.

D. Um novo relacionamento com o Espírito Santo. Se um tema dominante deve ser encontrado neste discurso, é o anúncio que Cristo fez da vinda do Espírito Santo ao mundo, para continuar o ministério anterior como Παράκλητος, por toda esta era. Por três anos e meio, Jesus Cristo havia sido o Todo-suficiente dos discípulos. Ele estava para se retirar deste mundo, mas eles não ficaram desatendidos. Outro Παράκλητος estava para chegar, como aconteceu no dia de Pentecostes. O novo advogado devia ser para os homens mais do que a presença corporal de Cristo havia sido. Era melhor que Cristo fosse e que o Espírito Santo viesse. Que a presente provisão na qual a terceira pessoa habita em cada crente é vantajosa; precisa apenas de um momento de reflexão. O Cristo dos três anos e meio não estava em todos os lugares ao mesmo tempo. Quando Lázaro estava doente, Cristo encontrava-se longe de Betânia, uma jornada de dois dias. Sob o presente relacionamento entre o Espírito Santo e o crente, nunca há uma separação, nem há ocasião para compartilhá-lo com outros ou esperar momentos disponíveis para contato.

Ele é o Espírito que habita e é a herança inestimável de cada cristão em todo momento da vida do salvo. O fato de que Cristo considerava neste discurso o tempo e a condição que deveriam ser possíveis através de sua morte, ressurreição, ascensão e o advento do Espírito Santo no dia de Pentecostes, é especialmente enfatizado pelas palavras: "e quando ele vier", palavras essas que são faladas tanto em conexão com o ministério do Espírito Santo aos não-salvos (cf. 16.8) quanto ao seu ministério de ensino aos salvos (cf. 16.13). É teologicamente correto afirmar que o Espírito Santo foi enviado ao mundo tanto pelo Pai (cf. 14.16,26) quanto pelo Filho (cf. 16.7). Esta passagem a respeito do Espírito Santo registra a verdade central relativa à pessoa e obra do Espírito Santo nesta dispensação.

João 14.16, 17: "E eu rogarei ao Pai, e ele vos dará outro Ajudador, para que fique convosco para sempre, a saber, o Espírito da verdade, o qual o mundo não pode receber; porque não o vê nem o conhece; mas vós o conheceis, porque ele habita convosco, e estará em vós".

A promessa de Cristo – "E eu rogarei ao Pai, e ele vos dará outro Ajudador" (Παράκλητος) – bem pode ser colocada em contraste com a palavra de Cristo registrada em Lucas 11.13: "Se vós, pois, sendo maus, sabeis dar boas dádivas aos vossos filhos, quanto mais dará o Pai celestial o Espírito Santo àqueles que lho pedirem". Esta segurança foi pronunciada logo no começo do ministério de Cristo e, por ser tão grande a inovação com relação aos relacionamentos

CRISTOLOGIA

proporcionados nos tempos do Antigo Testamento, os únicos aos quais os discípulos estavam acostumados, evidentemente nunca foi experimentada por eles. Após seu ministério ser concluído e antes de partir deste mundo, Ele declara que oraria ao Pai e pela própria presença do Espírito Santo, pela qual eles haviam falhado em orar.

As provisões inclusas na oração de Cristo são mais extensas e predizem ao menos duas realidades que caracterizam a era:

(1) Que o Espírito Santo deveria ser dado como uma pessoa que habitaria em cada um dos onze homens ali presentes. Eles, de acordo com o uso do Antigo Testamento, estavam acostumados a pensar no Espírito Santo como concedido somente para propósitos específicos pela vontade soberana de Deus. Que o Espírito Santo poderia ser dado a todos os homens de fé e sem exceção isso era totalmente novo para eles. Assim, foi introduzido um dos grandes aspectos da nova dispensação, que então aparecia – um aspecto muito freqüentemente deixado de lado pelos teólogos, que o Espírito Santo é dado a todos os crentes desde o menor ao maior deles. Embora enfatizado constantemente nas epístolas, este fato da habitação do Espírito Santo é aqui anunciado por Cristo pela primeira vez.

(2) O segundo aspecto caracterizador desta era é a verdade de que a habitação do Espírito Santo no filho de Deus é um fato imutável. Cristo orou para que o Espírito Santo pudesse habitar com os crentes para sempre, e essa oração é respondida de modo definido e certo como a oração para que o Espírito Santo pudesse vir. Assim, é assegurado que o Espírito Santo habita e que Ele permanece no coração para sempre. Esta mesma verdade João novamente assevera em sua primeira epístola: "E quanto a vós, a unção que recebestes dele, fica em vós" (1 Jo 2.27). Esta verdade, será ainda observado, determina muita coisa sobre a segurança daqueles que são salvos. O cristão até entristece o Espírito Santo, mas nunca fará qu Ele saia do salvo; ele poder apagar o Espírito Santo (no sentido de que o Espírito Santo é suprimido), mas o Espírito Santo nunca deixará o coração ao qual Ele veio para permanecer.

João 16.7-11: "Todavia, digo-vos a verdade, convém-vos que eu vá; pois se eu não for, o Ajudador não virá a vós; mas, se eu for, vo-lo enviarei. E quando ele vier, convencerá o mundo do pecado, da justiça e do juízo; do pecado, porque não crêem em mim; da justiça, porque vou para meu Pai, e não me vereis mais; e do juízo, porque o príncipe deste mundo já está julgado".

Duas vezes neste discurso Cristo se refere ao mundo (*cosmos*) em sua relação com o Espírito Santo. Na porção já analisada, Jesus é visto como o que diz do Espírito Santo: "...que o mundo não pode receber, porque não o vê nem o conhece". Na passagem que agora é estudada, diz-se que o Espírito Santo vindo ao mundo iluminaria (ἐλέγχω), não a respeito de cada assunto possível, mas os assuntos do pecado, da justiça e do juízo. Estes são os grandes temas do Evangelho da graça de Deus, temas esses que, por sua vez, estão além do entendimento natural do homem não-regenerado, e, portanto, devem ser especial e sobrenaturalmente revelados ao ser humano. Como foi dito anteriormente, os não-salvos não vêem nem conhecem o Espírito. O apóstolo Paulo diz: "...o homem natural não aceita as coisas do Espírito de Deus, porque para ele são loucura; e não pode entendê-las porque elas se discernem espiritualmente" (1 Co 2.14). E acrescenta: "...mas, se ainda o nosso evangelho está encoberto, é naqueles que se perdem que está encoberto, nos quais o deus deste século cegou os entendimentos dos incrédulos, para que não lhes resplandeça a luz do evangelho da glória de Cristo, o qual é a imagem de Deus" (2 Co 4.3,4).

A noção arminiana, de que os homens em toda parte são capazes, por causa de uma suposta graça preveniente, de crer em Cristo e assim receberem-no como Salvador, é reprovada por este e por outros textos das Escrituras. Nenhuma pessoa não-regenerada pode fazer uma aceitação inteligente de Cristo como Salvador, até que esta obra preliminar do Espírito Santo seja operada no coração. É muito impressionante, e deveria chamar a atenção de todos que empreendem o ministério de ganhar almas, que Cristo introduza este tema específico em seu ensino com respeito à obra do Espírito Santo nesta dispensação. A passagem não é dirigida aos não-regenerados; ela diz respeito somente aos salvos e serve para chamar a atenção deles para esta provisão divina vital à parte, da qual nenhum ministério vitorioso de ganhar almas pode ser buscado. Uma obra preliminar deve ser operada no coração daqueles que não são salvos, antes deles poderem entrar, pela própria escolha, em qualquer relacionamento salvador com Cristo.

Essa obra preliminar não é uma parte da salvação deles, mas, é antes, uma preparação indispensável para ela. Assim, também, o apóstolo escreve: "...aos que predestinou, a esses também chamou" (Rm 8.30), e Cristo anunciou que "ninguém pode vir a mim, se pelo Pai não for concedido" (Jo 6.44). Esta obra iluminadora específica do Espírito Santo dentro dos não-salvos é governada totalmente pela soberania divina e é o meio pelo qual Deus chama o seu povo eleito. Esse grupo de eleitos é determinado, não por uma suposta redenção limitada em que Cristo é dito morrer somente por aqueles que vão ser salvos, mas por esta chamada eficaz e soberana. Esta obra do Espírito Santo dentro dos não-salvos é limitada à convicção de três tópicos, a saber, "do pecado, porque não crêem em mim; da justiça, porque vou para meu Pai, e não me vereis mais; e do juízo, porque o príncipe deste mundo já está julgado".

A respeito do pecado, deve ser observado que o Espírito Santo não lembra os não-salvos de todos os pecados deles, uma totalidade que Cristo suportou, mas Ele antes traz à consciência o único novo pecado, e aquilo que unicamente assegura condenação. Desta mesma distinção, Cristo disse: "Quem crê nele não é julgado; mas quem não crê, já está julgado; porquanto não crê no nome do unigênito Filho de Deus" (Jo 3.18). Seria difícil, na verdade, seja por sermão ou por apelo, fazer uma pessoa não-regenerada perceber o poder de condenação da incredulidade em Cristo como Salvador; todavia, este entendimento é essencial, se uma decisão real deve ser feita pelo não-salvo. De igual modo, os não-salvos devem vir a perceber que a única base de aceitação deles da parte de Deus está no Salvador invisível, agora à direita de Deus nas alturas.

Sermões e apelos não podem criar este entendimento no coração; todavia, tal entendimento é essencial, se a cegueira de Satanás deve ser vencida. E no terceiro caso, o Espírito Santo iluminará com respeito ao julgamento. Isto não é uma referência ao julgamento vindouro, mas, antes, reconhece um julgamento que é passado. É aquele julgamento que pertencia ao pecador, e que caiu sobre o Senhor Jesus Cristo, como o substituto do pecador. Além disso, os sermões e os apelos parecem em vão, quando se depende deles para criar um entendimento na mente cegada por Satanás, a pessoa não-regenerada, a respeito desses valores imutáveis já operados por ele.

Assim, as pessoas não-salvas, de acordo com o plano e provisão divinos, não somente virão à posse do entendimento das realidades que são essenciais para uma escolha certa, mas elas são assim capacitadas com alguma coisa para crer a respeito de Cristo e sua obra salvadora por eles. Todo ministério de salvar almas é confrontado com esta incapacidade humana causada pela cegueira de mente causada por Satanás (2 Co 4.3, 4), e tais servos de Deus, como evangelistas, fariam bem em deter-se nestas revelações para ajustar-se a elas. Tanto o sermão quanto os métodos deveriam ser conformados a esta grande realidade. A suprema importância dessa verdade é vista no fato de que Cristo a introduziu no Discurso do Cenáculo.

JOÃO 16.12-15: "Ainda tenho muito que vos dizer; mas vós não o podeis suportar agora. Quando vier, porém, aquele, o Espírito da verdade, ele vos guiará a toda a verdade; porque não falará por si mesmo, mas dirá o que tiver ouvido, e vos anunciará as coisas vindouras. Ele me glorificará, porque receberá do que é meu, e vo-lo anunciará. Tudo quanto o Pai tem é meu; por isso eu vos disse que ele, recebendo do que é meu, vo-lo anunciará".

Como a passagem precedente – datada com respeito ao tempo de sua aplicação pelas palavras "quando ele vier" – revelou a obra do Espírito Santo em trazer a verdade aos não-salvos, esta porção – que porta a mesma indicação de tempo, e segue imediatamente no contexto – descreve a obra do Espírito Santo em trazer a verdade aos salvos. É verdade que a provisão de Cristo para os escritos do Novo Testamento, é indicada neste texto; mas nem Lucas, que escreveu seu evangelho e Atos; nem Paulo, que escreveu uma porção mais ampla das epístolas, estavam presentes quando estas palavras foram ditas. Está também claro em João 17.20, que Cristo tem em mente todos os crentes desta era. Os discípulos haviam estado com Ele em grande intimidade, como aprendizes, por três anos e meio. Haviam ouvido todas as suas pregações e ensinos e haviam conversado com Ele como aqueles que tinham vivido juntos por um período de anos.

A introdução deles na verdade era extensa, e basicamente a respeito das expectativas do Seu reino; a despeito de tudo isto, o Senhor declara que Ele ainda tem muitas coisas a lhes dizer. Em geral, esse é o desafio que sempre confronta todo filho de Deus. Sem levar em conta os altos resultados do conhecimento da Palavra de Deus, é verdade que Ele ainda tem muitas coisas a revelar. Deverá ser lembrado que até essa altura estes discípulos não criam que Cristo morreria e ressuscitaria dentre os mortos. Portanto, eles não poderiam receber qualquer ensino que estivesse baseado, seja em sua morte ou ressurreição. Quando toda doutrina, que está relacionada à morte de Cristo ou sua ressurreição é eliminada, resta comparativamente pouca coisa daquilo que é cristão no sentido mais exato. Como os evangelhos sinóticos revelam, Cristo tinha estado basicamente ocupado com aqueles aspectos que pertencem ao reino do Israel terreno.

Com aquele conjunto de verdades os discípulos, semelhantemente aos judeus instruídos, estavam familiarizados. Nenhuma crença de que Ele morreria e ressuscitaria dos mortos, era imperativa para que eles o vissem morrer e o saudassem na ressurreição. Não somente assim se tornaram cônscios de sua morte e ressurreição, mas eles, pelo Espírito Santo, começaram imediatamente a entender alguma coisa do significado desses eventos transformadores desta era. Não muito tempo antes da morte do Filho de Deus, Pedro repreendeu Cristo por predizer Sua morte; todavia, foi este mesmo Pedro que apenas cinqüenta dias após a ressurreição pregou o maior sermão – a partir do ângulo dos resultados – jamais pregado por um homem, e ele baseou aquele sermão na morte e ressurreição de Cristo. Assim, é tornado evidente que Pedro avançou rapidamente no conhecimento da verdade ensinada pelo Espírito Santo.

É sobre este possível avanço na verdade que Cristo fala a estes discípulos e a todos os crentes, apresentado nesta passagem em estudo. Está aqui registrado que um novo arranjo seria estabelecido na vinda do Espírito Santo. Não somente o Espírito Santo habitaria em cada crente, como está assegurado em João 14.16,17, mas Ele declinaria de falar de Si próprio como o originador da mensagem, e ouviria a mensagem de outro, que lhe falaria e a mostraria àquele em quem Ele permanece e a quem Ele serve. A identificação Daquele que assim origina a mensagem aponta para ninguém mais além de Cristo, que disse: "tenho ainda muitas coisas que vos dizer". É revelado, então, que, no processo da instrução divina, Cristo dá origem e envia a mensagem que o cristão necessita, e isto é ouvido pelo Espírito Santo e, a partir de Cristo, é comunicado à mente e ao coração pelo Espírito Santo que no crente habita.

O Espírito Santo pode usar um mestre humano ou uma página impressa ou qualquer outro meio pelo qual possa trazer a mensagem ao crente, para quem ela é pretendida. A revelação que Cristo faz deste novo arranjo divino, como apresentado neste contexto, é grande em sua importância para o cristão. Por este procedimento, ele pode tornar o progresso ininterrupto e imensurável no conhecimento da verdade de Deus. Os aspectos destacados deste método divino de instrução são, como foram citados acima: *primeiro*, que o Espírito Santo está sempre presente ao menos naqueles que são salvos; *segundo*, o próprio Salvador é o Mestre que planeja a lição que o aluno requer, e anuncia para cada um deles a verdade seguinte que Ele teria compreendido; e, *terceiro*, o Espírito Santo, a partir de sua posição incomparável de vantagem como a pessoa que habita, ouve esta verdade e a passa para a mente e o coração do cristão.

Mas importante é o fato de que a posição do Espírito Santo, como aquele que habita, é a de conceder as ordens das próprias nascentes do entendimento humano. Na verdade, Ele está ali numa posição de criar entendimento. É significativo que, como foi indicado acima, Ele opera assim na consciência mais interior dos não-salvos, a fim de iluminá-los, e também ensina interiormente aqueles que são salvos e estão ajustados a Ele. Tal abordagem ilimitada ao entendimento e emoções humanos não deveria ser confundida com a influência restrita que um ser humano pode ter sobre outro. Uma pessoa pode influenciar o pensamento de outra, mas ninguém cria o pensamento e entendimento que Ele promove.

Um segundo aspecto deste ministério de ensino de Cristo através do Espírito Santo, revelado neste contexto, é a lista do campo de verdade imensurável que Ele vai revelar. Além da afirmação geral de que o Espírito Santo guiará a "toda verdade", o primeiro tema especificado na ordem apresentada por Cristo é que o Espírito Santo mostrará ao crente "as cousas vindouras". Embora os mestres humanos, ao formarem uma ordem na qual a verdade de Deus deva ser compreendida, dificilmente colocariam o assunto da profecia primeiro, permanece verdade que Cristo deu a esse assunto essa distinção e com a sugestão de que, à parte deste ministério do ensino do Espírito Santo no coração, haveria pouco entendimento a respeito deste vasto campo da profecia. Qual relação ao Espírito Santo é mantida por aqueles na profissão cristã, que não confessam um interesse nas Escrituras proféticas, e deve ser determinada por outros?

Cristo assevera que quem quer que seja ensinado pelo Espírito Santo, será levado a um entendimento correto da profecia. Aquilo que se segue neste currículo divino abarca a totalidade do campo da verdade a respeito do Pai, de Cristo, e de todas as coisas relacionadas a Eles. "Ele me glorificará." Pela realidade que essas palavras apresentam, o crente pode julgar-se a si mesmo capaz com respeito à obtenção das coisas de Cristo. "Ele receberá do que é meu, e vo-lo anunciará." Os limites do conhecimento humano aparecem muitíssimo se comparados às coisas do Pai e do Filho. O que, na verdade, poderia ser acrescentado àquilo que é referido como "toda verdade"? Este mesmo fato de que o crente é ensinado pelo Espírito Santo que nele habita é tido em alta conta pelo apóstolo Paulo em 1 Coríntios 2.9–3.3, e, aí, após ter asseverado a verdade de que o Espírito Santo é um ensinador, ele distingue três classes de pessoas que são divididas de acordo com a sua relação com a Palavra escrita de Deus – o homem não-regenerado (ψυχικός), descrito em 2.14; o cristão espiritual (πνευματικός), que discerne todas as coisas (2.15); e o crente carnal (σαρκικός), que pode receber somente o leite da Palavra (3.1-3).

Deste contexto, deve ser visto que o ministério de ensino do Espírito Santo é impossível naqueles que não são salvos, que está liberado naqueles que estão em relação correta com Ele, e é grandemente impedido naqueles que são carnais em suas vidas. O estudante deveria observar em particular o fato de que as grandes verdades relacionadas à presença e obra do Espírito Santo no mundo e que para o crente foram anunciadas por Cristo antes de Ele ir para a cruz.

E. UM NOVO RELACIONAMENTO ENTRE OS CRENTES. A mente devota deve permanecer em admiração e espanto quando, após ter contemplado o mistério inefável da Trindade santa, lhe é dito que, em resposta à oração de Cristo, os crentes são relacionados uns aos outros numa unidade comparável somente à existente entre o Pai e o Filho. Quando nas Escrituras uma verdade é afirmada, duas vezes ela supõe uma ênfase importante (cf. Jo 17.14,16; Gl 1.8,9). Deveria ser declarado três vezes que a ênfase é extrema; mas, quando apresentada quatro vezes no mesmo contexto, todas as medidas humanas com respeito à importância relativa são superadas. Poderia parecer, também, que quando fala ao Pai, todas as repetições da parte do Filho parecem supérfluas; todavia, em sua oração sacerdotal, Cristo ora quatro vezes, para que esta unidade entre os crentes seja operada por Deus.

Em João 17.11, está registrado que Cristo pediu "para que sejam um, como nós". Nos versículos 21-23 Ele repete esta petição três vezes – "para que todos sejam um; assim como tu, ó Pai, és em mim, e eu em ti..."; "que também eles sejam um em nós..."; "para que eles sejam perfeitos na unidade". Nenhuma mente humana pode compreender a importância desta quádrupla petição feita pelo Filho ao Pai. A unidade desejada é aquela que o Pai somente pode realizar; porque Cristo não somente apela ao Pai, para a sua realização, mas Ele indica o seu caráter divino e supremamente exaltado – exatamente como o Pai está no Filho e o Filho está no Pai. Que os crentes deveriam ser assim relacionados uns aos outros, é uma revelação que surpreende as mentes dos homens. Além da unidade dentro da divindade e a unidade entre os crentes, a passagem – João 17.21-23 – apresenta uma terceira unidade, aquela que existe entre as pessoas da Trindade e os crentes. Recentemente, tem sido dada atenção a esta verdade; contudo, a unidade dos crentes tem sido criada pela virtude da posição deles em Cristo, e, portanto, a unidade entre os crentes e a existente entre as pessoas da Trindade e os crentes são objetivadas pelo Salvador nesta oração.

É irrefletida e absurda a noção moderna de que Cristo orava, para que as denominações, existentes neste tempo remoto e num país então desconhecido, pudessem se tornar organicamente unidas em uma, e, portanto, é o dever de todas as seitas se unir e, assim, ajudar a ter uma resposta a esta oração. Como foi indicado acima, esta unidade encontra-se na mão do Pai, o que indica que ela é um empreendimento divino. Ela resulta numa unidade tão orgânica e vital como aquela entre o Pai e o Filho. Esta oração começou a ser respondida no dia de Pentecostes, quando os crentes foram batizados com o Espírito Santo num só Corpo, e ela é constantemente respondida, quando uma alma é salva e, assim, unida como um membro ao Corpo de Cristo pelo mesmo batismo do Espírito Santo.

A verdade determinante a ser reconhecida aqui, é que uma unidade operada por Deus existe em resposta à oração de Cristo, unidade essa que em magnitude, em realidade vital e em enobrecimento celestial, é classificada pelo próprio Salvador com aquilo que é mais elevado nas esferas celestiais. Ainda que esta verdade com relação à unidade dos crentes seja de um conhecimento

CRISTOLOGIA

insuperável, uma resposta parcial pode ser dada a ele, cuja resposta é muito mais recomendável do que a negligência quase completa dela ou a oposição violenta a ela que surge nos centros que estão comprometidos com um programa que exclui outros crentes de sua comunhão.

O apóstolo Paulo chega a uma altíssima responsabilidade de amplificar pelo Espírito Santo um tema vital desenvolvido no Discurso do Cenáculo, quando escreve: "Rogo-vos, pois, eu, o prisioneiro no Senhor, que andeis como é digno da vocação com que fostes chamados, com toda a humildade e mansidão, com longanimidade, suportando-vos uns aos outros em amor, procurando diligentemente guardar a unidade do Espírito no vínculo da paz" (Ef 4.1-3). Por ter declarado nos capítulos 1 a 3 as elevadas posições e possessões daquele que está em Cristo, é necessário, para que não encham de orgulho, implorar, a fim de que se lembrem de serem mansos e despretensiosos; também, em vista da verdadeira unidade operada divinamente neles, a eles se apela, para que exerçam a longanimidade, a paciência e o amor de um para com o outro e "se esforcem para preservar a unidade do Espírito no vínculo da paz".

Esta unidade, será ainda observado, é aquela já feita pelo Espírito Santo e não é uma unidade que é formada quando os crentes são fiéis um ao outro. Ao preservar a unidade gerada pelo Espírito Santo, quando Ele uniu todos como membros no Corpo de Cristo, é muito diferente de uma tentativa da parte dos crentes de fazer uma unidade que não é mais do que um exercício externo de boa comunhão de um para com o outro. Tal unidade divinamente realizada e que existe é demonstrada por sete fatores cardeais que a compõem. Estes sete o apóstolo Paulo assevera quando afirma: "Há um só corpo e um só Espírito, como também fostes chamados em uma só esperança da vossa vocação; um só Senhor, uma só fé, um só batismo; um só Deus e Pai de todos, o qual é sobre todos, e por todos e em todos" (Ef 4.4-6). A ênfase neste texto é sobre o termo *um*. Há *um* corpo, *um* Espírito, *uma* vocação, *um* Senhor, *um* conjunto de verdade, *um* batismo pelo qual a unidade é formada, e *um* Deus e Pai.

À luz desta declaração, a unidade deve ser mantida. Assim, também, à luz da petição quádrupla de Cristo, para que ela possa existir, quebrar esta unidade se torna um pecado imensurável contra a obra de Deus e o coração de Cristo; todavia, esta unidade é quebrada exteriormente, quando as divisões sectárias existem; e interiormente, quando as divisões são nutridas e acariciadas pelos cristãos. Quando o mesmo apóstolo começou a corrigir os erros na Igreja em Corinto, como ele lhes apresenta na sua primeira carta, antes de tudo menciona divisões que existiam entre eles, mesmo antes de mencionar a imoralidade e a desonra a Deus, causada por colocarem a lei diante dos incrédulos. O primeiro mandamento de Cristo dado no Cenáculo, é para que os cristãos estejam debaixo do maior imperativo de amar um ao outro (Jo 13.34, 35), e por este amor de um pelos outros, todos os homens devem conhecer aqueles que assim amam como seus discípulos.

Semelhantemente, em sua oração para a unidade (Jo 17.21-23), Cristo disse que, por meio dessa unidade pela qual orou, o mundo viria a crer nele. Tal oportunidade dificilmente tem sido conferida ao mundo nesta era, desde os dias primitivos da Igreja. Há pouca esperança de haver uma situação diferente dessa, caracterizada pelo sectarismo e sem nenhuma disposição aparente de julgar e renunciar a esta grande ofensa contra Deus.

Fica claro, então, que a unidade existe e que ela é operada por Deus, e que os homens, portanto, não têm de causar uma unidade. Fica igualmente claro também que os crentes são designados para preservar esta unidade causada por Deus. Isto eles fazem quando amam uns aos outros perfeitamente, sem levar em conta as distinções de classe, que estão acima de qualquer preconceito. Deus somente pode avaliar a extensão do pecado contra Si mesmo que o sectarismo tem provocado – um grande pecado que nunca é desculpado ou recomendado, mas que é sem reservas condenado no Novo Testamento. A correção não mente numa mera união de organizações ou de movimentos de massa, embora estes possam ajudar no assunto de uma aparência exterior. A injunção de preservar a unidade do Espírito Santo, que é a de amar um ao outro, é pessoal em sua realização e é cumprida quando o crente reconhece e ama os outros cristãos.

F. Uma nova base de oração. O caráter singular do Discurso do Cenáculo é visto especialmente em sua nova revelação a respeito da oração. Um pensamento momentâneo a respeito das novas relações entre as Pessoas da Trindade e os crentes apresentará imediatamente a necessidade, surgida dessas relações, de uma realidade inteiramente nova na oração. Em outras palavras, o aspecto dispensacional da oração – tão pobremente considerado pelos teólogos – é, não obstante, de importância suprema e o seu reconhecimento é imperativo, se o escopo do campo total da oração deve ser compreendido. Não somente a importância geral da oração, mas também sua nova base está indicada pelo fato de que Cristo retorna a esse tema cinco vezes neste único discurso (cf. 14.12-14; 15.7, 16; 16.23, 24, 26).

Visto que nenhuma Cristologia está completa, se não levar em conta o próprio exercício de Cristo no ministério da oração, daremos atenção a este tema atraente. Como a humanidade de Cristo é o ideal divino na esfera humana, era essencial que o Salvador cumprisse aquilo que é o serviço mais elevado do homem na esfera da oração. Naturalmente, os assuntos da oração de Cristo transcendem o campo da oração do cristão, mas Sua atenção à oração deve ser sempre um exemplo aos Seus. De uma ocasião, está escrito: "Estava Jesus em certo lugar orando e, quando acabou, disse-lhe um dos seus discípulos: Senhor, ensina-nos a orar, como também João ensinou aos seus discípulos" (Lc 11.1). Ao descobrirem o Senhor na oração, os discípulos ficaram impressionados com a sua completa devoção ao exercício da oração, e eles podem ter raciocinado que, se Ele, que é tão perfeito em Si mesmo, precisava orar, muito mais necessário seria para homens como eles próprios.

Daí o pedido: "Senhor, ensina-nos a orar". A força desta petição é sacrificada, quando é suposto que eles lhe pediram para que os ensinasse *como* orar. O problema não é a respeito de um método melhor; realmente, o problema é o de desempenhar este ministério ilimitado. Fora da oração sacerdotal de João 17, há pouco registro, comparativamente, que cobre os assuntos que fizeram parte das orações do Salvador; todavia, Ele freqüentemente orou a noite toda e outras vezes se levantava muito antes do dia amanhecer, para que pudesse se dedicar à oração. A vida interior de qualquer pessoa é revelada na sua oração feita particularmente; e rica de fato seria a revelação, se tivéssemos um registro das extensas orações de Cristo.

Durante o seu ministério aqui na terra, Cristo ensinou muita coisa a respeito da oração, antes que Ele viesse ao Cenáculo. Suas instruções foram basicamente relacionadas à era da lei, que se mantiveram até a hora de sua morte. Ele também predisse o exercício da oração no reino futuro. Estas instruções, correspondentes tanto ao passado quanto às eras futuras, merecem um estudo cuidadoso; mas uma base totalmente nova e uma nova maneira de orar foram introduzidas no Cenáculo. Era uma questão de necessidade. Através da morte e ressurreição de Cristo e de um novo relacionamento a ser operado pelo Espírito Santo após o seu advento no mundo em Pentecostes, os novos privilégios e responsabilidades foram estabelecidos, que determinam a forma total e o caráter da oração. A presente e imensurável vantagem é que aqueles que são salvos, por estarem unidos ao Senhor como membros no seu Corpo – como todos os que crêem são unidos – estão numa posição favorecida: eles oram em nome de Cristo.

Os discípulos são lembrados – como todos os outros que lêem o registro das palavras de Cristo – que "até aqui nada pedistes em meu nome". Visto que a nova base de oração propicia acesso a recursos ilimitados dEle que é infinito, o novo apelo que condiciona esta possibilidade imensurável é importante ao grau máximo, e bem faz o cristão sincero entrar inteligente e plenamente nas provisões irrestritas. Das cinco referências de Cristo à oração neste discurso, três são de importância maior.

João 14.12-14: "Em verdade, em verdade vos digo: Aquele que crê em mim, esse também fará as obras que eu faço, e as fará maiores do que estas; porque eu vou para o Pai; e tudo quanto pedirdes em meu nome, eu o farei, para que o Pai seja glorificado no Filho. Se me pedirdes alguma coisa em meu nome, eu o farei".

É bom observar que esta passagem introdutória estabelece, no primeiro exemplo, a verdade de que a relação do crente com Cristo é a de parceria. Uma grande empreitada tem sido lançada para a qual o filho de Deus desta era é atraído e na qual o seu serviço foi incorporado. Tal declaração é que "somos cooperadores com ele" (2 Co 6.1) e "fiel é Deus, pelo qual fostes chamados para a comunhão de seu Filho Jesus Cristo, nosso Senhor" (1 Co 1.9), e isto serve para amplificar este pensamento de parceria. É por causa da verdade de que este interesse conjunto existe, que o crente é ordenado a "ser sempre abundante na obra do Senhor"; pois é este empreendimento divino, no qual todos os crentes estão engajados. Portanto, deve ser igualmente compartilhado por todos que estão dentro de seus limites. É assim que as palavras significativas de Cristo se aplicam, a saber: "...as obras que eu faço..., e as fará maiores do que estas".

Os atos maiores, geralmente falando, serão realizados pela parceria formada. Em ponto algum, Cristo a outra pessoa deu a responsabilidade para realização dessas obras maiores. Duas vezes neste contexto (vv. 13, 14) Ele assegura isso nas palavras: "Eu farei". Contudo, tão certo como Cristo reserva para si a confecção real das obras, tão certamente Ele atribui a parceria com o crente no serviço da oração. Ele declara: "Se pedirdes qualquer coisa... Eu a farei". Tal é a harmonia divina, que carrega consigo a sugestão de que, a menos que a parceria do crente se encarregue do seu serviço específico de pedir, pode haver falha naquilo que, de outra forma, poderia ser realizado.

A nova base da oração é vista na verdade de que a eficácia depende da oração ser apresentada em nome de Cristo. Visto que tudo depende do poder daquele nome, diz respeito a cada cristão entender o que está envolvido nesta nova base da oração. Ao menos dois relacionamentos vitais estão envolvidos:

(1) Que o crente, por estar em Cristo, deve sempre orar a partir de sua posição. Ele pode orar o que seria de si mesmo provar ser uma oração indigna; mas ainda ele poderia não orar fora de sua posição em Cristo, e sua voz na oração é ouvida pelo Pai da forma como Ele ouve a oração de Seu Filho, cuja oração é certamente respondida. Como o crente é considerado um justo, visto que ele está em Cristo (Rm 3.22; 2 Co 5.21), e aceito por causa dele estar no Amado (Ef 1.6), e amado como o Filho é amado (Jo 17.23), de igual modo ele é ouvido como Cristo é ouvido, porque está em Cristo.

(2) Deve ser também reconhecido que o cristão, por estar em parceria com Cristo, pode esperar que sua oração, se orientada pelo Espírito Santo, seja expressa pelo próprio Cristo. É como se Cristo fizesse a oração; e que, além disso, assegura a resposta. A ilimitação da promessa "tudo o que pedirdes em meu nome eu o farei", pode ser garantida somente quando a oração é de tal modo, que Cristo a apresente diante do Pai. Tal oração é admitida direta e especificamente por causa de Cristo. A incapacidade reconhecida do crente, de discernir o que constitui um assunto de oração, é superada, na organização divina, pelo ministério do Espírito Santo. Este ministério do Espírito Santo é autorizado para o cristão em outros textos do Novo Testamento, que são igualmente aplicáveis ao filho de Deus nesta era.

O apóstolo Paulo declara: "Do mesmo modo também o Espírito nos ajuda na fraqueza; porque não sabemos o que havemos de pedir como convém, mas o Espírito mesmo intercede por nós com gemidos inexprimíveis. E aquele que esquadrinha os corações sabe qual é a intenção do Espírito: que ele, segundo a vontade de Deus, intercede pelos santos" (Rm 8.26, 27), e pelo mesmo apóstolo o cristão é exortado a estar "com toda oração e súplica orando em todo tempo no Espírito e, para o mesmo fim, vigiando com toda a perseverança e súplica, por todos os santos" (Ef 6.18), e Judas fala do alto privilégio de "orar no Espírito Santo" (Jd 20). Portanto, deve ser concluído que a oração é um serviço exaltado do crente em sua presente parceria com Cristo, e que em algum grau ela mede o nível de realização a ser operado pela nova associação formada por Cristo e todos os cristãos. É certo também que uma nova base de oração é propiciada que não deve ser comparada com sua eficácia com qualquer outra plataforma que já tenha existido antes.

João 15.7: "Se vós permanecerdes em mim, e as minhas palavras permanecerem em vós, pedi o que quiserdes, e vos será feito".

Este segundo importante ensino, ministrado por Cristo sobre a oração no Discurso do Cenáculo, apresenta a mesma possibilidade ilimitada. A frase "pedi o que quiserdes, e vos será feito", é sem limites; contudo, na forma em que a oração se torna irrestrita, ao mesmo tempo nela há duas condições estabelecidas: "...se permanecerdes em mim, e as minhas palavras permanecerem em vós". Ter as palavras de Cristo no coração é estar informado a respeito daquilo que constitui a Sua vontade, ou daquilo que em outro lugar é chamado de "meus mandamentos" (v. 10). Aquilo que constitui a sua vontade deve ser compreendido, antes que possa ser empreendido. Por outro lado, permanecer em Cristo é, de acordo com o versículo 10, não uma questão de permanecer em *união* com Cristo, mas, antes, uma questão de permanecer em *comunhão* com Cristo, por meio da obediência. Por ter aprendido a sua vontade, é essencial que ela seja obedecida.

Torna-se, então, uma questão de descobrir e de fazer a vontade de Cristo. João, em sua primeira epístola, chama a atenção para a falta de confiança em Deus, que surge no coração do crente, quando ele conscientemente falha em fazer a vontade de Cristo. Ele escreve: "...porque se o coração nos condena, maior é Deus do que o nosso coração, e conhece todas as coisas. Amados, se o coração não nos condena, temos confiança para com Deus; e qualquer coisa que lhe pedirmos, dele a receberemos, porque guardamos os seus mandamentos, e fazemos o que é agradável à sua vista" (1 Jo 3.20-22).

João 16.23-24: "Naquele dia nada me perguntareis. Em verdade, em verdade vos digo que tudo quanto pedirdes ao Pai, ele vo-lo concederá em meu nome. Até agora nada pedistes em meu nome; pedi, e recebereis, para que o vosso gozo seja completo".

Além do escopo ilimitado da oração, que está asseverado nesta passagem, a ordem da oração está aqui revelada e também uma declaração final é feita a respeito do alto privilégio de orar em nome de Cristo. A frase importante: "...até agora nada pedistes em meu nome", é uma afirmação clara de um fato que pode facilmente passar sem ser percebido. A base da oração em nome de Cristo é estritamente uma nova administração divina e, assim, toda oração anterior, qualquer que tenha sido a base de seu apelo, não possui esta característica. Nesta afirmação abrangente das orações do Antigo Testamento e mesmo sobre a chamada Oração do Senhor – com a qual os discípulos se tornaram familiarizados – são entendidas. Este ensino de Cristo é também distintivo no sentido em que assevera que a oração não deve ser dirigida a Ele – a segunda pessoa. Isto é razoável em vista da verdade de que Cristo é o parceiro do crente, na prática da oração, e, portanto, não a pessoa a quem se dirige na oração. De igual modo, o Espírito Santo capacita o filho de Deus na oração, e, portanto, Ele não é a pessoa a quem se deve orar. A ordem correta ou a forma de oração é orar ao Pai, em nome do Filho, e através do Espírito Santo, ou pelo poder dEle.

Em conclusão, deveria ser enfatizado que para todos os crentes o maior de todos os serviços é o exercício da oração ao Pai, em nome do Filho, e que seja no poder do Espírito Santo.

G. O RETORNO PROMETIDO. "Não se turbe o vosso coração; credes em Deus, crede também em mim. Na casa de meu Pai há muitas moradas; se não fosse assim, eu vo-lo teria dito: vou preparar-vos lugar. E, se eu for e vos preparar lugar, virei outra vez, e vos tomarei para mim mesmo, para que onde eu estiver estejais vós também (Jo 14, 1-3)."

Anteriormente, nesta obra (vol. IV), o estudante foi lembrado da ampla diferença que existe entre os dois grandes eventos que, embora de nenhum modo estejam relacionados, cada um por sua vez é corretamente chamado de a vinda de Cristo. A primeira, na ordem cronológica, é sem qualquer sinal, sem menção de tempo, e profeticamente constitui a manifestação de Cristo nos ares, para levar a Igreja, o seu Corpo e Noiva, para si mesmo; e esse evento, que pode ocorrer a qualquer momento, marca o término da jornada peregrina da Igreja na terra. Pela remoção da Igreja, torna-se claro o caminho para a conclusão da porção da era mosaica que, apresentada pela 70ª semana de Daniel, ainda resta ser cumprida. O período da 70ª semana de Daniel é claramente o tempo dos julgamentos de Jeová na terra e o momento do cumprimento dos Seus pactos com o seu povo terrestre, Israel.

Isto conduz à segunda vinda de Cristo em si mesma, que é o seu aparecimento glorioso. Este evento se constitui no tema principal da predição do Antigo Testamento, que é apresentada nos sinóticos e em outras porções do Novo Testamento. Não é senão no fim do ministério de Cristo, registrado no Discurso do Cenáculo, que o primeiro evento – que diz respeito unicamente à Igreja – é introduzido. Visto que este evento é um aspecto importante da experiência futura da Igreja, deve ser esperado que Cristo a prediga nesse discurso. Isto Ele o fez e está registrado em João 14.1-3, citado acima. Na maior parte, as passagens, que se relacionam ao primeiro (em sua ordem cronológica) dos dois eventos, podem ser distintas pelo fato de que nelas o movimento é a partir da terra para o céu (cf. Jo 14.1-3; 1Ts 4.16, 17), enquanto que o movimento do segundo evento é a partir do céu para a terra (cf. Mt 24.30; 2 Ts 1.7-9; Ap 19.11-16).

Com esta distinção geral em mente, as palavras de Cristo registradas no Discurso do Cenáculo não deveriam ser interpretadas erroneamente. Ele disse: "Eu voltarei, e vos receberei para mim mesmo". Revelada em 1 Tessalonicenses 4.13-18 está a idéia de que Ele vem somente nos ares e os crentes se reunirão ali com Ele (cf. 2 Ts 2.1).

É razoável que este evento espantoso, quando ele se relaciona com cada cristão nesta era, deveria ser entendido como uma revelação do próprio Cristo; e é igualmente razoável que, como o evento diz respeito somente àqueles que compõem sua Noiva, ele não seja mencionado por Cristo, até que esse grupo seja a preocupação dele, o que realmente aconteceu pela primeira vez no Cenáculo. Muita coisa, na verdade, é introduzida nas Escrituras de um modo geral, a respeito da vinda de Cristo novamente para Israel e a terra, mas

CRISTOLOGIA

a chamada da Noiva não é prevista até que Ele fale dela aos discípulos em particular. Neste discurso, Cristo se refere em outras porções dele à relação que haveria de manter com eles após a sua partida e lhes assegura a sua volta (cf. Jo 14.18,28; 16.16,19,22); mas a declaração clara e importante a respeito da remoção da Igreja, é encontrada somente no texto sob consideração.

Conclusão

Além dos sete temas principais do Discurso do Cenáculo, designados nas páginas anteriores, será observado que quase toda doutrina importante de teologia está direta ou indiretamente inclusa nestes cinco breves capítulos de João: (1) a verdade de que as Escrituras são inspiradas: "Porque lhes dei as palavras que tu me deste"; "a tua palavra é a verdade" (Jo 17.8, 14, 17); (2) a revelação a respeito da divindade, porque nesta porção as atividades separadas e individuais das pessoas da Trindade são mais evidentes do que em qualquer outra parte da Bíblia; (3) sobre os anjos, somente uma referência de passagem a Satanás como o maligno está incluída (Jo 17.15); (4) sobre o homem e seu pecado, está registrado que os não-salvos podem ser iluminados pelo Espírito a respeito do pecado, da justiça e do juízo – e a respeito da mensagem dirigida aos salvos, ela concerne à purificação deles (13.1-20; 15.1-10); (5) igualmente, por ser dirigida aos salvos, há pouca coisa a respeito do caminho da salvação (cf. Jo 14.6; 16.8-11);(6) em nenhum outro texto a doutrina de haver um Corpo, a base de toda revelação a respeito da Igreja, é tão enfatizada (cf. Jo 13.34, 35; 14.20; 17.11, 21-23);(7) sobre o futuro, aquilo que imediatamente concerne à Igreja verdadeira é anunciado pela primeira vez, a saber, o arrebatamento (cf. Jo 14.1-3). Como o Sermão do Monte relaciona-se em si mesmo ao Antigo Testamento, o Discurso do Cenáculo diz respeito às epístolas do Novo Testamento. Um estudo contínuo deste discurso é ordenado para o estudante – especialmente quando ele se relaciona às epístolas do Novo Testamento.

II. Parábolas

Contrastes podem ser feitos entre os tipos do Antigo Testamento e as parábolas dos evangelhos sinóticos, e ainda as duas porções são totalmente insatisfatórias com respeito à maneira usual da interpretação delas e da negligência geral com relação a elas. As parábolas contêm em si mesmas aqueles aspectos da verdade que elas apresentam, enquanto que o tipo é dependente de sua relação combinada com o antítipo. A doutrina essencial não é clara e finalmente estabelecida pelo tipo, mas a verdade incorporada nas parábolas é suficiente em si mesma para isso. As parábolas dos evangelhos sinóticos dizem respeito, em grande medida, a Israel, enquanto que os tipos se relacionam a uma variedade mais ampla de temas. Uma obra padrão sobre as parábolas por quase um século tem sido *Notes on the Parables of Our Lord*, escrita por Richard C. Trench. Não obstante, Trench, embora um estudioso da mais alta categoria no campo das línguas originais, possuía um ligeiro entendimento das distinções dispensacionais à parte do qual apenas pouco progresso pode ser feito na interpretação correta das parábolas.

Na conclusão de sua discussão sobre as marcas distintivas de uma parábola, o arcebispo Trench sumariza assim: "Para resumir tudo, então, a parábola difere da fábula, movendo no mundo espiritual, e nunca transgredindo a real ordem das coisas naturais – [difere] do mito, ali estando na mistura última e inconsciente do mais profundo significado com o símbolo exterior, os dois permanecendo separados e separáveis na parábola – [difere] do provérbio, visto que ela é desenvolvida mais longamente, e não meramente acidental ou ocasionalmente, mas necessariamente figurada – [difere] da alegoria, comparando como faz uma coisa *com* outra, não transferindo, como faz a alegoria, as propriedades e qualidades e relações de uma para a outra".[41]

Que Cristo empregou parábolas em seu ensino, é evidente. Na mais moderna terminologia, poderia ser dito que Ele fez um grande uso de ilustrações. Seu uso de ilustrações não somente serviu para irradiar a verdade para aqueles a quem Ele falou, mas estas parábolas que Ele empregou se tornaram as ilustrações divinamente designadas da verdade para todas as gerações subseqüentes; contudo, em Sua relação com Israel, Cristo asseverou em resposta à pergunta dos discípulos: "Por que lhes falas em parábolas?" (Mt 13.10); "Porque a vós outros é dado conhecer os mistérios do reino do céu, mas a eles não lhes é dado; pois ao que tem, dar-se-lhe-á, e terá em abundância; mas ao que não tem, até aquilo que tem lhe será tirado. Por isso lhes falo por parábolas; porque eles, vendo, não vêem; e ouvindo, não ouvem nem entendem. E neles se cumpre a profecia de Isaías, que diz: Ouvindo, ouvireis, e de maneira alguma entendereis; e, vendo, vereis, e de maneira alguma percebereis. Porque o coração deste povo se endureceu, e com os ouvidos ouviram tardiamente, e fecharam os olhos, para que não vejam com os olhos, nem ouçam com os ouvidos, entendam com o coração, nem se convertam, e eu os cure. Mas bem-aventurados os vossos olhos, porque vêem, e os vossos ouvidos, porque ouvem. Pois, em verdade vos digo que muitos profetas e justos desejaram ver o que vedes, e não o viram; e ouvir o que ouvis, e não o ouviram" (Mt 13.11-17).

Neste texto está revelado que Cristo não somente predisse a cegueira de Israel, cegueira essa que se estenderia por toda a presente era (cf. Rm 11.25; 2 Co 3.13-16), mas propositadamente Ele escondeu o seu significado pelo uso de parábolas, para que Israel não entendesse. Por outro lado, dentro do perfeito plano de Deus, Israel é considerado responsável, por ouvir e fazer de tudo o que Deus lhe atribuiu, seja diretamente ou por meio de parábolas. Visto que o ministério anterior à cruz de Cristo é muito evidentemente dirigido a Israel e a respeito do reino terrestre desse povo, deve se esperar que as parábolas, num alto grau, apresentem a verdade relativa a esse reino. A dificuldade é grande para muitos expositores, quando confrontados com o ensino relativo à cegueira divinamente imposta a Israel – a retirada judicial da verdade vital do entendimento deles.

Tais dificuldades, embora complexas quando relacionadas ao modo divino de tratar com o seu povo escolhido, são muito clareadas quando o propósito divino na presente era é discernido. O véu da verdade do reino de modo algum diminui a sua importância, nem fornece uma desculpa para os estudantes ficarem confusos – como muito freqüentemente acontece – a respeito destes assuntos. As parábolas de Cristo podem ser divididas em duas classes: (1) Aquelas a respeito do reino messiânico e (2) aquelas que são gerais em seu caráter.

1. MESSIÂNICAS. Tratando das parábolas do reino messiânico, nenhuma tabulação ou classificação mais digna e mais cheia de discernimento foi encontrada além daquilo que J. G. Princell, um dotado teólogo, de duas gerações atrás, muito bem formado biblicamente. O seu esboço está incorporado aqui:

PRIMEIRO, Cinco parábolas a respeito da posposição do reino – (a) Lucas 12.35-40; (b) Lucas 12.42-48; cf. Mateus 24.45-51; (c) Lucas 19.11-27; cf. Mateus 25.14-30; (d) Lucas 21.29-33; cf. Mateus 24.32, 35; Marcos 13.28-31; (e) Marcos 13.34-37.

SEGUNDO, Cinco parábolas a respeito da preparação para o reino vindouro durante os tempos prévios – (a) Marcos 4.26-29; (b) Marcos 4.30-32; cf. Mateus 13.31, 32; Lucas 13.18,19; (c) Mateus 13.33; cf. Lucas 13.20,21; (d) Mateus 13.44; (e) Mateus 13.45, 46.

TERCEIRO, Seis parábolas a respeito do estabelecimento do reino, Quem entra nele, e quem o governará – (a) Lucas 14.16-24; (b) Mateus 22.2-14; (c) Mateus 18.23-35; (d) Mateus 20.1-16; (e) Mateus 21.28-32; (f) Mateus 21.33-44; cf. Marcos 12.1-12; Lucas 20.9.18.

QUARTO, Três parábolas a respeito da purificação, separação e julgamento – (a) Mateus 25.1.13; (b) Mateus 25.14-30; (c) Mateus 25.31-46.

QUINTO, Duas parábolas a respeito da separação final do mal do bem – (a) Mateus 13.24-30, 36-43; (b) Mateus 13.47-50.[42]

2. GERAIS. Estas podem ser listadas da seguinte maneira: do credor e dos dois devedores (Lc 7.41-50), do bom samaritano (Lc 10.30-37), do rico louco (Lc 12.16-34), da figueira seca (Lc 13.6-9), da construção da torre (Lc 14.28-30), de um rei que vai para a guerra (Lc 14.31-33), do sal (Mt 5.13; Mc 9.50; Lc 14.34, 35), da restauração tríplice (Lc 15.1-32), do mordomo injusto (Lc 16.1-13), do serviço (Lc 17.7-10), do juiz injusto (Lc 18.1-8), e do fariseu e o publicano (Lc 18.9-14).

III. Ensinos Especiais

Uma verdade muito vital é apresentada nos ensinos especiais e desconectados de Cristo. Os mais importantes destes são: os grandes mandamentos (Mc 12.28-34), o dinheiro do tributo (Mc 12.13-17), advertência a respeito do inferno

(Mc 9.42-50), a lei do divórcio (Mc 10.1-12), advertência a respeito das riquezas (Mc 10.23-31), a auto-revelação de Cristo em Nazaré (Lc 4.16-30), a oração (Lc 11.1-13), admoestando a respeito do fermento dos fariseus (Lc 12.1-15), o rico e Lázaro (Lc 16.19-34), a instrução a respeito do perdão (Lc 17.1-6; cf. Mt 18.21-35), a vida eterna (Jo 3.1-21), a água da vida (Jo 4.1-45), o ensino geral aos judeus (Jo 5.17-47), o pão da vida (Jo 6.1-71), a luz do mundo (Jo 8.1-59), o bom pastor (Jo 10.1-39), o ensino especial dirigido a André e Filipe (Jo 12.23-50).

IV. Conversas

Será observado que algumas das mais importantes declarações de Cristo foram feitas quando envolvido em conversa com indivíduos, e estas são: com o advogado (Lc 10.25-37), com o jovem rico (Lc 18.18-30; cf. Mt 19.16-22; Mc 10.17-22), com os judeus a respeito do dinheiro do tributo (Lc 20.19-26; cf. Mt 22.15-22; Mc 12.13-17), a respeito de sua própria autoridade (Lc 20.1-8; cf. Mt 21.23-27; Mc 11.27-33), sobre o tema do Filho de Davi (Lc 20.39-47; cf. Mt 22.41-46; Mc 12.35-37), com Nicodemos (Jo 3.1-21), com a mulher junto ao poço (Jo 4.1-45), com os judeus (Jo 7.1–8.59), com o cego de nascença (Jo 9.1-39), com Judas (Jo 12.1-11; 13.27), com Pilatos (Jo 18.28-38; cf. Mt 27.1-14; Mc 15.1-5; Lc 23.1-7, 13-16).

CAPÍTULO VIII

Os Milagres do Verbo Encarnado

AQUELES QUE ESTÃO IMBUÍDOS de recursos sobrenaturais deveriam manifestar um poder sobrenatural. O cristão, por ser imediatamente relacionado a Deus – habitado, guiado e fortalecido por Deus – não deveria ser desacostumado a aspectos e experiências sobrenaturais em sua vida diária. Visto não seguiu qualquer padrão definido de leis, o sobrenatural no cristão é a abordagem mais próxima ao miraculoso do que aquele na natureza que é explicável. Contudo, um milagre, no uso estrito da palavra, é alguma realização especial que está fora das leis conhecidas, seja da experiência humana ou da natureza. A Bíblia retira o véu e revela a verdade a respeito do Deus vivo e Todo-Poderoso assim como o império total dos seres angelicais – bons e maus – com recursos e capacidades que, no caso de Deus, chegam ao infinito, e que, no caso dos anjos, transcendem todas as limitações humanas.

Grandes enganos – as mentiras maravilhosas de Satanás – foram realizados no passado e, de acordo com a profecia, ainda mais maravilhas aparecerão no futuro (2 Ts 2.9; cf. At 16.16; Ap 13.1-18). A cessação dos sinais e maravilhas após a primeira geração da Igreja deu oportunidade a manifestações falsas. Esta cessação não é devida à falta de fé ou de fidelidade. O maior de todos os santos, igual a Abraão e Daniel, não fez poderosas obras nesta era. A crença usual de que as manifestações sobrenaturais surgem com Deus, dá a Satanás a oportunidade de confirmar nas mentes de muitos a sua apresentação enganosa da doutrina. Sem exceção, aquelas manifestações de poder sobrenatural, que são aclamadas como divinas, hoje aparecem apoiando o que é falso ou à doutrina incompleta. Como um exemplo disto, tais manifestações, como as que foram publicadas, são encontradas entre as pessoas que não recebem o suficiente da verdade a respeito da graça salvadora, para crer que uma vez salvo é salvo para sempre, e tal limitação da doutrina desvitaliza tanto o Evangelho que ele se torna "um outro evangelho". Todavia, esses enganos são selados nas mentes de muitos por aquilo que supostamente é manifestação de Deus, embora sirvam realmente como uma sanção à perversão da doutrina.

A Bíblia em si mesma é um livro sobrenatural e ela registra manifestações sobrenaturais sem hesitação ou apologia. O campo total de milagres que a

Bíblia apresenta pode ser dividido em: (1) Milagres que pertencem à ordem do Antigo Testamento; (2) milagres operados por Cristo, e pelos Seus discípulos que operaram milagres por Sua autoridade (Mt 10.1) e em Seu nome, como foi ordenado pela pregação do reino (cf. Mt 10.7, 8; Lc 10.17-19); e (3) milagres operados por vários membros da Igreja Primitiva, após a morte de Cristo e o dia de Pentecostes. O tema presente diz respeito somente aos milagres operados por Cristo. Dos milagres do Antigo Testamento, pode ser dito de passagem que, no propósito, eles lembram bem de perto os milagres operados por Cristo a esse grau; que eles servem como um sinal da presença divina, uma atestação da verdade de Deus com a qual eles estavam associados.

Os milagres do Antigo Testamento juntam-se basicamente ao redor de duas épocas, nas quais uma nova ordem é estabelecida. A grande maioria dos homens do Antigo Testamento, como Noé, Jó, Abraão, Davi e Daniel, não fez quaisquer obras poderosas ou milagres. Mas a Moisés foi dado o poder de sinais e maravilhas, com a finalidade de que ele libertasse Israel do Egito e se tornasse um líder reconhecidamente usado por Deus. O efeito do milagre do mar Vermelho está declarado nestas palavras: "E viu Israel a grande obra que o Senhor operara contra os egípcios; pelo que o povo temeu ao Senhor, e creu no Senhor e em Moisés, seu servo" (Êx 14.31). Uma necessidade posterior do sobrenatural surgiu no tempo da apostasia de Israel, apostasia essa que Elias incluiu todos os israelitas, menos ele próprio (1 Rs 19.10). Os milagres operados por Elias foram continuados por Eliseu.

Na verdade, como Eliseu pediu de Elias uma porção dobrada do espírito sobre si, os seus milagres registrados são duplicados em número em relação aos atribuídos a Elias. Assim, as pessoas foram lembradas a respeito do Deus de Israel, tanto na geração a quem Elias e Eliseu ministraram quanto em todas as gerações subseqüentes. Iguais a todas as maravilhas de Deus, estas "foram feitas uma vez para que pudessem ser criadas sempre". Quão estupenda é a tarefa de confirmar um testemunho divino, de autenticar a mensagem como palavra do céu! O coração do homem caído, energizado por Satanás, dificilmente creria, ainda que um anjo falasse do céu.

A respeito dos milagres operados por homens da Igreja Primitiva, tem havido alguma controvérsia: Não que os sinais então operados não tenham sido cridos, mas que os homens discordam sobre por que esses milagres cessaram, em relação às primeiras gerações da Igreja. Alguns estão dispostos a alegar que a descontinuidade é devida à falta de fé e que se uma fé semelhante fosse exercida, automaticamente essas manifestações voltariam a aparecer. Em oposição a isto está o fato de que os mais abençoados espiritualmente e os mais santos de todas essas gerações não têm exercido o poder sobrenatural. Tal é universalmente o caso e somente a ignorância contestaria fato tão evidente. As chamadas manifestações do falar em línguas e os supostos dons de cura têm reaparecido constantemente e como uma manifestação supostamente divina de doutrina, que não é considerada verdadeira para a Bíblia.

Nenhum desses cultos sustenta um reconhecimento suficiente do Evangelho da graça divina para crer que o salvo é pela graça identificado com Cristo e que ele está seguro para sempre. Satanás está ativo com artifícios, estratégias, e maravilhas enganosas; e nenhum engano maior – ele engana o mundo inteiro – será encontrado, além daquele que sela uma doutrina falsa ou incompleta, como uma manifestação miraculosa aparentemente divina. Outros crêem que agradou a Deus retirar o sobrenatural, uma vez que os registros do Novo Testamento estavam completos, e que não é propósito de Deus que toda esta era seja caracterizada por milagres, mas antes que a obra poderosa do Espírito Santo seja concedida aos crentes com o fim deles viverem e servirem incessantemente pelo Seu poder que neles habita. Os não-regenerados não são chamados para crer em algumas obras divinas, mas são convocados para crer na Palavra Divina.

Esta importante distinção a respeito do objeto da fé é reconhecida por Cristo quando Ele disse: "Crede-me que eu estou no Pai, e que o Pai está em mim; crede ao menos por causa das mesmas obras" (Jo 14.11). Que o poder iluminador do Espírito Santo no coração, quando acompanhado da proclamação do Evangelho, é mais vantajoso do que as manifestações sobrenaturais, poderiam ser evidente. Um milagre poderia incitar a maravilha, o argumento ou a curiosidade; mas não teria o poder de gerar no coração uma convicção de pecado, de justiça, de juízo, nem poderia criar uma sede interior pela Água da vida, à parte da qual não há uma apropriação pessoal e inteligente de Cristo como Salvador. Poderia ser fácil crer que os missionários seriam beneficiados na sua obra pelas manifestações sobrenaturais; mas a obra a ser feita no coração dos não-salvos, sejam eles pagãos ou civilizados, não deveria levar em conta uma completa mudança que somente a graça salvadora pode assegurar, e não poderia ser possível por sinais e maravilhas, mas pelo poder iluminador do Espírito Santo. Alguns creram e outros não creram, quando Lázaro foi ressuscitado dentre os mortos. O milagre de uma vida regenerada é a maior atestação dos missionários para a mensagem que eles proclamam.

Voltando mais especificamente aos milagres operados por Cristo, pode ser asseverado que eles foram pretendidos, para manter a Sua alegação de ser Jeová, o Messias teantrópico de Israel, e para dar uma atestação divina aos seus ensinos. Os milagres operados por Cristo foram basicamente, senão totalmente, um aspecto vital de seu ministério no reino. Os milagres, sinais e maravilhas são evidentemente as credenciais daqueles que pregam o Evangelho do reino. Foi ordenado que os discípulos pregassem o reino dos céus como "próximo" e que eles curassem os doentes, purificassem os leprosos, ressuscitassem os mortos e expulsassem os demônios (Mt 10.7,8), e Joel prediz o sobrenatural em relação ao reino vindouro. Ele registra: "Acontecerá depois que derramarei o meu Espírito sobre toda a carne; vossos filhos e vossas filhas profetizarão, os vossos anciãos terão sonhos, os vossos mancebos terão visões; e também sobre os servos e sobre as servas naqueles dias derramarei o meu Espírito. E mostrarei prodígios no céu e na terra, sangue e fogo, e colunas de fumaça. O sol se converterá em trevas, e a luz em sangue, antes que venha o grande e terrível dia do Senhor. E há de ser que todo aquele que invocar o nome do Senhor será salvo; pois no monte Sião e em Jerusalém estarão os que escaparem, como disse o Senhor, e entre os sobreviventes aqueles que o Senhor chamar" (Jl 2.28-32; cf. At 2.16-21).

É verdade que os milagres de Cristo sugerem o Seu poder espiritual. O doente curado sugere o Seu poder de limpar o pecado; o alimentar da multidão sugere Sua capacidade de cuidar dos Seus, o ressuscitar dos mortos sugere Seu poder de ressuscitar todos quantos for necessário e à medida que Ele determine.

Os milagres de Cristo são em si mesmos dignos de Deus tanto em sua dignidade quanto em seu escopo. Nisto eles estão muito distantes das invenções humanas que são encontradas nos escritos apócrifos. Aquelas registradas no *Evangelho da Infância* não são somente absurdas, mas também incapazes de comunicar qualquer que seja a verdade correspondente. Visto que os milagres operados por Cristo indicam a presença do Deus onipotente, deve ser esperado que a oposição de Satanás se estabeleça contra essas obras poderosas, para desacreditá-las. Tal oposição tem sido expressa pela incredulidade, por todas as gerações. Desde que Cristo veio ao mundo e sua identidade de Jeová foi provada pelas obras poderosas que são plenamente proporcionais à sua pessoa divina, a consideração de seu poder sobrenatural é exigida por todos os que são sérios. Estas obras deveriam ser estudadas à luz de tudo o que elas demonstram e o resultado deveria ser uma adoração irrestrita.

Nicodemos deu um testemunho verdadeiro, embora débil, quando disse: "Rabi, sabemos que és Mestre, vindo de Deus; pois ninguém pode fazer estes sinais que tu fazes, se Deus não estiver com ele" (Jo 3.2). Deste reconhecimento que era verdadeiro daquilo que aconteceu, Cristo levou Nicodemos a um entendimento correto de sua capacidade de Salvador – "quem crê em mim não perece, mas tem a vida eterna" – e de crer em Cristo para a salvação eterna, que é muitíssimo mais importante do que ficar impressionado com as obras poderosas, ainda que essas obras demonstrem a sua origem divina.

Em sua obra, *Notes on the Miracles of Our Lord*, R. C. Trench fez distinções valiosas a respeito dos diferentes termos usados para indicar as obras sobrenaturais. Este material é reproduzido aqui:

Na discussão sobre as quais agora registramos, os nomes são múltiplos; pois uma conseqüência disto é que, onde temos a ver com qualquer coisa que de muitos modos é significativa, ela terá inevitavelmente muitos nomes, visto que nenhum deles exaure o seu significado. Cada um deles incorporará uma porção de suas qualidades essenciais, apresentará apenas um dos lados; e não de uma abordagem exclusiva de algum, mas somente de todos os lados juntos; e assim poderemos obter uma apreensão adequada daquilo que desejamos conhecer. Assim, o que comumente chamamos milagres, nas Sagradas Escrituras, são considerados algumas vezes "maravilhas", algumas vezes "sinais", algumas vezes "poderes", algumas vezes simplesmente "obras".

Esses títulos elas possuem, além de alguns outros de ocorrência mais rara, que facilmente se agrupam sob um ou outro desses nomes – sobre cada um deles, de bom grado direi algumas poucas palavras, antes de tentar fazer qualquer avanço adicional neste assunto.

Tomemos primeiramente o nome "maravilha", em que o efeito do espanto que a obra produz sobre o observador é transferido para a própria obra, um efeito que muito freqüentemente é graficamente descrito pelos evangelistas, quando se reportam aos milagres de nosso Senhor (Mc 2.12; 4.41; 6.51; 8.37; At 3.10, 11). Será percebido imediatamente que isto não toca o assunto apenas de maneira externa. O significado ético do milagre ficaria totalmente perdido, fosse um vago espanto ou uma maravilha aberta a *todos* que eles descreveram; visto que o mesmo efeito poderia ser produzido por milhares de causas mais inferiores. Na verdade, deve ser observado que é singularmente característico dos milagres do Novo Testamento, que este nome "maravilhas" nunca seja aplicado a eles, mas em conexão com outros nomes. Eles são continuamente "sinais e maravilhas", ou "sinais" ou "poderes" somente, mas nunca "maravilhas" somente. Não que o milagre, considerado simplesmente como uma maravilha, como um evento espantoso que os observadores não podem reduzir a nenhuma lei com a qual eles estão familiarizados, seja mesmo, como tal, sem o seu significado e seu propósito; que o propósito seja que deva forçosamente surpreender a partir de um mero sonho de uma existência presa aos sentidos, e, contudo, possa não ser em si mesma um apelo ao espiritual no homem, deva ainda ser uma convocação para ele, a fim de que ele abra os seus olhos para o apelo espiritual que lhe está para ser dirigido.

Mas o milagre, além de ser uma "maravilha", é também um "sinal", um símbolo e uma indicação da presença próxima de Deus e de sua obra. Nesta palavra, o fim ético e o propósito do milagre aparecem de um modo muito proeminente, como em "maravilha" no mínimo. Eles são sinais e penhores de alguma coisa mais do que eles próprios e além de si mesmos (Is 7.11; 38.7); eles são valiosos, não tanto pelo que são, quanto pelo que indicam da graça e do poder daquele que os faz, ou da conexão em que ele mantém com o mundo superior. Muitas vezes são selos do poder estabelecidos para a pessoa que os realiza ("e confirmando a palavra com os sinais que os acompanhavam" (Mc 16.20; At 14.3; Hb 2.4), legitimando os atos pelos quais ele reivindica ser ouvido como se ouve um mensageiro de Deus. Encontramos a palavra continuamente usada em sentidos como estes: Assim, a pergunta: "Que sinais tu mostras?" (Jo 2.18) era a dúvida que os judeus levantaram, quando quiseram que o Senhor justificasse as coisas que realizava, a fim de mostrar-lhes que Ele tinha uma autoridade especial sobre elas. Novamente eles dizem: "Queremos ver da tua parte um *sinal*" (Mt 12.38); "Mostra-nos um *sinal* do céu" (Mt 16.1). Paulo fala de si mesmo como possuidor dos "*sinais* de um apóstolo (2 Co 12.12); em outras palavras, os sinais que o marcavam como tal. Assim, também, no Antigo Testamento, quando Deus envia Moisés para libertar Israel, Ele lhe dá dois "sinais". Adverte-o de que Faraó haveria de exigir dele a legitimação de sua missão, e que produzisse suas credenciais de que ele era de fato embaixador de Deus, e de equipá-lo com poderes que o justificariam como tal, que, em outras palavras, seriam seus "sinais" (Êx 7.9,10). Ele "deu *um sinal*" para o profeta a quem enviou para protestar contra a adoração de Jeroboão (1 Rs 13.3). Ao mesmo tempo, pode ser observado aqui que o *sinal* não era necessariamente um milagre, embora somente como tal ele tem espaço nesta discussão. Muita coisa em comum, por exemplo, qualquer coincidência predita ou evento, pode ser para uma mente crente um sinal, um selo para se estabelecer uma verdade de uma palavra anterior. Assim, os anjos dão aos pastores um "sinal" de que encontrariam a criança envolta em faixas (Lc 2.12). Samuel dá a Saul três "sinais" que Deus o havia, de fato, apontado como rei sobre Israel, e somente o último destes é ligado com algo sobrenatural (1 Sm 10.1-9). O profeta deu a Eli a morte de seus dois filhos como "um sinal" de que a sua palavra ameaçadora seria verdadeira (1 Sm 2.34). Deus concedeu a Gideão um sinal, no campo dos midianitas, da vitória que ele obteria (Jz 7.9-15), embora não aconteça que este termo seja registrado nessa narrativa. Ou é possível para um homem, sob uma forte convicção, de que a mão de Deus o dirige, para ocasionar tal evento contingente como um sinal a si próprio, da ocorrência do que neste modo ou naquele ele vai aceitar como uma sugestão de Deus do que Ele teria de fazer. Exemplos disto são comuns na Escritura (Gn 24.16; Jz 6.36-40; 1 Sm 14.8-13).

Freqüentemente, também, os milagres são chamados "*poderes*", ou "*obras poderosas*", isto é, de Deus. Como no termo "maravilha" ou "milagre", o efeito é transferido e dá um nome à causa, de modo que a causa dá o seu nome ao efeito. O "*poder*" habita originalmente no mensageiro divino (At 6.8; 10.38; Rm 15.9); é um com o qual ele é em si mesmo equipado por Deus. Cristo é, assim, no sentido mais elevado, aquilo que Simão com blasfêmia experimentou ser chamado, "o grande *poder* de Deus" (At 8.10). Mas, então, por uma transição fácil, a palavra vem a significar os esforços e a separar as propostas do seu poder. Estes são "poderes" no plural, embora a mesma palavra seja traduzida agora em nossa versão, "muitos milagres" (Mt 7.22), e agora, "milagres" (Mt 11.20; Mc 6.14; Lc 10.13), e ainda mais freqüentemente "milagres" (At 2.22; 19.11; 1 Co 12.10, 28; Gl 3.5), e neste último caso dando algumas vezes tais tautologias como esta: "milagres, prodígios e sinais" (At 2.22; Hb 2.4) e sempre causando a perda de alguma coisa da força expressa da palavra – como ela aponta para novos *poderes* que têm vindo, e funcionam neste nosso mundo.

Estes três termos, dos quais até agora temos buscado mostrar o significado, ocorrem três vezes juntos (At 2.22; 2 Co 12.12; 2 Ts 2.9), embora cada vez numa ordem diferente. Todos eles são, como já foi observado no caso de dois deles, antes descritivos de lados diferentes das mesmas obras, de que eles próprios sejam diferentes classes de obras. Um exemplo de um dos milagres de nosso Senhor pode mostrar como ele pode ser imediatamente todos estes. A cura do paralítico, por exemplo (Mc 2.1-12), era uma *maravilha*, porque aqueles que o observaram "ficaram *espantados*"; era um *poder*, pois o homem pela palavra de Cristo "se levantou e, tomando logo o leito, saiu à vista de todos"; foi um *sinal*, pois deu uma indicação de que um que era maior do que os homens estava entre eles; permaneceu em conexão com um fato mais elevado, do qual ele era o sinal e selo (cf. 1 Rs 13.3; 2 Rs 1.10), e foi operado para que eles pudessem "saber que o Filho do homem tem poder sobre a terra de perdoar pecados".

Outro termo pelo qual João chama os milagres é eminentemente significativo. Eles são muito freqüentemente chamados de "*obras*" (5.36; 7.21; 10.25,32,38; 14.11,12; 15.24; veja também Mt 11.2). A maravilha é que em seus olhos somente a forma natural de operar para ele, que é habitada por toda a plenitude de Deus. Ele deve, exceto a necessidade de seu ser mais elevado, produzir estas grandes obras maiores do que a dos homens. Elas são a periferia daquele círculo de quem ele é o centro. O grande milagre é a encarnação; tudo mais, por assim dizer, segue naturalmente. Não é de se espantar que aquele cujo nome é "Maravilhoso" (Is 9.6), opere maravilhas; a única maravilha seria se Ele não as fizesse. O sol nos céus é em si mesmo uma maravilha, mas não que, por ser o que é, irradia suas emanações de luz e calor. Estes milagres são o fruto segundo a sua espécie, que a árvore divina produz; e pode, com uma verdade profunda, ser chamada de "obras" de Cristo, sem nenhuma explicação adicional.[43]

Conclusão

Ao terminar este estudo do Filho de Deus encarnado em sua vida e ensinos aqui sobre a terra, é feita a reafirmação de que, em vista do fato de que o seu ministério terreno ocupa quase dois quintos de todo o Novo Testamento, é justo que a este importante conjunto de verdade seja dado um tratamento correspondentemente extenso em qualquer Cristologia que seja verdadeira em relação ao registro divino. Cristo veio como a manifestação de Deus às mentes restritas de homens pecadores. Ele é o Deus manifesto em carne – a plenitude da divindade corporalmente, mas, não obstante, Deus.

Capítulo IX

Os Sofrimentos e Morte do Verbo Encarnado

Tudo o que pode ser conhecido a respeito do sofrimento e sacrifício eficazes de Cristo, o Filho de Deus, está contido na revelação de que Deus se agradou em conceder aos homens; portanto, a teologia que a morte de Cristo gera está totalmente contida nas Escrituras da verdade e é totalmente dependente delas. No volume III, sob Soteriologia, os aspectos doutrinários distintivos da morte de Cristo foram apresentados. A presente discussão será dedicada à análise do Texto Sagrado, do qual todo o entendimento correto deve ser derivado. Catorze realizações, estupendas em caráter, que foram operadas por Cristo através de sua morte já foram indicadas, e o sumário destas demonstra que este grande evento é o centro de toda a doutrina cristã. Visto que não pode haver uma relação salvadora com Deus, à parte da redenção que Cristo realizou, sua morte se torna a base de quase todos os aspectos da verdade cristã.

A presente abordagem a este grande tema, conseqüentemente, não será relacionada aos aspectos de doutrina, como no volume anterior, mas antes relacionada à ordem em que é encontrada na revelação progressiva da totalidade das Escrituras. Essas divisões propostas são: (1) a morte de Cristo tipificada; (2) a morte de Cristo profetizada; (3) a morte de Cristo declarada historicamente nos sinóticos; (4) a morte de Cristo de acordo com João; (5) a morte de Cristo de acordo com Paulo; (6) a morte de Cristo de acordo com Pedro; e (7) a morte de Cristo de acordo com a carta aos Hebreus.

I. Nos Tipos

Anteriormente, já foi feita referência neste volume (Cap. II) aos tipos de Cristo em geral. Esta consideração deve ser restrita aos tipos de Cristo em sua morte. Ao menos dezesseis desses tipos podem ser identificados. Estes podem, no máximo, ser tratados com brevidade.

Arão (Êx 28.1; Lv 8.12). O sacerdócio de Cristo foi previsto em dois tipos – o de Arão e o de Melquisedeque. O tipo aaraônico predisse que a oferta que

CRISTOLOGIA

Cristo faria de Si mesmo a Deus seria sem mancha. Neste aspecto da tipologia, Cristo era ambos, o Cordeiro sacrificado e o Sacerdote oficiante que executou a oferta (cf. Jo 10.17). Assim, o âmbito total da verdade a respeito da morte de Cristo e do seu sangue derramado, é prefigurado no tipo aaraônico. Contudo, o tipo de Melquisedeque fala de Cristo na ressurreição e na sua continuação para sempre em glória.

O ALTAR DE BRONZE (Êx 27.1). Visto que o sacrifício do Antigo Testamento era oferecido num altar de bronze, esse altar se tornou o tipo ou uma antecipação típica da cruz sobre a qual Cristo morreu. Ele, um sacrifício sem mácula, era o justo que se ofereceu a si mesmo pelos injustos.

As DUAS AVES (Lv 14.4). Como no caso dos dois bodes, duas criaturas são exigidas para completar um tipo. Uma ave é morta, que representa Cristo em sua morte sacrifical; a outra ave, mergulhada no sangue da ave morta e livre, representa Cristo na ressurreição, ao levar o seu próprio sangue ao céu em favor daqueles por quem morreu. Sua obra redentora, realizada por sua morte, por ter sido completada, Ele ressuscitou dentre os mortos. A morte não teve mais reivindicação sobre Ele (Rm 4.25).

O SANGUE SACRIFICIAL (Lv 17.11). Nenhum outro tipo, exceto o do cordeiro, é mais cheio de significado do que o do sangue sacrifical quando foi derramado sobre o altar. Disto o Dr. C. I. Scofield escreve sobre Levítico 17.11: "(1) O valor da 'vida' é a medida do valor do 'sangue'. Isto dá ao sangue de Cristo o seu valor inconcebível. Quando ele foi derramado, o Deus-homem sem pecado deu sua vida. 'porque é impossível que o sangue de touros e de bodes tire pecados' (Hb 10.4). (2) Não é o sangue nas veias, o do sacrifício, mas o sangue *sobre o altar* que é eficaz. A Escritura nada diz da salvação pela imitação ou pela influência da vida de Cristo, mas somente por essa vida entregue na cruz. O significado de todo sacrifício é explicado aqui. Toda oferta era uma execução da sentença da lei sobre um substituto do ofensor, e toda oferta apontava para aquela morte substitutiva de Cristo que sozinha vindicava a justiça de Deus, quando este passava por alto os pecados daqueles que ofereciam os sacrifícios típicos (Êx 29.36; Rm 3.24,25).[44]

O SUAVE CHEIRO DAS OFERTAS (Lv 1.1–3.17). Na maneira mais exaustiva, as cinco ofertas dos primeiros cinco capítulos de Levítico apresentaram o que foi cumprido por Cristo em sua morte. As primeiras três – as ofertas queimadas, a oferenda de comida e as ofertas pacíficas – apontam para o que na morte de Cristo foi agradável – um suave cheiro – ao Pai. Destas (a) as ofertas queimadas ou as ofertas totalmente queimadas falam de Cristo que se oferece a si mesmo sem mancha a Deus e como um substituto em que o crente não tem a obediência nem a justiça de si mesmo para apresentar a Deus; mas tanto a obediência quanto a justiça, que Ele é em si mesmo, foram apresentadas pelo Salvador em favor de pecadores. Totalmente à parte da remissão de pecado, a provisão daquilo que está ausente e daquilo que o pecador deve ganhar, se estiver para ser aceito por Deus, é liberado por Cristo em sua morte e disponível para todos os que crêem. A salvação assegura assim muito mais do que o cancelamento do mal; ela também proporciona ao salvo aquele mérito ou posição que o céu e a santidade exigem. Os detalhes da totalidade da oferta queimada estão apresentados no texto de Levítico 1.3-17. (b) A oferenda de comida está descrita em Levítico 2.1-16, e representa a perfeição de Cristo em quem o Pai tem prazer e cuja plenitude é imputada ao filho de Deus (Jo 1.16; Cl 2.9, 10). (c) As ofertas pacíficas reconhecem a verdade de que Cristo estabeleceu a paz entre o crente e Deus através de sua morte sacrificial. Esta oferta não magnifica a capacidade de suportar o pecado, mas, antes, o resultado de estabelecer a relação de paz entre Deus e o crente (cf. Rm 5.1).

As Ofertas de Cheiro Não-Suave (Lv 4.1–5.19). Os cristãos geralmente estão mais familiarizados com a verdade apresentada pelas ofertas de cheiro não-suave, visto que estas subjazem a totalidade da liberdade divina de perdoar o pecado, e, como já foi indicado anteriormente, o Evangelho pregado pela grande maioria – senão universalmente – oferece aos não-salvos um pouco mais do que a remissão divina do pecado. Tal coisa, na verdade, não deve ser avaliada tão superficialmente, mas muito mais e de valor imensurável é a provisão divina através da morte de Cristo pela qual todo o mérito do Filho de Deus é contado para aqueles que crêem. Ele é assim contado e o pecador é abençoado quando tem Cristo como sua porção; contudo, esse benefício sem limite é tanto uma mensagem para os não-salvos quanto a remissão de pecado. Ela é uma parte vital das boas novas que o Evangelho apresenta. É verdade que alguns são salvos com uma apresentação restrita das provisões divinas; mas permanece racional e é experimentalmente demonstrado que muitos mais podem ser alcançados quando toda verdade antitípica das cinco ofertas – o suave cheiro assim como os aspectos do cheiro não-suave da morte de Cristo – é apresentada.

O Bode como um Sacrifício (Lv 1.10). Dentre os diversos animais permitidos para o sacrifício, o bode tem uma significação peculiar. Como um símbolo daquilo que Deus rejeita (cf. Mt 25.33), o bode apresenta Cristo como contado com os transgressores (cf. Is 53.12), tornado pecado e maldição pelos pecadores.

Os Dois Bodes (Lv 16.5). No grande dia da Expiação um boi era primeiro oferecido pelos pecados do sumo sacerdote, cujo sacrifício não se vê um antítipo no Salvador. Essa oferta era muito essencial para a preparação do sumo sacerdote ao serviço em que ele era designado para prestar naquele dia, por ser ele próprio um tipo de Cristo. Os dois bodes foram selecionados e um sacrificado. O sangue do bode morto era levado pelo sumo sacerdote ao lugar santíssimo, que tipificava a morte de Cristo e sua apresentação do seu sangue no céu como o remédio divinamente proporcionado pelos pecados das pessoas. Sobre o segundo bode as mãos eram postas, cerimônia essa que reconhecia a transferência das penalidades do pecado para o Substituto, e então o bode era levado para o deserto, que serve como um símbolo de esquecimento, e, assim, estava prefigurada a disposição perfeita do pecado por Cristo em sua morte e sepultamento (cf. Rm 6.2, 3; 1 Co 15.3, 4).

O Redentor-parente (Lv 25.49; Is 59.20). Em porções anteriores desta obra, muita coisa foi tratada sobre o tipo Redentor-parente. Ele sustenta a verdade de seu antítipo, que é aquela em que somente o Redentor-parente pode remir. Para este fim é que Cristo veio à família humana. Cristo satisfez cada exigência de tal redentor. Ele estava livre de qualquer compartilhamento na calamidade da qual Ele deve remir outros, Ele era da família humana por encarnação, Ele foi capaz de pagar o preço da redenção – que foi não menos do que o sangue derramado do Filho de Deus – e Ele estava desejoso de redimir. Em cada aspecto, Cristo é um redentor perfeito.

O CORDEIRO (Is 53.7; Jo 1.29). Quando testado e provado ser sem mancha, o cordeiro é o tipo de Cristo, que é mais empregado pelo Espírito Santo por toda a Palavra de Deus. Este tipo é inexaurível em todas as suas representações da morte sacrificial e substitutiva de Cristo.

A PIA DE BRONZE (Êx 30.18). De todo sacerdote era exigido que fosse purificado na pia de bronze, antes de cada serviço diário no tabernáculo. É da maior importância para o crente-sacerdote desta era ser purificado constantemente, para que ele seja eficaz em sua vida e testemunho! O sangue de Cristo constantemente aplicado é o antítipo da pia de bronze do Antigo Testamento (cf. 1 Jo 1.7,9).

A PÁSCOA (Êx 12.11). No tipo pascal de Cristo, riquezas ilimitadas da verdade estão envolvidas. O cordeiro deve ser sem mácula, deve ser testado com respeito à sua adequacidade, seu sangue deve ser derramado, e o sangue derramado deve ser aplicado. A celebração freqüentemente repetida da Páscoa era somente um memorial e nada proporcionava para a salvação ou segurança àqueles que a observavam.

O NOVILHO VERMELHO (Nm 19.2). Uma provisão peculiar no antítipo está prevista no tipo do sacrifício do novilho vermelho. Como as cinzas eram preservadas e se tornavam o meio de estatuto perpétuo para purificação, assim o sangue de Cristo é sempre o agente de purificação na necessidade diária do crente (1 Jo 1.9).

A PEDRA (Êx 17.6; Nm 20.8). Sobre este tipo extenso o Dr. C. I. Scofield escreve: "A pedra, tipo da vida através do Espírito da graça: (1) Cristo, a Pedra (1 Co 10.4). (2) As pessoas totalmente indignas (Êx 17.2; Ef 2.1-6). (3) Características da vida através da graça: (a) livres (Jo 4.10; Rm 6.23; Ef 2.8); (b) abundantes (Sl 105.41; Jo 3.16; Rm 5.20); (c) próximas (Rm 10.8); (d) as pessoas tinham somente de se apropriar (Is 55.1). O aspecto da pedra golpeada da morte de Cristo aponta para o derramamento do Espírito Santo como um resultado de uma redenção realizada, antes do que para a nossa *culpa*. É o lado afirmativo de João 3.16. O 'não pereça' fala do sangue expiador; 'mas tem' fala da vida concedida".[45]

DUAS PESSOAS (Gn 22.2). Isaque oferecido no altar representa muitos aspectos específicos da morte de Cristo. O tipo é fortalecido pelo fato de que Abraão representa Deus, o Pai que oferece seu único Filho (Gn 22.2; Rm 8.32). Isaque representa Cristo obediente até à morte, enquanto o carneiro preso no mato (Gn 22.13) apresenta novamente o tema sempre presente da substituição.

José (Gn 37.20-27). Uma porção somente do extenso tipo de Cristo que José proporciona diz respeito ao aspecto da morte. Como José foi rejeitado e por todas as coisas que aconteceram a ele, exceto que não foi morto por seus irmãos, assim Cristo não somente foi rejeitado, mas Ele morreu na mão dos governantes de seu povo.

II. Na Profecia

A predição no Antigo Testamento, a respeito da morte de Cristo, em extensão, é menor apenas do que o relato do seu primeiro e segundo adventos. A profecia a respeito de sua morte pode ser dividida em quatro partes com o propósito de estudo: (1) a principal predição histórica; (2) a principal predição doutrinária; (3) várias predições menores; e (4) a própria declaração de Cristo.

1. A PRINCIPAL PREDIÇÃO HISTÓRICA. O salmo 22 é uma predição da cena da crucificação que pode ser negada somente pelo preconceito cego – como aquele que é descoberto no incrédulo, seja ele judeu ou gentio. A primeira porção deste salmo (1-21) é evidentemente um registro daquilo que Cristo falou ao Pai durante as seis horas de seu sofrimento na crucificação. Nenhuma palavra deste extenso contexto, será ainda visto, é dita por qualquer outra pessoa que não Cristo, nem é qualquer palavra dele falada diretamente a qualquer outra pessoa que não Aquele a quem as palavras de abertura são dirigidas: "Deus meu". Além das muito estimadas sete palavras da cruz, que estão registradas nos quatro evangelhos, estão estes 21 versículos com a sua imensurável riqueza de revelação, e todas vindas dos lábios do Salvador moribundo. Este salmo foi escrito mil anos antes de Cristo ter morrido e, apesar de descrever vividamente a morte por crucificação, ele foi escrito muitos séculos antes de qualquer mente humana ter concebido aquela maneira de tortura.

O salmo abre com um discurso a Deus, e pergunta por que o inquiridor é desamparado por Deus. Este clamor tem suas limitações implícitas relativas ao entendimento vindo da humanidade do Salvador. Esta verdade é evidenciada pelo fato de que seu discurso emprega o título *Deus*, ao invés de *Pai*. Como já foi observado, a primeira pessoa é o Deus da humanidade de Cristo, mas não o Deus de sua divindade, ou da Segunda Pessoa. Mais tarde no registro Ele declara: "Nos teus braços fui lançado desde a madre; tu és o meu Deus desde o ventre de minha mãe" (v. 10). Tendo pronunciado este apelo inicial, Ele imediatamente vindica Deus por suas palavras: "mas tu és santo". Esta é uma palavra de confiança completa no meio de tal abandono. Por que, na verdade, deveria Ele ser abandonado? Ele nada havia feito de errado em todos os seus anos sobre a terra e o Pai tinha declarado que nele se agradava. A resposta é que o sofredor foi feito uma oferta pelo pecado e de tal oferta a face do Pai foi desviada. O Texto Sagrado registra a experiência de dois outros que no tempo de seu grande teste vindicaram Deus – Jó (Jó 1.21; 2.10) e a mulher sunamita (2 Rs 4.26).

CRISTOLOGIA

Para uma compreensão clara da obra redentora de Cristo sobre a cruz, é essencial que o fato de sua humanidade com todas as suas reais limitações devam ser reconhecidas. Como Deus está em Cristo reconciliando consigo o mundo, Ele conhecia o significado pleno de seu sofrimento e morte, mas como o cordeiro sofredor que aprendeu a obediência a respeito da vontade do Pai em relação às coisas que até então não eram conhecidas. Que uma atitude realmente contraditória para com uma e a mesma coisa poderiam existir, é algo que não pode ser compreendido. Não obstante, o aspecto inexplicável deste fato não milita contra a realidade dele; nem deveria ser permitido modificar, mesmo ao grau menor, a crença de que, de um lado, a humanidade de Cristo era sujeita às limitações humanas normais, ou, por outro lado, sua divindade fosse livre de limitação com sua onisciência e onipotência. É um erro grave supor que, por causa de sua divindade, seus problemas humanos foram todos postos de lado; e é igualmente errôneo argumentar que, por causa da presença nele de sua humanidade, sua divindade foi suprimida em algum grau.

De acordo com os versículos 4 e 5 do salmo 22, Cristo é relatado como dizendo a seu Deus que Ele é o primeiro e o único indivíduo em toda história humana a colocar a sua confiança em Jeová e ser achado em abandono. A adição subseqüente de aproximadamente dois mil anos de história não mudou este fato, de que Cristo somente sofreu abandono no meio de uma perfeita confiança em Jeová. Esta verdade estupenda somente aumenta o problema inicial de *por que* Este deveria ser abandonado. Não é difícil encontrar uma razão por que um pecador poderia ser abandonado por Jeová, mas neste caso Ele é o único em si mesmo a agradar a Jeová. Este é o Filho de Deus, santo, sem mancha e puro. A resposta a respeito de por que Ele foi abandonado, é somente encontrada no fato de que era um substituto de outros que eram e que são sem mérito perante Deus.

Nos versículos 6 a 8, Cristo relata a rejeição total de si mesmo por aqueles que observam a sua crucificação. Aos olhos deles, Ele é "um verme, e não um homem". Aquilo que seus atormentadores realmente disseram está predito no versículo 8. Ele diz: "Confiou no Senhor; que ele o livre; que ele o salve, pois que nele tem prazer". Em nenhum caso da história humana a soberania de Deus e a liberdade da vontade humana são trazidas em justaposição como na crucificação de Cristo. Não poderia haver uma dúvida de que a morte de Cristo foi divinamente determinada desde toda a eternidade, tanto com respeito ao fato quanto da maneira dela. Ele deveria ser executado por mãos de iníquos (At 2.23). As próprias palavras que eles diriam (v. 8) e os meios que eles haveriam de empregar (vv. 16-18) foram preditas no salmo 22 com mil anos de antecedência; todavia, da maneira mais irrestrita, esses homens seguiram o que a própria inclinação deles os fez fazer.

Por este delito, embora divinamente decretado desde toda a eternidade, eles são declarados culpados – mesmo o próprio Salvador orou para que eles pudessem ser perdoados. Se não tivesse havido o crime de crucificação, não teria havido a remissão de pecado. Daí, o Salvador declarar, então, como o fez no v. 15 – "tu me puseste no pó da morte" – não diminui o problema de seu sofrimento e morte. O Deus de quem Ele fala é acusado por sua morte. Ele também imediatamente faz uma acusação contra os ímpios que o prenderam, que "atravessaram as minhas mãos e os meus pés". Assim, é verdade que Ele morreu nas mãos de seu Pai (cf. Jo 1.29; 3.16; Rm 3.25; 8.32), mas é igualmente verdadeiro que Ele morreu nas mãos dos homens, que não poderiam fazer mais do que cometer um crime trágico, embora nenhum motivo de agradecimento devemos a eles por qualquer parte que tenham tomado nesta morte vantajosa. Por outro lado, o Pai operou uma reconciliação por meio do sacrifício de seu Filho, e assim a Ele sejam a honra e a glória e a ação de graças para sempre.

2. A PRINCIPAL PREDIÇÃO DOUTRINÁRIA. O tema anterior é evidência de que o elemento doutrinário dificilmente poderia ser eliminado de qualquer consideração da morte de Cristo. Contudo, a predição apresentada em Isaías 52.13–53.12, embora seja uma afirmação de fatos, é distintamente doutrinária e desse ponto de abordagem ela é tudo, exceto inexaurível. Novamente a humanidade de Cristo está envolvida em sua morte sacrificial aqui em vista. Ele é, de acordo com a declaração de abertura (Is 52.13), o Servo de Jeová, Aquele que, porque foi comprometido em favor da vontade de Jeová, agirá prudentemente em todas as coisas, especialmente em sua morte em favor de outros. A recompensa por fazer isso é que Ele será muito exaltado. Assim, também, está escrito na carta aos Filipenses (2.6-11) que aquele que a si mesmo se humilhou e se tornou obediente até a morte, é exaltado sobremaneira.

Em sua humanidade, Ele foi feito um sacrifício vergonhoso e sua face foi desfigurada, a ponto de perder a semelhança de um homem (Is 52.14); todavia, este homem afligido borrifará muitas nações e diante dele os reis guardarão silêncio (52.15). O capítulo 53 inicia-se com o desafio: "Quem deu crédito à nossa pregação?" Isto será imediatamente identificado como uma olhada em direção ao futuro, quando o valor dessa morte na salvação dos homens vai depender de uma simples resposta de fé ao registro do Evangelho. No Antigo Testamento, não é dito freqüentemente que os homens têm algo para crer (cf. Gn 15.6); ao contrário, eles são ordenados a cumprir toda a lei de Deus. Isaías 53 é uma declaração daquilo que o Salvador operou em sua morte e do benefício assegurado por ela. Ele não apresenta orientações para a ação humana ou para a sua fidelidade. "O braço de Jeová" não é revelado a cada pessoa, mais do que é verdade de que todos crêem no registro do Evangelho. Para aqueles que crêem, o braço é revelado.

A frase "o braço de Jeová" é sugestiva quando comparada com o salmo 8.3, que afirma: "Quando contemplo os teus céus, obra dos teus dedos, a lua e as estrelas que estabeleceste". Em um caso, a criação dos sistemas solares é assemelhado ao mover do dedo de Deus; mas no outro, a salvação de uma alma perdida exige que o braço todo-poderoso de Jeová seja revelado, com o fim de que o seu poder extremo possa ser exercido. Nenhum esforço maior poderia confrontar o Todo-poderoso do que aquele que Ele colocou para a salvação dos homens. Para que Jeová pudesse salvar, Ele tomou o lugar do pecador na mais exata espécie de substituição. Este é o tema dominante deste contexto inteiro. Aqui está registrado: "Era desprezado, e rejeitado dos homens; homem de dores, e experimentado nos sofrimentos; e, como um de quem os homens escondiam o rosto, era desprezado e não fizemos dele caso algum. Verdadeiramente ele tomou sobre si as nossas enfermidades, e carregou com as nossas dores; e nós o reputávamos por aflito, ferido de Deus, e oprimido. Mas ele foi ferido por causa das nossas transgressões, e esmagado por causa das nossas iniquidades; o castigo que nos traz a paz estava sobre ele, e pelas suas pisaduras fomos sarados. Todos nós andávamos desgarrados como ovelhas; cada um se desviava pelo seu caminho; mas o Senhor fez cair sobre ele a iniquidade de todos nós... Pela transgressão do meu povo foi ele ferido... quando ele se puser como oferta pelo pecado... Ele levará as iniquidades deles... Ele levará sobre si o pecado de muitos".

Não é de se espantar que o sumo sacerdote tenha sido movido a dizer da morte de Cristo: "Vós nada sabeis, nem considerais que vos convém que morra um só homem pelo povo, e que não pereça a nação toda" (Jo 11.49, 50). O Espírito Santo acrescenta estas notas explicativas: "Ora, isso não disse ele por si mesmo; mas, sendo o sumo sacerdote naquele ano, profetizou que Jesus havia de morrer pela nação" (v. 51). Mais tarde, está registrado do mesmo Caifás: "Ora, Caifás era quem aconselhara aos judeus que convinha morrer um homem pelo povo" (Jo 18.14). A grande alegria que estava colocada diante dEle pela qual suportou a cruz e desprezou a vergonha (cf. Hb 12.2), está predita nas palavras com as quais esta predição doutrinária termina: "Todavia, foi da vontade do Senhor esmagá-lo, fazendo-o enfermar; quando ele se puser como oferta pelo pecado, verá a sua posteridade, prolongará os seus dias, e a vontade do Senhor prosperará nas suas mãos... Pelo que lhe darei o seu quinhão com os grandes, e com os poderosos repartirá ele o despojo; porquanto derramou a sua alma até a morte, e foi contado com os transgressores, mas ele levou sobre si o pecado de muitos, e pelos transgressores intercedeu" (Is 53.10, 12).

3. PREDIÇÕES MENORES. Somente algumas das breves predições do Antigo Testamento que predizem a morte de Cristo devem ser observadas:

GÊNESIS 3.15: "Porei inimizade entre ti e a mulher, e entre a tua descendência e a sua descendência; esta te ferirá a cabeça, e tu lhe ferirás o calcanhar".

Esta proclamação é notável não somente pela mensagem direta que ela comunica, mas pelo tempo bem recuado de sua elocução. É um pronunciamento divino, totalmente à parte de agências humanas, e diz respeito apenas a um aspecto da morte de Cristo, a saber, sua relação com Satanás e através de Satanás indiretamente a todos os anjos caídos. A grande crise da cruz, quando ela tem Satanás em vista e quando Cristo esmaga a cabeça de Satanás; este, por sua vez, fere o calcanhar de Cristo. Está claramente manifesto que a morte de Cristo foi, num grau não revelado e na vontade permissiva de Deus, um ataque de Satanás sobre o Filho de Deus. O triunfo deste último é certo, como a ferida na cabeça de Satanás fala da destruição enquanto que o ferir do calcanhar é, no máximo, apenas um ferimento.

Isaías 50.6: "Ofereci as minhas costas aos que me feriam, e as minhas faces aos que me arrancavam a barba; não escondi o meu rosto dos que me afrontavam e me cuspiam".

Os detalhes desta predição são muito específicos para serem aplicados erroneamente. No versículo precedente o testemunho é dado pelo sofredor que "o Senhor Deus abriu-me os ouvidos", que, sem dúvida, se refere ao selo do escravo voluntário (cf. Êx 21.1-6; Sl 40.6, e a todas as passagens que tratam da obediência de Cristo à vontade do Pai), e em nada era Ele "rebelde, nem se retirou para trás". Esta obediência o conduziu a esse sofrimento e morte.

Zacarias 12.10; 13.6, 7: "Mas sobre a casa de Davi, e sobre os habitantes de Jerusalém, derramarei o espírito de graça e de súplicas; e olharão para aquele a quem traspassaram, e o prantearão como quem pranteia por seu filho único; e chorarão amargamente por ele, como se chora pelo primogênito... E se alguém lhe disser: Que feridas são essas entre as tuas mãos? Dirá ele: São as feridas com que fui ferido em casa dos meus amigos. Ó espada, ergue-te contra o meu pastor, e contra o varão que é o meu companheiro, diz o Senhor dos exércitos; fere ao pastor, e espalhar-se-ão as ovelhas; mas volverei a minha mão para os pequenos".

A futura lamentação de Israel sobre a parte deles na crucificação de Cristo ocupa um lugar extenso na profecia (cf. Is 61.2, 3; Mt 24.30). Esta predição assevera que a lamentação deles será sobre o fato de que, em sua crucificação, eles o atravessaram. Quando Ele vier novamente, Israel O reconhecerá pelas feridas que Ele porta. O Dr. A. C. Gaebelein escreve neste momento oportuno em seu volume *Studies in Zechariah*, o seguinte:

A lamentação então é descrita como universal. Todas as famílias se lamentarão; família por família individualmente, e suas esposas individualmente. Tal lamentação nunca tinha acontecido antes na terra nem haverá jamais igual a essa novamente. Mas por que a lamentação e o choro? Não deveria, ao contrário, haver a alegria e a celebração, a alegria e as aleluias? As aleluias virão durante o período todo do milênio, mas o princípio será lamentação nacional de Israel. A lamentação é por causa dEle, Jeová, que apareceu em sua glória e a quem eles agora contemplam. O longamente esperado Messias finalmente apareceu, e Ele é Jeová... Há ainda outra passagem que está no contexto final com o aparecimento de Jeová, aquele que foi traspassado, em Zacarias 12, a saber, Apocalipse 1.7: "Eis vem com as nuvens, e todo olho o verá, até mesmo aqueles que o transpassaram; e todas as tribos da terra se lamentarão sobre ele. Sim. Amém". Esta passagem corresponde ao texto anterior em Zacarias. As tribos no Apocalipse são as mesmas mencionadas em Zacarias, e a lamentação em Apocalipse corresponde à lamentação com a qual o capítulo 12 de Zacarias termina... Eles vêem o sinal nos céus e haverá o grito de alegria: "Bendito o que vem em nome do Senhor, este é nosso Deus, temos esperado por Ele". E agora eles contemplam uma pessoa sobre aquela nuvem. Ele é o Filho do homem. Outra vez eles olham e

CRISTOLOGIA

vêem que suas mãos e pés e que seu lado foram traspassados. Quem pode ser este com as mãos, pés e o lado traspassados, que vem assim em poder e glória dos céus para salvar o seu povo? A verdade negada por tanto tempo por eles brilha sobre os mesmos: "Este é Jesus de Nazaré, o Rei dos judeus, o rejeitado, Aquele que sofreu aquela morte vergonhosa naquela colina, cujas mãos e pés foram traspassados, e de cujo lado e coração a lança romana fez verter sangue e água". Jeová-Jesus, o traspassado, é visto novamente.[46]

O Dr. H. A. Ironside acrescenta aqui, o que se segue:

A palavra "olhar" poderia ser traduzida como "contemplar". Ela sugere uma atenção honesta, que contempla com consideração, que cada contorno de sua face pode ser impresso sobre as almas deles. O seu semblante de uma vez por todas desfigurado, suas mãos e lado traspassados – tudo ficará indelevelmente impresso neles. Quando eles assim aprenderem que Aquele que foi tratado como um malfeitor e um blasfemo era realmente o Senhor da glória, a dor e o arrependimento deles não conhecerá limites. Temos duas descrições do Novo Testamento desta cena: Tomé, o apóstolo, chamado Dídimo (o gêmeo), creu quando viu. No remanescente de Judá, o outro gêmeo – posso dizer isso? – virá à frente igualmente incrédulo até que as marcas da lança e dos pregos o convençam. Então, em Saulo de Tarso, temos uma descrição proeminente do mesmo remanescente. Odiando o nome de Jesus, ele segue o seu caminho, zelosamente perseguindo todos que amam esse nome, até ser preso por uma luz do céu: seus olhos, cegados para a glória da terra, perscrutam o santíssimo; e ali, sobre o trono de Deus, ele contempla o Nazareno! Assim, ele foi um nascido fora de tempo; isto é, antes do tempo, quando, por uma visão semelhante, o remanescente será trazido a clamar, como ele fez: "Senhor, o que queres que eu faça?"[47]

Enquanto estas referências à morte de Cristo são como um retrospecto, quando essa morte estiver perante Israel nos tempos finais, estes textos da Escritura servirão também para indicar que estes aspectos – o reconhecimento, a lamentação, o ferimento do pastor e o dispersar das ovelhas (cf. Mt 26.31) – foram previstos muitos séculos antes de Cristo ter morrido.

4. Predições de Cristo. Embora Cristo repetidamente tenha anunciado a sua morte que estava por vir (Mt 16.21; 17.22, 23; 20.17-19; 26.12, 28, 31; Mc 9.32-34; 14.8, 24, 27; Lc 9.22, 44, 45; 18.31-34; 22.20; Jo 2.19-21; 10.17, 18; 12.7), ela realmente nunca atingiu a consciência de seus discípulos. Sem dúvida, foi retirada deles; mas uma razão mais profunda para a incapacidade deles de entender é encontrada no fato de que, até o tempo de Sua morte e mesmo depois (cf. At 1.6, 7), os discípulos, iguais a todos os outros seguidores dEle, estavam centrados em seu pensamento e expectativa da realização do reino terrestre, messiânico, predito de longa data. Embora durante os três anos e meio estes homens tenham pregado constantemente sob a direção e autoridade de Cristo, eles não poderiam ter pregado o evangelho baseado na morte e ressurreição de Cristo. Desses eventos – tão básicos no Evangelho da graça divina – eles nada sabiam. Este fato é uma resposta final para aqueles que – muito freqüentemente sem o raciocínio devido – tem crido que o Evangelho da graça baseado na morte e na ressurreição de Cristo não era somente a mensagem dos doze durante o ministério terreno de Cristo, mas era também compartilhado pelos santos do Antigo Testamento.

O fato de que Cristo previu sua morte e ressurreição enquanto ao mesmo tempo anunciava o seu reino como estivesse às portas, não fornece uma autoridade para qualquer pessoa presumir que estes são apenas uma e a mesma coisa. Ao contrário, é assim revelado que Cristo com clareza infinita indicou as distinções entre seus dois adventos, embora, pela verdadeira natureza do caso, Ele não poderia proclamar estas distinções antes do tempo de sua morte (cf. Mt 23.38–25.46; Jo 14.1-3). Ele previu sua vinda e o seu reino a Pedro, Tiago e João no monte da transfiguração. É um estudo de importância vital, todavia quase totalmente negligenciado, como o segundo advento foi introduzido por Cristo tanto antes quanto após a sua morte e ressurreição. O Evangelho do reino – não relacionado à sua morte e ressurreição – foi terminado abruptamente antes de seu término pela morte do Rei. Não é uma função de um rei morrer: "Vive o rei para sempre!"

Contudo, a própria morte e a ressurreição se tornaram a base de uma nova mensagem da graça soberana à parte de todas as obras humanas de mérito e é o apelo divino para a chamada do povo celestial. A hora deve vir quando a Igreja será completada e removida da terra. Aí então, sem falha, esse Deus retorna ao seu propósito ainda por completar a respeito de um reino sobre Israel na terra, e isso em virtude, não de sua morte, mas pelo poder e vinda novamente do Rei. Cristo predisse tanto sua morte quanto sua vinda novamente e tudo que se realizará quando do seu retorno.

III. Nos Sinóticos

Como pode ser deduzido do que foi dito antes, os sinóticos, visto que eles estão amplamente preocupados com o Seu propósito e mensagem, não apresentam a morte e ressurreição de Cristo, além do registro histórico daquilo que ocorreu no contexto de sua morte e ressurreição. Eles registram a predição de Cristo de sua própria morte e também da instituição da Ceia do Senhor como um memorial dessa morte. Estes evangelhos relatam a vida e ação de Cristo e de seus discípulos nos dias antes da morte de Cristo ser crida, e, portanto, antes que essa morte pudesse entrar no entendimento doutrinário dos seus seguidores. Em tudo isto, o evangelho registrado por João é diferente, como será observado na divisão seguinte deste capítulo. Enquanto o testemunho de tal porção da Escritura, o salmo 22, está preocupado com os pensamentos e palavras de Cristo na cruz, os evangelhos, inclusive o de João, contam os fatos históricos a respeito daquilo que foi dito e feito por muitas pessoas.

A narrativa é verdadeira e inspirada pelo Espírito Santo. A prisão, os interrogatórios, os açoites e a crucificação são mencionados com grande exatidão. A morte de Cristo, por ser central na doutrina, na história humana e na vida e experiência humana, é bem sustentada por esses registros infalíveis. Tão certo como o corpo sacrificial foi proporcionado para o maior sacrifício (Hb 10.5) e tão certo como todos os tipos e profecias predisseram o sangue a ser derramado antes que ele se tornasse eficaz, assim certamente os registros inspirados dos evangelhos dão uma segurança final de que aquilo que o coração de Deus e o julgamento dos anjos exigiram, e a necessidade dos homens tornou necessária, foi executado perfeitamente nos sofrimentos e na morte de Cristo. Assim, estes documentos históricos assumem uma importância muito além da mera tabulação dos fatos imediatos relacionados à vida e morte de um homem – embora Ele seja o maior de todos. Uma meditação sobre essas crônicas inspiradas por Deus não podem ajudar, mas servem para um grande propósito no pleno entendimento e na resposta do coração ao sacrifício divino, que é supremo (cf. Gl 6.14).

IV. Nos Escritos de João

Esta parte do assunto pode ser dividida de uma tríplice maneira: (a) registrada no evangelho de João; (b) registrada nas cartas de João; e (c) registrada no Apocalipse.

1. No Evangelho. Todo estudante atento e desperto para as realidades sagradas reconhece o caráter espiritual peculiar dos escritos de João, a maneira como ele registra a morte e a ressurreição de Cristo. Mesmo as suas narrativas históricas desses eventos, iguais a tudo no seu evangelho, apontam para as profundezas insondáveis da graça divina. Há em tudo, sem incluir sua crônica histórica da cruz, sete passagens importantes e conseqüenciais a serem consideradas neste evangelho.

João 1.29: "No dia seguinte João viu a Jesus, que vinha para ele, e disse: Eis o Cordeiro de Deus, que tira o pecado do mundo".

Nas duas elocuções registradas pelo apóstolo João, João Batista atinge as glórias vindouras da graça divina e a torna possível através da morte e ressurreição de Cristo. Visto que a pregação de João Batista apresentada nos sinóticos é tão drasticamente legal e tão claramente uma evocação do sistema de mérito, o reconhecimento da base e o fato de um relacionamento da graça, apresentado somente no evangelho de João, é significativo. O contexto total de João 1.15-34 constitui-se numa rara revelação da visão da graça dada em alguma medida a João Batista. Mas dois destes pronunciamentos feitos por João podem

NOS ESCRITOS DE JOÃO

ser observados aqui. Em 1.29, está o que foi citado acima. O grande precursor – a quem evidentemente não foi dado entender que o reino messiânico que ele anunciou estava para ser rejeitado e posposto, com um novo propósito divino e celestial a ser introduzido – não obstante, pelo mesmo Espírito, anunciou as declarações imensuráveis da graça divina. João Batista não poderia fracassar em compreender, em alguma medida, que o título "Cordeiro de Deus", que ele próprio empregou, sugeria uma morte sacrificial; e a certeza de que Ele tiraria o pecado do mundo avaliava uma realização muito além dos limites de sua própria nação do da expectativa messiânica comum – mas então os profetas não falavam freqüentemente além do alcance do próprio entendimento deles?

Na verdade, não é esta grande proclamação muito além do entendimento de todas as mentes humanas? Está afirmado que o pecado do mundo é tirado pelo Cordeiro morto. O escopo deste empreendimento – algumas vezes afeta a totalidade do *cosmos* (cf. Jo 3.16) – não deve ser interpretado erroneamente. Não há uma referência aqui aos eleitos desta era, ou a linguagem cessa de servir como uma expressão da verdade. A Igreja é um grupo de salvos do *cosmos* e, portanto, não deve ser confundida com o *cosmos*. É verdade que as Escrituras especificam que Cristo morreu pela Igreja (Ef 5.25-27), mas é claramente dito que Ele morreu pelo *cosmos*. A suposição de que Cristo poderia ter apenas um objetivo em sua morte tem conduzido muitos a erros. Sua morte foi também o julgamento dos anjos, um tratamento específico com os pecados do Israel passado e futuro, o fim da lei, e a base da purificação do céu.

Contudo, a questão a respeito do sentido em que o pecado do mundo é "tirado" é pertinente neste ponto. Seria uma contradição indefensável da subseqüente doutrina do Novo Testamento, afirmar que o pecado do *cosmos* é removido pela morte de Cristo de forma que o não-regenerado não possa ser julgado. As Escrituras ensinam que o pecado foi tratado em três esferas de relacionamento – com referência ao seu poder de escravizar, Cristo proporcionou um regaste; com respeito ao seu efeito sobre o pecador, Cristo operou uma reconciliação com Deus; e com respeito ao seu efeito sobre Deus, Cristo realizou uma propiciação. Estas três realizações – redenção, reconciliação e propiciação – não são coisas que Deus *fará* se alguém crer; elas são coisas já terminadas e constituem a coisa real que o pecador deve crer. O pecado do mundo é tirado no sentido em que a realização tríplice de Cristo em sua morte retirou qualquer impedimento que poderia restringir Deus de salvar mesmo o principal dos pecadores.

Contudo, agradou a Deus exigir uma aceitação pessoal da salvação de Cristo, tempo em que, e sob esta única condição, Ele aplicará todas as coisas de sua graça salvadora. Ainda que Cristo tenha completado uma base de salvação tão perfeita para a redenção, os homens não são salvos até que creiam. Semelhantemente, alegar que os homens *devem* ser salvos visto que Cristo morreu por eles é igualmente errôneo. As Escrituras ensinam uma obra terminada para o *cosmos* todo (cf. Jo 1.29; 3.16; Hb 2.9; 1 Jo 2.2), mas a mesma revelação divina assevera que multidões daqueles que são do *cosmos* serão

CRISTOLOGIA

perdidas para sempre. Estes não são problemas que pertencem a um sistema de teologia; eles pertencem a todo exegeta que recebe as palavras da Escritura no seu significo claro (cf. 2 Co 4.2). Por meio da morte de Cristo, Deus tratou com o problema do pecado humano, de que o cosmos fica numa relação inteiramente nova e diferente perante Ele. A raça humana é reconciliada, não no sentido em que eles *são* salvos, mas no sentido em que podem ser salvos (2 Co 5.19). A prisão que Satanás não abre (Is 14.17), é aberta para todos (Is 61.1; Cl 2.14, 15).

João Batista anunciou, igualmente, o resultado imensurável da graça divina quando disse: "Pois todos nós recebemos da sua plenitude, e graça sobre graça. Porque a lei foi dada por meio de Moisés; a graça e a verdade vieram por Jesus Cristo" (Jo 1.16,17). Pela morte de Cristo – não por seu nascimento, uma nova realidade é assegurada que ele chama de "graça e verdade". Esta coisa nova supera o sistema mosaico. Graça sobre graça, ou graça acrescida à graça, cumpre para o crente nada menos do que a experiência do πλήρωμα de Cristo para todos que entram no alcance de suas provisões. Nenhuma afirmação mais abrangente das operações ilimitadas da graça divina do que esta é encontrada. O πλήρωμα da divindade é aquela graça que vem sobre os que são salvos (cf. Cl 1.19; 2.9, 10). O que quer que seja que João Batista tenha compreendido, é uma questão secundária. Ele, pelo Espírito Santo, declarou toda a base, o escopo e a consumação da graça divina.

João 3.14: "E como Moisés levantou a serpente no deserto, assim importa que o Filho do homem seja levantado".

Uma apresentação muito vívida da morte de Cristo com seu valor essencial foi sugerida a Nicodemos, tenha ele compreendido ou não, pela referência ao levantamento da serpente de bronze no deserto (Nm 21.8, 9). A serpente serve como um símbolo do pecado e o bronze fala do julgamento. A estaca onde a serpente foi levantada é um símbolo da cruz onde Cristo foi feito pecado, ou a oferta pelo pecado, em favor daqueles por quem Ele morreu. Deve também ser observado que como aqueles mordidos no deserto tinham apenas que olhar para a serpente na estaca para viver, assim há vida para quem olha com fé para o Crucificado. Portanto, a doutrina essencial do Novo Testamento é a de que a salvação com todas as suas provisões é assegurada pela fé somente – esta fé que Cristo enfatizou, quando disse a Nicodemos: "...para que todo aquele que nele [no Filho do homem levantado] crê tenha a vida eterna" (Jo 3.15; cf. 16-21).

Nesta declaração a Nicodemos Cristo reconhece que, por causa de seu amor infinito, Deus deu seu Filho Unigênito como uma oferta pelo pecado do homem, e que uma cura completa dos danos do pecado é tornada possível e disponível para todo o que crê. Na verdade, essa é a condição final – a aceitação por parte do homem ou a sua condenação perante Deus depende somente de sua crença ou de sua incredulidade – que Cristo disse: "Quem crê nele não é julgado; mas quem não crê, já está julgado; porquanto não crê no nome do unigênito Filho de Deus" (Jo 3.18). Sobre esta passagem Erling C. Olsen, em seu comentário sobre João, escreve:

Jesus Cristo não veio ao mundo para condenar o mundo; o mundo já estava condenado. O Evangelho é pregado aos homens que estão condenados por causa de seus pecados. Portanto, o Evangelho é oferecido ao pecador como a satisfação pelos seus pecados. Podemos deixar os pagãos que nunca ouviram a respeito de Cristo com confiança total nas mãos do Deus do universo que faz bem todas as coisas. Mas esta porção da Escritura ensina que a despeito do caráter ou da falta dele que um indivíduo possui, se ele ouviu o nome do unigênito Filho de Deus, mas se recusa a crer nele, que essa pessoa está duplamente condenada à vista de Deus, porque ela acusou Deus de ser um mentiroso. Seria uma presunção total de nossa parte sugerir a qualquer homem que ele é um pecador e que ele está indo para o inferno. Bem poderia tal pessoa nos dizer: Quem te constituiu um juiz? Mas nosso Senhor disse, do homem que *não crê* no nome do unigênito Filho de Deus que ele "já está condenado [ou julgado]". Se a linguagem significa alguma coisa, isto significa que qualquer homem que não crê no unigênito Filho de Deus já está julgado, e que esse julgamento é a condenação. Alguns têm uma idéia de que os homens estão numa liberdade condicional e que Deus está registrando as vidas dos homens e que, algum dia, antes do grande julgamento do trono branco, Ele examinará nossas vidas e ali haverá de determinar se somos condenados ou recomendados. Mas tal idéia não entrou na mente dos homens como um resultado da leitura da Bíblia. Não há sequer uma sugestão disso no Livro. Nosso Senhor disse que um homem já está condenado "porque ele não crê no nome do unigênito Filho de Deus". Mas também ele disse que "aquele que nele crê não está condenado..." As duas afirmações são notáveis por sua segurança absoluta. Deixe-me ilustrar por uma referência pessoal. Eu creio no nome do Filho de Deus. Eu creio que Jesus Cristo foi nascido de uma virgem; que Ele sofreu sob o poder de Pôncio Pilatos; que Ele foi crucificado, que Ele foi sepultado; e que Ele ressuscitou dos mortos ao terceiro dia. Eu creio que Ele morreu pelo meu pecado e que retirou meu pecado por sua morte. Eu creio em Deus quando sua Palavra declara que "aquele que tem o Filho tem a vida...". Assim, eu tenho vida eterna. Eu não sou condenado. Este fato, contudo, não é o resultado de qualquer coisa que eu tenha feito, exceto que eu cri em Deus. Não tem a mais leve sugestão de qualquer coisa que eu fiz ou que farei. É uma questão de fé no Filho de Deus. Não poderia ser diferente, pois todo homem em seu estado natural já está condenado. O homem é um pecador; o homem está perdido em seu pecado; o homem está absolutamente condenado à vista de Deus. Seus lábios estão selados, sua cabeça está inclinada, e sua consciência acrescentou sua voz a esta convicção. Como, então, pode um homem salvar-se a si mesmo? [48]

CRISTOLOGIA

João 6.51: "Eu sou o pão vivo que desceu do céu; se alguém comer deste pão, viverá para sempre; e o pão que eu darei pela vida do mundo é a minha carne".

Aqueles que recebem Cristo como Salvador, Ele se torna para os tais semelhante ao Pão da vida eterna. O maná foi divinamente enviado do céu, e dele Cristo disse: "...vossos pais comeram o maná no deserto, e morreram" e embora ele o sustentasse por algum tempo, todos morreram (Jo 6.49); mas o Pão que Cristo simboliza, que também desceu do céu, se participamos dele, temos vida eterna. A este respeito, Cristo afirmou: "Este é o pão que desceu do céu; não é como o caso de vossos pais, que comeram o maná e morreram; quem comer este pão viverá para sempre" (Jo 6.58). O ensino central desta figura é que Sua carne deve ser sacrificada e Seu sangue derramado, com o fim de que Ele possa se tornar aquela nutrição espiritual que é a vida eterna. "Disse-lhes Jesus: Em verdade, em verdade vos digo: Se não comerdes a carne do Filho do homem, e não beberdes o seu sangue, não tereis vida em vós mesmos. Quem come a minha carne e bebe o meu sangue tem a vida eterna; e eu o ressuscitarei no último dia. Porque a minha carne verdadeiramente é comida, e o meu sangue verdadeiramente é bebida. Quem come a minha carne e bebe o meu sangue permanece em mim e eu nele. Assim como o Pai, que vive, me enviou, e eu vivo pelo Pai, assim, quem de mim se alimenta, também viverá por mim" (Jo 6.53-57).

João 10.11: "Eu sou o bom pastor; o bom pastor dá a sua vida pelas ovelhas".

Neste versículo, ainda outra predição de sua morte, Cristo indica que a entrega de sua própria vida proporcionará a vida eterna àqueles que se tornam seus através da fé. "Eu vim", disse Ele, "para que tenham vida, e a tenham em abundância" (10.10); e, ao falar aos judeus, Ele declarou: "Mas vós não credes, porque não sois das minhas ovelhas. As minhas ovelhas ouvem a minha voz, e eu as conheço, e elas me seguem; eu lhes dou a vida eterna, e jamais perecerão; e ninguém as arrebatará da minha mão. Meu Pai, que mas deu, é maior do que todos; e ninguém pode arrebatá-las da mão de meu Pai. Eu e o Pai somos um" (Jo 10.26-30).

João 11.49-52: "Um deles, porém, chamado Caifás, que era sumo sacerdote naquele ano, disse-lhes: Vós nada sabeis, nem considerais que vos convém que morra um só homem pelo povo, e que não pereça a nação toda. Ora, isso não disse ele por si mesmo; mas, sendo o sumo sacerdote naquele ano, profetizou que Jesus havia de morrer pela nação, e não somente pela nação, mas também para congregar num só corpo os filhos de Deus que estão dispersos" (cf. Jo 18.14).

A esta altura, Deus, pelo seu Espírito, introduz uma declaração muito impressionante e usa um sumo sacerdote indisposto e insensível para anunciá-la. Este contexto revela o fato de que Caifás não originou o seu próprio pronunciamento, mas foi antes o porta-voz de Deus. A proclamação é de grande alcance. Primeiro, observe que os governantes judeus, inclusive Caifás, eram destituídos de entendimento a respeito do que era divinamente exigido e do que estava para ser cumprido. Segundo, observe que foi dito que um homem morreria pelo povo. Esta afirmação seria justificada pela referência a Isaías 53.8: "...ferido por causa da transgressão do meu povo", embora devemos duvidar que Caifás jamais tenha pensado em tal verdade antes. Terceiro, observe que ele predisse que Jesus morreria pela nação de Israel; e que Ele morreria por todos os judeus num sentido específico. Não somente em sua morte Cristo suportou os pecados deste povo, que viveu nas gerações passadas que tinha sido coberto pelos sacrifícios de animais, mas Ele preparou a base sobre a qual todos os membros da raça humana pudessem ser salvos nesta era, e sobre a qual "todo Israel" ainda haveria de ser salvo (Rm 11.26,27).

Esta profecia de Caifás não serviu de modo algum para impedir a crucificação de Cristo pelas mãos dos governantes judeus e pela mão do próprio Caifás. Ela causou pouca impressão no sumo sacerdote, como está revelado em Mateus 26.57-68. Sobre este pronunciamento importante de Caifás, H. A. W. Meyer escreve:

Versículos 51, 52. A observação de João de que Caifás não falou por sua própria autodeterminação, mas com estas portentosas palavras – em virtude do ofício de sumo sacerdote que ele sustentava naquele ano – involuntariamente emitiu uma *profecia*. – O sumo sacerdote nos tempos antigos de Israel era o portador do oráculo divino, porque o órgão da revelação das decisões divinas, era comunicado a ele através da interrogação do Urim e do Tumim (Êx 28.30; Nm 27.21). Este modo de inquirir desapareceu, na verdade, em tempos mais recentes (Josefo, *Antiguidades*. iii. 8.9), como a dignidade do sumo sacerdote em geral caiu gradualmente de sua glória; não obstante, ainda é encontrado na era profética a crença no dom profético do sumo sacerdote (Os 3.4), exatamente como, em Josefo (*Antiguidades*, vi, 6.3) a idéia do velho sumo sacerdócio como o portador do oráculo distintamente aparece, e Filo (*de Creat. Princ.* II. p. 367) apresenta ao menos o *verdadeiro* sacerdote como profeta, e conseqüentemente idealiza a relação. Adequadamente – tão proximamente conectado com essa reminiscência venerável e não ainda extinta, e com estima ainda sobrevivente pelo ofício do sumo sacerdote – era um curso natural e óbvio para João, após pia reflexão sobre aquelas palavras notáveis que foram muito apropriadas para a morte sacrificial de Jesus, ver nelas uma revelação do decreto divino – expresso sem autoconhecimento e vontade – e que de modo algum constituía uma "ironia sagrada" (Ebrard). Aqui, também, o *ano* extraordinário no qual o porta-voz foi investido do ofício sagrado, traz consigo a determinação do julgamento; visto, se em tempo algum, era asseguradamente neste ano, em que Deus propôs o cumprimento de seu santo conselho por meio da morte expiatória de seu Filho, que uma revelação pelo sumo sacerdócio parecesse concebível... *Para o benefício* da nação, Cristo devia morrer; porque pela sua morte expiatória os judeus, para quem, *em primeira instância*, a salvação messiânica foi designada (4.22), fossem se tornar participantes por meio da fé da salvação eterna. Mas o objeto de sua morte se estendeu muito além dos judeus; não para o benefício da *nação* somente, mas a fim de *"congregar num só corpo os filhos de Deus que estão dispersos"*. Estes são os *gentios*, que crêem nele, e por isso são participantes da expiação, filhos de Deus (1.12). A expressão é *profética* e, exatamente como em 10.16, *proléptica*, de acordo com o ponto de vista da *predestinação* do Novo Testamento...[49]

João 12.24: "Em verdade, em verdade vos digo: Se o grão de trigo caindo na terra não morrer, fica ele só; mas se morrer, dá muito fruto".

Um princípio é anunciado neste texto que, embora funcione por intermédio da natureza em geral, é especialmente evidente na morte e na ressurreição de Cristo à medida que elas se estendem para o benefício de outros. É através da morte que a vida é multiplicada (cf. 1 Co 15.36). Que o princípio se aplica aos homens e é declarado por Cristo quando disse: "Quem ama a sua vida, perdê-la-á; e quem neste mundo odeia a sua vida, guardá-la-á para a vida eterna" (Jo 12.25). Em sua morte, Cristo penetrou na maior esfera do sacrifício. Sobre isto Dean Alford faz um comentário: "O dito é mais do que uma mera similitude parabólica: a vontade divina, que fixou a lei do surgimento da espiga, também determinou a lei da glorificação do Filho do homem, e uma em analogia com a outra: i.e., ambas através da morte. O simbolismo aqui repousa na raiz daquela no capítulo vi, onde Cristo é o Pão da vida. Permanece para sempre só, com sua vida incomunicada, vida somente dentro dos seus próprios limites, e não passa disso".[50] Assim, também, R. Govett acrescenta:

Ele se compara, então, ao grão do trigo que deve morrer antes dele aparecer numa nova forma, e associa outros com ele. Como o Filho de Deus ressuscitado dentre os mortos e foi para o céu, Ele pode unir junto a Si em contato bem íntimo, tanto judeus quanto gentios, que são tornados um só espírito com Ele. Assim, sua expiação e sua justiça podem ser nossas. O grão no celeiro está possuído de vida, mas isolada e limitada. Se ele deve se expandir, deve morrer e tomar uma nova forma. Ele deve, então, morrer e ser sepultado; igual ao grão de trigo, que brota da terra numa nova forma, tendo muitos novos grãos unidos com ele. Assim Ele descobriria os Seus perseguidores, se eles tivessem tido olhos para ver a falsidade de suas esperanças. Eles angustiaram-se com o sucesso de Jesus enquanto *viviam*, e pensaram em tirar-lhe a vida, colocando-o à morte. "*Matemo-lo*, e o assunto fica terminado!" E eles assim fizeram; mas foi somente para verificar que os discípulos dEle se multiplicaram aos milhares, e encheram Jerusalém e a terra – e também os gentios, com a doutrina deles. Nosso Senhor, então, conhece os conselhos de seu Pai, cujos caminhos não são os nossos. A morte e a ressurreição estão nos seus planos. Como foi para Jesus, assim é para os Seus membros. Estamos familiarizados com esta visão dela no antigo dito: "O sangue dos mártires é a semente da Igreja".[51]

João 15.13: "Ninguém tem maior amor do que este, de dar alguém a sua vida pelos seus amigos".

Neste dito Cristo não somente prediz a sua morte (cf. Jo 10.17, 18), mas revela a verdade com respeito à sua própria devoção a cada um que está incluso em seu sacrifício, especialmente aqueles que creriam nEle. Quão amplos são os objetivos de sua morte! Embora essa morte seja efetiva nas esferas imensuráveis de realização, ela ainda tem o seu caráter pessoal mais próximo. Para isto o indivíduo deve responder de acordo com o que está registrado no Novo Testamento. O grande apóstolo Paulo escreveu sobre Cristo e sobre si próprio: "...o qual me amou, e se entregou a si mesmo por mim" (Gl 2.20) e "mas longe de mim esteja gloriar-me a não ser na cruz de nosso Senhor Jesus Cristo, pela qual o mundo está crucificado para mim e eu para o mundo" (Gl 6.14). Assim, a morte de Cristo imediatamente abrange as grandes questões que atingem os limites mais remotos da criação e é a alegria e esperança do menor entre os indivíduos crentes.

2. Nas Cartas. Nenhuma referência direta à morte de Cristo é encontrada na segunda e terceira cartas de João. A primeira epístola apresenta quatro ensinos importantes sobre o assunto.

1 João 1.7: "...mas, se andarmos na luz como ele na luz está, temos comunhão uns com os outros, e o sangue de Jesus seu Filho nos purifica de todo pecado".

Neste texto, o sangue de Cristo é visto como derramado e disponível como um benefício constante para aqueles que "andam na luz". Como já foi visto, este aspecto da verdade é tipificado no sacrifício do novilho vermelho (cf. Nm 19). Como as cinzas eram preservadas para uma purificação perpétua, assim o crente, numa confissão a Deus, é perdoado e purificado (1 Jo 1.9). O que está envolvido no "andar na luz" é bem afirmado pelo Dr. C. I. Scofield em seu comentário sobre esta passagem, que diz assim: "O que é 'andar na luz' está explicado nos versículos 8-10. 'Todas as coisas... são tornadas manifestas pela luz' (Ef 5.13). A presença de Deus traz a consciência de pecado na natureza (v. 8), e os pecados na vida (vv. 9,10). O sangue de Cristo é a provisão divina para ambas. Andar na luz é viver em comunhão com o Pai e com o Filho. O pecado interrompe, mas a confissão restaura essa comunhão. A confissão imediata mantém a comunhão intacta".[52] A verdade permanece de que o pecado é sempre maligno, mesmo quando cometido por um crente, e o derramamento do sangue de Cristo está sempre disponível para purificar perfeitamente.

1 João 2.2: "E ele é a propiciação pelos nossos pecados, e não somente pelos nossos, mas também pelos de todo o mundo".

Com respeito às exigências imperativas que ultrajam a santidade que devem ser impostas sobre os pecadores, Deus é tornado propício pela morte de juízo de Cristo por eles. A propiciação da parte de Deus não é salvação da parte dos pecadores. Ela antes assegura a possibilidade de salvação. Deus é propício; portanto, o pecador pode ser salvo em termos tais que o próprio Deus pode ditar. O pecador não é chamado por suas lágrimas e pelas súplicas para persuadir Deus ou para influenciá-lo a ficar bem disposto; essa morte de Cristo, como um substituto, tem operado numa perfeição infinita. O pecador tem apenas que crer, e por esse ato ele coloca a sua confiança naquilo que Deus proporcionou. De igual modo, quando o cristão peca, a sua restauração à comunhão divina fica condicionada à mesma verdade – que, pela morte de Cristo, Deus é propício.

A passagem em estudo apresenta uma afirmação primária em consideração aos pecados dos cristãos e somente uma afirmação secundária em consideração aos pecados dos não-salvos. Ao preceder esta afirmação, de que Deus é propício com respeito "aos nossos pecados", o apóstolo João tinha levantado o problema em duas grandes perguntas e suas respostas: (1) Qual é o efeito do pecado sobre o próprio cristão que o comete? A resposta, afirmada por toda esta carta, e especialmente no capítulo 1, é que a comunhão com o Pai e com o Filho é perdida, como também estão perdidos o poder espiritual e a bênção. (2) Qual é o efeito do pecado do cristão sobre Deus? Este é o problema mais vital, porque ele determina tudo com respeito ao caráter imutável da salvação dos crentes. A resposta de um racionalismo superficial que argumenta que, por causa da santidade de Deus, Ele deve rejeitar Seus filhos, é totalmente errônea, visto que se ignora o presente ministério de Cristo como o Advogado no céu.

Ao crente é dito que, quando ele peca, tem um Advogado no céu. Esta é uma provisão distinta e suficiente. O Advogado é Cristo e Ele argumenta ao Pai que já suportou o pecado do crente na cruz. Sua obra advocatícia é tão absolutamente perfeita com respeito à sua equidade que Ele ganha nesse serviço um título que não lhe é dado em outro relacionamento – "Jesus Cristo, o Justo" (1 Jo 2.1). Este trabalho advocatício perfeito em que Ele apela para a sua obra consumada na cruz, e torna-se assim a base da propiciação divina, tudo o que está mencionado no versículo seguinte, que está sob consideração. Não haveria esperança alguma para qualquer pecador – salvo ou não-salvo – à parte da morte de Cristo; mas, abrigados sob esta provisão, a propiciação divina é infinitamente real e imutavelmente eficaz para o homem.

1 João 3.16: "Nisto conhecemos o amor: que Cristo deu a sua vida por nós; e nós devemos dar a vida pelos irmãos".

Novamente (cf. Jo 15.13; Rm 5.8) o imensurável amor de Deus por aqueles danificados pelo pecado é dito ser manifesto, ordenado e demonstrado pela morte de Cristo e através dela. Seria inútil, na verdade, procurar descobrir ou compreender o insuperável amor de Deus expresso na cruz. Ele não é manifesto em todo lugar da mesma forma, embora o cuidado que o Pai tem pelos seus seja inclinado por seu amor por eles. "Conhecer o amor de Cristo" (Ef 3.19) é aquilo que cada crente deveria alcançar.

1 João 4.10: "Nisto está o amor: não em que nós tenhamos amado a Deus, mas em que ele nos amou a nós, e enviou seu Filho como propiciação pelos nossos pecados".

O mesmo tema – o amor de Deus expresso em e pela morte de Cristo – é apresentado pelo apóstolo João uma vez mais. Nada poderia ser construído sobre o amor do homem para com Deus; mas o amor de Deus é uma base perfeita para todas as suas poderosas realizações.

3. No Apocalipse. O Apocalipse que se volta para a conclusão dos dias do trato de Deus com os homens pecadores e que registra o Seu triunfo final sobre todo mal, também olha para trás, para a morte de Cristo, em quatro passagens significativas.

Apocalipse 1.5: "Àquele que nos ama, e pelo seu sangue nos libertou dos nossos pecados".

O caráter eterno de Jeová Cristo foi aqui afirmado possivelmente pelas palavras: "...daquele que é, e que era, e que há de vir" (v. 4). Ele é "a testemunha fiel", não somente com respeito ao caráter de Deus, mas também com respeito à pecaminosidade do homem e Sua redenção aperfeiçoada pelo derramamento de seu próprio sangue. Para aqueles que crêem na real redenção pelo sangue, esta passagem é um porta-jóias insuperável de pedras preciosas celestiais. Ele é aquele "que nos amou", cuja verdade maravilhosa tem sido tão constantemente enfatizada na Escritura. Ele é aquele que "lavou-nos de nossos pecados", e que derramou seu sangue para esse fim.

Apocalipse 5.9: "E cantavam um cântico novo, dizendo: Digno és de tomar o livro, e de abrir os seus selos; porque foste morto, e com o teu sangue compraste para Deus homens de toda tribo, e língua, e povo e nação".

Um novo cântico é a adoração do Cordeiro feita no céu, e esse novo cântico é entoado somente por aqueles que foram redimidos pelo seu sangue, procedentes de todos os povos da terra. O cântico de triunfo não somente reconhece que Cristo foi morto, mas seus cantores são sempre lembrados da base da aceitação deles por Deus e do direito que têm de ocupar os lugares celestiais, somente através do sangue de Cristo. Embora um hino religioso moderno antecipe um tempo quando "a rude cruz" será trocada por uma coroa, e embora as multidões desatentas emprestem suas vozes para tal noção sem base, permanece o fato de que os redimidos no céu reconhecem o direito deles de estar na glória como um privilégio que lhes foi estendido somente através do sangue da cruz, e nenhuma sugestão jamais foi dada de que qualquer outra canção estará em seus lábios. Aqueles que cantam o cântico da redenção nunca alcançarão um lugar onde, por meio de algum mérito deles mesmos, possam permanecer nessas esferas celestiais. Também tão certa é a verdade de que somente aqueles que são redimidos, que permanecem no mérito de Cristo, é que estarão em glória. Todos os sonhos dos rejeitadores de Cristo que esperam ser recebidos em glória através do amor de Deus à parte da redenção, serão em vão.

Apocalipse 7.14: "Respondi-lhe: Meu Senhor, tu sabes, Disse-me ele: Estes são os que vêm de grande tribulação, e lavaram as suas vestes e as branquearam no sangue do Cordeiro".

Aqueles que alcançaram por sua graça as cortes da glória são identificados, não por suas obras, por seus sofrimentos, ou por seu mérito pessoal, mas eles são descritos como aqueles cujas vestiduras foram lavadas no sangue do Cordeiro. Esta é uma figura planejada, para representar a purificação como tão alta quanto o céu em qualidade. Ela é chamada uma figura de linguagem, mas não é sem significado que isso ocorre; e assim há uma realidade ilimitada nela. Pode ser entendida somente quando o sangue de Cristo é visto como um meio

CRISTOLOGIA

divinamente proporcionado pelo qual a alma e o espírito do homem podem ser purificados. A purificação depende do sangue de Cristo e que foi realizada diretamente por esse sangue (cf. 1 Jo 1.7).

APOCALIPSE 13.8: "E adorá-la-ão todos os que habitam sobre a terra, esses cujos nomes não estão escritos no livro da vida do Cordeiro que foi morto desde a fundação do mundo".

Esta passagem, embora tão vitalmente importante com 1 Pedro 1.19,20, não deveria criar qualquer dificuldade. Por que Deus não deveria predizer desde toda a eternidade o maior de todos os seus empreendimentos? De volta para a revelação de que o sacrifício do Cordeiro foi previsto, está a revelação associada, traçada através da razão, que é aquela em que Deus previu também o mal por causa do qual o Cordeiro deveria morrer. O fato assim estabelecido, de que o pecado existiu como uma expectativa divina, contanto que o propósito da redenção também exista, não é uma forma de dualismo, porque o pecado como uma coisa meramente prevista não é um conflito ativo com outra realidade. A passagem dá instrução, contudo, com a finalidade de que se possa ser reconhecido que a presença do mal no mundo, não é uma casualidade imprevista. Por causa da imensurável realização de Cristo em sua morte, o fato do pecado, quando os valores dessa morte terem cumprido os seus fins pretendidos, será somente um retrospecto.

O próprio Deus tem afirmado que, como por sua própria atitude em relação a ele, o pecado nunca mais será lembrado (cf. Is 43.25). Por causa da indefinição da construção grega em Apocalipse 13.8, alguns têm afirmado que o aspecto eterno mencionado nesta passagem refere-se às coisas escritas no "livro da vida". Sobre esta combinação de palavras Dean Alford disse com propriedade:

Elas podem pertencer tanto aos que *estão escritos*, quanto ao que foi *morto*. A conexão anterior é aceita por muitos. Mas a outra é muito mais óbvia e natural: e se não tivesse sido pela dificuldade aparente do sentido assim comunicado, e retroceder ao *estão escritos* em busca de uma conexão nunca poderia ser imaginado. A dificuldade é dizer, apenas aparentemente, que 1 Pedro 1.19,20 é a mesma coisa de um modo mais pleno. Dessa morte de Cristo que foi preordenada desde a fundação do mundo, é dito ter *acontecido* nos conselhos daquele para quem o fim e o começo são uma coisa só. O capítulo 17.8, que é citado por De Wette como decisivo para o seu ponto de vista, é irrelevante. Naturalmente, onde simplesmente o escrito no livro da vida desde a fundação do mundo está expresso, nenhum outro elemento deve ser introduzido; mas não se segue que onde outros elementos são introduzidos pela construção, e que isso somente deve ser entendido.[53]

Assim, é visto que dos escritos do apóstolo João uma riqueza de significado na morte do Salvador deve ser agrupada. Raramente qualquer significado especial atribuído à morte está ausente desses textos; todavia, o argumento doutrinário do apóstolo Paulo estende este testemunho ainda mais, numa extensão muitíssimo grande.

V. Nos Escritos de Paulo

Nos escritos do grande apóstolo, a morte de Cristo pode ser classificada como um dos quatro temas mais importantes que inclui: a morte de Cristo em todas as suas aplicações e realizações; a ressurreição de Cristo como base de uma nova criação com relações correspondentes a Israel e ao *cosmos*; Cristo em sua múltipla relação com a Igreja, e o andar, a batalha e o testemunho do crente na presente era. Três destes temas paulinos são estranhos a este trabalho. Enquanto a preponderância da evidência aponta para a autoria paulina da epístola aos Hebreus, parece melhor reservar aquele livro para um estudo especial mais tarde. Em todos os treze escritos certos do apóstolo, somente 2 Tessalonicenses e Filemom não possuem referência a esse evento que no sistema paulino de teologia é a base de tudo que permanece para o tempo e a eternidade. Como há nos escritos de Paulo – excluindo Hebreus – mais de trinta referências à morte de Cristo, parece melhor considerar esses à medida que aparecem nos livros separados ou porções relacionadas a esses escritos.

1. ROMANOS. O próprio coração do Evangelho da graça divina baseada na morte e ressurreição de Cristo é mostrado na carta aos Romanos.

ROMANOS 3.23-26: "Porque todos pecaram e destituídos estão da glória de Deus; sendo justificados gratuitamente pela sua graça, mediante a redenção que há em Cristo Jesus, ao qual Deus propôs como propiciação, pela fé, no seu sangue, para demonstração da sua justiça por ter ele na sua paciência, deixado de lado os delitos outrora cometidos; para demonstração da sua justiça neste tempo presente, para que ele seja justo e também justificador daquele que tem fé em Jesus".

Por ter pronunciado, pela autoridade divina que a inspiração propicia, que "todos pecaram, e destituídos estão da glória de Deus", o apóstolo continua a descrever que o empreendimento divino, que é uma salvação completa e final, e de uma maneira que é sem dúvida a proclamação mais perfeita e abrangente dela. Esta afirmação foi precedida no contexto por uma descrição extensa da ruína total da humanidade, como ela é vista pelos santos olhos de Deus. Também, nos versículos 21 e 22 aparece a justiça imputada de Deus – um tema já introduzido em Romanos 1.16, 17 – que é mencionado estar disponível unicamente nos termos da simples fé em Cristo Jesus quanto um Salvador pessoal. Assim, é introduzida a maior de todas as realizações de Deus que fazem parte da salvação pela graça. Tanto o perdão dos pecados como o dom da vida eterna são fatores importantes nesta salvação; mas visto que a epístola aos Romanos é a carta magna do Evangelho da graça e visto que esta epístola mostra a verdade da justiça imputada como a sua revelação suprema, segue-se que o fato da justiça imputada ("o dom da justiça" – Rm 5.17) é a revelação central no Evangelho.

O fato que isto não tem sido exaltado, e mais freqüentemente nem mesmo mencionado, pelos pregadores do Evangelho, não pesa contra a lógica introduzida nas páginas anteriores. Esta importante concessão da justiça é propriamente assegurada através de duas operações divinas: (a) Uma em que – como prefigurada no suave cheiro das ofertas – Cristo através de sua morte ofereceu-se a si mesmo sem mácula a Deus e, em assim fazendo, entregou e colocou legalmente à disposição do pecador tudo aquilo que o Filho de Deus é. (b) Uma em que, no momento em que a pessoa não-salva crê, ela é investida do πλήρωμα ('plenitude') de Cristo (cf. Jo 1.16), que não menos que o πλήρωμα da divindade (cf. Cl 1.19; 2.9, 10). O salvo instantaneamente torna-se "idôneo para participar da herança dos santos na luz" (Cl 1.12). Este enriquecimento imensurável é divinamente aplicado através da nova união estabelecida entre Cristo e o crente. Instantaneamente vindo a estar em Cristo por obra do Espírito Santo e, assim, transforma-se em um membro vivo do corpo de Cristo, o crente automaticamente se torna o que Cristo é. Deus, então, o vê em seu Filho e como uma parte de seu Filho. Acima dessa exaltação não pode existir mais nada.

É o πλήρωμα da divindade imputado àquele que crê em Cristo como seu Salvador. Romanos 3.24 começa com uma nova revelação, a saber, "sendo justificado" – certamente não meramente aspirando ser, ou esperando ser justificado. Nenhum desafio maior para a convicção humana jamais poderia ser feito do que o reconhecimento dessa verdade absoluta, dessa justificação imutável de Deus como a presente posição de todo aquele que é salvo. Como foi demonstrado anteriormente, a justificação apresentada em Romanos não é o fato da justiça ser imputada, mas é antes o reconhecimento divino de que tal justiça foi imputada. Assim o crente é justo porque ele está em Cristo, mas está divinamente declarado ser justificado imutavelmente porque ele é justo. A palavra acrescentada neste texto (3.24) é "livremente" – δωρεάν – que, como todos têm admitido, é melhor traduzida como "sem uma causa" (cf. o original de Jo 15.25; Gl 2.21).

O pensamento não é que Deus justifica de uma maneira livre e generosa, mas antes que Ele não encontra base alguma ou causa para a justificação no próprio eu dos crentes, como não houve uma causa dentro de Cristo para o ódio dirigido contra Ele. A resposta a uma pergunta sobre como um pecador sem mérito pode, pela simples fé em Cristo, se tornar imutavelmente justificado é imediatamente declarada nas palavras seguintes, a saber, "por sua graça". Os limites da graça divina, visto que é Deus quem opera com o alvo de satisfazer o amor infinito e agora esse amor liberado para agir por causa da morte de Cristo pelo pecador, nunca poderia ser menos do que o πλήρωμα de Cristo, cuja plenitude é reconhecida por Deus como sendo o que é pelo decreto que proclama o salvo imutavelmente justificado, em resposta a uma simples fé no Salvador.

Além disso, pergunta-se como tal graça insuperável pode ser exercida para com um pecador em demérito sem a santidade de Deus ser comprometida por minimizar o pecado, a resposta é também proporcionada no mesmo texto, com a frase: "através da redenção que há em Cristo Jesus". Assim, se esta seqüência doutrinária comprimida no versículo 24 é remontada ao seu começo, é visto que, por causa da morte de Cristo que satisfaz as santas exigências de Deus contra o pecador, a graça de Deus – a expressão irrestrita do seu infinito amor – é liberada para aqueles que crêem e esse amor nunca cessará de ser uma concessão do πλήρωμα de Cristo, que é em si mesmo o πλήρωμα da divindade. Visto que o pecado é assim investido com tudo o que a santidade infinita pode exigir, Deus, à parte de todo mérito ou demérito no crente, proclama essa pessoa investida como justificada para sempre.

Uma palavra adicional de segurança é acrescentada no versículo 26, onde está afirmado que Deus é em si mesmo *justo* quando Ele assim justifica o ímpio que nada faz além de crer em Jesus. Em tal transação, Deus não trabalha em mera pretensão ou ficção. Os ímpios são justificados (Rm 4.5) e isto sem valer-se de uma suposta concessão divina e sem comprometer o caráter divino. Na verdade, a redenção que está em Cristo Jesus é tão grande em sua realização para com o pecador sem mérito! Deveria ser repetido freqüentemente que tal posição exaltada como proclama a justificação imutável exige uma maneira de vida diária de elevado padrão, não que o pecador possa *obter* ou *manter* por quaisquer obras uma posição tão elevada, mas a fim de que ele não *profane* aquilo que Deus realizou em resposta à simples fé em Jesus.

ROMANOS 4.25: "O qual foi entregue por causa das nossas transgressões, e ressuscitado para a nossa justificação".

Dois aspectos importantes da doutrina são vistos nas palavras "foi entregue por causa das nossas transgressões" – que por autoridade divina Cristo tornou-se um sacrifício e que foi tudo feito por causa dos pecados dos homens. Nenhuma verdade fundamental está mais relacionada à morte de Cristo do que estas duas. A palavra παραδίδωμι, traduzida como *entregues*, é usada para descrever a prisão de alguém ou a alguém que é trazido à justiça (cf. Mt 4.12; 10.17, 19, 21), e é o termo comum para descrever a traição de Cristo (cf. Mt 10.4; 17.22; Jo 6.64, 71). Que Ele foi entregue sugere aquele aspecto de sua morte que conta como se fosse um ato pelas mãos de Deus e igualmente um ato de homens ímpios. Há um aspecto em que é verdade que nenhum homem tirou a vida dEle, mas que Ele a deu espontaneamente (Jo 10.18).

ROMANOS 5.6-10: "Pois quando ainda éramos fracos, Cristo morreu a seu tempo pelos ímpios. Pois, dificilmente haverá quem morra por um justo; pois poderá ser que pelo homem bondoso alguém ouse morrer. Mas Deus dá prova do seu amor para conosco, em que, quando éramos ainda pecadores, Cristo morreu por nós. Logo muito mais, sendo agora justificados pelo seu sangue, seremos por ele salvos da ira. Porque se nós, quando éramos inimigos, fomos reconciliados com Deus pela morte de seu Filho, muito mais, estando já reconciliados, seremos salvos pela sua vida".

Aqui o amor de Cristo pelos perdidos está em vista. Ele morreu por aqueles "fracos", os "ímpios", Seus "inimigos". Isto é de fato uma triste descrição do estado dos homens ainda não-salvos. Estas não são prevaricações como os homens as empregam; é a exatidão infinita de um registro inspirado. Porque estas palavras representam uma avaliação divina dos não-salvos, a acusação contra eles é aumentada; contudo, ainda que o homem represente uma indignidade imensurável perante Deus, por tal coisa o Salvador morreu e o amor de Deus em Cristo é demonstrado. Nisto, "Deus prova o seu amor". Na esfera da competência humana, é verdade que "ninguém tem maior amor do que este, de dar a sua vida pelos seus amigos"; mas na esfera da competência divina o amor é expresso assim: "quando éramos ainda pecadores" (não santos), "ímpios" (não pios), "inimigos" (não amigos) "Cristo morreu por nós".

É também verdade, como a última parte do contexto revela, que, por sermos justificados e reconciliados – um texto diz ser pelo sangue de Cristo e o outro pela Sua morte, há uma atitude de "muito mais" da devoção divina que nunca foi demonstrado antes; mas ainda aquilo que a passagem apresente como sua mensagem principal, é o insuperável conhecimento do amor de Deus por aqueles cujo demérito, como Ele os vê, não conhece limites.

ROMANOS 6.3-6,10: "Ou, porventura, ignorais que todos quantos fomos batizados em Cristo Jesus fomos batizados na sua morte? Fomos, pois, sepultados com ele pelo batismo na morte, para que, como Cristo foi ressuscitado dentre os mortos pela glória do Pai, assim andemos nós também em novidade de vida. Porque, se temos sido unidos a ele na semelhança de sua morte, certamente também o seremos na semelhança da sua ressurreição; sabendo isto, que o nosso velho homem foi crucificado com ele, para que o corpo do pecado fosse desfeito, a fim de não servirmos mais ao pecado... Pois quanto a ter morrido, de uma vez por todas morreu para o pecado, mas, quanto a viver, vive para Deus".

Várias interpretações errôneas desta parte da Escritura são dadas. Alguns têm argumentado que o propósito da passagem é estabelecer a suposta importância de um modo ritual de batismo. Outros vêem aqui uma ordem para olhar a autocrucificação, e não discerne que a crucificação referida aqui é aquela que Cristo já realizou e na qual o crente teve a sua parte. O contexto apresenta a crucificação, morte, sepultamento e ressurreição de Cristo, por ser todos esses atos operados em favor do crente. Este texto não conduz o não-salvo à justificação. (Este grande aspecto da morte de Cristo, já indicado acima, é apresentado em Romanos 3.21–5.21.)É, contudo, para os salvos, em prol da santificação deles na vida diária. A morte, sepultamento e ressurreição de Cristo para os não-salvos são o próprio coração do Evangelho e assim foi indicado em 1 Coríntios 15.1-4. Mas o crente, que não olha para trás sobre tudo o que Cristo realizou, é capaz de ver como tudo isso pode ser aplicado ao seu próprio coração pela fé.

É nesta consciência que ele é capaz de andar sobre um novo princípio de vida diária, a saber, pelo poder do Espírito que nele habita. Ao reconhecer a sua co-crucificação (que incidentalmente, nenhum símbolo do batismo ritual jamais tenta representar), sua co-morte, seu co-sepultamento e sua co-ressurreição, o crente se vê a si mesmo com base na ressurreição, habitado pelo Espírito Santo, e, não somente logicamente chamado por causa de sua posição exaltada para viver para Deus, mas plenamente equipado para fazê-lo. A natureza pecaminosa, embora ainda viva e ativa, foi julgada pela morte de Cristo por ela (Rm 6.10), e, por causa desse julgamento que não tem um lugar experimental na história do cristão, o Espírito Santo é justamente livre para controlar essa natureza pecaminosa que, de outra forma, é ativa.

A parte do crente é "considerar-se morto" e "não deixar o pecado reinar" (Rm 6.11,12). *"Considerar-se morto"* é sinal da nossa completa identificação com Cristo em sua crucificação, morte, sepultamento e ressurreição. *"Não reine"* é depender do Espírito que habita para a libertação do poder da natureza pecaminosa. Este é, de fato, o andar no novo princípio da vida diária. Estas provisões agora se obtêm sob a graça, mas nunca foram proporcionadas sob o sistema mosaico; portanto, o apóstolo escreve: "...pois o pecado não terá domínio sobre vós, porquanto não estais debaixo da lei, mas debaixo da graça" (Rm 6.14).

ROMANOS 7.4-6: "Assim também vós, meus irmãos, fostes mortos quanto à lei mediante o corpo de Cristo, para pertencerdes a outro, àquele que ressurgiu dentre os mortos a fim de que demos fruto para Deus. Pois, quando estávamos na carne, as paixões dos pecados, suscitadas pela lei, operavam em nossos membros para darem fruto para a morte. Mas agora fomos libertos da lei, havendo morrido para aquilo em que estávamos retidos, para servirmos em novidade de espírito, e não na velhice da letra".

Aqui, como em Gálatas 3.13, o único resultado da morte de Cristo – sua eficácia em consumar para o crente o sistema total de mérito – está em vista. É através do corpo de Cristo como um sacrifício que toda lei, como uma base de aceitação ou como uma regra de vida, foi abolida. A salvação é agora pela graça à parte das obras (cf. Tt 3.5); e a aceitação do crente diante de Deus, aceitação essa que é aperfeiçoada em proporções infinitas, é totalmente devida à sua posição em Cristo (Ef 1.6; Hb 10.14) e não algo dentro de si mesmo. O aspecto do suave cheiro da morte de Cristo está novamente no primeiro plano, que proporciona aos crentes o mérito de Cristo em favor daqueles que estão sem mérito. A obrigação de merecer é cancelada, e assim o salvo é trazido a uma perfeita liberdade (cf. Gl 5.1) e não mantém outra responsabilidade além de andar de modo digno do estado em que a graça infinita o trouxe. É assim que, pela morte de Cristo, uma libertação completa do sistema de mérito é conseguida.

ROMANOS 8.3, 4: "Porquanto o que era impossível à lei, visto que se achava fraca pela carne, Deus, enviando o seu próprio Filho em semelhança de carne do pecado, e por causa do pecado, na carne condenou o pecado, para que a justa exigência da lei se cumprisse em nós, que não andamos segundo a carne, mas segundo o Espírito".

Esta é uma das três referências vitalmente importantes à morte de Cristo dentro deste capítulo. Esta, o primeiro exemplo, é uma referência à morte de Cristo para a natureza pecaminosa, considerada acima sob Romanos 6. A lei fez o seu apelo à própria natureza pecaminosa que é a carne; portanto, a lei

CRISTOLOGIA

falhou por causa da "fraqueza da carne" à qual ela apelou; mas Cristo por sua morte para a natureza pecaminosa condenou, ou julgou completamente, essa natureza, a fim de que o Espírito pudesse ficar livre para controlá-la. Quando assim sustentado e fortalecido pelo Espírito a lei – aqui referindo-se à totalidade da vontade de Deus para o crente – é cumprida pelo Espírito *no* crente, mas nunca é dito que ela é cumprida *pelo* crente. A única condição imposta é que o crente ande na dependência do Espírito (cf. Rm 8.4; Gl 5.16, 17). Igualmente, isto – como no caso da morte de Cristo para o crente – é algo para se crer ou reconhecer como verdadeiro. Isto não é assegurado pela petição ou oração. A natureza pecaminosa *está* julgada, o Espírito agora habita; resta somente agora a responsabilidade humana de dependência do Espírito.

ROMANOS 8.32: "Aquele que nem mesmo a seu próprio Filho poupou, antes o entregou por todos nós, como não nos dará também com ele todas as coisas?"

No tipo (Gn 22.1-14), Abraão o pai é ordenado a oferecer o seu "único filho" (22.2) e este é poupado no último momento da prova; mas, no antítipo, Deus o Pai "não poupou" o Seu Filho, e por isto é novamente revelado que o amor de Deus para com os pecadores é expresso no dom do Seu Filho (Jo 3.16; Rm 5.6-11; 2 Co 9.15; 1 Jo 3.16). Com tão grande dom que o Filho é e Ele já foi dado, há uma segurança ilimitada que, em conexão com esse dom, o Pai dará todas as outras coisas. Não deveria haver dúvida ou hesitação com respeito à expectativa das coisas menores. O apóstolo pode dizer que nada "poderá nos separar do amor de Deus, que está em Cristo Jesus, nosso Senhor" (Rm 8.39).

ROMANOS 8.34: "Quem os condenará? Cristo Jesus é quem morreu, ou antes, quem ressurgiu dentre os mortos, o qual está à direita de Deus, e também intercede por nós".

O caráter absolutamente substitutivo da morte de Cristo é a mensagem que parte deste versículo. O tema dominante de todo o capítulo 8 é exatamente anunciado no primeiro versículo: "Portanto, agora nenhuma condenação há para os que estão em Cristo Jesus". Os versículos 28 a 39 apenas comprovam aquela afirmação introdutória. A justificação, mencionada no versículo 30, é a porção de todos os que são chamados; e, com base na verdade de que eles foram justificados, Deus não tem acusação alguma contra os eleitos que foram declarados justos para sempre. Ele pode corrigir ou disciplinar aqueles que assim recebeu, mas nenhuma condenação vem sobre eles, visto que estão justificados sobre o mérito de outro que nunca falha, Aquele que é a justiça de Deus e como tal "foi feito para nós por Deus" (1 Co 1.30). "Quem os condenará?" é uma pergunta direta, e a resposta é que para aqueles que crêem o poder da condenação é cancelado, visto que esse poder foi levado por Cristo.

A clareza em Soteriologia é impossível à parte desta verdade básica, de que o pecado já foi levado pelo substituto. Muito freqüentemente a impressão criada pelo pregador é a de que Deus fará alguma coisa, se Ele é impulsionado a fazê-la e movido por lágrimas penitentes; mas, visto que Cristo morreu, nada sobrou para o pecador fazer a não ser crer e nada há deixado para o cristão que pecou fazer, exceto confessar seu pecado.

2. Primeira e Segunda aos Coríntios.

1 Coríntios 1.18,22-24: "Porque a palavra da cruz é deveras loucura para os que perecem; mas para nós, que somos salvos, é o poder de Deus... Pois, enquanto os judeus pedem sinal, e os gregos buscam sabedoria, nós pregamos a Cristo crucificado, que é escândalo para os judeus, e loucura para os gregos, mas para os que são chamados, tanto judeus como gregos, Cristo, poder de Deus, e sabedoria de Deus".

A pregação da cruz é o meio designado por Deus para alcançar os perdidos com a própria mensagem de sua infinita graça. A cruz, contudo, mantém uma relação um tanto quanto diferente ao judeu em relação ao gentio. Embora com relação à cruz o judeu viu nela uma pedra de tropeço (cf. Rm 9.30-33) e o gentio mera loucura – o seu esforço mais sério em explicá-la, por causa da cegueira espiritual, é até agora carente da glória da cruz que é comparativamente loucura, é não obstante uma exibição perfeita da sabedoria e do poder de Deus. Na realização do plano da redenção, Deus operou com uma superfície infinita e revelou as profundezas insondáveis de sua sabedoria e prudência (Ef 1.8). Em 1 Coríntios 1.23,24, a grande transação do sacrifício de Cristo é declarada ser a manifestação da sabedoria e do poder de Deus. Como está revelado na Escritura, o maior problema que sempre confrontou o Todo-Poderoso não foi a criação, que no salmo 8.3 é assemelhada a uma mera obra dos dedos: esse problema é antes a redenção de uma alma perdida, que, de acordo com Isaías 53.1, exigiu o esforço do braço do Senhor.

Sua *sabedoria* é vista na solução do problema de como Deus pode permanecer justo, por ser, de acordo com a compaixão de seu coração, o Justificador do pecador. Seu *poder* é liberado para agir em favor de todos os que crêem em Cristo como seu Salvador; e, quando assim liberado, Ele não vai parar jamais de derramar o seu amor imensurável: Ele apresentará o salvo em glória, e o conformará à imagem de seu Filho. Deus ficou satisfeito com o pagamento que Cristo fez; e é nEle, que é o único digno, que temos uma redenção perfeita, mesmo o perdão dos pecados – não, de fato, um perdão parcial, que não seria manifestação da graça infinita, mas aquele que, por ser completo o suficiente para durar para sempre, e permanece sempre uma glória para Deus. Assim o crente é aceito eternamente na família dos redimidos; todavia, nesse relacionamento de família, ele precisará novamente ser perdoado – no sentido de ser restaurado, não ser colocado na família novamente, mas restaurado na comunhão com o Pai e o Filho (1 Jo 1.9).

1 Coríntios 5.7: "Expurgai o fermento velho, para que sejais massa nova, assim como sois sem fermento. Porque Cristo, nossa páscoa, já foi sacrificado".

Nenhum abandono daquilo que é contrário à santidade de Deus ou à vontade de Deus é demasiado para o crente, à luz do sacrifício de Cristo por ele. O mal, que é como fermento, deve ser "expurgado", e da maneira como foi proibido nas ofertas típicas do Antigo Testamento. Uma fase da morte de Cristo – sua entrega voluntária a Deus para ser o Cordeiro pascal – é apresentada neste contexto. Igualmente, em 1 Coríntios 6.20, uma referência direta é feita à morte

CRISTOLOGIA

de Cristo como um resgate do juízo divino que deve, de outra forma, cair sobre aqueles que pecaram.

1 CORÍNTIOS 8.11: "Pela tua ciência, pois, perece aquele que é fraco, o teu irmão por quem Cristo morreu".

Em adição à sua referência renovada à morte de Cristo em favor de outros, esta passagem impõe a obrigação de guardar os fracos sobre aqueles que, pelo conhecimento da verdade, são fortes. Neste caso, é suposto que o irmão mais fraco reconhece o conhecimento superior do mais forte e é iludido com bons motivos. Conquanto possam ser os fatos, o verdadeiro valor de uma alma é visto aqui na imensurável verdade que Cristo morreu pelo fraco (cf. 2 Co 5.13-16).

1 CORÍNTIOS 15.3: "Porque primeiramente vos entreguei o que também recebi: que Cristo morreu por nossos pecados, segundo as Escrituras".

Um leitor atento das Escrituras não pode senão ficar impressionado com as múltiplas certezas de que Cristo morreu em favor ou no lugar de outros. A repetição desta verdade dificilmente pode ser evitada no registro destas linhas; como conseqüência, deve ser dito que este texto é direto e conclusivo e é aqui relacionado ao Evangelho como o próprio coração dele. A sabedoria deste mundo tem exaurido o seu campo limitado de especulação, mas ainda assim falhou em delinear qualquer explicação das palavras: "Cristo morreu pelos nossos pecados", que satisfarão as exigências do texto, além de afirmar que Ele padeceu a morte que corretamente pertence ao pecador. A grande predição de Isaías 53.5,6 deve ser aceita como o entendimento de tudo o que a morte de Cristo realizou para o perdido. Nenhuma idéia nova é introduzida no Novo Testamento.

2 CORÍNTIOS 5.14-21: "Pois o amor de Cristo nos constrange, porque julgamos assim: se um morreu por todos, logo todos morreram; e ele morreu por todos, para que os que vivem não vivam mais para si, mas para aquele que por eles morreu e ressuscitou. Por isso daqui por diante a ninguém conhecemos segundo a carne; e, ainda que tenhamos conhecido Cristo segundo a carne, contudo agora já não o conhecemos desse modo. Pelo que, se alguém está em Cristo, nova criatura é; as coisas velhas já passaram; eis que tudo se fez novo. Mas todas as coisas provêm de Deus, que nos reconciliou consigo mesmo por Cristo, e nos confiou o ministério da reconciliação; pois que Deus estava em Cristo reconciliando consigo o mundo, não imputando aos homens as suas transgressões; e nos encarregou da palavra da reconciliação. De sorte que somos embaixadores por Cristo, como se Deus por nós vos exortasse. Rogamo-vos, pois, por Cristo que vos reconcilieis com Deus. Àquele que não conheceu pecado, Deus o fez pecado por nós; para que nele fôssemos feitos justiça de Deus".

Nesta grande declaração, três aspectos são introduzidos: (a) A morte de Cristo em favor do mundo; (b) o testemunho disso; e (c) os resultados infinitos da salvação sobre aqueles que crêem no testemunho sobre essa morte plenamente suficiente. O alcance da morte de Cristo é descrito nas palavras: "...porque julgamos assim: se um morreu por todos, logo todos morreram" – isto significa que aqueles por quem Ele morreu morreram num sentido legal em Sua morte. Dean Alford afirma isto assim: "Isto foi verdadeiro, *objetivamente*, mas não *subjetivamente*, até que tal morte para o pecado e o eu seja realizada em cada um; veja Romanos 6.8ss. A tradução feita pela *Authorized Version, 'então foram todos mortos'*, é inadmissível tanto a partir da construção do original, quanto do contexto: "Um morreu por todos"; portanto, todos morreram: se um morreu a morte de todos, então todos morreram [em e com Ele]".[54]

Aquilo que Cristo empreendeu fazer a respeito do pecado foi realizado com perfeição. Como pode ser visto nos versículos 18 e 19, Ele operou por eles uma reconciliação completa. A posição deles perante Deus é vitalmente mudada por serem aqueles por quem Cristo morreu. Deus satisfez-se com o que Cristo operou, como uma solução para o problema do pecado e os seus julgamentos exigidos. Se o pecador vai crer e receber esta provisão, a ponto de ser ele próprio adequado com o que satisfaz Deus, é outra questão. Com a finalidade dos não-salvos poderem crer, a mensagem reconciliadora é entregue aos embaixadores que são designados para publicar e pedir aos pecadores não-salvos que se reconciliem com Deus. Isto não é uma mera apreciação sentimental da morte de Cristo, que constrange ou impele o mensageiro do Evangelho. Esta apreciação, ao contrário, chega a ponto do reconhecimento da verdade de que todos receberam provisoriamente os benefícios da morte de Cristo por eles.

Isto é o que julgamos que o texto ensina. O versículo 15 possui um caráter parentético, e, portanto, o efeito de observar que Cristo morreu por todos não é descrito até o versículo 16: "Por isso daqui por diante a ninguém conhecemos segundo a carne". O ganhador de almas movido assim pela morte de Cristo por todos os homens não mais os vê como ricos e pobres, escravos e livres, brancos ou negros; antes ele vê cada um como uma alma por quem Cristo morreu. A maior distinção que pode vir a qualquer homem veio a cada ser humano, que é aquela em que o Rei da glória morreria pelo homem sobre a cruz. A apreciação de alguém do valor da morte de Cristo, se realmente experimentada, é especificamente a obra do Espírito Santo no coração da testemunha. Pelo Espírito, ou procedente do Espírito que habita, o amor de Deus pelo perdido é derramado no coração (cf. Rm 5.5), porque o fruto do Espírito é amor (Gl 5.22; cf. Jo 17.26).

O amor pelas almas perdidas não é uma habilidade humana; ele não é parte de um ser humano caído – mesmo para aqueles que são salvos, ele é impossível sem ajuda. Ele é experimentado somente pela operação interior do Espírito Santo. Quando esta energia dinâmica é recebida por alguém, o testemunho acontecerá "a tempo e fora de tempo" (2 Tm 4.2). Esta passagem enfatiza novamente a verdade de que houve na morte de Cristo uma substituição que assegurou ao crente a própria justiça de Deus, e que essa justiça é corretamente ganha com base na participação do crente no senhorio do Cristo ressurrecto. Assim, o próprio apóstolo afirma: "Pelo que, se alguém está em Cristo, nova criatura é; as coisas velhas já passaram; eis que tudo se fez novo. Mas todas as coisas provêm de Deus" (2 Co 5.17, 18); e ainda: "Àquele que não conheceu pecado, Deus o fez pecado por nós; para que nele fôssemos feitos justiça de Deus" (v. 21).

2 CORÍNTIOS 8.9: "Pois conheceis a graça de nosso Senhor Jesus Cristo, que, sendo rico, por amor de vós se fez pobre, para que pela sua pobreza fôsseis enriquecidos".

No contexto anterior, o apóstolo instou aos crentes de Corinto um sacrifício pessoal por Cristo. Agora Cristo é mostrado perante eles como o exemplo supremo de sacrifício. O que suas riquezas eram e para qual profundidade de pobreza Ele desceu não pode ser compreendido pelos homens; nem podem ser avaliadas as riquezas que Ele assim propicia para todos os que são salvos. Como foi indicado anteriormente, João escreve a respeito desta mesma verdade e em conexão com o mesmo tema de generosidade: "Nisto conhecemos o amor: que Cristo deu a sua vida por nós; e nós devemos dar a vida pelos irmãos. Quem, pois, tiver bens do mundo, e, vendo o seu irmão necessitado, lhe fecha o seu coração, como permanece nele o amor de Deus?" (1 Jo 3.16, 17).

3. GÁLATAS.

GÁLATAS 1.4: "O qual se deu a si mesmo por nossos pecados, para nos livrar do presente século mau, segundo a vontade de nosso Deus e Pai".

Aquele que "deu-se a si mesmo pelos nossos pecados", o fez não somente com o objetivo de suportar a culpa do pecado, mas para "nos livrar do presente século mau" – que nada é além do dia do sistema do *cosmos*. Pelaa morte de Cristo, aqueles que crêem são libertos do poder das trevas e transportados para o reino do Filho do amor de Deus (Cl 1.13). A importância de um texto que declare que o crente é liberto do sistema satânico é evidente; contudo, é também ensinado, além disso, que o crente se torna um participante legítimo no reino eterno de Cristo. Em outro lugar, do mesmo crente é dito que ele é um cidadão do céu (Fp 3.20).

GÁLATAS 2.20; 6.14: "Já estou crucificado com Cristo; e vivo, não mais eu, mas Cristo vive em mim; e a vida que agora vivo na carne, vivo-a na fé no filho de Deus, o qual me amou, e se entregou a si mesmo por mim... Mas longe esteja de mim gloriar-me a não ser na cruz de nosso Senhor Jesus Cristo, pela qual o mundo está crucificado para mim e eu para o mundo".

É o elemento pessoal na morte de Cristo que liga todo pecador com seu Salvador individualmente que o apóstolo enfatiza neste testemunho. Em acréscimo à verdade constantemente reiterada de que Cristo morreu por outros e não por Si mesmo, Paulo fala desta capacidade normal, mas tão incomum, de reagir com grande apreciação ao fato da morte sacrificial de Cristo. Tal resposta sincera bem pode ser buscada por todos que querem glorificar o seu Senhor. Por outro lado, esta realidade na experiência do apóstolo deve vir, por contraste, como uma repreensão a um grande número de crentes. Quão imensurável é a obrigação de dar graças e glórias pela cruz de Cristo e por estar nela!

GÁLATAS 3.13; 4.4, 5: "Cristo nos resgatou da maldição da lei, fazendo-se ele maldição por nós; porque está escrito: Maldito todo aquele que for pendurado no madeiro... mas, vindo a plenitude dos tempos, Deus enviou seu Filho, nascido de mulher, nascido debaixo da lei, para resgatar os que estavam debaixo da lei, a fim de recebermos a adoção de filhos".

NOS ESCRITOS DE PAULO

Como em Romanos 7.4-6, o fato aqui apresentado é o de que a morte de Cristo é uma libertação de toda obrigação de mérito – seja ele da ordem mosaica ou a obrigação inerente da criatura ao Criador. O sistema mosaico nunca foi dirigido aos gentios e, portanto, não foi dirigido aos gálatas; mas eles, como todos os gentios crentes, foram chamados para reconhecer a verdade de que Cristo proporcionou uma aceitação perfeita para eles perante Deus, que satisfaz toda a exigência da santidade infinita e, assim, põe um fim na total obrigação de mérito. É também verdade que a condenação que um sistema de mérito violado impõe foi suportada pelo Salvador. Sua morte foi uma redenção da maldição da lei. C. F. Hogg e W. E. Vine em sua *Epistle to the Galatians* afirmam:

...da maldição da lei, fazendo-se maldição por nós – estas palavras descrevem o meio usado para a realização da redenção. A maldição vincula tudo o que está debaixo da lei, visto que tudo falhou em satisfazer as suas exigências, com uma exceção, Cristo, que foi "nascido debaixo da lei", mas que não incorreu a si mesmo em maldição, porque ele era "o Justo" (At 3.14), não à vista dos homens, na verdade, porque eles O crucificaram como um blasfemador, mas à vista de Deus que o ressuscitou dentre os mortos. Por ser Ele assim livre da maldição, Ele entrou debaixo dela voluntariamente, para que aqueles debaixo dela pela herança e pelo merecimento pudessem escapar dela. Pela morte de Cristo o rigor irredutível da lei é confirmado e ilustrado. A lei de Deus não faz exceções, mas sempre exige a penalidade total de todos os que estão sob sua jurisdição. Em vista da terrível exibição dos seus terrores, como poderiam os gálatas supor que os esforços deles em guardá-la resultariam em nada além de desastre para eles próprios? O Filho de Deus não "se tornou uma maldição por nós" em Sua encarnação. Desde antes do seu nascimento ele foi chamado "santo"; Ele "crescia... em graça perante Deus" (Lc 1.35; 2.52); e quando completou trinta anos de vida na carne, Deus falou a respeito dele dos céus, ao dizer: "Este é o meu Filho amado, em quem me comprazo", e mais tarde repetiu o testemunho (Mt 3.17; 17.5). Não há uma afirmação feita na Escritura de que Ele se tornou aquele que suportou o pecado no seu batismo, ou no Getsêmani, ou em qualquer conjuntura de sua vida antes da crucificação. Com a cruz somente, então, devem essas palavras do apóstolo ser associadas, e a esta a citação de Deuteronômio 21.23 que a confirma. A linguagem de 2 Coríntios 5.21, "o fez pecado", deveria ser comparada com esta: "fez-se maldição". Em cada caso a realidade da associação do Senhor Jesus com os pecados do seu povo, e a perfeição da satisfação que Ele ofereceu à lei em sua morte na cruz, é vividamente demonstrada.[55]

Assim também, a respeito da segunda passagem, Gálatas 4.4, 5, os mesmos comentadores asseveram:

versículo 5 – *para resgatar* – como em 3.13, anteriormente. Nem a encarnação do Filho de Deus, nem a guarda da lei nos dias de sua carne foram de utilidade, no seu todo ou em parte, para a redenção do homem. À parte da encarnação, a morte teria sido impossível para Ele; conseqüentemente, esta foi a condição necessária para a realização da redenção, mas em si mesma não foi parte dessa redenção. Sua obra redentora propriamente começou e terminou na cruz; portanto, a afirmação da relação do Salvador com o pecado é invariavelmente feita em termos que confinam esse relacionamento à sua morte. Daí, em nenhum lugar é dito no Novo Testamento que Cristo guardou a lei por nós. Não é dito que Ele tenha suportado o pecado durante qualquer parte de Sua vida; foi na cruz que Ele se tornou o suportador dos pecados (1 Pe 2.24). A primeira parte de Isaías 53.4 está interpretada em Mateus 8.17, onde o contexto no qual estas palavras são citadas deixa claro que elas devem ser entendidas não a respeito da morte do Senhor Jesus, nem de qualquer sofrimento vicário suportado por Ele, mas de Sua simpatia com a humanidade sofredora e a expressão dessa simpatia no alívio da angústia onde quer que Ele venha a entrar em contato com ela. Algumas partes de Isaías 53 indubitavelmente descrevem o sofrimento vicário da cruz, como a parte final do versículo 5, que é citado em 1 Pedro 2.24. Estas são ilustrações típicas do princípio que o Novo Testamento é o único guia para o entendimento do Antigo Testamento. Na primeira parte de Marcos 10.45, o Senhor declara o propósito de Sua vida "de não ser servido, mas servir", e o de sua morte, "dar sua vida em resgate por muitos". Sua morte estava em harmonia com sua vida, e era o seu componente climático, mas as duas são aqui distinguidas pelo próprio Senhor, e esta distinção é observada pela totalidade dos escritores do Novo Testamento.[56]

Semelhantemente, sobre a redenção da lei, Martinho Lutero naquela que é chamada a sua maior obra – o *Comentário de Gálatas* – expressa o seu entendimento de uma redenção da lei ensinada nessa carta aos Gálatas. Ele escreve.

Além do mais, este lugar também testemunha que Cristo, quando o tempo da lei estava cumprido, aboliu a mesma, e assim trouxe liberdade àqueles que estavam oprimidos com isso, mas não fez uma nova lei após, ou ao lado da velha lei de Moisés. Para que os monges e os escolásticos do papa não errassem menos e blasfemassem contra Cristo, naquilo que eles imaginam que Ele deu uma nova lei além da lei de Moisés, além do que fazem os turcos, que se vangloriam de seu Maomé como se fosse um novo legislador depois de Cristo, e melhor do que Cristo. Cristo, então, veio não para abolir a totalidade da lei, para que pudesse fazer uma nova, mas, como Paulo diz aqui, ele foi enviado pelo seu Pai ao mundo, para redimir aqueles que estavam guardados sob a servidão da lei. Estas palavras descrevem Cristo vívida e verdadeiramente: elas não atribuem a Ele o ofício de fazer qualquer nova lei, mas o de redimir os que estavam sob a lei. E o próprio Cristo diz: "Eu não julgo nenhum homem". E em outro lugar: "...pois eu vim, não para julgar o mundo, mas para salvar o mundo" (Jo 8.15; 12.47); isto quer dizer: "Eu vim não para trazer qualquer lei, nem para julgar os homens de acordo com essa lei, como Moisés e outros legisladores; mas tenho um ofício mais elevado e melhor. A lei matou vocês, e, além disso, julgo, condeno, mato a lei, e assim liberto vocês da tirania dela...". Pelo que é muito proveitoso para nós ter sempre diante de nossos olhos esta sentença doce e confortável, e algo parecido com isso que demonstra Cristo verdadeira e vividamente, que em nossa vida toda, em todos os perigos, na confissão de nossa fé perante os tiranos, e na hora da morte, podemos corajosamente e com confiança absoluta dizer: "Oh, lei! tu não tens poder sobre mim, e, portanto, tu me acusas e me condenas em vão. Pois eu creio em Jesus Cristo, o Filho de Deus, a quem o Pai enviou ao mundo para redimir-nos, miseráveis pecadores, oprimidos com a tirania da lei. Ele deu sua vida e derramou o seu sangue por mim. Portanto, sentindo os teus terrores e ameaças, oh, lei! eu coloco a minha consciência nas feridas, no sangue, na morte, na ressurreição e na vitória de meu Salvador, Cristo. Além dEle, não vejo nada, não ouço nada". Esta fé é a nossa vitória; por ela vencemos os terrores da lei, do pecado, da morte, e de todos os males, e ainda não sem grandes conflitos. E aqui os filhos de Deus, que são diariamente exercitados com doloridas tentações, lutam e suam de fato. Freqüentemente vem às suas mentes que Cristo os acusará, e apelará contra eles; que Ele requererá a explicação da vida anterior deles, e que Ele os condenará. Eles não podem se assegurar de que Ele é enviado de seu Pai para redimir-nos da tirania e da opressão da lei. E de quem isto vem? Eles ainda não se despojaram plenamente da carne, que luta contra o espírito. Portanto, os terrores da lei, o temor da morte, e tristezas semelhantes e visões terríveis, freqüentemente retornam, e impedem a nossa fé, de modo que ela não pode apreender o benefício de Cristo, que nos redimiu da escravidão da lei, com tal segurança como deveria fazer.[57]

4. AS CARTAS DA PRISÃO. Este grupo dos escritos de Paulo – Efésios, Filipenses e Colossenses (com Filemom), conhecido como as epístolas da prisão – introduz a verdade a respeito da posição exaltada do crente em Cristo, cuja posição é baseada na morte de Cristo e tornada possível somente por meio dela.

EFÉSIOS 1.7: "Em quem temos a redenção pelo seu sangue, a remissão dos nossos delitos, segundo as riquezas da sua graça".

No próprio começo da carta aos Efésios e como uma base da realização do eterno propósito de Deus para cada um dos escolhidos em Cristo, é dito que a redenção é realizada, que é a base sobre a qual Deus com justeza pode perdoar pecados. Neste texto, não é feita uma menção do estado do homem caído, que exige tanto a redenção quanto o perdão. Essa necessidade é suposta e é apenas um passo necessário na preparação da manifestação mais essencial da superabundante graça. Em Cristo Jesus nós *temos* redenção. Do lado divino,

CRISTOLOGIA

a grande obra redentora está realizada. Ela é agora uma transação completada; portanto, coisa alguma que Deus vier a fazer pelo homem será pela condição da dignidade humana, mas uma coisa que Ele já *fez* pelo homem, quando o homem estava sem mérito, sem força, um pecador e um inimigo de Deus. Que há um grupo eleito na visão divina, não é parte do Evangelho da graça divina que é dirigido a um mundo perdido; é um dos segredos de Deus pretendido somente para aqueles que são salvos.

Por outro lado, o anúncio de uma redenção já realizada pelo sangue, como tem sido potencialmente proporcionada para todos, é o Evangelho da graça infinita: "Todo o que quiser vir". A redenção foi sempre e somente pelo sangue. O sangue é o resgate divinamente determinado que uma santidade ultrajada deve exigir. Esse resgate pelo sangue foi prefigurado em todos os sacrifícios do Antigo Testamento, e ele está agora disponível por meio da morte de Cristo; conseqüentemente, a redenção tem sido oferecida ao homem como um benefício por toda a história da raça. Após o estudo da santa natureza de Deus e de Sua intransigência, de seu caráter inflexível e de seu governo justo, não é difícil aceitar o solene decreto: "a alma que pecar, essa morrerá"; igualmente: "o salário do pecado é a morte"; e, além disso: "sem derramamento de sangue não há remissão".

Deus nunca trata com o pecado com conveniência ou mera generosidade. A terrível penalidade em que o pecado inevitavelmente incorre não pode ser diminuída mesmo no grau mais ínfimo. As santas exigências de Deus, que estão baseadas no Seu santo caráter, são tão imutáveis quanto a sua natureza. Cristo pagou o resgate exigido. A divina justiça ficou satisfeita, e o caminho da salvação está agora aberto a todos. A responsabilidade imposta sobre o pecador é que ele creia no registro que Deus deu a respeito desta redenção feita por seu Filho. Este registro aponta para o Redentor como o Único capaz de salvar, e nada exige além da confiança salvadora nEle. É nEle que temos redenção. Ele é a nossa redenção. Pelo derramamento de seu sangue, Ele tornou possível um resgate perfeito; por sua ressurreição, Ele provou a perfeição de seu empreendimento, e resumiu sua vida pela mesma autoridade pela qual Ele se sacrificou. Assim, Ele sempre vive como o Redentor auto-suficiente daqueles por quem morreu. Foi Deus que em graça infinita providenciou um resgate, e é o homem que em pecado infinito rejeita esse resgate. O preço é pago e a graça de Deus é a porção de cada um que a recebe, e aqueles que são salvos podem dizer com o apóstolo: "Temos a redenção pelo seu sangue, o perdão dos pecados, segundo as riquezas de sua graça".

EFÉSIOS 2.13: "Mas agora, em Cristo Jesus, vós, que antes estáveis longe, já pelo sangue de Cristo chegastes perto".

Por causa da sua importância dispensacional, esta passagem exige uma consideração especial. Após indicar as distinções que havia entre judeus e gentios, estabelecidas por Deus e honradas por Ele – distinções essas que foram acentuadas pelo preconceito e ódio humanos – o escritor anuncia um novo propósito divino para a presente era, um propósito divino especificamente revelado a este mesmo apóstolo (cf. Ef 3.1-6). O propósito é realizado sobre a base da morte e ressurreição de Cristo e o advento do Espírito Santo no dia de Pentecostes. Esse propósito divino não é nada menos do que a formação de um novo corpo de pessoas celestiais retiradas de judeus e gentios, por ser cada indivíduo do corpo aperfeiçoado em Cristo, e o grupo todo constitui-se "o louvor da glória da sua graça".

Portanto, porque é para a glória de sua graça, cada indivíduo desse grupo, seja judeu ou gentio, é chamado e salvo no mesmo princípio distinto de seleção – a graça soberana de Deus, à parte de qualquer mérito humano. Como uma base para este exercício da graça soberana à parte do mérito humano, o decreto divino mais surpreendente foi anunciado, e foi surpreendente na verdade, porque nunca dantes fora ouvido no mundo, e porque ele é tão contrário ao que até então havia sido sancionado por Deus a respeito da exaltação de Israel sobre os gentios. Este decreto declara que agora não há diferença entre judeus e gentios: eles todos estão *debaixo do pecado* (Rm 3.9). Assim, além disso, não há diferença entre judeus e gentios, "pois o mesmo Senhor é sobre todos, rico para com todos que o invocam" (Rm 10.12). De acordo com a primeira declaração, a distinção anterior entre judeus e gentios desaparece em virtude do fato de que ambas as classes, sem levar em conta os relacionamentos anteriores com Jeová, estão agora "debaixo do pecado" (cf. Ef 2.11-22).

De acordo com a segunda declaração, o caminho para esta mais alta glória celestial está aberto a todos os que crerem. O estado "debaixo do pecado" consiste no fato de que Deus agora se recusa a aceitar qualquer mérito humano, nacional ou pessoal, como um crédito ou contribuição para essa salvação, que é oferecida para que o indivíduo entre nela em Cristo e através dEle. Deus assim despoja cada ser humano de toda esperança em si mesmo e confina-o unicamente a essa salvação perfeita que está em Cristo e que proporciona a perfeição eterna e infinita de Cristo. Poderia parecer indelicado retirar qualquer pequeno mérito que alguém possa supostamente ter perante Deus, mas no fim não é indelicadeza. É antes "para que possa ser misericordioso com todos" (Rm 11.32). A graça de Deus não é uma coisa que se ajusta a um grau maior ou menor de mérito humano, mas é um *padrão* completo; isto é, visto que todo mérito é excluído, ele requer o mesmo grau de graça para salvar um indivíduo como para salvar outro. E o resultado não é para a glória do homem mesmo no grau mais ínfimo: ao contrário, é tudo para o louvor da glória de sua graça (Ef 1.6; 2.7-9).

Havia pouco para o gentio aprender de modo contrário em conexão com este propósito da nova era e do plano de salvação. Ele não possuía uma base de esperança antes, e o Evangelho da salvação pela graça se tornou para ele como vida dentre os mortos. Mas o judeu tropeçou no caminho da salvação tornado disponível por meio da cruz, de modo que somente poucos, que nesta era aceitam (Rm 11.1-36), têm sido capazes de abandonar a sua posição nacional assumida com Deus e de aceitar a sobreexcelente graça de Deus em Cristo. Esta

CRISTOLOGIA

afirmação bastante longa da presente base de salvação pela graça para judeus e gentios igualmente pode clarear os versículos que se seguem neste contexto da carta aos Efésios. Pelas palavras "mas agora" no começo do versículo 13, um agudo contraste é feito entre o estado anterior destes efésios gentios com o que estava descrito no versículo 12 e a nova posição deles em Cristo. Aqui é dito deles que eles, como gentios, que em tempos anteriores estavam separados de Deus, foram aproximados por causa de sua nova posição em Cristo, e não pelas ordenanças externas ou por virtude humana, mas pelo sangue de Cristo.

A expressão *chegastes perto* de Deus é a da posição exaltada a que cada crente é trazido no momento de sua salvação. A perfeição dessa posição é vista a partir do fato de que alguém não pode estar mais próximo de Deus no tempo ou na eternidade do que ele está quando está em Cristo. Tão perfeita é a eficácia do sangue de Cristo em proporcionar uma base justa para a graça divina, que cada desejo por parte de Deus, embora inclinado pelo amor infinito, pode agora ficar completamente satisfeito em favor daqueles que crêem em Cristo. O versículo 13 está intimamente ligado com o versículo 17 (cf. Is 59.17). No versículo anterior do versículo do apóstolo somente os gentios estão em vista, mas no posterior tanto judeus quanto gentios são vistos. Os gentios são identificados como aqueles que, por causa de não haver uma relação anterior de pacto com Deus, estavam longe, enquanto que os judeus, por causa de seus pactos, estavam perto, embora não perto no mesmo grau em que o judeu e o gentio salvos estão agora pelo fato de estarem em Cristo e de serem redimidos através de seu precioso sangue.

Efésios 5.1, 2: "Sede pois imitadores de Deus, como filhos amados; e andai em amor, como Cristo também vos amou, e se entregou a si mesmo por nós, como oferta e sacrifício a Deus, em cheiro suave".

Na exposição desta passagem o Dr. Charles Hodge afirma:

Deus colocou-nos debaixo de tão grande obrigação: "Sede, pois, imitadores de Deus". A exortação é ampliada. Não devemos somente imitar Deus como perdoadores, mas também à medida que nos tornamos *filhos amados, por andar em amor.* Como Deus é amor, e como por regeneração e adoção somos seus filhos, estamos presos a exercer o amor habitualmente. O nosso andar completo deve ser caracterizado por isso. *Como Cristo também nos amou.* Esta é a razão pela qual devemos amar uns aos outros. Devemos ser iguais a Cristo, que significa ser igual a Deus, pois Cristo é Deus. O apóstolo não faz uma distinção entre sermos objetos do amor de Deus e objetos do amor de Cristo. Devemos ser imitadores de Deus em amor, porque Cristo nos amou. *E se entregou a si mesmo por nós.* Aqui como em outro lugar, a grande evidência do amor divino é a morte de Cristo. (v. 25; cap. 3.19; Jo 15.13). "Ninguém tem amor maior do que este, de dar a sua própria vida pelos seus amigos". Gálatas 2.20: "...o qual me amou, e se entregou a si mesmo por mim". 1 João 3.16: "Nisto conhecemos o amor: que Cristo deu a sua vida por nós; e nós devemos dar a vida pelos irmãos". A morte de Cristo foi *por nós* como um sacrifício, e, portanto, da natureza da transação, em nosso lugar. Se a idéia de substituição é expressa por ὑπὲρ ἡμῶν, depende do contexto antes do que da força da preposição. Morrer por alguém pode significar morrer em seu benefício ou em seu lugar, como o contexto exige. Cristo deu-se a si mesmo, *como uma oferta e um sacrifício*, προσφορὰν καὶ θυσίαν; o último termo explica o primeiro. Qualquer coisa apresentada a Deus era um προσφορά, mas θυσία era alguma coisa morta. A adição desse termo, portanto, determina a natureza da oferta. Isto é determinado em outro lugar pela natureza da coisa oferecida, como em Hebreus 10.10, "a oferta do corpo de Cristo; ou "de si mesmo" (Hb 9.14, 25); pelos efeitos atribuídos a Ele, expiação da culpa e a propiciação de Deus, que são os efeitos apropriados da oferta pelo pecado (Rm 3.25; 5.9,10; Hb 2.17; 10.10,14); pelas expressões explicativas, "uma única oferta de Cristo" está declarado ser μίαν ὑπὲρ ἁμαρτιῶν θυσίαν (Hb 10.12); "um sacrifício pelo pecado", e προσφορὰ περὶ ἁμαρτίας (Hb 10.18); ἀντίλυτρον, e λύτρον ἀντὶ πολλῶν (Mt 20.28; 1 Tm 2.6); é chamada uma propiciação, em Romanos 3.25, assim como um resgate. O próprio Cristo, portanto, é chamado o Cordeiro de Deus que tira os nossos pecados; seu sangue é o objeto de fé ou base de confiança, pela qual, como o sangue de um sacrifício, somos redimidos (1 Pe 1.18,19). Ele nos salva como um sacerdote o faz, por um sacrifício. Toda vítima sacrificada nos altares pagãos era uma declaração da necessidade de tal sacrifício; todo o sangue derramado sobre os altares judaicos era uma profecia e uma promessa de propiciação pelo sangue de Cristo; e a totalidade do Novo Testamento é o registro do Filho de Deus que se oferece a si mesmo como um sacrifício pelos pecados do mundo. Isto, de acordo com a fé da Igreja, é o sumário do Evangelho – a encarnação e a morte do eterno Filho de Deus como uma propiciação pelo pecado. Portanto, não pode haver dúvida quanto ao sentido em que o apóstolo aqui declara Cristo como uma oferta e um sacrifício.[58]

EFÉSIOS 5.25-27: "Vós, maridos, amai a vossas mulheres, como também Cristo amou a igreja, e a si mesmo se entregou por ela, a fim de a santificar, tendo-a purificado com a lavagem da água, pela palavra, para apresentá-la a si mesmo igreja gloriosa, sem mácula, nem ruga, nem qualquer coisa semelhante, mas santa e irrepreensível".

A carta aos Efésios revela um lugar elevado no qual a Igreja, o Corpo de Cristo, foi colocada e a correspondente responsabilidade na vida diária que repousa sobre cada membro desse Corpo. A esta altura do tema, o apóstolo reverte a ordem da verdade que caracterizou a parte de abertura desta carta. A Igreja somente está em vista como aquela por quem Cristo deu-se a si mesmo para morrer na cruz. É verdade também que sua morte é uma obra provisória, mesmo

CRISTOLOGIA

para aqueles que não reivindicam a sua bênção graciosa, e que sua morte é a base sobre a qual Deus ainda fará por Israel o que faz agora pela Igreja (porque Deus trará essa nação a uma relação correta consigo mesmo e purificará o refugo (Is 1.25; Ez 16.2-63; 36.25-29); mas o fato de sua morte pela Igreja está aqui, propriamente suficiente, dado o seu lugar de suprema importância. Certamente o amor de Jeová por Israel não pode ser posto em dúvida (Jr 31.3); mas o fato de que estes dois grandes propósitos divinos – o da bênção terrestre de Israel e o do chamamento da Igreja – terem muito em comum, não é argumento para que esses propósitos se unam em um plano divino no passado, agora, ou para sempre no futuro.

Deve ser esperado que a porção de Israel seja proclamada nos textos do Antigo Testamento que são dirigidos a Israel, e que a porção para a Igreja seja encontrada nas epístolas do Novo Testamento. Assim, uma aplicação peculiar da morte de Cristo é introduzida em Efésios 5 – ela se torna o padrão de devoção que o marido crente deve manter para com a sua esposa. Deveria ser observado que este é um novo ideal pertencente não ao paganismo dos dias de Paulo, mas ao lar cristão. O elevado e santo amor de Cristo pela Igreja, sua Noiva, não é degradado por esta comparação; antes, as exigências sobre o marido são exaltadas na medida das responsabilidades celestiais. A mensagem desta passagem, que é pertinente aqui, é aquela tão constantemente afirmada no Novo Testamento: foi a compaixão divina que levou Cristo à cruz.

FILIPENSES 2.8: "E achado na forma de homem, humilhou-se a si mesmo, tornando-se obediente até a morte, e morte de cruz".

Cristo foi *obediente* até a morte; ele foi obediente a ponto de morrer e Ele obedeceu até a morte. A redenção originou-se na divindade, na eternidade passada, mas foi consumada pela morte obediente do Filho teantrópico. Sua obediência está sempre dentro da esfera de sua humanidade. Sua morte é o apogeu da passagem da glória do céu para a execução do criminoso (cf. Hb 10.4-7).

FILIPENSES 3.10: "Para conhecê-lo, e o poder da sua ressurreição e a participação dos seus sofrimentos, conformando-me a ele na sua morte".

A atitude pessoal do apóstolo para com a morte de Cristo é novamente um tema de seu testemunho. A doutrina total do co-sofrimento com Cristo e a conformidade à sua morte está, sem dúvida, muito além do poder da compreensão, especialmente no caso daqueles pouco disciplinados nos caminhos de Deus. Com o sofrimento e morte de Cristo o apóstolo viu uma semelhança em si mesmo. No aspecto substitutivo de sua morte, nenhum mortal jamais pode compartilhar; esse aspecto está consumado para sempre. Mas há um sentido em que o sofrimento de Cristo e sua morte exigem uma realidade semelhante no crente. O mesmo apóstolo escreve sobre o preenchimento do que foi deixado para trás das aflições de Cristo (Cl 1.24). Parece que isto significa não meramente a perseguição por causa de Cristo (cf. Fp 1.29), mas igual a um fardo para os perdidos e uma voluntariedade, se fossem requeridos, de morrer por eles (cf. Rm 9.1-3; 1 Co 15.31; 2 Co 4.10).

COLOSSENSES 1.14: "Em quem temos a redenção, a saber, a remissão dos pecados".

Esta é praticamente uma reafirmação palavra-por-palavra de Efésios 1.7, que já foi considerada.

COLOSSENSES 1.20-23: "E que, havendo por ele feito a paz pelo sangue da sua cruz, por meio dele reconciliasse consigo mesmo todas as coisas, tanto as que estão na terra como as que estão nos céus. A vós também, que outrora éreis estranhos e inimigos no entendimento pelas vossas obras más, agora, contudo, vos reconciliou no corpo da sua carne, pela morte, a fim de perante ele vos apresentar santos, sem defeito e irrepreensíveis, se é que permaneceis na fé, fundados e firmes, não vos deixando apartar da esperança do evangelho que ouvistes, e que foi pregado a toda criatura que há debaixo do céu, e do qual eu, Paulo, fui constituído ministro".

O escopo mais amplo para o valor da morte de Cristo apresentado em qualquer lugar do Texto Sagrado é demonstrado nesta grande declaração. É visto como uma reconciliação de todas as coisas no céu e sobre a terra. Sobre este vasto tema Dean Alford escreveu uma análise que é digna de reprodução, embora não haja acordo em todos os detalhes:

Tem havido uma pergunta: em qual sentido esta reconciliação é predicado de todo universo? Não podemos parar na carência desse significado: não podemos manter com Erasmo e outros, que é uma reconciliação de *várias porções da criação, uma com a outra*: nem, pela mesma razão, com Schleiermacher, entender que os elementos a serem reconciliados são os *judeus* e os *gentios*, que estiveram em variação a respeito das coisas terrestres e celestiais, e que deveriam ser um em relação a Deus. O significado do apóstolo claramente é, que pelo sangue da cruz de Cristo, a reconciliação com Deus passou para *toda a criação na sua totalidade*, inclusive seres angelicais assim como humanos, coisas irracionais e inanimadas, assim como as coisas inteligentes e organizadas. Ora, isto pode ser entendido dos seguintes modos: 1) a criação pode ser estritamente considerada em sua inteireza, e a ofensa do homem vista como tendo, pela impureza influente sobre uma porção dela, alienado de Deus a totalidade; e assim *"todas as coisas"* podem estar envolvidas em nossa queda. Algum apoio pode parecer ser derivado para isto pelo fato inegável de que *a totalidade do mundo do homem* está inclusa nestas conseqüências (Rm 8.19ss). Mas, por outro lado, nunca vemos os *seres angelicais* envolvidos dessa forma; nem somos ensinados a considerá-los como nosso modelo e santificar o nome de Deus, realizando o Seu reino, e fazendo a sua vontade (Mt 6.9,10). E, além disso, os termos usados aqui, "se é que..." não tolerariam isso: a reconciliação é, assim, predicado de cada porção *separadamente*. Somos assim levados, não havendo dúvida a respeito das *coisas da terra*, mas pergunta-se, como *as coisas nos céus* podem ser ditas como reconciliadas pelo sangue da cruz? E aqui, além disso, 2) podemos dizer que a criação angelical, celestial, foi alienada de Deus por causa de uma porção dela ter caído em impureza; e, embora não haja uma idéia de reconciliação se estendendo *a essa porção*,

CRISTOLOGIA

ainda o todo, como um todo, pode precisar reconciliação, pela condução final do caído à punição, e assim estabelecer o fiel na unidade perfeita e indubitável com Deus. Mas a isto eu respondo: a) que tal reconciliação (?) embora possa ser um resultado da vinda do Senhor Jesus, todavia não poderia de modo algum ser efetuada pelo *sangue da Sua cruz*; b) que não temos razão alguma para pensar que a queda de alguns anjos envolveu o restante nas suas conseqüências, ou que o ser angelical é evoluído de qualquer raiz, como a nossa é vinda de Adão; mais ainda, nestes dois detalhes, o que é contrário está revelado. Devemos, então, procurar a nossa solução em algum significado que se aplique aos seres angelicais em sua natureza essencial, não quanto ao pecado de alguns deles. E, assim aplicado, não se deve pensar em nenhuma reconciliação que possa lembrar a *nossa* em seu processo – porque Cristo não tomou sobre si a descendência dos anjos, nem pagou qualquer penalidade propiciatória na raiz da natureza deles, incluindo-a em Si mesmo. Mas, visto que Ele é o Cabeça deles como é o nosso – visto que como nEle eles, assim como nós próprios, vivem e se movem e existem, não pode ser, exceto que o grande evento no qual Ele foi glorificado através do sofrimento, também os traga mais próximos de Deus, que subsiste nEle em comum com toda criação. E em alguns tal aumento de bem-aventurança o nosso apóstolo parece sugerir em Efésios 3.10. Que tal aumento possa sugerir ser descrito como uma *reconciliação*, está manifesto. Na verdade, cada abordagem mais nova a Ele pode sem violência às palavras ser assim descrita, em comparação com aquela distância maior anterior que agora parece ser alienação; – e neste caso mesmo mais propriamente, como uma das conseqüências dessa grande propiciação cujo primeiro efeito, e o mais claro, era reconciliar com Deus, no sentido literal, as coisas sobre a terra, poluídas e hostis em conseqüência do pecado do homem. Assim esta nossa interpretação pode ser sumariada: toda criação subsiste em Cristo; toda criação, portanto, é afetada pelo Seu ato de propiciação; a criação pecaminosa está, no sentido mais estrito, *reconciliada*, não sendo mais inimiga; a criação sem pecado, sempre a uma distância de sua pureza inacessível, é elevada a uma participação mais próxima e a uma mais alta glorificação dEle, e é assim *reconciliada*, embora não no sentido mais estrito; todavia, num sentido muito inteligível e permissível.[59]

A dificuldade com esta interpretação apresentada deve ser vista no fato de que não há uma reconciliação revelada para os anjos caídos. Estes, portanto, não podem estar incluídos como aqueles que foram trazidos para mais perto de Deus. Dois pontos distintos devem ser mantidos: (a) As Escrituras declaram o destino final dos anjos caídos e dos homens não-regenerados. A este conjunto de verdades a respeito do destino determinado dos seres caídos deve ser dado o seu peso total, visto que ele impede qualquer coisa que possa sugerir uma restauração definitiva. (b) A palavra *reconciliação* é muito freqüentemente investida de um significado que não pertence a ela. O seu significado base é que uma mudança foi operada a partir da posição anteriormente ocupada. Um mundo que está reconciliado com Deus (2 Co 5.19) não significa que todos no mundo são salvos, mas antes que o estado deles perante Deus é mudado ao grau em que a necessidade de condenação é removida em razão da morte de Cristo por eles.

O caminho está aberto para a salvação deles, coisa que nunca aconteceu antes (cf. Is 14.17; 61.1; Ef 2.11,12). É possível que o efeito total da morte de Cristo sobre os anjos não tenha sido revelado e que se esta matéria fosse revelada, ela seria clareada. Neste contexto será admitido por todos que pouca coisa é conhecida do significado pleno de Colossenses 2.15, ou de qualquer outro texto da Escritura que trata da matéria do relacionamento de Cristo com os anjos (cf. 1 Co 15.24-28). É possível que todos os anjos tenham sido grandemente influenciados na relação deles com Deus pela morte de Cristo e, todavia, sem qualquer aspecto que envolva a restauração daqueles que pecaram. A morte de Cristo não torna obrigatória a salvação de todo homem caído. Parece que Colossenses 2.15, antes do que sugerir uma mudança total nas hostes angelicais caídas que serviria para lhes dar esperança, sugere uma mudança numa esfera onde toda esperança é removida para sempre.

5. As Cartas aos Tessalonicenses. Embora 2 Tessalonicenses não mencione a morte de Cristo, há duas referências a ela na primeira carta.

1 Tessalonicenses 1.10; 5.9,10: "E esperardes dos céus a seu Filho, a quem ele ressuscitou dentre os mortos, a saber, Jesus, que nos livra da ira vindoura... porque Deus não nos destinou para a ira, mas para alcançarmos a salvação por nosso Senhor Jesus Cristo, que morreu por nós, para que, quer vigiemos, quer durmamos, vivamos juntamente com ele".

Deus entregou seu Filho numa morte sacrificial (Jo 3.16) de modo que quem nele crê não é condenado. Em razão da morte de Cristo aqueles que crêem são libertos da ira vindoura; os não-salvos não são libertos da ira vindoura, mas devem enfrentar a ira e perecer (no sentido consciente em que este termo usado no Novo Testamento sugere). Há uma segurança eterna para aqueles que são libertos. Esta libertação é eficaz no arrebatamento, estejam eles "acordados ou dormindo".

6. As Cartas Pastorais. Este grupo de epístolas – 1 Timóteo, 2 Timóteo e Tito – apresenta diversas referências à morte de Cristo. Duas são implicações – 2 Timóteo 1.10; 2.8 – e duas são declarações doutrinárias diretas.

1 Timóteo 2.5,6: "Porque há um só Deus, e um só Mediador entre Deus e os homens, Cristo Jesus, homem, o qual se deu a si mesmo em resgate por todos, para servir de testemunho a seu tempo".

Um Deus e um Mediador entre Deus e os homens, Cristo Jesus, em si mesmo um homem, que se deu a si mesmo em resgate por todos, resgate esse que deve ser testificado no tempo determinado: assim, a doutrina de um mediador está claramente afirmada. Sendo Deus, Ele é, não obstante, tão identificado com o homem através de sua humanidade que Ele pode mediar entre Deus e o homem. Para esse fim, Ele se deu a si mesmo em resgate. Esta afirmação enfatiza a verdade, já feita em João 10.18, de que Cristo deu a sua vida voluntariamente, e, como afirmado em Hebreus 9.14, Ele ofereceu-se a si mesmo a Deus; e este testemunho a respeito da morte de Cristo deve ser dado no tempo determinado. Ele não poderia ser dado antes. Este tempo, então, é o tempo determinado da pregação do Evangelho e isto para a realização do propósito celestial (cf. Hb 2.10) de Deus.

TITO 2.14: "Que se deu a si mesmo por nós para nos remir de toda iniquidade, e purificar para si um povo todo seu, zeloso de boas obras".

Aqui o mesmo aspecto da verdade – por serem remidos pelo sangue de toda iniquidade – é apresentado. Isto contempla o passado como alguma coisa colocada de lado e prediz um povo que, em virtude de sua redenção, seria zeloso de boas obras. A passagem tem um valor peculiar no sentido em que ela relaciona as boas obras dos filhos de Deus à base da salvação deles. Como em Efésios 2.10, assim aqui a salvação impõe uma obrigação de cumprir a vontade de Deus àquele que Ele salva.

VI. Nos Escritos de Pedro

O apóstolo Pedro se refere à morte de Cristo uma vez em cada um de seus sermões registrados – Atos 2.23; 3.14; 10.39 – mas não faz menção dela em sua segunda epístola. Em cada um de seus sermões registrados, a referência é uma acusação aos judeus por causa deles terem crucificado Cristo. Em sua primeira carta são feitas sete referências à morte de Cristo, das quais quatro podem ser classificadas como menos importantes – 1.2; 2.21; 4.1, 13 – e três de importância maior. Daremos atenção a estas últimas.

1 PEDRO 1.18, 19: "Sabendo que não foi com coisas corruptíveis, como prata ou ouro, que fostes resgatados da vossa vã maneira de viver, que por tradição recebestes dos vossos pais, mas com precioso sangue, como de um cordeiro sem defeito e sem mancha, o sangue de Cristo".

Como em nenhum outro texto da Escritura, o preço da redenção é revelado aqui. O tipo do Antigo Testamento havia preparado o caminho tornando uma necessidade que o sangue da redenção fosse derramado e que o cordeiro seria sem mancha. João Batista havia identificado Cristo como o Cordeiro de Deus (Jo 1.29) e agora Pedro conclui o testemunho, que deve ser o efeito do sangue da redenção ter sido derramado e ter operado os seus resultados imensuráveis naqueles que creram. "Sem derramamento de sangue não há remissão" (Hb 9.22). Esta verdade é talvez mais central do que qualquer outra no Evangelho que deve ser pregada. Os homens afligidos com indisposição de serem submissos à Escritura têm rejeitado a doutrina da redenção pelo sangue derramado com base em que ela é ofensiva a tudo de nossa natureza estética; mas de que maneira a ofensa do pecado deles é vista pelo santo Deus? A ofensa a Ele é muito real e pode ser curada somente pelo sangue de Seu próprio Filho. A Bíblia toda ensina isto claramente, e abandoná-la é desprezar o Texto Sagrado em todas as suas partes. O novo cântico no céu – "Tu és digno... porque foste morto, e os compraste para Deus pelo teu sangue" (Ap 5.9) – dificilmente seria cantado por aqueles cuja natureza estética os têm cegado em sua necessidade de remissão.

1 PEDRO 2.24: "Levando ele mesmo os nossos pecados em seu corpo sobre o madeiro, para que, mortos para os pecados, pudéssemos viver para a justiça; e pelas suas feridas fostes sarados".

Aqui uma vez mais o significado exato da transação da cruz é reafirmado. Cristo "suportou os nossos pecados em seu próprio corpo no madeiro". Esta é a disposição de Deus em relação ao pecado humano. Isto é operado pelo maior sacrifício que Deus poderia fazer, e triplicemente abençoado é aquele que recebe e crê nesta verdade preciosa, e triplicemente condenado é aquele que em incredulidade negligencia ou rejeita estas boas-novas.

1 PEDRO 3.18: "Porque também Cristo morreu uma só vez pelos pecados, o justo pelos iníquos, para levar-nos a Deus; sendo, na verdade, morto na carne, mas vivificado em espírito".

A palavra final de Pedro sobre o testemunho soteriológico é que Cristo "morreu pelos nossos pecados, o justo pelos iníquos" e com o propósito de trazer o iníquo a Deus. Há muitos problemas teológicos gerados por esta declaração, mas nenhum deles prejudica a verdade simples que, por causa do sofrimento do Justo, o injusto pode ser trazido a Deus (cf. Êx 19.4; Dt 1.31). Nada há a ser desejado além desse estado onde o homem alcança o coração de Deus; e a provisão de Deus através do sacrifício de seu Filho somente assegura este resultado maravilhoso. "Crê no Senhor Jesus Cristo, e serás salvo."

VII. Na Carta aos Hebreus

A mensagem geral e o propósito da carta aos Hebreus devem se entendidos se aos argumentos aqui apresentados for dado o devido valor. Da mensagem e do propósito, o Dr. C. I. Scofield, em suas palavras introdutórias ao livro publicado em sua *Reference Bible* diz: "As passagens doutrinárias revelam o propósito do livro. Ele foi escrito com um duplo intento: (1) para confirmar aos judeus cristãos, a fim de mostrar-lhes que o judaísmo havia chegado ao fim através do cumprimento, feito por Cristo, do propósito total da lei; e (2) as passagens exortatórias mostram que o escritor tinha em vista o perigo sempre presente aos crentes judeus professos tanto de voltar aos erros do judaísmo, ou de vacilar na verdadeira fé em Jesus Cristo. Fica claro do livro de Atos que mesmo os mais fortes dos crentes na Palestina sustentavam uma estranha mistura de judaísmo com cristianismo (*e.g.* At 21.18-24), e que laços seriam especialmente aptos para confundir os cristãos professos entre os judeus da dispersão".[60]

Contudo, como o próprio Dr. Scofield afirmaria, o argumento total desta epístola sustenta-se na morte e ressurreição de Cristo como a resposta a cada alegação do judaísmo, assim como a cada necessidade do coração humano. As passagens que tratam da morte de Cristo são numerosas e algumas extensas demais para serem citadas na íntegra. Elas são: 2.9-18; 5.7, 8; 7.27; 9.12, 14, 15, 26, 28; 10.4-7, 10, 12, 19; 12.2; 13.12. Nem todas elas serão analisadas separadamente aqui.

HEBREUS 2.9-18: Esta extensa porção introduz diversos aspectos da doutrina total do sofrimento e da morte de Cristo. Primeira em ordem é a verdade de que Cristo veio ao mundo com o fim de poder sofrer, e para que pudesse trazer, por meio disso, muitos filhos à glória. Ele não parou com a descida às esferas angelicais através das quais Ele passou nem Ele tomou sobre a natureza dos anjos. Ele foi feito, por um pouco, menor do que os anjos, para que pudesse morrer um resgate de morte, não pelos anjos, mas por homens. O Espírito de Deus também afirma que Cristo "provou a morte por todo homem". A terminologia *todo homem* não é sujeita a estas distorções que alguns têm imposto sobre o termo *mundo*, quando asseveram que, em João 3.16 e 1 João 2.2, esta expressão significa o mundo dos eleitos ou o Corpo de Cristo. As palavras todo homem não admitem tal tortura somente para salvar uma teoria.

Com a finalidade de que Aquele que criou todas as coisas e por quem todas as coisas existem (cf. Cl 1.16-18; Ap 4.11) pudesse encher o céu com aqueles que são capazes de cantar o cântico da redenção (cf. Ap 5.9,10), Ele próprio, como o Capitão da salvação deles, precisava ser um Salvador aperfeiçoado pelas coisas que sofreu. Isto não é um assunto relativo a qualquer mudança moral nEle; mas como a redenção poderia vir somente pelo sacrifício de Si mesmo, foi requerido dEle que Ele sofresse e, assim, se tornasse um redentor qualificado. O preço da redenção é o sangue do Cordeiro de Deus. A obra do Redentor não seria completa até que o sangue fosse derramado. Assim, a encarnação e a humilhação lhe trouxeram numa relação de Redentor para com aqueles a quem Ele salvaria, e deste estado Ele não se envergonhou (cf. Sl 22.22; Hb 2.11, 12). Para redimir, Ele teve de se tornar "igual a seus irmãos".

Três grandes doutrinas são mencionadas numa sucessão rápida aqui – participação da carne e sangue, para se tornar um mediador salvador; participação da descendência de Abraão, para cumprir a Sua parte no pacto abraâmico; e participação da morte (uma das muitas razões para este passo), para que pudesse destruir Satanás e seus exércitos. De teor similar é Hebreus 5.7-9, que diz: "O qual nos dias da sua carne, tendo oferecido, com grande clamor e lágrimas, orações e súplicas ao que o podia livrar da morte, e tendo sido ouvido por causa da sua reverência, ainda que era Filho, aprendeu a obediência por meio daquilo que sofreu; e, tendo sido aperfeiçoado, veio a ser autor da eterna salvação para todos os que lhe obedecem". A própria tristeza de Cristo e a sua angústia de alma, vistas nas palavras: "Deus meu, Deus meu, por que me desamparaste?" surgem de sua humanidade.

Ele apelou para Aquele que era capaz de salvá-lo da morte, mas que não o poupou – "Afasta de mim este cálice; todavia, não seja como eu quero, mas como tu queres". Esta foi a sua obediência. Ele aprendeu experimentalmente a obediência por ser obediente até a morte. Como verdadeiro Deus, Ele não tinha obrigação alguma de obedecer. Como verdadeiro homem, que Ele pode ser o perfeito homem, era naturalmente perfeito em obediência. Quando estava para vir ao mundo é dito dele: "...porque é impossível que o sangue de touros e de bodes tire pecados. Pelo que, entrando no mundo, diz: Sacrifício e oferta não quiseste, mas um corpo me preparaste; não te deleitaste em holocaustos e oblações pelo pecado. Então eu disse: Eis-me aqui (no rol do livro está escrito de mim) para fazer, ó Deus, a tua vontade" (Hb 10.4-7). Assim, ele adquiriu essas qualidades que pertencem a um mediador teantrópico. Ele se tornou a fonte de salvação para todos os que lhe obedecem (Hb 5.9) por responderem à Sua chamada: "Vinde a mim" (Mt 11.28).

Hebreus 7.27; 10.10,12; 12.2: "Que não necessita, como os sumos sacerdotes, de oferecer cada dia sacrifícios, primeiramente por seus próprios pecados, e depois pelos do povo; porque isto fez ele, uma vez por todas, quando se ofereceu a si mesmo... É nessa vontade dele que temos sido santificados pela oferta do corpo de Jesus Cristo, feita uma vez para sempre... mas este, havendo oferecido um único sacrifício pelos pecados, assentou-se para sempre à direita de Deus... fitando os olhos em Jesus, autor e consumador de nossa fé, o qual, pelo gozo que lhe estava proposto, suportou a cruz, desprezando a ignomínia, e está assentado à direita do trono de Deus".

Em todo o seu sacrifício há primeiro o aspecto voluntário – "Ele... ofereceu-se a si mesmo sem macha" – e, segundo, o fato de que sua oferta é infinitamente eficaz. O tipo aaraônico foi perfeitamente cumprido por sua oferta de si mesmo. Como os sacrifícios antigos eram eficazes ao grau em que se lhes atribuía, assim o antítipo foi eficaz, mesmo aperfeiçoando para sempre aqueles que foram separados para Ele. Houve um motivo impulsionador para o seu sacrifício. A compaixão de Deus moveu-o, e, embora o seu sofrimento tenha sido real a ponto de angústia e morte, havia também uma "alegria... que lhe estava proposta". A sua vida era a mais desolada e esmagada das vidas humanas e, ao mesmo tempo, a incorporação da alegria celestial. Assim, também, o crente pode viver, ilustrado na experiência do grande apóstolo que pôde dizer: "...tenho grande tristeza e incessante dor" (Rm 9.1-3) e "regozijai-vos sempre" (Fp 4.4). Tal espécie paradoxal de vida emocional não é natural à humanidade; ela pertence à divindade e pode ser experimentada somente por meio das características comunicadas pelo Espírito Santo.

Hebreus 10.1-39. A porção final deste tema – exceto para Hebreus 13.11,12 onde Cristo é visto como cumprindo um tipo importante a respeito do lugar da sua cruz fora dos muros da cidade – conduz o estudante atento a muitos aspectos da morte de Cristo: (a) O contraste entre os sacrifícios do Antigo Testamento e o de Cristo; (b) Cristo um sacrifício voluntário; (c) o benefício de longo alcance de sua própria morte (vv. 10-18); (d) a aplicação prática, especialmente aos judeus crentes, a saber, a obrigação na vida diária que surge desse benefício. Esta quádrupla divisão desta extensa porção pode ser estudada agora, ponto por ponto.

CRISTOLOGIA

(a) O contraste entre as muitas ofertas e a única divina é grandemente intensificado pela verdade de que esses muitos serviram somente como uma sombra de um único sacrifício infinitamente eficaz, e pela verdade que nesses muitos sacrifícios Deus não recebeu uma satisfação final, embora Ele tenha tido prazer na morte de seu Filho. Foi na eficácia da oferta e na obediência do Filho que o Pai teve prazer. Por que não deveria o Pai ter prazer naquilo que abriu o caminho para o seu imensurável amor se expressar na salvação de homens perdidos? Desde Adão até Moisés não tinha havido uma realização completa da vontade perfeita do Pai em qualquer vida humana. No desenvolvimento do argumento a respeito da falha dos muitos sacrifícios – evidentemente significando aqueles do dia da Expiação – o escritor afirma que, se qualquer uma daquelas ofertas tivesse sido eficaz num sentido completo, não teria havido mais uma necessidade de uma repetição, visto que os adoradores uma vez purificados não teriam tido mais qualquer consciência de pecado.

Deveria ser feita uma observação aqui sobre a distinção que existe entre a condenação incessante pelo pecado que repousa sobre o não-salvo e a tristeza que o Espírito Santo tem pelo pecado que pode surgir naqueles que são salvos. Em qualquer um dos casos, há uma consciência de que o pecado foi cometido; mas para o não-salvo essa consciência é um senso incessante de condenação (Is 57.21), enquanto do salvo é dito: "Portanto, agora, nenhuma condenação há" (Rm 8.1). A experiência dos salvos, quando eles pecam, é a de que estão fora da comunhão com Deus (cf. Sl 32.3, 4). O arminianismo prospera na falha em reconhecer esta distinção. Estas palavras de Cristo faladas quando estava para vir a este mundo são carregadas com o mais profundo significado. Ele olhou para a sua encarnação, dizendo: "... um corpo me preparaste" (v. 5). Este corpo capaz de um sacrifício de derramamento de sangue é mantido em contraste com o sangue de todos os touros e bodes que haviam sido mortos. "Fazer tua vontade" (v. 7) tem referência à disposição daquele corpo na morte.

(b) O caráter voluntário da sua morte é um aspecto crucial de toda esta doutrina do sacrifício. Aqueles que alegam que seria imoral para o Pai oferecer seu Filho, têm falhado em reconhecer a verdade sublime e determinante de que o Filho foi infinitamente voluntário. É até mencionado repetidamente que Ele deu-se a si mesmo. Tudo isto estava predito no salmo 40.6-8.

(c) O sacrifício de Cristo é a base de um aperfeiçoamento completo de cada crente para sempre. Muito já foi dito sobre esse ponto – mesmo a justiça de Deus é imputada a ele com base na morte de Cristo e isto estabelece a justificação dele para sempre.

(d) Não poderia ser diferente para o crente senão ter uma obrigação para com a santidade. Qualquer posição exaltada cria sua responsabilidade correspondente e assim, aqui, como em qualquer outra das epístolas, a posição é primeiramente definida e o apelo para viver adequadamente, é baseado nela.

Em conclusão, sete fatos salientes a respeito dos sofrimentos e morte de Cristo podem ser observados:

(a) Enquanto a morte de Cristo é de valor inestimável para os homens, ela é de muito maior valor para Deus. Ninguém, exceto o próprio Deus, poderia perceber o que significa para Ele ter o caminho claro pelo qual Ele pode, sem manchar a sua própria santidade, salvar e justificar aqueles que nada fazem além de crer em Jesus (Rm 3.24-26).

(b) A morte de Cristo apresenta um sacrifício de proporções infinitas. Nada dentro do alcance das coisas finitas pode ser usado para ilustrar tal imolação. Nenhuma mente humana pode esperar ter uma noção de seu conteúdo pleno ou captar a sua importância plena.

(c) A morte de Cristo foi necessária como a única solução para o problema do mal, mesmo dentro do raio das possibilidades divinas; e, portanto, não há um substituto para ela, uma escolha opcional, nem qualquer salvação à parte dela.

(d) Por ser a solução planejada pelo próprio Deus de Seu maior problema – a questão do pecado – igual a todas as Suas obras, é eficaz a ponto do infinito. Nada dos valores humanos precisa ser acrescentado a ela; nem pode ela ser aumentada em valor por qualquer esforço humano onde ela é aplicada para o indivíduo.

(e) A morte de Cristo proporciona uma base perfeita para uma salvação perfeita à parte de todos os julgamentos sobre o pecador. Quando o pecador vem a Deus com base nessa morte, Deus não o pune, não oferece uma censura, nem requer uma compensação.

(f) Pela morte de Cristo há uma redenção perfeita em relação ao pecado, uma reconciliação perfeita com relação ao homem, e uma propiciação perfeita em relação a Deus.

(g) Por causa da extensão do valor da morte de Cristo e da perfeição desse valor em todas as suas partes, nenhuma outra obrigação recai sobre os homens que seriam salvos além de entrarem nela por receber a Cristo, com tudo aquilo que Ele é, e com tudo o que Ele fez, como o suficiente Salvador deles.

CAPÍTULO X

A Ressurreição do Verbo Encarnado

A MORTE E A RESSURREIÇÃO DE CRISTO são partes componentes de um empreendimento divino estupendo! Se Ele não tivesse morrido, não haveria base alguma sobre a qual poderiam repousar aquelas poderosas realidades que sua ressurreição proporciona; e se Ele não houvesse sido ressuscitado dentre os mortos, não haveria um proveito em sua morte – um Salvador, uma personificação viva daquilo que foi proposto por sua morte. Os dois eventos são, assim, vistos como essenciais no sentido absoluto, e aquilo que é essencial em tal grau não é com respeito à sua importância propriamente, a ser comparada com qualquer outra coisa. É evidente, então, que todas as tentativas de avaliar os valores relativos destes dois eventos somente tendem à especulação inútil. Como é observado pelos chamados teólogos do pacto, à morte de Cristo é dado um lugar de grande importância, mas sua ressurreição é considerada pouco mais do que algo de sua própria conveniência pessoal, seu retorno necessário da esfera da morte, de volta para o lugar ocupado anteriormente.

Em outras palavras, como visto pelos teólogos do pacto, não há praticamente importância doutrinária dada à sua ressurreição. Que Cristo, por sua ressurreição, tornou-se o que em Si mesmo o que Ele havia sido antes – o Cabeça federal da totalidade de uma nova ordem de seres e estes o objetivo divino primário como está estabelecido no Novo Testamento – não pode ser incorporado num sistema do qual o aspecto apreciado e distintivo é um propósito divino imutável desde Adão até o fim dos tempos. Esta simples análise explica o fato, de outra maneira inexplicável, de que os sistemas de teologia que seguem a idéia de um só pacto serão investigados quase que em vão na explicação da ressurreição de Cristo. Não está implícito que os teólogos do pacto não crêem que Cristo ressuscitou dentre os mortos; está meramente indicado que a ressurreição de Cristo não tem para eles – e isso de necessidade – uma importância doutrinária vital.

Esses homens honrados reconhecem que Deus operou poderosamente antes da morte de Cristo e naturalmente na base dessa morte como uma expectativa, e que Deus opera poderosamente agora com base na realidade da morte de Cristo, mas então é afirmado por esses homens que Deus fez as mesmas coisas por Seu povo com base numa expectativa como Ele agora o faz com base da realidade. Assim, a morte de Cristo, se fosse uma expectativa razoável, teria sido requerida em algum tempo. A suposição de que Deus fez nas eras passadas aquilo que Ele faz agora, contudo, não passaria no teste da Escritura. Tal idéia é fantasiosa e idealista. Esta afirmação será demonstrada à medida que este trabalho avança. Há certos eventos desintegradores que servem para separar a era mosaica passada desta presente era. As condições e relações entre Deus e o homem poderiam não ser as mesmas após estes eventos terem acontecido como aconteceram antes. A noção de um pacto imutável é esvaziada por qualquer um destes eventos determinantes, eventos esses que podem ser observados do seguinte modo:

(A) A morte de Cristo em si. Como foi afirmado, a teologia do pacto, conquanto magnifique a morte de Cristo, presume que sua morte foi tão efetiva em prospecto como ela é no retrospecto. Que Ele não fez a mesma obra então como agora é aparente e assim indica uma diferença, pois é correto e razoável supor que Deus enche o mundo inteiro de realizações que num dado tempo tudo é aberto para Ele. Na antiga ordem, o pecado era coberto quando o sangue do animal era derramado, sacrifício esse que tipificava o sangue de Cristo. Não foi dito que o pecado era "tirado". Adequadamente, Hebreus 10.4 assevera: "...não é possível que o sangue de touros e de bodes remova pecados" (cf. Jo 1.29; Rm 3.25). Contudo, no presente tempo, mediante a fé em Cristo, o pecado é tirado (cf. Rm 8.1; Cl 2.13). O santo do Antigo Testamento era perdoado, mas somente quando Deus era capaz de lidar com o pecado com base na futura morte de Cristo. Os pecados perdoados, ou cobertos, não são equivalentes aos pecados tirados. É realmente impossível que o sangue de animal remova o pecado. Quando estava para vir ao mundo o Salvador disse: "...corpo me preparaste" (Hb 10.5-7), e a isto é acrescentado que "pois com uma só oferta [de Si mesmo] tem aperfeiçoado para sempre os que estão sendo santificados" – isto é, separados para Deus pela salvação deles através de Cristo (Hb 10.14). "Porque a lei não fez nada perfeito." Em oposição a isto e pela morte de Cristo, há o aparecimento de uma melhor esperança (Hb 7.19).

(B) A ressurreição de Cristo serve também como uma demarcação entre a velha e a nova ordem. Se como tem sido dito que a teologia do pacto ignora os aspectos doutrinários da ressurreição de Cristo, é devido ao fato que, de acordo com esse idealismo da Igreja, não há uma nova criação com seu Cabeça no Cristo ressurrecto, mas existiu sob um suposto pacto uniforme desde o começo da história humana. Assim, para esse sistema, a grande realidade de um propósito celestial peculiar para esta era é derrubada completamente. Disto falaremos oportunamente.

(C) Os aspectos doutrinários da ascensão e do presente ministério de Cristo no céu significam muito pouco para aqueles que estão comprometidos com a teoria de um pacto imutável. De acordo com esta suposição, a Igreja ficou sem uma autoridade no céu, mesmo antes de Jesus Cristo ter vindo; portanto, a inauguração daquela autoridade como alguma coisa surgida de sua ressurreição, não poderia ser de grande significação. A teoria do pacto não pode ser estendida

CRISTOLOGIA

a ponto de permitir um novo ministério sacerdotal de Cristo no céu, nem o seu imensurável ministério de Advogado, e pela mesma razão. Portanto, toda esta verdade imensurável não está inclusa em seu sistema pelos teólogos do pacto.

(D) O advento do Espírito Santo no dia do Pentecostes constitui-se numa transformação tão vital e de longo alcance como qualquer outra poderia ser. Não somente Ele assumiu a sua residência no mundo como fez a Segunda Pessoa, quando nasceu de uma virgem, mas Ele empreendeu formar o Tabernáculo ou templo em que Ele habita – o corpo total de crentes, cada um deles que é salvo na perfeição infinita de Cristo – e se torna a fonte de habitação da vida e do poder em cada um que é salvo. Por unir cada crente a Cristo, o Espírito Santo está formando uma coisa totalmente nova não prevista nas eras passadas – uma nova humanidade, uma nova criação, a realização de um propósito divino totalmente novo. O advento do Espírito Santo ao mundo e sua habitação no mundo não pode ser feita para se conformar doutrinariamente a uma teoria de um pacto imutável. Onde esta teoria é enfatizada, deve haver com ela a negligência das verdades mais vitais a respeito dos ministérios do Espírito Santo que caracterizam a presente era. A mesma razão pode ser atribuída por esta negligência, a saber, que se a Igreja existiu e progrediu nos tempos do Antigo Testamento à parte destes ministérios do Espírito Santo, eles não podem ser de importância vital na presente dispensação.

(E) A anulação de todos os propósitos judaicos e dos aspectos distintivos para uma era produz uma concepção de um pacto contínuo que é objetável. A história do Antigo Testamento conduz à sua consumação num reino terrestre glorioso no qual a nação eleita, Israel, perceberá os seus pactos como promessas cumpridas. Portanto, é desfavorável para uma teoria de um só pacto, no seu grau extremo, que uma situação deva ser estabelecida como tem sido nesta era em que é dito a respeito dos judeus e gentios que entre eles "não há diferença" (Rm 3.9; 10.12).

(F) A abertura da porta do privilégio aos gentios, como é feita nesta era, introduz um aspecto totalmente estranho ao propósito divino revelado, da forma em que foi revelada no Antigo Testamento, e apresenta uma idéia insustentável de um pacto imutável e único.

(G) A introdução de uma era como uma intercalação no meio dos programas preditos e em andamento de judeus e gentios e o novo propósito celestial que caracteriza esta era não podem se conformar à um suposto pacto único. Assim, para manter a idéia básica de uma teologia do pacto, é visto como vital no propósito divino total que ele deve ser renunciado e excluído no interesse daquilo que no máximo é somente uma teoria; e entre as verdades negligenciadas está a ressurreição de Cristo. Contudo, a despeito de uma influência quase universal da teoria do pacto sobre o pensamento teológico, a ressurreição de Cristo é, quando vista em seu ambiente verdadeiramente bíblico, propriamente reconhecida como a real base de todo o propósito desta era e a base sobre a qual repousam as novas posições e possessões daqueles que estão em Cristo. Há uma diferença doutrinária ampla entre aqueles que não

A DOUTRINA NO ANTIGO TESTAMENTO

vêem uma conseqüência especial na ressurreição de Cristo e aqueles que vêem a sua grande importância. Aqueles que observam esta importância não estão em erro, nem precisam ser repreendidos como aqueles que não têm seguido um padrão teológico feito pelo homem. Há pouca probabilidade de que o teólogo que, por sua formação, fugiu para um molde restrito de uma teoria do pacto, se aventure a uma pesquisa bíblica independente e muito diferente, que não seja simpático para com aqueles que através dos anos de estudo livre do Texto Sagrado têm chegado a descobrir mais do seu significado.

A doutrina bíblica da ressurreição está desenvolvida em duas divisões amplamente diferentes, a saber, a ressurreição de Cristo e a da humanidade. Por ser estranha esta discussão da ressurreição da humanidade, embora tratada em outro lugar desta obra, ela não está inclusa aqui. Ao abordar aquilo que é propriamente adequado a este trabalho – a ressurreição de Cristo – o assunto será apresentado na seguinte ordem: (a) A doutrina da ressurreição de Cristo no Antigo Testamento; e (b) a doutrina da ressurreição de Cristo no Novo Testamento.

I. A Doutrina no Antigo Testamento

Como está registrado em Lucas 24.44, que segue imediatamente sua aparição na ressurreição e como uma explicação dela, Cristo disse: "São estas as palavras que vos falei, estando ainda convosco, que importava que se cumprisse tudo o que de mim estava escrito na Lei de Moisés, nos Profetas e nos Salmos". Aqui, então, está a sugestão de que Cristo não somente é o tema de todas as partes do Antigo Testamento, mas que estes textos predizem em algum grau a ressurreição de Cristo, sejam tais referências usualmente reconhecidas ou não. Jó faz referência à ressurreição de Cristo como deve ser discernida no Pentateuco e encontrada nos tipos. Se Cristo tinha em sua mente o assunto do tipo quando falou de sua ressurreição como presente na "lei de Moisés", Ele colocou uma honra notável nesta fase negligenciada da doutrina. Uma referência direta à ressurreição de Cristo não é encontrada senão nos salmos de Davi, que viveu mil anos antes de Cristo vir ao mundo. A contribuição do Antigo Testamento à doutrina da ressurreição de Cristo pode assim ser observada em suas duas partes – os tipos e as profecias.

1. Os Tipos. Ao menos quatro prefigurações típicas da ressurreição de Cristo são encontradas no Antigo Testamento e estas ocorrem dentro do Pentateuco. Como indicado, estas parecem ser a base das próprias palavras de Cristo faladas em relação à sua ressurreição (Lc 24.44). Essas prefigurações são:

O Sacerdócio de Melquisedeque (Gn 14.18). "Ora, Melquisedeque, rei de Salém, trouxe pão e vinho; pois era sacerdote do Deus Altíssimo".

Enquanto o sacerdócio aaraônico foi constantemente interrompido pela morte (Hb 7.23, 24), o sacerdócio de Cristo, que é dito ser segundo a ordem de

Melquisedeque, se baseia totalmente na ressurreição. O próprio Melquisedeque tipificou Cristo em seu caráter eterno, por não ter, até onde diz o registro, pai ou mãe e começo ou fim de dias. Ao cumprir o padrão aaraônico, Cristo realizou a redenção por sua morte; na ordem de Melquisedeque, Cristo, baseado na ressurreição, contempla a sua redenção completada. Isto foi simbolizado na apresentação que Melquisedeque fez a Abraão de pão e vinho. O sacerdócio de Cristo segundo a ordem de Melquisedeque começa com a ressurreição de Cristo e continua para sempre. Ele tornou-se possível somente pela ressurreição de Cristo.

As Duas Aves (Lv 14.4-7). "O sacerdote ordenará que, para aquele que se há de purificar, se tomem duas aves vivas e limpas, pau de cedro, carmesim e hissopo. Mandará também que se imole uma das aves num vaso de barro sobre águas vivas. Tomará a ave viva, e com ela o pau de cedro, o carmesim e o hissopo, os quais molhará, juntamente com a ave viva, no sangue da ave que foi imolada sobre as águas vivas; e o espargirá sete vezes sobre aquele que se há de purificar da lepra; então o declarará limpo, e soltará a ave viva sobre o campo aberto."

As duas aves, juntas, apresentam um único tipo do empreendimento divino total operado por Cristo através de sua morte e ressurreição (cf. Rm 4.25); a segunda ave, mergulhada no sangue da primeira, significa Cristo na ressurreição e ascensão, e leva o Seu sangue para o céu. O antítipo é claro, visto que não há outra purificação que Deus possa reconhecer, exceto o sangue de Seu Filho e que Ele apresentou no céu (Hb 9.11-28).

As Primícias (Lv 23.10,11). "Fala aos filhos de Israel, e dize-lhes: Quando houverdes entrado na terra que eu vos dou, e segardes a sua sega, então trareis ao sacerdote um molho das primícias da vossa sega; e ele moverá o molho perante o Senhor, para que sejais aceitos. No dia seguinte ao sábado o sacerdote o moverá."

Como o molho do grão apresentava toda a colheita quando movida perante Jeová, assim Cristo como as primícias na ressurreição (1 Co 15.23) representa por seu corpo ressurrecto e glorificado todos aqueles a quem Ele salvou e que o seguem no céu.

A Vara de Aarão que Floresceu (Nm 17.8). "Sucedeu, pois, no dia seguinte, que Moisés entrou na tenda do testemunho, e eis que a vara de Aarão, pela casa de Levi, brotara, produzira gomos, rebentara em flores e dera amêndoas maduras."

Ao escrever sobre este tipo particular em Números 17, o Dr. C. I. Scofield declara: "A vara de Aarão que floresceu: Tipo de Cristo na ressurreição, pertencente a Deus como sumo sacerdote. O sacerdócio de Aarão havia sido questionado na rebelião de Coré, assim o próprio Deus a confirmaria (v. 5). Cada um dos três cabeças de tribo trouxe varas mortas; Deus colocou vida somente na vara de Arão. Assim todos os autores de religiões têm morrido, Cristo entre eles, mas somente Cristo foi ressuscitado dentre os mortos, e exaltado para ser o sumo sacerdote (Hb 4.14; 5.4-10)".[61]

A Doutrina no Antigo Testamento

2. As Profecias. Enquanto há muita sugestão no Antigo Testamento a respeito da ressurreição do corpo humano (cf. Jó 14.13-15; 19.25, 26; Sl 16.9, 10; 17.15; 49.15; Is 26.19; Dn 12.2; Os 5.15–6.2; 13.14; Hb 11.17-19), há apenas três predições diretas no Antigo Testamento sobre a ressurreição de Cristo. São as seguintes:

Salmo 16.9,10: "Pois não deixarás a minha alma no Seol, nem permitirás que o teu Santo veja corrupção. Tu me farás conhecer a vereda da vida; na tua presença há plenitude de alegria; à tua mão direita há delícias perpetuamente".

Nenhum exemplo mais visível será encontrado na Bíblia sobre a verdade que diz respeito a uma pessoa e que seja ao mesmo tempo aplicável às duas pessoas do que é apresentado nesta porção. É claro que, como a passagem mostra, Davi prediz a sua própria ressurreição; mas os apóstolos, Paulo e Pedro, citam este texto quando se referem à ressurreição de Cristo (cf At 2.24-31; 13.34-37). Será observado que os apóstolos enfatizam a verdade predita de que Cristo não experimentaria corrupção. Isto Ele não experimentou, embora estivesse num estado de morte completa entre o período de sua morte e ressurreição. De acordo com a distinção do apóstolo, registrada em 1 Coríntios 15.42-57, aqueles arrebatados na vinda do Senhor, embora mudados do estado de mortais para imortais, num "piscar de olhos", não vêem corrupção. Cristo é assim classificado, a despeito do período em que o seu corpo esteve sujeito à morte absoluta, como alguém que está agora em imortalidade (1 Tm 6.16) – não incorrompido, que será o estado daqueles que, por causa da morte, viram corrupção. Como foi predito dEle que nenhum dos seus ossos seria quebrado (cf. Jo 19.36), de igual modo foi declarado profeticamente que Ele não veria corrupção.

Salmo 22.22-31. Ao escrever sobre o salmo 22, Erling C. Olsen em sua obra recomendável, *Meditations in the Psalms*, afirma:

O versículo 22 do salmo 22 contém as primeiras palavras sobre o Cristo ressuscitado: "Declararei o teu nome aos meus irmãos...". Do capítulo 17, do evangelho de João, aprendemos que um dos ministérios entregue ao nosso Senhor foi esta manifestação do nome do Pai. No versículo 6 desse capítulo, está escrito: "Manifestei o teu nome aos homens que do mundo me deste...". Mas isto não é tudo o que está no salmo 22. Observe que nosso Senhor nos chama de "meus irmãos". Que condescendência Ele nos chamar de "irmãos", e, na verdade, dizer que Ele não se *envergonha* de nos chamar irmãos... Olhemos agora para a última metade do versículo 22, que diz: "...louvar-te-ei no meio da congregação". Você já pensou de Jesus Cristo como o que lidera a grande congregação nos cânticos de louvor? É isto o que o salmo apresenta. E isso está em harmonia com o que aprendemos de Hebreus 2. Você que canta em corais ou lidera o cântico congregacional, pode ser um incentivo a mais para você, saber que o Senhor é o cantor-chefe, o grande diretor de coral. Na verdade, nenhuma adoração, nenhum louvor poderia ser talvez aceitável a Deus, a menos que seja através de nosso Senhor Jesus Cristo. Ele é o centro de toda a revelação de Deus, o centro do cristianismo. No versículo 23, temos as várias seções do grande coral que nosso Senhor dirige. Ele parece permanecer no meio, a fim de instruir cada parte a prestar seu louvor junto a Deus. No versículo 24 temos a substância do cântico de louvor, assim como a razão de tal cântico no tempo da Páscoa. "Porque não desprezou nem abominou a aflição do aflito, nem dele escondeu o seu rosto; antes, quando ele clamou, o ouviu." Ele canta e nós cantamos por causa de sua morte e ressurreição. Quem não cantaria com essa experiência da graça de Deus nos corações que eles tiveram e com a certeza de que foram redimidos do pecado?[62]

Salmo 118.22-24. "A pedra que os edificadores rejeitaram, essa foi posta como pedra angular. Foi o Senhor que fez isto, e é maravilhoso aos nossos olhos. Este é o dia que o Senhor fez; regozijemo-nos e nos alegremos nele."

O comentário divino sobre esta porção do salmo 118 é encontrado em Atos 4.10,11, que diz: "Seja conhecido de vós todos, e de todo o povo de Israel, que em nome de Jesus Cristo, o nazareno, aquele a quem vós crucificastes e a quem Deus ressuscitou dentre os mortos, nesse nome está este aqui, são diante de vós. Ele é a pedra que foi rejeitada por vós, os edificadores, a qual foi posta como pedra angular". A verdade de que Deus ressuscitou Cristo dentre os mortos é ilustrada pela pedra rejeitada que se tornou a pedra angular. Tal reversão da decisão dos construtores em rejeitar a pedra é de fato uma obra de Jeová. Israel – aqui chamado de construtores que rejeitaram a pedra, como a nação que crucificou – viu pela ressurreição que as obras deles foram revertidas. O dia da ressurreição de Cristo – o primeiro dia da semana – é peculiarmente ordenado por Deus, portanto, como um dia em que os crentes devem se regozijar e servir.

A primeira palavra falada nessa manhã pelo Cristo ressuscitado foi χαίρετε (Mt 28.9), que é traduzida por *salve*, mas, como todos haverão de concordar, pode mais literalmente ser traduzida como *regozijai*. Das 45 vezes em que ela é usada no Novo Testamento, exceto em seis vezes – onde ela é empregada como uma saudação – a palavra é traduzida como *regozijo* ou *alegria*. A saudação é claramente uma manifestação de regozijo. Assim, do próprio Senhor, em conformidade com o salmo 118.22-24, é dito ter começado a primeira celebração de sua ressurreição com regozijo. A respeito da celebração do primeiro dia da semana, muita coisa já foi apresentada no estudo de Eclesiologia, e mais ainda será mencionado oportunamente.

Será observado que, à parte da expectativa que os tipos e predições apresentam, o Antigo Testamento não atribui nenhum significado específico à ressurreição de Cristo como um ato relacionado a Israel. Davi considerou que, embora a morte estivesse determinada para o seu Filho Maior, o Filho seria ressuscitado para assentar-se no trono davídico (At 2.23-31). A necessidade não estava alojada na ressurreição em si, mas no pacto que possuía um juramento inalterável a respeito de um ocupante do trono que não faltaria (cf. 2 Sm 7.16; Jr 33.17). A ressurreição de Cristo em sua importância doutrinária, então, pertence somente à Igreja, a Nova Criação..

II. A Doutrina no Novo Testamento

A doutrina da ressurreição no Novo Testamento pode ser dividida em sete partes: (a) as próprias predições de Cristo a respeito de sua ressurreição; (b) sua ressurreição como sujeita a prova válida; (c) sua real ressurreição; (d) sua ressurreição que resulta numa nova ordem de seres; (e) sete razões para sua ressurreição; (f) sua ressurreição como o padrão presente do poder divino; (g) o Dia do Senhor como a comemoração de sua ressurreição.

1. AS PREDIÇÕES DE CRISTO. Homens incrédulos têm argumentado que é irrazoável supor que com tantas declarações diretas a respeito de sua própria ressurreição os discípulos não poderiam ter estado tão despreparados para ela, como realmente estiveram. Contudo, neste contexto deveria ser lembrado que até o tempo de sua morte e ressurreição, por ser esta última totalmente sobrenatural, ela não era esperada; mas acima e além disto, está evidente que, por razões importantes não difíceis de se reconhecer, a capacidade de captar o que Cristo disse de, sua morte e ressurreição, e estas foram escondidas de seus discípulos, embora tivessem sido repetidamente anunciadas. Sua morte e ressurreição não tiveram um lugar imediato no programa do reino ao qual esses discípulos foram chamados para estarem atentos. A proclamação do Evangelho do reino que eles sinceramente fizeram teria sido grandemente influenciada, se eles tivessem enfrentado com uma crença segura a idéia de que Cristo seria rejeitado, colocado à morte, e, então ressuscitado dentre os mortos.

Mesmo João Batista, como já foi observado antes, não recebeu uma compreensão clara da morte e ressurreição vindouras de Cristo. Por outro lado, como já foi afirmado anteriormente, era necessário que pela exibição da glória da transfiguração estes discípulos – especialmente aqueles designados para escrever a Escritura, a saber, Pedro e João – deveriam ser encorajados a reter a certeza de seu "poder e de sua vinda" (2 Pe 1.16) a despeito da perturbação da expectativa do reino que a morte e a ressurreição criariam. Eles deveriam saber que o programado reino não fora abandonado, mas que a sua realização daquele tempo em diante deveria ser associada com o seu retorno à terra em poder e grande glória. Até a importância doutrinária deles poderia ser revelada – e tal não poderia se dar talvez até que esses eventos tivessem realmente acontecido – a morte e a ressurreição de Cristo não poderiam ter sido interpretadas pelos discípulos como unicamente o cancelamento impossível de tudo aquilo em que haviam sido ensinados e de tudo o que eles proclamaram a respeito do reino terrestre do Messias.

A oferta de um reino terrestre, sua rejeição, a morte e a ressurreição do Rei, uma nova era imprevista com um novo propósito, e o retorno do Rei para cumprir todas as suas promessas, todas essas coisas podem ser compreendidas por alguns à medida que eles viram as coisas mais ou menos em retrospectiva, enquanto que apenas uma ligeira contemplação poderia convencer alguém da complexidade de tudo isto nas mentes daqueles que passaram por intermédio de seu desenvolvimento real. Uma reflexão devida deveria ser feita com relação à necessidade da sabedoria divina introduzindo a homens sinceros os passos

CRISTOLOGIA

sucessivos na maior transição que o mundo jamais experimentou, a saber, a transição do judaísmo para o cristianismo. A estupenda mudança que exige o novo nascimento de Nicodemos e a regeneração de Saulo de Tarso não é clareada ou mesmo abordada pela teologia do pacto que, conquanto abranja um idealismo unificado a respeito de um único e suposto propósito divino, pode percorrer inconscientemente sobre estas poderosas mudanças como se elas não existissem.

Foi requerido pelas condições existentes que os discípulos não soubessem da morte e da ressurreição de Cristo, que estavam por vir, até que esses eventos transformadores da era fossem experimentados e que o tempo tivesse chegado, quando entrassem nos novos valores assegurados para eles por esses eventos; todavia, era ainda essencial que Cristo predissesse, sua morte e ressurreição. O texto que trata da incapacidade dos discípulos de lembrar-se das predições de Cristo está em João 2.22, que diz: "Quando, pois, ressurgiu dentre os mortos, seus discípulos se lembraram de que dissera isto, e creram na Escritura, e na palavra que Jesus havia dito", mas é também observado como após sua ressurreição Cristo abriu o entendimento deles para as Escrituras e particularmente para o fato de sua morte e ressurreição. Está escrito a respeito disto: "Então lhes abriu o entendimento para compreenderem as Escrituras; e disse-lhes: Assim está escrito que o Cristo padecesse, e ao terceiro dia ressurgisse dentre os mortos" (Lc 24.45, 46).

Da maior importância, igualmente, é a declaração expressa de Lucas 18.31-34 – onde a declaração de Cristo a respeito da sua iminente morte e ressurreição está registrada – e especialmente a revelação no versículo 34, que diz: "Mas eles não entenderam nada disso; essas palavras lhes eram obscuras, e não percebiam o que se lhes dizia". O poder divino assim propositadamente escondeu dos olhos deles a morte e a ressurreição de Cristo. Deve ser observado que, embora os discípulos fossem incapazes de entender as predições de Cristo a respeito de sua morte e ressurreição, os judeus incrédulos a entenderam e a lembraram. Deles é registrado que disseram a Pilatos, após a morte de Cristo: "Senhor, lembramo-nos de que aquele embusteiro, quando ainda vivo, afirmou: Depois de três dias ressurgirei. Manda, pois, que o sepulcro seja guardado com segurança até o terceiro dia; para não suceder que, vindo os discípulos, o furtem e digam ao povo: Ressurgiu dos mortos; e assim o último embuste será pior do que o primeiro" (Mt 27.63, 64).

Incidentalmente, será visto que este texto lança luz sobre o problema do tempo entre a morte e a ressurreição de Cristo. Alguns têm colocado muita ênfase na frase "após três dias", enquanto que outros têm enfatizado a frase "até o terceiro dia", mas esta passagem indica que estas duas frases significam uma e a mesma coisa.

O Dr. Everett F. Harrison, escrevendo sobre a ressurreição e especificamente sobre este ponto, afirma:

Isto é muito claro de toda esta discussão, que Jesus, tanto em suas predições quanto em seu ensino após a ressurreição, deu grande ênfase

226

sobre o elemento tempo, e a Igreja Primitiva procurou imprimir a mesma coisa em seus testemunhos (At 10.40; 1 Co 15.4). Todavia, deve ser reconhecido como uma insistência singular se a única base para Ele é a necessidade de cumprir o sinal de Jonas. Este é o único elo certo com o Antigo Testamento no que diz respeito aos três dias. Um incidente em conexão com a ressurreição de Lázaro pode lançar alguma luz sobre este problema. Quando Jesus ordenou a remoção da pedra, Marta se interpôs: "Senhor, já cheira mal, pois ele morreu há quatro dias". Por que deveria ela ser tão explícita em afirmar esse período de tempo? A resposta é que entre muitos povos da antigüidade, entre eles Israel, supunha-se que a corrupção começava no quarto dia, quando toda a possibilidade de reanimação pela alma chegasse ao fim. Isto explica o atraso proposital de Jesus em vir a Betânia (Jo 11.6, 17) e também para criar incapacidade nos fariseus em negar a realidade do milagre (v. 47). Isto também conta para a ênfase na pregação apostólica sobre o fato de que Jesus não experimentou corrupção (At 2.31; 13.37). A nossa conclusão, então, é que nosso Senhor deliberadamente anunciou um tempo para sua ressurreição que satisfaria as exigências do entendimento popular – o tempo suficiente após a morte para se certificar da realidade da morte; todavia, não um tempo tão longo que permitisse que a corrupção acontecesse.[63]

As passagens que registram as predições de Cristo sobre sua morte e ressurreição são: Mateus 16.21; 17.23; 20.17-19; 26.12, 28, 31; Marcos 9.30-32; 14.8, 24, 27; Lucas 9.22, 44, 45; 18.31-34; 22.20; João 2.19-21; 10.17,18; 12.7.

2. SUJEITAS À PROVA VÁLIDA. A introdução que o Dr. Harrison faz do seu próprio trabalho sobre a evidência da ressurreição de Cristo com o esboço anexado a ele, por causa de sua afirmação satisfatória, é introduzida aqui:

A importância crucial da ressurreição para a demonstração da origem divina e da plena autoridade da religião cristã tem sido reconhecida desde há muito, tanto pelos amigos quanto inimigos, talvez por esses últimos mais do que pelos primeiros, visto que eles estão atentos para detectar essa porção do fundamento que envolverá o colapso de todo o edifício em caso de ser removida com sucesso. Embora o método de ataque tenha mudado através dos anos e, conseqüentemente, em grau, o método de defesa; todavia, os fatos básicos permanecem como têm sido desde o princípio, e a eles fazemos o nosso apelo. As três linhas proeminentes de evidência para a ressurreição de Jesus são o túmulo vazio, suas aparições aos discípulos e a transformação operada neles por essas aparições. No pano de fundo, mas não menos merecedoras de consideração como evidência histórica, estão a própria existência da Igreja e a literatura que emanou dela, o nosso Novo Testamento. Finalmente, embora não estando propriamente dentro da categoria de evidência, há uma congruidade entre sua ressurreição e tudo mais que nós conhecemos sobre Ele. O sobrenaturalismo consistente que pertence a Ele, torna a ressurreição uma necessidade virtual e cria naquele que começa a partir do fato da crescente realização que era inevitável.[64]

Esta sêxtupla divisão de evidências – três maiores e três menores – embora não entre em muitos detalhes, apresenta os aspectos salientes de prova. Toda evidência funcionando através dos canais humanos é naturalmente sujeita às limitações humanas, porque os homens são falíveis. A impressão deles pode ser errônea. Por outro lado, o testemunho honesto de uma testemunha deve ser recebido e pesado para tudo o que ela propõe ser: "Pela boca de duas ou três testemunhas toda palavra seja confirmada" (Mt 18.16). Nenhuma linha maior de prova poderia existir além do fato de que Cristo ressuscitou. A cena total foi repentinamente mudada quando Ele apareceu e prontamente foi identificado por aqueles que o viram. O efeito produzido indica que houve uma causa suficiente e que a causa não era outra além da verdade de que Ele estava vivo dentre os mortos.

Seus seguidores não estavam preparados para a sua morte. Essa morte não foi suavizada pela mais leve expectativa de que Ele pudesse ressurgir dos mortos. Eles estavam despreparados para a sua ressurreição. E quando Ele ressuscitou, reagiram com grande surpresa e alegria. Eles estavam sem o propósito ou plano de agir assim. Para eles, a tumba estava vazia sem dúvida e o Salvador estava vivo e no meio deles novamente. Os anjos mensageiros assim como as testemunhas humanas testificaram da tumba vazia e várias centenas testificaram de sua presença viva. Os apóstolos começaram imediatamente a proclamar a ressurreição em Jerusalém, e para aqueles que tinham causado a sua crucificação. Tivesse havido qualquer prova que os homens pudessem produzir que demonstrasse ainda Cristo no estado de morte, essa prova teria sido proclamada; mas nenhuma pode ser encontrada.

As aparições de Cristo foram devidamente registradas pelo apóstolo Paulo em 1 Coríntios 15.5-8, que afirma: "...que apareceu a Cefas, e depois aos doze; depois apareceu a mais de quinhentos irmãos duma vez, dos quais vive ainda a maior parte, mas alguns já dormiram; depois apareceu a Tiago, então a todos os apóstolos; e por derradeiro de todos apareceu também a mim, como a um abortivo". Aqueles que o conheciam melhor e poderiam aplicar testes incontáveis para estabelecer Sua identidade, estavam convencidos, não tanto pelo túmulo vazio mas por sua real presença com eles. Nessa confiança que a Sua presença viva gerou, eles pregaram com toda a intrepidez, e o cristianismo, baseado na morte e na ressurreição de Cristo, teve o seu início sem qualquer dúvida registrada da parte daqueles a quem Ele apareceu. A remoção da dúvida de um deles por uma aparição visível de Cristo é especialmente significativa.

Aquele que disse: "Se eu não vir o sinal dos cravos nas suas mãos, e não meter o dedo no lugar dos cravos, e não meter a mão no seu lado, de maneira nenhuma crerei" (Jo 20.25), viu as reais cicatrizes e declarou: "Senhor meu, e Deus meu" (Jo 20.28). Igualmente, o grande apóstolo foi transformado de

A DOUTRINA NO NOVO TESTAMENTO

um incrédulo que era para ser o apóstolo da graça divina por ver Cristo, e não somente ressuscitado, mas entronizado em glória. Os homens que conheceram mais a respeito dEle creram mais a respeito de sua ressurreição. O evento todo exigiu investigação e pode ser suposto que essa investigação foi buscada igualmente por crentes e incrédulos. James Denney em seu volume *Jesus and the Gospel* assevera: "A evidência histórica real para a ressurreição é o fato de que ela foi crida, pregada, propagada e produziu seu fruto e efeito no novo fenômeno da Igreja, muito antes de qualquer dos evangelhos ser escrito".[65]

Além de tudo isso – especialmente para os que possuem discernimento espiritual – o Novo Testamento é a realidade que é construída, não na mera crença na ressurreição de Cristo, mas nAquele que ressurgiu da sepultura. Uma nova criação que apresenta o esforço divino supremo e incorpora os interesses do céu e da terra não é construída sobre uma mera ficção ou idealismo enganoso. O Segundo Testamento todo que proclama, defende e se firma na ressurreição de Cristo, é em si mesmo digno de sua alegação de ser a Palavra inspirada de Deus. No curso de sua mensagem, a ressurreição de Cristo é um aspecto essencial. O maior propósito divino é executado sobre a realidade do retorno de Cristo da tumba.

3. RESSURREIÇÃO REAL. Através disto, a atenção é dirigida à verdade de que Cristo realmente morreu e que, se Ele não tivesse ressuscitado, no que diz respeito ao seu corpo humano, Ele teria permanecido no estado de morte. É esta verdade que é construída erroneamente por ilustrações inadequadas. É provável que a natureza não proporcione uma realidade comparável. Sem a devida reflexão, homens sinceros têm procurado elucidar a doutrina da ressurreição de Cristo por compará-la à incubação de um ovo, à manifestação da vida na forma de um lírio quando o bulbo seco é plantado, ou com o romper do casulo e o aparecimento de uma bela borboleta. Uma consideração momentânea sugere a inapetência de todas estas figuras. O ovo não incubará, a menos que ele contenha um gérmen de vida. Nenhum bulbo seco apresenta um lírio, a menos que esteja vivo. Nenhuma crisálida jamais romperá o seu casulo, se não for animada; mas não havia vida na tumba de Cristo.

Nenhuma grande distinção existe além daquele que se obtém entre a vida e a morte, e na verdade é trágico quando, mesmo por implicação – que uma ilustração considerada imprópria possa prenunciar – seja insinuado que Cristo realmente não tenha morrido, ou que mesmo uma fagulha de vida tenha continuado na tumba como base de uma mera ressuscitação. Reafirmamos: não há na natureza algo capaz de representar uma verdadeira ressurreição da morte. Cristo foi para a morte despótica e saiu dela com uma vida fortalecida e inexaurível. Na forma de Melquisedeque, de seu sacerdócio, é corretamente dito de Cristo: "...que não foi feito conforme a lei de um mandamento carnal, mas segundo o poder duma vida indissolúvel" (Hb 7.16). As contagens finitas não podem jamais compreender aquilo que, de passagem, é chamado de "poder de uma vida indissolúvel". A morte não termina com a consciência da alma e do espírito humano. A morte não terminou com a consciência da alma e do espírito humano de Cristo, nem ela afetou a Sua divindade. A morte física é uma experiência do corpo e somente a ressurreição restaurará sua vida novamente. Cristo entrou completamente no estado de morte física e dela Ele saiu por uma ressurreição real. Visto que há tão pouca coisa sobre que basear esta doutrina neste ponto, a questão da relação de Cristo com a morte espiritual não é discutida nesta obra.

4. UMA NOVA ORDEM DE SER. Um agudo contraste existe e deveria ser reconhecido entre a glória do Verbo pré-encarnado de um lado e aquela de Cristo na ressurreição, por outro. Em outras palavras, sua ressurreição era muito mais do que uma reversão de sua morte. Tais reversões, na verdade, eram a regra para todas as outras chamadas ressurreições registradas na Bíblia. Elas eram, para ser estritamente exato, somente restaurações ou ressurgimentos a partir de um estado de morte completa. A diferença é vista no fato de que as outras chamadas ressurreições foram um retorno à vida anterior e ao estado para o qual elas reviveram, mas que estavam sujeitas à morte outra vez, enquanto que de Cristo é dito que Ele ressuscitou numa esfera de existência nunca dantes mostrada ou ocupada. Não é argumentado que qualquer mudança foi operada em Sua divindade, além daquela que é possível na esfera da encarnação.

A humanidade de Cristo – seu corpo, alma e espírito – instantaneamente se tornou naquilo que havia sido predito por toda a eternidade, a saber, uma perfeita humanidade glorificada e exaltada a ponto dela não somente ser adaptada ao céu, mas também para ser uma parte integral da pessoa teantrópica glorificada. É uma grande exigência se tornar uma parte integral do todo-glorioso, exaltado e ressuscitado Filho de Deus. Em outras palavras, Cristo é o primeiro e o único de todos os moradores da terra a ser colocado na imortalidade. O apóstolo anuncia a respeito dele: "...aquele que possui, ele só, a imortalidade, e habita em luz inacessível; a quem nenhum homem tem visto nem pode ver; ao que seja honra e poder sempiterno. Amém" (1 Tm 6.16); "...e que agora se manifestou pelo aparecimento de nosso Salvador Cristo Jesus, o qual destruiu a morte, e trouxe à luz a vida e a imortalidade pelo evangelho" (2 Tm 1.10). A imortalidade é totalmente do corpo, nunca da alma ou do espírito, e visto que nenhum outro desta esfera ainda recebeu o corpo glorificado da ressurreição, Ele somente tem imortalidade. Esse corpo imortal com uma alma e um espírito glorificado unido à divindade se torna a pessoa teantrópica incomparável, o Salvador exaltado.

5. SETE RAZÕES. Na seção de Soteriologia, apresentada anteriormente (Vol. III), foram listadas e examinadas catorze razões. Nesta divisão de Cristologia, sete razões para a ressurreição de Cristo devem agora ser consideradas. Estas, é crido, parecerão ser abrangentes, e são as seguintes: (1) Cristo ressurgiu por aquilo que Ele é; (2) Cristo ressurgiu para que Ele pudesse cumprir o pacto davídico; (3) Cristo ressurgiu para que Ele pudesse se tornar a fonte da ressurreição da vida; (4) Cristo ressurgiu para que pudesse se tornar a fonte do poder de ressurreição; (5) Cristo ressurgiu para ser o Cabeça sobre todas as coisas, para a Igreja; (6) Cristo ressurgiu por causa da nossa justificação; (7) Cristo ressurgiu para ser as primícias. Estas razões podem ser consideradas separadamente.

A. POR CAUSA DE QUEM ELE É. E á registrado por Pedro que no seu sermão do Pentecostes ele disse: "...ao qual Deus ressuscitou, rompendo os grilhões da morte, pois não era possível que fosse retido por ela" (At 2.24). Nenhuma situação concebível poderia ser mais anormal do que o fato da Pessoa teantrópica devesse entrar para as esferas da morte. Ele é a fonte de toda vida. "Pois assim como o Pai tem vida em si mesmo, assim também deu ao Filho ter vida em si mesmo" (Jo 5.26). Esta não é uma referência à vida humana, que começa com a geração humana, mas uma referência à vida que Deus é, de eternidade a eternidade. À parte da experiência de animais, este universo nada sabe sobre a morte além dela como julgamento que procede de Deus sobre a raça humana, e a hora se aproxima quando esse julgamento será suprimido e a morte será banida para sempre. Por que, na verdade, deveria a Segunda Pessoa eterna, ainda que Ela tenha tomado sobre si a humanidade infinda e não-caída, ser encontrada dentro das sombras da morte? A pergunta tem apenas uma resposta e esta é a única dada na Bíblia, a saber, que por amor infinito Ele morreu por outros, o Justo pelos injustos, para que pudesse conduzir os injustos a Deus; mas quando a satisfação havia sido trazida em favor daqueles por quem Ele morreu, não houve mais oportunidade para o Imortal continuar nas esferas da morte. Portanto, é por causa daquele que Ele é que Ele ressurgiu da tumba.

B. PARA CUMPRIR O PACTO DAVÍDICO. Para o estudante crente e atento da Escritura está claro que grandes questões estão contidas no pacto que Deus fez com Davi, conforme o registro de 2 Samuel 7. Para Abraão, Deus prometeu uma semente terrestre e uma terra (Gn 12.1-3; 13.14-17; 15.5-7); e para Davi, um trono eterno, um Rei eterno e um reino eterno. O caráter exato desse trono e do reino foi revelado a Davi. Sua própria resposta ao pacto de Jeová e sua impressão a respeito dele (cf. 2 Sm 7.18-29; Sl 89.20-37) indicam claramente que foi, como prometido, nada além da perpetuação do trono terrestre e do reino terreno de Davi. O estudante pesquisará em vão por qualquer ponto em revelação subseqüente onde está revelado que este trono e reino sofreu uma metamorfose pela qual um trono e um reino literal, como foram prometidos a Davi pelo juramento de Jeová (cf. At 2.30), se tornaram um reino espiritual que os teólogos modernos fantasiam existir, e que isso tudo foi tão mudado que o próprio Davi não mais é essencial a ele.

Na verdade, nenhum assunto é mais desconcertante dentro da esfera dos temas proféticos para aqueles que espiritualizam o reino do que a questão para qual era pré-requisito Cristo ser nascido da linhagem de Davi. Se o Seu reino é um reino espiritual, Ele não precisa ser nascido numa linhagem humana específica. A Bíblia não segue um programa adaptado aos ideais humanos. O pacto davídico prometido com juramento do fruto dos lombos de Davi que Jeová fez, de acordo com a carne, Deus levantaria Cristo para sentar-se no trono de Davi (At 2.30). Davi acreditava que o pacto que Deus havia feito com ele a respeito de seu trono e de seu reino terrestre – que direito tinha ele de duvidar? – e esta é a razão pela qual ele falou do fato, registrado no Salmo 16.10, de que Cristo não seria deixado na sepultura. No Texto Sagrado o programa total do pacto com Davi se move majestosamente com subseqüentes revelações que lhe deram um caráter de confirmação (cf. Is 9.6, 7; Lc 1. 31-33; At 2.25-31; 15.16-18), e continua em certa prospectiva até que ele é consumado no retorno de Cristo, quando Ele se assentará no trono de Davi, em Jerusalém.

Este é o reino oferecido por Cristo em seu ministério terreno e que foi pregado pelos seus discípulos. O mesmo reino foi rejeitado pela nação quando eles rejeitaram o seu Rei. No propósito de Deus e com o fim de que a redenção pudesse ser realizada, o Messias devia morrer. Das várias razões aqui atribuídas para a ressurreição de Cristo, é agora afirmado que Ele ressurgiu por causa do juramento de Deus a Davi, para que o juramento não fosse violado – como teria sido se Cristo tivesse permanecido na esfera da morte. Um juramento de Jeová feito a Davi a respeito do Messias como Aquele que se assentaria no trono de Davi em Jerusalém não tem qualquer relação com um suposto reino espiritual. Se o reino é espiritual ao invés de literal, de que vale o juramento de Jeová? E que valor tem o pacto davídico?

C. PARA TORNAR-SE A FONTE DA VIDA RESSURRETA. Do fator principal que faz o cristão ser o que é, muita coisa já foi escrita. Foi, contudo, após a sua ressurreição, que Cristo soprou sobre os discípulos, e disse: "Recebei o Espírito" (Jo 20.22). De igual modo todo cristão foi nascido de cima e recebeu a natureza divina quando creu. Depois disso, o próprio Cristo está no coração como a esperança da glória (cf. Cl 1.27). "O ladrão não vem senão para roubar, matar e destruir; eu vim para que tenham vida, e a tenham em abundância. Eu sou o bom pastor; o bom pastor dá a sua vida pelas ovelhas" (Jo 10.10, 11); "E o testemunho é este: que Deus nos deu a vida eterna; e esta vida está em seu Filho. Quem tem o Filho tem a vida; quem não tem o Filho de Deus não tem a vida" (1 Jo 5.11, 12). Resta somente declarar, além disso, que a vida que é assim comunicada é a vida de Cristo na ressurreição e não a vida pré-ressurreição de Cristo.

É com base nesta verdade que o cristão é contemplado, como ele é no Novo Testamento, por já estar ressuscitado dentre os mortos. Colossenses 3.1-4 é direto e conclusivo: "Se, pois, fostes ressuscitados juntamente com Cristo, buscai as coisas que são de cima, onde Cristo está, assentado à destra de Deus. Pensai nas coisas que são de cima, e não nas que são da terra; porque morrestes, e a vossa vida está escondida com Cristo em Deus. Quando Cristo, que é a nossa vida, se manifestar, então também vós vos manifestareis com ele em glória". De fato, o crente é agora abençoado com todos os valores da co-crucifixão, co-morte, co-sepultamento e co-ressurreição com Cristo. Estas grandes realidades são suas tão completamente quanto foram de Cristo, visto que Cristo as operou como um Substituto por aquele que crê. No sentido mais real, o filho de Deus foi ressuscitado e assentado com Cristo nos lugares celestiais. Assim, está escrito: "...com ele nos fez sentar nas regiões celestes em Cristo Jesus" (Ef 2.6).

D. PARA SER A FONTE DO PODER DA RESSURREIÇÃO. Após sua ressurreição, Cristo disse aos seus discípulos: "Todo poder me é dado no céu e na terra" (Mt 28.18). É Seu poder dirigido a nós, os que cremos, que é medido somente pela muitíssima grandeza do poder de Deus que foi operado em Cristo, quando

Ele o ressuscitou dentre os mortos. Naturalmente, a mente dá ênfase primeiro sobre o poder que realizou a ressurreição de Cristo, e isto obviamente é a coisa essencial a ser apreendida; todavia, a mensagem de Efésios 1.19-21 apresenta antes a verdade gloriosa de que o poder que operou em Cristo é o poder que está comprometido em favor do crente. Esse poder pode ser dirigido em vários canais, mas ele é a porção de todos os que crêem. Em Romanos 6.4 a ressurreição de Cristo é a medida de poder disponível para o andar do cristão em "novidade de vida", ou de um novo princípio de vida, a saber, o andar na dependência do Espírito Santo.

E. PARA SER O CABEÇA SOBRE TODAS AS COISAS PARA A IGREJA. Quando o Cristo ressurrecto é associado à Igreja – aqueles que foram ressuscitados com Ele e se assentaram com Ele (Ef 2.6) – em uma entidade, o resultado é conhecido como nova criação. É verdade que, por causa da relação vital com Cristo que cada crente sustém através do ministério regenerador do Espírito Santo, cada um assim associado é em si mesmo uma nova criação. Assim é dito que, "se alguém está em Cristo, nova criatura é; as coisas velhas já passaram; eis que tudo se fez novo" (2 Co 5.17); mas o grupo total dos salvos unido ao Cabeça ressuscitado e inclusive Ele, constituem a nova criação de Deus. Esta entidade é totalmente diferente daquele outro grupo existente, seja ele composto de anjos ou de homens, e sua realização constitui o propósito supremo de Deus na presente era. Como tudo que faz parte da nova criação é estabelecido com base na ressurreição e é derivado diretamente do Cristo ressurrecto, fica claro que Ele próprio foi por esta causa ressuscitado e assentou muito acima das esferas angelicais e feito Cabeça sobre todas as coisas e dado à Igreja, que é o seu Corpo (Ef 1.20-23).

F. POR CAUSA DA JUSTIFICAÇÃO. Deverá ser reconhecido que este aspecto da verdade da ressurreição é retirado de um texto da Escritura (Rm 4.25), que diz: "...o qual foi entregue por causa das nossas transgressões, e ressuscitou para a nossa justificação". Acima e além do que tem sido escrito anteriormente sobre esta passagem um tanto difícil, pode ser indicado que, por ter completado a base da justificação pela morte e através dela, e seu corpo ter permanecido o tempo prescrito na sepultura, Cristo ressuscitou. Não é de acordo com a sã doutrina declarar que a justificação está baseada na ressurreição de Cristo. Antes, é certo do testemunho do Novo Testamento que a justificação está fundada na morte de Cristo. Está escrito: "...sendo justificados gratuitamente pela sua graça, mediante a redenção que há em Cristo Jesus" (Rm 3.24); "Logo muito mais, sendo agora justificados pelo seu sangue, seremos por ele salvos da ira" (Rm 5.9). Ainda há um sentido em que pode ser dito também que, visto que a justiça imputada é a razão divina para aquele pronunciamento divino de que a justificação é, e visto que a justiça imputada advém para o crente na única base da sua união ao Cristo ressurrecto, a justificação do crente repousa completamente na ressurreição do Senhor. Portanto, é verdadeiro que a justificação é tornada possível tanto pela morte de Cristo, quanto por sua ressurreição, e, assim, ambas são essenciais.

CRISTOLOGIA

G. Para ser as primícias. Este outro tema sob consideração já foi anteriormente tratado em parte. Contudo, para que este esboço de doutrina possa ser tão completo quanto possível, este aspecto maravilhoso da ressurreição de Cristo deve reaparecer. O termo *primícias* é usado a respeito de Israel (Jr 2.3), da bênção do Espírito (Rm 8.23), dos primeiros crentes numa determinada localidade (Rm 16.5; 1 Co 16.15), dos santos desta era (Tg 1.18), dos 144.000 (Ap 14.4) e de Cristo na ressurreição. Uma passagem, em que o termo é duplamente aplicado a Cristo é especialmente claro como evidência para este último uso: "Mas na realidade Cristo foi ressuscitado dentre os mortos, sendo ele as primícias dos que dormem. Porque, assim como por um homem veio a morte, também por um homem veio a ressurreição dos mortos. Pois como em Adão todos morrem, do mesmo modo em Cristo todos serão vivificados. Cada um, porém, na sua ordem: Cristo as primícias, depois os que são de Cristo, na sua vinda" (1 Co 15.20-23).

Essa humanidade glorificada que deve constituir o mais elevado aspecto do céu junto à divindade – aqueles que mesmo nesta vida, por serem salvos, receberam o πλήρωμα da divindade (Cl 2.9, 10) e ainda receberão os corpos ressuscitados iguais ao corpo glorioso de Cristo (Fp 3.21) – são perfeitamente apresentados no céu por Cristo Jesus, o homem ressuscitado e glorificado. Os anjos conhecem o estado que caracterizará os indivíduos que compõem essa companhia inumerável que, após receberem os seus corpos ressuscitados, irão invadir as galerias celestiais. Os anjos assim conhecem o estado deles antes de aparecerem o que cada um deles será, por ter visto Cristo que, para os exércitos do céu, é uma demonstração preliminar do glorioso estado que aguarda aqueles que são de Cristo. Ele é assim as "primícias". O mover do molho do Antigo Testamento predisse o aparecimento de Cristo no céu como uma visão antecipada ou como um precursor daqueles que vão segui-lo, quando da ressurreição.

6. O Presente Padrão do Poder Divino. A Bíblia revela um padrão do poder divino para cada uma das três eras importantes – a passada, a presente e a futura. Quando na era passada Deus procurou impressionar o Seu povo a respeito do seu grande poder, lembrou-lhe das demonstrações que Ele fez quando os libertou do Egito. A frase freqüentemente repetida é: "Eu sou o Senhor teu Deus, que tirei da terra do Egito e da casa da servidão" (Êx 20.2). Na era vindoura o padrão do poder divino deve ser o do reajuntamento de Israel a ser realizado no retorno de Cristo. Disto Jeremias escreve: "Portanto, eis que vêm dias, diz o Senhor, em que nunca mais dirão: Vive o Senhor, que tirou os filhos de Israel da terra do Egito; mas: Vive o Senhor, que tirou e que trouxe a linhagem da casa de Israel da terra do norte, e de todas as terras para onde os tinha arrojado; e eles habitarão na sua terra" (Jr 23.7,8).

Deste mesmo evento Cristo disse que o reajuntamento de Israel seria por ministração angelical. Portanto, está escrito: "E ele enviará os seus anjos com grande clangor de trombeta, os quais lhe ajuntarão os escolhidos desde os quatro ventos, de uma à outra extremidade dos céus" (Mt 24.31;

cf. Is 60.8,9). Mas a medida do poder divino na presente era, entre os dois adventos de Cristo, é da ressurreição de Cristo dentre os mortos. O apóstolo afirma em Efésios 1.19-21: "...e qual a suprema grandeza do seu poder para conosco, os que cremos, segundo a operação da força do seu poder, que operou em Cristo, ressuscitando-o dentre os mortos e fazendo-o sentar-se à sua direita nos céus, muito acima de todo principado, e autoridade, e poder, e domínio, e de todo nome que se nomeia, não só neste século, mas também no vindouro". Não há meio pelo qual a mente humana possa captar o que está envolvido no exercício do poder de Deus, e este texto emprega a frase extrema: "a suprema grandeza do seu poder".

Foi um poder imensurável que ressuscitou a Cristo dentre os mortos, que o elevou para os mais altos céus muito acima das hostes angelicais, que o fez assentar-se no trono do Pai, e o constituiu como Cabeça sobre todas as coisas. Na consideração da ordem dos eventos na ressurreição e exaltação de Cristo aqui afirmadas, deveria ser lembrado que tudo o que está demonstrado nesta descrição é afirmado primariamente com a finalidade de que o crente possa ficar propriamente impressionado com a *grandeza* do poder – o mesmo poder que operou em Cristo – que está comprometido a realizar por ele tudo que Deus propôs de acordo com a sua obra de eleição, predestinação e adoção soberana. É verdade que o Redentor e sua redenção serão providenciados, assim como o poder capacitador de crer; mas além dessas questões que estão dentro dos limites do tempo, o propósito eterno e divino ainda será realizado em sua fruição plena, e isto é certo por causa da "suprema grandeza do seu poder", que está comprometido com essa finalidade.

Nem deveria ser esquecido que toda esta revelação é apenas uma parte da oração repetidamente feita pelo apóstolo onde ele pede que, através do ministério do ensino do Espírito, essas maravilhas que demonstram a suficiência divina possam ser compreendidas por aqueles que são os objetos das riquezas divinas de sua graça e glória. Freqüentemente nas Escrituras o Espírito de Deus chama a atenção de alguém para a *certeza* de todas as coisas que Deus propôs, e feliz de fato é aquele que, por iluminação divina, penetra no coração do entendimento destas coisas. Afinal de contas, qual é a medida da suprema grandeza do poder que nos é dirigido e para que nele creiamos? O registro dele é dado para que todos entendam – se é que eles são ensinados pelo Espírito. Segue-se em importância neste tema o que está relacionado à eleição e predestinação com a qual a epístola começou. O que Deus propôs que Ele vai realizar, e num grau absoluto? O que Ele começou que completará com aquela perfeição que pertence ao infinito? Esta suprema grandeza do poder que é dirigido a nós para que nEle creiamos já foi manifesto de quatro modos em favor de Cristo:

Primeiro: *Cristo foi ressuscitado dentre os mortos*, não dentre aqueles que estavam num estado de dormência, mas do estado de morte. Desse estado é que Ele foi levantado para uma esfera muito acima daquela ocupada quando aqui na terra, antes de sua morte. Como foi afirmado acima, a ressurreição de Cristo é mais do que uma reversão de sua morte, e ainda mais do que uma restauração como as outras ressurreições já ocorridas antes. Cristo tornou-se numa nova ordem de existência. A Segunda Pessoa da Trindade esteve sempre presente em Cristo desde o começo de sua gestação no ventre da virgem até a sua exaltação em glória; mas sua humanidade apresentou-se sempre com aspectos em mudança. Como uma criança, Ele "crescia e se fortalecia em espírito" (Lc 2.40). Aquele que existia "de eternidade a eternidade" (Sl 90.2) veio a ter "trinta anos de idade" (Lc 3.23); e esse corpo que era mortal, por ser sujeito à morte, tornou-se imortal e Aquele que morreu está agora vivo para sempre.

Aquele que sozinho possuía a imortalidade (1 Tm 6.16) é agora as primícias da ressurreição – a única representação presente em glória daquele exército de redimidos que logo estarão com Ele e que serão iguais a Ele. Todo o poder de Satanás e do homem se tinha juntado para reter o corpo de Cristo na tumba. As chaves da morte evidentemente estiveram nas mãos de Satanás até a ressurreição de Cristo (cf. Hb 2.14 com Ap 1.18). O maior poder terreno havia colocado o seu selo sobre a tumba, mas ninguém poderia afrouxar os "grilhões da morte" (At 2.24) além de Deus. Embora no mistério da Trindade esteja declarado que Cristo saiu da tumba por seu próprio poder e vontade (Jo 2.19; 10.17, 18) e que Ele foi despertado pelo Espírito (1 Pe 3.18), está afirmado mais de 25 vezes que Cristo foi levantado pelo poder de Deus, o Pai. Assim, nesta passagem de Efésios (v. 20) está revelado que a ressurreição foi devido ao exercício da suprema grandeza do poder do Pai que "ele operou em Cristo, quando ele o ressuscitou dentre os mortos". Este mesmo grande poder, que nos é assegurado, não somente está comprometido a ressuscitar o crente dentre os mortos, mas está comprometido a realizar *tudo* o que foi divinamente predeterminado para ele na glória eterna.

Segundo: *a ascensão de Cristo* é uma medida do poder divino para que creiamos. Embora diretamente apresentada apenas três vezes (Mc 16.19; Lc 24.49-52; At 1.9), a ascensão de Cristo é freqüentemente mencionada em Atos e nas epístolas como um aspecto importante do poder divino (At 2.33; 3.21; 5.31; 7.55; Rm 8.34; Fp 2.9; 3.20; Cl 3.1; 1 Ts 1.10; 4.16; 2 Ts 1.7; Hb 1.3; 1 Pe 3.22; Ap 3.21). Esse conjunto de verdades, e que é de grande importância como evidência da ascensão e da presente posição de Cristo, é introduzido neste ponto na carta aos Efésios como uma base de confiança de que o que Deus propôs para o crente Ele é suficientemente *capaz* de realizar. A presente exaltação de Cristo à esfera muito acima de todos os principados e poderes é um tema que transcende o alcance do entendimento humano sozinho. O Espírito somente pode impressionar o coração com essa revelação que aqui é pretendida para criar certeza no filho de Deus de que ele próprio realizará tudo o que Deus determinou para os seus. Este propósito inclui nada menos do que uma participação com Cristo daquela glória exaltada que é dEle. A respeito de si próprio, Cristo disse: "...para que onde eu estiver, estejais vós também" (Jo 14.3) e "a glória que tu me deste eu lhes tenho dado" (Jo 17.22).

Terceiro: "...e pôs todas as coisas debaixo dos seus pés" (Ef 1.22). Foi no mesmo contexto que Cristo disse: "...todo poder me é dado no céu e na terra" (Mt 28.18; contrário a Lc 4.5, 6); e todas as coisas serão dominadas por Ele (1 Co 15.25, 26). Na verdade, grande é o poder deles para conosco, os que cremos; tais são destinados a reinar com Cristo e a compartilhar com Ele a sua autoridade. O cristão experimenta pouca coisa do exercício dessa autoridade agora. No tempo presente, ele antes compartilha da rejeição do seu Senhor; pois todos que querem viver piedosamente serão perseguidos (2 Tm 3.12).

Quarto: "...e para ser o cabeça sobre todas as coisas" (Ef 1.22). Ao retornar assim no final do primeiro capítulo à matéria que estava em foco no começo – aquele que foi previamente mencionado neste trabalho (Vol. IV) – o apóstolo faz menção daquele grupo da humanidade que, por causa de ser *chamado* dentre judeus e gentios numa associação celestial em Cristo, é propriamente chamado uma ἐκκλησία ou Igreja. O fato que é predominante aqui é que Cristo, por designação e poder divino, é agora Cabeça sobre todas as coisas, é dado à Igreja. O termo *Cabeça* combina dois aspectos importantes da verdade:

(1) Cristo agora preside a Igreja como Aquele que diretamente, a cada momento da vida e a cada ato de serviço, atua naqueles que compreendem este grupo celestial. Ele é o doador dos dons (Ef 4.8), e, pelo Espírito, dirige o exercício desses dons (1 Co 12.4-7).

(2) Cristo é agora Cabeça sobre a Igreja no sentido também em que do céu, Ele retira toda a vitalidade espiritual. Porque Ele vive, os membros do seu corpo também vivem. Ele é para a Igreja o que a videira é para os ramos, como o pastor é para as ovelhas, como a pedra principal é para o edifício, e como o noivo é para a noiva.

Uma atenção especial deveria ser dada ao fato de que todos os benefícios estupendos enumerados no primeiro capítulo de Efésios são, do lado humano, assegurados com a condição da fé. Está afirmado que o poder de Deus é para aqueles que crêem. De acordo com o plano da salvação pela graça divina, não poderia haver outra condição a ser imposta. Não somente Deus se ocupa de todo este benefício imensurável, mas a própria fé pela qual o crente é firmado é em si mesma um dom de Deus.

7. O DIA DO SENHOR – UMA COMEMORAÇÃO. Deveria ser esperado, quando a teologia do pacto negligenciou tanto o fato e o significado da ressurreição de Cristo, que surgisse muito entendimento errôneo a respeito da razão para a celebração do primeiro dia da semana, ao invés do sétimo. Um artigo em um periódico religioso de boa reputação é intitulado: "O sábado permanente, mas que pode ser mudado". Com este título o escritor pretende chamar a atenção por afirmar o que é, afinal de contas, uma contradição. A impossível tarefa à qual ele se propôs é provar que a idéia do sábado judaico permanece intacta, ainda que o dia exato da semana seja mudado. Sua tese, como para todos os teólogos do pacto, é que a estrutura do sábado judaico permanece em vigor – pois há apenas um pacto – seja ele observado num dia ou noutro. Tal cegueira a respeito do ensino característico da Bíblia pode ser explicada somente com

CRISTOLOGIA

base no esquema feito pelo homem da suposta continuidade que é abraçada e seguida sem um exame isento das Escrituras.

Sob a divisão geral de Eclesiologia, o problema do sábado total e do dia do Senhor recebeu uma bela consideração; mas visto que a questão é de tão grande importância por causa de seu caráter inerente, por causa de sua importância doutrinária, e por causa dos erros existentes a respeito dela, outro estudo extenso de todo o tema é introduzido aqui, e com a finalidade de estabelecer a verdade a respeito do significado da celebração do dia do Senhor como aquilo que está em vigor agora e como totalmente sem relação com o sábado judaico, como a graça é sem relação com a lei ou como a nova criação é sem relação com a velha criação. Ao começar com a Sua própria obra na criação, Deus resolveu santificar, ou separar, um sétimo de todo tempo. Ele ordenou a Israel que observasse o sétimo dia como um dia de descanso (Êx 20.8-11), igualmente o sétimo ano, ou o ano sabático, como um tempo em que a terra estava em descanso (Êx 23.10, 11; Lv 25.2-7) e o 50° ano como um tempo de jubileu em reconhecimento de setes vezes sete anos (Lv 25.8-24).

Em vários detalhes tanto o ano sabático quanto o ano do jubileu, eram tipicamente proféticos da era do reino, que é a sétima e a última dispensação e que é caracterizada pela ordenação de um descanso sabático para toda a criação. Embora na era presente o dia a ser celebrado seja divinamente mudado do sétimo para o primeiro dia da semana, por causa do começo da nova criação então, a mesma proporção na divisão de tempo – um dia em sete – é perpetuada. A palavra hebraica *sábado* significa cessação, ou descanso perfeito, de atividade. À parte da queima contínua de ofertas e das festas que poderiam cair no sábado, o dia, em nenhum sentido, era de adoração ou de culto.

Um grau de clareza é adquirido quando o sábado é considerado em sua relação a vários períodos de tempo:

A. O SÁBADO, DE ADÃO ATÉ MOISÉS. Está registrado que Deus descansou no final do seu sexto dia de criação (Gn 2.2, 3; Êx 20.10, 11; Hb 4.4), mas não há uma sugestão na Palavra de Deus que o homem tenha sido designado para observar, ou que tenha observado, um sábado até Israel ter saído do Egito. O Livro de Jó revela a vida religiosa e a experiência dos patriarcas, e embora suas várias responsabilidades para com Deus sejam ali discutidas, não há uma referência a uma obrigação de dia de sábado. Por outro lado, está distintamente afirmado que a doação de um sábado para Israel por meio de Moisés tenha sido o começo da observância do sábado entre os homens (Êx 16.29; Ne 9.13,14; Ez 20.11-13). Igualmente, está evidente dos registros da primeira imposição do sábado (Êx 16.1-35) que num dia particular que era uma semana, ou sete dias, anterior ao primeiro sábado registrado, observado pelo homem, os filhos de Israel terminaram uma jornada de sábado de muitas milhas, desde Elim até o deserto de Sin. Ali eles murmuraram contra Jeová, e naquele dia o suprimento de comida do céu começou a ser recolhido por seis dias, mas que não deveria ser juntado no sétimo dia. Fica evidente, portanto, que o dia da jornada deles que deveria

A Doutrina no Novo Testamento

ter sido um sábado, tivesse uma obrigação de sábado estado em vigor, não foi observada como um sábado.

B. O SÁBADO, DE MOISÉS A CRISTO. Neste período, o sábado esteve corretamente em vigor. Ele estava incrustado na lei (Êx 20.8-11) e a cura divina para a sua inobservância estava igualmente proporcionada na lei das oferendas. Neste contexto, é importante observar que o sábado nunca foi imposto aos gentios, mas foi peculiarmente um sinal entre Jeová e Israel (Êx 31.12-17). Entre os pecados de Israel, a falha da nação em guardar o sábado e em dar à terra o seu descanso, são especialmente enfatizados. No meio desse período da lei, Oséias predisse que, como uma parte dos julgamentos que viriam sobre Israel, os sábados deles cessariam (Os 2.11). Esta profecia deve ao mesmo tempo ser cumprida, pois a boca do Senhor havia dito. Como a era mosaica continuou até a morte de Cristo, Sua vida terrena e seu ministério estiveram sob a lei, a fim de expor a lei e aplicá-la. Ao encontrar a lei do sábado obscurecida pelas tradições e ensinos dos homens, Ele assinalou que o sábado havia sido dado como um benefício para o homem e o homem não devia se sacrificar pelo sábado (Mc 2.27). Cristo foi fiel à totalidade do sistema mosaico, que incluía o sábado, porque esse sistema estava em vigor durante a sua vida terrena; mas esse fato óbvio não é base para a alegação de que um cristão está designado a seguir Cristo em sua observância do Sábado, seja no exemplo ou no preceito.

C. A ERA DA IGREJA. Após a ressurreição de Cristo, não há um registro no Novo Testamento de que o sábado tenha sido observado por qualquer crente, mesmo em erro. Sem dúvida, a multidão de cristãos judaizantes observava o sábado; mas nenhum registro de tal observância foi permitido que aparecesse na Palavra de Deus. De igual modo, após a ressurreição de Cristo, não há uma prescrição dada aos judeus, gentios, ou cristãos para observarem o sábado, nem é a quebra do sábado mencionada sequer uma vez entre as numerosas listas de possíveis pecados. Ao contrário, há advertências contra a observância do Sábado, da parte daqueles que são filhos de Deus sob a graça. Gálatas 4.9,10 condena a observância dos "dias, e meses, e tempos, e anos". Estes eram usualmente observados com o intuito de merecer o favor de Deus e por aqueles que igualmente seriam zelosos com Deus numa determinada época, e descuidados em outra.

Hebreus 4.1-13 olha o sábado como um tipo do descanso (de suas próprias obras), no qual o crente entra quando ele é salvo. Colossenses 2.16,17 claramente instrui o filho de Deus que ele *não* deve ser julgado com respeito ao dia de sábado, e sugere que tal atitude independente para com o sábado é razoável em vista de tudo o que Cristo fez àquele que é agora uma nova criatura (Cl 2.9-17). Nesta passagem, uma referência é mais evidentemente feita aos sábados semanais, ao invés daqueles sábados extras ou especiais que eram uma parte da lei cerimonial. Romanos 14.5 declara que quando o crente está "persuadido em sua própria mente", ele pode avaliar todos os dias igualmente. Isto não sugere uma negligência da adoração fiel, mas antes sugere que, para

CRISTOLOGIA

essa pessoa, *todos* os dias são cheios de devoção a Deus. Por causa do fato de que no Novo Testamento o sábado nunca é incluído como parte da vida e do serviço do cristão, o termo *sábado cristão* é uma designação incorreta. Neste contexto pode ser observado que em lugar do sábado da lei há o dia do Senhor providenciado na nova criação, que excede em muito ao sábado em sua glória, seus privilégios e em suas bênçãos.

D. O SÁBADO NA ERA VINDOURA. Em plena harmonia com a doutrina do Novo Testamento de que o novo dia do Senhor está relacionado somente com a Igreja, está profetizado que o sábado será reinstalado – e substituirá assim o dia do Senhor – imediatamente após o complemento do chamamento da Igreja e de sua remoção deste mundo. Mesmo num breve período da tribulação que deve se estender entre o final desta era e a do reino, o sábado está novamente em vista (Mt 24.20); mas a profecia especialmente prediz o sábado como um aspecto vital da vinda da era do reino (Is 66.23; Ez 46.1).

O primeiro dia da semana tem sido celebrado pela Igreja desde a ressurreição de Cristo, até o tempo presente. Este fato é provado pelos registros do Novo Testamento, pelos escritos dos Pais da Igreja, e pela história da Igreja. Tem havido aqueles em quase toda a época que, por não compreender o presente propósito de Deus na nova criação, têm honestamente argumentado pela observância do sétimo dia. No presente tempo, aqueles que se especializam em instar a observância do sétimo dia, combinam esses apelos com outras doutrinas não escriturísticas. Visto que o crente é designado por Deus para observar o primeiro dia da semana sob os novos relacionamentos da graça, surge confusão quando esse dia é investido de um caráter de lei do sábado do sétimo dia e governado por isso. Todo esse tipo de ensino ignora a doutrina da nova criação do Novo Testamento.

E. A NOVA CRIAÇÃO. O Novo Testamento revela que o propósito de Deus no presente, a dispensação imprevista que é o chamamento da Igreja (At 15.13-18), é este grupo redimido, a nova criação, um povo celestial. Enquanto está indicado que há glórias maravilhosas e perfeições que devem ser cumpridas por este grupo como um todo (Ef 5.25-27), está também revelado que eles *individualmente* são os objetos dos maiores empreendimentos e das maiores transformações que Deus fez. Igualmente, como um grupo corporativo, ele está organicamente relacionado a Cristo (1 Co 12.12), de modo que o crente está vitalmente unido ao Senhor (Rm 6.5; 1 Co 6.17; 12.13). A respeito do crente, a Bíblia ensina que (a) com relação ao pecado, cada pessoa nesse grupo foi purificada, perdoada e justificada; (b) com relação às possessões deles, a cada um foi dado o Espírito que neles habita, e o dom de Deus que é a vida eterna, e eles se tornaram os herdeiros legais de Deus e co-herdeiros com Cristo; (c) com relação às posições deles, cada um foi feito justiça de Deus pela qual é aceito no Amado para sempre (2 Co 5.21; Ef 1.6), um membro do corpo místico de Cristo, uma parte de sua Noiva gloriosa, e um participante vivo na nova criação, da qual Cristo é o Cabeça Federal.

Lemos: "Pelo que, se alguém está em Cristo, nova criatura é; as coisas velhas [com respeito às posições, não experiências] já passaram; eis que tudo se fez

A Doutrina no Novo Testamento

novo. Mas todas as coisas [posicionais] provêm de Deus, que nos reconciliou consigo mesmo por Cristo, e nos confiou o ministério da reconciliação" (2 Co 5.17, 18; Ef 2.10; 4.25; Gl 6.15). Pedro, ao escrever a respeito deste grupo de crentes, afirma: "Mas vós sois geração eleita" (1 Pe 2.9), que significa uma raça ou nacionalidade nascida do céu – uma espécie – que foi diretamente criada pelo poder de Deus. Como o primeiro Adão gerou uma raça que participou de sua própria vida humana e de suas imperfeições, assim Cristo, o último Adão, agora gera pelo Espírito uma nova raça que participa de sua vida eterna e de sua perfeição. "O primeiro homem, Adão, tornou-se alma vivente; o último Adão, espírito vivificante [que dá vida]" (1 Co 15.45).

Por ter participado da vida ressurrecta de Cristo e estar em Cristo, do crente é dito que ele já é ressuscitado (Rm 6.4; Cl 2.12, 13; 3.1-4). Contudo, com relação ao seu corpo, o crente deve ainda receber um corpo glorioso igual ao corpo ressurrecto de Cristo (Fp 3.21). Como confirmação disto também lemos que, quando Cristo apareceu no céu imediatamente após a sua ressurreição, Ele foi como "primícias", e sugere que o grupo total haverá de segui-lo e que será igual a Ele (1 Jo 3.2), mesmo com relação aos corpos glorificados. Na Palavra de Deus a nova criação – que começou com a ressurreição de Cristo e que consiste de um grupo celestial de nascidos de novo, que estão em Cristo – em toda parte está em contraste com a velha criação, e é a partir dessa velha e arruinada criação que é dito que o crente foi salvo e liberto. Como o sábado foi instituído para celebrar a velha criação (Êx 20.10,11; 31.12-17; Hb 4.4), assim o dia do Senhor celebra a nova criação. Igualmente, como o sábado foi limitado em sua aplicação a Israel como o povo terrestre de Deus, assim também o dia do Senhor é limitado em sua aplicação à Igreja, que é o povo celestial de Deus.

F. O DIA DO SENHOR. Além do fato de que o sábado não é imposto em lugar algum aos filhos de Deus sob a graça, há razões de sobejo para a observância deles do primeiro dia da semana.

(1) Um Novo Dia Profetizado e Designado. De acordo com o salmo 118.22-24 e Atos 4.10, 11, Cristo em sua crucificação foi a Pedra rejeitada por Israel – os "construtores" – mas, através de sua ressurreição, Ele foi tornado a Pedra Angular. Esta coisa maravilhosa vem de Deus, e o dia de sua realização é apontado por Deus como um dia de regozijo e de alegria. De acordo com isto, a saudação de Cristo na manhã da ressurreição foi "Salve" (Mt 28.9, que é mais literalmente: "Oh, tenham alegria!"), e por ser "o dia que o Senhor fez", ele é corretamente chamado de "o dia do Senhor".

(2) Observância Indicada por Vários Eventos. Em um primeiro dia, Cristo ressurgiu dos mortos (Mt 28.1); em um primeiro dia, encontrou seus discípulos em uma nova comunhão (Jo 20.19); em um primeiro dia, deu-lhes instruções (Lc 24.36-49); em um primeiro dia, subiu ao céu como as "primícias" ou o molho movido (Lv 23.10-12; Jo 20.17; 1 Co 15.20, 23); em um primeiro dia, soprou o Espírito Santo sobre eles (Jo 20.22); em um primeiro dia, o Espírito Santo desceu do céu (At 2.1-4); em um primeiro dia, o apóstolo Paulo pregou em Troas (At 20.6, 7); em um primeiro dia, os crentes partiram o pão juntos

CRISTOLOGIA

(At 20.6, 7); em um primeiro dia, puseram "de parte o que puderam, conforme haviam prosperado" (1 Co 16.2).

(3) O Dia da Circuncisão. O rito da circuncisão, que era apresentado no oitavo dia, tipificava a separação do crente da carne e a velha ordem pela morte de Cristo (Cl 2.11), e o oitavo dia, por ser o primeiro dia após uma semana completa, é simbólico de um novo começo.

(4) O Dia da Graça. No final de uma semana de trabalho pesado, um dia de descanso foi concedido ao povo que estava relacionado a Deus pelas obras da lei, enquanto que ao povo sob a graça, cujas obras estão consumadas em Cristo, um dia de adoração foi designado que, por ser o primeiro dia da semana, precede todos os dias de trabalho. Na bênção do primeiro dia, o crente vive e serve os seis dias seguintes. Um dia de descanso pertence a um povo que está relacionado a Deus pelas obras que precisam ser realizadas; um dia de adoração incessante e de serviço pertence a um povo que está relacionado a Deus pela obra consumada de Cristo. O sétimo dia foi caracterizado pela lei inflexível; o primeiro dia é caracterizado pela latitude e pela liberdade que pertencem à graça. O sétimo dia foi observado com esperança de que por ele alguém pudesse provar-se aceitável diante de Deus. O primeiro dia é observado com a segurança de que uma pessoa já é aceita por Deus. A guarda do sétimo dia foi promovida pela carne; a guarda do primeiro dia é promovida pelo Espírito Santo.

(5) O Dia Abençoado de Deus. Por toda esta era cheia do Espírito Santo, os crentes devotos, para quem sem dúvida a vontade de Deus havia sido claramente revelada, guardaram o dia do Senhor à parte de qualquer sentido de responsabilidade de observar o sétimo dia. É razoável supor que se tivessem sido culpados da quebra do Sábado, eles haveriam de ter sido convencidos desse pecado.

(6) O Dia Entregue Somente ao Indivíduo. Primeiro, observe que ele não é entregue ao não-salvo. É certamente muito errôneo para o não-salvo dar-lhe base para supor que ele será mais aceitável a Deus se observar um dia; porque à parte da salvação que está em Cristo, todos os homens estão total e igualmente perdidos. Por razões físicas ou sociais um dia de descanso pode ser assegurado para o benefício de todos; mas o não-regenerado deveria entender que a observância de tal dia nada acrescenta ao mérito dele perante Deus.

Segundo, observe que ele não é confiado à Igreja como um corpo. A responsabilidade relativa à observância do primeiro dia é necessariamente entregue ao crente individualmente, e não à Igreja como um todo, a maneira de sua celebração pelo indivíduo é sugerida em dois ditos de Cristo na manhã de sua ressurreição: "Regozijai-vos" e "Ide... dizei". Isto exige uma atividade incessante em todas as formas de adoração e serviço; e tal atividade está em contraste com o repouso do sétimo dia.

(7) Nenhuma Ordem para Guardar o Dia. Visto que tudo é da graça, uma exigência escrita para a guarda do dia do Senhor não é imposta, nem a maneira de sua observância está prescrita. Por esta provisão sábia, ninguém é encorajado a guardar o dia como um mero dever; ele deve ser guardado desde

o coração. Israel permaneceu perante Deus como filhos imaturos sob tutores e governadores e carentes de mandamentos que são dados a uma criança (Gl 4.1-3), enquanto que a Igreja permanece perante Deus como filhos adultos (4.4-7). A vida deles sob a graça é claramente definida, na verdade, mas é apresentada somente como súplicas de Deus com a esperança de que tudo seja feito de *boa vontade* (Rm 12.1, 2; Ef 4.1-3). Há pouca questão sobre como um crente bem instruído e cheio do Espírito Santo (e a Escritura pressupõe que um cristão normal seja assim) deva estar ocupado com o dia que celebra a ressureição de Cristo e a nova criação. Se porventura o filho de Deus não é entregue a Ele, nenhuma observância indisposta do dia corrigirá o seu coração carnal nem tal observância agradaria a Deus. A questão entre Deus e o cristão carnal não é relativa a ações externas, mas de uma vida rendida a Deus.

No término dessa discussão a respeito da verdade que um novo dia foi divinamente introduzido e que esse dia celebra o evento que, posto na nova ordem, a saber, a ressurreição de Cristo, deve ser mais adiante afirmado que, como a nova Criação é o único objetivo divino nesta era e os pactos de Israel estão inativos até este objetivo ser realizado, não é somente razoável, mas imperativo que o sábado com toda sua importância como a celebração da antiga ordem seja anulado e suplantado pelo dia que pertence ao propósito divino no presente. Isto, de fato, é o que foi divinamente ordenado, e o novo dia acontece quer a Igreja judaizada compreenda ou não. Em ponto algum as distinções entre judaísmo e cristianismo são colocadas tão em justaposição como nos dias diferentes que celebram. Os judeus nunca fizeram escolha do sétimo dia; foi a escolha de Jeová para eles. Os cristãos nunca fizeram a escolha do primeiro dia; foi também uma designação de Deus e é observado pela Igreja a despeito de sua mente confusa com relação a ele.

Na verdade, o problema dos teólogos do pacto não é se o primeiro ou o segundo dia deveria ser observado; seu problema é explicar o fato de que a Igreja observa o primeiro dia. Quando não reconhece a nova criação celestial, para não romper com a teoria de um pacto imutável, o melhor que o teólogo do pacto pode fazer é revestir o novo dia de aspectos do antigo dia e atribuir ao novo dia o termo antípoda, *o sábado cristão*, que é impróprio e antitético. Feliz são aqueles que entendem e fazem a vontade de Deus no dia que eles guardam!

Conclusão

Todo esforço de apresentar a importante doutrina da ressurreição de Cristo deve se mostrar inadequado. Quando a mente humana capta a verdade a respeito da posição exaltada à qual o crente é trazido através de sua união vital com o Cristo ressurrecto, essa mente pode, então, ter esperança de penetrar na importância da *anastasis* [ressurreição] gloriosa de Cristo.

CAPÍTULO XI

Ascensão e Intercessão do Verbo Encarnado

OUTRA VEZ, O ESTUDANTE atento do Texto Sagrado é confrontado com as doutrinas importantes e os ministérios de Cristo que caracterizam a era, e que geralmente são negligenciados pelos teólogos, a ponto de desonrar Cristo; especialmente isso é verdade daqueles da escola do pacto que, em defesa de uma teoria feita pelos homens, deve evitar tudo que é distintivo nesta era das realizações supremas de Deus, para que o nível morto de um pacto supostamente imutável não entre em desordem e em confusão. Por que, na verdade, deveria qualquer ênfase ser posta sobre as realizações infindáveis do presente ministério de Cristo quando, de acordo com essa teoria, os santos das eras anteriores foram igualmente abençoados com os santos desta era? Não obstante, e sem qualquer suporte para uma teoria feita pelo homem, os ministérios que caracterizam esta era estão registrados nas páginas da Palavra de Deus. É uma grande coisa que os presentes ministérios de Cristo que são da maior conseqüência devam ser desconsiderados pelos teólogos.

O efeito infeliz dessa negligência é que a maioria dos estudantes aceita sem questionamento ou investigação a posição doutrinária e a ênfase de seus professores. Mesmo os próprios professores são inseridos nos moldes de seus próprios instrutores. Por esta razão, há pouca esperança de uma nova e digna consideração da interpretação da Bíblia. Naturalmente, o estudante olha para qualquer verdade que foi negligenciada pelo seu professor como não sendo de grande importância ou mesmo perigosa. Para muitos o único conjunto de interpretação que é ortodoxo é aquele que foi recuperado pelos reformadores, ou aquele contido numa afirmação doutrinária antiga. Contudo, há um grande conjunto de verdades que os reformadores foram incapazes de considerar e que falta nos credos antigos. É isto que os expositores dignos têm trazido à luz em dias subseqüentes. Visto que esses expositores são tão capazes no campo da análise da verdade revelada como foram os reformadores, os resultados dos labores deles deveriam ao menos ter alguma consideração.

Duas escolas se desenvolvem entre os homens ortodoxos: uma que restringe toda doutrina aos achados dos homens a partir dos dias primitivos do protestantismo, e uma que, enquanto aceita o ensino sadio dos reformadores,

244

A Ascensão

reconhece que muita luz acrescida veio (em razão do Espírito Santo e de seu ministério continuado) sobre a Palavra de Deus em dias recentes e que isto é tão digno de consideração como os achados dos homens de tempos anteriores. Destas duas escolas, a primeira mencionada tem freqüentemente olhado para a verdade apresentada pela outra como especulativa, precária ou perigosa. Os presentes ministérios de Cristo, iguais sua ressurreição e a doutrina paulina da Igreja, contudo, devem ser reconhecidos, pesados, e devem receber um lugar pleno a despeito das teorias ou preconceitos dos homens em qualquer obra sobre teologia que se propõe a ser completa. Como foi sugerido pela apreensão pela qual este capítulo é designado, há dois aspectos da verdade relativa a Cristo a serem considerados, a saber, sua ascensão e sua intercessão. Estes são suficientemente relacionados para serem combinados numa divisão geral.

I. A Ascensão

A importância doutrinaria da ascensão de Cristo repousa não tanto na sua saída deste mundo, mas em sua chegada ao céu. Todavia, alguma atenção deveria ser dada à sua partida deste mundo, visto que ela ocupa um lugar proeminente na narrativa histórica. O tema total da ascensão de Cristo é dividido com referência a dois eventos: a ascensão na manhã da ressurreição e a ascensão final após quarenta dias.

1. A Ascensão na Manhã da Ressurreição. Conquanto seja provável que Cristo residisse no céu desde o dia da ressurreição em diante e somente visitasse a terra quando os contatos com os seus discípulos se faziam necessários (cf. Jo 17.16) – caso esse em que houve um número de ascensões – é geralmente crido, talvez sem a devida averiguação, que Cristo permaneceu residente na terra até sua partida final sobre as nuvens do céu (At 1.9-11). Para muitos, portanto, a sugestão de que Cristo ascendeu na manhã da ressurreição, pode causar surpresa. Que houve uma ascensão imediata após a ressurreição, está indicado nas Escrituras, e que ela aconteceu no tempo de um cumprimento antítipo, é uma certeza. A doutrina de uma ascensão imediata aparece quando duas passagens da Escritura são comparadas. Está registrado que quando Cristo saiu da tumba, Ele foi visto por Maria, que numa devoção extática teria abraçado Seus pés e segurado seu Senhor.

A declaração amorosa de Cristo a ela foi: "Deixa de me tocar, porque ainda não subi ao Pai; mas vai a meus irmãos e dize-lhes que eu subo para o meu Pai e vosso Pai, meu Deus e vosso Deus" (Jo 20.17). Todavia, na narrativa de Lucas sobre a ressurreição, está asseverado que no mesmo dia em que Ele ressuscitou e na tarde que Ele não somente apareceu no meio dos discípulos temerosos, mas lhes disse: "Por que estais perturbados? E por que surgem dúvidas em vossos corações? Olhai as minhas mãos e os meus pés, que sou eu mesmo; apalpai-me e vede; porque um espírito não tem carne nem ossos,

CRISTOLOGIA

como percebeis que eu tenho. E, dizendo isto, mostrou-lhes as mãos e os pés" (Lc 24.38-40). Como nenhuma sugestão é dada por que Ele não queria ser tocado antes de sua ascensão, a especulação também não pode fazer muito. É suficiente saber que Ele não devia manter contato com coisas da terra, ao menos até que as exigências exatas envolvidas em sua grande missão redentora fossem completadas e o seu sacrifício eficaz tivesse sido apresentado no céu.

É difícil não crer que tenha havido uma continuidade sagrada a ser mantida entre sua morte e a sua apresentação no céu, continuidade essa que não permitiria qualquer contato. Após ter abandonado a primeira esfera de relacionamento com Seus seguidores por sua morte e ressurreição, o relacionamento novo e final não poderia acontecer até que Ele houvesse completado tudo por sua apresentação no céu. A implicação clara é que, visto que Ele não podia ser tocado naquela manhã, até ascender e ainda Ele poderia ser "tocado" na tarde do mesmo dia, Cristo tinha ascendido durante o dia. Ele ascendeu imediatamente da tumba e retornou para tais manifestações designadas para aquele dia. "Vá a meus irmãos e lhes diga que eu subo para o meu Pai" significa que Ele estava para subir. Se ele houvesse feito uma referência nesta mensagem à sua ascensão final, não haveria necessidade alguma de Maria levar aquela mensagem aos discípulos, visto que Ele próprio tinha diante de Si quarenta dias inteiros nos quais poderia entregar aquela mensagem.

Das duas ascensões registradas, a da manhã da ressurreição porta uma significação doutrinária maior. Ele tinha dito a seu Pai em sua oração sacerdotal final: "Mas agora vou para ti" (Jo 17.13), e este retorno não é somente importante em toda a história do universo, mas é a seqüência natural após o calvário. Ele viera do Pai com o propósito de assegurar a redenção do homem (Hb 10.4-7) e agora retornava ao Pai a quem pertencia por direito e posição. Sua ascensão não foi uma entrada em regiões inexploradas – Ele retornava ao Seu lar em triunfo, e a imaginação humana é impotente para descrever esse retorno bem-vindo, a essa reunião, e a esse êxtase celestial. O Amado retornava ao que sempre Ele foi, a ser o prazer de seu Pai; mas quanto mais é Ele agora bem-vindo no final de tão grande realização na qual todo o desejo do Pai é realizado e a obediência perfeita do Filho é posta em prática!

Certas realizações foram operadas pelo Filho de Deus no tempo de sua primeira ascensão. Estas amoldam o significado doutrinário deste evento. Na medida em que o sentimento humano pode ser atribuído à divindade, pode ser reconhecido como verdade que houve grande alegria celestial no céu quando o Filho retornou da terra. Esta teria a sua manifestação mais plena quando Ele primeiro retornou diretamente da tumba. Sua aparição – maravilhosa e acima de qualquer coisa que os anjos poderiam jamais ter visto – era, como sempre será, a glória central do próprio céu; mas do ponto de vista doutrinário a primeira ascensão explica o cumprimento longamente antecipado de duas prefigurações do Antigo Testamento, assim como o fato delas se tornarem a realidade eterna que os antítipos são.

A. CRISTO ENTROU NO SANTUÁRIO CELESTIAL. Portando somente o significado antitípico do dia da Expiação, quando todas as coisas foram purificadas pelo sangue e especialmente sobre o significado da entrada do sumo sacerdote no lugar santíssimo e não sem sangue, o escritor aos Hebreus assevera: "Era necessário, portanto, que as figuras das coisas que estão no céu fossem purificadas com tais sacrifícios, mas as próprias coisas celestiais com sacrifícios melhores do que estes. Pois Cristo não entrou num santuário feito por mãos, figura do verdadeiro, mas no próprio céu, para agora comparecer por nós perante a face de Deus" (Hb 9.23,24). Não grande dificuldade surge em conexão com a revelação de que coisas mundanas foram purificadas com sangue. Disto está escrito pelo mesmo autor: "Porque, havendo Moisés anunciado a todo o povo todos os mandamentos segundo a lei, tomou o sangue dos novilhos e dos bodes, com água, lã purpúrea e hissopo e aspergiu tanto o próprio livro como todo o povo, dizendo: Este é o sangue do pacto que Deus ordenou para vós. Semelhantemente aspergiu com sangue também o tabernáculo e todos os vasos do serviço sagrado. E quase todas as coisas, segundo a lei, se purificam com sangue; e sem derramamento de sangue não há remissão" (Hb 9.19-22).

É evidente que, como o sangue típico dos animais serviu para purificar todas as coisas do santuário terreno, a entrada de Cristo no próprio céu – tipificada pela entrada do sumo sacerdote no santo dos santos, a fim de aspergir o propiciatório – era de algum modo, não plenamente revelado, uma purificação das "coisas celestiais" para "melhores sacrifícios". Um vasto raio de interpretações é desenvolvido a respeito desta purificação celestial. Embora extensa, a análise desta passagem feita por F. W. Grant clareia as questões em diversos detalhes. Ele escreve:

As coisas às quais o sistema levítico apontava são cumpridas agora, o verdadeiro dia da Expiação, o Sumo Sacerdote de um melhor tabernáculo, que penetrou o santuário, "não pelo sangue de touros e de bodes, mas pelo seu próprio sangue", tendo encontrado, não uma expiação que duraria um ano, mas uma "redenção *eterna*". Assim, o adorador tem finalmente a sua consciência purificada de obras mortas, daquilo que não tinha cheiro de vida; não satisfaria, portanto, ao Deus vivo. O legalismo do antigo pacto foi substituído pela graça do novo. A herança eterna é assegurada para aqueles que são chamados pela graça do Evangelho. Cristo é, assim, o Sumo Sacerdote daquelas boas coisas que foram tipificadas no judaísmo, coisas ainda por vir, cuja sombra não aponta para nada mais. O tabernáculo é perfeito e melhor, "não feito por mãos", não pertencente à velha criação. O sangue de bodes e de touros foi substituído pelo valor de Seu próprio sangue, em virtude de que Ele entrou de uma vez por todas nos lugares santos, e conseguiu uma "redenção eterna". Ele entrou no triunfo de ter feito isto. Pode haver necessidade de algum esclarecimento adicional dos velhos tipos que são aqui interpretados por nós, assim como da aplicação deles às coisas de que eles falam. O propiciatório no lugar santíssimo, como o propiciatório, ou lugar de propiciação ou expiação (pois a palavra é a mesma no hebraico do Antigo Testamento e em sua tradução na Septuaginta) feita sobre ele uma vez por ano, a questão não pode apenas ser levantada:

CRISTOLOGIA

Como isto afeta a questão da propiciação para nós realmente feita no céu, em algum sentido ao menos, quando o nosso Sumo Sacerdote ali entrou? Fica evidente que para Israel o sangue no propiciatório era a condição fundamental de toda a bênção deles. A expiação, ou propiciação, era então feita: "Assim fará expiação pelo santuário e também fará expiação pela tenda da revelação e pelo altar; igualmente fará expiação pelos sacerdotes e por todo o povo da congregação" (Lv 16.33). Tanto que este e este somente era o "dia da expiação", à parte do qual nenhum outro sacrifício poderia legalmente ser oferecido, ou Deus teria permanecido no meio deles. Não há algo então na substância que responde a estas sombras, que responda exatamente a esta colocação do sangue sobre o propiciatório, igualmente fundamental, para que o trono possa ser para nós aquele "trono da graça" que sabemos que ele é? Ou, pode isto simplesmente falar da cruz, e o que foi feito ali? e não foi o sangue, em sentido algum, levado para ser apresentado para aceitação diante de Deus no céu? Ora, há outra pergunta que pode ser feita, por sua vez, que, simples como é, merece, todavia, uma consideração séria. Qualquer pessoa pode conceber que nosso Senhor carrega literalmente seu sangue para o céu? Naturalmente, isso será negado imediatamente, e mesmo o espanto será expresso somente na sugestão disso. Estas são figuras, e será legitimamente dito, e devem ser concebidas figurativamente; e podemos acrescentar, como o apóstolo declara a respeito delas, que elas não são nem mesmo "a própria imagem" do que elas representam. Isto não deve ser tomado como licença para qualquer evitação da observância honesta e consistente dos próprios termos nos quais aprouve a Deus revelar coisas para nós, como muitas vezes têm sido dito, ainda têm de ser consideradas e devidamente calculadas. O que poderia ser a aplicação do sangue aos vários objetos, aos quais foi aplicado no ritual levítico, significar com referência a nós agora? Quando o sumo sacerdote completava a sua obra no Tabernáculo, ele saía do altar (das ofertas queimadas) para aplicar o sangue similarmente ali. Devemos conceber disto como alguma apresentação adicional dele para aceitação em relação ao que o altar tipifica? Está claro que isto não pode ser. O altar significa que os sacrifícios diários estavam no fim para Israel, e o sangue colocado sobre ele para a propiciação simplesmente representava a justiça de Deus em aceitar o que era feito ali. Exatamente por isso estar sobre o propiciatório, a justiça de Deus foi apresentada como colocada continuamente entre o povo pecaminoso. Em cada caso foi o sangue que fez a propiciação (Lv 17.11); e a aplicação dele não deu a ele uma eficácia nova, mas simplesmente revelou sua eficácia nas relações particulares. Foi uma dessas lições das quais o serviço ritualístico consistia, e que pode ser facilmente prolongado no esforço de encontrar neles uma espécie de exatidão que não lhes pertence. Assim, por causa da queima sobre o altar, seguia-se o sacrifício da vítima, e muitos revelavam os sofrimentos

A ASCENSÃO

expiatórios do nosso Senhor *após* a sua morte. Tem sido esquecido em tais casos que "nenhuma parábola pode ensinar doutrina". Devemos encontrar num outro lugar a doutrina que o tipo ilustra, antes que possamos encontrar a base para uma aplicação justa. Ora o pensamento de doutrina a ser encontrado na Escritura em relação a isto falha de modo absoluto. Como esperaremos encontrá-lo se não em Hebreus, onde o dia da Expiação é o texto sobre o qual o apóstolo se refere em toda esta parte? e onde deve ser encontrado em Hebreus, ou em outro lugar qualquer no Novo Testamento, que Cristo foi para o céu para fazer propiciação ali? Para apresentar sua obra a Deus em prol da aceitação dela, ou em qualquer sentido para aspergir o sangue sobre o trono eterno? Na verdade, uma coisa totalmente diferente é ensinada aqui – a saber, que Cristo entrou imediatamente nos lugares santos, *tendo obtido* eterna redenção. Como ressuscitado dentre os mortos, ressuscitado pela glória do Pai, Ele entrou uma vez, não a segunda vez, para propiciação portanto já realizada, e a ressurreição e a evidência do resgate aceito; nada permanece deste modo para ser feito. A virtude do sangue revelou-se o tempo todo, mesmo quando o véu típico do santuário já havia sido despedaçado na cruz, antes que um passo tivesse sido dado na viagem triunfante. Tudo é tão consistente quanto possível, e tão claro quanto precisa ser. E se é perguntado, então: Não temos nós nada que responder mais intimamente a esta ação sacerdotal no trono? A resposta é abundante, que a realidade transcende em muito ao tipo; porque não somente o trono tem agido em poder, assim tudo ao longo do caminho, exceto o Sumo Sacerdote, "havendo feito por si mesmo a purificação dos pecados, assentou-se" *sobre* o trono, "à destra da majestade de Deus". Nenhum sangue adicional é necessário para assegurar-nos que o trono onde Ele se senta, e que o derramou, é um trono de graça triunfante e glorioso. *Cristo ali* é, como nos é dito na carta aos Romanos (3.25), uma "propiciação pela fé no seu sangue". No céu, Cristo é em Si mesmo, o sangue aspergido no propiciatório. O Novo Testamento, enquanto confirma e interpreta o Antigo Testamento, vai muito além disso; e este é um princípio importante para a sua interpretação. Onde deveríamos encontrar isto mais do que na luz que flui através desses céus abertos?[66]

Grant, parece-me, dificilmente considerou tudo o que está implícito no problema a respeito do sangue de Cristo ser levado ao céu, pois a terminologia – coisas celestiais purificadas por um sacrifício melhor – indica a purificação pelo sangue. É somente o fato histórico de que o sangue de Cristo foi derramado que é aceito como a base da purificação do céu, ou é o sangue real levado para o céu? É provável que não nos seja revelado o suficiente para ajudar uma pessoa a ter um entendimento claro e uma solução para o problema. Os dois tipos envolvidos são específicos o bastante: (a) o das duas aves, a segunda das quais é mergulhada no sangue da primeira e solta; tudo deste tipo de Cristo que surge e ascende para o céu e leva o Seu sangue com Ele; (b) o sumo sacerdote no dia da Expiação ia para o santíssimo e ali aplicava o sangue no propiciatório. O sangue, é verdade, se torna a base da propiciação; mas isto é dificilmente a questão aqui. O fato permanece que em ambos os tipos o sangue é levado para o céu pela ave ou a um santuário terreno apropriado para o sumo sacerdote. No último caso, está claro como um trono de julgamento terrível se torna um lugar da graça.

B. CRISTO, AS PRIMÍCIAS. Com referência a Levítico 23.9-14, C. H. Mackintosh escreve:

A bela ordenança da apresentação do molho das primícias tipificou a ressurreição de Cristo, que, "no fim do sábado, quando começou a romper o primeiro dia da semana", ressurgiu triunfante da tumba, após ter cumprido a sua gloriosa obra da redenção. A sua ressurreição era "ressurreição *dentre* os mortos"; e nela temos imediatamente o penhor e o tipo da ressurreição do Seu povo. "Cristo as primícias; depois os que são de Cristo na sua vinda". Quando Cristo vier, seu povo será ressuscitado "dentre os mortos [ἐκ νεκρῶν]", a saber, aqueles que dormiram em Cristo; "mas os outros mortos não reviveram, até que os mil anos se completassem" (Ap 20.5). Quando, imediatamente após a transfiguração, nosso Senhor falou de sua ressurreição "*dentre os mortos*", os discípulos perguntaram entre si o que aquilo poderia significar (cf. Mc 9). Todo judeu ortodoxo acreditava na doutrina da "ressurreição dos mortos [ἀνάστασις νεκρῶν]", mas a idéia de uma "ressurreição dentre os mortos" [ἀνάστασι ἐκ νεκρῶν]" os discípulos eram incapazes de compreender; e, sem dúvida, muitos discípulos, desde então haviam sentido considerável dificuldade com respeito a um mistério tão profundo. Contudo, se o meu leitor estudar, orar com determinação e comparar 1 Coríntios 15 com 1 Tessalonicenses 4.13-18, ele obterá uma instrução preciosa sobre esta verdade muito interessante e prática. Ele pode também olhar em Romanos 8.1, no contexto: "E, se o Espírito daquele que dos mortos ressuscitou a Jesus habita em vós, aquele que dos mortos ressuscitou a Cristo Jesus há de vivificar também os vossos corpos mortais, pelo seu Espírito que em vós habita". De todas essas passagens será visto que a ressurreição da Igreja será precisamente sobre o mesmo princípio da ressurreição de Cristo. O Cabeça e o Corpo são mostrados como ressuscitados "de entre os mortos". O primeiro molho e todos os molhos que se seguem estão moralmente conectados: "Contareis para vós, desde o dia depois do sábado, isto é, desde o dia em que houverdes trazido o molho da oferta de movimento, sete semanas inteiras; até o dia seguinte ao sétimo sábado, contareis cinqüenta dias; então oferecereis nova oferta de cereais ao Senhor. Das vossas habitações trareis, para oferta de movimento, dois pães de dois décimos de efa; serão de flor de farinha, e levedados se cozerão; são primícias ao Senhor" (Lv 23.15-17). Esta é a festa do Pentecostes – o tipo do povo de Deus, juntado pelo Espírito Santo, e apresentado perante Ele, em conexão com toda a preciosidade de Cristo. Na Páscoa, temos a morte de Cristo, no molho das primícias temos a ressurreição de Cristo, e na festa do Pentecostes temos a descida do Espírito Santo para formar a Igreja. Tudo isto é divinamente perfeito. A morte e a ressurreição de Cristo tinham de ser cumpridas antes que a Igreja pudesse ser formada. O molho foi oferecido e, então, os pães eram assados. E, observe, "eles serão assados *com fermento*". Por que era assim? Porque foi pretendido que eles prefigurassem aqueles que, embora cheios do Espírito, e adornados com seus dons e graças, tivessem, não obstante, o *mal* ainda estabelecido neles. A assembléia, no dia de Pentecostes, que permaneceu no pleno valor do sangue de Cristo, foi coroada com os dons do Espírito Santo; mas havia fermento ali também. Nenhum poder do Espírito Santo poderia anular o fato de que havia o mal no meio do povo de Deus. Ele poderia ser suprimido e mantido fora da vista, mas ainda estava lá. Este fato é prefigurado no tipo pelo fermento nos dois pães, e é demonstrado na real história da Igreja; porque ainda que Deus, o Espírito Santo, estivesse presente na assembléia, a carne estava lá igualmente para mentir a Ele. A carne é carne, nem pode jamais ser tornada uma coisa diferente além de carne. O Espírito Santo não desceu no dia de Pentecostes para melhorar a natureza ou anular o fato do seu mal incurável, mas para batizar os crentes num só corpo, e conectá-los com o seu Cabeça vivo no céu.[67]

Assim, em sua primeira ascensão, Cristo apareceu imediatamente no céu, a fim de terminar a sua obra redentora. O primeiro tipo cumprido nesta primeira ascensão é o do sumo sacerdote que entra no lugar santíssimo, enquanto que o segundo tipo cumprido é o do molho que se move, as primícias da colheita.

2. A Ascensão Final sobre as Nuvens do Céu. É verdade que as duas ascensões reconhecidas de Cristo podem ser, como freqüentemente são, contempladas como um só evento pela Escritura. A primeira, não obstante, como indicado, é o tempo da apresentação formal e o cumprimento da expectativa típica, enquanto que a segunda apresenta a partida visível e final desta terra para o céu e o assentar-se de Cristo no trono de seu Pai. Como foi citado, F. W. Grant relaciona o assentar-se com sua apresentação no céu. Sem dúvida, há um sentido em que Cristo foi saudado como o ocupante do trono, quando Ele entrou no céu no tempo de sua primeira ascensão; todavia, isso dificilmente poderia ter sido o momento de sua ocupação final e permanente desse trono. Sua missão na terra durante os quarenta dias subseqüentes impediria isso.

A pergunta pertinente é levantada sobre se a glória de Cristo foi escondida numa determinada medida durante as aparições dos quarenta dias, como foi velada durante o seu ministério antes da cruz. Ao lançar luz sobre isto, pode ser lembrado que o apóstolo João tinha visto Cristo em Seu batismo, em seu ministério terreno, em sua transfiguração, sua morte, sua ressurreição, e em suas aparições pós-ressurreição; todavia, quando ele viu Cristo, em sua

CRISTOLOGIA

presente glória e como todos o veremos, ele caiu a seus pés como morto. Desta experiência ele relata: "Quando o vi, caí a seus pés como morto; e ele pôs sobre mim a sua destra, dizendo: Não temas; eu sou o primeiro e o último, e o que vivo; fui morto, mas eis aqui estou vivo pelos séculos dos séculos; e tenho as chaves da morte e do hades" (Ap 1.17,18). Segue-se que, como todos que viram Cristo após a ressurreição foram capazes de reconhecê-lo, de ligá-lo a sua aparição anterior, e a suportar a visão dEle, seus quarenta dias de aparição foram também escondidos em grande medida.

Enquanto, de acordo com a abordagem dupla à totalidade da revelação a respeito da ascensão de Cristo que se segue, cada evento é caracterizado pelas realizações e ocorrências peculiares ao próprio evento, há textos que mostram a ascensão como um evento completo. Neste contexto, é instrutivo considerar:

Salmo 68.18: "Tu subiste ao alto, levando os teus cativos; recebeste dons dentre os homens, e até dentre os rebeldes, para que o Senhor Deus habitasse entre eles".

Esta passagem, citada pelo apóstolo Paulo em Efésios 4.8, provoca o seguinte comentário de Erling C. Olsen:

Observe que Efésios 4.8 é uma citação direta do salmo 68.18. Davi disse nesse versículo: "Tu subiste ao alto, levando os teus cativos; recebeste dons dentre os homens..." De quem Davi falava? O apóstolo Paulo, através do Espírito Santo, nos diz que é do Senhor Jesus, pois ele declara: "Ora, isto – ele subiu – que é, senão que também desceu às partes mais baixas da terra? Aquele que desceu é também o mesmo que subiu muito acima de todos os céus, para cumprir todas as coisas" (Ef 4.9,10). Em outras palavras, o Jeová do Antigo Testamento é o Senhor Jesus Cristo do Novo Testamento! É Aquele que primeiro desceu às partes mais inferiores da terra, a fim de libertar aqueles que estavam mantidos cativos. Então Ele *ascendeu*, e levou consigo o espólio do seu triunfo. Para alguns, Ele deu o dom do apostolado; a uns, o de evangelistas; a outros, o de pastores; e a diversos, o de mestres. Com qual propósito? Para o aperfeiçoamento do santos, para a obra do ministério, para a edificação do corpo de Cristo.[68]

Provérbios 30.4: "Quem subiu ao céu e desceu? Quem encerrou os ventos nos seus punhos? Mas amarrou as águas no seu manto: Quem estabeleceu todas as extremidades da terra? qual é o seu nome, e qual é o nome de seu filho? Certamente o sabes!"

O Dr. H. A. Ironside escreve o seguinte:

Quão vasta é a ignorância dos homens mais estudiosos, quando confrontados com perguntas como essas! Somos lembrados imediatamente do desafio de Deus a Jó, nos capítulos 38 e 39 do maravilhoso livro que porta o seu nome. No máximo, o conhecimento humano é principalmente circunscrito e contraído. Nenhum homem, à parte da revelação divina, poderia responder às perguntas feitas aqui. A

A ASCENSÃO

primeira nunca encontrou uma resposta até as palavras de nosso Senhor a respeito de Si mesmo, que estão registradas em João 3.13: "Ora, ninguém subiu ao céu, senão o que desceu do céu, o Filho do homem". Ele foi igualmente aquele que desceu, como está escrito: "Ora, isto – ele subiu – que é, senão que também desceu às partes mais baixas da terra? Aquele que desceu é também o mesmo que subiu muito acima de todos os céus, para cumprir todas as coisas" (Ef 4.9,10). Quanta coisa há para o crente na verdade preciosa conectada com a descida e a ascensão do Senhor! Por causa de nossos pecados Ele morreu na cruz, ao suportar o julgamento justo de Deus. Ali Ele bebeu a taça mortal da ira que jamais poderíamos tragar completamente em toda a eternidade. Mas por causa de quem Ele era, pôde beber o cálice, e exaurir a ira, e deixou a eterna bênção para todos que nele confiam. Ele morreu, foi sepultado, mas Deus o ressuscitou dentre os mortos, e em triunfo ascendeu em glória. Enoque foi trasladado para que não visse a morte. Elias foi tomado numa carruagem de fogo, e levado por um redemoinho ao céu. Mas nenhum deles fez isso por seu próprio poder. Jesus, com sua obra terminada e com o seu ministério sobre a terra cumprido, ascendeu por sua própria vontade, e passou através das regiões mais altas de modo tão fácil como andou sobre as águas. O fato de ter subido e de ter sido recebido pela *Shekinah* – a nuvem da majestade divina – testifica da perfeição de sua obra em eliminar para sempre os pecados do crente, quando sobre o madeiro, "Jeová fez cair sobre ele a iniqüidade de todos nós". Ele não poderia estar agora na presença de Deus, se um pecado permanecesse sobre Si. Mas todos foram justamente colocados para longe, e jamais retornaram; portanto, Ele se foi, no poder do seu próprio sangue, após realizar uma redenção eterna. "Por isso foi dito: Subindo ao alto, levou cativo o cativeiro, e deu dons aos homens" (Ef 4.8). Ele tinha "destruído aquele que tinha o poder da morte, i. é., o diabo", para que pudesse "livrar todos aqueles que, com medo da morte, estavam por toda a vida sujeitos à escravidão" (Hb 2.14,15). Em tremor, o pecado ansioso é designado pelo Espírito Santo, não para a Igreja ou os sacramentos, não às ordenanças ou ordens legais, não às estruturas ou sentimentos, mas para um Cristo ressuscitado e que está assentado na mais alta glória! "Mas a justiça que vem da fé diz assim: Não digas em teu coração: Quem subirá ao céu? (i. é., a trazer do alto a Cristo) ou: Quem descerá ao abismo? (i. é., a fazer subir a Cristo dentre os mortos). Mas que diz? A palavra está perto de ti, na tua boca e no teu coração; isto é, a palavra da fé, que pregamos. Porque, se com a tua boca confessares a Jesus como Senhor, e em teu coração creres que Deus o ressuscitou dentre os mortos, serás salvo; pois é com o coração que se crê para a justiça, e com a boca se faz confissão para a salvação" (Rm 10.6-10). Cristo suportou os nossos pecados na cruz. Morreu por eles. Ressuscitou dentre os mortos como testemunho da satisfação infinita de Deus em Sua obra. Ele ascendeu ao céu, e Seu lugar no trono

CRISTOLOGIA

de Deus como um Homem em glória, é a prova positiva de que os nossos pecados se foram para sempre. Isto é o que dá uma paz profunda e duradoura. Quando o crente percebe que tudo foi feito de um modo que agrada Deus; que Aquele que realizou isso é um com o Pai; que o homem como uma criatura caída não teve parte alguma nessa obra, exceto a de cometer pecados pelos quais o Salvador morreu: então, e não até então, a majestade da obra da cruz vem sobre a alma. A pergunta: "Qual é o Seu nome, e qual é o nome do Seu Filho?" seguida pelo desafio, "Declara, se tu podes dizer", encontra sua resposta na revelação do Novo Testamento do Pai ao Filho.[69]

João 3.13: "Ora, ninguém subiu ao céu, senão o que desceu do céu, o Filho do homem".

Conquanto esta passagem não esteja diretamente relacionada à ascensão de Cristo, há muita coisa nela a respeito do lugar legítimo de Cristo no céu e uma predição do seu retorno ao céu, de onde Ele veio. Dean Alford afirma aqui:

O versículo todo parece ter uma conexão íntima com o livro de Provérbios e ser uma referência do capítulo 30.4: "Quem subiu ao céu e desceu?" e falada a um doutor da lei, lembraria esse versículo, – especialmente quando a pergunta adicional é feita: "Quem encerrou o *vento* nos seus punhos?" e "Qual é o Seu nome, e qual é o nome do Seu Filho?" Veja também Deuteronômio 30.12, e a citação em Romanos 10.6-8. Todas as tentativas de explicar o sentido claro deste versículo são fúteis e ridículas. O Filho do homem, o Senhor Jesus, a Palavra que se tornou carne, *estava no céu e desceu do céu* – e está no céu (céu ao redor dEle, céu, na terra, cap. 1.52), *enquanto aqui*, e ascendeu ao céu, quando Ele deixou esta terra; – e por todas essas provas, falando na linguagem profética de redenção cumprida, o Senhor estabelece, que Ele *somente* pode falar das *coisas celestiais* aos homens, ou comunicar a bênção do novo nascimento a eles. Que seja lembrado, que Ele aqui fala por *predição*, de *resultados* de Seu curso e sofrimentos na terra – do modo da regeneração e salvação que Deus designou por Ele. Portanto, ele considera toda a passagem, os grandes fatos da redenção como *cumpridos*, e faz anúncios que podem literalmente não ter influenciado até que eles tivessem sido cumpridos. Veja no versículo 14ss, cujo sentido será totalmente perdido, a menos que *ter ascendido* seja entendido como algo de sua exaltação à condição de Príncipe e Salvador, *que está no céu.* (Veja cap. 1.18 e nota). Sem dúvida, o significado envolve *"cujo lugar no céu"*; mas também assevera o estar no céu do *tempo então presente*: veja capítulo 1.52. Assim, majestosamente o Senhor caracteriza toda Sua vida de humilhação na carne, entre a sua descida e a sua ascensão. Ao unir em Si mesmo Deus, cuja morada está no céu, com o homem, cuja morada está na terra, Ele sempre esteve no céu. E intimamente ligada com este fato está a transição para o Seu ser a fonte da vida eterna, nos versículos 14ss: cf. 1 Coríntios 15.47-50, onde a mesma

A Ascensão

conexão é demonstrada de uma forma notável. Explicar tais expressões como *"ascender ao céu"* etc., como meras *metáforas hebraicas* (Lücke, De Wette etc.) é não mais do que dizer que as metáforas hebraicas foram encontradas na visão profunda dentro da verdade divina: – estas palavras na verdade expressam *as verdades sobre as quais as metáforas hebraicas foram construídas*. Socino está totalmente certo, *quando diz que aqueles que tomam a expressão* "ascendeu ao céu" *metaforicamente, devem com toda consistência tomar* "aquele que desceu do céu" *metaforicamente também;* "a descida e a ascensão devem ser da mesma espécie".[70]

Efésios 1.20-23: "Que operou em Cristo, ressuscitando-o dentre os mortos e fazendo-o sentar-se à sua direita nos céus, muito acima de todo principado, e autoridade, e poder, e domínio, e de todo nome que se nomeia, não só neste século, mas também no vindouro; e sujeitou todas as coisas debaixo dos seus pés, e para ser cabeça sobre todas as coisas o deu à igreja, que é o seu corpo, o complemento daquele que cumpre tudo em todas as coisas".

O período da ascensão de Cristo é medido neste texto. Não somente Ele deixou a tumba e retornou a seu lugar nativo, mas é exaltado acima de todos os outros, com toda autoridade no céu e sobre a terra que lhe é entregue; todavia, sua humanidade está presente também. Há um *homem* na glória. Sua humanidade glorificada é retida para sempre.

Efésios 4.8-10: "Por isso foi dito: Subindo ao alto, levou cativo o cativeiro, e deu dons aos homens. Ora, isto – ele subiu – que é, senão que também desceu às partes mais baixas da terra? Aquele que desceu é também o mesmo que subiu muito acima de todos os céus, para cumprir todas as coisas".

Já foi feita referência a este texto pelos escritores citados acima. O texto contempla todo o movimento aqui na terra para a morte e o movimento de volta novamente com os frutos imensuráveis de sua conquista. Muita ênfase é dada no Novo Testamento a essa muitíssima grandeza da ocasião sobre a qual o eterno Filho de Deus veio ao mundo. Aqui, como em outro lugar, uma realização igualmente grande está indicada, a saber, o retorno de Cristo ou sua ascensão de volta ao seu primeiro lugar e sua glória. Está escrito que Ele orou como estivesse para deixar este mundo: "E agora, glorifica-me, ó Pai, contigo mesmo, com a glória que eu tive junto de ti antes que houvesse mundo" (Jo 17.5).

Atos 1.9-11: "Tendo ele dito estas coisas, foi elevado para cima, enquanto eles olhavam, e uma nuvem o recebeu, ocultando-o a seus olhos. Estando eles com os olhos fitos no céu, enquanto ele subia, eis que junto deles apareceram dois varões vestidos de branco, os quais lhes disseram: Varões galileus, por que ficais aí olhando para o céu? Esse Jesus, que dentre vós foi elevado para o céu, há de vir assim como para o céu o vistes ir".

Os fatos históricos relacionados à ascensão final de Cristo estão aqui apresentados em termos simples. Após ter indicado o atraso divinamente arranjado na realização do reino terrestre de Israel (At 1.6, 7) e ter definido o escopo de Sua própria responsabilidade no mundo nesta era com o poder proporcionado vindo do Espírito Santo capacitador (At 1.8), Cristo parte para o céu. Este texto descreve o seu movimento não além de sua remoção da vista humana. Que Ele ascendeu acima de todas as autoridades e poderes nas esferas angelicais, que assumiu uma enorme autoridade, e que está assentado no trono do seu Pai, estas coisas devem ser entendidas a partir de outros textos do Novo Testamento.

De grande significação é o fato de que, como Suas últimas palavras no mundo, Ele dá uma afirmação abrangente a respeito do reino de Israel com a idéia de que – embora de nenhum modo abandonada – o tempo de sua realização é deixado indefinido com relação ao entendimento humano, mas plenamente determinado na mente e no propósito de Deus, e uma afirmação de que a presente era, se totalmente indefinida com respeito à duração, deve ser caracterizada por um testemunho crente de Si mesmo no poder do Espírito Santo. Tais temas são eminentemente adaptados – e somente eles seriam – para a palavra final que Ele deixou este mundo. Como um tema, a atividade e a responsabilidade de Cristo no céu pertence à divisão seguinte do capítulo.

II. A Intercessão

O presente ministério de Cristo no céu, conhecido como intercessão, é de grande alcance tanto na conseqüência quanto na importância. Esse assunto também não tem sido objeto de consideração dos teólogos do pacto, sem dúvida devido à incapacidade deles – por causa de serem confrontados com a teoria deles de um só pacto – de introduzir aspectos e ministérios que indicam um novo propósito divino na Igreja e por tender a romper a unidade de um suposto propósito imutável e um pacto de Deus. Como será visto, certos ministérios de Cristo no céu proporcionam completamente uma segurança para o crente, e a presente intercessão de Cristo tem sido evitada pelos arminianos de uma maneira igualmente imperdoável. Esta negligência se vê muito na ênfase das ministrações do púlpito que eles possuem.

O público cristão, porque é privado do conhecimento do presente ministério de Cristo, não está cônscio de suas vastas realidades, embora eles sejam capazes desde a infância de relacionar os meros fatos históricos e atividades de Cristo durante os seus três anos e meio de serviço na terra. Que Cristo faz alguma coisa agora, não é reconhecido pelos cristãos em geral e uma espécie de verdade parcial de pregação é totalmente responsável. Todavia, permanece verdadeiro, seja negligenciado por uma ou outra espécie de teólogo, que Cristo está agora engajado num ministério que determina o serviço e o destino de todos aqueles que colocaram a sua confiança nEle. Vários aspectos do seu presente ministério são indicados aqui.

1. O EXERCÍCIO DA AUTORIDADE UNIVERSAL. Um mistério inescrutável está presente no fato de que toda autoridade é entregue pelo Pai ao Filho. À luz da evidência completa de que o Filho é igual em sua Pessoa com o Pai, é

difícil entender como a autoridade poderia ser entregue ao Filho que não fosse propriamente dele em seu próprio direito. Qualquer que possa ser a solução desse problema, é certo que "todo poder" é dado a Cristo (Mt 28.18). E esse poder, conquanto tenha sido usado no começo para a criação de todas as coisas no céu e na terra, as visíveis e as invisíveis, inclusive tronos, soberanias, principados e potestades, ele é exercido agora com o fim de que todas as coisas possam ser mantidas (Cl 1.16,17). O próprio assentar-se de Cristo muito acima de todas as inteligências (Ef 1.20, 21) sugere que Ele está sobre elas numa autoridade completa.

Assim, de um modo similar, está escrito que o Pai colocou todas as coisas sob os pés do Filho, com exceção naturalmente de Si próprio (1Co 15.27). Este poder será exercido na era da vinda do reino até que toda autoridade, governo, domínio e poder, e todo inimigo – inclusive a morte – seja subjugado (1 Co 15.24-28); mas essa mesma autoridade é possuída pelo Filho inerentemente e, então, é exercida naqueles modos em que ela é requerida. Portanto, é essencial que, quando se faz uma descrição do Cristo exaltado e contempla-se sua Pessoa e a sua presente atividade, Ele deveria ser visto como Aquele que, sob o Pai, está acima e sobre todas as coisas no universo, no sentido em que elas devem a própria existência delas a Ele, e são sustentadas por Ele, e são governadas por Ele.

2. CABEÇA SOBRE TODAS AS COISAS PARA A IGREJA. Inevitavelmente, este tema se repete neste capítulo, embora já tenha sido considerado sob a ressurreição de Cristo. Na verdade, muita coisa é feita nas Escrituras proféticas da relação futura que Cristo manterá como Rei em relação a Israel e às nações naquele tempo quando Ele retornar à terra; mas agora na presente era Cristo é, pela mesma exaltação pelo Pai que O colocou acima de todas as inteligências, o Cabeça sobre todas as coisas para a Igreja, que é o Seu Corpo (cf. Ef 1.22, 23; Cl 1.18). Desta posição de Cabeça várias responsabilidades surgem que, por causa de sua importância vital, serão examinadas como divisões principais deste tema. O ponto da presente ênfase é o fato essencial da autoridade de Cristo sobre a Igreja, que é o seu corpo. Esta é chamada *a Igreja, que é o seu Corpo,* e diferencia-a de toda forma de Igreja organizada ou visível.

Essa Igreja organizada é no máximo não mais do que uma representação exterior (com trigo e joio) numa localidade e numa geração daquele grupo maior de todos os crentes em cada localidade e cada geração que, por ser individualmente unida a Cristo e aperfeiçoada nele, formam um Corpo. Esta autoridade de Cabeça é orgânica e real. Nele são todos os salvos colocados pelo recebimento do Espírito Santo e Ele está sobre elas como o Cabeça a esse Corpo que eles assim formam. É certo que Cristo não era o Cabeça sobre todas as coisas e dado à Igreja até ascender ao céu. A Igreja não estava ainda formada durante o seu ministério terreno (cf. Mt 16.18), nem até a descida do Espírito Santo no Pentecostes. Esta afirmação não é somente mantida pelo ensino simples e direto do Novo Testamento, mas pelos tipos também. Foi precisamente cinqüenta dias depois do molho movido – o tipo de Cristo na ressurreição – quando os dois pães foram movidos, que são um tipo da Igreja, ainda a ser ressuscitada e ainda também a ser apresentada em glória.

O pão representa um número incontável de partículas seladas em uma unidade. Assim, também, a Igreja é uma, embora formada de uma multidão de pessoas de todas as raças, línguas e tribos. A Igreja é o propósito celestial supremo de Deus, e a autoridade de Cristo sobre ela é tão exaltada quanto aquilo que está preeminente na mente do Deus eterno poderia estar. O ministério de ensino de Cristo pode bem servir como uma ilustração de sua relação de Cabeça com cada membro do seu Corpo. Em João 16.13, está registrado que a instrução completa é concedida a cada crente entregue ao Espírito Santo, que nele habita. Está claramente mostrado que o Espírito Santo não dá origem à mensagem que Ele comunica, mas, antes, fala no coração do crente tudo o que Ele ouve. Aquele a quem o Espírito Santo ouve e cuja mensagem o Espírito Santo transmite, não é ninguém senão Cristo, que afirmou: "...ainda tenho muito que vos dizer" (Jo 16.12). Assim, é um privilégio maravilhoso de cada membro do Corpo de Cristo receber mensagens diretas de instrução e de conforto de seu Cabeça exaltado em glória.

3. O DOADOR DOS DONS. De acordo com o Novo Testamento, um dom é uma capacitação divina operada no crente e através dele pelo Espírito Santo que nele habita. É o Espírito Santo que opera ali, para realizar certos propósitos divinos e usar aquele em quem habita para esse fim. Em sentido algum é um empreendimento humano ajudado pelo Espírito Santo. Embora certos dons gerais sejam mencionados nas Escrituras (Rm 12.3-8; 1 Co 12.4-11), a variedade possível é ilimitada, visto que não há duas vidas que sejam vividas exatamente sob as mesmas condições. Contudo, a cada crente algum dom é dado, embora a bênção e o poder do dom venham a ser experimentados somente quando a vida estiver totalmente entregue a Deus. (Em Romanos 12, então, a verdade dos vv. 1 e 2 procede daquela dos vv. 6-8.) Haverá pouca necessidade de exortação ao serviço de honra a Deus, para aquele que está cheio do Espírito Santo trabalhe nessa pessoa tanto no querer quanto no fazer a sua boa vontade (Fp 2.13).

De igual modo, certos homens, que são chamados os "dons aos homens" que Cristo deu, são colocados localmente no serviço deles pelo Cristo que ascendeu ao céu (Ef 4.7-11). O Senhor não deixou esta obra a um julgamento incerto e insuficiente de homens (1 Co 12.11, 18). A concessão dos dons é apenas outro exemplo em que a supervisão pessoal e individual do Cristo exaltado sobre cada membro do seu Corpo, é revelada. Cada um é designado para o exercício de um dom espiritual e isso "conforme lhe apraz" (1 Co 12.11).

4. O INTERCESSOR. Este ministério de oração começou antes dele ter deixado a terra (Jo 17.1-26), é continuado em favor dos salvos antes que pelos não-salvos (Jo 17.9), e será continuado no céu enquanto os seus estiverem no mundo (Jo 17.20). Como Intercessor, sua obra tem a ver com as fraquezas, as fraquezas e a imaturidade dos santos que estão na terra – coisas sobre as quais não têm controle. Aquele que conhece as limitações dos Seus e o poder e a estratégia do inimigo contra quem eles lutam, tem se tornado para eles o Pastor e Bispo de suas almas. Seu cuidado por Pedro é uma ilustração dessa verdade (Lc 22.31, 32).

A intercessão sacerdotal de Cristo não é somente eficaz, mas é infindável. Os sacerdotes do Antigo Testamento falharam parcialmente por causa da morte; mas Cristo, porque vive para sempre, tem um sacerdócio imutável: "Portanto, pode também salvar perfeitamente os que por ele se chegam a Deus, porquanto vive sempre para interceder por eles" (Hb 7.25).

Davi reconheceu o mesmo pastoreio divino e a sua garantia de segurança eterna, quando disse: "O Senhor é o meu pastor; nada me faltará" (Sl 23.1). Uma das quatro razões assinaladas em Romanos 8.34, para a segurança do crente, é a de que Cristo agora "faz intercessão por nós". A eficácia da intercessão de Cristo na preservação de cada crente é declarada ser absoluta. Como foi citado: "Ele é capaz também de salvá-los totalmente", isto é, de salvar e de guardar salvo para sempre aqueles que vêm a Deus, através dele e isto é o que está na base do Seu ministério de intercessão.

5. O Advogado. O filho de Deus é freqüentemente culpado do pecado real que o separaria de Deus, não fosse a intercessão de seu Advogado e o que operou por Sua morte. O efeito do pecado do cristão sobre si próprio é que ele perde a sua comunhão com Deus, sua alegria, sua paz e seu poder. Por outro lado, estas experiências são restauradas em graça infinita na base da *confissão* de seus pecados (1 Jo 1.9); porém, é ainda mais importante considerar o pecado do cristão em relação ao santo caráter de Deus. Através do presente sacerdócio advocatício de Cristo no céu, há uma segurança e certeza absolutas para o filho do Pai mesmo quando ele peca. Um advogado é aquele que esposa e pleiteia a causa de outro na corte. Como Advogado, portanto, Cristo agora aparece no céu em favor dos Seus (Hb 9.24), quando eles pecam. Está escrito: "Meus filhinhos, estas coisas vos escrevo, para que não pequeis; mas, se alguém pecar, temos um Advogado para com o Pai, Jesus Cristo, o justo" (1 Jo 2.1).

Seu apelo é dito ser ao Pai, e Satanás está ali também, o qual não cessa de acusar os irmãos de noite e de dia perante Deus (Ap 12.10). Para o cristão, o pecado pode parecer insignificante; mas o santo Deus nunca pode tratá-lo como insignificante. Pode existir um pecado secreto sobre a terra, mas ele é um escândalo aberto no céu. O salmista escreveu: "Diante de ti puseste as nossas iniqüidades, à luz do teu rosto os nossos pecados ocultos" (Sl 90.8). Em graça maravilhosa e sem o pedido dos homens, o Advogado pleiteia a causa dos filhos culpados de Deus. O que o Advogado faz em assegurar a segurança do crente está de acordo com a justiça infinita, de modo que Ele é mencionado neste contexto como "Jesus Cristo, o Justo". Ele pleiteia o seu próprio sangue eficaz e o Pai é livre para preservar Seu filho das reais acusações de Satanás ou dos homens e dos reais juízos que o pecado de outra forma imporia, visto que Cristo através de sua morte se tornou "a propiciação pelos nossos [dos cristãos] pecados" (1 Jo 2.2).

A verdade a respeito do ministério sacerdotal de Cristo no céu não torna fácil para o cristão pecar. Ao contrário, estas próprias coisas são escritas *para que não pequeis* (1 Jo 2.1); porque ninguém pode pecar negligentemente, se considera o apelo necessário que o seu pecado impõe sobre o Advogado. Os ministérios sacerdotais de Cristo como Intercessor e Advogado são dirigidos para a segurança eterna daqueles que são salvos (Rm 8.34).

CRISTOLOGIA

6. O CONSTRUTOR. Uma passagem de grande importância trata do presente empreendimento de Cristo no céu como um construtor. Ele disse: "...vou preparar-vos lugar", e isto em conexão com a afirmação de que na casa do Pai, ou universo, havia muitas moradas (Jo 14.1-3). Evidentemente nenhuma dessas moradas está, em Sua avaliação, adaptável à sua Noiva. Assim, sucede que Ele prepara uma morada que será até mais gloriosa do que tudo dentro da criação de Deus no presente. Ele está agora engajado nisso.

7. CRISTO AGUARDANDO. Acima de todo estupendo ministério do Salvador ressuscitado e exaltado já observado, está a atitude que é dito que Ele mantém com relação ao dia quando, ao voltar para a terra, derrotará todos os inimigos e tomará o trono para reinar. Importante, na verdade, é a revelação que mostra o fato de que Cristo está agora na atitude de espera, para que esse dia chegue quando, ao retornar nas nuvens do céu, vença todos os inimigos (cf. Sl 2.7-9; Is 63.1-6; 2 Ts 1.7-10; Ap 19.15). Hebreus 10.13 registra esta expectativa, e diz: "...daí por diante esperando, até que os seus inimigos sejam postos por escabelo de seus pés". Isto será realizado em conexão com o seu retorno à terra em poder e grande glória, retorno esse que é o tema do próximo capítulo neste estudo da Cristologia.

Na conclusão deste capítulo sobre a ascensão e intercessão do Cristo ressuscitado, chamamos a atenção novamente para a imensidão de seus empreendimentos – alguns realizados quando Ele ascendeu da tumba e outros quando ascendeu visivelmente nas nuvens do céu. A isto pode ser acrescentada a continuada salvação de almas, de todos aqueles que vêm a Ele (Mt 11.28; Jo 6.37). Como Sumo Sacerdote sobre o verdadeiro tabernáculo nas alturas, o Senhor Jesus Cristo entrou no próprio céu, para ministrar como Sacerdote em favor dos que são Seus no mundo (Hb 8.1, 2). O fato de que Ele, quando ascendeu, foi recebido por seu Pai no céu, é evidência de que o seu ministério terreno foi aceito. O fato de que se assentou ali, indicou que a sua obra pelo mundo foi concluída. O fato de que assentou-se no trono de seu Pai e não no seu próprio trono revela a verdade, tão consistentemente ensinada nas Escrituras, de que Ele não estabeleceu um reino sobre a terra no seu primeiro advento no mundo, mas que agora "espera" até que o tempo do estabelecimento de seu reino sobre a terra chegue e a vontade divina seja feita na terra como é feita no céu.

"Os reinos deste mundo" ainda se tornarão "os reinos de nosso Senhor, e do Seu Cristo; e ele reinará para sempre e sempre" (Ap 11.15), e o Filho da realeza ainda pedirá de seu Pai e Ele O dará às nações por sua herança e as partes mais distantes da terra por Sua possessão (Sl 2.8). Contudo, a Escritura claramente indica também que Ele não estabelece agora esse reino na terra (Mt 25.31-46), mas que antes, chama tanto judeus quanto gentios para compor o povo celestial que está relacionado a Ele como Seu Corpo e Noiva. Após o presente propósito ser cumprido, retornará e "reerguerá o tabernáculo caído de Davi" (At 15.13-18). Embora seja o Sacerdote-rei de acordo com o tipo de Melquisedeque (Hb 5.10; 7.1-3), Ele agora serve como Sacerdote e não como Rei. Aquele que virá novamente e então será Rei dos reis, está agora nas alturas para ser "cabeça sobre todas as coisas, à igreja, que é o seu corpo" (Ef 1.22, 23).

CAPÍTULO XII

O Segundo Advento do Verbo Encarnado

VISTO QUE CRISTO É O CENTRO de toda predição bíblica, há propriamente uma escatologia a ser incluída na Cristologia. Ela contempla o retorno de Cristo à terra, o reino que então estabelecerá sobre a terra, e o seu domínio eterno. O primeiro destes vai ser considerado agora; o segundo no capítulo seguinte, enquanto que o último forma o tema da divisão principal e final da Cristologia, ou seja, o Capítulo XIV.

Embora os teólogos difiram sobre o tempo e a maneira do segundo advento de Cristo, todos os que levam a Escritura a sério concordam que Ele retornará a esta terra. As Escrituras claramente ensinam que Cristo virá para juízo e estabelecimento de seu reino sobre a terra. Sobre este reino, Ele com sua Noiva governarão para sempre. Nenhuma apologia é nutrida para tomar este vasto conjunto de textos que apresenta a vinda de Cristo novamente em seu reino, a não ser em seu sentido natural, literal e gramatical. Todas as predições devidas a serem cumpridas antes do presente tempo, e elas são muitas na verdade, foram cumpridas sem exceção; portanto, é razoável crer que as predições não-cumpridas serão cumpridas fielmente e de um modo definitivo. É possível que, por falta de fé, alguns homens da era passada da lei que foram confrontados com predições a respeito do primeiro advento, quando ele ainda era futuro, fossem inclinados a colocar algumas interpretações chamadas espiritualizantes sobre estas grandes profecias; mas permaneceu verdadeiro, e teria permanecido assim embora nenhum homem vivo tivesse tomado Deus em Sua Palavra, de que as predições inspiradas se moveram majestosamente em direção ao seu cumprimento natural, literal e gramatical.

Para aqueles que não fizeram isso, pode ser a introdução em campos quase que ilimitados da revelação divina e para as demonstrações sobrepujantes da fidelidade de Deus seguir através de uma investigação que busca este método específico de interpretação – que esta divisão da Cristologia está destinada a ser. O tema é tão augusto, majestoso e resultante quanto a consumação de todos os propósitos divinos nas esferas mundanas pode ser. Se os assuntos das crises do presente mundo prendem a atenção e espalham consternação entre todos os habitantes civilizados da terra, quanto mais os homens crentes deveriam

CRISTOLOGIA

ser levantados para ter uma atenção sem precedentes pela descrição daquelas realidades estupendas que constituem as cenas finais – a disposição final do mal e a entronização final da justiça e paz por toda a eternidade vindoura! Conquanto vividamente expressa, a comparação entre qualquer evento na história do mundo – exceto a criação do universo – e aquele programa que está ainda por vir, no que diz respeito às coisas terrestres, é mais uma antítese do que um paralelo. Com referência ao cumprimento literal da profecia relacionada ao primeiro advento e a probabilidade do cumprimento literal da profecia relacionada ao segundo advento, George N. H. Peters escreve:

Se adotássemos este princípio de espiritualizar a [segunda] vinda e a linguagem empregada em seu uso, *então*, se consistentemente aplicado à Bíblia toda, ignoraria *o primeiro advento como literal e pessoal*. Isto não é uma caricatura, mas um argumento sóbrio. Suponha que nossos oponentes estejam corretos em sua interpretação; transportemo-nos a nós mesmos para um período *antes* do primeiro advento e apliquemos o sistema deles às profecias relativas a esse advento e vejamos o resultado. Tomemos tal posição imaginosa, e selecionemos Isaías 40.3, "a voz do que clama no deserto" etc., e de acordo com o sistema adotado, isto denotaria que a verdade divina seria ouvida na terra, mesmo nas partes mais abandonadas dela etc. Ou selecionássemos, por exemplo, Isaías 53, e teríamos uma representação da verdade, seu tratamento, rejeição e o triunfo final. Mas quais são os fatos *evidenciados* pelo cumprimento? Não temos nós uma voz literal, um deserto literal, um discurso literal aos judeus, uma vinda literal, uma humilhação, um sofrimento, uma morte de Jesus Cristo etc.? De acordo com o sistema de nossos oponentes nenhum cumprimento literal e pessoal foi pretendido, porque se as predições relativas ao segundo advento, que são *mais claras, distintivas e decisivas* do que aquelas referentes ao primeiro advento, devem ser entendidas como a descrição de uma vinda espiritual ou providencial, *então certamente*, se este medidor de profecia é aplicado aos menos distintos do primeiro advento, eles também significam uma vinda espiritual ou providencial. Se a regra de interpretação confirma-se agora, ela deve cobrir todo o tempo; porque não conhecemos regras que foram aplicáveis a uma época e não em outra. Esse cumprimento mostra que tal linguagem deve ser literalmente entendida; *então*, a nossa resposta está pronta: o cumprimento é evidência de que a interpretação espiritualista sobre este ponto é *totalmente indigna de confiança*, ao mesmo tempo em que ela dá prova decisiva da consistência daquela adotada pela Igreja Primitiva.[71]

Não pode haver uma razão mais decisiva para dar uma interpretação literal às profecias do segundo advento do que está mostrado pelo fato de que as profecias do primeiro advento foram assim cumpridas. Aqueles que persistem em uma mudança de plano para a interpretação daquilo que é futuro, têm atribuído a eles próprios uma tarefa não invejável de explicar por que uma variação tão violenta é introduzida. A esta altura a franqueza é desafiada. Se, porventura, a variação é interposta meramente para defender um idealismo feito pelo homem ou para aliviar uma crença débil, ela merece somente a censura que pertence à incredulidade. Um fenômeno existe, a saber, que os homens, os quais são conscientes e meticulosos em observar o ensino exato da Escritura nos campos da inspiração e do caráter divino do Texto Sagrado, da ruína da raça por meio do pecado de Adão, da divindade e da propriedade salvadora de Cristo, são encontrados como introdutores de métodos de espiritualizar e remendar as declarações claras da Bíblia nesse campo da Escatologia.

Esta tendência prevaleceu muito nos dois ou três séculos passados que, com respeito aos teólogos, eles são quase totalmente desta classe atrevida. Tão grande efeito exige uma causa adequada, e a causa não é difícil de identificar. Como foi previamente indicado, quando está amarrado a uma teoria de pacto feita pelo homem, não há lugar dentro dessa suposição para uma restauração de Israel, não com todos os seus pactos terrenos e glórias terem sido absorvidos na Igreja. Há apenas uma meta lógica – aquela desenvolvida por Whitby com toda a sua negligência descuidada pelo testemunho bíblico, a saber, que um pacto da graça hipotético resultaria numa ordem social transformada, e não pelo poder do retorno do Messias, mas pela pregação do Evangelho. No presente tempo há aqueles que, por compreenderem erroneamente a predição de que o Evangelho do reino deve ser pregado a todo mundo (Mt 24.14), asseveram que Cristo não pode retornar até que a empreitada missionária tenha alcançado toda a terra habitada, e não reconhecem que a passagem em questão é encontrada num contexto pertencente à grande tribulação futura e que, por causa de um ciclo infindável de nascimento e morte, não se poderia estabelecer um tempo nesta era quando a empreitada missionária pudesse ser completada.

A verdade de que Cristo virá para a terra novamente é enfática e repetidamente afirmada no Texto Sagrado que quase todos os credos a tem incluído em suas declarações, e somente aqueles que faltam com o respeito à verdade do texto bíblico falham em reconhecer que Cristo vai retornar; contudo, uma ampla variação na crença tem existido a respeito de como e quando Ele retornará. Uma terrível falta de atenção para o testemunho exato da Palavra de Deus é revelada nestes sentimentos conflitantes, mais do que é encontrado em conexão com qualquer outra doutrina. As noções humanas e as sua fantasias têm cometido excessos com pouca tentativa aparente de harmonizar estas idéias com as Escrituras. A suposição deve surgir de que os homens não lêem o texto da Bíblia cuidadosamente, ou que, ao lê-lo, não são admoestados por ele.

Um exemplo do desvio da imaginação humana quando não faz uma referência ao extenso testemunho da Escritura é fornecido – e citações semelhantes podem ser feitas pelos teólogos, entre eles, o Dr. William Newton Clarke, ex-professor de teologia cristã na Colgate University, em seu livro *An Outline of Christian Theology*. Após ter escrito longamente sobre certos pontos

CRISTOLOGIA

e sugerido que o segundo advento de Cristo é cumprido pela morte do crente – ao usar João 14.1-3 como texto-prova, pela vinda do Espírito no Pentecostes, e pela destruição de Jerusalém, ele sumariza o que se segue:

Cristo predisse uma vinda em seu reino; a predição foi entendida por seus discípulos como promessa de uma vinda visível nos dias primitivos, com manifestações surpreendentes de glória visível; mas a predição foi cumprida na vinda espiritual e invisível, por meio da qual a sua obra espiritual no mundo foi levada a efeito. Ou, para afirmar mais plenamente a visão da vinda de Cristo que as Escrituras parecem autorizar: – *a*. Quando Ele deixou esse mundo, a obra de Cristo para o mundo, longe de ser terminada, tinha somente começado, e Ele esperava ainda levá-la ao seu término. Sua predição de um retorno, e de um retorno bem cedo, foi uma predição verdadeira, não destinada a falhar. *b*. Cristo veio novamente, naquela presença espiritual com seu povo e o mundo, pela qual o seu reino foi constituído e a sua obra sobre a humanidade foi realizada. Esta presença é tal que seus amigos não estão órfãos, privados dEle (Jo 14.18); ou, para usar uma figura freqüente nas Escrituras, sua Igreja não é uma viúva, mas uma noiva (Ap 21.2-4). A nova Jerusalém descrita no final do Apocalipse como a noiva de Cristo não é o símbolo da vida futura, mas, como uma leitura cuidadosa é suficiente para mostrar, representa a Igreja ideal de Cristo neste mundo. Para a produção deste estado ideal, a vinda espiritual de Cristo tende, e é essencial. *c*. A vinda de Cristo não foi cumprida num evento determinado. Na realidade, o evento no qual ela foi anunciada e introduzida, foi o dom do Espírito Santo no dia do Pentecostes; e o seu primeiro grande acompanhamento providencial na história foi a derrubada de Jerusalém. Mas sua vinda não é um evento; é um processo que inclui eventos inumeráveis, um avanço perpétuo de Cristo na atividade de seu reino. Ele tem continuado até agora, e ainda está em processo. Cristo veio muito tempo atrás, mas Ele é verdadeiramente Aquele que vem, porque Ele está ainda vindo, e ainda virá. *d*. Nenhum retorno visível de Cristo à terra deve ser esperado, mas antes o avanço longo e firme de seu reino espiritual. A expectativa de um único evento dramático corresponde à doutrina judaica da natureza do reino, mas não para o cristão. Os judeus, supondo o reinado do Messias ser um reino terrestre, naturalmente procurariam por uma presença corporal do rei; mas os cristãos que conhecem a natureza espiritual de seu reino, podem bem ficar satisfeitos com uma presença espiritual, mais poderosa do que se Ele fosse visto. Se o nosso Senhor apenas completar a vinda espiritual que Ele começou, não haverá uma necessidade de advento visível, para tornar perfeita sua glória sobre a terra. A descrição da vinda de Cristo como um único evento dramático em seus esplendores e terrores, assistidos pela ressurreição e pelo julgamento, tem servido para um propósito útil de

O SEGUNDO ADVENTO DO VERBO ENCARNADO

manter o pensamento do Cristo invisível fresco e vívido para a Igreja, em tempos quando nenhuma outra apresentação dele, provavelmente, teria sido tão eficaz. Mas se ao mesmo tempo isto tem sido prejudicial, isto tem levado multidões, mesmo de cristãos, a considerar o advento do Salvador deles com mais terror do que com desejo. Esse grande, mas terrível hino, o "Dies Irae" tem sido somente uma expressão verdadeira do sentimento comum. A Igreja tem sido conduzida a considerar-se como a viúva e não como a noiva de Cristo, e impedida de perceber o poder e o amor que estavam já permanentes com ela. Esta compreensão errônea tem tornado comum para os cristãos falarem do Senhor ausente; considerando que Ele é o Senhor presente, e reina agora em seu reino espiritual. Isto tem também levado a uma subestimação habitual do valor intrínseco da presente vida e seus interesses comuns. Colocar o reino de Cristo principalmente no futuro, tem desviado a atenção do seu desejo de encher toda a vida agora com a plenitude de seu santo domínio. O cristianismo de modo algum tem sido o amigo da família, da nação, do comércio, da educação, e da vida social comum do homem que poderia ter sido se Cristo tivesse sido reconhecido como o presente Senhor que reina, cujo reino é um reino presente de forças espirituais para a promoção da santidade e do amor. A presente necessidade é a necessidade de fé viva e de amor, para perceber o Senhor presente. Tem sido comum chamá-lo de Senhor ausente: mas após uma grande citação de sua palavra de poder: "Eis que estou convosco sempre", é tempo da Igreja ouvir a Sua própria voz de testemunho, e vir a crer nele como o Senhor presente. O não reconhecimento dominante do Cristo presente equivale à incredulidade. O que é necessário, a fim de despertar uma atividade mais digna na Igreja, é uma fé que O discerne como realmente aqui em seu reino, e aprecia a glória espiritual de sua presença no mundo. Esta visão da vinda de Cristo sugere que o apóstolo captou a idéia espiritual apenas imperfeitamente, e que eles esperavam o que não veio a acontecer; e para muitos isto parece inadmissível. A apreensão errônea da parte deles foi naturalmente uma coisa constante durante o tempo de vida dEle, mas muitos pensam que não pode ter existido após o dia de Pentecostes, quando eles foram ensinados pelo Espírito de Deus. Mas deve ser lembrado que o Mestre disse a seus discípulos que "os tempos e as estações" não eram para ser conhecidos por eles (At 1.7), e que nenhum homem conhecia o tempo de sua vinda, exceto que viria dentro da vida daquela geração (Mc 13.32). Neste assunto eles não deveriam ser ajudados pela revelação. Mas à parte de todas as teorias, as quais os apóstolos conheciam, temos de tratar com o fato claro de que os escritores do Novo Testamento esperaram um advento que não ocorreu. Foi maravilhosa de fato a clareza de visão, e a veracidade de percepção, à qual a influência de Cristo levantou nos discípulos que o conheceram melhor; mas nós não os entendemos, se

CRISTOLOGIA

deixamos de lado o fato de que eles eram homens de sua própria época, que receberam sua verdade nas mentes em que os pensamentos de sua época tinham influência. Aqui, na verdade, estava o poder deles: porque isto os capacitou a influenciar a sua própria época, e enviar a influência à nossa própria época. A glória dos primeiros discípulos repousa não na correção infalível de suas concepções, mas em sua comunhão espiritual com Cristo, o seu Mestre.[72]

Esta obra de ficção que nem mesmo retira o seu material da Bíblia – embora por identificação remota, ela deve introduzir Cristo e seus discípulos – é um conjunto de erro impossível na doutrina desde o começo até o seu final; todavia, esta obra de teologia tem tido aceitação de um grande grupo de ministros e professores, além de sua recomendação. Suas falácias deveriam ser observadas brevemente:

(A) A suposição total de que a vinda de Cristo é cumprida por um programa "invisível e espiritual" ignora todo evento conectado com o Seu retorno. Estes são muito numerosos para serem revistos aqui; mas, na verdade, onde está a ressurreição e a transformação dos santos, a vinda como um relâmpago que vai desde o ocidente ao oriente, a ocupação de Seu trono terrestre, o julgamento de Israel e das nações, e por que alguém deveria "vigiar" ou "esperar" por sua vinda?

(B) O escritor confunde a vinda pessoal de Cristo com Sua onipresença. Ele está no meio quando dois ou três estão reunidos em nome dEle, mas este fato não sugere que sua promessa de vir como Noiva e Juiz tem sido, ou esteja em pleno cumprimento.

(C) A afirmação do Dr. Clarke de que a promessa de Cristo de retornar bem cedo não foi cumprida – por isso os discípulos O entenderam erroneamente sobre esse ponto – é uma restrição sobre a palavra γενεά (geração, cf. Mt 24.34 etc.) que um homem da erudição do Dr. Clarke nunca deveria ter tolerado. Quando ele declara que os discípulos esperaram o que realmente não aconteceu, ele sugere que os escritores do Novo Testamento estavam mal informados e permitiram que os seus erros fossem incorporados no próprio Texto Sagrado.

(D) Com relação à Nova Jerusalém do Apocalipse, por "uma leitura cuidadosa" vista como "a igreja ideal", agora no mundo, as perguntas pertinentes podem ser feitas: O que se pode dizer de sua vinda do céu, sua luz de pedra de jaspe, suas grandes muralhas, seus doze anjos, suas portas de pérolas, seu fundamento de jaspe e de outras pedras, e a própria cidade de ouro puro igual a um vidro, sua liberdade da necessidade de sol como sua luz, e da iluminação dela pela glória de Deus e do Cordeiro?

(E) Com relação à vinda de Cristo na morte dos crentes, este ponto, também, carece de qualquer semelhança dos eventos escatológicos preditos e confunde "o último inimigo" com a "bendita esperança". Isto é quase transformar a morte, o juízo divino terrível sobre o pecado do homem, no próprio Cristo, e ensina que as bênçãos que aguardam aqueles que "dormem... em Jesus" são concedidas pela morte antes do que por Cristo.

(F) Que Cristo veio no Pentecostes é a alegação central do Dr. Clarke; todavia, ele deixou de lado os fatos de que sua teoria confunde duas pessoas da Trindade, e que no tempo do Pentecostes nenhum livro do Novo Testamento tinha sido escrito, mas ainda assim todos os escritores do Novo Testamento tratam da vinda de Cristo como um evento futuro.

(G) Que Cristo voltou na destruição de Jerusalém, é uma confusão imperdoável de Mateus 24.15-22 com Lucas 21.20-24. Aqui o Dr. Clarke com proveito poderia tem empreendido uma daquelas "leituras cuidadosas", referidas. É verdade que ele vê um aspecto "negativo" da vinda de Cristo neste ponto – uma superação do refugo que Israel representava e uma preparação para o estabelecimento da Sua nova ordem proposta; mas o fato permanece de que um exército romano não é a pessoa de Cristo, nem é a morte de um milhão de judeus uma "esperança bendita".

(H) Com relação à declaração – "Se nosso Senhor apenas completar a vinda espiritual que Ele começou, não haverá necessidade de um advento visível para tornar perfeita sua glória sobre a terra" – devemos nos espantar apenas sobre o que teria acontecido no sonho do Dr. Clarke, se ele tivesse vivido para ver a Segunda Guerra Mundial e num tempo quando os pregadores descuidados e desatentos tivessem mais e mais problemas para encontrar alguma realidade que viesse tomar o lugar de tais fantasmas de uma ordem social aperfeiçoada.

Nenhuma rápida atenção seria dada a tal sentimentalismo, se isto fosse encontrado nas obras de Julio Verne, mas quando ela é desenvolvida por um teólogo de reputação em toda seriedade e reconhecido pelos homens de influência contemporâneos, não podemos ignorar como se isso fosse brincadeira de criança. A afirmação feita anteriormente é repetida, a saber, que bons e grandes homens que compreendem muita verdade, sem uma interpretação correta das Escrituras proféticas, são entregues a erros impossíveis, e são freqüentemente levados, como o Dr. Clarke foi levado, a refutar as próprias palavras da Escritura meramente para salvar uma fantasia grotesca. Quão diferente teria sido a história da teologia nos três últimos séculos e seus frutos hoje, se os teólogos tivessem aceitado o *quiliasma* dos apóstolos e da Igreja Primitiva, em vez das teorias do pacto ou teorias federais, introduzidas por Johannes Cocceius e pelo pós-milenismo de Daniel Whitby – ambos tendo vivido um século depois da Reforma!

O mistério insolúvel é que essas teorias teológicas, tão evidentemente sem sustentação da Escritura, não foram reavaliadas e julgadas por homens sinceros nas últimas gerações. O mistério não é aliviado quando é observado que homens do tempo presente estão determinados a continuar nos mesmos erros. Aqueles inclinados a "zombar", que dizem: "Onde está a promessa de sua vinda?" (2 Pe 3.3,4), têm se apoderado de argumentos totalmente indignos como uma defesa de sua incredulidade – todavia, os argumentos aceitos pelos homens bons que aparentemente não têm refletido nas questões envolvidas, a saber:

CRISTOLOGIA

(1) que Cristo, de acordo com os escritores do Novo Testamento, prometeu retornar dentro de sua própria geração, mas visto que Ele não retornou assim, os escritores estavam enganados e (2) que o apóstolo Paulo acreditava e ensinava em seu ministério anterior a vinda iminente de Cristo, mas que, visto que a doutrina, dizem eles, não aparece nos seus escritos posteriores, Ele deve ter "mudado a sua mente".

Mas, então, o que dizer da doutrina da inspiração? E o que está por detrás de tal tratamento das Escrituras e o que resta da autoridade da parte de qualquer escritor do Novo Testamento? Foi chamada a atenção anteriormente para o significado genérico de γενεά, traduzida como *geração*, a fim de mostrar que ela se refere a uma raça e não necessariamente apenas ao povo então vivente; e é certo das últimas palavras escritas pelo apóstolo que ele creu no retorno iminente de Cristo até o dia de seu martírio. Ele claramente declarou: "Desde agora, a coroa da justiça me está guardada, a qual o Senhor, justo juiz, me dará naquele dia; e não somente a mim, mas também a todos os que amarem a sua vinda" (2 Tm 4.8). Alegar que os escritores do Novo Testamento estavam enganados e que Paulo mudou a sua mente é a apologia tradicional exceto universal da escola de Whitby – melhor conhecida como pós-milenismo.

Tão incrível quanto possa parecer, tais subterfúgios foram tolerados por homens que, com toda a sua força, honestamente defendem a inspiração e a autoridade das Escrituras. Daniel Whitby – nunca inocentado da acusação de possuir idéias socinianas – não objetou a tais tratamentos desonestos do Texto Sagrado; mas tal inconsistência é deplorável em homens dignos que, tendo abraçado a noção de Whitby de que Cristo não retornaria até o fim do milênio feito pelo homem, não têm outro argumento para oferecer em seus esforços de contrariar a certeza clara do retorno iminente de Cristo. Henry Ward Beecher, que foi pai de um racionalismo que destruiu tudo exceto a denominação a que ele pertencia, disse: "Ele [Paulo] esperava ver Cristo neste mundo antes que ele partisse; e todos os apóstolos creram que eles veriam; e há alguns em nosso tempo que crêem que eles verão. Eu penso que você verá Cristo; mas você o verá do outro lado. Você irá para Ele, Ele não virá a você. E sua ida a Cristo será espiritual, e não carnal. Mas a fé dos apóstolos, e de outros, era que eles deveriam ver Cristo em seu tempo. Nesta matéria, contudo, eles estavam *enganados*. A convicção deles estava fundada numa interpretação errônea da linguagem de nosso Mestre".[73]

Este desafio de muitos bons homens não precisaria ser feito se eles tivessem evidenciado uma investigação imparcial das Escrituras sobre estes temas específicos.

Em toda doutrina bíblica, as verdades que a fazem ser o que é estão contidas nas Escrituras que a apresentam. Nenhuma mente atenta e espiritual precisa ser ignorante a respeito do ensino da Bíblia; contudo, dois outros requisitos são evidentes, a saber, uma indução estendida e diligente de toda a Escritura, que trata sobre determinado tema e uma mente sem preconceito. Mesmo os erros colossais não serão corrigidos onde o preconceito existe e impõe teorias humanas sobre a Palavra de Deus. Na verdade, como podem as Escrituras realizar o propósito prescrito delas como "correção" e "repreensão" na doutrina (2 Tm 3.16) se, como foi visto na experiência do Dr. Clarke e com ele uma multidão de teólogos, os apóstolos são acusados de ignorância e erro e o próprio Texto Sagrado é acusado de confuso e de inverossímil, somente porque a teoria deles não vai se conformar com a verdade revelada?

A análise destas condições vai entrar neste ponto como uma tentativa de descobrir a verdadeira razão por que o campo total da profecia e especialmente da doutrina do segundo advento são estranhamente negligenciados. Essa doutrina permanece, seja ou não reconhecida e aceita, pelos seguidores de Cocceius, Whitby, ou Clarke. Quando a doutrina é corretamente observada, um grande número de textos surge para ser considerado e cada passagem exige que seja vista à luz de sua própria declaração exata, à luz de seu contexto, e à luz de todos os outros textos que tratam do mesmo tema (cf. 2 Pe 1.20, 21).

Uma distinção clara deveria ser observada entre os textos que anunciam a vinda de Cristo nos ares, para receber a sua Noiva, a Igreja, para si mesmo, a fim de colocar um fim na jornada peregrina dela neste mundo e aqueles textos que anunciam a vinda de Cristo à terra em poder e grande glória, para julgar Israel e as nações e para reinar desde o trono de Davi em Jerusalém. O primeiro evento de modo algum é parte do segundo evento; ele é o modo de Cristo libertar seu povo deste *cosmos* antes que os juízos divinos venham sobre ele. É verdade que neste contexto Ele disse: "Eu virei outra vez" (Jo 14.1-3). Os termos freqüentemente empregados, tais como "duas fases", "dois aspectos", ou "duas partes de Sua vinda" são errôneos.

Muita coisa já apareceu anteriormente nesta obra sobre essa distinção; e nada mais precisa ser acrescentado senão reafirmar que no primeiro evento o movimento é partir da terra em direção ao céu, como está evidente de 1 Tessalonicenses 4.16,17: "Porque o Senhor mesmo descerá do céu com grande brado, à voz do arcanjo, ao som da trombeta de Deus, e os que morreram em Cristo ressuscitarão primeiro. Depois nós, os que ficarmos vivos, seremos arrebatados juntamente com eles, nas nuvens, ao encontro do Senhor nos ares, e assim estaremos para sempre com o Senhor"; e que no segundo advento, o movimento é de cima para baixo, do céu para a terra, como está registrado em Apocalipse 19.11-16.

Estes eventos, embora nem sempre sejam claramente distintos em todo texto, são naturalmente classificados pelo caráter das condições e incidentes que os acompanham. Como foi anteriormente tabulado, há uma lista extensa de textos que tratam da segunda vinda de Cristo. Os aspectos importantes desse evento estupendo e perfeito são diretamente afirmados naquilo que pode ser chamado de passagens principais que tratam deles. Estes devem ser indicados com alguns comentários sobre cada um deles.

Judas 14,15: "Para estes também profetizou Enoque, o sétimo depois de Adão, dizendo: Eis que veio o Senhor com os seus milhares de santos, para executar juízo sobre todos e convencer a todos os ímpios de todas as obras

CRISTOLOGIA

de impiedade, que impiamente cometeram, e de todas as duras palavras que ímpios pecadores contra ele proferiram".

Notável, na verdade, é o fato de que a primeira profecia registrada por um homem – embora o relato dela é guardado somente no penúltimo livro da Bíblia – e a última profecia (cf. Ap 22.20) proclama o segundo advento de Cristo. Há muita coisa a considerar na profecia de Enoque, tanto com respeito aos aspectos do próprio evento quanto com o conhecimento que foi dado ao homem que era "o sétimo depois de Adão". A afirmação de que ele "andou com Deus" (Gn 5.24) sem dúvida indica que, como foi o caso com os patriarcas que viveram antes de se escrever a Escritura, ele recebeu revelação direta de Deus, inclusive algumas que ainda são futuras em sua referência. Deus nada omitiria a Abraão (Gn 18.17). É certo de Gênesis 26.5 que Deus havia revelado muita coisa a ele. A passagem diz: "...porquanto Abraão obedeceu à minha voz, e guardou o meu mandado, os meus preceitos, os meus estatutos e as minhas leis" (cf. Gn 18.19; Rm 5.13).

A predição de Enoque antecipa a impiedade da humanidade no tempo do segundo advento e do juízo divino que virá sobre o mundo naquele tempo. Pouca coisa disso pode ter sido compreendida pelo povo do tempo de Enoque; mas não deveria passar desapercebido que esta é a consumação das eras – a restauração da autoridade incontestável de Deus nas esferas angelical e humana – é o primeiro tema da profecia nos lábios do homem. Grandes eventos intervenientes ainda estavam para ser preditos e cumpridos; mas o retorno de Cristo, esta predição indica, é de importância suprema.

Deuteronômio 30.1-8. "Quando te sobrevierem todas estas coisas, a bênção ou a maldição, que pus diante de ti, e te recordares delas entre todas as nações para onde o Senhor teu Deus te houver lançado, e te converteres ao Senhor teu Deus, e obedeceres à sua voz conforme tudo o que eu te ordeno hoje, tu e teus filhos, de todo o teu coração e de toda a tua alma, o Senhor teu Deus te fará voltar do teu cativeiro, e se compadecerá de ti, e tornará a ajuntar-te dentre todos os povos entre os quais te houver espalhado o Senhor teu Deus. Ainda que o teu desterro tenha sido para a extremidade do céu, desde ali te ajuntará o Senhor teu Deus, e dali te tomará; e o Senhor teu Deus te trará à terra que teus pais possuíram, e a possuirás; e te fará bem, e te multiplicará mais do que a teus pais. Também o Senhor teu Deus circuncidará o teu coração, e o coração de tua descendência, a fim de que ames ao Senhor teu Deus de todo o teu coração e de toda a tua alma, para que vivas. E o Senhor teu Deus porá todas estas maldições sobre os teus inimigos, sobre aqueles que te tiverem odiado e perseguido. Tu te tornarás, pois, e obedecerás à voz do Senhor, e observarás todos os seus mandamentos que eu hoje te ordeno."

O reajuntamento de Israel, a possessão final da terra, e a obediência e a bênção que deve experimentar são aqui ditos como cumpridos divinamente no retorno de Cristo. Esta é a primeira referência no texto da Bíblia ao segundo advento, em si mesmo expresso, como no caso de Enoque, muito antes de haver qualquer entendimento claro de profecia sobre o segundo advento.

Está também indicado nesta passagem que a segunda vinda de Cristo será precedida pelo arrependimento nacional de Israel, quando, sob a poderosa mão de Deus, eles se recordarão das promessas do pacto de Deus enquanto eles ainda estiverem dispersos entre as nações. Este arrependimento é profundo e real, porque eles retornarão a Jeová seu Deus de todo o seu coração e de toda sua alma (cf. Jó 42.10). O cativeiro deles ao qual esta profecia se refere é o do presente estado deles, não possuindo a própria terra e não aceito pelas nações entre as quais eles foram espalhados.

As palavras "teu Deus... te fará voltar do teu cativeiro, e se compadecerá de ti, e tornará a ajuntar-te dentre todos os povos entre os quais te houver espalhado o Senhor teu Deus" não somente afirmam o fato de Seu retorno – retorno esse que implica um advento prévio – mas data o tempo, quando Israel retornará à sua terra e o pacto palestino será cumprido em favor deles. Como eles foram dispersos por causa da desobediência, assim, no retorno deles, eles serão obedientes. Esta é a ordem na graça. Eles não retornarão porque são obedientes, mas eles são obedientes por causa de seu retorno. O reajuntamento de Israel na sua própria terra é o tema de, ao menos, doze principais profecias do Antigo Testamento, e esse evento, visto que é um aspecto importante conectado com o segundo advento, reaparecerá nas passagens a ser consideradas. Próximo em importância à promessa do retorno de Cristo e da restauração de Israel à sua terra, de acordo com esta predição, está a certeza da obediência deles e da lei que eles obedecerão.

Em Jeremias 31.31-34 está afirmado que a norma de vida contida na lei do pacto (cf. Êx 19.5) – pacto esse que foi dado a Israel quando eles saíram do Egito e que eles violaram – será substituído por outro pacto que servirá como uma regra de vida no reino deles; mas de acordo com o pacto palestino, em adição ao que constitui os aspectos do novo pacto, eles guardarão as próprias leis que Moisés lhes deu antes dele ser tomado deles. É provável que o novo incorporará as exigências justas apresentadas no sistema mosaico, como aqueles mesmos princípios justos foram incorporados, embora totalmente readaptados, nos ensinos da graça que são agora dirigidos a um povo aperfeiçoado (na posição) que é a Igreja.

Salmo 2.6-9. "Eu tenho estabelecido o meu Rei sobre Sião, meu santo monte. Falarei do decreto do Senhor; ele me disse: Tu és meu Filho, hoje te gerei. Pede-me e eu te darei as nações por herança, e as extremidades da terra por possessão. Tu os quebrarás com uma vara de ferro; tu os despedaçarás como a um vaso de oleiro."

Aqui o cenário muda da relação de Cristo com Israel no seu segundo advento para a sua relação com as nações gentílicas. O tempo desses juízos sobre as nações está indicado no versículo 6, em que é dito que Jeová estabelece o seu Rei sobre o santo monte de Sião. O monte, de acordo com a figura do Antigo Testamento, é o trono do governo (cf. Is 2.1-5), e Sião, porque uma parte da cidade equivale a Jerusalém. Assim, a predição é de Jeová que coloca o seu Rei (Messias) sobre o trono de Davi em Jerusalém. Esta predição é freqüentemente declarada nas Escrituras proféticas. O Rei é entronizado a despeito da oposição das nações que são conduzidas por reis e governantes possuídos pelo diabo (cf. Ap 16.13, 14). O termo *pagão* empregado no Antigo Testamento é melhor traduzido como *nações*, visto que ele se refere a todos os povos que não são judeus. É equivalente a *gentios*, como indica a terminologia usada no Novo Testamento.

Não há uma sugestão aqui de Cristo que retorna a um mundo convertido; antes, Ele retorna a um mundo que está em suprema rebelião contra Jeová e o seu Messias. O julgamento de Deus deve vir sobre eles na tribulação, que é descrita pelas palavras aqui (vv. 4, 5): "O Senhor zombará deles. Então lhes falará na sua ira, e no seu furor os confundirá". Quando tomar o trono por determinação divina – determinação essa que está bem indicada pela palavra "ainda"[74] do versículo 6 – o Messias, agora Rei sobre o trono, proclama que pelo decreto de Jeová Ele empreende aquilo que se segue. Um decreto similar veio do céu quando Cristo foi separado para o ofício de Sacerdote no seu batismo e, outra vez, quando foi proclamado do céu como Profeta na transfiguração. Assim, como está afirmado no salmo 2, novamente Ele será atestado como Rei, quando tomar o trono davídico em Jerusalém.

Outras passagens – notadamente Is 63.1-6; Mt 25.31-46; 2 Tss 1.7-10; Ap 19.11-16, ainda a ser consideradas – declaram os julgamentos despóticos e demolidores que virão sobre as nações quando o Rei retornar. Essas nações opositoras e ferozes do salmo 2.1 serão consideradas, no final, como um dom de Jeová para o Messias. Num passado sem data o Pai deu cada crente dessa era ao Filho (Jo 17.2, 6, 9, 11, 12, 24) e isto para a bênção infinita do Filho que repousa sobre eles para sempre; mas no dom das nações ferozes, o objetivo é que a rebelião delas contra Jeová e Seu Messias possa ser vencida completamente. A conquista dos antagonistas angelicais segue-se ao segundo advento e ocupa o período todo do milênio (cf. 1 Co 15.24-26). As mais fortes expressões são usadas nesta porção do salmo, para descrever a maneira na qual o Messias vai agir.

Ele irrompe sobre os inimigos com um cetro de ferro e os quebra em pedaços como o vaso de oleiro. Eles são Sua herança e quando forem vencidos, uma porção deles, divinamente escolhida para esse fim, herdará o reino preparado para eles e serão sujeitos ao Rei (Mt 25.31-46). Raramente no Antigo Testamento Deus se dirige aos reis da terra, mas quando este salmo termina, eles são admoestados a "servirem a Jeová com temor, e ...tremendo" e a "beijarem o Filho, para que não se ire, e pereçam no caminho; porque em breve se inflamará a Sua ira". Sua ira será liberada como está descrito nas passagens seguintes.

Isaías 63.1-6. "Quem é este, que vem de Edom, de Bozra, com vestiduras tintas de escarlate? Este que é glorioso no seu traje, que marcha na plenitude da sua força? Sou eu, que falo em justiça, poderoso para salvar. Por que está vermelha a tua vestidura, e as tuas vestes como as daquele que pisa no lagar? Eu sozinho pisei no lagar, e dos povos ninguém houve comigo; eu os pisei na minha ira, e os esmaguei no meu furor, e o seu sangue salpicou as minhas vestes, e manchei toda a minha vestidura. Porque o dia da vingança estava no meu coração, e o ano dos meus remidos é chegado. Olhei, mas não havia quem me ajudasse; e admirei-me de não haver quem me sustivesse; pelo que o meu próprio braço me trouxe a vitória; e o meu furor é que me susteve. Pisei os povos na minha ira, e os embriaguei no meu furor; e derramei sobre a terra o seu sangue."

Esta descrição muito realista de Cristo que vem em juízo sobre as nações é apresentada numa forma de questionário e, embora a identidade daquele que propõe as perguntas não seja revelada, o Messias que retorna supre as respostas. Ele chama a Si mesmo como Aquele que fala em justiça, poderoso para salvar. Sua salvação é para o verdadeiro Israel; eles, conseqüentemente, são aqueles a quem Ele se refere quando diz: "...o ano do meu redimido é chegado" (cf. Rm 11.26,27). "O dia da vingança" é o dia do derramamento de seus juízos sobre as nações por causa da rejeição que elas fizeram ao Messias e por causa de suas perseguições ao Seu povo eleito, Israel. Esta figura empregada nesta passagem é a mais forte de todas usadas na Bíblia para descrever esses eventos. Em vingança Ele esmaga com os pés a vinha de Sua ira e fúria.

Ele declara que fará aqueles a quem aflige como bêbados em sua fúria; Ele os derrubará por terra. Suas vestes estão manchadas com o sangue de seus inimigos e são as vestes manchadas daquele que esmagou a vinha. Tais são os juízos que o Rei imporá quando retornar à terra. Se porventura esta cena é um choque para aqueles que contemplaram Cristo somente como um Salvador manso e suave, o bebê de Belém, deveria ser lembrado que a maravilha não é que Ele vem como um monarca ultrajado e destruidor para julgar as nações que o rejeitaram; antes a maravilha é que Ele sempre veio com aparência externa mansa, que suportou a zombaria dos homens e a crucificação.

2 Tessalonicenses 1.7-10. "E a vós, que sois atribulados, alívio juntamente conosco, quando do céu se manifestar o Senhor Jesus com os anjos do seu poder em chama de fogo, e tomar vingança dos que não conhecem a Deus e dos que não obedecem ao evangelho de nosso Senhor Jesus; os quais sofrerão, como castigo, a perdição eterna, banidos da face do Senhor e da glória do seu poder, quando naquele dia ele vier para ser glorificado nos seus santos e para ser admirado em todos os que tiverem crido (porquanto o nosso testemunho foi crido entre vós)."

Novamente, a linguagem é forte além dos limites no esforço de descrever aquilo que não pode ser realmente expresso plenamente. Acompanhado pelos anjos do Seu poder, o Senhor da glória manifesta-se no céu em fogo flamejante, e vinga-se daqueles que dão desculpas (cf. Rm 1.19-32), que não conhecem a Deus e que têm se recusado a obedecer ao Evangelho de nosso Senhor Jesus Cristo. Estes serão punidos com destruição eterna. Pouco comentário é necessário a respeito desta passagem importante. Sua linguagem é certa e o fato é legitimamente identificado como o segundo advento de Cristo.

CRISTOLOGIA

Daniel 2.34,35: "Estavas vendo isto, quando uma pedra foi cortada, sem auxílio de mãos, a qual feriu a estátua nos pés de ferro e de barro, e os esmiuçou. Então foi juntamente esmiuçado o ferro, o barro, o bronze, a prata e o outro, eiras no estio, e o vento os levou, e não se podia achar nenhum vestígio deles; a pedra, porém, que feriu a estátua se tornou uma grande montanha, e encheu toda a terra".

Estas palavras, tomadas da reconstrução que Daniel fez do sonho do rei, descrevem a destruição que virá sobre a fábrica que as grandes monarquias têm inventado. A contribuição específica que esta predição faz (cf. também vv. 44,45), é o fato de que Cristo em Seu segundo advento como a Pedra de cortar que demolirá e descartará todo vestígio do gentilismo, com todos os seus princípios e fatores desde o começo dos tempos gentílicos (cf. Lc 21.24) na hora de Seu retorno. Esses princípios e fatores que têm caracterizado todo o período de quase 2.500 anos terá a sua plena expressão no período da tribulação, que terminará no retorno glorioso de Cristo. O Dr. H. A. Ironside tem o seguinte comentário a fazer a respeito da vinda dessa Pedra:

Eu desejo marcar cuidadosamente um pouco do que a Escritura tem a nos dizer em outro lugar a respeito desta Pedra. Indubitavelmente, ela é uma figura do Senhor Jesus Cristo. O salmo 118.22 nos diz, muito tempo atrás antes que Ele entrasse nesta cena, que Ele seria a Pedra rejeitada pelos construtores, e que se tornaria uma pedra angular; e no Novo Testamento este versículo é declarado ser profético de Cristo. Quando Ele veio à terra, foi de fato a Pedra rejeitada pelos construtores, os governantes dos judeus; mas, observe, Ele não veio como a Pedra que cai do céu. Este é o modo em que Ele virá, quando retornar na segunda vez. Ele veio antes para os Seus; mas os Seus não o receberam. Ele veio aqui como a Pedra Fundamental, a Pedra de Esquina; mas aqueles que deveriam ter reconhecido as Suas alegações, clamaram em sua incredulidade e ódio: "Fora com ele, crucifica-o; crucifica-o!" Ora, Deus O tomou para o céu. Do outro lado, na glória do céu, o olho da fé contempla essa Pedra exaltada. O dia virá quando ela cairá sobre os Seus inimigos; e quando ela cair, ela reduzirá a pó todo o domínio gentio, e todos aqueles que rejeitaram a preciosa graça de Deus. Em Isaías 8.14, Cristo é profeticamente descrito como a Pedra de tropeço e Rocha de ofensa; e é-nos dito que muitos tropeçarão nela e cairão. Assim, aconteceu quando Ele veio em humilde graça: "Eles tropeçaram na pedra de tropeço, como está escrito". Eles procuravam um grande monarca mundial; e quando Ele veio humildemente, Israel nacionalmente tropeçou nele; e eles foram quebrados – e permanecem quebrados até o dia de hoje. Onde quer que você veja um judeu andando nas ruas de uma cidade gentia, você pode dizer isso em seu coração. Há uma prova da verdade do que o Senhor Jesus disse: "Quem cair sobre esta pedra será quebrado". Quebrado, espalhado, e desgarrado, eles têm sido errantes em todas as partes da terra, dificilmente bem

O Segundo Advento do Verbo Encarnado

recebidos em qualquer lugar, até os dias finais, quando Deus vier a inclinar os corações das nações para com eles, uma obra preparatória para eles serem colocados de volta na sua própria terra. Pouco a pouco um remanescente retorna ao Senhor; assim Isaías 28.16 diz: "Portanto, assim diz o Senhor Deus: Eis que ponho em Sião como alicerce uma pedra, uma pedra provada, pedra preciosa de esquina, de firme fundamento; aquele que crer não se apressará". Ele, então, começa a descrever a libertação de Israel no segundo aparecimento desta Pedra de salvação. Ele é aquele que está descrito por Zacarias 3.9, como a Pedra esculpida com o sinete, sobre a qual estão sete olhos. Mas o que dizer das nações naquele dia? A mensagem de graça se foi deles; e qual foi o resultado? Deus tem formado de entre eles um povo para o Seu nome, mas a massa deliberadamente rejeitou o Cristo de Deus; e esse Senhor Jesus rejeitado virá e cairá sobre eles em julgamento. Então, o restante da sua palavra será cumprido, "sobre quem ela cair, será feito como pó". Israel tropeçou nele, e eles se esmiuçaram. Ele cairá sobre os gentios em sua ira e indignação, e eles serão feitos pó, e eliminados de diante de sua face como a moinha da eira de verão. Você pergunta: "Quando esta Pedra vai cair?" Será quando os países ocupados pelo império romano na Europa fizerem a coalizão dos dez reinos, e elegerem um de seus membros para ser o árbitro supremo deles. Vimos no capítulo 7 como o pequeno chifre surgiu do império romano – um texto que tem sido freqüentemente aplicado ao papa, mas que veremos que não tem aplicação alguma a ele. Naquele dia o poder imperial de ferro será misturado com o barro quebradiço do socialismo e da democracia; mas eles não ficarão juntos. Vemos isto preparado no tempo presente. Quando, por exemplo, eu leio a narrativa das conferências de paz, e convenções semelhantes, eu não tenho pensamento de paz universal duradoura que será trazida enquanto o Príncipe da Paz for ainda rejeitado. Mas eu penso que posso ver uma sombra do Império Romano revivido. A partir de meu estudo da Palavra de Deus, eu espero totalmente uma de duas coisas: a guerra universal ou o arbitramento universal; e, como um resulta de qualquer desses métodos, a forma dos dez reis do império romano será trazida à tona.[75]

Zacarias 14.1-4: "Eis que vem um dia do Senhor, em que os teus despojos se repartirão no meio de ti. Pois eu ajuntarei todas as nações para a peleja contra Jerusalém; e a cidade será tomada, e as casas serão saqueadas, e as mulheres forçadas; e metade da cidade sairá para o cativeiro, mas o restante do povo não será exterminado da cidade. Então o Senhor sairá, e pelejará contra estas nações, como quando peleja no dia da batalha. Naquele dia estarão os seus pés sobre o monte das Oliveiras, que está defronte de Jerusalém para o oriente; e o monte das Oliveiras será fendido pelo meio, do oriente para o ocidente, e haverá um vale muito grande; e metade do monte se removerá para o norte, e a outra metade dele para o sul".

CRISTOLOGIA

Nesta predição, a verdade estabelecida é a de que Jerusalém será novamente sitiada pelas nações e o retorno de Cristo, então, para lutar contra eles. É então que os Seus pés pisarão o monte das Oliveiras – talvez no mesmo lugar de onde Ele ascendeu ao céu – e o monte das Oliveiras será dividido ao meio, e formará um grande vale. Em vários aspectos, a natureza passará por convulsões e mudanças no retorno de Cristo: "E haverá sinais no sol, na luz e nas estrelas; e sobre a terra haverá angústia das nações em perplexidade pelo bramido do mar e das ondas; os homens desfalecerão de terror, e pela expectação das coisas que sobrevirão ao mundo; porquanto os poderes do céu serão abalados. Então verão vir o Filho do homem em uma nuvem, com poder e grande glória" (Lc 21.25-27); "Logo depois da tribulação daqueles dias, escurecerá o sol, e a luz não dará a sua luz; as estrelas cairão do céu e os poderes dos céus serão abalados" (Mt 24.29); "Porque a criação aguarda com ardente expectativa a revelação dos filhos de Deus. Porquanto a criação ficou sujeita à vaidade, não por sua vontade, mas por causa daquele que a sujeitou, na esperança de que também a própria criação há de ser liberta do cativeiro da corrupção, para a liberdade da glória dos filhos de Deus. Porque sabemos que toda a criação, conjuntamente, geme e está com dores de parto até agora" (Rm 8.19-22). É neste tempo da manifestação dos filhos de Deus, que a criação será redimida.

2 Tessalonicenses 2.8-12: "E então será revelado esse iníquo, a quem o Senhor Jesus matará com o sopro de sua boca e destruirá com a manifestação da sua vinda; e esse iníquo cuja vinda é segundo a eficácia de Satanás com todo o poder e sinais e prodígios de mentira, e com todo o engano da injustiça para os que perecem, porque não receberam o amor da verdade para serem salvos. E por isso Deus lhes envia a operação do erro, para que creiam na mentira; para que sejam julgados todos os que não creram na verdade, antes tiveram prazer na injustiça".

Assim está revelada a verdade importante de que o homem do pecado, "o iníquo", será revelado após (não antes) a remoção do Restringidor, o Espírito Santo, e – é certo crer – que a Igreja será removida quando o Espírito partir (cf. Jo 14.16). O "iníquo" será destruído pela vinda de Cristo e no meio de sua maior corrupção na terra. Além disso, como sempre, a Palavra de Deus testifica que Cristo não virá para um mundo convertido. Ele virá no meio da maior manifestação do mal.

Mateus 23.37–25.46. Este texto específico – grande demais para ser transcrito – teve uma análise extensa como um dos principais discursos de Cristo. É uma palavra de despedida a Israel, na qual Ele lhes informa sobre as condições que se submeteriam antes de Seu retorno. Suas diversas partes incluem: a palavra *tempo* para Israel (23.37-39); a ocasião deste discurso (24.1-4); o curso desta era que não estava prevista, 24.5-8; a grande tribulação, 24.9-22; advertência aos impostores (24.23-28); a descrição de Seu retorno e o reajuntamento sobrenatural de Israel (24.29-31); segurança de sua vinda predita e as devidas advertências a Israel de que quando eles vissem certas coisas acontecerem (cf. Lc 21.28) eles deveriam vigiar (24.32–25.30); o julgamento das nações (25.31-46).

A maior ênfase naquele dia recai sobre a responsabilidade de Israel, de *vigiar*. O povo nos dias de Noé não vigiara, o servo mau não procurou seu senhor, as cinco virgens néscias não estiveram preparadas como deveriam se elas realmente esperavam o retorno do noivo. Esta seção toda, isto é, 24.37–25.30, prediz os julgamentos sobre Israel. Como há servos maus e bons numa casa, assim também há virgens despreparadas à espera da festa de casamento, como há os que empregam talentos e os que não os empregam, assim Israel será chamado a juízo na vinda de seu Messias (cf. Ez 20.33-44). Este discurso formativamente doutrinário termina com uma predição central com respeito ao julgamento das nações então viventes sobre a terra (25.31-46), julgamento esse, igual ao de Israel, que ocorrerá no retorno do Rei, quando Ele tomar o trono davídico em Jerusalém.

Além do esboço acima, quatro aspectos importantes podem ser selecionados para uma consideração especial: (a) a Grande Tribulação, (b) o fato da segunda vinda de Cristo, (c) o julgamento de Israel e (d) o julgamento das nações então vivas.

Na presente discussão, centraremos nossa atenção sobre o fato da segunda vinda de Cristo. Não pode haver uma confusão aqui a respeito da maneira de sua vinda em cada advento messiânico. Vir como um relâmpago desde o Ocidente que brilha até o Oriente não tem uma ligação com um ser nascido de uma virgem numa manjedoura. Além disso, a maneira de sua vinda no segundo advento não deveria criar um espanto, mas a maneira de sua vinda no primeiro advento é carregada de mistério, condescendência, e simplicidade que não são papéis naturais do Rei da glória. Como Ele subiu nas nuvens do céu, assim retornará (cf. At 1.9-11). Toda tribo de Israel o verá e lamentará, por causa dele. A profecia prediz esta lamentação. Ele vem com poder e grande glória e pela ministração dos anjos, Israel será reajuntado "desde os quatro ventos, de uma a outra extremidade do céu".

Como foi indicado anteriormente, sobre a tomada do trono de Davi, o Rei entra nos julgamentos de Israel. Este julgamento final para Israel não é somente um tempo estendido de profecia, mas é vitalmente importante no progresso total da doutrina relativa à nação eleita. Embora não seja especificado um tempo, parece necessário crer que terá havido uma ressurreição de toda a casa de Israel e de todos que comparecem perante esse julgamento. Seria terrivelmente incompleto para este julgamento ele ser restrito a uma geração de Israel, a que estiver viva. Os homens de Israel em todas as gerações viveram e serviram com o reino glorioso em vista. Aqueles que o alcançaram por sua fidelidade não serão privados dele, e aqueles que por sua despreocupação e pecado falharam, devem ser julgados e excluídos dele. O contexto total de Ezequiel 20.33-44, como dantes afirmado, deveria ser considerado neste contexto (cf. Ez 37.1-14; Dn 12.1-3). Para aquele que se adapta imediatamente com o presente tema e que completa a história dos tempos dos gentios, este é o julgamento das nações (Mt 25.31-46), julgamento esse, visto que precede do reino milenar e envolve somente as nações então vivas que terão tido a sua parte na Grande Tribulação,

CRISTOLOGIA

não deveria ser confundido com o julgamento do grande Trono Branco (Ap 20.12-15), cujo julgamento se segue ao reino milenar e envolve os ímpios mortos de toda a história humana.

No julgamento das nações vivas, que são primeiro vistas em sujeição total, após Cristo as ter vencido, perante o trono da Sua glória. O cetro de ferro do salmo 2.9 e o esmagamento em fúria de Isaías 63.3 terão cumprido a sua finalidade perfeitamente. A questão neste julgamento não é o mal que caracterizou todas as gerações passadas dos gentios; é antes a única questão vital, a saber, o tratamento que eles vão receber, de acordo com o que fizeram a Israel durante a Grande Tribulação, i.e., aqueles a quem o Rei chamar de "meus irmãos". Nenhuma referência aqui é feita aos cristãos, embora eles sejam "co-herdeiros com Cristo" e da família de Deus. Cristo não se envergonha de lhes chamar também de Seus irmãos (cf. Hb 2.11). O cristão nunca é deixado na dependência do mundo para o seu suporte como no caso do Israel disperso, nem há qualquer texto da Escritura que considere os gentios responsáveis por ministrar aos cristãos; contudo, o Israel sem posses é jogado ao mundo e sujeito à sua liberalidade para a sobrevivência.

Eles são irmãos de Cristo no sentido físico mais literal. Durante a Grande Tribulação algumas nações gentias darão prova a si mesmas como favoráveis a Israel e algumas manterão sua ajuda a Israel. Algumas, por meio disso, são qualificadas a entrar com Israel no seu reino milenar, enquanto outras serão desqualificadas. Mesmo aquelas que entram com Israel no reino devem, como foi visto antes, assumir uma posição subordinada (cf. Is 14.1, 2; 60.12,14). Parece incrível para aqueles que não são instruídos na Palavra de Deus que haja algo como uma nação eleita favorecida com os pactos eternos e com uma glória específica acima de todas as outras nações da terra, que o tratamento dado a esse povo no tempo de suas maiores aflições deveria ser a base da qual o destino dessas nações vivas será determinado. Na hora da formação de Israel, Jeová disse a Abraão a respeito da descendência física que abençoaria aquele povo que abençoasse e amaldiçoaria o povo que amaldiçoasse a Israel.

É significativo então que no final do tempo dos gentios deveria ser dito para aqueles que abençoaram Israel: "Vinde, benditos de meu Pai, e tomai posse do reino que vos foi preparado desde a fundação do mundo", e para aqueles que amaldiçoaram Israel: "Apartai-vos de mim, malditos, para o fogo eterno, preparado para o diabo e seus anjos". Faz pouca diferença se os homens aceitam e lucram com as predições do Rei na Bíblia deles a respeito do futuro; o programa determinado de Deus deve ser, e será, executado de qualquer forma em toda a sua perfeição.

Atos 1.9-11: "Tendo ele dito estas coisas, foi levado para cima, enquanto eles olhavam, e uma nuvem o recebeu, ocultando-o a seus olhos. Estando eles com os olhos fitos no céu, enquanto ele subia, eis que junto deles apareceram dois varões vestidos de branco, os que lhes disseram: Varões galileus, por que ficais aí olhando para o céu? Esse Jesus, que dentre vós foi elevado para o céu, há de vir assim como para o céu o vistes ir".

Esta passagem, já estudada quando consideramos a ascensão, é também uma promessa definida do retorno de Cristo. Não há outro, mas *este mesmo Jesus* que foi tomado de vós para o céu virá de igual modo como vós o vistes ir para o céu, isto, visivelmente, corporalmente, e nas nuvens do céu. Ele disse de si mesmo, "Eu virei outra vez", que não significa a morte nem a vinda do exército de Roma sob Tito, nem mesmo significa a vinda do Espírito Santo (embora Ele tenha vindo pela *primeira* vez no Pentecostes). Assim também o apóstolo declara: "O próprio Senhor descerá do céu com um grito". O próprio fato de que Ele aparece uma segunda vez (Hb 9.28) liga Sua identidade com aquele que veio pela primeira vez. No estudo anterior deste texto, foi assinalado que neste contexto grandes questões acontecem rapidamente. Nos versículos 6 e 7, Cristo responde a expectativa do pacto a respeito do judaísmo e da esperança de Israel. Ele declarou que a realização das promessas de Israel aguarda o tempo e as estações que o Pai reservou no seu próprio poder. No versículo 8, a ocupação primária do crente nesta era é anunciada, a saber, mediante seu testemunho até os confins da terra. O grande acontecimento é o próximo exemplo neste programa de Seu próprio retorno, cuja vinda terminará na proclamação do Evangelho ordenado.

Atos 15.16-18: "Depois dispo voltarei, e reedificarei o tabernáculo de Davi, que está caído; reedificarei as suas ruínas, e tornarei a levantá-lo; para que o resto dos homens busque ao Senhor, sim, todos os gentios, sobre os quais é invocado o meu nome, diz o Senhor que faz estas coisas, que são conhecidas desde a antigüidade".

Como foi registrado neste texto, a Igreja Primitiva se reuniu para o seu primeiro concílio com o alvo principal em vista de determinar o que a nova ordem das coisas poderia significar, pois, de acordo com Pedro, Paulo e Barnabé, eles haviam alcançado tão plena e eficazmente os gentios quanto alcançaram os judeus. O que havia se tornado vantagem duradoura que Jeová tinha concedido a Israel, que havia continuado até o tempo da morte e ressurreição de Cristo; em outras palavras, o que havia acontecido com o judaísmo? O fato de que Deus realizava uma coisa totalmente nova, com os gentios agora possuidores de benefícios iguais, era a evidência completa de que mudanças poderosas haviam sido realizadas. Este concílio, guiado pelo Espírito, concluiu que a nova coisa na qual os gentios se encontravam livremente admitidos, era uma visitação da graça de Deus em chamar dentre eles, assim como dentre os judeus, um povo para o Seu nome ou pessoa (v. 14).

O nome da divindade é equivalente à pessoa, naturalmente, e não mais um reconhecimento terno da Noiva de Cristo pode ser estabelecido além de declarar que ela é para a Sua própria pessoa. Uma reflexão momentânea revelará quão totalmente estranho ao judaísmo é esta nova ordem. O contexto, contudo, caminha com a certeza de que Cristo viera novamente e que, na sua vinda, restaurará o governo davídico que caiu ou entrou em colapso, o que significa que o pacto davídico será, então, realizado, e o judaísmo restaurado naquele tempo em diante, para continuar até à realização de tudo o que está predito

CRISTOLOGIA

concernente a ele. Isto significa que o reino milenar será estabelecido e aqueles gentios "sobre quem o meu nome é chamado" compartilharão desse reino. Que uma nova ordem é divinamente estabelecida está indicado no contexto que imediatamente segue à passagem sob estudo.

Isaías 59.20; 60.1-5: "E virá um Redentor a Sião e aos que em Jacó se desviarem da transgressão, diz o Senhor... Levanta-te, resplandece, porque é chegada a tua luz, e é nascida sobre ti a glória do Senhor. Pois eis que as trevas cobrirão a terra, e a escuridão aos povos; mas sobre ti o Senhor virá surgindo, e a sua glória se verá sobre ti. E nações caminharão para a tua luz, e reis para o resplendor da tua aurora. Levanta em redor os teus olhos, e vê; todos estes se ajuntam, e vêm ter contigo; teus filhos vêm de longe, e tuas filhas se criarão a teu lado. Então o verás, e estarás radiante, e o teu coração estremecerá e se alegrará; porque a abundância do mar se tornará a ti, e as riquezas das nações a ti virão".

A reafirmação que o apóstolo Paulo faz de Isaías 59.20 é a seguinte: "E assim todo o Israel será salvo, como está escrito: Virá de Sião o Libertador, e desviará de Jacó as impiedades; e este será o meu pacto com eles, quando eu tirar os seus pecados" (Rm 11.26,27); na experiência deles do retorno de Cristo, Israel vai surgir e brilhar, pois a sua luz terá chegado. "E virá um Redentor a Sião e aos que em Jacó se desviarem da transgressão." A glória de Jeová surgirá sobre eles. Precedente a este surgimento de Jeová sobre Israel, a escuridão cobrirá a terra e de densas trevas o povo. Assim é descrita a Grande Tribulação que deve cobrir a terra toda. No tempo da bênção do reino, "os gentios virão à tua luz, e os reis ao brilho do teu surgimento". As forças dos gentios virão assim sobre Israel. Tudo isto, como em predições inumeráveis, ocorrerá quando do retorno do Messias.

Daniel 7.13,14: "Eu estava olhando nas minhas visões noturnas, e eis que vinha com as nuvens do céu um como filho de homem; e dirigiu-se ao ancião de dias, e foi apresentado diante dele. E foi-lhe dado domínio, e glória, e um reino, para que todos os povos, nações e línguas o servissem; o seu domínio é um domínio eterno, que não passará, e o seu reino tal, que não será destruído".

A ênfase particular nesta descrição do segundo advento está sobre a verdade de que por Ele o domínio mundial dos gentios é trazido ao seu fim. Deverá ser lembrado que, nos capítulos, 2 e 7 de Daniel, há predição a respeito de grandes impérios que estavam para se levantar em sucessão, a começar com o babilônico sob Nabucodonosor, continuar com o medo-persa e grego, e terminar com o romano; este último nomeado estava no poder quando Cristo vivia aqui neste mundo. A intercalação da era da Igreja, então, começou com a morte de Cristo e continua até ela ser removida da terra. Como este período de intercalação começou antes que o império romano tivesse terminado totalmente a parte predita sobre a estátua, ela tem de ser revivida e para cumprir tudo o que está escrito a respeito dela. Os pés e os artelhos da imagem colossal composta de, ferro e barro, representam aquela parte do império romano ainda a ser completada.

A mesma coisa é indicada em Daniel 7 pelos dez chifres do quarto animal. Toda esta história governamental deve seguir, e seguirá o seu curso durante a importante 70ª semana, ou os sete anos de tribulação ainda por vir sobre a terra, que Daniel previu. Este breve período não somente serve para completar os tempos dos judeus que chegam até o reino deles, mas serve também para concluir o tempo dos gentios sobre a terra. Todas as coisas de responsabilidade, tanto para Israel quanto para os gentios, são concluídas pelo aparecimento glorioso de Cristo. Especificamente, a passagem sob consideração, com Apocalipse 5.1-7, descreve a investidura do Rei com seu reino. Como Rei sobre seu trono – o trono de Davi em Jerusalém – Ele imporá os seus julgamentos sobre Israel e as nações, antes que o reinado se inicie. Daniel 2.34,35, já estudado, é uma descrição do golpe esmagador que o Rei dará às nações, enquanto que Daniel 7.13,14, em análise agora, apresenta a suposição de Sua autoridade em conexão com aquilo que Ele confere aos Seus juízos terríveis sobre os gentios.

Malaquias 3.1-3: "Eis que eu envio o meu mensageiro, e ele há de preparar o caminho diante de mim; e de repente virá ao seu templo o Senhor, a quem vós buscais, e o anjo do pacto, a quem vós desejais; eis que ele vem, diz o Senhor dos exércitos. Mas quem suportará o dia da sua vinda? E quem subsistirá, quando ele aparecer? Pois ele será como o fogo de fundidor e como o sabão de lavandeiros; assentar-se-á como fundidor e purificador de prata; e purificará os filhos de Levi, e os refinará como ouro e como prata, até que tragam ao Senhor ofertas em justiça".

Esta passagem revela a incapacidade, o que é verdadeiro de todos os profetas do Antigo Testamento, de reconhecer o período de tempo interveniente entre os dois adventos de Cristo. Assim, fica confirmado que, como mais tarde se revelou no Novo Testamento, a presente era deve ser vista como um "mistério" divino ou um segredo sacro antes de Cristo retornar. Os profetas antigos previram tanto o Cordeiro sofredor quanto o Rei governador do mundo. Eles ficaram perplexos a respeito das relações de tempo para eles. O apóstolo Pedro escreve dele à sua maneira: "Desta salvação inquiriram e indagaram diligentemente os profetas que profetizaram da graça que para vós era destinada, indagando qual o tempo ou qual a ocasião que o Espírito de Cristo que estava neles indicava, ao predizer os sofrimentos que a Cristo haviam de vir, e a glória que se lhes havia de seguir" (1 Pe 1.10,11).

Sobre esta passagem de Malaquias 3.1-3 – o Dr. C. I. Scofield escreve: "A primeira cláusula do versículo 1 é citada de João Batista (Mt 11.10; Mc 1.2; Lc 7.27), mas a segunda cláusula. 'o Senhor quem vos procura' etc., *não é citada em outro lugar* do Novo Testamento. A razão é óbvia: em tudo, exceto o fato do primeiro advento de Cristo, a última cláusula aguarda cumprimento (Hc 2.20). Os versículos 2-5 falam do julgamento, não da graça. Malaquias, e outros profetas do Antigo Testamento, vêem ambos os adventos do Messias misturados em um horizonte, mas não vêem o intervalo de separação descrito em Mateus 13 como conseqüência da rejeição do Rei (Mt 13.16, 17). Ainda menor foi a era da Igreja em sua visão (Ef 3.3-6; Cl 1.25-27). 'Meu mensageiro' (v. 1) é João Batista; o 'mensageiro do pacto' é Cristo em ambos os adventos, mas com referência especial aos eventos que devem se seguir ao seu retorno".[76]

CRISTOLOGIA

Marcos 9.1-9: "Disse-lhes mais: Em verdade vos digo, dos que aqui estão, alguns há que de modo nenhum provarão a morte até que vejam o reino de Deus já chegado com poder. Seis dias depois tomou Jesus consigo a Pedro, a Tiago, e a João, e os levou à parte, a um alto monte; e foi transfigurado diante deles; as suas vestes tornaram-se resplandecentes, extremamente brancas, tais como nenhum lavandeiro sobre a terra as poderia branquear. E apareceu-lhes Elias com Moisés, e falavam com Jesus. Pedro, tomando a palavra, disse a Jesus: Mestre, bom é estarmos aqui; façamos, pois, três cabanas, uma para ti, outra para Moisés, e outra para Elias. Pois não sabia o que havia de dizer, porque ficaram atemorizados. Nisto veio uma nuvem que os cobriu, e dela saiu uma voz que dizia: Este é o meu Filho amado; a ele ouvi. De repente, tendo olhado em redor, não viram mais a ninguém consigo, senão somente Jesus. Enquanto desciam do monte, ordenou-lhes que a ninguém contasse o que tinham visto, até que o Filho do homem ressurgisse dentre os mortos".

Se todos os teólogos reconhecem-na ou não, a cena da transfiguração é tão importante quanto está indicado na grande ênfase dada a ela no Novo Testamento. Os três escritores sinóticos a descrevem detalhadamente e é dito por eles ser uma apresentação do poder da vinda de Cristo, a saber, Sua vinda em seu reino (Mt 16.28; Mc 9.1; Lc 9.27; cf. 2 Pe 1.16). Pedro, um daqueles escolhidos para estar presente nesse grande evento, escreve: "Porque não seguimos fábulas engenhosas quando vos fizemos conhecer o poder e a vinda de nosso Senhor Jesus Cristo, pois nós fôramos testemunhas oculares da sua majestade. Porquanto ele recebeu de Deus Pai honra e glória, quando pela glória magnífica lhe foi dirigida a seguinte voz: Este é o meu Filho amado, em quem me comprazo; e essa voz, dirigida do céu, ouvimo-la nós mesmos, estando com ele no monte santo. E temos ainda mais firme a palavra profética à qual bem fazeis em estar atentos, como a uma candeia que alumia em lugar escuro, até que o dia amanheça e a estrela d'alva surja em vossos corações" (2 Pe 1.16-19).

A transfiguração ocorreu antes da morte de Cristo. Os discípulos estavam para enfrentar a surpresa e o choque total da morte, sacrifício esse que, embora claramente predito por Cristo, foi divinamente escondido do entendimento deles. Mais enfático e absoluto é o fato de Deus vendar a mente dos discípulos diante da iminente morte e ressurreição de Jesus. Lucas escreve em seu evangelho: "Tomando Jesus consigo os doze, disse-lhes: Eis que subimos a Jerusalém e se cumprirá no Filho do homem tudo o que pelos profetas foi escrito; pois será entregue aos gentios, e escarnecido, injuriado e cuspido; e depois de o açoitarem, o matarão; e ao terceiro dia ressurgirá. Mas eles não entenderam nada disso; essas palavras lhes eram obscuras, e não percebiam o que se lhes dizia" (Lc 18.31-34). Nenhuma predição mais clara da morte de Cristo havia sido feita do que essa citada acima. Tudo isto é um desafio para o estudante atencioso. Por que, na verdade, não deveriam eles compreender tal predição tão clara?

Durante o período do ministério terreno de Cristo eles haviam pregado por autoridade divina e com sinceridade pessoal a mensagem a respeito do reino messiânico terrestre com Cristo como Rei no trono de Davi – a esperança nacional de Israel. Está muito evidente que eles não poderiam ter pregado um evangelho baseado na morte e na ressurreição de Cristo, quando não tinham um entendimento desses eventos que ainda estavam por vir. Aquilo com que estavam comprometidos, e em que haviam investido suas vidas, estava para ser despedaçado pela violenta morte do Rei nas mãos dos próprios homens sobre quem Ele esperava reinar. Uma visão da vinda de Cristo em poder e em seu reino foi dada a Pedro, Tiago e João – dois dos quais foram designados para escrever porções doutrinárias do Novo Testamento, e o outro designado como primeiro mártir apostólico – para que pudessem o mais prontamente aceitar o atraso imprevisto que a era da graça exigiria e para que fosse assegurado que o plano e o propósito de Deus a respeito do reino de Israel não fosse anulado.

A visão da transfiguração com tudo o que ela representou não foi dada a João Batista. A ele foi permitido enfrentar o que lhe parecia ser uma derrota completa. Aquilo em que sua vida toda foi dedicada, sua comissão divina como o precursor do Messias, e o sucesso terreno de sua pregação, tudo isso foi varrido para longe, sem qualquer explicação. Aqui muitos têm falhado em compreender a situação, entretanto, e se voltado para João com a declaração de que ele esteve enganado em todo o seu ministério. Esta não é a solução para o problema. De qualquer modo, Pedro, Tiago e João – representantes de todo o colégio apostólico – foram libertos de uma angústia maior que veio sobre João Batista. Não é provável que a certeza que a transfiguração proporcionou tenha sido muito importante para os discípulos na hora da morte de Cristo; mas após sua morte e ressurreição, ela serviu o seu propósito em clarear a mente deles sobre a verdade de que, embora um propósito novo e maravilhoso, ainda que imprevisto, tenha sido introduzido pela morte e ressurreição de Cristo, o propósito terrestre não foi abandonado, mas quando a nova era objetiva fosse cumprida, haveria de ser feito por Cristo na sua segunda vinda, e não em fraqueza e humilhação como aconteceu em seu primeiro advento, mas em poder e glória que foram preditos na transfiguração. Fica claro, então, que a transfiguração não foi um descerramento do céu, mas da vinda de Cristo em seu reino.

Lucas 12.35-40: "Estejam cingidos os vossos lombos e acesas as vossas candeias; e sede semelhantes a homens que esperam o seu senhor, quando houver de voltar das bodas, para que, quando vier e bater, logo possam abrir-lhe. Bem-aventurados aqueles servos, aos quais o Senhor, quando vier, achar vigiando! Em verdade vos digo que se cingirá, e os fará reclinar-se à mesa e, chegando-se, os servirá. Quer venha na segunda vigília, quer na terceira, bem-aventurados serão eles, se assim os achar. Sabei, porém, isto: Se o dono da casa soubesse a que hora havia de vir o ladrão, vigiaria e não deixaria minar a sua casa. Estai vós também apercebidos; porque, numa hora em que não penseis, virá o Filho do homem".

Das muitas coisas que Lucas registra a respeito do segundo advento de Cristo, esta passagem pode servir como uma boa representação. Esta porção se dirige a Israel e, igual ao relato maior do discurso do monte das Oliveiras, que é referido por Mateus, ela ordena a atitude de vigiar pelo retorno de Cristo. Vigiar é a responsabilidade que recairá sobre Israel no tempo "quando estas coisas começarem a acontecer" (Lc 21.28, 31; Mt 24.33). Novamente um apelo é feito, para que a obrigação de Israel de vigiar pelo aparecimento glorioso de Cristo, quando eles forem libertos em seus pactos cumpridos, não seja confundida com a obrigação duradoura que está sobre a Igreja, de esperar pelo aparecimento de Cristo quando Ele os receberá para Si mesmo. Como em Mateus 25.1-13, onde Israel é comparado a dez virgens em suas necessidades de usar lâmpadas individuais, e é o símbolo de preparação, assim na passagem sob estudo eles são dito ter os seus lombos cingidos e suas lâmpadas acesas.

A contribuição específica desta passagem para o conjunto total da doutrina é encontrada no versículo 36, onde está afirmado que o vigilante Israel aguardará o retorno de Cristo "do casamento". Muito freqüentemente tem sido suposto que o retorno de Cristo é para participar do casamento e que as dez virgens são Sua Noiva. O comentário sobre esta mesma situação que o salmo 45.8-15 supre é de importância vital. Após descrever o palácio do milênio e aqueles que ali estão, inclusive o Rei e a Noiva, que é identificada como "filha", é dito que ela, a Noiva, "será trazida ao rei em trajes de bordado" e que "as virgens, suas companheiras, que a seguem, serão trazidas à tua presença. Com alegria e regozijo serão trazidas; elas entrarão no palácio do rei". Esta descrição da cena do milênio claramente distingue entre a Noiva e as virgens. A Noiva está com o Rei desde a hora do casamento no céu. Ela retorna à terra com Ele (Ap 19.11-16), e para o Seu retorno com Sua Noiva, Israel, assemelhada às virgens, vigia sobre a terra; mais tarde, tanto a noiva quanto as cinco virgens aceitas entram no palácio com o Rei e se juntam na festa de casamento (cf. Mt 25.10).

2 Pedro 3.3,4,8,10-13: "Sabendo primeiro isto, que nos últimos dias virão escarnecedores com zombaria, andando segundo as suas próprias concuspiscências, e dizendo: Onde está a promessa da sua vinda? Porque desde que os pais dormiram, todas as coisas permanecem como desde o princípio da criação... Mas vós, amados, não ignoreis uma coisa; que um dia para o Senhor é como mil anos, e mil anos como um dia... Virá, pois, como ladrão o dia do Senhor, no qual os céus passarão com grande estrondo, e os elementos, ardendo, se dissolverão, e a terra, e as obras que nela há, serão descobertas. Ora, uma vez que todas as coisas hão de ser assim dissolvidas, que pessoas não deveis ser em santidade e piedade, aguardando, e desejando ardentemente a vinda do dia de Deus, em que os céus, em fogo se dissolverão, e os elementos, ardendo, se fundirão? Nós, porém, segundo a sua promessa, aguardamos novos céus e uma nova terra, nos quais habita a justiça".

Este texto introduz diversos aspectos distintivos que contribuem para a doutrina total do segundo advento de Cristo. No primeiro caso, é feita a predição de que zombadores se levantarão para rejeitar a verdade a respeito do retorno de Cristo e com base na alegação de que todas as coisas continuam como eram desde o princípio. Portanto, está afirmado que nenhuma mudança precisa ser esperada no futuro; mas disto "eles são ignorantes", de que houve um julgamento de renovação do mundo que veio de Deus na forma de um dilúvio, e também é certo, seja crido por eles ou não, que os céus e a terra que agora existem aguardam a destruição pelo fogo e no tempo exato quando Deus cumprir o julgamento e a perdição dos homens ímpios (cf. Ap 20.11-15). O Dia do Senhor, o período de mil anos que começa com o segundo advento de Cristo e termina com o término dos velhos céus e da velha terra, vem em virtude do retorno de Cristo, que é tão inesperado como o ladrão da noite (cf. Mt 24.43; 1 Ts 5.4). Quando o versículo 9, que apresenta a fidelidade de Deus e é, portanto, parentético ao argumento, é omitido com a finalidade de que a afirmação direta da profecia possa ser observada aqui, há mais do que uma relação acidental entre o fato de que um dia com Jeová é como mil anos e mil anos como um dia (v. 8), e a referência ao Dia do Senhor que se segue (v. 10).

Tem sido alegado que a única medida de tempo do Dia do Senhor, que é uma referência ao reino milenar sobre a terra, é aquela encontrada em Apocalipse 20.1-6; mas enquanto o texto de Apocalipse definitivamente faz o reino durar mil anos, esta referência em 2 Pedro é evidentemente uma indicação de tempo do mesmo Dia do Senhor, pois Pedro afirma que ele começará "como um ladrão na noite" e terminará com o passamento dos céus e da terra. A passagem inclui também uma referência ao modo de vida que aqueles que crêem em tais coisas mantêm. Todo este programa se move para um dia final, o Dia de Deus, que é a eternidade vindoura (cf. 1 Co 15.28). Os novos céus e a nova terra, igualmente, devem ser a habitação da justiça divina – a terra que será habitada pelo povo eleito cujos pactos a respeito de sua terra serão eternos. A terra, então, será um lugar tão adequado para Deus morar como o céu sempre foi ou sempre será.

Apocalipse 19.11-16: "E vi o céu aberto, e eis um cavalo branco; e o que estava montado nele chamava-se Fiel e Verdadeiro; e julga e peleja com justiça. Os seus olhos eram como chama de fogo; sobre a sua cabeça havia muitos diademas; e tinha um nome escrito, que ninguém sabia senão ele mesmo. Estava vestido de um manto salpicado de sangue; e o nome pelo qual se chama é o Verbo de Deus. Seguiam-no os exércitos que estão no céu, em cavalos brancos, e vestidos de linho fino, branco e puro. Da sua boca saía uma espada afiada, para ferir com ela as nações; ele as regerá com vara de ferro; e ele mesmo é o que pisa o lagar do vinho do furor da ira do Deus Todo-Poderoso. No manto, sobre a sua coxa tem escrito o nome: Rei dos reis e Senhor dos senhores".

Esta é a descrição final da segunda vinda de Cristo na Bíblia e a única descrição a ser encontrada no livro do Apocalipse. Esta narrativa serve para abrir as cenas espantosas que se seguem em rápida sucessão e que constituem o programa revelado de Deus, que atinge a eternidade vindoura. Estes eventos são: a batalha do Armagedom (19.17-21), a prisão de Satanás (20.1-3), a primeira das ressurreições da humanidade em relação à era do reino (20.4-6), a

CRISTOLOGIA

soltura de Satanás e a condenação de Gogue e Magogue (20.7-9), a disposição final de Satanás (20.10), o estabelecimento do grande Trono Branco (20.11), a ressurreição (cf. v. 5) e a disposição dos ímpios mortos (20.12-15), a criação dos novos céus e da nova terra (21.1,2), a habitação de Deus na terra como no céu (21.3), o estado dos homens na eternidade vindoura (21.4-8), a cidade vinda do céu (21.9–22.7), a mensagem final e o apelo (22.8-19), a promessa final e a sua oração correspondente (22.20, 21).

O céu foi aberto e declarado em 4.1, e uma voz chamou o apóstolo João – que, como precursor da Igreja, é designado para ver a experiência toda que aguarda a Igreja em sua entrada no céu e a escrever essas coisas para o encorajamento e edificação daqueles que ele representou – para se chegar mais perto. Visto que, daquela época em diante (4.1), a Igreja não é vista novamente sobre a terra, mas é vista no céu e posto que o que se segue à sua remoção é tudo da 70ª semana de Daniel, em que a Igreja não poderia tomar parte de forma alguma, é deixado claro que a Igreja está casada com o seu Noivo e desfruta a ceia de casamento do Cordeiro no céu (Ap 19.7-10) antes do céu ser aberto novamente, como o texto sob consideração descreve o tempo quando Cristo, acompanhado dos seus santos, retorna como Messias para a terra. A ordem foi preservada exatamente: no capítulo 4, o movimento é da terra em direção ao céu, enquanto que no capítulo 19, o movimento é do céu em direção à terra.

Como deveria ser, a descrição do capítulo 19 centra-se na pessoa gloriosa do Rei que volta. Foi predito que Ele assim retornaria acompanhado pelas hostes celestiais, com poder e grande glória (Mt 24.30). Seu retorno, é declarado, será como um relâmpago que vem do Oriente e se mostra no Ocidente (Mt 24.27) e com as nuvens do céu (Dn 7.13). Ele será revelado desde o céu em fogo ardente (2 Ts 1.7, 8). A "grande glória" está residente nos quatro títulos sob os quais ele vem – "o Verbo de Deus", "Fiel e Verdadeiro", "um nome escrito, que nenhum homem conheceu", e "Rei dos reis e Senhor dos senhores". Notável é o fato que o Rei retorna não somente para julgar, mas guerrear. Ele incorpora a indignação santa e imensurável de Deus contra o mal no dia em que Sua oferta de graça é finalmente retirada. Ninguém pode compreender ou de modo algum prever a "ferocidade e a ira do Deus Todo-Poderoso". Ela é a "ira do Cordeiro".

Os reis e juízes foram admoestados para beijar o Rei "para que Ele não se ire e pereçais no caminho; porque em breve se inflamará a sua ira". Mil anos exatamente antes do primeiro advento de Cristo, Davi viu que aquele Rei, ao assumir o Seu trono em Sião, receberia as nações como um dom de Jeová e as despedaçaria com um cetro de ferro e as faria em pedaços como se faz a um vaso de oleiro. Cerca de setecentos anos antes do nascimento de Cristo, Isaías profetizou que o Messias, ao retornar, pisaria as nações em Sua ira e as esmagaria em sua fúria. O cetro de ferro do salmo 2.9 e o pisar do lagar de Isaías 63.3, são reafirmados em Apocalipse 19.15, que diz: "Da sua boca saía uma espada afiada, para ferir com ela as nações; ele as regerá com vara de ferro; e ele

O Segundo Advento do Verbo Encarnado

mesmo é o que pisa o lagar do vinho do furor da ira do Deus Todo-Poderoso" (cf. Ap 1.16; 2 Ts 2.8).

Quanto ao Senhor da Glória que retorna assim para a terra para julgar e guerrear, deveria ser observado também que, nesta exibição do poder infinito com sua destruição exercida sobre cada inimigo de Deus, aquilo que é inerente a Ele – aquilo que propriamente pertence à divindade como o correlativo da santidade infinita – será liberado e manifesto. Um pensamento correto a respeito do Cristo de Deus conduzirá ao reconhecimento do fato de que o grande abandono daquilo que é essencialmente divino foi realizado em Seu primeiro advento, quando Ele veio como uma criança fraca, um homem que não fazia resistência, um afligido, um moribundo. Por isso, deixou de lado as suas legítimas vestimentas de glória e assim não fez uso dos seus poderes – como a criação de todas as coisas visíveis e invisíveis – que Ele se tornou o Cordeiro que não fazia oposição. Tudo bem pode incitar terror e espanto no homem como deve também ter afetado os anjos. Que Ele deveria vir como a incorporação da violência e da ira do Deus Todo-Poderoso não deveria causar um espanto, quando é lembrado que este mundo rejeitou Deus e Sua graça salvadora mostrada e oferecida a Ele no primeiro advento de Cristo.

O amor infinito em seus ajustes com a santidade infinita proporcionou um substituto para suportar os julgamentos imensuráveis da indignação divina contra aqueles que agora escolhem permanecer sob a sombra da cruz; mas para um mundo rebelde, caído e que rejeita Cristo, que lançou a sua sorte com Satanás e abraçou a sua filosofia de independência de Deus, não pode haver nada mais exceto a ira e indignação como a porção daqueles que não obedecem ao Evangelho.

Em sua excelente exposição do livro de Apocalipse chamado *The Unfolding of the Ages*, Ford C. Ottman apresenta uma demonstração gráfica desta última descrição na Bíblia sobre o segundo advento. Embora muito extensa, ela é reproduzida aqui como fechamento adaptado a este capítulo sobre o retorno de Cristo:

Cristo está vindo, e essa verdade gloriosa é agora para chamar nossa atenção. Os eventos conectados com ela podem ser descobertos somente por meio de um exame cuidadoso e paciente da Escritura. A nossa atenção é primeiramente voltada para os céus abertos de onde Ele vem. Não pode haver uma possibilidade de erro quanto à identidade do cavaleiro glorioso que monta o cavalo branco. Há Um, e somente Um, a quem a descrição poderia se aplicar. Ele é o "Fiel e Verdadeiro". Assim foi Ele chamado no princípio: assim Ele é chamado no fim. Ele está agora vindo para julgar o mundo em justiça. Seus olhos são iguais a fogo, e nada escapará da sua chama flamejante. Ele está coroado com muitos diademas, e isto testifica mais para as outras soberanias do que para o mundo. Ele também tem um nome incomunicável, e Ele está vestido com vestes manchadas de sangue. Ele está cingido com uma espada para o conflito pessoal, e Ele veio para pisar o lagar do furor da

287

CRISTOLOGIA

ira do Todo-Poderoso. "Ele tem nas suas vestes e na sua coxa um nome escrito: Rei dos reis e Senhor dos senhores." Os exércitos que o seguem são compostos de santos, tanto de judeus quanto de cristãos. Até aqui eles foram vistos como os ocupantes de 24 tronos. Os anciãos, após ratificar o cântico do exército celestial, não mais são vistos como anciãos. Eles agora aparecem como "os exércitos dos céus" que seguem o seu vitorioso comandante. A marca de identificação deles é o "linho branco e puro" com que eles estão vestidos. A este único ponto, todos os raios da luz profética têm pronta e firmemente convergido. Um desses raios vem do capítulo 63 de Isaías. O profeta hebreu, nos sombrios tempos do passado, permanece numa das colinas de Judá. Talvez ele esteja no monte das Oliveiras, onde a visão é clara para o vale do Jordão. Ele olha para baixo em direção a Edom e vê subindo, através de um profundo desfiladeiro, um guerreiro solitário. Há muita coisa de majestade a respeito dele que o profeta faz o desafio: "Quem é este, que vem de Edom, de Bozra, com vestiduras tintas de escarlate? Este que é glorioso no seu traje, que marcha na plenitude da sua força?" A resposta soa de volta: "Sou eu, que falo em justiça, poderoso para salvar". Com a identidade do guerreiro vindo sobre si o profeta clama: "Por que está vermelha a tua vestidura, e as tuas vestes como as daquele que pisa no lagar?" A este clamor é dada uma resposta solene e gloriosa: "Eu sozinho pisei no lagar, e dos povos ninguém houve comigo; eu os pisei na minha ira, e os esmaguei no meu furor, e o seu sangue salpicou as minhas vestes, e manchei toda a minha vestidura. Porque o dia da vingança estava no meu coração, e o ano dos meus remidos é chegado. Olhei, mas não havia quem me ajudasse; e admirei-me de não haver quem me sustivesse; pelo que o meu próprio braço me trouxe a vitória; e o meu furor é que me susteve. Pisei os povos na minha ira, e os embriaguei no meu furor; e derramei sobre a terra o seu sangue. Celebrarei as benignidades do Senhor, e os louvores do Senhor, consoante tudo o que o Senhor nos tem concedido, e a grande bondade para com a casa de Israel, bondade que ele lhes tem concedido segundo as suas misericórdias, e segundo a multidão das suas benignidades" (Is 63.1-7). Isto, de acordo com os críticos modernos, é poesia. Sim, e poesia da mais superior qualidade; mas nessa poesia está incrustada a concepção hebraica da vinda do Messias. Nesta visão de Isaías ali é dado somente conflito ao retorno do Guerreiro. De sua jornada a Bozra nada há revelado. Isaías tem diante de si o Messias conquistador, não o sofredor. Olhamos de volta através dos séculos para ver a única figura em comando que se levanta acima de todas as outras, e quem pode satisfazer esta visão? Edom, por estar nos limites de Judá, era apenas uma reflexão débil da terrível nuvem que estava sobre todos os homens: má, inveterada, descomprometida, em tudo; contra a qual o homem poderia somente lutar em total desesperança. Para esta fortaleza do

O Segundo Advento do Verbo Encarnado

inimigo veio o Filho de Deus. Ele não tinha alguém para ajudá-lo. Ele desceu sozinho para as trevas, e sofreu o que nenhuma mente humana jamais poderia conhecer; mas através disso Ele passa para uma vitória sobre o pecado e a morte. Ele obtém o fruto dessa vitória agora. Sua glória adquirida é aumentada por toda alma que põe a sua confiança nEle, e isto também acrescentará outra voz para engrossar o número dos que cantam o cântico da redenção. Quando Jesus subiu ao céu, o conflito não havia acabado. Quando Ele entrou ali, Jeová disse: "Assenta-te à minha direita, até que eu ponha os teus inimigos por escabelo dos teus pés" (Sl 110.1). O Messias da visão de Isaías é o do segundo advento, e não do primeiro. Cristo esteve na cruz, mas a prostração causada pelo Messias vitorioso de todos os inimigos de Israel, que é predita nesta profecia, ainda não aconteceu. Isto será cumprido quando Cristo voltar novamente, e não antes. Os exércitos que O seguem estão vestidos de branco. Ele é distinto deles por estar vestido com vestes salpicadas de sangue: e nós o conheceremos, não meramente pelas marcas de seu sofrimento, mas pelas vestes reais, que proclamam a Sua soberania universal. Ele tem também "sobre as suas vestes e sobre a sua coxa um nome escrito: Rei dos reis e Senhor dos senhores". Quando os magos vieram a Jerusalém, perguntaram: "Onde está aquele que é nascido rei dos judeus?" A inscrição de Pilatos no alto da cruz dizia: "Jesus de Nazaré, Rei dos judeus". Seja nascido numa manjedoura, ou morto numa cruz, ou cavalgue um cavalo branco de conquista universal, Jesus de Nazaré é um Rei. Uma variação significativa no título precisa ser observada. Os magos e Pôncio Pilatos o chamaram de o Rei dos Judeus. Não há esse limite na inscrição apocalíptica, pois o cetro foi estendido sobre todas as nações circunvizinhas, e Ele é agora não somente o Rei dos judeus, mas "Rei dos reis, e Senhor dos senhores". A prostração dos reinos deste mundo demonstrará o Seu direito ao título. Ele imediatamente procede o julgamento – "Da sua boca saía uma espada afiada [de dois gumes], para ferir com ela as nações; ele as regerá com vara de ferro; e ele mesmo é o que pisa o lagar do vinho do furor da ira do Deus Todo-poderoso" (Ap 19.15). A espada de dois gumes é uma palavra, agora para ser usada como o instrumento de julgamento. Porque para a destruição dos reinos deste mundo é necessária apenas uma palavra. Essa palavra deve ser agora falada, e esses reinos vão cair. "[Ele] ferirá a terra com a vara de sua boca, e com o sopro dos seus lábios matará o ímpio" (Is 11.4). A vinda de Cristo é seguida por uma prostração total dos poderes do mundo, e por um julgamento sumário dos líderes da rebelião humana. Em contraste solene com o convite feito para a ceia de casamento do Cordeiro, um anjo é visto sobre o sol, e clama em alta voz às aves do céu para virem e festejarem na grande ceia de Deus. A palavra traduzida como aves na versão comum é o mesmo termo usado em Apocalipse 18.2, onde Babilônia é dita ter se tornado a "morada dos demônios, e guarida de todo espírito imundo, e guarida de toda ave imunda e detestável". A mesma palavra é usada no versículo 21, onde as aves, após a matança dos exércitos opositores, são ditos estarem cheias da carne deles. Estas parecem ser as únicas passagens em que esta palavra particular para "ave" é usada. Ela bem pode representar os abutres literais que engordarão com os corpos dos mortos. Na sua grande profecia Jesus diz: "Porque, assim como o relâmpago sai do oriente e se mostra até o ocidente, assim será também a vinda do Filho do homem. Pois onde estiver o cadáver, aí se ajuntarão os abutres" (Mt 24.27,28). As aves referidas são sem dúvida idênticas às carnívoras "voando no céu". Dos terríveis horrores deste dia, Isaías assim fala: "Porque a indignação do Senhor está sobre todas as nações, e o seu furor sobre todo o exército delas; ele determinou a sua destruição, entregou-se à matança. E os seus mortos serão arrojados, e dos seus cadáveres subirá o mau cheiro; e com o seu sangue os montes se derreterão. E todo o exército dos céus se dissolverá, e o céu se enrolará como um livro; e todo o seu exército desvanecerá, como desvanece a folha da vide e da figueira. Pois a minha espada se embriagou no céu; eis que sobre Edom descerá, e sobre o povo do meu anátema, para exercer juízo. A espada do Senhor está cheia de sangue, está cheia de gordura, de sangue de cordeiros e de bodes, da gordura dos rins de carneiros; porque o Senhor tem sacrifício em Bozra, e grande matança na terra de Edom" (Is 34.2-6). Solenemente suficiente este é chamado de "o sacrifício de Bozra" do Senhor. Em Apocalipse, ele é chamado "a grande ceia de Deus". Isto significa a destruição, sob as atuais circunstâncias, de todos os inimigos de Deus; e sobre a desolação deles, o céu regozija. Tão logo esses abutres são juntados, a luta inicia-se, e ela tem consigo os reis aliados da terra, e seus exércitos. Estes reis e seus exércitos, como já vimos, são juntados pelos espíritos de demônios. O propósito de sua reunião é tornar conhecida a declaração de que eles estão para fazer guerra contra Aquele que está montado no cavalo, e o seu exército. Nesta tentativa atrevida de investir contra os escudos do Todo-Poderoso, eles ilustram o extremo ao qual Satanás conduzirá as suas vítimas apaixonadas. Quão vã coisa é para o homem contender com o seu Criador! "Quem se endureceu contra Ele, e ficou seguro?... Eis que arrebata a presa; quem o pode impedir? Quem lhe dirá: Que é o que fazes? Deus não retirará a sua ira; debaixo dele se curvaram os aliados de Raabe" (Jó 9.4,12,13). Esta confederação contra Cristo e Seu exército é o cumprimento literal do salmo 2: "Os reis da terra se levantam, e os príncipes juntos conspiram contra o Senhor e contra o seu ungido, dizendo: Rompamos as suas ataduras, e sacudamos de nós as suas cordas" (Sl 2.2,3). O ponto aqui é indubitavelmente o campo de batalha do Armagedom. Este campo de batalha, ou sua vizinhança imediata, era famoso na história do Antigo Testamento pela razão de duas grandes vitórias: a de Baraque sobre os moabitas, e a de Gideão sobre os midianitas. Ele foi famoso também por que foi ali o palco de dois desastres nacionais: a morte de Saul e a de Josias. Se vamos espiritualizar este campo de batalha em alguma região indefinida de um conflito sem fim entre a Igreja e seus inimigos, é inútil especular a respeito do significado da visão de João. Se Cristo, quando vier, é para encontrar os reis da terra em rebelião contra Ele, que objeção possível pode haver para uma localização literal deste exército rebelde? Que Ele os encontrará em tal rebelião é uma declaração positiva da Escritura; e, sem causar qualquer confusão de mente, podemos conceber deles como trazidos juntos literalmente para este antigo campo de batalha de Israel. Ali eles se encontram no último concílio da realeza. Eles tomaram uma decisão de romper totalmente com Deus, e de lançar fora Suas cordas deles; mas em oposição a esta resolução a voz de Deus é ouvida, que diz: "Todavia, eu tenho estabelecido o meu rei sobre o meu santo monte Sião". A luta entre o bem e o mal está agora para ser travada em lugar aberto. Não há mais qualquer disfarce dos combatentes. Finalmente, os reinos deste mundo se juntam para a peleja direta contra Deus e contra o seu Cristo. O conflito é rápido e decisivo. A besta e o falso profeta são pegos em flagrante rebelião, e são lançados no lago de fogo que arde com enxofre; e ali, após os mil anos do reinado milenar de Cristo, ainda eles estarão lá. Justos e santos são os caminhos de Deus. No começo Ele perguntou ao homem que havia pecado, mas para a serpente que foi o instrumento de Satanás no efetuar da ruína, Ele nada disse. Sem qualquer pergunta a serpente foi condenada. De igual modo, a estas ferramentas voluntárias de Satanás na última erupção da ira ímpia deles, Deus não dá oportunidade alguma de autodefesa. No caso deles não há mitigação de circunstâncias. Eles se inclinaram a si mesmos para o mal que lhes trouxe conseqüências para as quais não há escape. Não lhes é permitida uma defesa, e em favor deles nenhuma palavra é dita. O pecado deles foi deliberado; a aliança deles com Satanás foi aberta e indisfarçável. Agora, sem palavras diante dEle contra quem lutaram em vão, são tomados e julgados sem misericórdia, por que com gente assim nenhuma misericórdia adianta. Após esse julgamento sumário da besta e do falso profeta, os restantes dos rebeldes são tratados de acordo com o estrito acordo do código judicial da corte divina. Eles são mortos à espada. Julgados de acordo com a Palavra de Deus, eles são achados dignos de morte. Sob a força do sopro de Deus eles são varridos, e os abutres se regalam nos campos de batalha dos mortos. Esse é o fim da rebelião contra Deus na terra. Bem podem os céus se regozijar quando os Seus juízos prevalecerem e a justiça eterna for introduzida. Não há qualquer fusão silenciosa e gradual de coisas no reino pacífico do Messias. Os reinos deste mundo

CRISTOLOGIA

devem ser lançados no lagar da fúria e da ira do Deus Todo-Poderoso. Somente o julgamento, e o julgamento da espécie mais severa, vindo sobre os principados e poderes do mal, pode banir do céu as tempestades da iniqüidade. Somente a ira e o julgamento de Deus podem fazer isto, e estabelecer o reino de Cristo em justiça eterna sobre a terra – e a falha em ver isto deve vir da recusa em aceitar a realidade da rebelião final que encherá a taça da iniqüidade, e preparará o mundo para o justo julgamento de Deus.

Capítulo XIII

O Reino Messiânico do Verbo Encarnado

Este curso de investigação volta-se neste ponto para um dos maiores de todos os temas bíblicos, a saber, o reino messiânico – conhecido como o reino milenar, visto que ele continua mil anos e como reino davídico, posto que ele é a realização do reino do pacto feito com Davi. Se é alegado que Cristo sustenta um lugar central em tal investigação, isto é admitido; e a cristologia bíblica certamente deve incluir este aspecto extenso da pessoa e obra de Cristo em que Ele aparece como o Rei teocrático. Embora o reino ocupe uma parte tão grande do Texto Sagrado, o tema do reino tem sido entendido muito erroneamente e a sua terminologia aplicada indevidamente, mais do que em outro tema qualquer na Bíblia. Isto acontece por causa da falha, tão inerente na teologia do pacto, em reconhecer o aspecto dispensacional da revelação divina. A verdade a respeito da esperança messiânica como apresentada no Antigo Testamento não sugere que o reino é a Igreja, nem o faz o Novo Testamento, com seus objetivos centrados no céu, ensina que a Igreja é o reino.

Semelhantemente, o reino terrestre que, de acordo com a Escritura, tem sua origem no pacto feito com Davi, que é deste mundo e literal em sua forma original e igualmente é do mundo e literal nas incontáveis referências a ele em todos os textos subseqüentes que delineiam até sua consumação, é metamorfoseado pela esperteza dos teólogos e transformado numa monstruosidade espiritual em que um Rei ausente assentado no trono do seu Pai no céu é aceito no lugar do monarca teocrático da linhagem de Davi, assentado sobre o trono de Davi em Jerusalém. Além disso, através da desatenção, muitos escritores modernos se referem ao reino do céu como se fosse céu, e a despeito dos absurdos e contradições que surgem quando estes termos são assim confundidos.

Sob o estudo da Eclesiologia, já tratada (Vol. IV), a distinção de significado entre os termos *reino de Deus* e *reino do céu* já foi assinalada. É suficiente dizer aqui que a autoridade de Deus sobre o universo inteiro é um tema dominante desde o Gênesis até o Apocalipse. Esse, de fato, é o reino de Deus. Ele se estende a todas as inteligências – anjos e homens – onde há uma sujeição leal à autoridade divina. Que há anjos assim como homens que desrespeitam esta autoridade, é claramente ensinado na Palavra de Deus, assim como é

CRISTOLOGIA

claramente afirmado que antes do reino messiânico milenar de Cristo toda a oposição contra a norma de Deus terá sido esmagada pelo Rei teocrático (cf. 1 Co 15.24-28), e então o reino de Deus será "entregue" a Deus no sentido em que a Sua supremacia legítima, o seu governo, e o seu império retomarão a forma inconteste que possuíam nas eras passadas. Este exercício universal de autoridade é propriamente chamado de *reino de Deus*, e não deveria ser contado como se fosse o mesmo que o reino teocrático que domina sobre Israel e a terra, domínio esse que é trazido à sua perfeição e estabelecido na terra antes de terem começado as transformações e restaurações que pertencem ao reino de Deus.

Falando de um modo geral, o Reino de Deus – como definido acima – é a autoridade universal de Deus de eternidade a eternidade, enquanto que o termo *Reino do Céu* é apropriadamente aplicado ao governo de Deus na terra – é a regra do céu na terra – e está restrito, com respeito ao tempo, como já foi visto, a períodos limitados e situações bem definidas. A oração pelo reino e no reino do céu inclui as palavras: "Venha o teu reino. Seja feita a tua vontade assim na terra como no céu". Enquanto esse reino aparece de várias formas, ele teve o seu começo tangível no pacto com Davi e será realizado e consumado com uma ordem social perfeita na terra sob o reino beneficente do Rei dos reis. Quando as grandes distinções entre essas duas esferas da autoridade divina são observadas, há a solução de muitos problemas na interpretação da Bíblia que, de outra maneira, não existiriam. Um reconhecimento fiel destas dissimilaridades começa a ser sustentado pelos expositores em geral como a chave mais eficiente para o entendimento das Escrituras.

Assim o Dr. Auberlen cita R. Rothe que diz: "Nossa chave não abre – *a chave certa está perdida*; e até que a tenhamos de volta novamente, a nossa exposição não terá sucesso. O sistema de idéias bíblicas *não* é o de nossas escolas; e enquanto tentarmos uma exegese sem ela, a Bíblia permanecerá um *livro fechado pelas metades*. Devemos entrar com *outras idéias* além daquelas com as quais temos estado acostumados a pensar *como as únicas possíveis*; e o que quer que possa ser, esta coisa ao menos é certa, que elas devem ser *mais realistas e compactas*".[77] Esta é uma confissão que é ao mesmo tempo humilhante e significativa. Que esta discussão sobre o milênio a seguir está relacionada somente ao reino do céu que é messiânico, terrestre e davídico, não precisa se assinalado. Uma consideração do reino de Deus em sua forma restaurada e final será o tema do capítulo próximo e do final desta obra sobre Cristologia. Na verdade, por que após séculos de estudo, um número tão grande de bons homens deva estar em terrível confusão sobre o programa divino para a terra enquanto outros estão informados em tal grau que são libertos de tais dificuldades, a menos que aconteça que uns usem a chave à qual Rothe se refere enquanto que outros não a usem?

Os estudiosos guardam a chave e para eles estes problemas específicos são realmente resolvidos. Há agora duas escolas de homens ortodoxos. Para uma escola, que tem absorvido a poção de Whitby que propõe um milênio feito pelo homem e, tem seguido o molde idealista e rígido de um só pacto da graça esboçado por Cocceius, há pouca esperança de que uma libertação seja operada. Tais sistemas teológicos, seminários e indivíduos prosseguem de qualquer forma a transmitir para as gerações subseqüentes o idealismo que não tem sustentação na Palavra de Deus. Por outro lado, aqueles que guardam a chave aumentam em número; eles têm suas escolhas e sistemas de teologia que gera exposição da Bíblia e promove o estudo bíblico por toda a parte. Certos fatos óbvios a respeito do reino do céu são listados a seguir.

I. Assegurado pelos Pactos de Jeová

Jeová estabeleceu pactos com juramentos com Abraão e Davi. Não somente esses pactos são incondicionais e amarrados por vários termos pelos quais são declarados, mas extensos textos subseqüentes reafirmam essas promessas. O pacto abraâmico registra o propósito soberano de Jeová em, através, e para Abraão. O pacto é incondicional e nenhuma obrigação é imposta sobre Abraão; não contribui com alguma coisa, mas antes, é o recipiente de tudo o que Jeová propôs fazer por ele. Enquanto este pacto (cf. Gn 12.1-3; 13.14-17; 15.4-7; 17.1-8) proporcionava bênçãos pessoais e grande honra para Abraão, seus aspectos mais importantes alcançam a duas outras direções, a saber, a da descendência de Abraão e a da terra da promessa. A descendência de Abraão é tríplice: (1) Uma grande nação através de Ismael (cf. Gn 17.20); (2) uma descendência como o pó da terra – realizada na sua descendência física através de Israel e assim por intermédio de Jacó; e (3) uma descendência espiritual como as estrelas do céu na amplidão e realizada sobre o princípio da fé em Abraão, por judeus e gentios.

Da descendência física está escrito: "...os quais são israelitas, de quem é a adoção, e a glória, e os pactos, e a promulgação da lei, e o culto, e as promessas; de quem são os patriarcas; e de quem descende o Cristo segundo a carne, o que é sobre todas as coisas, Deus bendito eternamente. Amém" (Rm 9.4, 5). A esta mesma descendência física pertencem também os pactos a respeito da terra, o trono davídico terrestre, o rei e o reino. A esta descendência terrestre o sistema conhecido como judaísmo, com seus mandamentos, ordenanças e estatutos, tudo foi dirigido. De tudo isto, seja reconhecido, como de fato deve ser, procedem todos erros relativos aos pactos, povos e seus destinos e sejam também evitados. Em oposição a tudo isto está a verdade de que Abraão alcançou a justiça de Deus através da fé (Gn 15.6), um privilégio espantoso não restrito a Abraão (embora não estendido a outros crentes do Antigo Testamento), mas prometido a todos nesta era que exercem a fé abraâmica ao grau em que crêem em Deus (Rm 4.20-24), justiça essa de Deus que a descendência física de Abraão falhou totalmente em assegurar (cf. Rm 9.30–10.4).

O Novo Testamento declara que todos – os judeus e gentios individualmente – que crêem para a justiça como Abraão fez, são filhos espirituais de Abraão.

Grande é o erro quando se supõe que a descendência espiritual de Abraão sempre se tornou a descendência física ou que a descendência física, à parte da regeneração, sempre foi uma descendência espiritual. Dos cinco aspectos eternos dos pactos de Jeová com Israel – uma nação eterna, uma possessão eterna da terra, um trono eterno, um rei eterno, e um reino eterno – dois deles, a nação e a posse da terra, são pactuados através de Abraão, enquanto que os três remanescentes, o trono, o rei e o reino, são pactuados através de Davi. Os aspectos pactuados com Abraão e os pactuados com Davi podem agora ser considerados separadamente.

1. O PACTO COM ABRAÃO. Como foi observado anteriormente, há em adição à segurança da bênção pessoal para Abraão, sua posteridade, e para aqueles que abençoam o seu povo, dois aspectos pactuados, a saber:

A. A NAÇÃO ETERNA. Alguns teólogos, que não parecem ter dado uma grande atenção ao que a Palavra de Deus revela a respeito da perpetuidade da descendência terrestre de Abraão através de Isaque e Jacó, têm asseverado que esta nação é apenas um aspecto de um pacto, pelo qual eles são ligados num mesmo propósito divino com a Igreja do Novo Testamento e são, assim, unidos à Igreja, e não possuem um futuro distintivo, enquanto que outros têm declarado que, por causa do seu pecado, Deus eliminou para sempre o Seu povo terrestre. As Escrituras dificilmente dão suporte a essas noções racionalistas. Ao começar com o pacto feito com Abraão, registrado em Gênesis 12, e continuar até o final do Novo Testamento, a promessa a respeito de uma descendência terrestre eterna está sempre em vista. Há pouca coisa dita da descendência de Abraão através de Ismael e nada mencionado de sua descendência que ele assegurou por meio de seu casamento com Quetura (cf. Gn 25.1-4).

Ninguém questionaria a duração da descendência espiritual; mas o futuro infindável da descendência terrestre através de Isaque e Jacó é uma matéria do propósito divino que é muito claramente revelada e, portanto, não sujeita a desejos, suposições ou julgamentos humanos. Diversos textos bem podem ser citados a esta altura. Ao falar a Israel por meio de Isaías, Jeová disse: "Pois, como os novos céus e a nova terra, que hei de fazer, durarão diante de mim, diz o Senhor, assim durará a vossa posteridade e o vosso nome" (Is 66.22). Igualmente, ao declarar os termos de Seu novo pacto (Jr 31.31-34), Jeová afirma a respeito de uma nação com quem este pacto será feito: "Assim diz o Senhor, que dá o sol para a luz do dia, e a ordem estabelecida da lua e das estrelas para luz da noite, que agita o mar, de modo que bramem as suas ondas; o Senhor dos exércitos é o seu nome: Se esta ordem estabelecida falhar diante de mim, diz o Senhor, deixará também a linhagem de Israel de ser uma nação diante de mim para sempre. Assim diz o Senhor: Se puderem ser medidos os céus lá em cima, e sondados os fundamentos da terra cá em baixo, também eu rejeitarei toda a linhagem de Israel, por tudo quanto eles têm feito, diz o Senhor" (vv. 35-37).

Ainda novamente, em Mateus 24.34,35, diz: "Em verdade vos digo que não passará esta geração sem que todas essas coisas se cumpram. Passará o céu e a terra, mas as minhas palavras jamais passarão"; a linhagem da descendência de

Israel ou a posteridade sobrevive a todos os eventos que precedem o retorno do Rei. Jeová declarou a Abraão, de acordo com Gênesis 17.7: "Estabelecerei o meu pacto contigo e com a tua descendência depois de ti em suas gerações, como pacto perpétuo, para te ser por Deus a ti e a tua descendência depois de ti"; mas não há uma base para um pacto eterno, se não há um povo eterno a quem ele se aplica. Que esta mesma nação, preservada em sua identidade, continua para sempre, está implícito em diversos aspectos de seus pactos, a saber, uma posse eterna da terra, o trono sem fim, o rei eterno e o reino infindo. Todo o capítulo 11 de Romanos está escrito para desvendar o caráter permanente da nação de Israel.

É verdade que, com a finalidade de que a Igreja seja chamada, Israel por um tempo foi "cortado" e para eles veio "um endurecimento em parte" que realmente aconteceu (Rm 11.20, 25), mas tudo isto somente *até* que o presente propósito divino conectado com a Igreja seja realizado. Após isso, "todo Israel será salvo". Este último texto da Escritura declara isso plenamente: "E assim todo o Israel será salvo, como está escrito: Virá de Sião o Libertador, e desviará de Jacó as impiedades; e este será o meu pacto com eles, quando eu tirar os seus pecados. Quanto ao evangelho, eles na verdade, são inimigos por causa de vós; mas, quanto à eleição, amados por causa dos pais. Porque os dons e a vocação de Deus são irrefutáveis" (Rm 11.26-29).

B. A POSSE ETERNA DA TERRA. O pacto palestino, o primeiro anunciado a Abraão e confirmado a Isaque e Jacó, é apresentado em sua forma plena em Deuteronônio 30.3-8. As proclamações mais anteriores são: "Apareceu, porém, o Senhor a Abrão, e disse: À tua semente darei esta terra. Abrão, pois, edificou ali um altar ao Senhor, que lhe aparecera... E disse o Senhor a Abrão, depois que Ló se apartou dele: Levanta agora os olhos, e olha desde o lugar onde estás, para o norte, para o sul, para o oriente e para o ocidente; porque toda esta terra que vês, te hei de dar a ti, e à tua descendência, para sempre. E farei a tua descendência como o pó da terra; de maneira que se puder ser contado o pó da terra, então também poderá ser contada a tua descendência. Levanta-te, percorre esta terra, no seu comprimento e na sua largura; porque a darei a ti... Disse-lhe mais: Eu sou o Senhor, que te tirei de Ur dos Caldeus, para te dar esta terra em herança... Naquele mesmo dia fez o Senhor um pacto com Abrão, dizendo: À tua descendência tenho dado esta terra, desde o rio do Egito até o grande rio Eufrates" (Gn 12.7; 13.14-17; 15.7, 18).

Nestas passagens os limites maiores e finais da terra são indicados. Igualmente, as confirmações à semente de Abrão afirmam: "Peregrina nesta terra, e serei contigo e te abençoarei; porque a ti, e aos que descenderem de ti, darei todas estas terras, e confirmarei o juramento que fiz a Abraão teu pai; e multiplicarei a tua descendência como as estrelas do céu, e lhe darei todas estas terras; e por meio dela serão benditas todas as nações da terra... Disse-lhe mais: Eu sou Deus Todo-poderoso; frutifica e multiplica-te; uma nação, sim, uma multidão de nações sairá de ti, e reis procederão dos teus lombos; a terra que dei a Abraão e a Isaque, a ti a darei; também à tua descendência depois de ti a darei" (Gn 26.3,4; 35.11,12; cf. 28.13,14). O pacto palestino comunica a terra

CRISTOLOGIA

à Abraão e sua semente terrestre através de Isaque e Jacó por posse eterna. As predições acrescentadas modificam o pacto somente com respeito ao tempo de seu direito de posse final.

Três despojamentos da terra foram preditos e três restaurações a ela (cf. Gn 15.13, 14, 16; Dt 28.25, 36, 37, 63-68; 30.1-5; Jr 25.11, 12). Todos os três despojamentos da terra estão agora cumpridos e duas restaurações. Assim, a nação está fora de sua terra pela terceira e última vez. Dificilmente, precisa ser afirmado que nenhuma terra é prometida à Igreja, e quando as promessas de Israel de uma longa vida na terra são aplicadas à Igreja, a incongruência é imediatamente óbvia. Aqueles designados para "esperar pelo seu Filho [Senhor deles] do céu" não procuram uma longa vida nesta esfera. Os cidadãos do céu não têm direito algum à terra à vista de Deus.

2. O PACTO COM DAVI. Visto que o reino teocrático imediato é o objetivo divino com respeito à terra e posto que ele forma a esperança nacional de Israel, o pacto com Davi, que introduz a revelação do reino, declara a natureza exata de tudo isto. Desde a introdução deste tema dominante em diante, como visto em textos subseqüentes, o assunto é mantido em constante observação e como um aspecto da profecia ainda não cumprido. Este reino terrestre, o trono e o Rei estão entre os temas dominantes do Antigo Testamento. A revelação a respeito destes grandes aspectos no pacto davídico é tanto explícita quanto extensa. A dificuldade surge somente para aqueles que estão determinados a transformar um trono e um reino literais e terrestres em algum idealismo espiritual vago e totalmente imaginário. O teste ácido a ser aplicado a essa noção humana é a pertinente pergunta: Por que o Rei deve ser da linha de Davi?

Esta exigência evidente com respeito ao Rei é ignorada por toda teoria que rejeita a verdade a respeito do trono e do reino literal; todavia que o Rei deve ser nascido da linhagem de Davi é tanto afirmado quanto assumido por todo este grande caminho de predição – considere, por exemplo, João 7.42, que afirma: "Não diz a Escritura que o Cristo vem da descendência de Davi, e de Belém, a aldeia donde era Davi?" Deus disse a Davi: "A tua casa, porém, e o teu reino serão firmados para sempre diante de ti; teu trono será estabelecido para sempre" (2 Sm 7.16). Houve de fato apenas uma reserva neste pacto, a saber, que os filhos de Davi que o sucederam seriam sujeitos a castigo, embora o pacto em si mesmo não pudesse ser anulado. O castigo não veio na forma de rompimento da linhagem real a partir do tempo do cativeiro babilônico até o nascimento de Cristo. Contudo, pelos termos explícitos do pacto, o reino de Davi não pode ser destruído.

Ele deve ainda ser restabelecido e permanecer para sempre; do contrário o juramento de Jeová vai falhar. A descrição da própria reação de Davi, que indica o seu entendimento do pacto, segue-se imediatamente neste contexto. É certo que Davi não nutriu outro pensamento além daquele de seu próprio trono literal, da linhagem real, e do reino que deveriam continuar para sempre. Ele disse a Deus: "Quem sou eu, Senhor Jeová, e que é a minha casa, para me teres trazido até aqui? E isso ainda foi pouco aos teus olhos, Senhor Jeová, senão que também falaste da casa do teu servo para tempos distantes; e me tens mostrado gerações futuras, ó Senhor Jeová? Que mais te poderá dizer Davi? pois tu conheces bem o teu servo, ó Senhor Jeová. Por causa da tua palavra, e segundo o teu coração, fizeste toda esta grandeza, revelando-a ao teu servo... Agora, pois, Senhor Jeová, tu és Deus, e as tuas palavras são verdade, e tens prometido a teu servo este bem. Sê, pois, agora servido de abençoar a casa do teu servo, para que subsista para sempre diante de ti; pois tu, ó Senhor Jeová, o disseste; e com a tua bênção a casa do teu servo será abençoada para sempre" (2 Sm 7.18-21,28,29).

Assim, também, o salmista dá sua própria apreensão deste pacto quando é citado finalmente no salmo 89.1-4,20-37. Neste contexto, que registra as palavras de Jeová mais plenamente a respeito deste pacto com Davi, o caráter literal do pacto é assegurado, a certeza de seu cumprimento e a reserva a respeito do castigo são todas claramente afirmadas. Embora extenso, este texto determinante é citado na sua totalidade:

Salmo 89.1-4,20-37: "Cantarei para sempre as benignidades do Senhor; com a minha boca proclamarei a todas as gerações a tua fidelidade. Digo, pois: A tua benignidade será renovada para sempre; tu confirmarás a tua fidelidade até nos céus, dizendo: Fiz um pacto com o meu escolhido; jurei ao meu servo Davi: Estabelecerei para sempre a tua descendência, e firmarei o teu trono por todas as gerações... Achei a Davi, meu servo; com o meu santo óleo e o ungi. A minha mão será sempre com ele, e o meu braço o fortalecerá. O inimigo não o surpreenderá, nem o filho da perversidade o afligirá. Eu esmagarei diante dele os seus adversários, e aos que o odeiam abaterei. A minha fidelidade, porém, e a minha benignidade estarão com ele, e em meu nome será exaltado o seu poder. Porei a sua mão sobre o mar, e a sua destra sobre os rios. Ele me invocará, dizendo: Tu és meu pai, meu Deus, e a rocha da minha salvação. Também lhe darei o lugar de primogênito; fá-lo-ei o mais excelso dos reis da terra. Conservar-lhe-ei para sempre a minha benignidade, e o meu pacto com ele ficará firme. Farei que subsista para sempre a sua descendência, e o seu trono como os dias dos céus. Se os seus filhos deixarem a minha lei, e não andarem nas minhas ordenanças, se profanarem os meus preceitos, e não guardarem os meus mandamentos, então visitarei com vara a sua transgressão, e com açoites a sua iniqüidade. Mas não lhe retirarei totalmente a minha benignidade, nem faltarei com a minha fidelidade. Não violarei o meu pacto, nem alterarei o que saiu dos meus lábios. Uma vez para sempre jurei por minha santidade; não mentirei a Davi. A sua descendência subsistirá para sempre, e o seu trono será como o sol diante de mim; será estabelecido para sempre como a lua, e ficará firme enquanto o sol durar".

Em sua resposta a Salomão, Davi disse: "E para que o Senhor confirme a palavra que falou acerca de mim, dizendo: Se teus filhos guardarem os seus caminhos, andando perante a minha face fielmente, com todo o seu coração

CRISTOLOGIA

e com toda a sua alma, nunca te faltará sucessor ao trono de Israel" (1 Rs 2.4). À luz disto, Salomão disse de si mesmo: "Agora, pois, vive o Senhor, que me confirmou e me fez assentar no trono de Davi, meu pai, e que me estabeleceu casa, como tinha dito, que hoje será morto Adonias" (2.24). E Jeremias escreve: "Pois assim diz o Senhor: Nunca faltará a Davi varão que se assente sobre o trono da casa de Israel... também se poderá invalidar o meu pacto com Davi, meu servo, para que não tenha filho que reine no seu trono; como também o pacto com os sacerdotes levíticos, meus ministros. Assim como não se pode contar o exército dos céus, nem medir-se a areia do mar, assim multiplicarei a descendência de Davi, meu servo, e os levitas, que ministram diante de mim" (Jr 33.17, 21, 22).

Um aspecto nobre de toda esta predição a respeito do pacto com Davi foi a garantia divina de que a Davi nunca faltaria alguém para assentar-se no seu trono. Esse trono é tão literal, histórico e tangível quanto o trono dos césares, dos hohenzollerns, ou da casa dos hapsburgs. Esse trono é mais freqüente do que a expressão "o trono de Israel" (1 Rs 2.4) e Cristo o chamou de "o trono de sua glória" (Mt 19.28; 25.31). Jeová se refere a esse trono no salmo 2.6 como "meu santo monte Sião". Ao trono terrestre de Davi nunca faltou alguém que se assentasse sobre ele e nunca faltará. Durante os quinhentos anos que se seguiram imediatamente ao reinado do próprio Davi, seus filhos em sucessão se assentaram sobre esse trono. Ao começar com o cativeiro babilônico e continuar até o nascimento de Cristo – um período similar de mais de quinhentos anos – houve em cada geração um herdeiro legítimo (embora não ocupante) desse trono.

Com o nascimento de Cristo não se precisou de nenhum outro, porque Ele era o Herdeiro em sua geração, e foi assim identificado (cf. Mt 9.27; 12.23; 15.22; 20.30, 31; 21.9; 22.42; 2 Tm 2.8; Ap 22.16). Não há necessidade de ser outro, visto que Cristo permanece para sempre. Ele está agora no céu, assentado no trono de seu Pai e espera até que os reinos deste mundo se tornem reinos do Senhor e de seu Cristo – não em virtude de forças evangelizadoras, mas pelo decreto de Jeová e o dom para Si próprio das nações rebeldes. Então ele próprio não somente conquistará essas nações, mas governará sobre elas. A perpetuidade do trono de Davi e do reino literal pode ser traçada por meio de vários textos. Uns poucos deles são citados aqui.

Isaías 9.6,7: "Porque um menino nos nasceu, um filho se nos deu; e o governo estará sobre os seus ombros; e o seu nome será: Maravilhoso Conselheiro, Deus Forte, Pai Eterno, Príncipe da Paz. Do aumento do seu governo e da paz não haverá fim, sobre o trono de Davi e no seu reino, para o estabelecer e o fortificar em retidão e em justiça, desde agora e para sempre; o zelo do Senhor dos exércitos fará isso".

O governo estará sobre o ombro do Messias, porque Ele estará sobre o trono de Davi e o seu reino para ordená-lo e estabelecê-lo com julgamento e justiça para sempre. Nenhum erro precisa ser feito com respeito a este reino ou este trono. Que ele aumentará sem fim tanto no governo quanto na paz, faz parte do caráter sem limite de sua duração. Esta é claramente uma predição do reino de Cristo na terra – esse reino do céu como será quando a sua forma final for estabelecida no retorno do Rei. Não há um reino divino no futuro sobre a terra que não seja relacionado com o reino do Messias e que não proceda dEle, aquele que se assenta no trono de Davi.

Jeremias 23.5,6: "Eis que vêm dias, diz o Senhor, em que levantarei a Davi um Renovo justo; e, sendo rei, reinará e procederá sabiamente, executando o juízo e a justiça na terra. Nos seus dias Judá será salvo, e Israel habitará seguro; e este é o nome de que será chamado: O Senhor Justiça Nossa".

De acordo com esta profecia, que é do mais alto peso, Cristo deveria nascer da linhagem de Davi, a fim de reinar e prosperar; Ele deveria executar julgamento e justiça na terra. Os mesmos aspectos essenciais da verdade estão registrados em Isaías 11.1-5, onde está dito: "Então brotará um rebento do tronco de Jessé, e das suas raízes um renovo frutificará. E repousará sobre ele o Espírito do Senhor, o espírito de sabedoria e de entendimento, o espírito de conselho e de fortaleza, o espírito de conhecimento e de temor do Senhor. E deleitar-se-á no temor do Senhor; e não julgará segundo a vista dos seus olhos, nem decidirá segundo o ouvir dos seus ouvidos; mas julgará com justiça os pobres, e decidirá com equidade em defesa dos mansos da terra; e ferirá a terra com a vara de sua boca, e com o sopro dos seus lábios matará o ímpio. A justiça será o cinto dos seus lombos, e a fidelidade o cinto dos seus rins". Estas não são predições com respeito ao governo geral de Deus exercido do céu, como seria verdadeiro se se tratasse do reino de Deus, mas concernente ao seu caráter davídico assim como terrestre em sua esfera. Além disso, pode ser observado que ele é o reino do céu que é predito no pacto davídico.

Ezequiel 37.21-28: "Dize-lhes pois: Assim diz o Senhor Deus: Eis que eu tomarei os filhos de Israel dentre as nações para onde eles foram, e os congregarei de todos os lados, e os introduzirei na sua terra; e deles farei uma nação na terra, nos montes de Israel, e um rei será rei de todos eles; e nunca mais serão duas nações, nem de maneira alguma se dividirão para o futuro em dois reinos; nem se contaminarão mais com os seus ídolos, nem com as suas abominações, nem com qualquer uma das suas transgressões; mas eu os livrarei de todas as suas apostasias com que pecaram, e os purificarei. Assim eles serão o meu povo, e eu serei o seu Deus. Também meu servo Davi reinará sobre eles, e todos eles terão um pastor só; andarão nos meus juízos, e guardarão os meus estatutos, e os observarão. Ainda habitarão na terra que dei a meu servo Jacó, na qual habitaram vossos pais; nela habitarão, eles e seus filhos, e os filhos de seus filhos, para sempre; e Davi, meu servo, será seu príncipe eternamente. Farei com eles um pacto de paz, que será um pacto perpétuo. E os estabelecerei, e os multiplicarei, e porei o meu santuário no meio deles para sempre. Meu tabernáculo permanecerá com eles; e eu serei o seu Deus e eles serão o meu povo. E as nações saberão que eu sou o Senhor que santifico a Israel, quando estiver o meu santuário no meio deles para sempre".

Importa pouco a esta altura se é, como alguns afirmam, o rei Davi que é exaltado como o vice-regente no futuro reino ou se a referência é a Cristo como o Filho maior de Davi, porque a profecia aqui é muitíssimo explícita. O reino

CRISTOLOGIA

terrestre sobre Israel à vista das nações com autoridade de realeza exercida para sempre, a partir do trono de Davi, é alguma coisa muito específica para permitir a essa passagem ser interpretada como uma mera fração do reino geral de Deus por toda parte em seu universo. Pode ser visto que nenhuma semelhança de um cumprimento disto ou qualquer predição semelhante foi experimentada no primeiro advento de Cristo, nem foi cumprida, nem seria cumprida mesmo que todos os judeus e gentios fossem salvos e trazidos para a Igreja.

Daniel 7.13,14: "Eu estava olhando nas minhas visões noturnas, e eis que vinha com as nuvens do céu um como filho de homem; e dirigiu-se ao ancião de dias, e foi apresentado diante dele. E foi-lhe dado domínio, e glória, e um reino, para que todos os povos, nações e línguas o servissem; o seu domínio é um domínio eterno, que não passará, e o seu reino tal, que não será destruído".

A contribuição desta porção da Escritura a este tema geral é o fato de que em Seu segundo advento, quando vindo com as nuvens do céu, antes do que em seu primeiro advento, Ele estabelecerá um governo que é universal – no que diz respeito à terra – e será eterno.

Oséias 3.4,5: "Pois os filhos de Israel ficarão por muitos dias sem rei, sem príncipe, sem sacrifício, sem coluna, e sem éfode ou terafins. Depois tornarão os filhos de Israel, e buscarão ao Senhor, seu Deus, e a Davi, seu rei; e com temor chegarão nos últimos dias ao Senhor, e à sua bondade".

As Escrituras proféticas assim predizem a presente separação de Israel de suas relações legítimas com Jeová; todavia, elas certamente predizem que eles retornarão e procurarão Jeová seu Deus e a Davi seu rei nos últimos dias – uma expectativa totalmente não cumprida até o presente tempo.

Mateus 1.1: "Livro da genealogia de Jesus Cristo, filho de Davi, filho de Abraão".

A ordem da verdade messiânica apresentada no evangelho de Mateus está indicada aqui. Ela apresenta primeiro um registro concernente ao Rei, o Filho de Davi, e então a obra de Cristo em sua morte como a certeza da promessa que está dentro do pacto abraâmico. O título "Filho de Davi" é muitas vezes aplicado a Cristo e indica não meramente que Ele é um filho de Davi, como muitos o foram em Sua geração, mas que – como dantes afirmado – Ele é *o* Filho, o Herdeiro imediato e legítimo do trono de Davi (cf. Mt 9.27; 15.22; 20.30,31; 21.9,15; 22.42). Por que, na verdade, deveria a filiação davídica ser enfatizada? Não é Ele mais um Filho de Salomão ou de Jacó? Há apenas uma resposta a estas perguntas: Cristo não somente cumpre, mas preenche totalmente as expectativas contidas no pacto davídico com respeito a um trono, um Rei, e um reino, e exatamente nesse sentido literal em que o pacto estava comprometido com Davi e nesse mesmo sentido literal em que é magnificado por toda a Escritura subseqüente. À parte desse reconhecimento desta relação entre Cristo e Davi, seu antepassado, não pode haver uma interpretação adequada do evangelho de Mateus ou de outro texto que trate do mesmo tema.

Lucas 1.31,32: "Eis que conceberás e darás à luz um filho, ao qual porás o nome de JESUS. Este será grande e será chamado filho do Altíssimo; o Senhor Deus lhe dará o trono de Davi, seu pai".

302

Nenhum texto mais determinante para o ponto sob consideração pode ser encontrado além desta mensagem do anjo Gabriel a Maria. A passagem incorpora a verdade relacionada a cada um dos Seus dois adventos. Aquilo que não aconteceu na primeira vinda será cumprido no segundo advento, a saber, as predições de que o Senhor daria a Cristo o trono de Seu pai Davi, de que ele reinaria sobre a casa de Jacó para sempre (v. 33), e de que o Seu reino não teria fim (v. 33). Este trono é o davídico, trono terrestre; a casa de Jacó não é a Igreja ou qualquer outro povo além daquele a quem o termo propriamente se aplica. Um reinado sem fim leva esse reino para além da era milenar, para a eternidade vindoura. Todavia deve ser observado que o trono que incorpora o reino é um dom do "Senhor Deus".

Isto, a ser ainda assinalado no último capítulo de Cristologia, é mencionado pelo apóstolo Paulo em 1 Coríntios 15.27,28, que diz: "Todas as coisas sujeitou debaixo de seu pés. Mas, quando diz: Todas as coisas lhe estão sujeitas, claro está que se excetua aquele que lhe sujeitou todas as coisas. E, quando todas as coisas lhe estiverem sujeitas, então também o próprio Filho se sujeitará àquele que todas as coisas lhe sujeitou, para que Deus seja tudo em todos". Com a mesma finalidade o Salvador disse: "Todo poder me é dado no céu e na terra (Mt 28.18). A palavra do anjo a Maria confirma o pacto davídico e caminha na direção da verdade a respeito desse pacto, com seus termos literais comuns, para o dia da segunda vinda de Cristo. Não há uma mudança para um idealismo espiritual que possa ser admitido neste ponto.

Atos 2.25-31: "Porque dele fala Davi: Sempre via diante de mim o Senhor, porque está à minha direita, para que eu não seja abalado; por isso se alegrou o meu coração, e a minha língua exultou; e além disso, a minha carne há de repousar em esperança; pois não deixarás a minha alma no hades, nem permitirás que o teu Santo veja a corrupção; fizeste-me conhecer os caminhos da vida; encher-me-ás de alegria na tua presença. Irmãos, seja-me permitido dizer-vos livremente acerca do patriarca Davi, que ele morreu e foi sepultado, e entre nós está até hoje a sua sepultura. Sendo, pois, ele profeta, e sabendo que Deus lhe havia prometido com juramento que faria sentar sobre o seu trono um dos seus descendentes – prevendo isto, Davi falou da ressurreição de Cristo, que a sua alma não foi deixada no hades, nem a sua carne viu a corrupção".

O começo desta passagem é identificado como uma citação do salmo 16; a última parte é uma afirmação direta com respeito ao pacto davídico como o próprio Davi o entendeu e o aceitou. Ele compreendeu que a referência a um trono e um reino sem fim contidos no pacto seriam ligados ao Messias eterno que, de acordo com o pacto, deveriam ser de sua própria descendência. A Davi foi dada alguma percepção da morte de Cristo, também. Isto ele expressou no salmo 22. Ele evidentemente raciocinou que se seu Filho, o Messias, fosse morrer e assentar-se no seu trono para sempre, Ele, o Messias, deveria primeiro morrer e ser ressuscitado da morte, para que Ele pudesse satisfazer o aspecto interminável do pacto. Certamente, o Messias não poderia ocupar o trono para sempre e, então, vir a morrer. É assim que Davi previu a ressurreição de Cristo.

CRISTOLOGIA

A passagem também registra o fato de que Deus fez um juramento para cumprir o reino eterno, literal e terrestre que foi pactuado com Davi. "Não violarei o meu pacto, nem alterarei o que saiu dos meus lábios. Uma vez para sempre jurei por minha santidade; não mentirei a Davi. A sua descendência subsistirá para sempre, e o seu trono será como o sol diante de mim; será estabelecido para sempre como a luz, e ficará firme enquanto o céu durar" (Sl 89.34-37). Os objetores, se os há, fariam bem em considerar o insulto à veracidade divina que constitui uma negação do juramento de Jeová. Sobre este mal, Ford C. Ottman escreveu:

Tem sido afirmado – e com grande ênfase – que João Batista e os discípulos de Jesus estavam "obcecados pelos conceitos errôneos populares" e saturados com "enganos" a respeito da restauração da dinastia davídica; e assim positivamente isto tem sido afirmado e que muitos têm vindo a aceitar a afirmação como final e não mais aberta à discussão. Mas qualquer aceitação geral desta afirmação, sem exame ou entendimento do que está envolvido nela, mostra somente quão facilmente uma pessoa mais moderna do que os judeus pode ficar "obcecada" com um "conceito errôneo popular". O judeu sabia – e também nós o sabemos – que Deus tinha feito o juramento de estabelecer o reino de Davi para sempre, a fim de edificar o seu trono a todas as gerações. Não podemos negar isto sem negar a Escritura que o assevera. Se a Escritura não possui uma autoridade, podemos pensar o que queremos: se ela tem autoridade, o nosso pensamento deve ser governado por ela. A despeito do pacto e do juramento de Deus, o reino de Davi não seria – como os profetas haviam predito, e como os discípulos haviam esperado – restaurado a Israel sob o Messias. Devemos concluir disto que a esperança nacional foi um engano, e a expectativa popular um conceito errôneo da missão messiânica? Certamente que não: e aqueles que lutavam para sustentar tal conclusão provam somente que eles estão sob um engano pior do que a acusação contra os profetas, apóstolos e o povo.[78]

Este juramento de Jeová confirma o propósito divino de colocar Cristo no trono de Davi (cf. Sl 2.6), e, de acordo com cada texto que trata disso, isto não deveria ocorrer em conexão com Sua ascensão, quando Ele retornou ao céu após o seu primeiro advento, mas em conexão com a sua segunda vinda em poder e grande glória (cf. Mt 25.31; Ap 19.16).

Atos 15.13-18: "Depois que se calaram, Tiago, tomando a palavra, disse: Irmãos, ouvi-me: Simão relatou como primeiramente Deus visitou os gentios para tomar dentre eles um povo para o seu Nome. E com isto concordam as palavras dos profetas; como está escrito: Depois disto voltarei, e reedificarei o tabernáculo caído de Davi, que está caído; reedificarei as suas ruínas, e tornarei a levantá-lo; para que o resto dos homens busque ao Senhor, sim todos os gentios, sobre os quais é invocado o meu nome, diz o Senhor que faz estas coisas, que são conhecidas desde a antiguidade".

Ao definir o novo propósito de Jeová na presente era, propósito esse que tão completamente colocou de lado as coisas essenciais do judaísmo por determinado tempo, o primeiro concílio da Igreja realizado em Jerusalém reconheceu uma ordem de eventos que eram ainda futuros. Deveria haver o chamamento da Igreja, composta de judeus e gentios, chamamento esse que já começou e continua no presente tempo. Isto, por sua vez, deve ser seguido e terminado no retorno de Cristo; e Cristo em seu retorno restabeleceria a dinastia davídica – uma restauração prevista por Amós, cuja predição diz: "Naquele dia tornarei a levantar o tabernáculo de Davi, que está caído, e repararei as suas brechas, e tornarei a levantar as suas ruínas, e as reedificarei como nos dias antigos; para que eles possuam o resto de Edom, e todas as nações que são chamadas pelo meu nome, diz o Senhor, que faz estas coisas" (Am 9.11,12). Não há um suporte aqui ou em outro lugar qualquer para a noção de Roma de que a Igreja é o reino. Os presbíteros da Igreja Primitiva fizeram distinção aqui entre o reino e a Igreja, como um objetivo divino presente e o seu retorno final para o complemento do pacto davídico.

Apocalipse 22.16: "Eu, Jesus, enviei o meu anjo para vos testificar estas coisas a favor das igrejas. Eu sou a raiz e a geração de Davi, a resplandecente estrela da manhã".

Esta identificação de Cristo como o Filho de Davi não é uma referência a uma hereditariedade infinita; ela proclama a verdade, e é pelo Filho glorificado do próprio Deus, que o reino davídico ainda será realizado através dAquele que tem o nome *Filho de Davi*.

Com relação à porção inicial de sua magistral obra *Imperialism and Christ*, Ford C. Ottman escreveu o seguinte:

O imperialismo e Cristo são palavras separadas de significado inseparável. Elas se sustentam e se seguram mutuamente, de modo que elas não podem ser separadas ou ser soltas. A desconexão delas, se isto fosse possível, desengrenaria e pararia a ação da maquinaria do universo. O imperialismo – uma palavra insistente e ressoante no vocabulário político de hoje – é, sem Cristo, além dos limites da possibilidade. Cristo – uma palavra central e controladora no vocabulário teológico da Igreja – sem o imperialismo, é destituído de realeza. Pelos direitos reais de Jesus, os mártires da Igreja escocesa lutaram, afirmando o único senhorio de Cristo sobre Sua Igreja, até que eles, ameaçados e saqueados pelos dragões, tombaram sobre a urze e morreram com uma coloração mais rica do que a natureza lhes havia dado, o carmezim do sangue do testemunho. E, todavia, os direitos reais de Jesus não consistem nem incluem seu senhorio sobre a Igreja. Os direitos reais de Jesus são substanciais e literais, e eles pertencem à realeza sobre Israel, antes do que ao senhorio sobre a Igreja. O imperialismo e Cristo, nos quais estão envolvidos os direitos reais de Jesus, é uma frase do significado conciso e definido: um significado que é colocado no relicário na elocução memorável e clássica de Andrew Melville, quando ele sacudiu as mangas do rei Tiago, chamou-o de "o imbecil vassalo de Deus" – e acrescentou: "Lembre-se de que há dois reinos na Escócia. Há o rei Tiago, cujos súditos leais nós somos. Mas há o Rei Jesus". "Os direitos reais de Jesus" são palavras que têm ecoado ao longo dos anos, a partir de uma terra de um pacto nacional, através das terras altas [da Escócia], e dos baixos vales, e sobre os pântanos da Escócia; e elas são palavras cujo significado é agora expandido desde o botão em flor até o desabrochar da doutrina sempre abordada da Escatologia daquilo que temos aqui estabelecido como o "universo lógico" em que os nossos pensamentos vão se movimentar agora – Imperialismo e Cristo. O imperialismo e Cristo são termos permutáveis, equivalentes em significado, coordenados na posição, e cooperativos na ação. Imperialismo e Cristo não são duas coisas diferentes, mas uma. Cristo sem o imperialismo é sem traços característicos. O imperialismo sem Cristo é sem forma. É nisto, a unidade correlativa de Cristo e imperialismo, que toda esperança para o mundo está ligada inextricavelmente. A negação desta afirmação repudia a única chave dada para nos orientar através da confusão desconcertante e do mistério do universo. A negação desta afirmação, que o imperialismo de Cristo é a esperança do mundo, está indissoluvelmente unida, e criminalmente deixa cair o filamento da única saída do labirinto do grande problema cósmico que pressiona a alma humana para uma solução. Os direitos reais do Senhor Jesus Cristo estão positivamente declarados e plenamente definidos na revelação, e eles não podem ser anulados pela especulação nem por uma pseudo-exegese, nem, na verdade, por estes, mesmo que minimamente. Se a Bíblia fosse incoerente ou fosse vaga em suas afirmações do imperialismo e de Cristo, então poderíamos explicar a noção errônea dominante do plano e propósito de Deus, ou o preconceito contra eles, nas eras de prova da história do mundo. Mas a Bíblia não é vaga: ela é tão clara quanto um raio de sol, tão concisa quanto uma proposição matemática: ela é positiva na afirmação, clara no significado, e exata na aplicação: ela garante ao Senhor Jesus um absolutismo que nunca acabou, por ser um reino espiritual. A redenção real dessa garantia, conquanto possamos interpretar o seu significado, repousa no futuro, e, se ela significa um reino temporal sobre a terra, ou se ela significa um reino espiritual nos corações dos crentes, deve e pode ser determinado pela revelação somente. As convicções, conquanto possam ser sempre profundas, a menos que elas sejam sustentadas pela Escritura, não têm peso nem valor, nem podem ser chamadas para ser padrão e medida do reino vindouro. Cristo na divindade era o Senhor de Davi; na humanidade, Ele era o Filho de Davi. Seu nome exclusivo e inquestionável para o trono de Israel era e é estabelecido e selado pelas tábuas genealógicas dos registros normativos nos evangelhos de Mateus e Lucas, os registradores inspirados de Seus direitos reais como Filho de Davi e Filho do homem... "José, filho de Davi, não temas receber a

ASSEGURADO PELOS PACTOS DE JEOVÁ

Maria, tua mulher, pois o que nela se gerou é do Espírito Santo... Então José, tendo despertado do sono, fez como o anjo do Senhor lhe ordenara, e recebeu sua mulher". Através desse casamento, Jesus foi constituído e adotado filho de José e seu herdeiro legal. Assim, na sabedoria de Deus, a Jesus, por descendência natural, e por direito de primogenitura, e por direito legal, é dado o trono de seu pai Davi. Esse trono Jesus sempre ocupou. Ele lhe foi negado na terra, visto que na ascensão assentou-se no trono do Pai. Sobre esse trono Ele permanecerá até que todos os seus inimigos estejam sob o estrado de seus pés. O absolutismo espiritual que o pensamento tradicional lhe concede, não é o cumprimento exato da profecia, nem o equivalente ou o substituto do absolutismo temporal que foi prometido a Ele pela boca de todos os santos profetas desde o começo do mundo.

A rejeição de Cristo pelos judeus, e sua morte nas mãos dos romanos, foram pré-conhecidas e preditas. "Ele foi livre da prisão e do juízo" – assim séculos antes do Seu nascimento estava escrito – "e quem dentre os da sua geração considerou que ele fora cortado da terra dos viventes, ferido por causa da transgressão do meu povo?" (Is 53.8).O mesmo profeta nos diz que o governo está sobre os seus ombros, e que o aumento do seu governo e paz não haveria fim, sobre o trono de Davi, e sobre o seu reino, para ordená-lo e estabelecê-lo com julgamento e com justiça daqui por diante e para sempre. Esta promessa é confirmada pelo anúncio do anjo à virgem, que o Senhor Deus deveria dar a Ele o trono de seu pai Davi, e que ele reinaria sobre a casa de Jacó para sempre, e que o seu reino não teria fim. Quando tais julgamentos devem ser reconciliados? Morrer sem a geração, ser cortado da terra dos viventes; todavia, reinar no trono de Davi, e sobre seu reino ordená-lo e estabelecê-lo para sempre? A casuística teológica, que tem sido treinada para fazer funcionar as sutilezas das questões morais, pode convencer a si mesmo de que a Igreja de Cristo é o reino de Davi prometido a Jesus, mas tal raciocínio, conquanto sutil e especioso, é, para o homem que crê que as palavras da Bíblia devem ser entendidas literalmente, ou sem qualquer conclusão. Se Gabriel ficou sozinho na declaração que Jesus deveria reinar sobre o trono de Davi pode haver alguma questão razoável – em vista do que tem acontecido – com relação ao significado exato de suas palavras; mas Gabriel não está só em seu testemunho: o mesmo é crido e é proclamado pelos profetas hebreus. Eles predizem um reino que deve ser estabelecido em poder, nas mãos do Messias, o Filho de Davi; a paz deve prevalecer e a terra deverá ser cheia do conhecimento e da glória do Senhor como as águas cobrem o mar; a casa de Davi deve ser restabelecida, e Israel, restaurado ao favor divino, deve se tornar o centro de refrigério e de bênçãos para todas as nações da terra; a glória do Senhor deve ser revelada em Sião, e o trono do Messias estabelecido aqui — tal é o testemunho concorrente de todos os profetas. Em vão seria asseverar

CRISTOLOGIA

que o reino tenha sempre assumido tal forma. Mas sabemos que isto não acontece. O Rei foi rejeitado e crucificado. E isto também, assim como o julgamento irresistível que viria sobre Israel em conseqüência deste pecado entronizado, havia sido predito pelos profetas hebreus. Os filhos de Israel, durante esses longos séculos se estenderam, visto que a rejeição de Cristo foi profetizada a respeito deles, "sem rei, e sem príncipe, e sem sacrifício, e sem coluna, e sem éfode ou terafins" (Os 3.4). Este povo privado em seu afastamento de Deus, caprichoso e aborrecido, tem demonstrado e justificado a aplicação literal desta profecia; e ainda a profecia, sem uma interrupção, continua – "Depois tornarão os filhos de Israel, e buscarão ao Senhor, seu Deus, e a Davi, seu rei; e com temor chegarão nos últimos dias ao Senhor, e à sua bondade" (Os 3.5). Por qual princípio de interpretação justa somos permitidos fazer uma aplicação literal do versículo 4 e negar a força literal do versículo 5? É que este longo afastamento de Israel para longe de Deus tem justificado uma e extinguido toda a esperança da outra? Se o afastamento de Israel é um fato literal, por que deveria ser pensada uma coisa incrível que Deus os restaurará novamente ao Seu favor? E se Deus restaura Israel, por que deveria ser pensada uma coisa incrível de que o reino será estabelecido na forma que os profetas predisseram? Todos os crentes na Bíblia admitirão que Jesus veio ao mundo para estabelecer um reino. Ele era Rei nascido de judeus, e – como a genealogia prova de maneira conclusiva – Ele era o herdeiro legal do trono de Davi, e ainda o é. Do caráter e da constituição do Seu reino uma verdadeira concepção não pode ser imaginada a partir de uma especulação, nem derivada de qualquer fonte além de uma retribuição sadia e uma interpretação estrita da Escritura. A forma primitiva do reino, quaisquer que sejam as modificações existentes, ou não, tem sido feita subseqüentemente, e foi um reino aqui na terra, durante a continuação daquilo que a lei deveria "vir de Sião, e de Jerusalém a palavra do Senhor" (Mq 4.2). O reino, de acordo com o testemunho unânime dos profetas, deve ser estabelecido aqui na terra, com Jerusalém como cidade capital do reino, e o Messias que reina do trono de Davi sobre o Israel restaurado, e através de Israel que estende seu domínio aos confins da terra. Este é o campo de visão do profeta, e não há uma sombra de sugestão de que a rejeição e morte do Rei – ambas pré-conhecidas e preditas – deveriam resultar numa mudança orgânica do reino, ou modificar de qualquer modo a concepção do profeta. A fórmula definitiva do reino deverá ser proporcional e harmoniosa com a sua forma primitiva. A evidência disto é dada pelo profeta Miquéias, que diz: "...ferirão com a vara no queixo ao juiz de Israel" – isto prediz a rejeição do Rei – "mas – o profeta continua – tu, Belém Efrata, posto que pequena entre os milhares de Judá, de ti é que me sairá aquele que há de reinar em Israel" (Mq 5.2).[79]

E esta última afirmação, que é a verdade, a saber, que a norma do reino como pactuada por Jeová com um juramento, é sua forma definitiva sobre a terra. Mas a esperteza hermenêutica, que pode começar com um pacto a respeito de um trono terrestre, um reino eterno ou sem reconhecimento de tal pacto, e emerge no final com um mero idealismo fictício a respeito de uma autoridade espiritual sobre os homens, é emprestada – se na verdade está preocupada com as Escrituras – do fato da autoridade maior de Deus sobre o seu universo, a saber, o reino de Deus. Tudo isto é apenas o resíduo da teoria de Whitby, cuja crença tem tristemente ignorado os ensinos exatos da Bíblia e, por fazer assim, tem se tornado o progenitor do liberalismo moderno com seu disfarce como o mensageiro de Deus. A acusação é contra aqueles que não tentam uma exposição do Texto Sagrado e que apresentam opiniões humanas, mais ou menos etéreas, a respeito do propósito de Deus nas eras futuras.

II. Suas Várias Formas

Visto que o reino do céu é uma regra de Deus na terra por todas as eras, ele pode ser identificado em várias formas. Estas são agora analisadas aqui.

1. Os Juízes. Conquanto Deus tenha guiado os afazeres dos homens desde o princípio, não há um método estabelecido de Seu governo sobre uma nação até o período dos juízes. Antes desse tempo, uma ditadura temporária foi estabelecida sob Moisés e ela continuou com Josué. O governo divino sob os juízes é definitivamente devido a Deus, ao tempo em que aquele período termina. Jeová disse a Samuel: "Ouve a voz do povo em tudo quanto te dizem, pois não é a ti que têm rejeitado, porém a mim, para que eu não reine sobre eles" (1 Sm 8.7; cf. Jz 2.16, 18; At 13.20). Assim, também, de acordo com Isaías, o método original de administrar o governo teocrático será ainda restaurado. Isaías declara: "E restituirei os teus juízes, como eram dantes, e os teus conselheiros, como no princípio; então, serás chamada cidade de justiça, cidade fiel" (Is 1.26). O governo dos juízes, por ser o governo de Jeová sobre Israel, é uma forma do reino do céu.

2. O Reino e o Pacto Davídico. Embora Saul tenha servido como rei sobre Israel por um longo período, ele falhou e o seu reino foi evidentemente uma educação do povo em preparação para o verdadeiro exercício da autoridade divina através de Davi. O reinado de Davi era peculiarmente um empreendimento divino, porque ele teve em vista como um padrão a forma final daquele reino davídico. Ele serviu o seu grande propósito, entretanto, como o ponto de partida para tudo o que está inerente no pacto de Jeová com Davi. Na verdade esse é o começo do grande progresso da predição a respeito do reino do céu.

3. O Reino Predito. É significativo que os profetas do Antigo Testamento falaram principalmente durante um período comparativamente breve. Este foi

CRISTOLOGIA

o tempo em que Israel abordava e entrava na dispersão nacional sob a mão disciplinadora de Deus. Foi na hora mais escura da história da nação deles que esses videntes, como se por contraste, apontaram a luz inaudita da glória vindoura da nação. Este consenso da visão profética nunca teve uma aparência de cumprimento; todavia, a nação é ainda divinamente preservada, e assim, evidentemente, com esta perfeição em vista (Jr 31.35-37; Mt 24.32-34).

Alguns dos profetas falaram antes e outros durante o exílio, enquanto alguns falaram após o exílio, quando um remanescente, mas não a nação, tinha voltado à sua terra. Conquanto tivessem falado com um propósito e um estilo individual, eles foram unidos como se fossem uma só voz em certos grandes temas. Eles condenaram o pecado da nação e predisseram o castigo que viria. Eles viram os julgamentos a respeito da queda das nações circunvizinhas, mas esses julgamentos dos gentios estão em vista somente quando eles estão relacionados a Israel. Acima de tudo, eles viram as suas próprias bênçãos futuras, a forma e a maneira das quais são exatamente descritas por eles como entendidas indevidamente. As profecias deles se expandiram em detalhes magnificentes e o reino pactuado do Filho de Davi sobre a casa de Jacó para sempre. Ao estudar essas passagens, raramente precisamos de um comentário se as afirmações são tomadas das muitas que foram faladas por todos os profetas a respeito da vinda do Rei e do reino, e desses textos será visto que o governo de Emanuel existiria:

A. PARA SER TEOCRÁTICO. O Rei será "Emanuel... Deus conosco", porque Ele é por nascimento humano um herdeiro do trono de Davi e nascido de uma virgem em Belém.

Primeiramente, o Rei será "Emanuel... Deus conosco": "Portanto o Senhor mesmo vos dará um sinal: eis que uma virgem conceberá, e dará à luz um filho, e será o seu nome Emanuel" (Is 7.14). "Ora, tudo isso aconteceu para que se cumprisse o que fora dito da parte do Senhor pelo profeta: Eis que a virgem conceberá e dará à luz um filho, o qual será chamado EMANUEL, que traduzido é: Deus conosco" (Mt 1.22,23).

Segundo, o Rei será herdeiro do trono de Davi: "Então brotará um rebento do tronco de Jessé, e das suas raízes um renovo frutificará. E repousará sobre ele o Espírito do Senhor, o espírito de sabedoria e de entendimento, o espírito de conselho e de fortaleza, o espírito de conhecimento e de temor do Senhor. E deleitar-se-á no temor do Senhor; e não julgará segundo a vista dos seus olhos, nem decidirá segundo o ouvir dos seus ouvidos; mas julgará com justiça os pobres, e decidirá com equidade em defesa dos mansos da terra; e ferirá a terra com a vara de sua boca, e com o sopro dos seus lábios matará o ímpio. A justiça será o cinto dos seus lombos, e a fidelidade o cinto dos seus rins" (Is 11.1-5). "Eis que vêm dias, diz o Senhor, em que levantarei a Davi um Renovo justo; e, sendo rei, reinará e procederá sabiamente, executando o juízo e a justiça na terra" (Jr 23.5). " Suscitarei para elas um só pastor, e ele as apascentará; o meu servo Davi é que as apascentará; ele lhes servirá de pastor" (Ez 34.23). "Também meu servo Davi reinará sobre eles, e todos eles terão um pastor só; andarão nos meus juízos, e guardarão os meus estatutos, e os observarão" (Ez 37.24). "Pois os filhos de Israel ficarão por muitos dias sem rei, sem príncipe, sem coluna, sem éfode ou terafins. Depois tornarão os filhos de Israel, e buscarão ao Senhor, seu Deus, e a Davi, seu rei; e com temor chegarão nos últimos dias ao Senhor, e à sua bondade" (Os 3.4, 5).

Terceiro, o Rei era para ser nascido de uma virgem em Belém: "Eis que uma virgem conceberá, e dará à luz um filho, e será o seu nome Emanuel" (Is 7.14). "Mas tu, Belém Efrata, posto que pequena entre os milhares de Judá, de ti é que me sairá aquele que há de reinar em Israel, e cujas saídas são desde os tempos antigos, desde os dias da eternidade" (Mq 5.2).

B. Para ser celestial em caráter. "E ele julgará as nações, e repreenderá a muitos povos; e estes converterão as suas espadas em relhas de arado, e as suas lanças em foices; uma nação não levantará espada contra outra nação, nem aprenderão mais a guerra" (Is 2.4). "Mas julgará com justiça os pobres, e decidirá com equidade em defesa dos mansos da terra; e ferirá a terra com a vara de sua boca, e com o sopro dos seus lábios matará o ímpio. A justiça será o cinto dos seus lombos, e a fidelidade o cinto dos seus rins" (Is 11.4,5). "Eis que vêm os dias, diz o Senhor, em que cumprirei a boa palavra que falei acerca da casa de Israel e acerca da casa de Judá. Naqueles dias e naquele tempo farei que brote a Davi um Renovo de justiça; ele executará juízo e justiça na terra. Naqueles dias, Judá será salvo e Jerusalém habitará em segurança; e este é o nome que lhe chamarão: O Senhor é nossa justiça. Pois assim diz o Senhor: Nunca faltará a Davi varão que se assente sobre o trono da casa de Israel" (Jr 33.14-17). "Naquele dia farei por eles aliança com as feras do campo, e com as aves do céu, e com os répteis da terra; e da terra tirarei o arco, e a espada, e a guerra, e os farei deitar em segurança" (Os 2.18).

C. Para ser em Jerusalém e mundial. Primeiramente, o reino de Emanuel será na terra: "Pede-me e eu te darei as nações por herança, e as extremidades da terra por possessão" (Sl 2.8). "Não se fará mal nem dano algum em todo o meu santo monte; porque a terra se encherá do conhecimento do Senhor, como as águas cobrem o mar" (Is 11.9). "Não desanimará, nem se quebrará até que ponha na terra o direito; e as terras do mar aguardarão a sua doutrina" (Is 42.4). "Eis que vêm dias, diz o Senhor, em que levantarei a Davi um Renovo Justo; e, sendo rei, reinará e procederá sabiamente, executando o juízo e a justiça na terra" (Jr 23.5); "E o Senhor será rei sobre toda a terra; naquele dia um será o Senhor, e um será o seu nome" (Zc 14.9).

Segundo, o reino de Emanuel será centrado em Jerusalém:

"A visão que teve Isaías, filho de Amoz, a respeito de Judá e de Jerusalém. Acontecerá nos últimos dias que se firmará o monte da casa do Senhor; será estabelecido como o mais alto dos montes e se elevará por cima dos outeiros; e concorrerão a ele todas as nações. Irão muitos povos, e dirão: Vinde, e subamos ao monte do Senhor, à casa do Deus de Jacó, para que nos ensine os seus caminhos, e andemos nas suas veredas; porque de Sião sairá a lei, e de Jerusalém a palavra do Senhor" (Is 2.1-3). "Por amor de Sião me calarei, e por amor de Jerusalém não descansarei, até que saia a sua justiça como um resplendor, e a sua salvação como uma tocha acesa. E as nações verão a tua justiça, e todos os reis a tua glória; e chamar-te-ão por um nome novo, que a boca do Senhor designará. Também serás uma coroa de adorno na mão do Senhor, e um diadema real na mão do teu Deus. Nunca mais te chamarão: Desamparada, nem a tua terra se denominará Desolada; mas chamar-te-ão Hefzibá, e à tua terra Beulá; porque o Senhor se agrada de ti; e a tua terra se casará. Pois como o mancebo se casa com a donzela, assim teus filhos se casarão contigo; e, como o noivo se alegra da noiva, assim se alegrará de ti o teu Deus. Ó Jerusalém, sobre os teus muros pus atalaias, que não se calarão nem de dia, nem de noite; ó vós, os que fazeis lembrar ao Senhor, não descanseis, e não lhe deis a ele descanso até que estabeleça Jerusalém e a ponha por objeto de louvor na terra" (Is 62.1-7); "Assim diz o Senhor dos exércitos: Ainda sucederá que virão povos, e os habitantes de muitas cidades; e os habitantes de uma cidade irão à outra, dizendo: Vamos depressa suplicar o favor do Senhor, e buscar o Senhor dos exércitos; eu também irei. Assim virão muitos povos, e poderosas nações, buscar em Jerusalém o Senhor dos exércitos, e suplicar a bênção do Senhor. Assim diz o Senhor dos exércitos: Naquele dia sucederá que dez homens, de nações de todas as línguas, pegarão na orla das vestes de um judeu, dizendo: Iremos convosco, porque temos ouvido que Deus está convosco" (Zc 8.20-23). "E Jerusalém será pisada pelos gentios, até que os tempos destes se completem" (Lc 21.24).

Terceiro, o reino de Emanuel será sobre o Israel reajuntado e convertido:

"O Senhor teu Deus te fará voltar do teu cativeiro, e se compadecerá de ti, e tornará a ajuntar-te dentre todos os povos entre os quais te houver espalhado o Senhor teu Deus. Ainda que o teu desterro tenha sido para a extremidade do céu, desde ali te ajuntará o Senhor teu Deus, e dali te tomará; E o Senhor teu Deus te trará à terra que teus pais possuíram, e a possuirás; e te fará bem, e te multiplicará mais do que a teus pais. Também o Senhor teu Deus circuncidará o teu coração, e o coração da tua descendência, a fim de que ames ao Senhor teu Deus de todo o teu coração e de toda a tua alma, para que vivas" (Dt 30.3-6); "Naquele dia o Senhor tornará a estender a sua mão para adquirir outra vez o resto do seu povo, que for deixado, da Assíria, do Egito, de Patros, da Etiópia, de Elão, de Sinar, de Hamate, e das ilhas do mar. Levantará um pendão entre as nações e ajuntará os desterrados de Israel, e os dispersos de Judá congregará desde os quatro confins da terra" (Is 11.11, 12). "Pois o Senhor se compadecerá de Jacó, e ainda escolherá a Israel e os porá na sua própria terra; e ajuntar-se-ão com eles os estrangeiros, e se apegarão à casa de Jacó. E os povos os receberão, e os levarão aos seus lugares; e a casa de Israel os possuirá por servos e por servas, na terra do Senhor e cativarão aqueles que os cativaram, e dominarão os seus opressores" (Is 14.1, 2; cf. 60.1-22). "Nos seus dias Judá será salvo, e Israel habitará seguro; e este é o nome de que será chamado: O SENHOR JUSTIÇA NOSSA. Portanto, eis que vêm dias, diz o Senhor, em que

SUAS VÁRIAS FORMAS

nunca mais dirão: Vive o Senhor, que tirou os filhos de Israel da terra do Egito; mas: Vive o Senhor, que tirou e que trouxe a linhagem da casa de Israel da terra do norte, e de todas as terras para onde os tinha arrojado; e eles habitarão na sua terra" (Jr 23.6-8). "Eis que eu os congregarei de todos os países para onde os tenho lançado na minha ira, e no meu furor e na minha grande indignação; e os tornarei a trazer a este lugar, e farei que habitem nele seguramente. E eles serão o meu povo, e eu serei o seu Deus" (Jr 32.37, 38). "E farei voltar do cativeiro os exilados de Judá e de Israel, e os edificarei como ao princípio. E os purificarei de toda a iniqüidade do seu pecado contra mim; e perdoarei todas as suas iniqüidades, com que pecaram e transgrediram contra mim. E esta cidade me servirá de nome de gozo, de louvor e de glória, diante de todas as nações da terra que ouvirem de todo o bem que eu lhe faço; e espantar-se-ão e perturbar-se-ão por causa de todo o bem, e por causa de toda a paz que eu lhe dou" (Jr 33.7-9; cf. Ez 36.16-38). "Dize-lhes pois: Assim diz o Senhor Deus; Eis que eu tomarei os filhos de Israel dentre as nações para onde eles foram, e os congregarei de todos os lados, e os introduzirei na sua terra; e deles farei uma nação na terra, nos montes de Israel, e um rei será rei de todos eles; e nunca mais serão duas nações, nem de maneira alguma se dividirão para o futuro em dois reinos; nem se contaminarão mais com os seus ídolos, nem com as suas abominações nem com qualquer uma das suas transgressões; mas eu os livrarei de todas as suas apostasias com que pecaram, e os purificarei. Assim eles serão o meu povo, e eu serei o seu Deus. Também meu servo Davi reinará sobre eles, e todos eles terão um pastor só; andarão nos meus juízos, e guardarão os meus estatutos, e os observarão. Ainda habitarão na terra que dei a meu servo Jacó, na qual habitaram vossos pais; nela habitarão, eles e seus filhos, e os filhos de seus filhos, para sempre; e Davi, meu servo, será seu príncipe eternamente" (Ez 37.21-25). "Naquele dia, diz o Senhor, congregarei a que coxeava, e recolherei a que tinha sido expulsa, e a que eu afligi. E da que coxeava farei um resto, e da que tinha sido arrojada para longe, uma nação poderosa; e o Senhor reinará sobre eles no monte Sião, desde agora e para sempre. E a ti, ó torre do rebanho, outeiro da filha de Sião, a ti virá, sim, a ti virá o primeiro domínio, o reino da filha de Jerusalém" (Mq 4.6-8).

Quarto, o reino de Emanuel se estenderá às nações da terra:

"Todos os reis se prostrem perante ele; todas as nações o sirvam... Permaneça o seu nome eternamente; continue a sua fama enquanto o sol durar, e os homens sejam abençoados nele; todas as nações o chamem bem-aventurado" (Sl 72.11, 17). "Todas as nações que fizeste virão e se prostrarão diante de ti, Senhor, e glorificarão o teu nome" (Sl 86.9). "Eis que chamarás a uma nação que não conheces, e uma nação que nunca te conheceu a ti correrá, por amor do Senhor teu Deus, e do Santo de Israel; porque ele te glorificou" (Is 55.5). "Eu estava olhando nas minhas visões noturnas, e eis que vinha com as nuvens do céu um como Filho de homem; e dirigiu-se ao ancião de dias, e foi apresentado diante dele. E foi-lhe dado domínio, e glória, e um reino, para que todos os povos, nações e línguas o servissem; o seu domínio é um domínio eterno, que não passará, e o seu reino tal, que não será destruído" (Dn 7.13,14). "E irão muitas nações, e dirão: Vinde, e subamos ao monte do Senhor, e à casa do Deus de Jacó, para que nos ensine os seus caminhos, de sorte que andemos nas suas veredas; porque de Sião sairá a lei, e de Jerusalém a palavra do Senhor" (Mq 4.2). "Assim virão muitos povos, e poderosas nações, buscar em Jerusalém o Senhor dos exércitos, e suplicará a bênção do Senhor" (Zc 8.22). "Assim os plantarei na sua terra, e não serão mais arrancados da sua terra que lhes dei, diz o Senhor teu Deus" (Am 9.15).

D. PARA SER ESTABELECIDO NO RETORNO DO REI. "O Senhor teu Deus te fará voltar do teu cativeiro, e se compadecerá de ti, e tornará a ajuntar-te dentre todos os povos entre os quais te houver espalhado o Senhor teu Deus" (Dt 30.3). "O nosso Deus vem, e não guarda silêncio; diante dele há um fogo devorador, e grande tormenta ao seu redor. Ele intima os altos céus e a terra, para o julgamento do seu povo: congregai os meus santos, aqueles que fizeram comigo um pacto por meio de sacrifícios" (Sl 50.3-5). "Diante do Senhor, porque ele vem, porque vem julgar a terra: julgará o mundo com justiça e os povos com a sua fidelidade" (Sl 96.13). "Exulta, e alegra-te, ó filha de Sião; pois eis que venho, e habitarei no meio de ti, diz o Senhor. E naquele dia muitas nações se ajuntarão ao Senhor, e serão o meu povo; e habitarei no meio de ti, e saberás que o Senhor dos exércitos me enviou a ti. Então o Senhor possuirá a Judá como sua porção na terra santa, e ainda escolherá a Jerusalém. Cale-se, toda a carne, diante do Senhor; porque ele se levantou da sua santa morada" (Zc 2.10-13). "Eis que eu envio o meu mensageiro, e ele há de preparar o caminho diante de mim; e de repente virá ao seu templo o Senhor, a quem vós buscais, e o anjo do pacto, a quem vós desejais; eis que ele vem, diz o Senhor dos exércitos. Mas quem suportará o dia da sua vinda? E quem subsistirá, quando ele aparecer? Pois ele será como o fogo de fundidor e como o sabão de lavandeiros; assentar-se-á como fundidor e purificador de prata; e purificará os filhos de Levi, e os refinará como ouro e como prata, até que tragam ao Senhor ofertas em justiça. Então a oferta de Judá e de Jerusalém será agradável ao Senhor, como nos dias antigos, e como nos primeiros anos" (Ml 3.1-4).

E. PARA SER ESPIRITUAL. O reino não é incorpóreo ou separado daquilo que é material, mas ainda é espiritual no sentido em que a vontade de Deus será diretivamente eficaz em todos os assuntos de governo e de conduta. A alegria e a bem-aventurança da comunhão com Deus serão experimentadas por todos. O reino universal e temporal será conduzido em perfeita justiça e verdadeira santidade. O reino de Deus estará novamente "no meio" (Lc 17.21) na pessoa do Rei Messias e Ele governará em graça e poder do Espírito que tem sete manifestações (Is 11.2-5). Judá será salvo, e Israel habitará seguro, e as nações andarão na luz da cidade de Deus. "Sim, muitos povos e nações fortes virão para buscar o Senhor dos exércitos em Jerusalém, e para orar perante o Senhor". As árvores do campo baterão palmas em concordância com a alegria do homem.

Estas passagens, que podem ser multiplicadas muitas vezes, servem para esboçar a visão do profeta dos aspectos do reino terrestre do Messias que foi pactuado com Davi. Este reino sempre foi a única esperança de Israel e foi a consolação pela qual esperava quando Cristo nasceu (Lc 2.25).

4. O REINO OFERECIDO. Em seu tema principal, a divisão entre o Antigo e o Novo Testamento ocorre na cruz de Cristo, antes do que entre Malaquias e Mateus. Os evangelhos, na maior parte, portam as mesmas condições dispensacionais que estiveram em vigor quando Cristo nasceu. Especialmente isto é verdadeiro do evangelho de Mateus; Cristo ao ser apresentado nesse evangelho, primeiro de tudo, como um Rei com seu reino de uma maneira plena. O Espírito selecionou fielmente aqueles atos e ensinos de Cristo, a partir da completa manifestação que Ele fez na carne que O retrata no caráter dominante a ser refletido em cada evangelho. Em Mateus, Ele é apresentado como o Rei; em Marcos, como o Servo de Jeová; em Lucas, como o Homem perfeito; e em João, como o Filho de Deus. Em todas essas narrativas, esta pessoa age e ensina sob as mesmas condições que existiram por séculos antes da cruz.

Há alguma predição do que se seguiria na cruz, como há referência após a cruz ao que tinha acontecido antes. Qualquer coisa que tenha precedido a cruz, no seu princípio, entra sob essas condições ligadas com a lei e colorida por essa "lei [que] foi dada por Moisés", porque Jesus não somente sustentou Moisés como a autoridade para o tempo, mas também expandiu os seus ensinos. A grande divisão entre o Antigo e o Novo Testamento, portanto, reside no fato de que "a graça e a verdade vieram por meio de Jesus Cristo", e isto se tornou eficaz com a cruz de Cristo antes do que com o seu nascimento. Mateus inicia com uma ênfase sobre Cristo como o Filho de Davi: "Livro da genealogia [γένεσις – ancestral ou linha de descendência; cf. o termo parecido γενεά, em Mateus 24.34] de Jesus Cristo, filho de Davi, filho de Abraão". Embora neste evangelho, Jesus seja apresentado como "o filho de Abraão" em sua morte sacrificial, o propósito principal do escritor é apresentar o Rei da nação, por ser este o único ofício que é sempre atribuído a um primogênito "filho de Davi". O desenho do reino divinamente designado assim procede do Antigo para o Novo Testamento, sem uma mudança além do aparecimento do Rei longamente esperado, acompanhado por Seu precursor, cujo ministério predito havia ocupado as palavras finais da revelação do Antigo Testamento. Não há, então, uma interrupção na narrativa.

O fato de que Jesus era o Filho maior de Davi, o cumpridor de todas as bênçãos do reino da nação hebraica, não é baseado em opinião humana. Ele foi anunciado pelo anjo Gabriel antes do nascimento de Cristo, conforme o registro de Lucas 1.31-33: "Eis que conceberás e darás à luz um filho, ao qual porás o nome de JESUS. Este será grande e será chamado filho do Altíssimo; o Senhor Deus lhe dará o trono de Davi, seu pai; e reinará eternamente sobre a casa de Jacó, e o seu reino não terá fim". Isto trata distintamente do "trono de Davi"

CRISTOLOGIA

que reina sobre a "casa de Jacó", e proclama deste reino que "não terá fim". Nenhuma bênção aos gentios está em vista aqui; nenhuma necessidade de os gentios serem introduzidos aqui. As bênçãos aos gentios eventualmente fluirão desse trono, mas estas não estão em vista aqui; nem são elas ameaçadas por um reconhecimento fiel deste propósito distintamente judaico. A mesma coisa está claramente afirmada em Romanos 15.8: "Digo pois que Cristo foi feito ministro da circuncisão, por causa da verdade de Deus, para confirmar as promessas feitas aos pais".

Ele não veio para *cancelar* aquelas promessas, mas para *confirmá-las*. As promessas feitas aos pais são bem definidas; nenhuma promessa foi feita aos gentios. A terminologia "os pais" não pode significar outra coisa que não os homens escolhidos de Deus, ou Israel. Por estas promessas Israel deveria ser redimido e colocado em sua própria terra e que pelo Emanuel, que deveria ser o Profeta, o Sacerdote, e o Rei final. Ele deveria ser Rei sobre o reino do pacto. Estas promessas feitas aos pais eram a única esperança da nação, como está claramente indicado: "Cremos que ele haveria de ser o que haveria de redimir a Israel"; "Senhor, será este o tempo em que restaures o reino a Israel?" Em Cristo, então, o pacto do reino feito a Davi teve a sua confirmação, por ser uma das promessas feitas aos pais. Quão certamente esse pacto deve permanecer firme hoje! Está registrado de Jesus que Ele foi "nascido rei dos judeus" (Mt 2.2). A este trono Ele fez a alegação em seu julgamento (Mt 27.11). E sob esta acusação Ele sofreu (Mt 27.29) e morreu (Mt 27.37).

É necessário somente procurar nas Escrituras para descobrir o fato de que Ele nunca é mencionado como Rei da Igreja, nem mesmo Rei das nações até que Ele venha novamente como "REI DOS REIS, E SENHOR DOS SENHORES" (Ap 19.16). Ele cumpriu toda predição que descrevia o Messias Rei de Israel e sobre a maneira de sua vinda – no tempo quando todos os registros e genealogias estavam intactos. Ele veio da tribo de Judá, posicionado como o primogênito de Davi, nascido de uma virgem em Belém da Judéia. Essas alegações não poderiam ter sido feitas então por um impostor sem levantar uma oposição violenta dos dirigentes da nação. Sua alegação de ser Rei nunca foi desafiada, com respeito ao título em si mesmo. Ele satisfez cada predição a respeito do Rei Emanuel de Israel. Ele era esse Rei.

Quatro séculos antes do nascimento de Jesus, Malaquias tinha profetizado a vinda de um precursor, a fim de preparar o povo para o seu Rei: "Eis que eu vos enviarei o profeta Elias, antes que venha o grande e terrível dia do Senhor; e ele converterá o coração dos pais aos filhos, e o coração dos filhos a seus pais; para que eu não venha, e fira a terra com maldição" (Mq 4.5,6). Isto teve um cumprimento certo em João Batista, conforme o testemunho angelical novamente: "Mas o anjo lhe disse: Não temas, Zacarias; porque a tua oração foi ouvida, e Isabel, tua mulher, te dará à luz um filho, e lhe porás o nome de João; e terás alegria e regozijo, e muitos se alegrarão com o seu nascimento; porque ele será grande diante do Senhor; não beberá vinho, nem bebida forte; e será cheio do Espírito Santo já desde o ventre de sua mãe; converterá muitos dos filhos de

Israel ao Senhor seu Deus; irá adiante dele no espírito e poder de Elias, para converter os corações dos pais aos filhos, e os rebeldes à prudência dos justos, a fim de preparar para o Senhor um povo apercebido" (Lc 1.13-17).

Além do mais, outra reivindicação messiânica foi cumprida no ministério fiel de João, porque a primeira mensagem deste testemunho divinamente previsto está registrada assim: "Naqueles dias apareceu João, o Batista, pregando no deserto da Judéia, dizendo: Arrependei-vos, porque é chegado o reino dos céus" (Mt 3.1,2). Esta, também, foi a primeira mensagem registrada a respeito de Cristo: "Desde então começou Jesus a pregar, e a dizer: Arrependei-vos, porque é chegado o reino dos céus" (Mt 4.17). Assim, novamente, foi a única mensagem entregue a seus discípulos, quando Ele primeiramente os enviou a pregar: "A estes doze enviou Jesus, e ordenou-lhes, dizendo: Não ireis aos gentios, nem entrareis em cidade de samaritanos; mas ide antes às ovelhas perdidas da casa de Israel; e indo, pregai, dizendo: É chegado o reino dos céus" (Mt 10.5-7). Esta mensagem, está claro, não tinha uma aplicação aos gentios; os mensageiros deveriam ir somente "às ovelhas perdidas da casa de Israel".

Raramente passa despercebido que, enquanto cada detalhe sobre a maneira da viagem deles estava sujeito à instrução mais cuidadosa do Rei, não há um registro deles recebendo instruções sobre o significado desta primeira mensagem do reino que lhes foi entregue. Evidentemente eles não precisavam de tais instruções com respeito ao reino. Não tivesse a esperança do reino sido passada de pais a filhos por gerações, não lhes tivesse sido cantada no colo das mães, não seria a esperança nacional deles! Quanto mais em contraste a isto estava a incapacidade prolongada da parte daqueles mesmos discípulos de captar, mais tarde, a nova mensagem e a comissão mundial da cruz! Esta ênfase do testemunho de Jesus, de João, e dos discípulos sobre uma única mensagem, "o reino do céu próximo", coloca essa mensagem sob uma ênfase incomum, e o seu real significado deveria ser cuidadosamente considerado.

A frase "o reino do céu" é encontrada somente em Mateus, o evangelho do Rei, e ali ela aparece com tonalidades diferentes de significado. Somente uma dessas tonalidades de significado é usada nos capítulos 1 a 12 do primeiro evangelho. Aqui, ela parece se referir ao mesmo reino davídico terrestre com o que o Antigo Testamento havia terminado a sua profecia messiânica em Malaquias. Como foi observado, qualquer que tenha sido o significado do anúncio do Novo Testamento do "reino do céu", ficou claramente entendido pelos pregadores que primeiro proclamaram-no e por seus ouvintes. Nenhuma outra mensagem do reino poderia ter sido assim recebida pelo povo judeu daquela época. Assim, também, ela foi dirigida a uma nação, Israel, e a eles como um todo antes do que como indivíduos. Assim, "o reino do céu" como uma mensagem deve sempre ser distinta da mensagem do Evangelho da graça que veio em razão da cruz.

O Evangelho da graça nunca foi entendido por Israel, e, além do mais, ele é dirigido a todos os povos e a eles como indivíduos somente. A mensagem do "reino do céu" como apresentada por Mateus, portanto, teve um significado

CRISTOLOGIA

nacional e limitado; limitado no tempo de sua aplicação porque uma nova mensagem tinha vindo de Deus, e nacional porque por aquele tempo ela foi dirigida a Israel somente. A mensagem do "reino do céu" não diz respeito em si mesma à pessoa do Rei como tem a ver com o seu reino: "...o reino de Deus está dentro de vós" ("no meio de" Israel na pessoa do Rei: Lucas 17.21). Asseverar a iminência do reino era, para eles, garantir a iminência do Rei.

Esta mensagem do reino corresponde a outro aspecto, também, para as condições da profecia do Antigo Testamento sobre um governo. Deve haver uma grande volta do coração da nação, ou arrependimento, para com Deus como uma preparação imediata ao reino, como está claro no Antigo Testamento (Dt 30.1-3; Is 42.7; Os 3.4, 5; 14.7; Zc 12.10–13.1; Ml 3.7). O arrependimento, portanto, tornou-se uma parte imperativa da mensagem a respeito da iminência do reino. Assim, cada um dos mensageiros do reino convocou um arrependimento nacional. Uma "raça de víboras" deve "produzir frutos dignos de arrependimento". Eles devem voltar-se interiormente, no coração, como um pré-requisito para esta bênção pactuada do reino. Por graça, isto eles ainda vão fazer, "a seu tempo". Deve ser lamentado que este arrependimento nacional exigido de Israel tem sido tão erroneamente aplicado como um passo preliminar necessário para uma salvação individual pela graça.

Tão certa como a mensagem do "reino do céu" era consistente com a esperança nacional, assim, também, a regra devida apresenta neste contexto com esta mensagem, tanto por João quanto por Jesus, estava em harmonia com a norma de vida do reino apresentada pelo Antigo Testamento. O reino como previsto no Antigo Testamento teve sempre em vista a justeza na vida e na conduta de seus súditos (Is 11.3-5; 32.1; Jr 23.6; Dn 9.24). "O reino do céu" como anunciado e oferecido na primeira parte do evangelho de Mateus é também acompanhado de exigências positivas de justiça pessoal de vida e de conduta. Este não é o princípio da graça; é antes o princípio da lei. O ensino do reino se estende a detalhes mais refinados da lei de Moisés e nunca cessa de ser o oposto do princípio da graça. A lei condiciona suas bênçãos às obras humanas, e a graça condiciona suas obras às bênçãos divinas. A lei diz: "...perdoai... e vosso Pai celeste vos perdoará", e nessa medida somente (Mt 6.14,15), enquanto que a graça diz: "...perdoai uns aos outros, como Deus em Cristo vos perdoou" (Ef 4.32).

Assim, além disso, a lei diz: "Se a vossa justiça não exceder a dos escribas e fariseus, de modo nenhum entrareis no reino dos céus" (Mt 5.20). Esta não é a presente condição para a entrada no céu. As presentes condições estão totalmente baseadas na misericórdia: "...não em virtude das obras de justiça que nós houvéssemos feito, mas segundo a sua misericórdia, nos salvou" (Tt 3.5). Assim, a pregação de João Batista, igual ao Sermão do Monte, foi com base na lei, como o apelo que foi mostrado a ela, que era somente para uma vida reta e justa: "João dizia, pois, às multidões que saíam para ser batizadas por ele: Raça de víboras, quem vos ensinou a fugir da ira vindoura? Produzi, pois, frutos dignos de arrependimento; e não comeceis a dizer em vós mesmos: Temos por

SUAS VÁRIAS FORMAS

pai a Abraão; porque eu vos digo que até destas pedras Deus pode suscitar filhos a Abraão. Também já está posto o machado à raiz das árvores; toda árvore, pois, que não produz bom fruto, é cortada e lançada no fogo. Ao que lhe perguntavam as multidões: Que faremos, pois? Respondia-lhes então: Aquele que tem duas túnicas, reparta com o que não tem nenhuma, e aquele que tem alimentos, faça o mesmo. Chegaram também uns publicanos para serem batizados, e perguntaram-lhe: Mestre, que havemos nós de fazer? Respondeu-lhes ele: Não cobreis além daquilo que vos foi prescrito. Interrogaram-no também uns soldados: E nós, que faremos? Disse-lhes: A ninguém queirais extorquir coisa alguma; nem deis denúncia falsa; e contentai-vos com o vosso soldo" (Lc 3.7-14).

Isto, igual ao Sermão do Monte, é um apelo para uma vida reta e não pode ser confundido com os presentes termos da salvação sem anular as bases de toda esperança e promessa sob a graça. O presente apelo ao não-salvo não é feito para uma conduta melhor. Há orientações a respeito da conduta daqueles que são salvos pela confiança no Salvador; mas estas não podem ser misturadas com as condições da lei do Antigo, ou do Novo Testamento, sem trazer perigo para as almas. Mais tarde, as mesmas pessoas disseram a Cristo: "O que faremos para que possamos fazer as obras de Deus?" e a isto Ele respondeu: "Esta é a obra de Deus, que creais naquele a quem ele enviou" (Jo 6.28, 29). João Batista olhou em direção das bênçãos da graça, quando disse: "Eis o Cordeiro de Deus, que tira o pecado do mundo"; mas as suas exigências imediatas estavam em conformidade com a pura lei, como foram os primeiros ensinos de Jesus.

Assim, os princípios legais de conduta do Antigo Testamento preditos no reino são direcionados às revelações do mesmo reino, como assim aparece no Novo Testamento. A divisão correta da Escritura não destrói a utilidade destas passagens legais para hoje, mas plenamente classificam-nas com outros textos relativos ao reino, tanto no Antigo quanto no Novo Testamento. Há muitos elementos neste conjunto de textos que indicam o modo de vida requerido no reino que serão igualmente encontrados sob o andar consistente debaixo da graça; mas qualquer coisa que seja transportada para ser o princípio governante de vida sob a graça é ali reafirmado em seu próprio lugar e com a sua própria nova ênfase. Assim, os dois sistemas amplamente diferentes devem ser mantidos como coisas distintas na mente do estudante fiel da Palavra de Deus.

Deveria ser mantido em mente que as exigências legais do reino afirmadas no Sermão do Monte são para preparar o caminho e condicionar a vida para o reino davídico messiânico, quando ele for estabelecido sobre a terra, e quando for o verdadeiro tempo para se fazer a oração do reino: "Venha o teu reino. Seja feita a tua vontade, assim na terra como nos céus" e ela seja respondida. Estas ênfases do reino aparecem no começo do ministério de Jesus, visto que Ele, naquele tempo, fielmente ofereceu o reino messiânico a Israel.

Tem sido objetado que tais estipulações como "Aquele que te bater numa face oferece também a outra"; "Quem te obrigar a andar uma milha, vai com ele duas"; e "perseguidos por causa da justiça", não poderiam ser possíveis no reino.

Este desafio pode estar baseado na suposição de que o reino messiânico terreno deve ser tão moralmente perfeito quanto o céu. Ao contrário, as Escrituras abundantemente testificam que, conquanto haverá menos oportunidade para o pecado, pela razão suficiente de que Satanás estará preso e que o Rei glorioso estará sobre o trono, haverá a necessidade de uma execução imediata do juízo e da justiça na terra, e o próprio Rei governará necessariamente com "cetro de ferro". É dito que "todo Israel será salvo" e "que eles me conhecerão, desde o menor deles até o maior", mas está também revelado que no final do milênio, quando Satanás for solto por um pouco de tempo, ele ainda será capaz de conquistar a lealdade dos corações humanos e arrastar multidões para um exército, a fim de se rebelar contra o governo do Rei (Ap 20.7-9).

Nessa era do reino, "o pecador tendo cem anos será amaldiçoado" (Is 65.20). Os santos dessa era sem dúvida terão o céu diante dos seus olhos e estarão à procura de sua recompensa. E eles serão o "sal da terra". Estas ordens e princípios do reino foram dados a Israel somente e é a mesma nação distinta que permanecerá primeiro em seu reino predito, quando ele for estabelecido na terra. Jesus foi primeiro "um ministro da circuncisão"; conseqüentemente, é uma interpretação natural da Escritura entender que Ele realizava este ministério divinamente designado no próprio tempo quando oferecia o reino àquela nação e quando Ele, com seu precursor, descrevia os princípios de conduta que deveriam condicionar a vida nesse reino? Nada é perdido por tal interpretação; ao contrário, tudo é ganho, porque as riquezas da graça – que tristemente tão poucos apreendem – são mantidas puras e livres de uma mistura não escriturística com a lei do reino.

Pode ser concluído que o termo "o reino do céu" usado no começo do ministério de Jesus referia-se ao reino messiânico, davídico e terrestre, predito no Antigo Testamento. Como já foi observado, os pregadores judeus usados por Cristo não precisaram de instrução nos detalhes daquela mensagem. Ela era a esperança da nação deles, e ela foi dirigida àquela nação somente. Assim, também, foi feito um apelo com esta mensagem para o arrependimento nacional, que foi predito, e que deveria preceder o estabelecimento do reino deles na terra, e as exigências apresentadas eram legais, antes do que graciosas. O reino de Israel foi fielmente oferecido a eles pelo seu Rei em sua primeira vinda.

5. O REINO REJEITADO E POSPOSTO. A sugestão de que Deus protelou qualquer aspecto de Seu programa das eras gera objeção em algumas mentes, ao assumir que tal ação de Sua parte é indigna dele. A dificuldade é removida imediatamente quando se lembra que a posposição não foi uma reflexão tardia ou uma necessidade inesperada, mas foi em si mesma uma parte do plano original de Deus – isto é, com a finalidade de que uma era pudesse ser introduzida pois tinha sido mantida em segredo nos conselhos de Deus, para que o Messias pudesse ser crucificado e ressuscitado dos mortos, para ser o Redentor, de Israel e da Igreja, igualmente o Juiz de todas as coisas criadas, e para que a rejeição de Jeová da parte de Israel pudesse assumir a sua forma final e concreta, como aconteceu na morte de Cristo. O estabelecimento do reino do Messias, embora primeiro oferecido fielmente a Israel, foi posposto e agora aguarda o retorno do Messias para a sua realização.

A questão que apresenta dificuldade para alguns é como o reino poderia ter sido oferecido a Israel com sinceridade e, ainda o próprio Jeová soubesse que não seria aceito e que seria posposto. Era o propósito divino total na redenção ser expresso como incerto? Muita coisa foi escrita sobre este problema numa porção anterior desta obra teológica. É evidente que, como a presente dispensação era um segredo divino, não poderia ter sido revelado até que a rejeição de Jesus fosse consumada e também sua morte e ressurreição. Semelhantemente, há uma disposição natural de julgar a questão toda, que a posposição do reino cria somente do ponto de vista finito. Qualquer coisa que ocorra usualmente é direta ou indiretamente devido à ação na vontade livre do homem; portanto, é natural supor que Deus está, de algum modo, sujeito à determinação humana, não se percebendo que Deus não somente conhece de antemão a escolha que Suas criaturas farão, como Ele próprio é capaz de operar nelas tanto o querer quanto o fazer, segundo a Sua boa vontade.

As Escrituras apresentam muitos incidentes que revelam o fato de que a vontade de Deus é executada por homens, mesmo quando eles não têm uma intenção consciente de fazer a vontade de Deus. Dentro da própria esfera de reconhecimento deles, eles agem em perfeita liberdade. Com referência a outras situações em que o propósito soberano de Deus parece depender por algum tempo da ação da vontade livre do homem, deverá ser lembrado que Deus ordenou um Cordeiro antes da fundação do mundo e para que o Cordeiro fosse morto no tempo e do modo designado por Deus. Está muito claro que Deus predisse o pecado do homem e a sua grande necessidade de redenção. Deus, contudo, disse a Adão para que *não* pecasse; todavia, se Adão não tivesse pecado não teria havido uma necessidade de que a redenção que Deus havia determinado fosse operada. Estava Deus incerto de que Ele pouparia a vida sobre a terra até que Noé consentisse construir a arca? Era a nação de Israel uma questão da dúvida divina até que Abraão manifestasse seu desejo de andar com Deus? Era o nascimento de Cristo uma dubiedade até que Maria assentisse ao plano divino e aceitasse ser mãe do Salvador? É Deus censurável por determinar que Cristo fosse nascido da virgem Maria, antes dela própria ser nascida? É a virgem Maria privada de sua própria volição, por causa da escolha soberana de Deus para ela ser a mãe de Jesus? Esteve a morte de Cristo em perigo de ser abortada e de todos os tipos e profecias a respeito de sua morte serem consideradas como inverossímeis, até Pilatos fazer sua decisão com respeito àquela morte?

De todas essas proposições, que poderiam ser indefinidamente multiplicadas, pode ser visto que nas maiores questões do tempo e da eternidade – tudo predeterminado antes da fundação do mundo – Deus realizou os seus propósitos no homem e por meio dele – freqüentemente insensível à vontade de Deus – que, no que diz respeito à determinação humana, poderia ter frustrado

CRISTOLOGIA

todo o programa divino pela ação de seu livre-arbítrio. Poderia Deus prometer um reino sobre a terra, ciente que ele seria rejeitado no primeiro advento, mas realizado no segundo advento? Poderia Deus oferecer um reino no primeiro advento muito sinceramente, ciente que ele não seria estabelecido até o segundo advento? Afinal de contas, o que constitui a sinceridade divina sob tais circunstâncias? Quem está na posição de medir, do lado divino, o que faz parte do aparente conflito entre a soberania divina e a vontade livre do homem?

Perguntar o que aconteceria ao plano divino a respeito da morte de Cristo e desta era toda se os judeus tivessem aceito a oferta do reino, é equivalente a perguntar: O que teria acontecido ao propósito de Deus na redenção através do divino Cordeiro morto, se Adão não tivesse pecado? Além de todas essas correntes secundárias confusas de determinações, está o simples fato da revelação que afirma que o reino foi oferecido, como foi predito, que seria oferecido pelo precursor do Messias, e que foi rejeitado, foi posposto até que o valor imediato da morte e ressurreição de Cristo visto no chamamento da Igreja pudesse se tornar eficaz. Neste contexto será enfatizado excessivamente que, no que diz respeito à visão harmonizada dos profetas do Antigo Testamento, não havia no programa para Israel, como predito, uma separação entre os dois adventos. Mas para a intercalação da Igreja – que foi totalmente imprevista e totalmente sem relação com qualquer propósito divino que a preceda ou que a siga – seria esperado que Israel passasse diretamente da crucificação para o seu reino; porque não foi a morte de Cristo ou sua ressurreição que exigiu a posição, mas, antes, uma era não-prevista.

Não deveria requerer um esforço para observar que o reconhecimento desta era – totalmente imprevista, totalmente sem relação, e em si mesma uma intercalação estrita – é a chave para o entendimento do programa total de Deus nas eras, e sem essa chave somente pode resultar em confusão. Não é reivindicado que muitas verdades espirituais não podem ser retiradas da vida e morte de Cristo por aqueles que não se preocupam com os problemas mais profundos de interpretação; é alegado, contudo, que as questões vitais do propósito divino, até ter sido revelada e a apreensão clara das doutrinas envolvidas, depende do reconhecimento da verdade que constitui a chave acima mencionada. Ela não exige estudo profundo para observar que o reino terrestre, messiânico e davídico foi oferecido por João Batista, por Cristo, e por seus discípulos, que foi rejeitado a ponto do assassinato de João Batista e da crucificação do Rei, e que não foi estabelecido em conexão com o primeiro advento, nem está estabelecido na presente era. Não obstante, todo pacto feito por Jeová ainda será consumado, Seu reino virá, e Sua ordem será cumprida sobre a terra como é realizada no céu.

6. A PRESENTE FORMA. Como foi anteriormente definido, visto que o reino do céu é o governo de Deus na terra, segue-se que ele está agora presente ao grau em que Ele exerce autoridade sobre os afazeres do *cosmos*. Seguramente, Deus não executa ao mesmo tempo um programa judaico preanunciado, nem Ele estende a bênção judaica aos gentios; antes, Ele chama um povo celestial dentre judeus e gentios em termos de privilégios iguais e para alturas de glória nunca dantes estendidas a quaisquer pessoas nas eras passadas. Em tais empreendimentos sem precedentes e importantes, Deus, necessariamente, deve governar os afazeres dos homens num grau extenso. Este presente exercício da autoridade divina é chamado "o mistério do reino do céu" (cf. Mt 13.11). Um *mistério* do Novo Testamento é um propósito de Deus até então não revelado. Portanto, segue-se que a autoridade direta de Deus é agora exercida na realização dos aspectos desta era que são chamados *mistérios*.

Sobre a Igreja e sua relação com os mistérios do Novo Testamento, o Dr. Rollin Thomas Chafer escreveu: "A Igreja não aparece no Antigo Testamento. Como alguma coisa nova na provisão de Deus para judeus e gentios, a verdadeira Igreja e algumas de suas características singulares são mencionadas por Paulo como *mistérios*. Esses mistérios foram retidos dos santos do Antigo Testamento, mas são livremente revelados aos crentes do Novo Testamento; conseqüentemente, a Igreja não é encontrada no Antigo Testamento. Esses mistérios incluem a Igreja em si mesma, seu Cabeça, sua mensagem de graça, o Corpo de Cristo como um organismo composto de salvos judeus e gentios, habitado por Cristo como a esperança da glória, seu ministério controlado pelo próprio Senhor, sua remoção final do cenário da terra pela ressurreição e transformação, e seu casamento como a Noiva do Cordeiro. Não há qualquer sugestão destas coisas, que aparecem no Antigo Testamento. Ao contrário, este é o grupo étnico de que o Senhor falou quando disse: 'Eu edificarei a minha igreja', e um cumprimento que era ainda futuro ao tempo do seu anúncio. Nunca a Escritura a confunde com Israel – passado, presente ou futuro".[80]

Em cada um desses mistérios que o Dr. R. T. Chafer enumera – a Igreja em si mesma, seu Cabeça, sua mensagem de graça, o Corpo de Cristo um organismo habitado por Cristo como a esperança da glória do crente, seu ministério, sua remoção definitiva, e a aproximação do seu casamento com a Noiva do Cordeiro – deve ser observado que o começo dela, o seu progresso, e a sua consumação são totalmente operados por Deus. Nisto Ele exerce o seu controle soberano. Assim, os "mistérios do reino do céu" representam a esfera presente da autoridade divina. É verdade que, com a finalidade de que eles possam cooperar em seu propósito primário, Deus está em autoridade sobre os governos e todos os afazeres dos homens, tanto coletiva quanto individualmente; mas o objetivo divino é o reino em sua forma de mistério. Quando a Igreja for completada e removida desta terra, todo aspecto secundário da autoridade divina automaticamente chegará ao seu término também. Em outras palavras, a Igreja não espera por alguma crise que alcance a esfera dos governos humanos, mas, ao invés disso, os governos estarão desorganizados, até que o propósito divino na Igreja venha a ser consumado.

O caráter moral desta era de mistério em seu começo, igual ao seu fim e ao seu desenvolvimento moral, está claramente apresentado no Novo Testamento. Bem no começo os autores inspirados falaram dela como uma era má: "Que deu-se a si mesmo pelos nossos pecados, para nos livrar do presente

CRISTOLOGIA

século [*era*] mau" (Gl 1.4); "e não vos conformeis com este século" (ou *era* – Rm 12.2); "pois Demas me abandonou, tendo amado o presente século (ou *era*, 2 Tm 4.10); "em que o deus deste mundo [ou *era*] cegou os entendimentos daqueles que não crêem" (2 Co 4.4). Assim, a Igreja foi plenamente advertida desde o princípio a respeito da natureza desta era, e ensinada a respeito do seu caráter peregrino aqui e a sua chamada santa e o fato de ser separada desta "era má".

Uma porção do tempo durante o qual Israel estava para ser disperso e privado da bênção nacional tinha sido divinamente explicada pela revelação das "setenta semanas" dadas a Daniel. O fato e o propósito da presente era não foram mencionados nesta revelação; conseqüentemente, houve necessidade de que este segredo sacro devesse ser revelado, quando o seu tempo chegasse plenamente. Isto Jesus faz nas sete parábolas de Mateus 13, o que é sempre o método de Deus dar uma previsão de todos os seus grandes propósitos e empreendimentos. O curso e o desenvolvimento moral desta era são divinamente apresentados nestas parábolas. Três aspectos distintos ou elementos desta era devem ser vistos nestas sete parábolas, enquanto cada uma das três, em outro lugar, é dita ser consumada por um só e o mesmo evento. Estes devem ser notados e a única conclusão que eles têm é o retorno de Cristo.

(1) A cegueira de Israel, mencionada em Romanos 11.25, é seguida pela promessa: "E assim todo o Israel será salvo, como está escrito: Virá de Sião o Libertador, e desviará de Jacó as impiedades; e este será o meu pacto com eles, quando eu tirar os seus pecados" (Rm 11.26, 27).

(2) A carreira do "homem do pecado", que é dita ser a consumação do "mistério da iniqüidade", é terminada assim: "a quem o Senhor Jesus matará com o sopro da sua boca e destruirá com a manifestação da sua vinda" (2 Ts 2.8).

(3) Assim, também, está escrito a respeito do complemento do chamamento da Igreja: "Após isto eu retornarei" (At 15.13-18). Estes grandes segredos sacros, será ainda observado, constituem os verdadeiros elementos nas parábolas que definem o caráter e o objeto dessa era.

Na primeira das parábolas o semeador saiu para semear, mas somente uma quarta parte (nenhuma referência, naturalmente, a uma base de porcentagem) da semente vem ao seu pleno desenvolvimento. A parábola é interpretada por Cristo e assim não permite especulação: "Ouvi, pois, vós a parábola do semeador. A todo o que ouve a palavra do reino e não a entende, vem o maligno e arrebata o que lhe foi semeado no coração; este é o que foi semeado à beira do caminho. E o que foi semeado nos lugares pedregosos, este é o que ouve a palavra, e logo a recebe com alegria; mas não tem raiz em si mesmo, antes é de pouca duração; e sobrevindo a angústia e a perseguição causada pela palavra, logo se escandaliza. E o que foi semeado entre os espinhos, este é o que ouve a palavra; mas os cuidados deste mundo e a sedução das riquezas sufocam a palavra, e ela fica infrutífera. Mas o que foi semeado em boa terra, este é o que ouve a palavra, e a entende; e dá fruto, e um produz cem, outro sessenta, e outro trinta" (Mt 13.18-23).

De pleno acordo com a experiência durante os quase vinte séculos passados da história cristã, a parábola ensina que uma grande porção daqueles a quem a Palavra é pregada não é composta de salvos por ela; e a fim de que não possa ser concluído pelos Seus ouvintes que, conquanto esta foi, a condição no começo da era não deveria ser assim até o final, a segunda parábola, a do trigo e do joio, a segue imediatamente. Esta, igual à primeira, é interpretada pelo próprio Cristo e o seu significado é deixado claro: "E ele, respondendo, disse: O que semeia a boa semente é o Filho do homem; o campo é o mundo; a boa semente são os filhos do reino; o joio são os filhos do maligno; o inimigo que o semeou é o diabo; a ceifa é o fim do mundo [ou *era*]; e os ceifeiros são os anjos. Pois assim como o joio é colhido e queimado no fogo, assim será no fim do mundo [ou *era*]. Mandará o Filho do homem os seus anjos, e eles ajuntarão do seu reino todos os que servem de tropeço, e os que praticam a iniqüidade, e lançá-los-ão na fornalha de fogo; ali haverá choro e ranger de dentes. Então os justos resplandecerão como o sol, no reino de seu Pai. Quem tem ouvidos, ouça" (Mt 13.37-43).

Nesta parábola os nascidos de novo, os membros do Seu Corpo, são vistos como o "trigo" ou os "filhos de Deus" em meio a esfera total de profissão religiosa. É importante observar agora que a era termina de acordo com esta interpretação divina: "Assim será no fim deste mundo [ou *era*]". Certamente, isto não descreve um mundo regenerado. Ele claramente descreve um povo chamado com a plena colheita da iniqüidade na porção não-regenerada da humanidade. A terceira parábola não é interpretada, nem qualquer parábola é explicada posteriormente; mas tem sido revelado o suficiente por duas interpretações para o fornecimento de uma chave para tudo o que se segue. As parábolas todas apresentam aspectos do reino do céu numa forma de mistério que ela agora possui, e assim deve estar em sua mais plena harmonia.

Na terceira parábola, Cristo apresenta a verdade através da figura de uma semente de mostarda. Além disso, o testemunho da história e o ensino da parábola concordam. O pequeno começo nos dias primitivos da Igreja desenvolveu-se na devida proporção em meros membros e inclui toda a cristandade professante. A grande árvore agora abriga até os pássaros do ar. É significativo que os pássaros da primeira parábola são representados como os que levam a boa semente. Os verdadeiros salvos são ainda um "pequenino rebanho" comparado com a multidão de apoiadores da Igreja nominal.

A quarta parábola é a das três medidas de farinha que foram misturadas com fermento. Através de toda a Bíblia, o fermento simboliza o mal e Jesus definiu plenamente o Seu uso em outras ocasiões. Ele usou esta palavra para representar a doutrina má em seu grau de formalidade (Mt 23.14, 16, 23-28), incredulidade (Mt 22.23, 29; Mc 8.15), e mundanidade (Mt 22.16-21; Mc 3.6). Paulo usa a mesma palavra com referência à "malícia e impiedade" (1 Co 5.6-8). Seu processo de trabalhar é pela impregnação sutil da massa na qual ele é introduzido. Esta parábola, muito mal entendida, ensina, de acordo com as outras parábolas e todos os textos relacionados, aquilo que tem provado

CRISTOLOGIA

ser consoante com a experiência na história da era, a saber, que mesmo os verdadeiros crentes – e certamente o grande grupo de mestres – tristemente serão influenciados por estas várias formas de mal sutil. Não pode haver dúvida alguma de que isto tem sido verdadeiro do presente tempo.

A quinta parábola é evidentemente um ensino a respeito de Israel porque ele é Seu "tesouro" (Êx 19.5; Dt 14.2), todas as doze tribos, embora agora elas estejam escondidas no campo, que é o mundo – todos os lugares para onde a nação está espalhada. Quando Ele chamar o Seu "tesouro", será em virtude do fato de que Ele, como o Cordeiro de Deus, tirou os pecados do mundo, e os delas, inclusive. É-nos dito que Alguém vende tudo e compra aquele campo que contém o tesouro. O que Jeová pode fazer agora, ou obviamente em qualquer época em favor de qualquer povo, será por causa do valor expiatório do inestimável sangue de seu Filho como o preço de compra dos pecadores em necessidade de redenção. O Filho unigênito foi dado pelo mundo.

O mistério da Igreja, a pérola de grande preço, apresentado na sexta parábola, já foi considerado. Ela não está agora escondida no campo, isto é, o mundo; mas está formada ali e aguarda a sua glória nupcial quando, nas eras vindouras, ela exibirá Sua glória e graça. Ela, também, é redimida pelo mesmo custo inestimável como Israel (1 Pe 1.18, 19).

A última parábola reafirma o fato do desenvolvimento de dois grandes mistérios – o chamamento da Igreja e o mistério da iniqüidade – as duas coisas que coexistem no tempo do fim. Os peixes bons serão juntados em cestos e os maus serão lançados fora. "Assim será na consumação do século" [ou *era*]. Assim, os três grandes mistérios desta era-mistério (a cegueira de Israel, a formação da Igreja, e o aparecimento do homem da iniqüidade) foram relacionados nos ensinos de Jesus para o começo, o curso e o fim da presente era respectivamente.

Os seguintes textos da Escritura lançam mais luz sobre o pensamento e a expectativa de Cristo e dos apóstolos com respeito ao curso e fim desta era:

"Respondeu-lhes Jesus: Acautelai-vos, qué ninguém vos engane. Porque muitos virão em meu nome, dizendo: Eu sou o Cristo; e a muitos enganarão. E ouvireis falar de guerras e rumores de guerras; olhai não vos perturbeis; porque forçoso é que assim aconteça; mas ainda não é o fim. Porquanto se levantará nação contra nação, e reino contra reino; e haverá fome e terremotos em vários lugares. Mas todas essas coisas são o princípio das dores" (Mt 24.4-8). "Pois como foi nos dias de Noé, assim será também a vinda do Filho do homem" (Mt 24.37). "Fiz-me tudo para todos, para por todos os meios chegar a salvar alguns" (1 Co 9.22). "Mas o Espírito expressamente diz que em tempos posteriores alguns apostatarão da fé, dando ouvidos a espíritos enganadores, e a doutrinas de demônios" (1 Tm 4.1). "Sabe, porém, isto, que nos últimos dias sobrevirão tempos penosos" (2 Tm 3.1). "Mas os homens maus e impostores irão de mal a pior, enganando e sendo enganados" (2 Tm 3.13). "Porque virá tempo em que não suportarão a sã doutrina; mas, tendo grande desejo de ouvir coisas agradáveis, ajuntarão para si mestres segundo os seus próprios desejos, e não só desviarão os ouvidos da verdade, mas se voltarão às fábulas" (2 Tm 4.3, 4). "Sabendo primeiro isto, que nos últimos dias virão escarnecedores com zombaria, andando segundo as suas próprias concupiscências, e dizendo: Onde está a promessa da sua vinda? Porque desde que os pais dormiram, todas as coisas permanecem como desde o princípio da criação" (2 Pe 3.3, 4).

A isto pode ser acrescentado as outras parábolas de Jesus com respeito ao reino em sua forma de mistério e toda a história divinamente dada à Igreja da forma em que foi prevista em Apocalipse 2.1–3.22. Assim, também, a descrição mais detalhada das cenas do fim desta era como dada por Daniel e Apocalipse 4.1–20.3. Há uma era de bênção universal que virá sobre a terra; mas não é de modo algum apresentada na Escritura como uma parte qualquer, ou um produto, dessa era de mistério. Por outro lado, está revelado que ela será introduzida pelos mesmos movimentos divinos que fecham as cenas desta era. O motivo impulsionador para o serviço dos santos no tempo presente não deve ser nada menos do que o testemunho em todo mundo do Evangelho da graça de Deus pela qual Cristo possa terminar a reunião de um povo para Sua pessoa e logo complete o número de componentes de Sua Noiva. Os grandes ganhadores de almas das gerações passadas foram movidos por esta visão e propósito, e dificilmente poderia haver um ministério na mente e no poder do Espírito que não concordasse totalmente com o propósito revelado de Deus, na presente era deste mistério.

7. O Reino do Céu Realizado e Manifesto. Visto que é o principal tema de ambos os testamentos, o reino do céu proporciona um estudo quase inexaurível. Na introdução de sua grande obra, *The Theocratic Kingdom* – de cerca de 2.100 páginas de ao menos 750 palavras por página – George N. H. Peters escreve a respeito do texto que ele produziu: "Esta obra está longe de ser exaustiva. Aqui estão apresentados somente os esboços daquilo que outra mente pode moldar numa forma mais atraente e abrangente".[81] Todavia, apenas recentemente – e para demonstrar por contraste quão restrito o pensamento teológico moderno possa ser – um professor de Novo Testamento em um famoso seminário disse: "Eu posso dizer tudo o que eu sei a respeito do reino em quinze minutos".

Esta restrição drástica no conhecimento desta verdade vital, contudo, não impede este professor de colocar-se em um julgamento condenatório contra o vasto conjunto de verdade com todas as suas adaptações e integridade de exposição apresentada por Peters. Por causa de sua abrangência, um real problema surge quando um resumo deste assunto é exigido, como acontece no término desta total discussão da profecia. O caráter essencial do reino terrestre, davídico, milenar e messiânico ainda a ser estabelecido na terra pelo poder de Cristo em seu segundo advento teve alguma consideração neste capítulo e ainda mais em Eclesiologia (Vol. IV). Resta agora somente apresentar a seguinte recapitulação.

CRISTOLOGIA

De acordo com a profecia, haverá duas realidades no mundo especialmente a serem ajustadas, à medida em que a era chega ao seu término, a saber, o complemento da Igreja, sua remoção e o aumento da impiedade no mundo. Imediatamente após a remoção da Igreja e antes do estabelecimento do reino milenar, surge o breve período de provação incomparável na terra. Em relação a Israel, é conhecido como "o tempo de angústia para Jacó" (Jr 30.7), e em relação aos gentios é a hora quando os governos deles e suas instituições representadas na colossal estátua de Nabucodonosor serão reduzidos ao pó e espalhados como a palha que o vento dispersa na eira (Dn 2.34, 35, 44, 45). É a hora dos juízos de Deus sobre o *cosmos* que rejeita a Cristo – um mundo que terá produzido a manifestação final da abominação na pessoa do homem do pecado. Sobre tal mundo como sobre seu deus – Satanás – os julgamentos de Deus devem vir.

Como Sua consumação daqueles juízos e nas cenas do repúdio de Deus que acontecem na terra, o Rei retorna nas nuvens do céu acompanhado por sua Noiva e pelos santos anjos. Ele destrói totalmente toda oposição a Deus e conquista as nações da terra (cf. Sl 2.1-9; Is 63.1-6; 2 Ts 1.7-9; Ap 19.11-21). Satanás é preso e colocado no abismo (Ap 20.1-3), e o Rei ocupa o seu trono – o trono de Sua glória, o trono de Davi em Jerusalém. Ele junta e julga Israel (cf. Ez 20.33, 44; Mt 24.37–25.30) e aqueles aceitos pelo Rei são salvos e entram em seu reino (cf. Rm 11.26, 27). Ele também julga as nações daquele mesmo trono – as nações que Ele conquistou (Mt 25.31-46). Uma porção dessas nações então sobre a terra será introduzida no Seu reino, que está preparado para elas pelo Pai desde a fundação do mundo. O restante dessas nações será lançado no lago de fogo. Àquelas nações gentílicas que são permitidas entrar no reino de Israel, um lugar é-lhes dado como servas de Israel (cf. Is 14.1, 2; 60.10, 12, 14, 16).

Assim, pelo retorno glorioso de Cristo como Juiz e Rei, é introduzido o Dia de Jeová tão longa e explicitamente predito pelos profetas antigos. Esse dia começa com a vinda de Cristo a Israel "como o ladrão na noite" (cf. Mt 24.43; 1 Ts 5.4; 2 Pe 3.10), isto é, para Israel Sua vinda é num tempo quando eles não buscam por Ele (Mt 24.50). Com isto em vista, é-lhes dito para *vigiar*, injunção essa que não se aplica a Israel no presente ou em qualquer era passada, mas somente no tempo quando eles "verão essas coisas" que têm sido chamadas por Cristo como características do período da tribulação (cf. Mt 24.9-28, 37-51; 25.1-13). O Dia de Jeová é aquele longo período do governo e dos juízos de Cristo sobre a terra que começa com Seu retorno como um ladrão na noite e que termina, em certos aspectos, com o passamento do céu e da terra. Deste período e seus limites e em conexão com o comentário de que o Dia de Jeová pode, aos olhos dEle, ser como mil anos, Pedro declara: "Virá, pois, como ladrão o dia do Senhor, no qual os céus passarão com grande estrondo, e os elementos, ardendo, se dissolverão, e a terra, e as obras que nela há, serão descobertas" (2 Pe 3.10).

Esta passagem, porque está conectada diretamente com o versículo 8, sugere que o Dia de Jeová do Antigo Testamento, isto é, a era do reino da glória de Israel, deve continuar por mil anos, que é apenas uma confirmação

SUAS VÁRIAS FORMAS

da medida de tempo para o reino, que é mais tarde dada em Apocalipse 20.4, onde são vistos os santos, ressuscitados, "vivendo e reinando com Cristo mil anos". A verdade a ser especialmente observada a esta altura é que de certa maneira Cristo reina mil anos. Que Seu reino é o dia da glória de Israel, é abundantemente declarado por toda a Escritura profética. A conclusão é que o período de mil anos de Apocalipse 20.1-6 e a sugestão de 2 Pedro 3.3-8, 10 são referências ao tempo quando os pactos de Israel serão cumpridos debaixo do longamente esperado reino do Messias, e que o Seu reino continuará nesta forma exata por mil anos.

Esboçar plenamente o caráter e bem-aventurança dessa era vindoura requereria a citação de grandes porções de mensagens dos profetas cuja linguagem não parece ser suficiente para descrever adequadamente a glória da terra transformada. Uma seleção de passagens, que indicam o caráter do reino messiânico, já foi dada neste capítulo de Cristologia, e outra seleção segue-se aqui. Por estes textos este reino é visto como teocrático. O Rei será Emanuel e por direito de nascimento humano ele é um herdeiro legítimo do trono de Davi, ele próprio nascido de uma virgem em Belém da Judéia. O reino do Emanuel será celestial em caráter em que o Deus do céu governará na terra, Sua vontade será feita na terra como é feita no céu, e será centrado em Jerusalém. Seu reino bendito será sobre o Israel reajuntado e convertido e se estende por meio deles às nações. O reino do Emanuel será realizado somente pela virtude do poder e da presença do Rei que vai retornar. O reino do Emanuel, embora material e político, será espiritual também no sentido em que os seus súditos andarão sobre a terra na luz brilhante de Deus.

O reino animal será subjugado: "Morará o lobo com o cordeiro, e o leopardo com o cabrito se deitará; e o bezerro, e o leão novo e o animal cevado viverão juntos; e um menino pequeno os conduzirá. A vaca e a ursa pastarão juntas, e as suas crias juntas se deitarão; e o leão comerá palha como o boi. A criança de peito brincará sobre a toca da áspide, e a desmamada meterá a sua mão na cova do basilisco. Não se fará mal algum em todo o meu santo monte; porque a terra se encherá do conhecimento do Senhor, como as águas cobrem o mar" (Is 11.6-9). Assim, entre outras coisas, a criação física será mudada:

"Pois com alegria saireis, e em paz sereis guiados; os montes e os outeiros romperão em cânticos diante de vós, e todas as árvores do campo baterão palmas. Em lugar do espinheiro crescerá a faia, e em lugar da sarça crescerá a murta; o que será para o Senhor por nome, por sinal eterno, que nunca se apagará" (Is 55.12, 13). "Os pobres e necessitados buscam água, e não há, e a sua língua se seca de sede; mas eu o Senhor os ouvirei, eu o Deus de Israel não os desampararei. Abrirei rios nos altos desnudados, e fontes no meio dos vales; tornarei o deserto num lago d'água, e a terra seca em mananciais. Plantarei no deserto o cedro, a acácia, a murta, e a oliveira; e porei no ermo juntamente com a faia, o olmeiro e o buxo; para que todos vejam, e saibam, e considerem, e juntamente entendam que a mão do Senhor fez isso, e o Santo de Israel o criou"

CRISTOLOGIA

(Is 41.17-20). "Pois a terra se encherá do conhecimento da glória do Senhor, como as águas cobrem o mar" (Hc 2.14). "Os mansos herdarão a terra" (Mt 5.5). "E julgará entre muitos povos, e arbitrará entre nações poderosas e longínquas; e converterão as suas espadas em relhas de arado, e as suas lanças em podadeiras; uma nação não levantará a espada contra outra nação, nem aprenderão mais a guerra" (Mq 4.3). "Então os olhos dos cegos serão abertos, e os ouvidos dos surdos se desimpedirão. Então o coxo saltará como o cervo, e a língua do mudo cantará de alegria; porque águas arrebentarão no deserto e ribeiros no ermo" (Is 35.5,6). "Mas este é o pacto que farei com a casa de Israel depois daqueles dias, diz o Senhor: Porei a minha lei no seu interior, e a escreverei no seu coração; e eu serei o seu Deus e eles serão o meu povo. E não ensinarão mais cada um a seu próximo, nem cada um a seu irmão, dizendo: Conhecei ao Senhor; porque todos me conhecerão, desde o menor deles até o maior, diz o Senhor; pois lhes perdoarei a sua iniqüidade, e não me lembrarei mais dos seus pecados" (Jr 31.33,34). "Porque um menino nos nasceu, um filho se nos deu; e o governo estará sobre os seus ombros; e o seu nome será: Maravilhoso Conselheiro, Deus Forte, Pai Eterno, Príncipe da Paz. Do aumento do seu governo e da paz não haverá fim, sobre o trono de Davi e no seu reino, para o estabelecer e o fortificar em retidão e em justiça, desde agora e para sempre; o zelo do Senhor dos exércitos fará isso" (Is 9.6,7). "Domine de mar a mar, e desde o rio até as extremidades da terra. Inclinem-se diante dele os seus adversários, e os seus inimigos lambam o pó. Paguem-lhe tributo os reis de Társis e das ilhas; os reis de Sabá e de Seba ofereçam-lhe dons. Todos os reis se prostrem perante ele; todas as nações o sirvam... Permaneça o seu nome eternamente; continue a sua fama enquanto o sol durar, e os homens sejam abençoados nele; todas as nações o chamem bem-aventurado. Bendito seja o Senhor Deus, o Deus de Israel, o único que faz maravilhas. Bendito seja para sempre o seu nome glorioso, e encha-se da sua glória toda a terra. Amém e amém" (Sl 72.8-11, 17-19).

Capítulo XIV

O Reino Eterno do Verbo Encarnado

A PASSAGEM DA ERA DO REINO para a eternidade que se segue é marcada por poderosos eventos transformadores. Na verdade, este tem sido o método divino de ação, quando outras maiores mudanças dispensacionais têm sido operadas – tais mudanças inauguram e tornam obrigatória uma nova ordem e um relacionamento entre Deus e o homem. Será lembrado que houve sete dias envolvidos na criação, sete aspectos no pacto feito com Noé, sete aspectos no pacto feito com Abraão, sete aspectos no pacto palestino e sete aspectos no pacto feito com Davi. Os últimos três desses pactos asseguram toda bênção para Israel através do tempo e da eternidade. Sete eventos estupendos e transformadores da era servem como uma separação entre a era mosaica da lei e a presente era da graça. As condições poderiam não ser as mesmas após estas ocorrências como tinham sido anteriormente. Estes eventos são: (1) a morte de Cristo; (2) a ressurreição de Cristo; (3) a ascensão de Cristo; (4) o advento do Espírito no dia de Pentecostes; (5) a revelação de uma nova era ou propósito divino; (6) a colocação dos judeus e dos gentios no mesmo nível como objetos da graça divina; e (7) a maior e mais ampla dispersão de Israel em sua última vez.

Semelhantemente, há sete estupendos eventos transformadores da era que servem como uma demarcação e divisa entre a presente era da graça e a do reino, que se seguem: (1) a remoção da Igreja desta terra; (2) a Grande Tribulação; (3) o retorno glorioso de Cristo; (4) o julgamento de Israel; (5) o estabelecimento do reino de Israel sob o novo pacto; (6) o julgamento das nações vivas; e (7) a prisão de Satanás.

Além disso, e com o mesmo efeito transformador, há sete eventos estupendos que marcam a transição a ser operada entre a era do reino e a eternidade vindoura: (1) a soltura de Satanás do abismo; (2) a revolta sobre a terra com juízos sobre Satanás e seus exércitos; (3) o passamento do antigo céu e da antiga terra; (4) o juízo do grande trono branco; (5) a criação do novo céu e da nova terra; (6) a descida da cidade-noiva de Deus vinda do céu; e (7) a entrega do aspecto mediatorial do reino de Cristo e o ajustamento ao estado eterno que segue.

CRISTOLOGIA

Estes eventos mencionados por último, que dividem a era do reino da eternidade vindoura, podem ser estudados na ordem citada e com um objetivo especial a respeito da verdade estabelecida na divisão final – a entrega do reino mediatorial – como propriamente a consumação da Cristologia.

I. A Soltura de Satanás

Não há grande mistério ao redor do fato de Satanás ser solto do abismo por um tempo curto. Qualquer solução que possa ser encontrada para isto estará dentro da esfera da permissão divina para o pecado no mundo. Evidentemente, com a finalidade de que uma demonstração final do mal possa ser feita, apresentada por Satanás, este ser sinistro não é somente solto, mas desimpedido em seu programa renovado de guerra e ataque sobre Deus e seu povo. Esta estranha soltura e o retorno dos males indubitáveis servem em alguma medida para consumar o programa total da iniqüidade existente tanto em Satanás quanto no coração humano. Exércitos devem ser formados novamente e a maldição da guerra revivida. Durante esses mil anos profetizados a terra experimentará uma perfeita paz exterior. A justiça e a paz terão coberto toda a terra. Armas de guerra terão sido forjadas em armas de agricultura.

Deveria ser observado que o fato da soltura de Satanás e do programa que ele então introduzirá foi predito milhares de anos antes do cumprimento dessas coisas. Que tudo isto será ordenado não pode ser questionado, quando ele executará o programa do mal no universo. Sua importância quando vista nessa luz não pode ser medida pela mente humana.

II. A Revolta Sobre a Terra

Enquanto a revolta assustadora sobre a terra está intimamente relacionada à soltura de Satanás, como sugerido anteriormente, ela permanece isolada como uma demonstração de que a era do milênio não terá mudado o caráter tentável do coração humano. A revelação a respeito desta revolta está limitada às seguintes palavras: "Ora, quando se completarem os mil anos, Satanás será solto da sua prisão, e sairá a enganar as nações que estão nos quatro cantos da terra, Gogue e Magogue, cujo número é como a areia do mar, a fim de ajuntá-las para a batalha. E subiram sobre a largura da terra, e cercaram o arraial dos santos e a cidade querida; mas desceu fogo do céu, e os devorou; e o Diabo, que os enganava, foi lançado no lago de fogo e enxofre, onde estão a besta e o falso profeta; e de dia e de noite serão atormentados pelos séculos dos séculos" (Ap 20.7-10). Muita ênfase é, assim, colocada sobre o fato de que as nações são enganadas por Satanás e esta é a causa da apostasia deles.

O Passamento do Céu e da Terra

Tal engano não é novo. Quando Satanás é preso por mil anos, é dito que o motivo dessa prisão é para que "não enganasse mais as nações até que os mil anos se completassem. Depois disto é necessário que ele seja solto por um pouco de tempo" (Ap 20.3). Assim, fica sugerido que Satanás sempre engana as nações, exceto no período de sua prisão e até ser lançado finalmente no lago de fogo. Por ter muita semelhança com a incessante pressão da natureza pecaminosa sobre a vida do indivíduo, assim é a influência de Satanás sobre a raça humana, a fim de incitá-la à guerra, ganância, automanifestações e conduta ímpia. O que seria a soltura de um dia que um indivíduo pode ter da pressão da natureza pecaminosa significaria em experiência real à soltura de um dia para a humanidade do engano de Satanás, e isto não pode ser imaginado; mas a humanidade, libertada da natureza pecaminosa ou não, será libertada dos enganos satânicos durante o reinado de Cristo sobre a terra.

Será observado que o último exército a ser reunido será composto de quatro quartos da terra e "Gogue e Magogue", designação essa que talvez seja mais uma referência ao evento em questão do que a qualquer localidade ou povos específicos. Este enorme exército reunido será "como a areia do mar" no seu número. É difícil entender como tal empreitada será possível com Cristo sobre o trono e com uma autoridade imediata, conforme está descrito em Isaías 11.3-5, que diz: "E deleitar-se-á no temor do Senhor; e não julgará segundo a vista dos seus olhos, nem decidirá segundo o ouvir dos seus ouvidos; mas julgará com justiça os pobres, e decidirá com equidade em defesa dos mansos da terra; e ferirá a terra com a vara de sua boca, e com o sopro dos seus lábios matará o ímpio. A justiça será o cinto dos seus lombos, e a fidelidade o cinto dos seus rins". Não há uma solução para este problema além da permissão divina na consumação do mal no universo.

Com a mesma finalidade pode ser inquirido por que Cristo sobre o trono do universo, permite o mal que tanto odeia. Quando, à luz do entendimento celeste, esse problema é resolvido, o outro será solucionado também.

III. O Passamento do Céu e da Terra

Se apenas um momento de consideração for dado à predição de que o céu e a terra presentes vão passar e desaparecer para sempre, poucos deixarão de ficar impressionados com a imensidão do empreendimento proposto ou serão conscientes do fato de que os homens e suas instituições não mais podem existir neste universo. Há outros objetivos a serem ganhos, sem dúvida, que não têm feito parte do programa humano. Este é o universo de Deus. Ele é planejado e executado, e será consumado para satisfazer as razões que estão dentro do Seu Ser infinito. Antes de tal revelação, o homem bem pode ajoelhar-se naquela humildade que vem a ser a criatura e a faz encontrar a sua única consolação existente no fato dele ser lançado e ao mesmo tempo sustentado pela graça de

Deus. Justamente o que pode acontecer com os moradores do céu e com os da terra, quando estas vastas esferas de domicílio se fecharem e forem acabadas para sempre? Deus sozinho é igual a este problema.

A ordem partirá, possivelmente, para que todos os moradores se destaquem para dali testemunharem tanto a passagem dos velhos céu e terra quanto a criação das coisas novas. Não há uma sugestão de que serão empregadas agências angelicais ou humanas; todavia, todos esses seres passam por essas poderosas transformações e aparecem do outro lado na nova glória que haverá de existir. As Escrituras são explícitas a respeito do grande evento vindouro quando os céus e a terra passarem. Está escrito: "Passará o céu e a terra, mas as minhas palavras jamais passarão" (Mt 24.35); "E: Tu, Senhor, no princípio fundaste a terra, e os céus são obra de tuas mãos; eles perecerão, mas tu permaneces; e todos eles, como roupa, envelhecerão, e qual um manto os enrolarás, e como roupa se mudarão; mas tu és o mesmo, e os teus anos não acabarão" (Hb 1.10-12); "mas os céus e a terra de agora, pela mesma palavra, têm sido guardados para o fogo, sendo reservados para o dia do juízo e da perdição dos homens ímpios... Virá, pois, como ladrão o dia do Senhor, no qual os céus passarão com grande estrondo, e os elementos, ardendo, se dissolverão, e a terra, e as obras que nela há, serão descobertas. Ora, uma vez que todas estas coisas hão de ser assim dissolvidas, que pessoas não deveis ser em santidade e piedade, aguardando, e desejando ardentemente a vinda do dia de Deus, em que os céus, em fogo se dissolverão, e os elementos, ardendo, se fundirão?" (2 Pe 3.7, 10-12); "E vi um grande trono branco e o que estava assentado sobre ele, de cuja presença fugiram a terra e o céu; e não foi achado lugar para eles" (Ap 20.11).

IV. O Julgamento do Grande Trono Branco

Colocado no Texto Sagrado entre a narrativa do passamento do céu e da terra e a criação dos novos céus e da nova terra, está a descrição de um terrível julgamento final. A narrativa diz: "E vi os mortos, grandes e pequenos, em pé diante do trono; e abriram-se uns livros; e abriu-se outro livro, que é o da vida; e os mortos foram julgados pelas coisas que estavam escritas nos livros, segundo as suas obras. O mar entregou os mortos que nele havia; e a morte e o hades entregaram os mortos que neles havia; e foram julgados, cada um segundo as suas obras. E a morte e o hades foram lançados no lago de fogo. Esta é a segunda morte, o lago de fogo. E todo aquele que não foi achado inscrito no livro da vida, foi lançado no lago de fogo" (Ap 20.12-15). Em Apocalipse 21.4, como em 1 Coríntios 15.26, está declarado que não haverá mais morte. Esta afirmação impressionante evidentemente atinge além da mera idéia de que daquele tempo em diante não haverá mais morte; ela antes se volta para trás e assevera que toda morte que aconteceu nas esferas humanas – exceto naturalmente o caso daqueles ressuscitados na segunda vinda de Cristo – será revertida, revogada e anulada. Há apenas um modo em que tão grande final pode ser alcançado, e este é pela ressurreição de tudo o que permanecia morto, para não mais morrer.

Esta ressurreição final e universal é um tema de profecia. Dele Cristo disse: "Não vos admireis disso, porque vem a hora em que todos os que estão nos sepulcros ouvirão a sua voz e sairão; os que tiverem feito o bem, para a ressurreição da vida, e os que tiverem praticado o mal, para a ressurreição do juízo" (Jo 5.28, 29). O apóstolo escreve a respeito da ordem das ressurreições: "Então virá o fim" – isto é, a última ressurreição (1 Co 15.24). Assim, também, João escreve: "Mas os outros mortos não reviveram até que os mil anos se completassem" (Ap 20.5). No texto sob estudo – Apocalipse 20.12-15 – está declarado que "vi os mortos, grandes e pequenos, em pé diante do trono". A posição de estar diante do trono [diante de Deus], que é assumida aqui pelos mortos após a morte ter feito o seu trabalho, é certamente uma evidência da ressurreição. Diferentemente, o julgamento das nações vivas, como o que está descrito em Mateus 25.31-46, estas pessoas são de todas as gerações que experimentaram a morte. "A primeira ressurreição", no que diz respeito à humanidade, terá sido experimentada mil anos antes (Ap 20.4, 5); mas no fim dos mil anos esta última e abrangente ressurreição acontecerá.

O número daqueles a serem ressuscitados é incompreensível. É estimado que para cada pessoa viva que está agora sobre a terra ao menos cem delas tenham morrido e sido sepultadas. Longe de ser "a terra dos viventes", estritamente falando, a terra é agora o maior cemitério que jamais pode ser concebido. É fora deste estado de morte corporal que os mortos virão a julgamento. A ressurreição deles serve para trazer toda a humanidade remanescente perante Deus em julgamento e para prepará-los ao destino consciente deles no lago de fogo. Os livros são abertos e os homens serão julgados de acordo com suas obras. Será lembrado que em todas as eras – a menos que sejam salvos da obrigação da lei, como os cristãos são nesta era – os homens têm estado debaixo de uma lei inerente ou da obrigação de satisfazer o desígnio e o propósito de seu Criador. O crente foi aperfeiçoado perante Deus para sempre e, portanto, satisfaz em sua perfeição operada por Cristo toda exigência que Deus lhe faz.

Na presente era, contudo, os homens são condenados não somente por seu estado de impureza, mas com base na falha deles de responder à graça divina que lhes é oferecida em Cristo. No presente tempo as obras más são totalmente culminadas através de uma atitude de incredulidade para com o Redentor. O livro da vida do Cordeiro está aberto – evidentemente para demonstrar que nenhum erro foi cometido; porque não haverá alguém presente cujos nomes estejam escritos nesse livro. A resposta irrevogável de Deus ao pecado humano é o lago de fogo, que é a segunda morte. Ele pode salvar os homens desse tormento somente quando um substituto satisfaz as santas exigências feitas e quando eles recebem a provisão para si mesmos. Muito freqüentemente os homens ficam cegos pela terribilidade deste julgamento divino contra o pecado e argumentam que, visto que Deus é amor, Ele não executará de forma final tudo o que está predito; mas será dito que, se Deus pode salvar mesmo uma única alma perdida com base em sua compaixão à parte de seus justos juízos operados por Cristo em sua morte, Ele poderia salvar todas as almas perdidas por mera compaixão, em cujo caso a morte de Cristo se torna não somente desnecessária, mas o maior erro deste universo.

A verdade gloriosa que precisa sempre ser proclamada é que as almas perdidas podem ser salvas, verdade essa que é boa-nova de fato, mas que elas podem ser salvas somente em e através de Cristo. À parte de Cristo como Salvador, não há salvação. Mesmo a sabedoria infinita, o poder e o amor não podem providenciar escape dos santos juízos de Deus contra o pecado. O que Deus pode fazer com aqueles que morrem sem nunca ter ouvido o Evangelho não é revelado, nem poderia ser revelado. As Escrituras apresentam os não-evangelizados como totalmente perdidos. O estado deles é um apelo imperioso ao esforço missionário. Se os homens pudessem ser salvos pela ignorância que possuem do Evangelho, melhor nunca ouvir o Evangelho para que, por serem iluminados, não rejeitem a mensagem e venham a ser perdidos para sempre. Os cristãos a tempo e a fora de tempo devem apresentar este Evangelho a todos os que ainda vivem sobre a terra.

Esta cena de juízo não dá apoio algum à fantasia de que os homens que rejeitam Cristo nesta vida terão outra oportunidade nas esferas além da morte. Os não-salvos permanecem o que eles sempre foram quando a morte chegou e até que eles cheguem perante o grande trono branco, para serem julgados de acordo com suas obras.

V. A Criação do Novo Céu e da Nova Terra

Novamente, como sempre, a declaração clara da Bíblia é a única fonte confiável de informação. A grandeza do evento em que Deus repete o Seu poderoso ato criador – inclusive do o céu e da terra, e numa escala ainda mais maravilhosa – ficará ainda mais impressionante para a mente devota quando ela for contemplada. Grande, na verdade, é a predição desse dia vindouro quando este grande ato de Deus será executado diante dos exércitos dos redimidos e dos santos anjos. Assim, longe de haver sempre um desaparecimento gradual da memória do que agora existe, o que está além será harmonizado com a maior glória da nova criação. Isaías declara a respeito do novo céu e da nova terra que existiram como exaltados em seu caráter mais do que a criação anterior, da qual não mais se terá memória. Esta afirmação, dita por Jeová, é assim: "Pois eis que crio novos céus e nova terra; e não haverá lembrança das coisas passadas, nem mais se recordarão" (Is 65.17).

Isaías fala por Jeová novamente quando ele assevera que Israel continuará enquanto o novo céu e a nova terra permanecerem (cf. 66.22). Está claro que

Israel habitará em sua própria terra para sempre. Se deve haver uma residência sem fim, essa morada na terra deve transcender o reino do milênio e, assim, continuar na nova terra que existirá. Ao seguir diretamente a descrição de Apocalipse no término da antiga ordem e o estabelecimento do Juiz sobre o grande Trono Branco, João escreve: "E vi um novo céu e uma nova terra. Porque já se foram o primeiro céu e a primeira terra, e o mar já não existe" (Ap 21.1), e isto, por sua vez, é seguido por uma delineação da nova terra. Esta é a nova terra que é apresentada e torna-se evidente e da qual é dito que as lágrimas, o choro, a tristeza e a morte serão removidos; e, para ser exato, estas coisas pertenceram à terra e não ao céu. Assim, parece que o escritor se refere à terra e não ao céu, enquanto que as lágrimas, dor e morte nunca entraram.

Ele diz: "E ouvi uma grande voz, vinda do trono, que dizia: Eis que o tabernáculo de Deus está com os homens, pois com eles habitará, e eles serão o seu povo, e Deus mesmo estará com eles. Ele enxugará de seus olhos toda lágrima; e não haverá mais morte, nem haverá mais pranto, nem lamento, nem dor; porque já as primeiras coisas são passadas" (Ap 21.3, 4). Pode, todavia, ser observado que, nesta descrição da nova terra, o aspecto mais importante é que "o tabernáculo de Deus" estará com os homens. Tal situação nunca foi vista antes. A terra tem sido a esfera do pecado e da corrupção que não combinam com a presença de Deus; mas então ela será tão santa quanto o céu, e na nova terra Ele terá prazer em habitar entre os homens e de ser o Deus deles. O termo *homens* está evidentemente em contraste com o termo *santos*. O céu será, como agora, a morada dos santos, enquanto que a terra será a morada dos homens. Deus é dito agora morar entre os homens também.

Pedro assevera que a justiça habitará, nos novos céu e terra igualmente (2 Pe 3.13). Na presente era, a justiça *padece*; na era do reino, embora alguns possam sofrer por causa da justiça (cf. Mt 5.10), a justiça *reinará* (cf. Is 11.4, 5); mas nos eternos novo céu e nova terra a justiça *habitará*.

VI. A Descida da Cidade-Noiva

Medida pelo espaço fornecido a ela no Texto Sagrado, a cidade de Deus é de importância insuperável. Sem dúvida, esta cidade "que tem quatro fundamentos" é aquela que envolveu Abraão, o que morava em tendas (cf. Hb 11.8-10). Está descrito em Hebreus 12.22-24, e Cristo se refere a ela em Sua mensagem do céu à igreja de Filadélfia, dizendo: "A quem vencer, eu o farei coluna no templo do meu Deus, donde jamais sairá; e escreverei sobre ele o nome do meu Deus, e o nome da cidade do meu Deus, a nova Jerusalém, que desce do céu, da parte do meu Deus, e também o meu novo nome" (Ap 3.12). Assim, além disso, em Apocalipse 21.2, João testifica: "E vi a santa cidade, a nova Jerusalém, que descia do céu da parte de Deus, adereçada como uma noiva ataviada para o seu noivo". E pela terceira vez no último grande livro

CRISTOLOGIA

profético, ela é mencionada: "E levou-me em espírito a um grande e alto monte, e mostrou-me a santa cidade de Jerusalém, que descia do céu da parte de Deus" (Ap 21.10).

A descrição da cidade, que agora se segue, foi interpretada de muitos modos. Alguns argumentam que a matéria descritiva do livro retorna ao tempo da era do milênio, por causa da afirmação de que "as nações andarão à sua luz; e os reis da terra trarão para ela a sua glória" (v. 24); mas para reverter a este ponto à era que já terá sido completada, está longe de um estudo razoável do texto. A ordem cronológica dos eventos nas páginas finais do Apocalipse é de grande importância para o entendimento correto de tudo. Deve ser reconhecido que há muita coisa aqui que a mente humana não pode captar completamente; mas ainda a descrição da cidade vem no contexto que tem a ver com os novos céus e a nova terra que aparecem na eternidade vindoura – a menos que a ordem da verdade apresentada seja abandonada totalmente. Uma extensa exposição desta passagem descritiva não é possível aqui.

É suficiente dizer que em correspondência total com a descrição dada em Hebreus 12.22-24, a Igreja, os anjos, um grupo de "homens justos aperfeiçoados" – classe a que Israel pertenceria –, Cristo, o Mediador e Cordeiro, e Deus, o Pai – o "Juiz de todos" e a Luz do templo – estão todos presentes. Se as medidas da cidade são entendidas como literais, o comprimento e a largura e a altura são iguais, e assim cada dimensão tem a medida aproximada de 2.400 km. E isto é feito de ouro puro e totalmente dentro do poder criador de Deus e uma sugestão pode ser encontrada aqui a respeito da glória dos novos céu e terra. A cidade desce do céu e, portanto, deve ser considerada, em algum grau, como alguma coisa separada do céu. Ela é chamada de Noiva de Cristo, e provavelmente porque ela tem algum direito superior a isso; todavia, outras pessoas e seres entram por suas portas. Ela se torna um centro cosmopolita. O texto, embora extenso, é aqui colocado na sua totalidade:

E veio um dos sete anjos que tinham as sete taças cheias das sete últimas pragas, e falou comigo, dizendo: Vem, mostrar-te-ei a noiva, a esposa do Cordeiro. E levou-me em espírito a um grande e alto monte, e mostrou-me a santa cidade de Jerusalém, que descia do céu da parte de Deus, tendo a glória de Deus; e o seu brilho era semelhante a uma pedra preciosíssima, como se fosse jaspe cristalino; e tinha um grande e alto muro com doze portas, e nas portas doze anjos, e nomes escritos sobre elas, que são os nomes das doze tribos dos filhos de Israel. Ao oriente havia três portas, ao norte três portas, ao sul três portas, e ao ocidente três portas. O muro da cidade tinha doze fundamentos, e neles estavam os nomes dos doze apóstolos do Cordeiro. E aquele que falava comigo tinha por medida uma cana de ouro, para medir a cidade, as suas portas e o seu muro. A cidade era quadrangular, e o seu comprimento era igual à sua largura. E mediu a cidade com a cana e tinha ela doze mil estádios; e o seu comprimento, largura e altura eram iguais. Também mediu o seu muro, e era de cento e quarenta e quatro côvados, segundo a medida de homem, isto é, de anjo. O muro era construído de jaspe, e a cidade era de ouro puro, semelhante a vidro límpido. Os fundamentos do muro da cidade estavam adornados de toda espécie de pedras preciosas. O primeiro fundamento era de jaspe; o segundo, de safira; o terceiro, de calcedônia; o quarto, de esmeralda; o quinto, de sardônica; o sexto, de sárdio; o sétimo, de crisólito; o oitavo, de berilo; o nono, de topázio; o décimo, de crisópraso; o undécimo, de jacinto; o duodécimo, de ametista. As doze portas eram doze pérolas: cada uma das portas era de uma só pérola; e a praça da cidade era de ouro puro, transparente como vidro. Nela não vi santuário, porque o seu santuário é o Senhor Deus Todo-poderoso, e o Cordeiro. A cidade não necessita nem do sol, nem da lua, para que nela resplandeçam, porque a glória de Deus a tem iluminado, e o Cordeiro é a sua lâmpada. As nações andarão à sua luz; e os reis da terra trarão para ela a sua glória. As suas portas não se fecharão de dia, e noite ali não haverá; e a ela trarão a glória e a honra das nações. E não entrará nela coisa alguma impura, nem o que pratica abominação ou mentira; mas somente os que estão inscritos no livro da vida do Cordeiro. E mostrou-me o rio da água da vida, claro como cristal, que procedia do trono de Deus e do Cordeiro. No meio da sua praça, e de ambos os lados do rio, estava a árvore da vida, que produz doze frutos, dando seu fruto de mês em mês; e as folhas da árvore são para a cura das nações. Ali não haverá jamais maldição. Nela estará o trono de Deus e do Cordeiro, e os seus servos o servirão, e verão a sua face; e nas suas frontes estará o seu nome. E ali não haverá mais noite, e não necessitarão de luz de lâmpada nem de luz do sol, porque o Senhor Deus os alumiará; e reinarão pelos séculos dos séculos" (Ap 21.9–22.5).

Os dois últimos capítulos da Bíblia não somente descrevem o estado eterno e futuro de todas as coisas – Pedro designa-o como a vinda do "dia de Deus" – mas eles indicam que há, então, ao menos quatro diferentes domicílios: (a) o novo céu, (b) a nova terra, (c) a cidade-noiva, que pode ser predita em João 14.1-3, e (d) "fora" (cf. Ap 22.15), que pode ser idêntico ao lago de fogo que é a segunda morte (cf. 20.14, 15; 21.8; 22.15). Deveria ser considerado cuidadosamente que nesta situação mudada com seus domicílios variados, o lugar de residência não mais está sujeito a mudança. Este é o final das coisas reveladas; é a última palavra de Deus, que alcança com sua profecia a uma eternidade vindoura que não muda.

VII. A Renúncia do Aspecto Mediatorial

À luz de muita predição de um lado e de uma passagem isolada de outro, tem surgido um problema em muitas mentes sobre a duração do reinado de Cristo sobre o trono de Davi. Todas as predições do governo messiânico asseguram

CRISTOLOGIA

que Ele será Rei para sempre; todavia, uma passagem – 1 Coríntios 15.24-28 – tem sido interpretada por muitos expositores famosos, como ensino, de que Cristo se retirará como Rei no final do período do milênio. Conseqüentemente, grande inconsistência tem sido tolerada a esta altura. Muitos escritores, quando consideram as profecias com respeito ao trono de Davi, asseveram que o Seu reino é eterno, e, todavia, quando confrontados com este texto, definitivamente asseveram que o reino termina com o fim dos mil anos. As Escrituras são definidas e conclusivas com respeito ao caráter eterno do reino de Cristo. A Davi foi dito: "A tua casa, porém, e o teu reino serão firmados para sempre diante de ti; teu trono será estabelecido para sempre" (2 Sm 7.16).

A isto Davi respondeu: "Agora, pois, Senhor Jeová, tu és Deus, e as tuas palavras são verdade, e tens prometido a teu servo este bem. Sê, pois, agora servido de abençoar a casa do teu servo, para que subsista para sempre diante de ti; pois tu, ó Senhor Jeová, o disseste; e com a tua bênção a casa do teu servo será abençoada para sempre" (vv. 28,29). Assim, também, o salmista faz um registro mais completo do pacto de Jeová: "Fiz um pacto com o meu escolhido; jurei ao meu servo Davi: Estabelecerei para sempre a tua descendência, e firmarei o teu trono por todas as gerações... Não violarei o meu pacto, nem alterarei o que saiu dos meus lábios. Uma vez para sempre jurei por minha santidade; não mentirei a Davi. A sua descendência subsistirá para sempre, e o seu trono será como o sol diante de mim; será estabelecido para sempre como a luz, e ficará firme enquanto o céu durar" (Sl 89.3, 4, 34-37).

O salmo 45.6 afirma, e é aplicado a Cristo em Hebreus 1.8: "O teu trono, ó Deus, subsiste pelos séculos dos séculos: o cetro de eqüidade é o cetro do teu reino"; e no salmo 72, um cântico do Reino de Cristo, está escrito: "Viva ele enquanto existir o sol, e enquanto durar a lua, por todas as gerações... Permaneça o seu nome eternamente; continue a sua fama enquanto o sol durar, e os homens sejam abençoados nele; todas as nações o chamem bem-aventurado" (vv. 5, 17). Isaías é muitíssimo explícito quando diz: "Porque um menino nos nasceu, um filho se nos deu; e o governo estará sobre os seus ombros; e o seu nome será: Maravilhoso Conselheiro, Deus Forte, Pai Eterno, Príncipe da Paz. Do aumento do seu governo e da paz não haverá fim, sobre o trono de Davi e no seu reino, para o estabelecer e o fortificar em retidão e em justiça, desde agora e para sempre; o zelo do Senhor dos exércitos fará isso" (Is 9.6, 7).

Assim Jeremias testifica por Jeová, quando diz: "Eis que vêm os dias, diz o Senhor, em que cumprirei a boa palavra que falei acerca da casa de Israel e acerca da casa de Judá. Naqueles dias e naquele tempo farei que brote a Davi um Renovo de justiça; ele executará juízo e justiça na terra. Naqueles dias Judá será salvo e Jerusalém habitará em segurança; e este é o nome que lhe chamarão: O SENHOR É NOSSA JUSTIÇA. Pois assim diz o Senhor: Nunca faltará a Davi varão que se assente sobre o trono da casa de Israel... Assim diz o Senhor: Se puderdes invalidar o meu pacto com o dia, e o meu pacto com a noite, de tal modo que não haja dia e noite a seu tempo, também se poderá invalidar o meu pacto com Davi, meu servo, para que não tenha filho que reine no seu trono; como também o pacto com os sacerdotes levíticos, meus ministros" (Jr 33.14-17, 20, 21).

Ao descrever o reajuntamento final de Israel e a perpetuidade do reino davídico, Ezequiel registra a seguinte mensagem de Jeová a Israel, seu povo: "Também meu servo Davi reinará sobre eles, e todos eles terão um pastor só; andarão nos meus juízos, e guardarão os meus estatutos, e os observarão. Ainda habitarão na terra que dei a meu servo Jacó, na qual habitaram vossos pais; nela habitarão, eles e seus filhos, e os filhos de seus filhos, para sempre; e Davi, meu servo, será seu príncipe eternamente. Farei com eles um pacto de paz, que será um pacto perpétuo. E os estabelecerei, e os multiplicarei, e porei o meu santuário no meio deles para sempre. Meu tabernáculo permanecerá com eles; e eu serei o seu Deus e eles serão o meu povo. E as nações saberão que eu sou o Senhor que santifico a Israel, quando estiver o meu santuário no meio deles para sempre" (Ez 37.24-28).

Daniel declara: "Eu estava olhando nas minhas visões noturnas, e eis que vinha com as nuvens do céu um como filho de homem; e dirigiu-se ao ancião de dias, e foi apresentado diante dele. E foi-lhe dado domínio, e glória, e um reino, para que todos os povos, nações e línguas o servissem; o seu domínio é um domínio eterno, que não passará, e o seu reino tal, que não será destruído... O reino, e o domínio, e a grandeza dos reinos debaixo de todo o céu serão dados ao povo dos santos do Altíssimo. O seu reino será um reino eterno, e todos os domínios o servirão, e lhe obedecerão" (Dn 7.13,14,27; cf. 2.44). Assim, a palavra de Gabriel a Maria é de importância especial: "Disse-lhe então o anjo: Não temas, Maria; pois achaste graça diante de Deus. Eis que conceberás e darás à luz um filho, ao qual porás o nome de Jesus. Este será grande e será chamado filho do Altíssimo; o Senhor Deus lhe dará o trono de Davi, seu pai; e reinará eternamente sobre a casa de Jacó, e o seu reino não terá fim" (Lc 1.30-33). A atribuição de Paulo a Cristo começa: "Ora, o Rei eterno" (1 Tm 1.17), e finalmente as vozes no céu declaram ao som da sétima trombeta: "O reino do mundo passou a ser de nosso Senhor e do seu Cristo, e ele reinará pelos séculos dos séculos" (Ap 11.15).

Em oposição a este conjunto de textos positivos que tão claramente asseveram a duração eterna do reinado de Cristo no trono de Davi, está a única passagem crida por muitos que ensinam a limitação do reinado de Cristo ao período de mil anos. A passagem diz: "Então virá o fim quando ele entregar o reino a Deus o Pai, quando houver destruído todo domínio, e toda autoridade e todo poder. Pois é necessário que ele reine até que haja posto todos os inimigos debaixo de seus pés. Ora, o último inimigo a ser destruído é a morte. Pois se lê: Todas as coisas sujeitou debaixo de seus pés. Mas, quando diz: Todas as coisas lhe estão sujeitas, claro está que se excetua aquele que lhe sujeitou todas as coisas. E, quando todas as coisas lhe estiverem sujeitas, então também o próprio Filho se sujeitará àquele que todas as coisas lhe sujeitou, para que Deus seja tudo em todos" (1 Co 15.24-28).

Obviamente, esta questão com respeito à perpetuidade do reinado da realeza de Cristo é de grande importância do ponto de vista cristológico. O assunto não tem ficado sem consideração nos anos passados e muitos poderiam ser citados

CRISTOLOGIA

com respeito a isso. Há aqueles, como os anabatistas, que têm sustentado que o reinado de Cristo termina completamente com os mil anos. Contudo, a maioria dos expositores renomados, por causa da amplitude do texto citado, é compelida a reconhecer o governo continuado de Cristo além do período do milênio. Alguns têm procurado a solução numa construção forçada da frase, *mil anos*, para asseverar que os períodos proféticos estão implícitos pela palavra *anos*, a fim de fazer o milênio continuar por centenas de milhares de anos. Outros sugerem que o termo é simbólico, e representa a própria eternidade; mas então as revelações relacionadas como a prisão de Satanás, a realização dos julgamentos dos anjos, e a sujeição completa de todos os inimigos indicaria um período restrito de tempo – um período que o texto inspirado de Apocalipse 20 declara ser de mil anos – e visto que não há absurdo algum envolvido quando o tempo literal é aceito, a interpretação literal deveria ser recebida até que se provasse insustentável.

Para os que argumentam que as palavras *eterno*, *duradouro* e *para sempre* são algumas vezes limitadas com respeito ao elemento tempo e que dependem da duração óbvia da situação com a qual estas palavras estão associadas, pode ser dito que estas palavras, quando usadas neste contexto, criam a própria situação; isto é, o esforço desta linguagem em cada caso é declarar o caráter eterno do reinado de Cristo. Não pode haver incerteza alguma ligada às palavras do anjo a Maria: "...e o seu reino não terá fim" (Lc 1.33) ou: "Viva ele enquanto existir o sol, e enquanto durar a lua, por todas as gerações" (Sl 72.5) e, além disso: "Do aumento do seu governo e da paz não haverá fim" (Is 9.7). Admitido que Deus deseja anunciar um reino de Cristo por toda a eternidade vindoura, não há palavras disponíveis além destas para expressar essa revelação. É um fato notável que os judeus deram ao reino de Jeová o caráter de duração interminável (cf. Sl 89.34-37).

Em 1 Coríntios 15.24-28, a passagem sob consideração, o apóstolo Paulo apresenta a verdade em geral a respeito da ressurreição de Cristo e da humanidade. Por ter indicado que há uma ordem na ressurreição com diversos grupos distintos e que a ressurreição de Cristo é a primeira na série e que "após" isso haverá uma ressurreição dos que "são de Cristo em sua vinda" – um período entre a Sua ressurreição e a deles, já mediu aproximadamente dois mil anos e será terminada somente pela vinda de Cristo – o apóstolo declara: "Então virá o fim". Ao reconhecer que várias interpretações do termo, *o fim*, foram desenvolvidas, não obstante é sustentado que – como o propósito total da mensagem do apóstolo neste ponto, é apresentar o programa da ressurreição que segue certa "ordem" e como a menção de apenas dois dos eventos sem um terceiro dificilmente exigiria qualquer reconhecimento de uma processão ou qualquer distinção com respeito a grupos e como as palavras "cada um em sua própria ordem" sugerem que há mais coisa sobre a ressurreição do que o grupo designado como "aqueles que são de Cristo" – a única interpretação sustentável da frase, *o fim*, é que indica o fim da ordem da ressurreição e se refere à ressurreição de todos aqueles que não estão incluídos no primeiro grupo, chamado aqui "aqueles que são de Cristo".

342

A Renúncia do Aspecto Mediatorial

Como pode a expressão "todo homem" ser explicada, se somente um grupo limitado está incluído nas primeiras ressurreições da humanidade? O programa total da ressurreição é, assim, dividido em três eventos. Nesta enumeração, a ressurreição de Cristo fica em primeiro; contudo, quando somente as ressurreições da humanidade estão em vista, como em Apocalipse 20.4-6, a ressurreição daqueles que são de Cristo é chamada "a primeira ressurreição", e do "restante dos mortos" é dito que eles "não reviveram, até que os mil anos se completassem". Cristo declarou que haverá duas classes distintas na ressurreição, embora o relacionamento de tempo delas não seja indicado por Ele (cf. Jo 5.25,28,29). De uma maneira semelhante Daniel predisse uma divisão similar dos judeus, quando eles ressuscitarem (cf. Dn 12.1-3). Além disso, o apóstolo assevera que, antes da ressurreição final possa acontecer e após a ressurreição daqueles que são os salvos em Cristo, grandes julgamentos angelicais devem acontecer e todos até o fim, para que toda oposição, seja ela de homens ou de anjos, seja destruída, para restaurar, assim, o governo legítimo de Deus sobre o universo.

As Escrituras são fiéis em revelar a verdade de que há aqueles entre os anjos e homens que têm repudiado a autoridade de Deus. É difícil entender que se tenha permitido que o pecado entrasse na criação de Deus; mas seria mesmo mais difícil compreender se estivesse implícito que esta rebelião nunca pudesse ser julgada ou corrigida. Em Seus julgamentos da humanidade, Cristo primeiro trata com as nações vivas no tempo aparentemente mais breve, quando se assenta no trono da Sua glória (Mt 25.31-46). Semelhantemente, os ímpios mortos virão ao julgamento do grande Trono Branco (Ap 20.12-15); mas o julgamento da oposição angelical a Deus – inclusive Satanás, que adequadamente será confinado ao abismo com a mesma duração do reino – será realizado durante o período de mil anos. O texto da profecia declara: "...quando houver destruído todo domínio, e toda autoridade e todo poder. Pois é necessário que ele reine até que haja posto todos os inimigos debaixo de seus pés. Ora, o último inimigo a ser destruído é a morte".

Isto conduz à declaração maravilhosa apresentada no versículo 28: "E quando todas as coisas lhe estiverem sujeitas", então Ele continuará a reinar pela autoridade do Pai. Está evidente em 1 Coríntios 6.2, 3 que o julgamento dos homens e o dos anjos vêm após o casamento do Cordeiro, pois a sua Noiva está associada a Ele nesses julgamentos. O texto diz: "Ou não sabeis vós que os santos hão de julgar o mundo? Ora, se o mundo há de ser julgado por vós, sois porventura indignos de julgar as coisas mínimas? Não sabeis vós que havemos de julgar os anjos? Quanto mais as coisas pertencentes a esta vida?" Voltando à passagem em questão, deverá se observado no versículo 27 que o Filho deve governar durante os mil anos pela autoridade do Pai e que, portanto, o Pai é excetuado do governo normativo do Filho. Este versículo diz: "Todas as coisas sujeitou debaixo de seus pés. Mas, quando diz: Todas as coisas lhe estão sujeitas, claro está que se excetua aquele que lhe sujeitou todas as coisas".

As declarações dos versículos 24 e 28 se tornam o ponto do entendimento errôneo. A devolução a Deus de um reino agora imaculado não implica a entrega da autoridade da parte do Filho. A verdade afirmada é que finalmente o reino

CRISTOLOGIA

é plenamente restaurado – o reino de Deus é dado a Deus. A distinção a ser observada repousa entre a apresentação ao Pai de uma autoridade restaurada e de uma suposta anulação de um trono da parte do Filho. Esta última idéia não é exigida no texto nem mesmo sugerida. A descrição apresentada em Apocalipse 22.3 é da nova Jerusalém no estado eterno, e está declarado que "nela estará o trono de Deus e do Cordeiro". A tradução na Authorized Version de 1 Coríntios 15.28 não é clara. Ela diz: "E quando todas as coisas estiverem subjugadas por eles, então o Filho também se sujeitará a ele para colocar todas as coisas sob ele, para que Deus possa ser tudo em todos".

A afirmação significa que, quando tudo é subjugado e a autoridade divina é restaurada plenamente, o Filho, que tem governado pela autoridade do Pai por mil anos e derrubou todos os inimigos, irá governar sob essa mesma autoridade em sujeição ao Pai, como sempre, à Primeira Pessoa. Este significado mais clareado do texto remove a sugestão do conflito ente o reino eterno e um suposto reino limitado de Cristo. Como foi plenamente assegurado em outro lugar, Ele reinará sobre o trono de Davi para sempre.

O longo estudo que George N. H. Peters fez deste tema é também acrescentado:

Há somente uma passagem na Escritura que supostamente ensina a entrega ou o fim do reino messiânico distintivo (1 Co 15.27, 28). Qualquer que seja a idéia que esteja impressa nesses versículos ou derivada deles, quase todos (exceto aqueles que degradam totalmente a Cristo, e por isso são indignos de nota) admitem, qualquer que seja a devolução pretendida, que Jesus Cristo *ainda reina*, seja como Deus, a humanidade subordinada, ou como Deus-homem privado de Seu domínio e ocupa uma posição inferior etc. Neander (*His. Plant. Ch. Church*, vol. 1, 529) mais cautelosamente do que muitos, diz: "O reino de Cristo em sua forma peculiar [i.e., mediatorial] virá a um fim, quando tiver conseguido o seu objetivo, quando, através da eficácia do Cristo glorificado, o reino de Deus não mais tiver oposição a enfrentar, e não mais necessitará de um redentor e mediador". "O reino mediatorial de Deus então se juntará ao imediatorial, tal é a declaração de Paulo em 1 Coríntios 15.24-28". Lange (*Com.* Mateus 3.1-12, doutrinário), mais descuidamente, observa: "Finalmente, quando o reino de Deus tiver sido aperfeiçoado, ele também terá alcançado o seu desenvolvimento pleno e final, e será amadurecido pela *auto-aniquilação* que o aguarda", assim, como ele explica, a fim de dar lugar a um reino de glória. Barnes (*Com. Loci*) imprudentemente diz: "Significa o Filho encarnado, o Mediador, o homem que foi nascido, que foi ressuscitado dentre os mortos e a quem este amplo domínio foi dado, *deverá renunciar* esse domínio, e que o governo deverá ser reassumido pela *divindade* como Deus". Stephenson (*The Atonement*) faz Cristo reinar primeiro como "*um rei independente*" e após como "*um rei subordinado*". Assim, o Filho de Davi, que é *um* com o Pai, atualmente como o rei teocrático assentado sobre o trono de Davi adotado e incorporado pelo Pai como Seu trono, abre mão do trono e do domínio que em muitos outros lugares são pronunciados – *em vista deste próprio relacionamento com o Pai – que nunca termina*. Pode haver uma contradição entre a Escritura como estas interpretações apresentam? Após um estudo cuidadoso das várias passagens que tratam diretamente deste assunto, nós sem hesitação – em nome do Filho de Davi – respondemos, que não existe ressalva nas interpretações ligadas a Ele. A fim de não darmos nossas razões para um antagonismo, que o leitor perceba, não apresentamos para a nossa crítica aquelas pessoas favoráveis ao milenismo, a fim de não sermos acusados de procurar uma acomodação para a nossa posição doutrinária. Ao invés de instar as nossas próprias idéias da passagem em questão, é suficiente deixar *outros* especificá-las e, assim, indicar a *maravilhosa harmonia* preservada nos Santos Escritos... A frase: "...*porque convém que ele reine até que haja posto todos os inimigos debaixo dos seus pés*", não limita – como é mostrado por exemplos (Bush etc.) da fraseologia da Escritura e as admissões de todos que alguma espécie de um reino continua – o reino de Cristo. O versículo 28: "*E quando todas as coisas lhe estiverem sujeitas, então também o próprio Filho se sujeitará àquele que todas as coisas lhe sujeitou, para que Deus seja tudo em todos*". No raciocínio do apóstolo, ele tinha apenas respondido a uma objeção que poderia ser alegada, que se Cristo tem "*todas as coisas*" debaixo de Si, Sua supremacia poderia exceder à de seu pai, quando disse que "*se excetua aquele que lhe sujeitou todas as coisas*", e, em conseqüência, segue-se, como um resultado inevitável, que se o Pai é excetuado e colocou todas as coisas sob os pés do Deus-homem Jesus Cristo, Ele reterá a sua preeminência e que Cristo é ainda *subordinado*, mesmo após ter adquirido Seu maior poder e glória em seu reino. Bush observa bem: "Uma autoridade delegada necessariamente implica numa supremacia para ele que a conferiu. Esta é indubitavelmente a força do original (τότε καὶ) 'então também' i.e., então, exatamente como agora – que a versão da tradução comum falha inteiramente em apresentar". "Como Cristo, no grande esquema mediatorial, agora mantém um lugar inferior ao do Pai, assim, não obstante toda a grandeza e glória que está predita para provir dele da sujeição final de seus inimigos, Ele ainda é ordenado a ocupar essa posição subordinada". Storr e outros explicam o versículo 28 da seguinte maneira: "Os advérbios ὅταν e τότε, por serem considerados como influenciados pela palavra traduzida "será sujeito" não como um futuro de tempo, mas meramente como um futuro lógico, que denota uma inferência, o versículo é correspondentemente traduzido: "Portanto, visto que (ὅταν) todas as coisas têm sido (por um decreto divino) colocadas debaixo dEle, segue-se (τότε) que o próprio Filho é ou deve estar sujeito a Ele que colocou todas as coisas debaixo dele, para que Deus pudesse ser tudo em todos". Por ter assim passado rapidamente sobre a passagem, a fim de dar as visões imparciais e sem preconceitos dos pós-milenistas e antimilenistas, ao invés de achá-la, como é alegado, para ensinar o fim do reino, ela permanece em *harmonia* com os anúncios proféticos que proclamam a *perpetuidade* do reino. Na linguagem de Van Valkenburg (*Bibl. Repos.*, vol. 2, "*Essay on Duration of Christ's Kingdom*"): "Como o Pai foi a exceção quando todas as coisas foram colocadas sob o Filho, assim também Ele será excetuado quando todas as coisas forem sujeitas a Ele. Parece, então, que esta passagem nem mesmo sugere que *haverá um término do reino de Cristo, ou que Ele jamais devolverá seu reino ao Pai*. O domínio será de fato resgatado de seus inimigos, e restaurado à divindade, mas não em tal sentido, mas em que o Seu domínio é um *domínio eterno*, e que do Seu reino *não haverá fim*". Storr (Diss. *On Kingdom*) toma por base que "o governo que é dito, no versículo 24, ser restaurado a Deus, o Pai, *não deve ser suposto significar o governo de Cristo*, mas aquele de todo poder de oposição, que é evidentemente declarado ser destruído, para que o poder possa ser restaurado a Deus" – e adiciona que verdadeira e violentamente (como nossas proposições abundantemente provam) "*o governo é restaurado a Deus quando ele é restaurado a Cristo*". Assim, a passagem é, por eles, feita concordar com Apocalipse 11.15: "*Os reinos [ou soberania] deste mundo estão para se tornar os reinos [ou soberania] de nosso Senhor e do seu Cristo*", e quando isto é feito, o Pai e o Filho são *unidos* nesta ordem e caracterização teocrática: "*Ele reinará para sempre e sempre*". É o cumprimento de Daniel 7 e outras predições, das quais aprendemos que o Pai Lhe dá domínio, que Ele o exerce até que todos os inimigos sejam subjugados, e os reinos com supremacia reconhecida (sob um somente como esta passagem ensina à governadoria do Deus-homem) sobre toda a terra. Uma coisa deve estar auto-evidente para o crente, que esta passagem, de tão difícil interpretação (assim universalmente reconhecida), não deve ser impelida contra o testemunho de uma *multidão* de outras passagens, seja para a separação de Cristo, ou para a remoção de Sua realeza distintiva como o Cristo, ou para a diminuição de qualquer honra etc., conferida a Ele. A *honra* de ambos, Pai e Filho, é identificada com a perpetuidade deste reino teocrático, pois exatamente como o reino do Pai é o do Filho – a mais perfeita união existente entre eles constitui a *unidade no governo e no domínio*.[82]

Assim termina a porção escatológica da Cristologia. O Messias foi nascido da linhagem de Davi, o cumpridor do pacto davídico a respeito daquele que se assenta no trono de Davi; que foi nascido rei dos judeus; que foi rejeitado, e virá novamente; que no seu segundo advento julgará Israel e as nações, estabelecerá o seu reino prometido sobre a terra, julgará os seres angelicais e reinará pela autoridade do Pai no trono de Davi para sempre. Que todos adorem o Filho eterno e atribuam-lhe, em harmonia com o grande apóstolo, a doxologia de adoração e culto: "Agora, ao Rei eterno, imortal, invisível, o único Deus sábio, seja a honra e a glória eternamente. Amém".

Volume 6

Pneumatologia

Lewis Sperry Chafer
D.D., Litt.D., Th.D.
Ex-presidente e professor de Teologia Sistemática no
Seminário Teológico em Dallas

PNEUMATOLOGIA

PNEUMATOLOGIA

Prefácio
(que todo estudante deveria ler)

A PNEUMATOLOGIA é o tratamento científico de qualquer ou de todos os fatos relacionados ao espírito. Em sua ramificação mais ampla, ela abarca uma tríplice divisão, a saber: (1) Seu tratamento da Teontologia, ou das doutrinas gerais relacionadas ao Espírito divino – "Deus é Espírito" (Jo 4.24); (2) a doutrina dos seres angelicais, caídos e não-caídos; e (3) o estudo específico da parte imaterial do homem, cuja divisão da matéria é agora chamada psicologia. Visto que a segunda destas divisões – a dos anjos – já recebeu um tratamento anteriormente quando do estudo da Angelologia, e tais porções da psicologia que são próprias da Teologia Sistemática já foram tratadas no estudo da Antropologia, o presente volume se restringirá ao que é geralmente reconhecido como os aspectos teológicos mais estritos da Pneumatologia. Isto exige consideração da Pessoa e obra do Espírito Santo, a Terceira Pessoa da bendita Trindade.

Nos primeiros quatro volumes desta obra, onde um esboço geral dividido em sete partes da Teologia Sistemática foi apresentado, o Espírito Santo foi harmoniosamente reconhecido de acordo com o seu lugar legítimo na divindade, no empreendimento total da redenção, e na vida e serviço daqueles que são salvos. Contudo, como no caso de Cristo e, mais tarde, com um tratamento mais completo da revelação a respeito dEle dada no volume V, sob Cristologia, há necessidade, neste ponto, se esta obra de teologia cumpre o seu propósito, de um estudo extenso da Pessoa e obra do Espírito Santo. Esse estudo completo é o desígnio deste volume.

O que quer que seja verdadeiro do Deus triúno, é verdadeiro do Espírito Santo. Esta afirmação pode ser feita com igual justificação do Pai ou do Filho, e, se é dada atenção à Terceira Pessoa, este estudo se destinará para o entendimento correto e uma avaliação correta da Pessoa e obra do Espírito Santo. Uma estranha negligência da plena identidade do Espírito Santo, e sempre tem sido espalhada, negligência essa que é lamentada por todos os expositores atentos. Por falta de um ensino extenso e construtivo a respeito do Espírito Santo, a Igreja, na sua grande maioria, está na mesma posição que os doze discípulos de João Batista estiveram, a quem Paulo encontrou em Éfeso. A afirmação deles – sincera e livre de desculpas – foi: "Nem sequer ouvimos que haja Espírito Santo" (At 19.2). Sem dúvida, algumas causas naturais estão por detrás do fato de que os cristãos geralmente são pouco informados a respeito deste grande tema.

(1) Não há ausência de revelação clara concernente ao Espírito Santo; todavia, a negligência, a ignorância e o erro são transmitidos de professor para aluno tão livre e eficazmente como se fosse a verdade. "Como é o povo, assim será o sacerdote" (Os 4.9) é um princípio que pode ser estendido da seguinte maneira: *como é o*

professor, assim é o aluno. Disto, o alcance mais amplo de seu desenvolvimento como princípio, Isaías escreve: "E o que suceder ao povo, sucederá ao sacerdote; ao servo, como ao seu senhor; à serva, como à sua senhora; ao comprador, como ao vendedor; ao que empresta, como ao que toma emprestado; ao que recebe usura, como ao que paga usura" (Is 24.2). Se ao professor é permitido negligenciar, ignorar e errar a respeito de qualquer ponto de doutrina, dificilmente se poderia esperar do aluno ser correto nessas expressões – exceto em raros exemplos quando, por ter repudiado o molde restrito em que é ensinado, o aluno atinge um entendimento mais amplo da revelação divina.

Na verdade, essa tem sido a experiência de homens que, submissos a Deus, tem recebido a elevada honra de acrescentar alguma coisa ao reconhecido conjunto de verdades geralmente aceito. Não se referiu Cristo a isso, quando disse: "Por isso, todo escriba que se fez discípulo do reino dos céus é semelhante a um homem, proprietário, que tira do seu tesouro coisas novas e velhas" (Mt 13.52)? Quando se julga a observação limitada que a doutrina do Espírito Santo recebe das mãos daqueles que têm analisado para escrever obras sobre Teologia Sistemática, uma razão é facilmente descoberta que explica por que os seus alunos dão tão pouca consideração a ela. Quase todo erro ou ênfase desproporcional sobre o mesmo aspecto da doutrina da parte de poucos é causado pela negligência dessa verdade da parte de muitos. Os erros pentecostais com o seu uso indevido dos termos bíblicos e de suas suposições nunca teriam se desenvolvido em qualquer grau se a doutrina tivesse sido ensinada em suas proporções corretas. Semelhantemente, aqueles cultos que vivem somente com uma ênfase em cura do corpo não teriam surgido se a Igreja tivesse reconhecido e defendido aquilo que é verdadeiro nesse campo da doutrina.

(2) Além disso, uma razão para a falha geral em reconhecer a Pessoa e a obra do Espírito Santo, é devido ao fato de que, dentro do alcance da compreensão usual da verdade revelada, o Espírito Santo não é apresentado como um objeto de fé, como são o Pai e o Filho. A salvação não é dita depender da fé no Espírito Santo, como o é no caso do Pai (cf. Rm 4.24), ou do Filho (cf. Jo 3.16). É somente quando as verdades mais profundas relacionadas ao poder do Espírito Santo dentro do crente são abordadas, que o pensamento da dependência da Terceira Pessoa da divindade é trazido à tona. Assim tem acontecido como um efeito geral que o Pai e o Filho são realmente avaliados como os objetos da fé salvadora e o Espírito Santo não é levado em consideração.

(3) Semelhantemente, o Pai e o Filho estão constantemente associados um com o outro no texto do Novo Testamento. Isto é devido ao fato que em grande porção dos evangelhos, onde os quatro livros ocupam 2/5 de todo o Novo Testamento, o Filho fala e é também aquele que é enviado pelo Pai para fazer a vontade do Pai (cf. Jo 14.10). Igualmente, as declarações pessoais não são registradas como procedentes diretamente do Espírito Santo (Jo 16.13); não obstante, uma leitura atenta do Texto Sagrado dá uma impressão de que o Espírito Santo é o Executivo poderoso da divindade e, por causa disso, a sua relação com o Pai e o Filho é um tema de grandes proporções.

PREFÁCIO

(4) Finalmente, há uma razão para a negligência geral da doutrina do Espírito Santo ser encontrada no fato de que a Sua obra como executor da divindade seja freqüentemente atribuída de um modo mais ou menos impessoal com relação a Deus. Assim, a verdade exata de que certas coisas são operadas especificamente pelo Espírito Santo, se torna perdida numa generalização. Destes quatro fatores que, na sua maioria, juntamente explica a falha em dar a devida consideração à Pessoa e obra do Espírito Santo. O primeiro problema – o de negligenciar, ignorar e errar tudo o que é passado do professor ao aluno – é a fonte mais prolífica da dificuldade. Os homens nos púlpitos pregariam e ensinariam esta grande linha de doutrina, se assim eles tivessem aprendido, e ninguém pode medir a perda na vida diária prática do povo de Deus que tem acontecido pela retenção dessas suas verdades.

A situação reconhecida por todos os que conhecem essas doutrinas – que quase nada do número limitado de hinos da Igreja que ensinam a doutrina do Espírito Santo são escriturísticos – deve ser explicada pelo fato de que não tem sido dada atenção a esse assunto. Nada é ganho com a lamentação dessas condições infelizes. O ensino construtivo é necessário, e pastores e mestres fariam bem em medir a ênfase que deveria ser dada a este tema, de acordo com o grau em que ele aparece no texto do Novo Testamento, ao invés de cair em erro e se tornar participante da negligência dominante em relação a essas porções de verdades vitais. É meu desejo sincero que este volume possa servir para ensinar alguns que, por sua vez, ensinam outros também. Este tratado no curso de seu desenvolvimento seguirá uma quíntupla divisão: (1) O Espírito Santo e a Trindade; (2) tipos e símbolos do Espírito Santo; (3) o Espírito Santo e a profecia; (4) o Espírito Santo em relação aos gentios e Israel, i.e., no Antigo Testamento; (5) o Espírito Santo em relação aos cristãos. Por causa da sua relação imediata com a vida e o serviço do crente, a última divisão receberá uma consideração mais importante.

CAPÍTULO I

O Nome do Espírito Santo

A PROVA DA DIVINDADE e da personalidade do Espírito Santo é encontrada somente na atestação divina a ser encontrada na Palavra de Deus. Nenhuma informação está disponível em lugar algum a respeito do caráter e da personalidade de qualquer uma das três pessoas que fazem parte da divindade. Quaisquer que sejam as conclusões tiradas de uma indução do testemunho bíblico a respeito da divindade ou da personalidade do Pai ou do Filho, as mesmas devem ser tiradas da indução a respeito do Espírito Santo. É possível que a designação *Espírito* que Ele porta tenha influenciado os homens em todas as gerações, ao supor que Ele não é mais do que uma influência que emana de Deus, ou um atributo de Deus, ou uma perífrase para a divindade. Tais suposições, contudo, servem para revelar o fato de que os homens não consideram a Palavra de Deus, ou se a consideram, não são submissos a ela. Os escritores têm dedicado muitas páginas para provar a divindade e a personalidade do Espírito Santo.

A tarefa não é difícil, porque toda referência a Ele é direta ou indiretamente um testemunho de sua personalidade e de sua divindade essencial. É algumas vezes asseverado que os mesmos argumentos que demonstram a divindade de Cristo, o Filho, servem para demonstrar a divindade do Espírito Santo, e que isso é verdadeiro num grau marcante; mas há, não obstante, uma diferença: pois a divindade da Segunda Pessoa está envolvida com sua suposição da humanidade através da encarnação, enquanto que a divindade do Espírito Santo não está envolvida dessa maneira. O Espírito Santo sempre mantém um modo de ação que está totalmente dentro da esfera daquilo que pertence somente a Deus. Três linhas de prova a respeito da divindade e da personalidade do Espírito Santo devem ser apresentadas neste capítulo e no seguinte: (1) o Espírito Santo porta os nomes da divindade; (2) o Espírito Santo exibe os atributos e perfeições da divindade; e (3) o Espírito Santo realiza as obras e exerce as prerrogativas da divindade.

I. O Tríplice Nome da Divindade

As idéias corretas sobre Deus – como aquelas que podem ser obtidas somente das Santas Escrituras – são essenciais a cada passo na vida e no progresso dos homens. Conquanto seja verdade que Deus se revelou tanto através da Palavra Escrita quanto da Palavra Viva e que Seu caráter essencial é refletido em todas as Suas palavras e obras, Ele é também revelado através dos nomes que Ele publicou como distinções de títulos que o representam. É importante reconhecer que Deus revelou os seus próprios nomes, e que eles não são de modo algum meras invenções ou ideais humanos; e para a satisfação da infinidade, estes cognomes, embora apenas parcialmente compreendidos pelo homem, falam a verdade a respeito de Deus. Nenhum homem mortal, nenhuma combinação de homens, nenhum anjo, foi convocado para selecionar os nomes de Deus.

No apogeu do seu estado de santidade e na relação de maior intimidade com Deus, Adão foi convocado para nomear as coisas recentemente criadas da terra; mas ele nunca presumiu conferir uma designação a Deus. No volume I desta obra – quando se considerou a Teontologia – aos nomes revelados da divindade foi dada uma extensa consideração. Precisou ser acrescentado que, enquanto no Antigo Testamento vários nomes são reconhecidos como pertencentes às pessoas da divindade, o nome pleno e completo – não os nomes – de Deus é revelado no Novo Testamento. Ele é aqui chamado *o Pai e o Filho e o Espírito Santo*. Imediatamente as verdades desconcertantes relacionadas a Deus como o Único, cuja subsistência é tríplice, são confrontadas.

Ao ecrever em seu livro *Principles of Theology*, o Dr. W. H. Griffith Thomas declara com respeito à Trindade o que está ensinado no Novo Testamento:

Quando nós abordamos a doutrina por meio da experiência pessoal da redenção, estamos preparados para fazer uma consideração plena de duas linhas de ensino encontradas no Novo Testamento. *(a)* Uma linha de ensino insiste na unidade da divindade (1 Co 8.4; Tg 2.19); e *(b)* a outra revela distinções dentro da divindade (Mt 3.16, 17; 28.19; 2 Co 13.14). Vemos claramente que (1) o Pai é Deus (Mt 11.25; Rm 15.6; Ef 4.6); (2) o Filho é Deus (Jo 1.1, 18; 20.28; At 20.28; Rm 9.5; Hb 1.8; Cl 2.9; Fp 2.6; 2 Pe 1.1); (3) o Espírito Santo é Deus (At 5.3, 4; 1 Co 2.10, 11; Ef 2.22); (4) o Pai, o Filho e o Espírito Santo são distintos um do outro, enviando e sendo enviado, honrando e sendo honrado. O Pai honra o Filho, o Filho honra o Pai e o Espírito Santo honra o Filho (Jo 15.26; 16.13, 14; 17.1, 8, 18, 23). (5) Não obstante, quaisquer que sejam as relações de subordinação que possa haver entre as pessoas no desenvolvimento da redenção, as três Pessoas são igualmente consideradas como Deus. A doutrina da Trindade é a correlação, personificação e síntese do ensino dessas passagens. Na unidade da divindade há uma trindade de Pessoas que desenvolvem a nossa redenção através de Seu amor (Jo 3.16). Deus o Filho é o Redentor, que se tornou homem para o propósito de nos redimir. Deus o Espírito Santo é o "Executivo da divindade", o "Vigário de Cristo", que aplica a cada alma crente os benefícios da redenção. Vemos isto muito claramente em Hebreus 10.7-17, onde o Pai deseja, o Filho opera e o Espírito Santo testemunha. Os elementos do plano da redenção assim acham a sua raiz, fundamento e fonte na natureza da divindade; e a razão óbvia pela qual estas distinções que expressamos através dos termos "pessoa" e "trindade" não foram reveladas anteriormente aos tempos do Novo Testamento, é que a redenção não tinha ainda sido realizada.[83]

Uma discussão renovada das concepções triunitárias corretas não será apresentada aqui. O objetivo em vista neste ponto é centrar a convicção sobre a verdade de que o Espírito Santo é membro legítimo e igual na divindade triúna. Nesse sentido, que é verdadeiro do Pai e do Filho como Pessoas, também o é a respeito do Espírito Santo. Deve ser reconhecido, contudo, que o termo Pessoa (ὑπόστασις – cf. Hb 1.3) usado a respeito de qualquer uma pessoa da Trindade é empregado sob limitações reveladas e necessárias. Essas Pessoas não são três seres separados e independentes; antes, o pensamento da identidade pessoal assinala uma distinção indefinível na divindade – indefinível porque ela não é plenamente definida por Deus em Sua Palavra. Tentativas que têm sido feitas pelos homens mesmo para ilustrar o que é verdadeiro no modo triunitário que o Ser divino constitui, em páginas anteriores, foram repudiadas e declaradas como mais causadoras de confusão e de gerar entendimento errôneo do que úteis.

Na grande comissão (Mt 28.18-20), é dada orientação para que se batize em *nome* – cujo nome é *Pai, Filho e Espírito Santo* – não nos três nomes pertencentes respectivamente às três Pessoas livremente relacionadas, mas ao único nome pertencente a um Deus cujo modo de subsistência é o de três Pessoas que são identificadas como o Pai, o Filho e o Espírito Santo. Se estas distinções não parecem representar relacionamentos familiares aos homens, pode ser observado que estas não são os relacionamentos peculiares aos homens. Eles significam o que é o verdadeiro Deus. É peculiar a Deus que não tem paralelo nos afazeres humanos. O pronunciamento da grande comissão é uma das declarações mais elevadas das designações divinas, e o ponto a ser observado e enfatizado neste momento, é que o Espírito Santo está incluído neste nome. O fato de que o Seu nome é o terceiro na ordem não cria a mais leve sugestão de inferioridade, visto que esta seqüência de nomes não objetiva representar um grau decrescente de exaltação e dignidade.

Naturalmente, se uma série de nomes que são absolutamente idênticos com respeito ao caráter daqueles indicados, devem ser nomeados – qualquer que possa ser a razão divina para a ordem na qual os nomes aparecem, no que diz respeito respeita à dignidade, poder, autoridade, honra, e todos os atributos divinos – o último poderia ter sido mencionado primeiro e o primeiro poderia ser nomeado por último. Assim, também, o segundo poderia ter trocado de

O Tríplice Nome da Divindade

lugar com o primeiro ou com o último. Há uma razão para a ordem em que esses nomes aparecem que está totalmente à parte da idéia de uma escala descendente de importância. Nos conselhos eternos de Deus, e na verdade pouca coisa é revelada ao homem, a mesma ordem é evidentemente mantida. A ordem reflete o que tem sido chamado de *doutrina da processão*. A idéia da processão está baseada no que parece ser o ensino simples da Bíblia com respeito à relação existente entre as Pessoas da divindade.

Em reconhecimento das Escrituras, os grandes credos têm feito afirmações explícitas. O Credo niceno afirma: "Cremos... no Espírito Santo, Senhor e Vivificador, que *procede* do Pai, que com o Pai e o Filho conjuntamente é adorado e glorificado".[84] Assim, também, o Credo de Atanásio declara: "O Espírito Santo é do Pai e do Filho, não feito, não criado, não gerado, mas *procedente*".[85] Igualmente, os Trinta e Nove Artigos de Fé afirmam: "O Espírito Santo, *procedente* do Pai e do Filho, é de uma substância, majestade, e glória, com o Pai e o Filho, verdadeiro e eterno Deus". E a *Confissão de Fé de Westminster* assevera: "Na unidade da Divindade há três pessoas de uma mesma substância, poder e eternidade – Deus o Pai, Deus o Filho e Deus o Espírito Santo. O Pai não é de ninguém – não é gerado, nem procedente; o Filho é eternamente gerado do Pai; o Espírito é eternamente procedente do Pai e do Filho".[86]

O salmo 104.30 declara a respeito de Jeová: "Envias o teu Espírito, e são criados; e assim renovas a face da terra". Igualmente Cristo disse: "Quando vier o Ajudador, que eu vos enviarei da parte do Pai, o Espírito da verdade, que do Pai procede, esse dará testemunho de mim... Todavia, digo-vos a verdade, convém-vos que eu vá; pois se eu não for, o Ajudador não virá a vós; mas, se eu for, vo-lo enviarei" (Jo 15.26; 16.7). O Espírito Santo é o Espírito de Deus e de Cristo, não meramente a presença espiritual do Pai ou do Filho; Ele é o Espírito do Pai porque Ele é enviado pelo Pai, e Ele é o Espírito de Cristo, porque Ele é enviado por Cristo. Como o Filho é sempre a manifestação do Pai (Jo 1.18), assim o Espírito é enviado por ambos, Pai e Filho. Estes são fatos eternos do relacionamento que, embora apenas pouco compreendido pelos homens, representam poderosas realidades dentro da divindade.

Numa introdução ao livro do Dr. A. J. Gordon, *The Ministry of the Spirit*, o Dr. F. B. Meyer escreve:

O cristianismo é acossado por três correntes poderosas, que insidiosamente operam para desviá-lo de seu curso. O materialismo, que nega ou ignora o sobrenatural, e concentra sua atenção na melhora das condições exteriores da vida humana; a crítica, que é esperta na análise e da dissecação, mas não pode construir um fundamento sobre o qual a faculdade religiosa possa ser edificada ou possa repousar; e um sabor literário fino, que tem sido desenvolvido ultimamente, e está disposto a julgar o poder pela força das palavras ou pela delicadeza da expressão. Para todos estes temos apenas uma resposta. E esta é, não um sistema, um credo, uma igreja, o Cristo vivo, que esteve morto, mas que está vivo para sempre, e tem as chaves para destrancar todas as perplexidades, problemas e falhas. Embora a sociedade possa ser reconstituída, e as necessidades materiais serem mais uniformemente supridas, os descontentes se irromperiam contra de alguma outra forma, a menos que o coração fosse cheio de seu amor. A verdade que ele revela à alma, e que está envolvida nele, é a única capaz de apaziguar a fome profunda da mente por dados com os quais constrói sua resposta às perguntas da vida e do destino e de Deus, que sempre estão batendo à porta esperando solução. E os homens têm ainda de aprender que o mais alto poder não está nas palavras ou nas metáforas ou nos ímpetos de eloqüência, mas na Palavra que habita e que opera, que é a sabedoria e o poder de Deus, e que trata com as regiões inferiores daqueles onde a mente labora em vão. Jesus Cristo, o sempre vivo Filho de Deus, é a única resposta suprema para os desassossegos e angústias de nossos dias. Mas Ele não pode, Ele não se revelará a si mesmo. Cada Pessoa na Trindade santa revela uma a outra. O Filho revela o Pai, mas sua própria revelação aguarda o testemunho do Espírito Santo, que, embora freqüentemente dada diretamente, é basicamente através da Igreja. O que precisamos, então, e o que o mundo está esperando, é o Filho de Deus, testemunhado e revelado em toda a sua radiante beleza no ministério do Espírito Santo, ao mesmo tempo em que Ele energiza com e através dos santos que compõem o corpo místico e santo, a Igreja. É necessário enfatizar esta distinção. Em alguns recantos parece ser suposto que o próprio Espírito Santo é a solução para as perplexidades de nosso tempo. Ora, o que podemos testemunhar em algum tempo vindouro não sabemos, mas nisto está claro que Deus na pessoa de Cristo é a única resposta divina. Aqui está o sim e o amém de Deus, o Alfa e o Ômega, vista para os cegos, cura para os paralíticos, purificação para os poluídos, vida para os mortos, o Evangelho para o pobre e tristes e sem conforto. Ora, nós desejamos a concessão graciosa do Espírito, para que Ele possa nos ensinar mais profundamente das coisas de Cristo, e revelá-las a nós. Quando os discípulos procuraram conhecer o Pai, o Senhor disse: "Quem vê a mim, vê o Pai". É sua glória que brilha em minha face, sua vontade que molda a minha vida, o seu propósito que é cumprido em meu ministério. Assim, o bendito Paracletos nos faria desviar os pensamentos dEle para colocá-los em Cristo, com quem Ele é um na Trindade santa, e a quem ele veio revelar. Por todos os chamados séculos cristãos a voz do Espírito Santo tem dado testemunho do Senhor, direta e mediatamente. Diretamente, em cada despertamento espalhado da consciência humana, em cada reavivamento da religião, em cada era de avanço no conhecimento da verdade divina, em cada alma que foi regenerada, confortada, ou ensinada. Mediatamente sua obra tem sido levada através da Igreja, o corpo daqueles que crêem. Mas que lamentável! Quão tristemente o seu testemunho tem sido enfraquecido e impedido pela agência através do qual Ele veio. Ele não tem sido capaz de fazer muitas obras poderosas por causa da incredulidade que tem mantido fechadas e barradas aquelas avenidas pelas quais Ele teria derramado o seu alegre testemunho do Senhor, agora invisível e glorificado. As divisões da Igreja, sua luta a respeito de assuntos de insignificância comparativa, sua magnificação dos pontos de diferença, seu materialismo, seu amor às riquezas, ao lugar e ao poder, sua riqueza incontável e aumentada em bens e não precisando de nada, quando ela era pobre, miserável, cega e nua – estas coisas não têm somente roubado dela de seu testemunho, mas têm entristecido e apagado o Espírito Santo, e anulado o seu testemunho.[87]

Além disso, uma advertência é oportuna aqui para que não seja nutrida a impressão de que a doutrina da *processão* implica alguma variação entre as Pessoas divinas em exaltação ou importância. Na Teontologia, tem sido feito um esforço para defender a Segunda Pessoa da suposição que Ele, por ser o Manifestador do Pai e por ter se tornado homem, é inferior ao Pai. É também importante observar que o Espírito Santo – como o Seu nome aparece no título pleno da divindade – embora sempre enviado pelo Pai e pelo Filho, é eternamente igual ao Pai e ao Filho. As grandes revelações de que o Filho é gerado do Pai e de que o Espírito procede do Pai e do Filho devem ser mantidas inconfusas com os relacionamentos humanos; porque, enquanto as Escrituras certamente apresentam a doutrina da *processão*, estas mesmas Escrituras mui certamente anunciam a igualdade absoluta das pessoas dentro da divindade.

No desenvolvimento das inter-relações divinas, que são manifestas na redenção, o Filho vem ao mundo para fazer a vontade do Pai (Hb 10.4-7) e o Espírito está sujeito a ambos, o Pai e o Filho; todavia, deverá ser lembrado que Cristo fez-se a si mesmo sujeito também ao Espírito. Está escrito: "Jesus, pois, cheio do Espírito Santo, voltou do Jordão; e era levado pelo Espírito no deserto" (Lc 4.1). Assim, a noção humana de que o maior deve ser servido pelo menor é totalmente estranha nos inter-relacionamentos divinos. O Filho é não menos igual ao Pai embora Ele procure a glória do Pai (cf. Jo 14.13), e o Espírito Santo não é menos igual ao Pai e ao Filho, embora procure a glória do Filho (cf. Jo 16.14).

O Dr. William Cooke escreveu em sua obra *Christian Theology* eficazmente sobre o tríplice nome de Deus. Uma parte de seu trabalho está inclusa aqui:

Na grande comissão para pregar o Evangelho a toda criatura, Deus fala de si mesmo sob uma tríplice designação, quando disse: "Portanto ide, fazei discípulos de todas as nações, batizando-as em nome do Pai, e do Filho, e do Espírito Santo". Se em qualquer parte do ensino de nosso Senhor fosse exigido um cuidado especial no uso das palavras, a fim de dar aos homens uma visão correta de Deus, seria este aqui: porque aqui está uma declaração do nome de Deus; aqui está um mandado normativo de fazer este nome conhecido em todo o mundo; e aqui está uma ordem para desempenhar uma ordenança solene neste nome, como um meio especial de publicar e perpetuá-lo em toda a raça humana. Este nome tríplice, então, não possui origem humana; é aplicado pelo próprio Senhor à divindade, e aplicado por Ele como expressivo da natureza divina; e porque é expressivo da natureza divina, Ele ordena que seja proclamado ao mundo todo, como o nome pelo qual a divindade deveria ser reconhecida e adorada pela raça humana. Negar este nome é negar a autoridade de Cristo; questionar a sua conveniência é questionar a sua sabedoria; retê-lo de Deus é rebelar-se contra a mais clara injunção de fazê-lo conhecido. Onde quer que o Evangelho seja pregado, este tríplice nome deve ser proclamado como o nome de Deus; e onde quer que o batismo seja celebrado, ele deve ser desempenhado com o nome dEle a quem recebemos e reconhecemos como o nosso único Deus. O Evangelho não pode ser pregado sem a publicação desse nome; porque está expressamente especificado como uma parte da mensagem do Evangelho. Ele permanece como a primeira e como a proposição fundamental do sistema do Evangelho. Outras doutrinas estão indubitavelmente inclusas na mensagem divina; mas esta não está somente incluída, mas está expressa, e expressa porque Ele é a base de todas as outras verdades, e deve, portanto, ser tornado primeiro elemento em todo ensino evangélico. Tal é a importância desse nome tríplice, que é satisfatório saber que o texto que o incorpora é admitido pelos homens de todos os credos como autêntico e genuíno. Aqui não há uma disputa, nem pode haver mesmo qualquer diversidade de opinião. O texto que expressa este nome está contido em todas as cópias do original grego, antigas como modernas, quanto mais se caminha para a sua antiguidade. Ele está contido, também em todas as versões, antigas e modernas; e a tradução deste tríplice nome de Deus em toda versão é a mesma. Na verdade, não pode ser dada uma tradução diferente; porque o texto consiste de alguns poucos termos simples que admitem somente uma tradução com um sentido literal. Isto é tão óbvio, que nenhuma diferença da qual estamos cônscios jamais foi sugerida, mesmo por homens, credos e opiniões opostas. Comentadores, gramáticos, teólogos e críticos, embora diferindo em alguns pontos amplamente como os pólos estão separados um do outro, eles uniformemente concordam na tradução desta passagem. Mesmo na versão do Novo Testamento dos Unitarianos, o nome de Deus como "o Pai, e o Filho, e o Espírito Santo", nesta passagem está traduzida precisamente como está em nossa própria versão. Esta unanimidade com relação à genuinidade e a tradução desta passagem é da mais alta importância; porque ela estreita a base de controvérsia, e fornece um padrão de apelo indiscutível. Temos, portanto, somente que render o nosso entendimento aos ensinos da autoridade reconhecida, a fim de obter uma visão clara e correta sobre Deus. Para este padrão infalível, então, vimos, e nos colocamos a nós mesmos diante do oráculo sagrado, e reverentemente inquirimos: "Quem é o Deus do cristão, e qual é o seu respeitável nome?

O TRÍPLICE NOME DA DIVINDADE

É Ele uma unidade absoluta, ou uma dualidade, ou uma trindade?" O texto diante de nós nos dá uma resposta clara, decisiva e sem a menor ambigüidade: "Ele é o Pai, e o Filho, e o Espírito Santo". Aqui, então, três nomes são aplicados a Deus; não mais, nem menos. Cada nome é separado e distinto um do outro; todavia, conectado pela conjunção "*e*". Estamos certos de que estes três nomes são apropriados; porque eles são aplicados a Deus pelo grande Mestre e Salvador da raça, que veio mostrar aos homens quem é Deus. Mas se estes três nomes distintos são apropriados, e constituem juntamente o nome do Deus sempre bendito, eles devem ser expressivos de algumas distinções na natureza divina. Todavia, nestas distinções deve haver, ao mesmo tempo, uma união essencial; porque os três nomes constituem juntamente apenas o nome do único Deus vivente e verdadeiro. Guiados por esta passagem importante, e pelo teor geral das Santas Escrituras, sustentamos que Jeová, que é um em essência, revelou-se ao homem como subsistindo numa distinção de três Pessoas, denominadas Pai, Filho e Espírito Santo. Nós não professamos definir ou explicar exatamente a *natureza* desta distinção, porque Deus não no-la revelou. É provável, na verdade, que os termos da linguagem humana sejam inadequados para expressá-la; e que as nossas capacidades nesta vida são muito limitadas e débeis para recebê-la. Nós usamos a palavra "pessoa", portanto, sob algumas limitações – não para expressar a existência de três seres separados e independentes, mas para marcar o fato de uma distinção tríplice real que existe na divindade. Neste sentido, a palavra "pessoa" tem a sanção tanto da Escritura quanto da venerável antigüidade eclesiástica, sendo a tradução da palavra ὑπόστασις (*hypostasis*) usada pelos pais nicenos, e por nossos próprios tradutores quando eles designaram Cristo como o esplendor da glória do Pai, e a imagem expressa de sua pessoa (Hb 1.3). A distinção nas Pessoas da divindade é tal, cremos, que implica em consciências distintas, combinadas com participação unida e co-igual da natureza e atributos divinos. Aqui, contudo, somos confrontados com três sentimentos opostos, e é nosso dever examinar e refutar – o unitariano, o sabeliano e o triteísta.

A teoria *unitariana* abarca duas classes de opinião, em que negam a doutrina da Trindade, e argumentam em favor da unidade absoluta de Deus. Os arianos tradicionais sustentam que o ser chamado Filho é a principal das obras de Deus, mesmo mais elevado do que os anos; mas os socinianos consideram-no como somente um mero homem. Com relação ao Espírito Santo, o sentimento unitariano é vago e diversificado. Algumas vezes ele é considerado como um atributo de Deus, ou uma influência procedente dele; e algumas vezes como somente outro nome para o próprio Pai. É evidente, à primeira vista, que estas idéias sobre a natureza divina não são derivadas do nome tríplice, que o Salvador aplicou a Deus na grande comissão para pregar o Evangelho. Nada há nessas palavras para sancionar a inferioridade do Filho; nada para sustentar a noção de que o Espírito Santo é um atributo ou uma mera influência procedente de Deus; e nada para encorajar a idéia do Espírito ser apenas outro nome para o próprio Pai. O significado natural e óbvio da passagem é decididamente contra tais noções. No tríplice nome de Deus, temos evidentemente a distinção e a co-igualdade combinadas; porque cada um representado nesse nome permanece na mesma relação conosco como nosso Deus. Contudo, como os pontos essenciais da heresia unitariana estão envolvidos no credo sabeliano, a mesma classe de argumentação de textos da Escritura que derrota um será aplicada para a subversão do outro...

A *heresia sabeliana* é um tanto diversificada em seus aspectos menores, mas, em seus princípios substanciais, ela sustenta que a divindade é uma unidade absoluta; que as distinções indicadas pelos termos "Pai, Filho, e Espírito Santo" não são reais e pessoais, mas nominais e oficiais; que o Pai somente é a divindade em seu caráter paterno; que o Filho é o mesmo ser ou pessoa encarnada, ou "Deus manifesto em carne"; e que o Espírito Santo é também o mesmo ser revelado em suas influências espirituais. Ora, esta doutrina é igualmente repugnante ao tríplice nome atribuído a Jeová na Grande Comissão do Evangelho, e na fórmula do batismo. Ela é, na verdade, diretamente contrária ao significado natural e óbvio da linguagem. É asseverar que o nosso Senhor usou palavras sem significado; e não somente isso, mas que Ele as usou num sentido *contrário* ao significado do uso natural e próprio delas. Porque em todas as línguas as palavras Pai e Filho são *pessoais* e não designações nominais; e dizer que nosso Senhor pretendeu que essas palavras tivessem uma significação meramente nominal, enquanto em todas as línguas elas têm uma significação pessoal, é dizer que Ele empregou uma linguagem mais para enganar do que para instruir; e não somente isso, mas que Ele ordenou que outros perpetuassem o mesmo engano até o fim dos tempos; e isto numa ocasião quando o seu propósito ostensivo era tornar Deus conhecido da raça humana! Podemos conceber uma contestação mais revoltante da sabedoria ou da sinceridade do Mestre e Salvador da raça humana? Além disso, os nomes aplicados a Deus na Grande Comissão ou na fórmula do batismo são expressivos de *relações*; e as relações são distintas e pessoais, assim como distintas; na verdade, elas são tão pessoais que podem ser devidamente aplicadas a ninguém, exceto a pessoas; e tão distintas que não são permutáveis, mas fixas e permanentes na aplicação pessoal delas. Porque a relação de um pai com seu próprio filho envolve ambas, a personalidade que não pode ser determinada numa metáfora, e uma distinção que não pode ser comutada; as relações estão baseadas na própria natureza das coisas, e são eternamente imutáveis. Um pai não pode ser idêntico ao seu próprio filho, e um filho não pode ser idêntico ao seu próprio pai. Estes termos, portanto, aplicados à deidade necessariamente envolvem ambos, a distinção e a personalidade; e, conseqüentemente, a teoria sabeliana é falsa. Igualmente claras são a distinção e personalidade do Espírito Santo; porque determiná-la que seja um atributo de Deus, ou uma influência procedente de Deus, ou outro nome para o próprio Pai, envolveria em absurdos e contradições crassos. O Espírito Santo não é somente distinto aqui do Pai por um nome separado, mas ele está associado com o Pai e com o Filho na ordenança do batismo; e, conseqüentemente, as heresias sabeliana e unitariana sugerem que o "batismo deve ser administrado em nome do Pai, e de uma criatura, e de um atributo"; ou "em nome do Pai, e de uma criatura, e de uma influência"; ou "em nome do Pai, e de uma criatura, e do Pai". Podemos conceber absurdos mais berrantes? Podemos inventar um insulto mais grosseiro contra o grande Mestre e Redentor da raça humana? Com este princípio de interpretação, as Escrituras não seriam o mais absurdo e enganoso volume jamais escrito? Devemos admitir tais loucuras e blasfêmias, ou rejeitar as teorias que as envolve. Além do mais, o fato de que o batismo é uma ordenança *religiosa* implica a personalidade do Espírito Santo, porque ele deve ser feito em seu nome, assim como em nome do Pai e do Filho. Ora, o Ser em cujo nome uma ordenança religiosa é apresentada, deve ser capaz de aprovar e aceitar a ordenança apresentada em seu nome: mas aprovar e aceitar implica em inteligência, e inteligência implica em consciência; e inteligência e consciência são as propriedades, não de um atributo, ou de uma influência, mas de uma existência real e pessoal. Assim, o fato de que o batismo é ordenado para ser feito em nome do Espírito Santo implica em Sua personalidade, assim como implica na personalidade do Pai e do Filho. Uma evidência adicional da personalidade do Espírito Santo, mostrada em seus atributos, será apresentada quando discutirmos sobre a sua divindade. Os fatos sublimes registrados em conexão com o batismo do Redentor são evidências notáveis da distinção e da personalidade de cada um ser glorioso triúno. Quando nosso Senhor condescendeu em receber essa ordenança das mãos de João, os céus foram abertos, e o Espírito Santo desceu em forma de uma pomba e colocou-se sobre Ele, e uma voz procedente do céu, disse: "Tu és meu Filho Amado, em quem eu me comprazo" (Mc 1.10, 11). Aqui estava uma demonstração visível e oracular da distinção e da personalidade de cada Pessoa do glorioso ser triúno. Houve aqui a presença do Filho encarnado, que se submeteu ao rito do batismo; a presença do Espírito Santo, que desceu em forma de uma pomba e encheu a Sua humanidade com um poder consagrador; e a presença do Pai, que deu testemunho de sua encarnação, e proclamou a sua própria complacência. O Pai, portanto, não é o Filho, o Filho não é o Pai, e o Espírito Santo é distinto de ambos; a distinção, portanto, é real, não nominal; pessoal, não oficial. Esta grande amostra das Três

Pessoas no batismo do Salvador, é uma ilustração prática da distinção e das personalidades pretendidas na fórmula de nosso *próprio* batismo, e ela fragmenta as heresias, a sabeliana e a unitária em milhares de pedaços.

Outra teoria errônea é a do *triteísmo*, que sustenta que não há simplesmente três personalidades, mas três seres separados e independentes; ou, em outras palavras, três deuses, ao invés de um. É um grande respeito à verdade quando ela é atacada por sentimentos diretamente opostos uns aos outros; porque na oposição deles, eles mutuamente se destroem uns aos outros; e quando se destroem uns aos outros, eles dão suporte à doutrina que é verdadeira. Os unitarianos e os sabelianos sustentam a unidade divina, mas negam a Trindade; o triteísmo, de forma contrária, sustenta a Trindade de modo evidente, mas nega a unidade divina, e assevera a existência de três deuses. A verdade total não é sustentada por nenhum desses grupos, mas uma parte da verdade é sustentada por ambos. Os erros de cada grupo repousam naquilo que cada um nega, e a verdade em cada coisa que eles sustentam. As Escrituras sustentam tão claramente que Deus é um em um sentido, como eles sustentam que ele é três num outro sentido; e como eles sustentam ambos, ambos devem ser verdadeiros; e como todas as verdades devem se harmonizar, há um sentido em que a trindade é compatível com a unidade. Portanto, essa doutrina somente é ortodoxa, pois não nega uma coisa nem outra, mas combina e harmoniza ambas; ela reconhece o Pai, o Filho e o Espírito Santo como real e pessoalmente distintos, ainda que essencialmente unidos. Esta é a doutrina trinitariana, que sustenta a pluralidade, não de nomes somente, mas de pessoas que têm consciências distintas, com participação mútua dos mesmos atributos e essência.[88]

Obviamente, o nome triúno – Pai, Filho e Espírito Santo – incorpora, significa e exibe acerca de tudo que faz parte da doutrina da Trindade. Essa doutrina pode, para o momento, ser reconsiderada com a visão para o reconhecimento da posição e honra iguais que pertence à Terceira Pessoa com a Primeira e a Segunda. Como já foi demonstrado anteriormente no estudo da Teontologia, quando a discussão centrou-se no modo trinitário da existência da deidade, o Antigo Testamento é o registro concernente a um Deus com pouco reconhecimento das Três Pessoas, enquanto que o Novo Testamento é o registro concernente ao caráter e as realizações das Três Pessoas com pouco reconhecimento de sua unidade essencial. Nenhum judeu dos dias antigos ou qualquer estudante seja desta ou das gerações passadas poderia perder a importância da forma plural do nome *Elohim*.

Como o Dr. Griffith Thomas assinalou, quando citado, não foi propósito de Deus revelar no começo tudo o que estava latente na doutrina da Trindade. Nesta revelação como em muitas outras, há "primeiro a erva, depois a espiga, e por último o grão cheio na espiga" (Mc 4.28). Assim, a revelação essencial a respeito de Deus começa com a sugestão que a forma plural de *Elohim* apresenta. Sem atribuir uma razão para rejeitar esta antiga crença de que o nome *Elohim* sugere a Trindade e descobrir qualquer outra razão para esta terminação plural que é digna do tema, os teólogos modernos têm procurado evitar o reconhecimento da Trindade a ser visto neste nome *Elohim*. É comumente aceito que o nome *Jeová*, por ser singular, é uma representação da unidade na divindade.

Está escrito: "Jeová nosso Deus (*Elohim*) é o único Jeová" (Dt 6.4). Contudo, em Gênesis 11.6-9 está registrado que o próprio Jeová disse: "Desçamos e confundamos a linguagem deles". Como é usual, quando grandes transformações estão para acontecer, na verdade, a realização é assegurada pelas Três Pessoas; isto é, cada Pessoa pode ser reconhecida separadamente na realização do que está feito. Assim, enquanto cada pessoa é, em diferentes tempos e lugares na Escritura, dita ter criado coisas que existem, o homem sábio disse: "Lembra-te do teu Criador nos dias da tua mocidade" (Ec 12.1). O plural criadores é harmonioso com a revelação total da Bíblia com respeito à criação.

Outro reconhecimento da pluralidade dentro da divindade, apresentada no Antigo Testamento, é encontrado na tríplice atribuição de adoração expressa pelos seres celestiais e registrada em Isaías 6.3: "Santo, santo, santo, é o Senhor dos exércitos; toda a terra está cheia da sua glória". Após isso, Isaías testificou: "Ai de mim! Pois estou perdido; porque sou homem de lábios impuros, e habito no meio dum povo de impuros lábios; e os meus olhos viram o rei, o Senhor dos exércitos!" E os lábios do profeta foram purificados com uma brasa viva que fora tirada do altar, e então Jeová perguntou: "A quem enviarei, e quem irá por nós?" O singular *Jeová* é assim novamente combinado com o pronome plural *nós*. Então seguem-se as predições a respeito da cegueira de Israel, predições essas que são citadas diversas vezes no Novo Testamento. O registro é todo de um evento de atribuição tríplice de louvor por causa do julgamento de Israel.

Visto que o contexto não permite uma divisão, é importante observar que em João 12.41 – quando falava de Cristo, o Filho de Deus – é dito a respeito desta visão de glória de Isaías: "Estas coisas disse Isaías, porque viu a sua glória, e dele falou"; e outra vez em Atos 28.25, relativo à mesma visão, está sugerido que foi o Espírito Santo que falou a Isaías. Deve ser concluído, portanto, que foi o Pai, o Filho e o Espírito Santo que falou quando Jeová disse: "Quem irá por nós?" A questão importante levantada aqui é que o Espírito Santo é tão essencialmente representado em todas essas revelações de Isaías como é o Pai ou o Filho. Não foi Ele o objetivo, quando o terceiro "santo" foi pronunciado? Ainda, além disso, a bênção do Antigo Testamento (Nm 6.24-26) corresponde perfeitamente à bênção do Novo Testamento de 2 Coríntios 13.13. Quando estas duas bênçãos são colocadas juntas a similaridade é evidente: "Jeová [o Pai] te abençoe, e te guarde" – "O amor de Deus... seja convosco"; "Jeová [o Filho] faça resplandecer o seu rosto sobre ti, e tenha misericórdia de ti" – "A graça do Senhor Jesus Cristo [seja convosco]"; "Jeová [o Espírito] levante sobre ti o seu rosto, e te dê a paz" – "A comunhão do Espírito Santo [seja convosco]".

Para que os fatos não sejam esquecidos, é bom considerar quão definitivamente a Pessoa e a obra do Espírito Santo são referidas no Antigo Testamento. Somente umas poucas passagens precisam ser citadas: "O Espírito de Deus movia sobre a face das águas" (Gn 1.2); "Meu Espírito não permanecerá para sempre no homem" (Gn 6.3); "Teu Espírito é bom" (Sl 143.10); "Não por força, nem por violência, mas pelo meu Espírito, diz o Senhor dos exércitos" (Zc 4.6); "Eis que derramarei do meu Espírito sobre toda a carne" (Jl 2.28); "Não retires de mim o teu Santo Espírito" (Sl 51.11).

Quando se volta mais especificamente para o Novo Testamento, é descoberto que o progresso da doutrina trinitariana atinge a sua revelação suprema e final em Atos, nas epístolas, e no Apocalipse, onde referências são feitas à Terceira Pessoa sob o único título *Espírito* ao menos 125 vezes; e em cada referência Ele atua com toda a sua autoridade divina, sabedoria e graça. Em todas estas passagens Ele é visto totalmente à parte do Pai ou do Filho. Este imenso conjunto de verdade e de revelação distintiva será considerado mais plenamente em divisões posteriores deste volume.

II. Títulos Descritivos

Como conclusão da discussão sobre a Terceira Pessoa como indicada por Seu lugar no nome completo da divindade, pode ser dito que todos os nomes pelos quais o Espírito é conhecido, além disso, são meramente títulos descritivos. Ele é chamado O Espírito porque Ele é um espírito; Ele é chamado *Santo* porque Ele é santo infinitamente; Ele é identificado como *o Espírito de Deus* porque Ele pertence à divindade; Ele é chamado *o Espírito de Cristo* porque Ele é enviado por Cristo ao mundo. Em seu livro *The Doctrine of the Holy Spirit*, o Dr. John F. Walvoord apresenta um estudo valioso sobre os nomes da Terceira Pessoa. Isto bem pode ser incluído aqui:

Um exame da revelação bíblica sobre o Espírito Santo indicará que a Ele em nenhum lugar é dado um nome formal, tal como temos para a Segunda Pessoa, o Senhor Jesus Cristo, mas, antes, são dados títulos descritivos, dos quais o mais comum na Escritura e no uso ordinário é *o Espírito Santo*. Como sua Pessoa é um puro espírito, ao qual nenhum material é essencial, Ele é revelado nas Escrituras como *o Espírito*. O adjetivo descritivo *santo* é usado para distingui-lo de outros espíritos, que são criaturas. Um estudo das referências ao Espírito Santo pelos vários títulos na Escritura revelará alguns fatos significativos. As palavras básicas no original são também usadas em referência a outras entidades além do Espírito Santo. No Antigo Testamento, contudo, *ruach* é usado mais de cem vezes para o Espírito Santo. A questão de interpretação entra no problema. Cummings lista 88 referências ao Espírito Santo no Antigo Testamento.[89] A American Standard Version da Bíblia, por meio

Títulos Descritivos

das letras iniciais em maiúsculo indica consideravelmente mais do que isto. De qualquer modo, os exemplos são numerosos e dispersos por todo o Antigo Testamento. Cummings observa que o Pentateuco têm 14 referências, exceto em Levítico; que Isaías e Ezequiel tem quinze cada; e que estas referências estão espalhadas em 22 dos 39 livros do Antigo Testamento. O sumário conciso de Cummings sobre a importância dessas referências pode bem ser citado: "É impossível dizer que as passagens aumentam em número, ou em clareza, com qualquer característica especial dos livros da Escritura. Eles não parecem portar uma relação especial com a cronologia, como demonstra principalmente Isaías (750 a.C.), em Ezequiel (590 a.C), e nos livros de Moisés. Nem podemos traçar qualquer relação com a espiritualidade comparativa dos livros, embora Isaías permaneça num ponto alto da lista; enquanto Ezequiel permanece em primeiro, e Juízes tem sete, os Salmos tem somente seis, Deuteronômio somente uma e 2 Crônicas quatro. Mas é possível discernir que cada um dos escritores inspirados pegou algum aspecto da pessoa e obra do Espírito, que está reiterado em suas páginas. Em Ezequiel, por exemplo, é a ação do Espírito Santo de transportar o profeta corporalmente para os lugares onde ele era necessário, que explica *seis* das quinze. Em Juízes, é a inspiração de coragem ou força que é aludida em cada uma das suas sete ocorrências. Em Êxodo é como o Espírito de sabedoria – e exclusivamente – que ele é especialmente considerado. É do Seu ofício de Doador da inspiração profética do qual se fala mais constantemente nos livros de Samuel e de Crônicas. Em Isaías e em Salmos o ensino duplo concernente a Ele é sua conexão com o Messias de um lado, e de outro, o que pode ser chamado de qualidades pessoais, tais como ser entristecido e contrariado pela ingratidão ou rebelião".[90] No Novo Testamento, as referências ao Espírito Santo são até mais numerosas. A palavra do Novo Testamento para espírito, πνεῦμα, é encontrada em 262 textos, de acordo com Cummings, espalhadas por todos os principais livros do Novo Testamento. Ele afirma: "Os evangelhos contêm 56 textos; os Atos dos Apóstolos, 57; as epístolas de Paulo, 113; e os outros livros, 36".[91] Destes fatos, pode ser claramente visto que há referência consistente para o Espírito Santo desde Gênesis 1.2 a Apocalipse 22.17, e a inferência é clara que um ministério constante do Espírito Santo é mantido adaptado para cada dispensação. Os títulos do Espírito Santo comumente traduzidos são sujeitos a classificações significativas que fornecem um interessante pano de fundo para a doutrina.

Dos muitos títulos e variações em referência ao Espírito Santo, 16 revelam Seu relacionamento com as outras Pessoas da Trindade. Onze títulos são vistos como o relacionamento do Espírito Santo com o Pai: (1) *Espírito de Deus* (Gn 1.2; Mt 3.16); (2) *Espírito do*

Senhor (Lc 4.18); (3) *Espírito de Nosso Deus* (1 Co 6.11); (4) *Seu Espírito* (Nm 11.29); (5) *Espírito de Jeová* (Jz 3.10); (6) *Teu Espírito* (Sl 139.7); (7) *Espírito do Senhor Deus* (Is 61.1); (8) *Espírito de vosso Pai* (Mt 10.20); (9) *Espírito do Deus vivo* (2 Co 3.3); (10) *Meu Espírito* (Gn 3.6); (11) *Espírito dEle* (Rm 8.11). Cinco títulos são encontrados como o relacionamento do Espírito Santo ao Filho: (1) *Espírito de Cristo* (Rm 8.9; 1 Pe 1.11); (2) *Espírito de Jesus Cristo* (Fp 1.19); (3) *Espírito de Jesus* (At 16.7); (4) *Espírito de Seu Filho* (Gl 4.6); (5) *Espírito do Senhor* (At 5.9; 8.39). Conquanto haja alguma distinção no significado dos vários títulos, a significação principal é mostrar o relacionamento do Espírito Santo como a Terceira Pessoa da Trindade, em que tudo afirma Sua divindade e processão.

Uma revelação abundante é dada nos títulos do Espírito Santo para revelar Seus atributos. Ao menos 17 dos seus títulos indicam os atributos divinos de Sua pessoa. (1) A unidade do Espírito é revelada no título: *um Espírito* (Ef 4.4). (2) A perfeição é a implicação do título: *sete Espíritos* (Ap 1.4; 3.1); (3) A identidade do Espírito Santo e a essência da Trindade está afirmada no título: *o Senhor o Espírito* (2 Co 3.18); (4) A eternidade do Espírito é vista no título: *Espírito Eterno* (Hb 9.14). (5) *Espírito da Glória* conota sua glória como a mesma do Pai e do Filho (1 Pe 4.14). (6) *Espírito de Vida* afirma a vida eterna do Espírito (Rm 8.2). Três títulos afirmam a santidade do Espírito: (7) *Espírito de Santidade* (Rm 1.4), uma possível referência ao espírito humano de Cristo que é santo; (8) *Espírito Santo* (Sl 51.11; Mt 1.20; Lc 11.13), o título mais formal do Espírito e mais freqüentemente usado; (9) *O Santo* (1 Jo 2.20). Cinco dos títulos do Espírito Santo se referem em algum grau a Ele como o autor da revelação e da sabedoria: (10) *Espírito de Sabedoria* (Êx 28.3; Ef 1.17); (11) *Espírito de Sabedoria e de Entendimento* (Is 11.2); (12) *Espírito de Conselho e de Poder* (Is 11.2); (13) *Espírito de Conhecimento e de Temor do Senhor* (Is 11.2); (14) *Espírito da Verdade* (Jo 14.17). A transcendência do Espírito é indicada (15) no título: *Espírito Voluntário* (Sl 51.12). O atributo da graça é encontrado em dois títulos: (16) *Espírito da Graça* (Hb 10.29) e (17) *Espírito da graça e de súplicas* (Zc 12.10).

Muitos dos títulos referidos que indicam seus atributos também conotam suas obras. Na discussão dos títulos que revelam seus atributos, pode se observado que o *Espírito da Glória* (1 Pe 4.14) envolve a obra de trazer os santos para a glória. O *Espírito de Vida* (Rm 8.2) é o agente da regeneração. O *Espírito de Santidade* (Rm 1.14), o *Espírito Santo* (Mt 1.20) e *o Santo* (1 Jo 2.20) é o nosso santificador. O *Espírito de Sabedoria* (Ef 1.17), o *Espírito de Sabedoria e Entendimento, o Espírito de Conselho e de Poder, o Espírito de Conhecimento e de temor do Senhor* (Is 11.2) fala dos diversos ministérios de Deus no ensino, na orientação e no fortalecimento dos crentes. O *Espírito da Verdade* (Jo 14.17) tem uma idéia similar. O Espírito como aquele que manifesta graça é revelado nos títulos *Espírito da Graça* (Hb 10.29), e *Espírito da Graça e de Súplicas*

TÍTULOS DESCRITIVOS

(Zc 12.10). Além destes, dois outros títulos são dados ao Espírito Santo, os quais afirmam suas obras. (1) O *Espírito de Adoção* (Rm 8.15) tem referência à sua revelação da nossa adoção como filhos. (2) O *Espírito da Fé* (2 Co 4.13), conquanto talvez impessoal, e neste caso não se refere ao Espírito Santo como tal, se admitido como uma referência, indica o ministério do Espírito em produzir fé em nós. Outro título do Espírito Santo, que não envolve o mesmo *espírito*, contudo, é o de Confortador, de παράκλητος, que significa, de acordo com Thayer, quando usado em seu sentido mais amplo, "um ajudador, que *socorre*, que *assiste*; o que foi destinado a tomar o lugar de Cristo com os apóstolos".[92] Ele é encontrado freqüentemente no Novo Testamento (Jo 14.16, 26; 15.26; 16.7). Ele revela o Espírito Santo como aquele que está sempre pronto a ajudar o cristão. Os muitos títulos do Espírito Santo com seus múltiplos significados falam eloqüentemente das belezas de Sua Pessoa e das maravilhas de Seus atributos. Os muitos aspectos revelados falam de Sua infinita Pessoa, igual em poder e glória com o Pai e com o Filho.[93]

Como há muitos textos em combinação um com o outro, se citados, provariam que ao Espírito Santo os títulos *Deus, Jeová, o Deus de Israel, Jeová Deus, Jeová Deus dos exércitos* são atribuídos, é certo que, na contagem divina, o Espírito Santo é um ser da gloriosa Trindade, com a autoridade e a exaltação não diminuída, coisas que pertencem à divindade somente.

CAPÍTULO II

A Divindade do Espírito Santo

S E, PORVENTURA, a personalidade e a divindade do Espírito Santo parecem vagas para um crente, isso não é devido a qualquer falha do Texto Sagrado, para representar a Terceira Pessoa como tal. No que diz respeito à Escritura, o Espírito Santo é apresentado em conexão com todas as ações e características que pertencem às pessoas divinas. De acordo com o registro apresentado na Bíblia, o Espírito Santo, embora constantemente visto em ação, nunca aparece em qualquer outra perspectiva, além daquela que deve ser construída sobre a divindade. Nisto, como foi observado anteriormente, há um amplo alcance de distinções a ser notado entre aquele que faz parte da Cristologia e aquilo que faz parte da Pneumatologia. Um estudo decente da doutrina de Cristo exige um reconhecimento de Seu nascimento, de seu corpo humano, alma e espírito, de suas certas limitações humanas, de sua morte, sua ressurreição, sua presente intercessão num corpo glorificado no céu, e seu retorno em forma visível à terra novamente.

Nenhum desses aspecto está sempre relacionado diretamente ao Pai ou ao Espírito Santo. Portanto, é afirmado com confiança que a esfera total das atividades do Espírito, iguais às de Sua própria pessoa, está totalmente dentro da esfera daquilo que pertence à divindade. De igual modo, se as ações e as características reveladas podem sugerir personalidade, a personalidade do Espírito é mais sustentada pela evidência do que a do Pai, visto que o Espírito Santo é o Executivo, o Criador do universo, o Autor divino das Escrituras, o Gerador da humanidade de Cristo, o Regenerador daqueles que crêem, e a fonte direta de todo fator vital na vida espiritual do cristão; todavia, estranhamente suficiente, em todas as gerações, os homens têm feito concessão a uma estranha incerteza com respeito à realidade da Pessoa do Espírito Santo. Parece como se as Escrituras não fossem lidas, ou, se lidas, a mente humana é incapaz por si mesma de receber a mais simples e óbvia das verdades a respeito deste membro da Trindade. Visto que todos os homens são afetados em alguma medida por tal incapacidade de receber a verdade revelada sobre este assunto, torna-se um assunto digno de oração que Aquele cujo trabalho é comunicar para os crentes as coisas do Pai e do Filho venha comunicar a Si mesmo também.

I. Atributos Divinos

É um fardo para qualquer obra que se propõe a servir como um livro-texto que, à medida que seja possível, apresente todos os fatos envolvidos, mesmo aqueles mais óbvios. Assim, torna-se imperativo que ao menos alguns dos atributos do Espírito Santo sejam listados com evidência a respeito de Sua perfeição divina. Se executado plenamente, o empreendimento envolveria uma recontagem de todos os atributos de Deus – já mencionados em Teontologia – porque cada atributo de Deus é atributo do Espírito Santo tão plenamente quanto do Pai ou do Filho.

1. ETERNIDADE. "... Cristo, que pelo Espírito eterno se ofereceu a si mesmo imaculado a Deus..." (Hb 9.14).

Será visto que nesta afirmação de apenas algumas palavras todas as três pessoas da Trindade estão mencionadas, e seria, na verdade, um raciocínio forçado argumentar que em tal passagem a identidade da Terceira Pessoa é incerta. O texto não poderia – de conformidade com as teorias humanas – dizer que Cristo, através do Seu próprio espírito, ou através de um atributo, ou mera influência, ofereceu-se a Si mesmo a Deus. A construção do texto, assim como a coisa estupenda, é vista como realizada, exige uma pessoa tão grande, do mesmo modo que é exigido das outras duas pessoas. O Filho oferece-se a si mesmo; o Pai recebe o sacrifício; e tudo é executado pelo Espírito eterno. Poderia possivelmente ser demonstrado que a obra do Espírito Santo neste grande empreendimento é menor do que a do Filho, ou do que a responsabilidade do Pai em receber o sacrifício? O termo *eterno*, que com toda propriedade pode também ser atribuído a Deus, o Pai, ou a Deus, o Filho, é aqui atribuído ao Espírito Santo. Visto que este atributo só pode ser predicado de Deus, o Espírito Santo deve ser entendido como Deus.

2. ONIPOTÊNCIA. "Porque também Cristo morreu uma só vez pelos pecados, o justo pelos injustos, para levar-nos a Deus; sendo, na verdade, morto na carne, mas vivificado no espírito" (1 Pe 3.18).

Por esta passagem, a ressurreição de Cristo é crida como energizada pelo poder do Espírito Santo. É afirmado não menos que 25 vezes que Cristo foi ressuscitado pelo poder do Pai (cf. At 2.32; Gl 1.1), e uma vez que Ele ressuscitou pelo seu próprio poder (Jo 10.18). Igualmente, Cristo disse: "Derribai este santuário [do seu corpo], e em três dias o levantarei" (Jo 2.19). Não obstante, a onipotência imensurável que pode ressuscitar os mortos é atribuída também ao Espírito Santo. Esta é apenas uma realização onipotente à qual poderia ser feita referência. Na verdade, todas as obras do Espírito Santo, como ainda será verificado, são obras que exigem onipotência divina.

3. ONIPRESENÇA. "Para onde me irei do teu Espírito, ou para onde fugirei da tua presença? Se subir ao céu, tu aí estás; se fizer no Seol a minha cama, eis que tu ali estás também. Se tomar as asas da alva, se habitar nas extremidades do mar, ainda ali a tua mão me guiará e a tua destra me susterá" (Sl 139.7-10).

Enquanto nem tudo deste contexto é citado aqui, deve ser visto do texto citado que a referência é ao Espírito Santo, a Terceira Pessoa. Ele é onipresente. Ele sempre foi onipresente em toda criação, mas é também verdade que Ele agora, ao começar no dia do Pentecostes e continuará até a remoção da Igreja, está *residente* no mundo (Ef 2.18-22).

4. Onisciência. "Porque Deus no-las recebeu pelo seu Espírito: pois o Espírito esquadrinha todas as coisas, mesmo as profundezas de Deus. Pois, qual dos homens entende as coisas do homem, senão o espírito do homem que nele está? Assim também as coisas de Deus, ninguém as compreendeu, senão o Espírito de Deus" (1 Co 2.10, 11).

Nada é jamais escondido da sondagem do Espírito Santo, nem mesmo "as profundezas de Deus". Além disso, o que significa *as profundezas de Deus*, a imaginação humana não pode avaliar. O texto definitivamente declara que o homem sem ajuda não pode conhecer as coisas de Deus (cf. v. 14), mas o Espírito Santo conhece todas as coisas. É feita referência aos limites mais remotos da onisciência, e ninguém pode negar que, se o conhecimento que o Espírito Santo possui alcança as profundezas de Deus, tudo mais seria igualmente compreendido por Ele. Aquele que assim sonda o oceano mais profundo da verdade e do entendimento é capaz também de discernir os pensamentos e os propósitos do coração humano. Aqueles tentados a pecar em secreto podem bem se lembrar de que nada está escondido do Espírito de Deus. É igualmente um conforto saber que Ele observa plenamente todo propósito sincero, seja a capacidade de executar percebida ou não.

5. Amor. "O fruto do Espírito é amor" (Gl 5.22).

O atributo do amor pertence ao Espírito Santo num grau infinito. Além do mais, Ele é o Executor das coisas de Deus. Assim, Ele literalmente ama com compaixão *divina* através daquele em quem habita. Conquanto esta seja uma provisão de vantagem inestimável para o cristão, o ponto a ser reconhecido é que o Espírito exerce a plena medida do amor divino. Ele é sua fonte.

6. Fidelidade. "O fruto do espírito é... fidelidade" (Gl 5.22).

Aqui não há referência à atitude de *fé*, como está sugerido provavelmente na Authorized Version, mas antes, o Espírito é dito reproduzir a fidelidade divina no crente. Todos os pactos de Deus, Suas promessas e predições falam de Sua fidelidade. "Ele permanece fiel." "Grande é a tua fidelidade." O Espírito Santo compartilha plenamente deste atributo que pertence a Deus.

7. Veracidade. "E o Espírito é o que dá testemunho, porque o Espírito é a verdade" (1 Jo 5.6).

Cristo anteriormente havia chamado o Espírito de "o Espírito da verdade". Assim, pode ser observado que o Espírito não somente possui a verdade: Ele é a testemunha fiel da verdade. Como tal, Ele é o Autor divino das Escrituras, e nesse sentido concede testemunho da verdade. Uma mentira contra o Espírito Santo foi instantaneamente punida com a morte (At 5.1-11). Conseqüentemente, a verdade infinitamente vital está relacionada ao Espírito Santo.

8. Santidade. "O Santo Espírito."

Qualquer que possa ser a distinção subjacente dentro da Trindade, não pode haver dúvida de que as Escrituras dão uma ênfase peculiar sobre a pureza e santidade da Terceira Pessoa. O próprio título "Espírito Santo" testifica desta realidade solene. Mais tarde neste volume será demonstrado que o Espírito Santo é um dos três que lutam com sucesso diretamente com a natureza pecaminosa dentro do crente e é o único poder existente pelo qual essa natureza pode ser controlada. A verdade de que Ele é santo e de que, através daquilo que Cristo operou no julgamento da natureza pecaminosa, nunca é manchado nem pela sombra do pecado que suprime, essa verdade também será tornada clara. Como indicado uma morte instantânea foi posta sobre duas pessoas no começo desta dispensação, ao mentiram ao Espírito Santo. Por ter ligação com a mesma verdade com respeito à santidade distintiva do Espírito Santo, será lembrado que havia um pecado contra o Espírito Santo que não poderia ser perdoado.

Dele Cristo disse: "Portanto vos digo: todo pecado e blasfêmia se perdoará aos homens; mas a blasfêmia contra o Espírito Santo, não será perdoada. Se alguém disser alguma palavra contra o Filho do homem, isso lhe será perdoado; mas se alguém falar contra o Espírito Santo, não lhe será perdoado, nem neste mundo, nem no vindouro" (Mt 12.31,32). É impossível para o caráter interior de uma Pessoa da Trindade ser mais santa do que a de outra; a distinção deve recair em algum lugar dentro da esfera em que existe a responsabilidade oficial do Espírito Santo. Por ser o Executivo divino, a Terceira Pessoa pode não ter uma designação especial para manifestar assim como para defender a santidade infinita de Deus. É com igual conveniência, então, que os seres angelicais atribuem a adoração à bendita Trindade: "Santo, santo, santo, é o Senhor dos exércitos".

II. Obras Divinas

Ao introduzir este tema em sua obra *Christian Theology*, o Dr. William Cooke escreve:

Temos visto as obras da criação atribuídas ao Pai e ao Filho, e a mesma autoridade é atribuída ao Espírito Santo. Após o "haja" que trouxe a matéria à existência, a primeira agência empregada que encontramos na construção do universo é a do Espírito Santo. Antes do céu e da terra terem recebido a forma que eles têm – quando a massa caótica era sem forma e vazia, e as trevas estavam sobre a face do abismo, o Espírito de Deus *se movia* ou pairava sobre a massa inerte e ainda em confusão, penetrando-a com a sua energia onipotente e vivificadora, impregnando a agregação de coisas com suas qualidades apropriadas, afinidades e leis; arranjando e dispondo a totalidade de acordo com sua sabedoria inerrante e de acordo com o seu prazer soberano. Em cada ato sucessivo da energia criadora o bendito Espírito participou, porque, diz Jó, "pelo seu sopro [Espírito] ornou o céu" (26.13), e Eliú declara: "O Espírito de Deus me fez, e o sopro [Espírito] do Todo-poderoso me deu vida". Assim, se a obra gloriosa da criação for desafiada como uma prova da existência e divindade do Pai e do Filho, é igualmente uma prova da divindade do Espírito Santo. A economia maravilhosa da Providência sugere a mesma agência onipotente e a presença penetrante como obra da criação. Na verdade, é uma criação continuada – uma renovação e reprodução perpétuas. O piedoso salmista reconhece este fato, e atribui a obra ao Espírito Santo. Ao falar da dependência absoluta que todas as criaturas têm de Deus, ele diz: "Escondes o teu rosto, e ficam perturbados; se lhes tiras a respiração, morrem, e voltam para o seu pó. Envias o teu fôlego, e são criados; e assim renovas a face da terra" (Sl 104.29,30). Assim, cada primavera ressurge, e cada geração sucessiva de homens e dos animais inferiores, igual a uma nova criação, é declaratória da presença e da energia onipotente do Espírito. Na economia da graça o Espírito Santo desempenha uma parte benigna e conspícua. Ele começa, desenvolve e completa a obra da salvação nos corações de seu povo. É impossível avaliar a imensa quantia de bem moral e espiritual resultante desta sua santa influência sobre o coração humano. Ele é a grande fonte de luz e graça para o mundo – uma fonte de santidade, amor e alegria; e, excetuando o dom de Cristo, a concessão de sua agência é a maior e a mais importante bênção jamais conferida sobre este mundo caído.[94]

Embora muita coisa tenha sido sugerida anteriormente nestes volumes sobre a obra do Espírito Santo e muita coisa que ainda aparecerá e versará sobre este tema, é essencial para uma análise do presente aspecto da verdade para indicar, em ordem, algumas das obras do Espírito Santo que fornecem evidência a respeito de sua divindade. Estas obras a serem listadas a seguir são abordadas com este único propósito em vista. Mais tarde, elas serão listadas novamente e classificadas quando o caráter essencial de cada uma for considerado.

1. Criação. Na verdade é significativo que nos primeiros dois versículos da Bíblia duas pessoas da divindade sejam mencionadas – Deus e o Espírito de Deus. A combinação da Primeira e da Terceira Pessoas está longe de ser freqüente em relação à combinação da Primeira e da Segunda Pessoas, como no salmo 2.2 e como acontece constantemente no Novo Testamento. Deus é dito ter criado, enquanto "o Espírito de Deus pairava [como uma espécie de incubação] sobre a face das águas". Se há alguma divisão implícita na obra criadora, não está claro. Está escrito no salmo 33.6: "Pela palavra do Senhor foram feitos os céus, e todo o exército deles pelo sopro da sua boca". Igualmente, no salmo 104.30: "Envias o teu fôlego [Espírito], e são criados; e assim renovas a face da terra". E Jó declara: "Pelo teu sopro [Espírito] ornou o céu" (26.13). Foi indicado anteriormente que cada Pessoa da Trindade é creditada como criadora

OBRAS DIVINAS

de todas as coisas; conseqüentemente, visto que o Espírito Santo é o Executor do propósito divino, Sua parte na criação deve ser esperada.

Por Sua incubação, Ele produziu cada coisa viva. Desta obra específica do Espírito Santo, Matthew Henry, em seu comentário, escreve: "O Espírito de Deus foi o primeiro a se mover: Ele moveu-se *sobre a face das águas*. Quando consideramos a terra sem forma e vazia, imagino que é igual ao vale cheio de ossos secos. Como estes vivem? Pode esta massa confusa de matéria ser tornada num belo mundo? Sim, se um espírito de vida vindo de Deus entra nela (Ez 37.9). Ora, há esperança a respeito desta coisa, porque o Espírito de Deus começa a operar, e, se ele opera, quem ou o que pode impedir? Deus é dito fazer o mundo por seu Espírito (Jó 26.13; Sl 33.6), e pelo mesmo operador poderoso a nova criação é efetuada. Ele movia-se sobre a face do abismo, como Eliseu deitou-se sobre a criança morta – *como a galinha põe-se sobre os pintainhos debaixo de suas asas*, e paira sobre elas, para aquecê-los e acarinhá-los (Mt 23.37) – como a águia se agita sobre seu ninho, e se *adeja* sobre seus filhotes (é a mesma palavra que é aqui usada, o é em Deuteronômio 32.11). Aprenda, portanto, que Deus não é somente o autor de todos os seres, mas a fonte da vida e do surgimento do movimento" (Gn 1.2).

Um paralelo é sugerido aqui com a obra do Espírito de trazer à existência a presente nova criação espiritual. Dos três atos criadores de Deus – o do Gênesis, o da presente nova criação espiritual, e o da criação do novo céu e da nova terra – o Espírito é visto operar poderosamente os dois primeiros, mas nenhum registro é dado de Sua participação no último. Ao discorrer longamente sobre o contraste entre a criação e a evolução, *The Companion Bible* afirma:

A introdução ao Gênesis (e à toda Bíblia), Gênesis 1.1–2.3, atribui tudo ao Deus vivo, criador, feitor, movedor e aquele que fala. Não há lugar algum para a evolução sem uma negação clara da revelação divina. Uma deve ser verdadeira, e a outra falsa. Todas as obras de Deus são pronunciadas "boas" sete vezes (Gn 1.4, 10, 12, 18, 21, 25, 31). Elas são "grandes" (Sl 111.2; Ap 15.3). Elas são "maravilhosas" (Jó 37.14). Elas são "perfeitas" (Dt 32.4). O homem começa do nada. Ele começa em isolamento, ignorância e inexperiência. Todas as suas obras, portanto, procedem do princípio da *evolução*. Este princípio é visto somente nos *afazeres humanos*; da choupana ao palácio; da canoa ao transatlântico; da pá às grandes relhas de arado, colhedeiras etc. Mas os pássaros constroem os seus ninhos hoje como o faziam no princípio. No momento em que passamos os limites, e entramos na esfera divina, nenhum traço ou vestígio da evolução é visto. Há crescimento e desenvolvimento *interno*, mas nenhuma mudança, ou evolução de um para outro. Por outro lado, *todas* as obras de Deus são *perfeitas*... A evolução é a única das diversas teorias inventadas para explicar os fenômenos das coisas criadas. É admitido por todos os cientistas que nenhuma dessas teorias cobre todo o campo; e a maior alegação feita para a evolução, ou darwinismo, é que "ela cobre mais do que qualquer um dos outros". A Palavra de Deus alega *cobrir todo o campo*: e o único modo em que esta alegação é satisfeita, é por uma negação da inspiração das Escrituras, a fim de enfraquecê-la. Esta é a obra especial empreendida pela chamada "alta crítica", que baseia suas conclusões sobre a suposição humana e seu raciocínio, ao invés de basear sobre a evidência documental de manuscritos, como faz a crítica textual.[95]

Aquele que cria declarou como isto foi feito e o Seu testemunho ordena atenção.

2. EMPENHO.[96] Jeová disse: "O meu Espírito não permanecerá para sempre no homem, porquanto ele é carne" (Gn 6.3). A impiedade dos dias antediluvianos e a indisposição dos homens de dar ouvidos à pregação de Noé motivou esta predição da parte de Jeová. Ela considera o cumprimento completo para um tempo futuro quando as ofertas de misericórdia e graça da parte de Deus, assim como o seu poder restringente serão retirados da terra (2 Ts 2.7,8). Este empenho do Espírito está intimamente relacionado à sua obra de convencimento (Jo 16.7-11).

3. INSPIRAÇÃO. Há certos empreendimentos divinos dos quais é dito serem operados pelas três Pessoas da Trindade, notavelmente a criação existente, a morte e a ressurreição de Cristo; e há certos empreendimentos divinos que pertencem especificamente a uma ou outra Pessoa da Trindade. O Pai concede o Filho – poderia ser dito que o Filho concede o Pai, ou que o Espírito concede o Filho ou o Pai. O Filho se torna carne, morre, é ressuscitado dentre os mortos, ascende ao céu e virá novamente. Embora eles cooperem naquilo que pertence ao Filho, não há sugestão de que o Pai ou o Espírito se torne carne, que eles morram, sejam ressuscitados, ascendam ao céu, ou que retornarão à terra novamente. Há realizações e feitos que pertencem somente a Deus, o Espírito. É o propósito deste capítulo do atual volume enumerar ao menos 17 destas obras específicas do Espírito Santo.

Três delas a serem mencionadas são da maior importância, visto que elas estão na esfera da geração ou produção, a saber, a inspiração das Escrituras, a geração da humanidade de Cristo, e a regeneração dentre os perdidos que crêem. Parece provável que a parte que o Espírito Santo toma na produção da Palavra Viva e a parte que ocupa na produção da Escritura Sagrada estão acima do nível do ato criador pelo qual uma alma é regenerada. As avaliações humanas na esfera de tais valores podem ser feitas como uma opinião finita. Visto que na produção da Palavra Viva o Espírito adiciona a humanidade e na produção da Palavra Escrita o Espírito adiciona a divindade, se seguiria – do mesmo curso do raciocínio finito – que a inspiração das Escrituras é o maior de todos os empreendimentos divinos que são especificamente Seus. Visto que a verdade é de Deus e que está completamente contida nos oráculos de Deus, o caráter, a autoridade e a confiabilidade desses oráculos se tornam uma questão fundamental.

Naturalmente, o problema todo relacionado à inspiração das Escrituras é levantado novamente a esta altura; mas é o propósito desta divisão do tema geral somente assinalar aquilo que é a obra peculiar do Espírito Santo e observar nessa obra a evidência de Sua divindade. Que as Escrituras são perfeitas, por serem, nas línguas originais, as próprias palavras de Deus, foi asseverado e defendido no volume I, no estudo de Bibliologia; o presente propósito é demonstrar que o Espírito Santo é o Autor desses oráculos. Uma mente imparcial, suficientemente instruída para ser capaz de colocar um valor relativo sobre qualquer obra de Deus, normalmente esperaria essa produção das Escrituras, e igual a todas outras obras de Deus, deve resultar naquilo que é perfeito ao grau infinito. Que as Escrituras em seus escritos originais são a inerrante Palavra de Deus – uma obra magistral do Espírito Santo – é usualmente demonstrado, defendido, a partir de um exame do próprio texto.

Esse esforço tem sido feito por muitos homens fiéis, e por nenhum mais conclusivamente do que S. R. L. Gaussen, num volume publicado em 1842 chamado *Theopneusty*. Em sua definição introdutória da palavra *Theopneusty*, ele declara:

É assim que Deus, que faria conhecido aos seus eleitos, num livro eterno, os princípios espirituais da filosofia divina, ditou suas páginas, durante 16 séculos, aos sacerdotes, reis, guerreiros, pastores, coletores de impostos, pescadores, escribas, fazedores de tendas etc. Desde sua primeira, até sua última linha, todas suas instruções, entendidas ou não-entendidas, são do mesmo autor, e que tudo é suficiente para nós. Quem quer que possam ter sido os escritores, e qualquer que tenha sido o entendimento que tenham tido do livro; eles todos escreveram com mão fiel que os superintendia, no mesmo rolo, sob o ditado do mesmo mestre, para quem mil anos são como um dia; tal é a origem da Bíblia. Eu não utilizarei o meu tempo em questões vãs; eu estudarei o livro. É a palavra de Moisés, a palavra de Amós, a palavra de João, a palavra de Paulo; mas é a mente de Deus e a Palavra de Deus. Deveríamos, então, considerar uma afirmação muito errônea dizer que certas passagens da Bíblia são dos homens, e que outras são de Deus. Não! todo versículo, sem exceção, vem dos homens; e todo versículo, sem exceção, vem de Deus, seja quando Ele fala diretamente em seu próprio nome, ou quando emprega toda a individualidade do escritor sacro. E como São Bernardo diz das palavras vivas dos homens regenerados: "...que nossa vontade não emite nenhuma delas sem a graça; mas que a graça também não emite nenhuma delas sem a nossa vontade"; assim devemos dizer que, nas Escrituras, Deus nada fez, exceto pelo homem, e que o homem nada fez, exceto por Deus. Há, na verdade, um perfeito paralelo entre a Teopneustia e a graça eficaz. Nas operações do Espírito Santo em redigir os livros sagrados, e naquelas operações do mesmo Espírito Santo que converte uma alma, e a faz andar nos caminhos de santidade, o homem é, em alguns sentidos, inteiramente passivo, e em outros, inteiramente

PNEUMATOLOGIA

ativo. Deus faz tudo; o homem faz tudo; e podemos dizer de todas essas obras, como Paulo afirmou de uma delas aos filipenses: "É Deus quem efetua em vós tanto o *querer* como o *realizar*". E vemos que nas Escrituras a mesma obra é alternativamente atribuída a Deus e ao homem; Deus converte, e é o homem que se converte; Deus circuncida o coração, Deus dá um novo coração, e é o homem que circuncida o seu próprio coração e faz a si mesmo capaz de um novo coração. "Não somente porque nós empregamos os meios de se obter tal efeito", diz o presidente Edwards, em suas admiráveis observações contra os arminianos, "mas porque este efeito é em si mesmo o nosso ato, como também o nosso dever; Deus produzindo tudo, e nós agindo em tudo"... Na teoria, podemos dizer que uma religião poderia ser divina, sem a inspiração miraculosa de seus livros. Poderia ser possível, por exemplo, conceber um cristianismo sem Teopneustia; e poderia talvez haver a concepção de qualquer outro milagre de nossa religião, exceto esse, era um fato. Nesta suposição (que é totalmente desautorizada), o Pai eterno teria dado seu Filho ao mundo; a Palavra criadora, tornada carne, experimentaria a morte de cruz por nós, e enviou sobre os apóstolos o espírito de sabedoria e de poderes miraculosos; mas, todos estes mistérios da redenção uma vez realizados, Ele teria entregue a estes homens de Deus a tarefa de escrever os nossos livros sagrados, de acordo com a própria sabedoria deles; e os escritos deles nos seriam apresentados somente com a linguagem natural das iluminações sobrenaturais deles, das convicções e do amor deles. Tal ordem de coisas é indubitavelmente uma vã suposição, diretamente contrária ao testemunho das Escrituras com relação à própria natureza deles; mas, sem comentário aqui, isto nada explica; e isto, milagre por milagre, o da iluminação não é menos explicável do que a Teopneustia; sem dizer mais nada, a Palavra de Deus possui um poder divino que lhe é peculiar: tal ordem de coisas, se fosse realizada, nos teria exposto a inumeráveis erros, e nos lançaria na mais perigosa incerteza. Sem nenhuma segurança contra a imprudência dos escritores, não teríamos sido capazes de dar aos escritos deles mesmo a autoridade que a Igreja agora concede aos de Agostinho, Bernardo, Lutero, Calvino, ou de uma multidão de outros homens iluminados na verdade pelo Espírito Santo. Mas estamos suficientemente cônscios de quantas palavras imprudentes e proposições errôneas desfiguram as mais belas páginas desses escritores admiráveis. E, todavia, os apóstolos (sobre a suposição que acabamos de fazer), teriam sido sujeitos ainda mais do que eles, a sérios erros, visto que eles não poderiam ter tido, como os doutores da Igreja, uma palavra de Deus, pela qual corrigiriam seus escritos; e visto que eles teriam sido compelidos a inventar toda a linguagem da ciência religiosa, porque uma ciência, como sabemos, é mais do que meia formação quando a sua linguagem está formada. Que erros fatais, que ignorância dolorosa, que imprudência inevitável os teria acompanhado se houve uma revelação sem Teopneustia; e em dúvidas deploráveis teria sido deixada a Igreja! – erros na seleção de fatos, erros na avaliação deles, erros em afirmá-los, erros na concepção das relações que mantêm com as doutrinas, erros na expressão das próprias doutrinas, erros de omissão, erros de linguagem, erros de exagero, erros na adoção do que é preconceito nacional, provincial ou mesmo partidário, erros nas previsões do futuro e na avaliação do passado. Mas, graças a Deus, não acontece assim com os nossos livros sagrados. Eles não contêm quaisquer erros; todo o seu registro é inspirado por Deus. "Homens santos da parte de Deus falaram movidos pelo Espírito Santo", não em palavras que a sabedoria dos homens ensina, mas naquelas que o Espírito Santo ensina; de forma que nenhuma destas palavras deve ser negligenciada, e somos chamados a respeitá-las e a estudá-las até mesmo o *iota* e até mesmo o último til delas; porque esta "escritura é purificada; como a prata é sete vezes provada no fogo, ela é perfeita". Estas afirmações, em si mesmas testemunhos da Palavra de Deus, contêm precisamente nossa última definição de Teopneustia, e nos conduzem a caracterizá-la finalmente, como "aquele poder inexplicável que o Espírito divino anteriormente exerceu sobre os autores das Santas Escrituras, para guiá-los mesmo no emprego das palavras que eles vieram a usar, e a preservá-los livres de erro, assim como de toda omissão".[97]

Mais determinante e impressionante do que este argumento para a inspiração, que é baseado no caráter divino óbvio do próprio Texto Sagrado, está o fato de que as Escrituras são o produto de Deus, o Espírito Santo. As obras de Deus são infinitamente perfeitas e dignas dEle, naturalmente. Portanto, deve ser crido que a Bíblia, por ser uma obra de Deus, não é uma exceção, e é o monumento literário do Espírito Santo. Quando se pensa que há erros e imperfeições, deveria ser o primeiro impulso de uma mente devota investigar se a dificuldade não surge na esfera do entendimento finito. O elemento humano na Palavra de Deus não prejudica a excelência do elemento divino, que é a humanidade de Cristo, a Palavra Viva, a divindade que Ele é. Crer que a Bíblia é um documento sem erro é honrar o seu Autor, o Espírito Santo, é respeitar a própria alegação que a Bíblia faz de si mesma, e é concordar com as conclusões dos eruditos devotos de todas as gerações. Foi assinalado que os saduceus negavam a ressurreição, negação essa que, na verdade, não alterou o fato da ressurreição, mas somente inclinou Cristo a dizer-lhes: "Vós errais, não conhecendo as Escrituras nem o poder de Deus".

Toda Escritura é *theopneustos* (θεόπνευστος), declaração feita em 2 Timóteo 3.16 e que abrange toda a Bíblia. As Escrituras se originam com Deus e são o Seu próprio sopro. No versículo precedente, a afirmação é feita por Paulo de que, desde criança, Timóteo havia aprendido as sagradas letras (γράμματα). Toda Escritura (γραφή), composta, como é, de sagradas letras, é soprada por Deus. Adequadamente Pedro afirma: "Sabendo primeiramente isto: que nenhuma profecia da Escritura é de particular interpretação. Porque a profecia nunca foi produzida por vontade dos homens, mas os homens da parte de Deus falaram movidos pelo Espírito Santo" (2 Pe 1.20,21). A palavra *profecia* usada por Pedro nesta passagem abrange toda elocução que é inspirada por Deus; isto é, ela não está restrita à predição. Ela inclui a proclamação assim como a predição. Ela abrange toda a Escritura. Igualmente, a declaração que a Escritura apresenta deve ser interpretada como relacionada a todas as outras Escrituras e à luz delas.

A profecia não surgiu da volição do homem, tanto no tempo antigo quanto em qualquer outra ocasião. Homens santos falaram *movidos* pelo Espírito de Deus. O testemunho dos profetas a si próprios é muito revelador e convincente. Eles diziam: "A boca de Jeová o disse". "O Espírito de Jeová falou através de mim, e sua palavra estava na minha língua." "Ouvi esta palavra que Jeová falou." "A Palavra do Senhor veio a mim." Ele "colocou uma palavra na boca de Balaão". "Quem por boca de Davi, teu servo, disse...". "Que o Espírito Santo falou antes pela boca de Davi." "Aquelas coisas, que antes Deus tinha mostrado pela boca de todos os seus profetas." Este é claramente o testemunho da Bíblia a respeito de si mesma, que é uma obra do Espírito Santo, que suas palavras são as palavras inerrantes de Deus, e que, portanto, em sua perfeição tão adaptável ao céu quanto é para a terra.

4. GERAÇÃO DE CRISTO. Qual possa ter sido a obra do Espírito na comunicação da vida quando a criação aconteceu não está revelado. Além do mais, a fase da obra do Espírito sob consideração agora está muito além da Sua obra na regeneração. O grande ato gerador do Espírito Santo ocorreu quando Ele trouxe a humanidade de Cristo à existência. É muito freqüentemente suposto que Maria, a mãe de Cristo, tenha contribuído para a humanidade dEle, e que o Espírito Santo contribuiu para a Sua divindade; mas uma reflexão ponderada revelará que a divindade de Cristo era Sua desde toda a eternidade e, portanto, não foi originada no tempo de seu nascimento. Ele se tornou carne, quando a Sua pessoa eterna assumiu uma forma humana. É também verdadeiro que, neste caso, como em qualquer outra gestação humana, Maria não poderia contribuir mais do que é atribuído à mulher na geração de uma criança; ela nutriu e desenvolveu a vida entregue a ela. O Espírito deu origem à humanidade de Cristo e esse é Seu ato de geração. Assim declara a Escritura: "Respondeu-lhe o anjo: Virá sobre ti o Espírito Santo, e o poder do Altíssimo te cobrirá com a sua sombra; por isso o que há de nascer será chamado santo, Filho de Deus" (Lc 1.35).

5. CONVENCIMENTO. A obra de convencimento do Espírito Santo é tríplice – do pecado, da justiça e do juízo – e muita luz vem sobre o caráter deste ministério essencial do Espírito Santo quando é observado que o fim que Ele realiza é a comunicação de um entendimento dos fatos, entendimento esse que resulta numa iluminação essencial para uma aceitação inteligente de Cristo como Salvador. A declaração neste ponto feita por Cristo no Discurso do Cenáculo, diz: "Todavia, digo-vos a verdade, convêm-vos que eu vá; pois se eu

OBRAS DIVINAS

não for, o Ajudador não virá a vós; mas, se eu for, vo-lo enviarei. E quando ele vier, convencerá o mundo do pecado, da justiça e do juízo; do pecado, porque não crêem em mim; da justiça, porque vou para meu Pai, e não me vereis mais, e do juízo, porque o príncipe deste mundo já está julgado" (Jo 16.7-11). Este desvendamento da verdade não é dirigido aos não-salvos, embora descreva uma obra do Espírito Santo em favor deles; ela é dirigida àqueles que são salvos e proporciona uma instrução inestimável a respeito do fator mais vital em todos os esforços evangelísticos.

Muita coisa foi apresentada anteriormente a respeito deste ministério do Espírito e o mesmo tema deve vir para estudo novamente num tempo posterior. Terá sido dito o suficiente aqui se é assinalado que este tríplice convencimento é o método divino de vencer o véu que Satanás colocou sobre a mente da pessoa não-regenerada. Desta cegueira está escrito: "Mas, se ainda o nosso evangelho está encoberto, é naqueles que se perdem que está encoberto, nos quais o deus deste século cegou os entendimentos dos incrédulos, para que lhes não resplandeça a luz do evangelho da glória de Cristo, o que é a imagem de Deus" (2 Co 4.3,4). No ato de tirar este véu da mente da pessoa não-salva, uma visão clara é ganha do pecado de rejeitar Cristo, de uma justiça que é derivada do Cristo invisível em glória, e do julgamento concluído na cruz. Que este julgamento é totalmente realizado nos interesses dos não-salvos constitui um desafio para a fé.

Ele se torna, por meio disso, não alguma coisa para persuadir Deus a fazer, mas alguma coisa para crer que Ele fez. Na verdade, a única responsabilidade humana indicada em tudo neste texto determinante é a *crença*. É algo para crer quando a afirmação é feita a respeito da justiça imputada, justiça essa que é a porção de todos os que são salvos. É igualmente uma exigência sobre a fé para aceitar e descansar na revelação que Cristo fez do pecado do indivíduo. O único pecado que permanece é que "eles não crêem em mim", isto é, em Cristo. Este ministério de convencimento do Espírito Santo não é o de condenação ou o de impressionar o pecador com sua pecaminosidade; é distintamente uma mensagem de boa novas dizendo que Cristo morreu, "o justo pelos injustos", e que uma posição e uma aceitação perfeitas perante Deus são providenciadas no Filho de Deus ressurrecto. As devidas advertências das conseqüências necessárias, se esta mensagem não é crida, são parte da obra de convencimento do Espírito.

6. RESTRINGÊNCIA. Na presente era há dois ministérios do Espírito Santo em relação aos não-salvos, a saber, o do convencimento e o da restringência. O ministério do convencimento, já considerado, é dirigido para o indivíduo e é a única esperança de que os não-salvos voltarão inteligente e suficientemente para Cristo como Salvador, enquanto que o ministério da restringência é dirigido à totalidade do *cosmos*. Como a palavra *restringir* sugere, ela tem a ver com o impedimento do mal que é possível no mundo. Evidentemente esse refreamento não é com a idéia de acabar com o mal; do contrário, isso seria cumprido sem atraso; é antes um ministério pelo qual o mal é guardado dentro de certos limites

381

divinamente predeterminados. O Restringidor será removido no devido tempo – e, então, segue-se a tribulação sem precedentes, um período de sete anos, antes que o Rei retorne para o exercício de autoridade absoluta sobre a terra. Durante esses sete anos o verdadeiro caráter do mal será demonstrado. Está claramente afirmado que a restringência com a finalidade de que o homem do pecado não seja revelado até o tempo divinamente designado, tempo esse que será de grande tribulação.

Esse tempo de angústia não será alguma coisa imposta sobre a humanidade vinda de fora; é simplesmente a reação da impiedade quando a restrição divina presente for removida. É impossível avaliar o que a Igreja sobre a terra, os governos e a sociedade em geral devem a esta incessante influência inibidora do Espírito Santo. A Escritura, ao tratar deste tema, diz: "E agora vós sabeis o que o detém [o homem do pecado] para que a seu próprio tempo seja revelado. Pois o mistério da iniqüidade já opera; somente há um [o Espírito Santo] que agora o detém [restringe] até que seja posto fora [o Restringidor]; e então será revelado esse iníquo, a quem o Senhor Jesus matará com o sopro de sua boca e destruirá com a manifestação da sua vinda" (2 Ts 2.6-8).

7. REGENERAÇÃO. A palavra grega παλιγγενεσία, traduzida como regeneração, é usada apenas duas vezes no Novo Testamento. No primeiro exemplo – Mateus 19.28 – o Senhor fala da restauração de todas as coisas que será efetuada pelo próprio Deus (cf. 1 Co 15.24-28). Esta não é dita ser uma obra do Espírito Santo, mas, antes, uma obra do Filho. O segundo exemplo é encontrado em Tito 3.5, que diz: "...não em virtude das obras de justiça que nós houvéssemos feito, mas segundo a sua misericórdia, nos salvou mediante o lavar da regeneração e renovação pelo Espírito Santo". Para ser exato, a verdade que este termo expressa é apresentada em muitos textos e sob vários termos, mas sempre como uma obra do Espírito Santo. O pano de fundo da doutrina da regeneração é o seu surgimento necessário do estado universal de queda dos homens. Visto que a necessidade é de todo mundo, a exigência da regeneração é imperativa no caso de toda pessoa nascida no mundo.

Ninguém pode esperar em outro além do Cristo de Deus. Em Sua conversa com Nicodemos, pela noite (Jo 3.1-21), Cristo nada reconheceu como aceitável a Deus do modelo e das capacidades do judaísmo que vinha da parte desse membro do Sinédrio judaico. Foi a ele que Cristo disse: "Não te admires de eu te haver dito: Necessário vos é nascer de novo" (Jo 3.7); e com o mesmo propósito Cristo disse: "O que é nascido da carne é carne, e o que é nascido do Espírito é espírito" (Jo 3.6). Como a geração humana gera uma vida "segundo a sua espécie", assim a regeneração divina significa a comunicação de uma vida de Deus, que é totalmente estranha à dos homens caídos. É a natureza divina. É "Cristo em vós, a esperança da glória" (Cl 1.27). O Senhor disse: "O ladrão não vem senão para roubar, matar e destruir; eu vim para que tenham vida, e a tenham em abundância" (Jo 10.10).

Mais de 85 passagens do Novo Testamento ensinam sobre este fato de uma vida divina comunicada. Nenhuma mudança no estado humano poderia ser concebida, que é de tão grande alcance e eficácia quanto a de um real nascimento num relacionamento filial legítimo com Deus. Esta provisão constitui-se na mensagem suprema para o homem. A regeneração individual, que concerne ao testemunho da Escritura, é uma provisão do Novo Testamento. Embora os israelitas fossem corretamente relacionados com Deus pelo nascimento físico, eles previram no tempo vindouro a recepção da vida eterna como uma "herança" (cf. Mt 19.29; Lc 10.25-29; 18.18-30).

Sobre a relação de Israel com a regeneração pessoal pelo Espírito Santo, John L. Nuensen escreve na *International Standard Bible Encyclopaedia*: "Se a promessa divina se refere aos fins dos tempos messiânicos, ou que esteja para ser realizada em data anterior, eles todos se referem à nação de Israel como tal, e a indivíduos somente no sentido em que eles são participantes nos benefícios concedidos à comunidade de Israel. Isto é verdadeiro onde as bênçãos profetizadas são somente espirituais, como em Isaías 60.21,22. A maioria do povo de Israel ainda é, portanto, raramente consciente do fato de que as condições sobre quais estas promessas divinas devem ser obtidas são mais do que cerimoniais ou rituais".[98]

O evangelho escrito por João em seu capítulo de abertura afirma que uma nova coisa veio à esfera da experiência humana. Este texto declara: "Mas, a todos quantos o receberam, aos que crêem no seu nome, deu-lhes o poder de se tornarem filhos de Deus; os quais não nasceram do sangue, nem da vontade da carne, nem da vontade do varão, mas de Deus" (Jo 1.12,13); e Pedro descreve um cristão assim: "Tendo renascido, não de semente corruptível, mas de incorruptível, pela palavra de Deus, a qual vive e permanece" (1 Pe 1.23). Com relação à responsabilidade humana na regeneração, Cristo disse a Nicodemos: "Porque Deus amou o mundo de tal maneira que deu o seu Filho unigênito, para que todo aquele que nele crê não pereça, mas tenha a vida eterna" (Jo 3.16).

Como este assunto deve ser considerado novamente mais tarde, num outro contexto, contudo, será suficiente acrescentar que ser nascido de Deus significa uma indução a uma ordem de seres celestiais. Certamente ninguém é capaz de compreender a realidade na qual Deus se torna o Pai legítimo, através da regeneração, por toda a eternidade e aquele que crê se torna um filho legítimo regenerado por toda a eternidade. A salvação inclui uma nova criação (2 Co 5.17), que é operada pelo Espírito Santo como o Executor da divindade.

8. Iluminação. Por detrás da iluminação que o Espírito Santo causa no crente, há uma tríplice condição necessária exigida por ela, haja vista que todos os membros da raça humana são entorpecidos em seus poderes naturais de entendimento por causa do pecado, igualmente por um velamento específico das mentes deles por parte de Satanás (cf. 2 Co 4.3, 4), e que a verdade a ser compreendida, por ser de um caráter celestial, não é apreendida à parte de uma revelação especial da verdade operada na mente e no coração pelo Espírito Santo. A provisão toda arranjada divinamente pela qual o crente pode vir a conhecer as coisas de Deus e todas as coisas que fazem parte do relacionamento com Deus, é um sistema de pedagogia totalmente diferente daquele que este mundo conhece e totalmente fora do alcance da experiência na qual o homem natural poderia entrar. Muita coisa já foi estudada deste aspecto no ministério do Espírito Santo sob Bibliologia e o mesmo tema será ainda considerado mais exaustivamente numa seção posterior deste volume.

A iluminação é especificamente uma obra que é operada pela Terceira Pessoa, e, à medida que Ele abre o entendimento para as Escrituras, revela aquilo que Ele próprio originou; todavia, quando Cristo declarou que o Espírito guiaria o crente a toda verdade, deixou claro que o Espírito Santo não origina a mensagem que comunica, pois Ele, o Espírito Santo, não fala de Si mesmo, mas tudo que ouve, fala (Jo 16.13). Neste caso, é Cristo que origina a mensagem. Jesus fez esta declaração particular com as seguintes palavras: "Tenho muitas coisas que vos dizer, mas não podeis suportar agora". Assim na esfera de "toda verdade", "coisas vindouras", e "todas as coisas que o Pai tem", a mensagem surge com o Filho e é entregue à mente e ao coração do crente pelo Espírito Santo que nele habita. Com esta finalidade o apóstolo declara: "Temos recebido... o Espírito que provém de Deus" (1 Co 2.12). A posição dentro do coração do crente que o Espírito Santo agora ocupa assegura o relacionamento mais íntimo, de modo que Ele, o próprio Espírito, é assim capaz de criar impressões dentro da consciência do cristão, que parecem ter ocorrido somente à sua própria mente finita.

Toda verdade espiritual deve ser comunicada pelo Espírito que habita no crente, deste modo. Este conjunto específico da verdade, ou o tríplice grupo de "coisas", será conhecido pelo crente somente por meio da revelação que o Espírito Santo realiza. Sobre isto o apóstolo afirma: "Mas, como está escrito: As coisas que olhos não viram, nem ouvidos ouviram, nem penetraram o coração do homem, são as que Deus preparou para os que o amam. Porque Deus no-las revelou pelo seu Espírito; pois o Espírito esquadrinha todas as coisas, mesmo as profundezas de Deus" (1 Co 2.9,10). Ao usar o mesmo termo anterior como aqui, a saber, "coisas", Cristo sugeriu que "toda verdade" deve ser *mostrada* ao crente pelo Espírito Santo (Jo 16.12-15). O apelo prático, que aqui é confrontado pelos cristãos, revela a necessidade do ajustamento do coração e da vida à mente e vontade do Espírito Santo, para que todo progresso do aprendizado das coisas espirituais não seja impedido.

9. PARACLETO. Quando os tradutores param de traduzir para interpretar, o resultado pode facilmente ser confuso. No Discurso do Cenáculo (Jo 13.1–17.26), por exemplo, Cristo refere-se ao Espírito Santo como o paracleto (παράκλητός) diversas vezes. A tradução de nossas versões em português da palavra *consolador* é o resultado de interpretação; isto é, o paracleto significa *ajudador* ou alguém que é chamado para ficar do lado como uma ajuda – e neste caso alguém todo-suficiente. Isto inclui a idéia de confortar, mas restringi-la a confortar é totalmente inadequado. Na abrangência do significado deste título descritivo, quase tudo das atividades do Espírito Santo apresentadas na seção do Capítulo II poderia ser incluído. Por três anos e meio, Cristo havia sido o paracleto para os discípulos a quem Ele falava, o Todo-suficiente para eles. Quando estava para deixá-los, prometeu outro paracleto. Segue-se, conseqüentemente, que qualquer coisa que Cristo tenha sido para eles, o Espírito continuaria. Em sua obra *Word Studies*, o Dr. M. R. Vincent discute este título paracleto da seguinte maneira:

Somente [usado] no evangelho de João e em 1 João (Jo 14.16,26; 15.26; 16.7; 1 Jo 2.1). Formada de παρά, *para o lado de*, e καλέω, *chamar*. Daí, originalmente, *alguém que é chamado para o lado de outro para ajudá-lo*, como um advogado numa corte de justiça. A última, uso helenístico de παρακαλεῖν e παράκλησις, para denotar o ato de *consolar* e *consolação*, deu origem à tradução *consolador*, que é dado em cada exemplo no evangelho de João, mas é mudado para *advogado* em 1 João 2.1, agradável para a sua importância uniforme no grego clássico. O argumento em favor desta tradução *por todo* o texto é conclusivo. É recomendado com insistência que a tradução *confortador* é justificada pelo fato que, em seu sentido original, significa mais do que um mero *consolador*, por ser derivado do latim *confortare*, fortalecer, e que o *confortador* é, portanto, aquele que fortalece a causa e a coragem de seu cliente no fórum: mas, como o bispo Lightfoot observa, a história desta interpretação mostra que ela não é alcançada por este processo, mas desenvolveu-se de um erro gramatical, e que, portanto, esta narrativa pode somente ser aceita como uma apologia após o fato, e não como uma explicação do fato. O Espírito Santo é, portanto, pela palavra παράκλητος, da qual paracleto é uma transcrição, representado como nosso *advogado* ou *conselho*, "que sugere um verdadeiro raciocínio para as nossas mentes, e verdadeiros cursos de ação para nossas vidas, que convence nosso adversário, o mundo, do erro, e pleiteia a nossa causa perante Deus nosso Pai". Deve ser notado que *Jesus* como também o *Espírito* Santo é apresentado como *paracleto*. O Espírito Santo deve ser outro *advogado* com Deus, o próprio *Jesus Cristo*. Compare Romanos 8.26. Veja Lucas 6.24. Observe também que a palavra outro é ἄλλον, e não ἕτερον, que significa *diferente*. O advogado que deve ser enviado não é *diferente* de Cristo, mas *outro* similar a Si mesmo.[99]

No título paracleto há uma evidência abundante tanto para a personalidade quanto para a divindade do Espírito Santo. Em sua obra *Lectures on the Doctrine of the Holy Spirit*, William Kelly escreve:

Mas eu entendo que a palavra "confortador" algumas vezes deixa (talvez a maior parte das falhas) de dar uma noção adequada daquilo que o Senhor Jesus realmente pretendeu que entendêssemos do que Ele quis dizer do Espírito Santo. Poderíamos muito naturalmente concluir disto que o termo era em relação à tristeza, que Ele sugeria uma pessoa que nos consolaria no meio da angústia deste mundo. E, na verdade, o Espírito Santo nos consola e nos conforta. Mas isto é somente uma pequena parte das funções aqui comunicadas pela palavra "paracleto". Esta é a expressão, se alguém quisesse dar uma reprodução em nossa língua, daquilo que é na verdade a própria palavra que o Senhor empregou. Mas o significado dessa palavra "paracleto" não é meramente "confortador", mas aquele que é identificado com os nossos interesses, aquele que se compromete com a nossa causa, aquele que se compromete em cuidar de nós em nossas dificuldades, aquele que de todo modo se torna tanto o nosso representante quanto o grande agente pessoal que faz a transação dos nossos negócios por nós. Este é o significado do advogado ou paracleto ou confortador, seja qual for o equivalente preferido. Manifestamente, então, Ele tem um propósito incomparavelmente maior do que "advogado" de um lado, ou "confortador", de outro: Ele inclui ambos, mas faz mais do que ambos. Na realidade, Ele é aquele que é absoluta e infinitamente competente para comprometer-se conosco, seja o que for que possa fazer em nosso favor, seja qual tenha sido o limite de nossa necessidade, seja nossa falha em qualquer dificuldade, sejam as exigências da graça de Deus para abençoar as nossas almas. Assim é o Espírito Santo agora; e quão abençoador é ter tal pessoa assim! Mas observe aqui o que nunca foi conhecido antes. Eu já sugeri, e, na verdade, claramente expressei a convicção, que nunca será conhecido novamente, quanto à amplitude, um derramamento maior da bênção no mundo vindouro. Mas a presença pessoal do Espírito aqui como uma resposta à glória de Cristo à direita de Deus! – tal estado de coisas nunca pode ser repetido. Conquanto o Sumo Sacerdote esteja lá no alto, o Espírito enviado para cá dá uma entrada celestial a esta Sua glória como a redenção; quando o Sumo Sacerdote vier para o trono terreno, o Espírito então derramado dará um testemunho apropriado à terra sobre a qual o Senhor vai reinar.[100]

10. TESTEMUNHA. "O Espírito mesmo testifica com o nosso espírito que somos filhos de Deus." (Rm. 8.16). Nesta obra distintiva, o Espírito Santo torna real para o crente aquilo que é conseguido pela fé. Portanto, isso não é regeneração ou a obra do Espírito em gerar o crente, mas a consciência desta nova realidade, o reconhecimento do cristão daquilo que o Espírito operou na regeneração. Aqueles que crêem em Cristo se tornam legitimamente filhos de Deus (Jo 1.12), e o próprio Espírito testifica que esta grande realidade foi efetuada. João declara em sua primeira epístola: "...porquanto não creu no testemunho que Deus de seu Filho deu" (1 Jo 5.10). A vantagem e a bênção desta obra do Espírito Santo não podem ser avaliadas. O campo total da evidência experimental para a regeneração é importante, embora também perigoso para que a confiança não repouse na experiência mutável, em vez de repousar na Palavra de Deus imutável.

Uma verdade precisa sempre ser considerada, a saber, que o testemunho do Espírito, igual a todos os Seus ministérios que se relacionam à experiência de vida, será impedido e, nessa extensão, imperfeito para o cristão que não está em relação espiritual com Deus. Assim, o mais rico testemunho do Espírito com respeito à filiação, não é experimentado plenamente por todos os que são salvos, e isso simplesmente porque o testemunho é impedido. Há aqueles no mundo que são salvos, mas que carecem desta forma de segurança. Numa esfera mais ampla, o Espírito, por ser o *Espírito da Verdade* e o Autor divino das Santas Escrituras, é o testemunho especial de Deus. Como o Filho manifesta Deus tanto por sua vida na terra quanto por um ministério agora no céu, assim o Espírito manifesta Deus tanto por um testemunho escrito quanto pela iluminação através da qual o testemunho pode ser compreendido.

11. UNÇÃO. Habitar e ungir são termos sinônimos na Pneumatologia e, portanto, dependem do mesmo conjunto de textos para o seu significado exato. Tão certamente quanto todo crente é habitado pelo Espírito Santo, assim tornar-se um templo do Espírito Santo, tão certamente todo crente é ungido pelo Espírito Santo. Sem referência a qualquer classe especial de cristãos, o apóstolo João escreve: "E quanto a vós, a unção que dele recebestes fica em vós, e não tendes necessidade de que alguém vos ensine; mas, como a sua unção vos ensina a respeito de todas as coisas, e é verdadeira, e não é mentira, como vos ensinou ela, assim nele permanecei" (1 Jo 2.27). Não poderia haver tal coisa como o cristão não ter sido ungido por receber o Espírito Santo e, assim, tornado participante da nova natureza, por ser nascido do Espírito. A doutrina da habitação e da unção do Espírito Santo exige um estudo sem preconceito, e será tratado mais detalhadamente no capítulo posterior.

12. BATISMO. Enquanto se obtém uma confusão trágica relativa às várias atividades do Espírito Santo – devida principalmente à falta de se considerar tudo o que a Escritura declara sobre determinado assunto – nenhum aspecto de Sua obra para o cristão é tão pervertido, se considerado de qualquer forma, como Seu batismo. A palavra *batizar* – mais distorcida pelo preconceito religioso do que qualquer outro termo – está em si mesma carente de uma definição cuidadosa. Isto já foi feito em outro lugar nesta obra de teologia. Pode bem ser acrescentado aqui, contudo, que a palavra βαπτίζω em suas várias formas apresenta um uso primário e um secundário. O uso primário, que não traz consigo sugestão alguma de que ela é mais freqüentemente usada ou é de maior importância, indica um envolvimento literal dentro de um elemento e, assim, se torna sujeita àquele elemento. Esta palavra deve ser distinguida de βάπτω, o significado primário da qual é mergulhar por meio da qual duas ações estão envolvidas – introduzir e retirar.

Em oposição a isto, βαπτίζω, que agora foi mostrada, significa imergir ou submergir, sugere somente o introduzir sem referência à retirar. O seu significado secundário se desenvolveu do significado primário, visto que apresenta um objeto trazido sob a influência de outro totalmente à parte de qualquer envolvimento físico ou de justaposição. Esse, na verdade, é o batismo para arrependimento, o batismo para a remissão de pecados, o batismo em nome do Pai, e do Filho e do Espírito Santo, o batismo do cálice do sofrimento, o batismo de Israel em Moisés na nuvem e no mar, e o batismo pelo Espírito em

Cristo. Em nenhum destes aqui tem a mais remota sugestão de um mergulho momentâneo e uma remoção. Aquilo que é mais desejado e plenamente assegurado a respeito da união formada pelo batismo em Cristo, é que não haverá remoção alguma seja no tempo ou na eternidade; todavia, não é um envolvimento físico ou uma justaposição, mas deve ser classificado como um uso secundário da palavra βαπτίζω, na qual uma coisa é trazida sob o poder e a influência de outra.

Pelo batismo do Espírito em Cristo o crente é unido permanentemente ao Senhor; ele é colocado em Cristo, e, portanto, por estar em Cristo, participa de tudo o que Cristo é. Esta união vital é a base de toda posição e possessão na qual o filho de Deus entrou. É, obviamente, um grave erro confundir o batismo que o Espírito realiza quando Ele une o crente a Cristo com qualquer outra experiência, ou confundi-lo com o enchimento do Espírito, ministério pelo qual a experiência e o poder do cristão para a vida e o serviço são assegurados. Visto que tudo o que é vital na relação do cristão com Deus depende desta união com Cristo, é sempre um ponto de ataque satânico para impedir qualquer apreensão correta dessa união. À parte desta união que assegura a imputação do mérito de Cristo, não pode haver posição alguma perante Deus e nenhuma entrada no céu.

13. SELO. A presença do Espírito Santo dentro do crente se torna a identificação distintiva, não observável ou útil como tal nas esferas humanas, mas antes uma marca da distinção divina que Deus vê. "O Senhor conhece os que são seus" (2 Tm 2.19), e qual marca maior de reconhecimento poderia qualquer indivíduo portar à vista de Deus do que ele ser um templo do Espírito Santo? Assim, por ser habitado, o crente é selado. Semelhantemente, o selo fala de um empreendimento total. O selo pertence àqueles que são justificados e aperfeiçoados para sempre em Cristo. Assim, também, selar indica segurança. Aquele que sela se torna responsável pelo objeto sobre o qual o selo é colocado. No caso do crente, ele é "selado para o dia da redenção". Muita coisa que é sugerida pela função do selo é apresentada em Jeremias 32.9-12. O apóstolo Paulo declara: "...o qual também nos selou, e nos deu como penhor o Espírito Santo em nossos corações" (2 Co 1.22); "No qual também vós, tendo ouvido a palavra da verdade, o evangelho da vossa salvação, e tendo nele também crido, fostes selados com o Espírito Santo da promessa" (Ef 1.13); "E não entristeçais o Espírito Santo de Deus, no qual fostes selados para o dia da redenção" (Ef 4.30).

14. ENCHIMENTO. Esse ministério do Espírito Santo, que é chamado Seu *enchimento*, é o próprio centro do tema total da vida espiritual. É o Espírito cumprindo no crente tudo o que Ele veio fazer no coração. Este ministério apresenta duas esferas totalmente diferentes de realização. Do seu lado negativo, a vida espiritual exige uma libertação do poder de três grandes inimigos – o mundo, a carne e o diabo. Do seu lado positivo e construtivo, a vida espiritual exige a manifestação de toda graça divina – não menos do que a apresentação das virtudes dAquele que chamou o crente das trevas para a Sua maravilhosa luz. No último capítulo deste volume, estes dois aspectos da vida espiritual serão investigados e a devida consideração será dada ao grande conjunto de

OBRAS DIVINAS

textos envolvidos. Será revelado que há um plano divino e uma provisão pela qual o crente pode ser salvo do poder dominante do pecado e também do hábito e da prática de pecar, como há um arranjo divino pelo qual os não-salvos podem ser salvos da penalidade do pecado e do estado de perdido em que eles se encontram.

A vida que é liberada não deve ser explicada pelos traços humanos ou pelas disposições de caráter, nem é acidental quando a mudança chega. Ela repousa completamente no poder suficiente do Espírito Santo, poder esse que está disponível para aqueles que seguem o plano exato que Deus revelou. Poucos questionarão a afirmação de que há um plano exato para a salvação dos perdidos; todavia, de outro lado, apenas poucos têm sido despertados para a verdade igualmente evidente de que Deus tem um procedimento específico pelo qual o poder do Espírito Santo pode ser manifesto na vida diária do crente, individualmente. Embora muito negligenciado, o modo de vida na dependência do Espírito é vital além da medida.

15. INTERCESSÃO. Uma passagem central trata da intercessão do Espírito, a saber, Romanos 8.26, 27: "Do mesmo modo também o Espírito nos ajuda na fraqueza; porque não sabemos o que havemos de pedir como convém, mas o Espírito mesmo intercede por nós com gemidos inexprimíveis. E aquele que esquadrinha os corações sabe qual é a intenção do Espírito: que ele, segundo a vontade de Deus, intercede pelos santos". Sobre esta passagem, Dean Alford escreve:

O Espírito Santo de Deus habita em nós, e conhece as nossas necessidades melhor do que nós, Ele mesmo suplica em nossas orações, desperta-nos para desejos mais elevados e mais santos do que podemos expressar em palavras, que podem somente encontrar elocuções em suspiros e aspirações: veja o versículo seguinte. Crisóstomo interpreta as palavras do dom espiritual da oração, e acrescenta, "Porque o homem, a quem é concedida esta graça, permanece em oração com grande sinceridade, súplica a Deus com muitos gemidos mentais, pede o que é bom para todos". Calvino entende que o Espírito nos sugere as palavras próprias de oração aceitável, que *de outra forma teriam sido inexprimíveis por nós*. Macedônio deduziu deste versículo que o Espírito Santo *é uma criatura*, e *inferior* a Deus, porque Ele *ora a Deus por nós*. Mas Agostinho observa: "O Espírito Santo geme não em si mesmo, consigo mesmo, na Trindade, mas *em nós*, e em que Ele nos faz gemer". Não é dita de nenhuma *intercessão no céu*, mas de *um rogo em nós* pelo Espírito que habita em nós, de uma natureza acima de nossa compreensão e expressão. Mas [oposto às palavras *"que não podem ser exprimíveis"*: os gemidos são de fato inexprimíveis por nós, mas ...] *Aquele que sonda os corações* [Deus] *sabe qual é a mente* [intenções, ou inclinações, escondidas nesses suspiros] *do Espírito*. Uma dificuldade apresenta-se na tradução da cláusula seguinte. A partícula com a qual ela inicia pode significar *por causa* ou *que*. *Se deve ser causal*, porque Ele [o Espírito] intercede pelos santos de acordo

PNEUMATOLOGIA

com a vontade de Deus, pareceria que [a palavra] *conhece* deve portar o significado "aprova", diferentemente da conexão não ser evidente; e assim Calvino e outros a tem traduzido. Conseqüentemente, muitos a traduzem que – *"sabe qual a mente do Espírito, que ele intercede* etc., *com* [ou, de acordo com] Deus. Mas eu devo confessar que a outra tradução me parece melhor adaptável ao contexto: e eu não vejo que o significado comum da palavra *conhece* precisa ser mudado. A certeza que temos de que Deus é o sondador de corações interpreta o suspiro inarticulado do Espírito em nós – não é, estritamente falando, Sua onisciência – mas *o fato de que o próprio Espírito, que assim intercede*, o faz de acordo com Deus – na busca dos propósitos divinos e de conformidade com o beneplácito de Deus. Todos esses rogos do Espírito são ouvidos e respondidos, mesmo quando **pronunciados inarticuladamente**: podemos estender a mesma certeza confortadora às *expressões verbais imperfeitas e enganosas* de nossas orações, que não são respondidas em si mesmas para a nossa tristeza, mas a resposta é dada à voz do Espírito que fala através delas, que nós *expressaríamos*, mas que *não podemos*. Compare 2 Coríntios 12.7-10 como um exemplo no próprio caso do apóstolo.[101]

Esta provisão divina para o exercício correto e eficaz da oração deveria ser apreendida e reivindicada como um privilégio do nascido de novo, isto é, por todo filho de Deus. Tão importante é a parte do Espírito Santo na oração que prevalece, que uma citação adicional que expõe este texto é acrescentada aqui, tirada de W. R. Newell:

> *Do mesmo modo também* – acabamos de ler que "temos as primícias do Espírito gemendo dentro de nós próprios", no aguardo do bendito dia da "liberdade da glória dos filhos de Deus". Estas palavras "do mesmo modo também" referem àquela operação do Espírito dentro de nós, em simpatia real, que nos usa em relação à criação que geme ao redor de nós. "Do mesmo modo", então, com esta ajuda verdadeiramente maravilhosa, o Espírito "nos ajuda em nossa fraqueza" – em seu trato ignorante e débil com Deus. Observe que a palavra "fraqueza" está no singular: porque não temos algo, senão fraqueza! *Não sabemos o que havemos de pedir como convém*. Oh, tome cuidado com a conversa fiada e loquaz do pregador "modernista" nas suas *orações!* Ele elogiaria o Todo-Poderoso e seus ouvintes, e mais do que tudo, a si mesmo, em seu discurso "belo" e "eloqüente" a Deus! Não é assim com Paulo, e com os reais santos de Deus, que têm o Espírito Santo. Há com eles o senso de *necessidade* total e sem limites, e com isso o senso de *ignorância* e de *incapacidade*. Todavia, bendito seja Deus! há, com tudo isto, o senso de ajuda ilimitada do Espírito Santo! *Mas o Espírito mesmo intercede por nós com gemidos inexprimíveis*. Sabemos que Cristo faz intercessão por nós à direita de Deus, mas aqui o Espírito faz intercessão dentro de nós: o Espírito, que conhece a vasta necessidade abismal de cada um de

nós, conhece essa necessidade no particular menos possível. *Gemidos inexprimíveis* – expressa imediatamente a vastidão de nossa necessidade, nossa ignorância total e a nossa incapacidade, e a preocupação infinita do bendito Espírito por nós. "Gemidos" – que palavra! e ser usado pelo Espírito do próprio Todo-Poderoso! Quão superficial é a nossa apreciação daquilo que é feito, tanto por Cristo em nosso favor, quanto pelo Espírito dentro de nós! *Inexprimíveis* – aqui, então, são necessidades nossas, das quais as nossas mentes nada conhecem, e que o nosso discurso não poderia ser proferido, se pudéssemos perceber essas necessidades. Mas é parte do grande plano de Deus em nossa salvação que a oração eficaz tenha o seu lugar – oração, o próprio significado da qual não podemos captar. Os homens de Deus têm testificado do espírito de oração que se prostra em "gemidos" profundos e, freqüentemente, longamente continuados. Cremos que tal consciência da oração do Espírito dentro de nós está inclusa neste versículo, mas a parte principal do gemido do Espírito dentro de nós, talvez nunca alcance a consciência do nosso espírito. *E aquele que esquadrinha os corações sabe qual é a intenção do Espírito: que ele, segundo a vontade de Deus, intercede por nós.* É Deus o Pai que "esquadrinha os corações". Como nós costumávamos nos encolher diante de tal sondagem divina! Mas aqui Deus "esquadrinha corações" para conhecer qual é a mente do Espírito que habita no crente, para conhecer pelo que o Espírito geme dentro do santo; a fim de que Ele possa supri-lo. Porque no plano de salvação, Deus o Pai é a Fonte, Cristo é o Canal, e o Espírito é o Agente. *Segundo a vontade de Deus, intercede pelos santos.* Sentimos que a introdução das palavras "a vontade de" antes da palavra *Deus* meramente obscurece o significado. "segundo Deus" – que é a expressão abrangente, bendita, e reveste-nos para a nossa salvação e bênção, totalmente no amor e no poder divinos. Não sabemos orar como convém; mas o Espírito intercede por nós "de acordo com Deus", de acordo com a Sua natureza (da qual somos participantes); de acordo com as nossas necessidades, que Ele discerne; de acordo com os nossos perigos, que Ele prevê – de acordo com todos os desejos que Ele tem para conosco.[102]

16. Santificação. O significado da raiz da palavra *santificação* é o de ser separado, classificado, e especialmente qualificado para a realização de algum fim particular. Como está apresentada nas Escrituras, a santificação é tríplice:

(A) Aquela que é posicional, ou a separação que ocorre quando pelo Espírito Santo aquele que crê é unido a Cristo e, assim, vem a estar em Cristo. Disto está escrito: "Pois com uma só oferta tem aperfeiçoado para sempre os que estão sendo santificados. E o Espírito Santo também no-lo testifica" (Hb 10.14,15). Nenhuma classificação conhecida no céu ou sobre a terra é mais distintiva, abrangente, ou mais verdadeira do que aquela operada pelo Espírito quando Ele une o indivíduo a Cristo. Este mesmo aspecto posicional da santificação é apresentado em três outras passagens: "Mas vós sois dele, em Cristo

Jesus, o qual para nós foi feito por Deus sabedoria, e justiça, e santificação, e redenção" (1 Co 1.30); "Mas nós devemos sempre dar graças a Deus por vós, irmãos, amados do Senhor, porque Deus vos escolheu desde o princípio para a salvação, mediante a santificação do Espírito e a fé na verdade" (2 Ts 2.13); "Eleitos segundo a presciência de Deus Pai, na santificação do Espírito, para a obediência e aspersão do sangue de Jesus Cristo" (1 Pe 1.2).

(B) A santificação é também experimental, em que pelo poder do Espírito Santo que opera interiormente no filho de Deus, para que ele seja energizado tanto para ser liberto do pecado quanto para ser eficaz em toda atitude e serviço corretos. A santificação progressiva, ou experimental, é dita ser a vontade de Deus para cada crente e isto é razoável. Está escrito: "Porque esta é a vontade de Deus, a saber, a vossa santificação: que vos abstenhais da prostituição, que cada um de vós saiba possuir o seu vaso em santidade e honra" (1Ts 4.3, 4). O progresso na maturação do caráter operado pelo Espírito pode ser alcançado somente pela Terceira Pessoa da Trindade e através dela.

(C) A santificação será ainda alcançada em sua terceira e definitiva forma; isto é, o cristão será apresentado sem qualquer falha diante da presença de Deus (cf. Ef 1.4; Jd 24) e conformado à imagem de Cristo (cf. Rm 8.29; 1 Jo 3.1-3). Assim, está revelado que a santificação é uma obra do Espírito Santo. Outros textos revelam que o Espírito Santo, embora infinitamente santo, está livre para realizar todos os seus ministérios no crente – mesmo a despeito da natureza caída dele e de suas falhas – visto que Cristo morreu não somente *pelo* pecado do homem, mas *para* o pecado.

17. PENHOR. Este, o tema concludente nesta lista, apresenta o pensamento de que todos as bênçãos ilimitadas que são asseguradas pela presença e pelo poder do Espírito Santo no crente são, como um penhor ou marca, a preexistência da glória celestial que haverá. Um penhor é uma entrada num pagamento – diferente em espécie, mas uma mera fração em quantidade embora um espécime exato do todo – da experiência assegurada do crente no céu. Está escrito: "O qual também nos selou e nos deu como penhor o Espírito em nossos corações" (2 Co 1.22); "Ora, foi o próprio Deus quem nos preparou para isto, outorgando-nos o penhor do Espírito" (2 Co 5.5); "...fostes selados com o Espírito Santo da promessa, o qual é o penhor da nossa herança, para redenção da possessão de Deus, para o louvor da sua glória" (Ef 1.13, 14).

Conclusão

Esta lista de atividades do Espírito Santo foi apresentada a esta altura com a idéia de demonstrar Sua personalidade e divindade. Nenhum dos empreendimentos mencionados poderia ser operado no menor grau por qualquer outro poder além do poderio de Deus. Fica assim evidenciado que o Espírito Santo é uma Pessoa e Um membro da Trindade.

CAPÍTULO III

Tipos e Símbolos do Espírito Santo

Embora a Bíblia seja farta de metáforas, símiles, símbolos, tipos, parábolas, alegorias e emblemas – uma classificação sétupla de suas figuras de linguagem – é necessário lembrar que por detrás de toda forma de elocução há uma realidade da verdade, verdade essa que não deve ser subestimada por causa da forma em que ela é apresentada. Todas estas formas variadas de linguagem que a Bíblia emprega são diretamente escolhidas e utilizadas por Deus, o Espírito Santo. Elas de modo algum representam meras noções literárias de homens. É mais do que um interesse passageiro que o próprio Espírito Santo seja apresentado sob vários tipos e símbolos. Os tipos e símbolos que predizem e descrevem a Segunda Pessoa da Trindade têm sido realizados ou cumpridos de forma visível e concreta através da Sua encarnação; mas a Pessoa e obra da Terceira Pessoa permanecem naquela obscuridade de forma que o invisível e, portanto, o intangível sempre as envolve.

Visto que a familiaridade com o Espírito Santo deve depender muito basicamente daquilo que é dito antes do que daquilo que é visto ou sentido, deveria ser dada atenção a toda sugestão. Embora se obtenha um número de símbolos secundários na Escritura, a lista dada aqui será restrita aos seguintes que são bem observados ou são revelações mais importantes do Espírito Santo.

I. Óleo

Como o óleo era usado para a cura, o conforto, a iluminação e a unção, com propósitos específicos, assim o Espírito Santo cura, conforta, ilumina e consagra. Nas oferendas de comida em Levítico 2.1-16, em que Cristo é prefigurado em Suas perfeições humanas, o óleo aparece, primeiro, como misturado com flor de farinha; e segundo, como derramado sobre ela. Tudo isto prediz em tipo a vida e o ministério de Cristo em Sua relação singular com o Espírito Santo, relação essa que Ele manteve enquanto esteve aqui na terra – um relacionamento em que a humanidade de Cristo foi sustentada e suas ações fortalecidas pelo Espírito Santo. Era totalmente possível, e teria sido natural, para Cristo ter mantido sua humanidade pelo poder de Sua própria divindade; todavia, como o homem deve ser sustentado pelo Espírito Santo e não pela Segunda Pessoa da Trindade, e visto que Cristo é o padrão humano e o ideal de Deus para o homem, era requerido que Ele, também, fosse lançado sobre o Espírito Santo com respeito a toda necessidade e limitação que a sua humanidade apresentava.

No tipo (cf. Lv 2.4,5,7), a flor de farinha é misturada com óleo, para sugerir que, com respeito à Sua humanidade, Cristo foi gerado pelo Espírito Santo; e, além disso (cf. Lv 2.1,6,15), o óleo derramado sobre a comida prevê o Espírito que viria sobre Cristo, como foi verdadeiro em Seu batismo. Há importância real na exigência de que o sacerdote, quando comprovava a cura do leproso (Lv 14.10-32), deveria aplicar óleo de uma maneira prescrita específica. A obra de Cristo na cura física, como na transformação espiritual, foi operada pelo poder do Espírito Santo. A purificação do leproso é um dos tipos mais evidentes de Cristo, visto que ele prevê a salvação do pecado. C. H. Mackintosh apresenta aqui o seguinte:

"Tomará também do logue de azeite, e o derramará na palma da sua própria mão esquerda; então molhará o dedo direito no azeite que está na mão esquerda, e daquele azeite espargirá com o dedo sete vezes perante o Senhor. Do restante do azeite que está na sua mão, o sacerdote porá sobre a ponta da orelha direita daquele que se há de purificar, e sobre o dedo polegar da sua mão direita, e sobre o dedo polegar do seu pé direito, por cima do sangue da oferta pela culpa; e o restante do azeite que está na sua mão, pô-lo-á sobre a cabeça daquele que se há de purificar; assim o sacerdote fará expiação por ele perante o Senhor" (Lv 14.15-18). Assim, não somente são os nossos membros purificados pelo sangue de Cristo, mas também consagrados a Deus no poder do Espírito. A obra de Deus não é somente negativa, mas positiva. O ouvido não é mais para ser o veículo para comunicar corrupção, mas ser "pronto para ouvir" a voz do Bom Pastor; a mão não mais é para ser usada como o instrumento de injustiça, mas para ser esticada em atos de justiça, graça e verdadeira santidade; o pé não mais é para trilhar os caminhos da loucura, mas para andar no caminho dos mandamentos santos de Deus; e, finalmente, o homem total deve ser dedicado a Deus no poder do Espírito Santo. É profundamente interessante ver que "o óleo" era colocado "sobre o sangue da oferta pelos pecados". O sangue de Cristo é a base divina das operações do Espírito Santo. O sangue e o óleo andam juntos. Como pecadores, nada podemos conhecer do último salvar com base no primeiro. O óleo não poderia ter sido colocado sobre o leproso até que o sangue da oferta pelo pecado tivesse sido primeiro aplicado. "Em quem também, depois de haverdes crido, fostes selados com o Espírito Santo da promessa." A exatidão divina do tipo evoca a admiração da mente renovada. Quando mais intimamente a sondamos, quanto mais da luz da Escritura concentramos sobre ela, mais são percebidas e desfrutadas a sua beleza, força e exatidão. Tudo, como deveria ser esperado, está na mais bela harmonia com a total analogia da Palavra de Deus.[103]

Além disso, Êxodo 40.10,13,15 registra a exigência a respeito de três unções específicas, a saber, a do altar, que fala da morte de Cristo através do Espírito eterno; a de Arão como o sumo sacerdote, que fala do Espírito que viria sobre Cristo (Is 61.1); e a dos filhos de Arão, que são o tipo do crente desta era e cuja unção contempla a presente relação do Espírito com o cristão. Na teocracia do Antigo Testamento, os reis eram ungidos (cf. 1 Sm 16.12), quando eram oficiais (cf. 1 Sm 10.1); e tudo isto indica a autoridade direta de Deus sobre o Seu povo naquela forma de Seu governo.

Um tipo igualmente belo do Espírito Santo deve ser visto no fato de que o óleo servia como a fonte de luz. Os israelitas foram orientados a fim de providenciar o óleo para as lâmpadas do Tabernáculo (cf. Êx 25.6). Duas verdades vitais são sugeridas nesta tipologia particular, a saber, que Deus, o Espírito Santo, é a luz essencial e o crente deve andar na luz que o Espírito Santo derrama sobre a sua mente e coração, e que ao fazer assim, os crentes são em si mesmos "como luzes no mundo". A luz que o cristão deve exibir é uma manifestação da presença e poder do Espírito Santo em sua vida. Na luz do Antigo Testamento havia óleo, chama e o pavio que servia como um meio entre o óleo e a chama. Deve haver contato entre o óleo e o pavio, e assim o pavio deve ser mantido livre de porções carbonizadas; ele deve ser aspirado. Esta verdade, tão essencial para toda eficácia espiritual, é óbvia. As dez virgens de Mateus 25.1-13 eram prudentes ou imprudentes de acordo com a preparação espiritual delas, cujo fato o óleo simboliza na parábola. Cinco devem ser excluídas do palácio do Rei, quando Ele retornar à terra, e cinco devem se encontrar com Ele com a preparação correta e entrar no palácio com Ele. As virgens representam Israel sobre a terra no aguardo do retorno do Messias com sua Noiva (cf. Lc 12.35,36; Sl 45.8-15).

Todavia, três outros temas aparecem em conexão com a tipologia que o óleo representa. No salmo 45.7 há referência ao "óleo da alegria" – "o fruto do Espírito é... alegria" – enquanto que no salmo 104.15 o óleo é prescrito para fazer a face brilhar e no salmo 23.5, Davi dá louvores a Deus que havia ungido a sua cabeça com óleo, por ser tudo isto um presságio da presença e do poder do Espírito no crente.

Ao escrever sobre o óleo como um símbolo do Espírito, o Dr. John F. Walvoord declara:

Nos dois testamentos, o Espírito Santo é freqüentemente encontrado neste tipo. No Tabernáculo, o puro óleo de oliva que mantinha a lâmpada a queimar continuamente no lugar santo fala eloqüentemente do ministério do Espírito Santo em revelação e iluminação, sem o que o pão exposto do ritual judaico (Cristo) seria invisível nas trevas, e o caminho para o mais santo de todos não seria tornado claro (Êx 27.20, 21). O óleo teve uma parte importante nos sacrifícios (Lv 1–7). Ele era usado na unção dos sacerdotes e na consagração do Tabernáculo (Lv 8). Era usado para introduzir os reis no seu ofício (1 Sm 10.1; 16.13; 1 Rs 1.39 etc.). Além disso, para esses usos sagrados, ele era usado como comida

(Ap 6.6), como remédio (Mc 6.13), e mesmo como um meio de bens de troca (1 Rs 5.11; cf. *International Standard Bible Encyclopaedia, s.v., Oil*). Os exemplos de referência ao óleo no Antigo Testamento excedem em número aos do Espírito Santo. De acordo com a Concordância de Young, há 175 referências ao óleo no Antigo e uma dúzia de exemplos no Novo Testamento, e as mais notáveis estão em Mateus 25.3-8; Hebreus 1.9 e Tiago 5.14. Uma referência interessante é João 3.34, que fala do Espírito como não sendo derramado "por medida" em Cristo. Dos vários usos do óleo na Bíblia, podemos concluir que o óleo fala de santidade, santificação, revelação, iluminação, dedicação e cura.[104]

II. Água

Este elemento tão comum e grande no mundo serve como um tipo de julgamento (cf. o dilúvio, a destruição no mar Vermelho e os dilúvios descritos por Cristo em Mateus 7.25), da Palavra de Deus (cf. Jo 3.5; Tt 3.5; 1 Jo 5.6, 8) e do Espírito Santo. Em sua conversa com a mulher samaritana, Cristo falou da água que Ele daria como "água viva", que é prefigurada no tipo como *água corrente*. O Espírito Santo é tipificado pela água e este conjunto de verdades é de fato extenso. Como a água é essencial para a purificação e satisfação, para reviver e refrescar, assim o Espírito Santo é vital para o filho de Deus. Este tema geral pode ser dividido de uma maneira tríplice: (a) o Espírito aplica o sangue de Cristo para toda purificação; (b) o Espírito habita dentro do homem; e (c) as manifestações do Espírito fluem. Estas três divisões são aqui consideradas mais detalhadamente.

(A) O aspecto da purificação é tipificado pelo banho dos sacerdotes em conexão com a introdução deles no ofício sacerdotal. Eles eram, então, de uma vez por todas, banhados pelo sumo sacerdote (cf. Êx 29.4; Lv 8.6), cujo banho prefigura a lavagem de uma vez por todas da regeneração operada para o crente-sacerdote na sua entrada tanto no estado de salvo quanto no seu serviço por Deus como um sacerdote. Assim, também, há uma constante purificação para o cristão em seu andar que é predito no tipo pela purificação proporcionada pelo sacrifício e cinzas do novilho vermelho (Nm 19.2ss). O antítipo do Novo Testamento está declarado em 1 João 1.9: "Se confessarmos os nossos pecados, ele é fiel e justo para nos perdoar os pecados e nos purificar de toda injustiça" (cf. Ef 5.26). É o Espírito Santo que aplica o sangue da purificação. Como um ato simbólico, Cristo lavou os pés dos discípulos (Jo 13.1-17).

(B) Com relação ao Espírito interior, Cristo disse para a mulher de Samaria: "Mas aquele que beber da água que eu lhe der nunca terá sede; pelo contrário, a água que eu lhe der se fará nele uma fonte de água que jorre para a vida eterna" (Jo 4.14). O Espírito Santo, ao habitar no crente, é uma realidade e sua presença uma bênção sem medida, em tudo do qual Ele é sempre ativo. Igual a um poço artesiano, Ele é "a fonte a jorrar" para a vida eterna. A vida eterna não é somente obtida pela operação do Espírito Santo, mas é mantida – mas são todas as suas manifestações – pelo Espírito.

(c) Com referência ao Espírito que flui, a promessa de Cristo registrada em João 7.37-39 é central. Ali está escrito: "Ora, no último dia, o grande dia da festa, Jesus pôs-se em pé e clamou, dizendo: Se alguém tem sede, venha a mim e beba. Quem crê em mim, como diz a Escritura, do seu interior correrão rios de água viva. Ora, isto ele disse a respeito do Espírito que haviam de receber os que nele cressem; pois o Espírito ainda não fora dado, porque Jesus ainda não tinha sido glorificado". O próprio rio é por alguns interpretado como um tipo separado do Espírito Santo, e em tal caso muita coisa é feita pelo rio que Ezequiel prediz que fluirá da própria presença de Jeová na era vindoura (cf. Ez 47.1-12), símbolo do vasto aumento da bênção e do poder do Espírito naquele dia.

A maioria dos cristãos interpreta a água, ou o batismo ritual, como um sinal ou símbolo externo de uma obra interna do Espírito Santo no crente. Para alguns, portanto, este tipo – água – representa todos os aspectos da obra do Espírito no cristão; para outros, ela é mais especificamente relacionada com o batismo do Espírito. É crido entre os últimos que "um só batismo" de Efésios 4.5 se refere ao batismo com o Espírito Santo, mas inclui também o seu sinal externo ou símbolo – os dois, o real e o ritual, juntos combinam para formar "um só batismo". A abordagem do Espírito em relação ao crente com tudo o que a Sua presença graciosa assegura está expresso, e é crido, pela aplicação de água no batismo; e isto, por sua vez, corresponde completamente ao uso típico da água por todo o Antigo Testamento (cf. Is 52.15; Ez 36.25).

Um aspecto recomendável desta interpretação do batismo ritual é visto no fato de que nenhum batismo separado, independente e diverso, foi estabelecido à parte do batismo importante do Espírito Santo que obrigaria o reconhecimento de dois batismos – o do Espírito e o do ritual – em face da afirmação da Escritura de que há "um só batismo". Em toda esta verdade a respeito do batismo, para aqueles que assim o interpretam, a água se torna, novamente, num emblema do Espírito Santo.

III. Fogo

Com referência ao fogo como um símbolo do Espírito Santo, F. E. Marsh, de Londres, escreve:

Freqüentemente constatamos que um símbolo pode representar duas ou mais coisas. O leão, por exemplo, é usado como uma metáfora de Cristo e de Satanás, e ainda com uma diferença, porque conquanto ele seja usado para expressar a intrepidez e as realizações de nosso Senhor, simboliza a crueldade e a ferocidade de Satanás (Ap 5.5; 1 Pe 5.8). O fogo, também, é usado para diversas coisas. Ele é um símbolo da presença do

PNEUMATOLOGIA

Senhor, conseqüentemente, Jeová apareceu a Moisés "numa chama de fogo" (Êx 3.2). O fogo é um sinal da aprovação do Senhor. Assim, em conexão com o Tabernáculo (Lv 9.24), na dedicação do templo (2 Cr 7.1), e no monte Carmelo, o fogo veio do céu e consumiu o sacrifício, como um sinal da aprovação e da aceitação de Deus (1 Rs 18.38). O fogo está associado com a proteção da presença de Deus; conseqüentemente, Ele era como uma "coluna de fogo" para os filhos de Israel, em benefício da iluminação e defesa (Êx 13.21), e Ele promete ser um "muro de fogo" para o seu povo (Zc 2.5). O fogo é uma símile de Sua disciplina e teste. Quando o Senhor purifica os filhos de Levi, Ele o faz como um refinador que purifica o ouro, pela ação do fogo (Ml 3.3); e quando Cristo sondava as sete igrejas, Seus olhos são descritos como "uma chama de fogo" (Ap 1.14); e quando os crentes são provados, eles são lembrados da "provação da vossa fé" que é "muito mais preciosa do que o ouro que perece, embora provado pelo fogo" (1 Pe 1.7); e somos também lembrados, que "o nosso Deus é fogo consumidor" (Hb 12.29). O fogo é um emblema da Palavra de Deus, que acende e aquece. A declaração de Jeová a Jeremias foi: "Eis que converterei em fogo as minhas palavras na tua boca"; e mais tarde, quando o profeta resolveu não falar a Palavra, ele teve de confessar: "Se eu disser: Não farei menção dele, e não falarei mais no seu nome, então há no meu coração um como fogo ardente, encerrado nos meus ossos... e não posso mais" (Jr 5.14; 20.9). O fogo fala do julgamento de Deus. Quando os filhos de Arão trouxeram fogo estranho em sua insolência obstinada: "Então saiu fogo de diante do Senhor, e, os devorou; e morreram perante o Senhor" (Lv 10.2); e o fogo é também um emblema do Espírito Santo, porque Ele é comparado a "sete lâmpadas de fogo que ardiam diante do trono que são os sete espíritos de Deus" (Ap 4.5), e Seus dons no Pentecostes são comparados a "línguas como que de fogo" (At 2.3)... Direta e indiretamente o poder e o ministério do Espírito podem ser comparados ao fogo. O zelo do serviço, a chama do amor, o fervor da oração, a sinceridade do testemunho, a devoção da consagração, o sacrifício da adoração e o poder de acender da influência são atribuídos ao Espírito.[105]

IV. Vento

O sopro de Deus é assemelhado ao vento, e pode ser como um julgamento (cf. Is 40.24) ou como uma bênção. As Escrituras, por exemplo, são o sopro de Deus. Após a Sua ressurreição, Cristo soprou sobre os Seus discípulos e disse: "Recebei o Espírito Santo" (Jo 20.22). Assim, também, quando o homem foi criado, Deus soprou naquela forma sem vida o sopro da vida e o homem tornou-se alma vivente. Cristo comparou a obra do Espírito à ação do vento, quando disse a Nicodemos: "O vento sopra onde quer, e ouves a sua voz; mas não sabes donde vem, nem para onde vai; assim é todo aquele que é nascido do Espírito" (Jo 3.8). Assim, também, o Espírito moveu homens santos para escrever o Texto Sagrado. Eles foram *movidos* como um navio é conduzido pelo vento. Pedro afirma: "Porque a profecia nunca foi produzida por vontade dos homens, mas os homens da parte de Deus falaram movidos pelo Espírito Santo" (2 Pe 1.21). O Espírito veio no Pentecostes como "vento impetuoso", e assim Ele vem como um poder despertador e revivificador para salvar os perdidos.

V. Pomba

Foi no batismo de Cristo que o Espírito Santo desceu sobre Ele em forma corporal semelhante à de uma pomba. Sobre este momento importante na vida de Cristo sobre a terra, João Batista afirmou: "Este é aquele de quem eu disse: Depois de mim vem um varão que passou adiante de mim, porque antes de mim ele já existia; Eu não o conhecia; mas, para que ele fosse manifestado a Israel, é que vim batizando em água. E João deu testemunho, dizendo: Vi o Espírito descer do céu como pomba, e repousar sobre ele. Eu não o conhecia; mas o que me enviou a batizar em água, esse me disse: Aquele sobre quem vires descer o Espírito, e sobre ele permanecer, esse é o que batiza no Espírito Santo. Eu mesmo vi e já vos dei testemunho de que este é o Filho de Deus" (Jo 1.30-34). Há muitos detalhes em que o Espírito Santo pode ser assemelhado a uma pomba. Como respeito ao caráter de uma pomba, C. H. Mackintosh em suas *Notes on Genesis* escreve da pomba que Noé soltou da arca:

"Ao cabo de quarenta dias, abriu Noé a janela que havia feito na arca; soltou um corvo que, saindo, ia e voltava até que as águas se secaram sobre a terra. Depois soltou uma pomba, para ver se as águas tinham minguado sobre a face da terra." O pássaro impuro fez a sua saída, e encontrou, sem dúvida, um lugar de descanso em alguma carcaça flutuante. Certamente ele não procurou a arca de volta novamente. Não foi assim com a pomba – "mas a pomba não achou onde pousar a planta do pé, e voltou a ele para a arca... e tornou a soltar a pomba fora da arca. À tardinha a pomba voltou para ele, e eis no seu bico uma folha verde de oliveira". Doce emblema da mente renovada, que, no meio da desolação circundante, procura e encontra seu repouso e porção em Cristo; e não somente isso, mas também agarra o que é mais sério da herança, e fornece a bendita prova de que o julgamento passou, e que a terra renovada está plenamente à vista. A mente carnal, ao contrário, pode descansar em qualquer coisa em tudo, exceto Cristo. Ela pode se alimentar de toda impureza. "A folha de oliveira" não possui atração para ela. Ela pode encontrar tudo que ela necessita numa cena de morte e, conseqüentemente, não se ocupa com o pensamento de um novo mundo e suas glórias; mas o coração que é ensinado e exercitado pelo Espírito de Deus, pode somente repousar e regozijar-se naquele em que Ele descansa e repousa. O coração repousa na arca da Sua salvação "até o tempo da restauração de todas as coisas". Possa ser assim com você e comigo, amado leitor, – possa Jesus ser o descanso perene e a porção de nossos corações, de modo que possamos não procurá-los num mundo que está debaixo do julgamento de Deus. A pomba voltou para Noé, e esperou pelo seu tempo de repouso; e deveríamos sempre encontrar o nosso lugar com Cristo, até o tempo de Sua exaltação e glória nas eras vindouras. "Aquele que vem, virá, e não tardará." Tudo o que nos falta, com relação a isto, é um pouco de paciência. Possa Deus dirigir os nossos corações em Seu amor, e à "paciência de Cristo".[106]

Este emblema, como todos os outros encontrados nas Escrituras, é diretamente escolhido, designado e empregado como tal por Deus, o Espírito Santo.

VI. Penhor

Quando se olha em direção àquele estado eterno em glória que aguarda todo filho de Deus, descobre-se que há um tipo de antegosto dele concedido ao crente. Aqueles dons e graças imensuráveis do Espírito Santo nos quais o cristão pode entrar agora, são apenas um penhor daquela bem-aventurança e plenitude incomparável que aguardam a hora de liberação desta esfera da vida. O fruto que os espias trouxeram da Terra Prometida era um penhor de tudo o que a terra tinha em estoque para o povo do pacto. As jóias que o servo de Isaque colocou em Rebeca eram um penhor de toda a riqueza e da honra de seu amo. Nada pode ser acrescentado ao que já está prometido, quando é dito que "todas as coisas são tuas" e que "sois herdeiros juntamente com Cristo". É essencial observar, contudo, que os dons e as bênçãos não são o penhor; é o próprio Espírito Santo que assegura estas coisas que é o penhor. Além disso, como na comunhão que o crente mantém com Cristo, a atenção é centrada não nas coisas, conquanto gloriosas, mas numa Pessoa.

VII. Selo

Este tema, que fala da posse e da autoridade do Espírito sobre o crente, e de sua segurança e porção até o dia da redenção, já foi considerado anteriormente e será ainda estudado mais detalhadamente em outro capítulo deste volume.

VIII. Servo de Abraão

Permanece aqui um tipo importante do Espírito Santo, que está apresentado em Gênesis 24.1-67. É a parte do servo confiável a quem Abraão enviou, a fim de assegurar uma noiva para Isaque. Visto que nenhum nome real é dado nas Escrituras para o Espírito Santo, mas Ele é conhecido somente por títulos descritivos, nenhum nome foi atribuído a esse servo. Sem dúvida, foi Eliezer de Damasco, mordomo da casa de Abraão (cf. Gn 15.2); mas ainda nenhum nome é dado, para que o tipo possa ser completo. Abraão é um tipo de Deus, o Pai, em muitos aspectos, aqui e em outro lugar, como Isaque é o tipo do Filho de Deus. O servo é enviado para um lugar distante, a fim de assegurar uma noiva para o filho. Cada passo desta jornada e tudo que foi realizado está de acordo com a rica sugestão relativa à missão presente do Espírito Santo no mundo e no chamamento da Noiva de Cristo.

O Dr. George E. Guille, num panfleto intitulado *Isaque e Rebeca*, escreve: "Três pessoas são proeminentes no capítulo 24 de Gênesis: um pai, seu filho e o servo deles. O pai e o filho estão abrigados em Canaã, enquanto que o servo viaja em busca da noiva. Canaã é uma descrição bem conhecida do céu, para onde Cristo foi preparar lugar, a fim de abrigar Sua noiva, para quem o Pai enviou o Espírito Santo na cena da rejeição de seu Filho. O comprimento do capítulo (67 versículos) mostra quanto o coração de Deus está ocupado com esta história – como Ele está absorvido na obra de Seu Espírito: persuadindo e ganhando almas para Si mesmo".

Ao continuar com a descrição da viagem que Rebeca fez com o servo, o Dr. Guille escreve: "Fazer viagem montada num camelo não é agradável, e o deserto não tem encanto, mas uma coisa tornou cada hora daquela viagem um prazer: o servo, que estava sob juramento de trazer a noiva, estava ali, conduzindo o caminho até Isaque, e refrescando o coração de Rebeca, dizendo a ela coisas dele. Muitas vezes ele contou a ela a história do nascimento miraculoso dele, de seu sacrifício voluntário no monte Moriá, de sua posição e honra e riqueza, como o filho amado e herdeiro de Abraão, e de sua amabilidade pessoal e de sua dignidade... Oh! alma, você conhece a experiência espiritual da qual esta é apenas uma figura? O Espírito Santo, que ganhou você para Cristo, está habitando em seu coração, e está conduzindo você para o verdadeiro Isaque. E em cada passo da jornada, Ele tem um bendito ministério para realizar. Ele tomaria as coisas de Cristo e as mostraria a você" (pp. 15,26,27).

Conclusão

Aquele que não é visto, que nunca se "tornou manifesto" como foi Cristo – excetuando quando Ele foi identificado por João Batista pelo simbolismo corporal de uma pomba – e, não obstante, foi apresentado debaixo de tipos e símbolos ou emblemas com o fim de que Ele possa se tornar real para o filho de Deus e para que Suas muitas características possam ser reveladas.

Capítulo IV

O Espírito Santo e a Profecia

No sentido mais amplo deste tema, o Espírito Santo é (1) o Autor de toda profecia e (2) Ele é em si mesmo o assunto da predição. Estes dois aspectos da verdade podem bem ser considerados separadamente.

I. O Autor da Profecia

Imediatamente deveria ser observado que a palavra *profecia* usada aqui é vista no seu significado mais amplo, que inclui tanto a proclamação quanto a predição. Na idéia anterior, está incluída a totalidade da revelação de Deus, enquanto que na última está incluído somente aquilo que é preditivo em seu caráter. Esta distinção exige um pleno reconhecimento da idéia anterior como também da posterior.

Deus tem falado. Sua Palavra está registrada e Sua mensagem forma o texto da Escritura. A formação da Bíblia é distintamente uma tarefa entregue ao Espírito de Deus. Foi o Espírito Santo que fez com que as palavras do Pai e as do Filho fossem registradas; porque o Espírito é o Registrador de tudo o que está escrito. Na unidade que se obtém na Trindade, o Pai pode falar das Escrituras como "minha palavra" (Is 55.11) e, igualmente, a palavra do Filho pode ser assim indicada (Cl 3.16); mas o Espírito Santo permanece o Autor do Texto Sagrado que registra essas palavras.

Um estudo extenso e um tanto complexo sobre a autoridade das Escrituras foi incluído nesta obra sob o título de Bibliologia. Uma repetição desta tese geral não é exigida. A abordagem do Dr. John F. Walvoord a este assunto é tal que bem pode ser incorporada aqui. Ele afirma:

Dos muitos ministérios do Espírito Santo no Antigo Testamento, poucos são de preocupação tão imediata quanto a obra da inspiração das Escrituras do Antigo Testamento. Conquanto as doutrinas peculiares do cristianismo em grande medida estão baseadas na revelação do Novo Testamento, fica claro mesmo para o observador fortuito que o

Novo está fundado no Antigo Testamento, e um sem o outro não constitui uma revelação completa ou satisfatória. A doutrina da inspiração, por ter a ver com a formação das Escrituras, não difere em grande medida nos dois testamentos. A doutrina da inspiração das Escrituras tem sido a posição histórica da maioria das igrejas protestantes, como os credos delas dão abundante testemunho. Qualquer que seja o grau de incredulidade latente no douto ou no leigo, e quaisquer que sejam as discordâncias que possam haver entre os grupos denominacionais sobre outras doutrinas, as igrejas protestantes têm oficialmente sustentado a doutrina da inspiração das Escrituras. Isto tem sido assunto de discussão extensa e de argumentação; contudo, várias teorias de inspiração têm sido oferecidas. Uma discussão completa da doutrina da inspiração não pode ser empreendida aqui. A importância da inspiração das Escrituras, conquanto tacitamente negada por alguns nos tempos modernos, é facilmente sustentada. É um assunto de tremenda importância se as Escrituras são a Palavra de Deus sobrenaturalmente produzida, ou se elas são uma coleção de obras de homens, que contêm os erros que alguém deve esperar de qualquer obra humana. Como Boettner escreve: "Que a questão da inspiração é de vital importância para a Igreja, é facilmente visto. Se ela tem um conjunto de textos definido e normativo, para onde ela possa se dirigir, é uma tarefa comparativamente fácil formular suas doutrinas. Tudo o que ela tem de fazer é pesquisar os ensinos da Escritura e incorporá-los em seu credo. Mas se as Escrituras não são normativas, se elas devem ser corrigidas e editadas e algumas partes devem ser abertamente rejeitadas, a Igreja tem um problema muito sério, e pode não haver fim no conflito de opiniões a respeito do propósito da Igreja ou do sistema de doutrina que ela deve estabelecer".[107] Não é o propósito da presente discussão tentar mostrar os argumentos em favor da inspiração das Escrituras. Os argumentos das fontes externas para as Escrituras não serão considerados de forma alguma, e as evidências bíblicas são discutidas somente quando elas ilustram a obra do Espírito Santo. O que a Bíblia diz sobre o assunto é muito conclusivo e claro aos olhos da fé do que todos os argumentos extravagantes dos incrédulos...

O significado técnico de *inspiração* é totalmente separado de seu uso comum em referência aos conceitos não-bíblicos. B. B. Warfield assinala que "a palavra 'inspirar' e seus derivativos parecem ter vindo ao **Middle Eng**, da **Fr.**, e foram empregados desde o princípio (no começo do século XIV) num número considerável de significações, físicas e metafóricas, seculares e religiosas".[108] Ainda falamos de ser inspirados por um belo pôr-de-sol, ou de ouvir um sermão inspirado. Esses usos comuns, contudo, não são paralelos de *inspiração* no sentido doutrinário. Mesmo num discurso comum, concebemos sua inspiração como alguma coisa que constitui uma influência que vem de fora. Como Warfield diz: "Subjazendo todo o uso deles, contudo, está a sugestão constante de uma

Pneumatologia

influência externa, produzindo em seu objeto movimentos e efeitos além de seus poderes nativos ou ao menos ordinários" (*loc. cit.*). Voltando para as Escrituras, observamos a escassez de referências à palavra *inspiração* no que diz respeito ao próprio termo. Em Jó 32.8, Eliú é citado: "Há, porém, um espírito no homem, e o sopro do Todo-Poderoso o faz entendido". Isto dificilmente pode se referir à inspiração da Escritura; contudo, como é duvidoso se alguém da Bíblia em sua presente forma ao menos estava em existência naquele tempo. A outra referência é encontrada em 2 Timoteo 3.16, onde há a seguinte tradução da Authorized Version: "Toda Escritura é dada por inspiração de Deus, e é proveitosa para doutrina, para repreensão, para correção, para instrução em justiça". Mesmo aqui, na revisão americana, a tradução é mudada e diz assim: "Toda escritura inspirada de Deus é também proveitosa para o ensino, para repreensão, para correção, para instrução que é em justiça". A tradução revisada, conquanto tente resolver o problema criado pela ausência da conexão, não incomum no grego, enfraqueceu grandemente a passagem, e isto, injustamente. O substantivo *inspiração* desapareceria inteiramente do Novo Testamento em inglês, se esta tradução fosse permitida, e uma impressão confusa é criada no sentido de alguma Escritura não ser inspirada. A dificuldade repousa principalmente na palavra *inspiração* em si mesma. O grego, θεόπνευστος, realmente não significa de forma alguma *inspirar*. Warfield observa: "...o termo grego, contudo, nada tem a dizer de inspirar ou de *in*spiração: ele fala somente de 'espirar' ou 'espiração'. O que se diz da Escritura é, não que ela foi 'soprada por Deus' ou que é o produto do 'sopro divino' nos autores humanos, mas que ela é soprada, procedente de Deus, espirada por Deus, o produto do sopro criador de Deus. Numa palavra, o que está declarado por esta passagem fundamental é simplesmente que as Escrituras são um produto divino, sem qualquer indicação de como Deus operou em produzi-los".[109] Sobre 2 Timóteo 3.16, podemos concluir que a inspiração é a obra de Deus pela qual ou através da qual as Escrituras são dadas. Após afirmar o fato da inspiração, contudo, o mesmo versículo esboça uma conclusão muito interessante e significativa. Porque as Escrituras são inspiradas, elas são, portanto, proveitosas para o ensino, para a repreensão, para a correção, e para a instrução na justiça. Em outras palavras, a inspiração assegura a exatidão, e dá autoridade divina ao registro. Dificilmente é necessário aqui revisar o abundante testemunho das Escrituras deste próprio fato. O próprio Cristo freqüentemente citou o Antigo Testamento como a Palavra de Deus. Os escritores reivindicaram inspiração para as suas próprias obras. O conteúdo da Escritura é tal que suas profecias devem ter sido o produto da revelação divina e seu registro acurado uma obra de inspiração. O testemunho da inspiração é o mais conclusivo porque as Escrituras nunca tentam provar a inspiração; elas meramente afirmam-na e a pressupõem, da mesma maneira que as Escrituras pressupõem

O Sujeito da Predição

a existência de Deus. Uma matéria de observação adicional é que as Escrituras não são somente divinas, mas também humanas. As palavras usadas foram aquelas dentro do vocabulário dos escritores. As próprias emoções deles, o conhecimento humano, as experiências e as esperanças deles entraram na composição das Escrituras que eles escreveram, sem comprometer sequer a inspiração delas. Sem dúvida, algumas porções da Escritura são ditadas, como as próprias Escrituras indicam, mas a maioria dos textos da Escritura não possui esta característica. Sem levar em conta o grau de influência humana ou divina nas Escrituras, o resultante é igualmente inspirado e igualmente adequado ao propósito de Deus. O exame da obra do Espírito Santo na inspiração manterá estas evidências da autoria dual, divina e humana, das Escrituras.

Uma afirmação própria do significado de inspiração deve argumentar que Deus dirigiu tão sobrenaturalmente os escritores da Escritura que sem abrir mão da inteligência humana deles, da individualidade deles, do estilo literário deles, dos sentimentos pessoais deles, ou de qualquer outro fator humano, Sua própria mensagem completa e coerente para o homem foi registrada com perfeita exatidão, as próprias palavras da Escritura portando a autoridade da autoria divina. Nada menos do que uma inspiração plenária e verbal satisfará as exigências das próprias Escrituras e dão para a fé a confiança na Palavra de Deus que é essencial à fé e vida.[110]

Sem o alcance de sua própria competência, nenhum ser humano poderia escrever a Escritura. O assunto deve ser harmonizado com o plano eterno e com o propósito de Deus. Deve abranger tudo o que caracteriza Deus e a eternidade vindoura. Deve reconhecer o intento divino no campo total do mal permitido e providenciar uma redenção. Uma rápida consideração destas exigências estupendas convenceria uma mente ponderada da necessidade absoluta de haver uma autoria dual a respeito de cada palavra da Bíblia – uma do Espírito Santo e uma da agência humana – e que a Escritura é um produto divino tão definitivamente quanto foram as tábuas de pedra escritas pelo dedo de Deus.

II. O Sujeito da Predição

Novamente o Dr. Walvoord bem pode ser citado. A respeito do Espírito Santo ele escreve no tema geral de Escatologia:

A doutrina da obra futura do Espírito Santo não tem chamado a atenção praticamente em nenhum obra de teologia existente e nos livros sobre o Espírito Santo. Pesquisamos em vão por uma exposição desta doutrina nas teologias, como a de Hodge, Strong, Shedd, Alexander, Watson, Wardlaw, Dorner, Dick, Miley, Gerhart, Valentine, Buel e na

PNEUMATOLOGIA

recente obra de Berkhof. Nas obras sobre o Espírito Santo como as de Kuyper, Smeaton, Mouse, Cummings e Simpson não há praticamente uma menção da doutrina. O fato principal causador deste defeito é a divisão tríplice no tratamento da Escatologia em si mesma. A teoria pós-milenista sustenta que o milênio profetizado será cumprido na presente era, através da pregação do Evangelho ou um retorno "espiritual" de Cristo. Se esta teoria for sustentada, naturalmente, os presentes ministérios do Espírito continuarão através da era e culminarão na conclusão de todas as coisas no julgamento final. Não há, nesta teoria, uma necessidade de tratar de escatologia do Espírito Santo. Uma situação semelhante é encontrada entre os escritos da chamada posição amilenista, i.e., que a presente era continuará e haverá a entrada para o estado eterno sem qualquer milênio. Somente do pré-milenista, que prevê um milênio sobre a terra após o retorno de Cristo para estabelecer o seu reino, pode ser esperada consideração da doutrina e o fornecimento de uma exposição dela. Nos escritos dos mestres e teólogos pré-milenistas há também, todavia, uma surpreendente negligência desta doutrina. Entre os pré-milenistas mais antigos, como Van Oosterzee, há pouca exposição e defesa da posição pré-milenista, e praticamente nenhuma atenção é dada aos ministérios profetizados do Espírito no período do milênio. Mais atenção tem sido dada a outros grandes temas de profecia. O resultado tem sido que tem havido pouco entendimento da natureza dos ministérios do Espírito no período profetizado da tribulação e no milênio que se segue. É para esta tarefa que nos voltamos agora.

A posição tradicional pré-milenista é assumida como a base para discussão. As Escrituras profetizam que após o retorno de Cristo para a Igreja um período de dificuldades sem precedentes se seguirá, um período de aproximadamente sete anos de acordo com Daniel 9.27, encurtado um pouco (Mt 24.22), e dividido em duas metades de três anos e meio cada. A última parte é conhecida como a Grande Tribulação e nela está uma amostra sem precedentes do pecado e do julgamento divino sobre o pecado. O retorno de Cristo para estabelecer o seu reino abruptamente termina com a tribulação, e o milênio segue-se em que Cristo governará e estabelecerá a justiça e a paz universais. O milênio em si termina com outra insurreição do pecado e o julgamento final do ímpio, e o estabelecimento dos novos céus e da nova terra traz o estado eterno. É em meio a estes eventos agitados que o Espírito Santo ministra em cumprimento à profecia. Está claro que na natureza das circunstâncias Sua obra será totalmente diferente do Seu presente empreendimento em favor da Igreja. Conquanto o conjunto de textos não seja grande, ele fala com certa voz sobre pontos importantes.

Um dos conceitos errôneos populares do período profetizado da tribulação é que todos os que entram nesse período estão irrevogavelmente perdidos. É verdade que indivíduos que tiveram oportunidade de ouvir

O SUJEITO DA PREDIÇÃO

o Evangelho e de receber Cristo durante esta presente dispensação da graça, provavelmente não aceitarão Cristo nos dias difíceis de tribulação. Por outro lado, é óbvio que muitos serão salvos, alguns deles sobreviverão os horrores da tribulação para entrar no milênio, e outros sofrerão a morte dos mártires. O arrebatamento da Igreja antes do período de sete anos de tribulação retira todo cristão preparado do mundo. Imediatamente, contudo, a cegueira de Israel é removida (Rm 11.25), e milhares dentre Israel se voltarão para o longamente negligenciado Messias deles (Ap 7.9-17). Conquanto o período de tribulação seja caracterizado pela impiedade e apostasia, ele será um período acompanhado por uma grande colheita de almas. À luz destes fatos, pode-se esperar o ministério do Espírito durante esse período...

O milênio indubitavelmente será o mais glorioso de todas as dispensações. Haverá a mais plena demonstração de justiça, paz universal e prosperidade que caracterizarão esse período. Cristo governará sobre a terra, e toda nação o reconhecerá. O conhecimento do Senhor será de mar a mar. Por todo o milênio, Satanás estará preso, e não haverá atividade demoníaca. O homem continuará a possuir uma natureza pecaminosa com suas inerentes fraquezas, mas não haverá tentação externa para despertá-la. O ministério dos santos ressurrectos na terra acrescerá o seu toque distintivo para a situação inusitada. É manifesto que em tal período o Espírito Santo terá um ministério que excede as dispensações anteriores na sua plenitude e poder, ainda que o milênio tenha um governo de lei, ao invés de ser gracioso como na presente dispensação...

As profecias que descrevem o milênio, a que já foi feita referência antes, unem no testemunho delas falando que a obra do Espírito Santo nos crentes será mais abundante e terá maior manifestação no milênio do que em qualquer dispensação anterior. Está evidente das Escrituras que todos os crentes serão habitados pelo Espírito no milênio como o são na presente era (Ez 36.27; 37.14; cf. Jr 31.33).

O enchimento do Espírito Santo será comum no milênio, em contraste com a raridade dele em outras eras, e será manifesto em adoração e louvor ao Senhor e na obediência voluntária a Ele, assim como no poder espiritual e na transformação interior (Is 32.15; 44.3; Ez 39.29; Jl 2.28, 29). Em contraste com a apatia, frieza, e mundanidade do tempo presente, haverá um fervor espiritual, amor a Deus, santa alegria, entendimento universal da verdade espiritual e uma maravilhosa comunhão dos santos. A unidade espiritual e as bênçãos que caracterizaram as assembléias da Igreja Primitiva são uma antevisão da comunhão dos santos por todo o mundo no milênio. A ênfase será sobre a justiça na vida e sobre a alegria do Espírito.

A plenitude do Espírito também repousará sobre Cristo (Is 11.2) e será manifesta em Sua Pessoa e em Seu governo justo sobre a terra. O milênio será a demonstração final do coração de Deus antes de trazer o estado eterno. Nele Deus é revelado novamente como amoroso e justo, a fonte de toda alegria e paz; e no período também, no seu final, o homem é revelado como rebelde no coração contra Deus e indisposto a dobrar-se, mesmo diante da evidência tão gloriosa de Seu poder.

De tal revelação encontrada nas Escrituras, todos os ministérios do Espírito conhecidos de nós na presente era serão encontrados no milênio exceto o batismo no Espírito Santo – que já foi mostrado ser peculiar da dispensação da graça, desde o dia do Pentecostes até o arrebatamento. Embora nós próprios no meio da crescente apostasia no mundo e a indiferença ao Espírito mesmo entre aqueles em quem Ele habita, podemos pressentir o dia vindouro; e como esperamos por Aquele cujo direito é reinar, por concessão e pela dependência do Espírito que em nós habita, podemos encontrar em nossos corações e manifestar em nossas próprias vidas a fragrância do fruto do Espírito.[111]

A notável predição a respeito do Espírito Santo é encontrada em Joel 2.28,32. A passagem diz: "Acontecerá depois que derramarei o meu Espírito sobre toda a carne; vossos filhos e vossas filhas profetizarão, os vossos anciãos terão sonhos, os vossos mancebos terão visões; e também sobre os servos e sobre as servas naqueles dias derramarei o meu Espírito. E mostrarei prodígios no céu e na terra, sangue e fogo, e colunas de fumaça. O sol se converterá em trevas, e a lua em sangue, antes que venha o grande e terrível dia do Senhor. E há de ser que todo aquele que invocar o nome do Senhor será salvo; pois no monte Sião e em Jerusalém estarão os que escaparem, como disse o Senhor, e entre os sobreviventes aqueles que o Senhor chamar". Sobre esta importante predição, que tem sido muito freqüentemente mal entendida, William Kelly escreve:

É a própria Escritura, como sabemos, que o apóstolo Pedro cita no dia de Pentecostes para mostrar que a imensa bênção daquele dia estava de acordo com o mais elevado favor prometido para o reino, não aquele entusiasmo humano ou a insensatez moral que homens iludidos e enganados foram rápidos para imputar àqueles que superaram outros em poder espiritual. Mas, observe, o apóstolo não afirmou que este texto estava cumprido. Ele diz: "Mas isto é o que foi dito pelo profeta Joel"; e assim é. O que foi prometido foi o derramamento do Espírito Santo. Sem dizer que o fato presente era o cumprimento da profecia (que os homens têm suposto, para o grande entendimento errôneo da escritura e para a diminuição do cristianismo), ele mostrou que era daquela natureza, e, portanto, a ser vindicada pela profecia diante da consciência deles, mas a linguagem do apóstolo é cuidadosa, enquanto que a dos comentadores não. Eles vão longe demais. Fazemos sempre bem em nos apegar com firmeza à Escritura. Com relação à promessa de que o Espírito seria derramado sobre "toda carne", devemos ter em mente que "toda carne" está em contraste com restrição aos judeus. Este é outro aspecto que fez o dom pentecostal ilustrar tão admiravelmente a Escritura. Para o fato patente de Deus ter feito aqueles que receberam o Espírito falar em diferentes línguas distribuídas sobre o mundo gentílico, não fazendo com que todos os convertidos falassem a língua hebraica (uma coisa pobre se verdadeira, que não é, mas um mero sonho de paradoxo superficial), mas fez que os judeus juntados de sua dispersão entre todas as nações falassem em línguas dos gentios, e isto foi um testemunho magnificente da graça que estava para vir aos gentios para encontrá-los onde eles estavam. O julgamento de Deus havia posto aquelas várias línguas sobre eles, e o projeto deles de estarem juntos para estabelecer uma unidade própria por intermédio da torre de Babel, foi totalmente estragado. Mas a graça de Deus veio exatamente onde o Seu julgamento os havia colocado. Se um sopro esmagador veio sobre o orgulho deles em muitas trincheiras separadas, a graça de Deus veio sobre essas trincheiras, e os abençoou onde eles estavam, levantando-os do estado de queda em que estavam. Esta então é a primeira interrupção, e realmente o começo de uma nova descendência, que é suficientemente clara a partir do modo como ela é introduzida. "Acontecerá *depois* que derramarei o meu Espírito" – faz, portanto, uma pausa em relação ao que vem antes, e assim novamente de um modo admirável adapta-o ao uso para o qual o apóstolo Pedro o aplica. Mas, então, devemos nos lembrar de que quando o dia vem para o Espírito Santo ser derramado novamente, não para o ajuntamento de um povo para o céu, mas para os propósitos terrestres da graça de Deus (porque esta é a diferença), será manifesto que o Espírito Santo será dado aos homens totalmente à parte deles serem judeus. Assim, no dia do Pentecostes, quando eles eram exclusivamente judeus, foi ainda mostrado pelo milagre das línguas gentílicas que Deus não quis parar ali, mas foi em direção a todas as nações. Deus nunca desistirá deste princípio. Ele não pretende ficar limitado aos filhos de Israel novamente. Ele abençoará os filhos de Israel uma vez mais, e tomará Judá também, e cumprirá cada palavra que Ele prometeu para que tenham alegria unidos. Não há um bem que Ele anexou para eles em Sua palavra que Ele não conceda; mas Ele nunca mais se restringirá aos judeus no dia que está para chegar. E, portanto, quando o Espírito Santo é derramado naquele tempo, ele será estritamente sobre "toda carne", não significando que cada indivíduo no milênio terá o Espírito Santo, mas que nenhuma raça deixada após a Grande Tribulação será excluída do dom do Espírito. Nenhuma classe de pessoas, nem idade, nem sexo serão esquecidos da graça de Deus. Mas pode ser desejável observar aqui que não há um pensamento de cura ou melhora da carne, como os pais e os teólogos dizem. A luz do Novo Testamento nos mostra a falácia de tal conceito. A velha natureza é julgada; o nosso velho homem está crucificado, não renovado. Para o nosso estado adâmico morremos, e entramos numa nova posição em Cristo, e somos chamados para andar adequadamente como mortos e ressuscitados com Cristo. Os sinais externos aqui mencionados precederão o dia que ainda está por se cumprir. É vão aplicar os versículos 30 e 31 ao primeiro advento. "E mostrarei prodígios no céu e na terra", é evidentemente outra espécie de coisas. "Eu mostrarei... sangue e fogo, e colunas de fumaça. O sol se converterá em trevas, e a lua em sangue, antes que venha o grande e terrível dia do Senhor". Haverá uma manifestação exterior notável do poder divino, antes que o julgamento seja executado. Deus sempre envia um testemunho antes da coisa em si mesma. Ele não bate antes da advertência. É assim em Seus tratos conosco cada dia. Qual cristão tem um castigo sobre si antes que seja admoestado pelo Espírito de Deus? Há sempre um senso de erro, e uma falta de comunhão sensível ao espírito antes que o Senhor imponha o golpe que nos fala de seu amor atento sobre os nossos caminhos descuidados. Ele dá a oportunidade, se assim podemos dizer, de nos estabelecermos moralmente retos; e se nós não prestamos atenção ao ensino, então vem a tristeza. E assim acontece aqui. Estas maravilhas não podem senão atrair a mente e a atenção dos homens, mas eles realmente não darão atenção. Enfatuados e sob dureza judicial, eles se tornarão surdos em seus ouvidos a tudo, e assim o grande e terrível dia de Jeová virá sobre eles como o ladrão da noite. Mas Deus ao menos não falhará. Ele havia predito que isso aconteceria, e que o Seu povo daria atenção. Haverá um remanescente capacitado a ver, e preeminentemente, como sabemos, dentre os judeus, embora de modo algum limitado a eles, como já aprendemos em Apocalipse 7 e no final de Mateus 25. Haverá ainda o testemunho de "toda carne" preparado para a glória de Jeová a ser revelada. "E há de ser que todo aquele que invocar o nome do Senhor será salvo." Isto mostra que a bênção é pela fé, e, portanto, pela graça. "Toda carne" não significa necessariamente cada indivíduo, mas, como sabemos por outros textos, a bênção aqui vem basicamente para todas as classes – isto é, para todas as nações e mesmo para todas as divisões entre as nações. Mas tudo isto é de grande importância porque o sistema judaico naturalmente tendia a limitar Deus, assim como fazer classes dentro do povo judeu. Somente a família de Arão podia entrar no santuário; somente os levitas podiam tocar os vasos sagrados com impunidade, enquanto esta maior bênção de Deus viria com o caráter mais indiscriminado da graça. "E há de ser que todo aquele que invocar o nome do Senhor será salvo, pois no monte Sião e em Jerusalém estarão os que escaparem, como disse o Senhor, e entre os sobreviventes aqueles que o Senhor chamar." Conseqüentemente, fica claro que, embora a bênção seja para Israel, ainda o nosso profeta Joel mantém verdadeiro o seu propósito. A cidade de Jerusalém permanece o grande centro da realeza; o monte Sião reaparece, o sinal da graça para o reino que Jeová estabelecerá naquele dia.[112]

Num artigo no periódico *Bibliotheca Sacra* (CI:374) sobre "The Baptism with the Spirit", o Dr. Merrill Frederick Unger escreve: "O contexto total da profecia de Joel, que forma a base para a citação de Pedro em Atos 2.17-21, enfatiza (à parte de qualquer consideração dos eventos do Pentecostes), que estas palavras citadas por Pedro nunca foram cumpridas. O Espírito foi derramado no Pentecostes, mas não num sentido pleno da profecia de Joel. Sua vinda especial para formar a Igreja não foi revelado no Antigo Testamento (Ef 3.1-9). Joel nada sabia do batismo com o Espírito Santo, ou da formação da Igreja. Na verdade, o cumprimento desta passagem gráfica, no tempo da restauração de Israel, consistirá, não do batismo com o Espírito Santo, que é estritamente confinado à era da Igreja, mas na habitação e especialmente do enchimento do Espírito, que Joel descreve como o 'derramamento sobre toda a carne' (2.28). Antes de ser cumprido, contudo, a grande invasão do Norte deve ocorrer (Jl 2.1-10), a tribulação deve acontecer (At 2.19-21), o Armagedom ocorrerá (Jl 2.11), Israel será reajuntado e convertido (Jl 2.12-17), e o segundo advento do Senhor acontecerá, e ocasionará a grande libertação (Joel 2.18-27)."

Conclusão

O Espírito Santo é o Autor da profecia em sua forma mais ampla e em seus detalhes últimos e menores. Esta é a doutrina da inspiração que está desenvolvida no Texto Sagrado em si mesmo e que tem sido defendida nesta obra teológica. O Espírito Santo é igualmente o assunto de predição. Sua Pessoa e obra são tão grandes e tão vitais para o programa total de Deus que qualquer esquema de predição que tenta prever o plano e propósito de Deus desde o seu início dificilmente fracassará em contemplar os aspectos que dizem respeito ao Espírito Santo.

CAPÍTULO V

O Espírito Santo no Antigo Testamento

A Pneumatologia tem mais a ver com a verdade do Novo Testamento do que com o Antigo Testamento. Ainda, em qualquer consideração do tema, que abrange o campo total mais ou menos completamente, algum tempo deve ser dedicado à revelação dada antes de Cristo e da Igreja.

I. De Adão a Abraão

Visto que a obra do Espírito Santo relacionada aos gentios na presente era será considerada posteriormente neste volume (Cap. VII) e em conexão com o chamamento da Igreja, e visto que toda outra história desde Abraão até o fim da era do reino é centrada em Israel, a presente discussão é necessariamente restrita aos gentios e aos primeiros dois mil anos ou mais da história humana, i.e., o período desde Adão a Abraão. É reconhecido que o Espírito Santo, por ser a agência divina ativa no mundo, exerce uma soberania constante sobre os afazeres dos homens de todas as classes e de todas as dispensações. O programa estupendo de Deus que inclui o nascimento, o surgimento, o caráter e o fim das nações, que se estende à mínima concepção de Deus que sempre se origina na mais obscura mente do indivíduo, tudo é a obra soberana do Espírito Santo.

O que um motivo principal é para o relógio, o Espírito Santo tem sido e é e sempre deverá ser para tudo o que faz parte desta empreitada neste mundo. O período desde Adão até Moisés, que é especificamente estudado nesta parte, será discutido sob uma divisão dupla: (1) as referências diretas ao Espírito Santo e (2) o Espírito Santo como o Revelador da verdade.

1. REFERÊNCIAS DIRETAS. Somente cinco referências diretas ao Espírito Santo são encontradas na história daquele longo período que precede o chamamento de Abraão. Estes textos são cheios de importância e carregados de verdade sugestiva.

Gênesis 1.2: "A terra era sem forma e vazia; e havia trevas sobre a face do abismo, mas o Espírito de Deus pairava sobre a face das águas".

Esta obra do Espírito Santo é de reconstrução, e vem após o cataclismo que está indicado aqui. O Dr. James M. Gray declara:

Qual era a condição da matéria inerte apresentada no versículo 2? O primeiro verbo "era" tem algumas vezes sido traduzido como "tornou-se". Traduza-o assim e você tem a idéia de que originalmente a terra era diferente de vazia e deserta, mas que alguma catástrofe aconteceu, e resultou naquele estado. Isto significa, se é verdadeiro, que um período decorreu entre os versículos 1 e 2, longo o bastante para explicar as formações geológicas das quais alguns cientistas falam, e uma competição de homens pré-adâmicos dos quais outros especulam. Isto sugere também que a terra como a conhecemos agora pode não ser muito mais antiga do que a tradição a coloca. A palavra "terra" neste versículo, contudo, não deve ser entendida como o significado do nosso planeta com suas terras e mares, que não foi feito senão no terceiro dia, mas simplesmente a matéria em geral, isto é, o material cósmico a partir do qual o Espírito Santo organizou o universo todo, inclusive a terra de hoje. "Mas o Espírito de Deus pairava sobre a face das águas." "Pairava" significa ficar como um pássaro fica sobre o ninho. "Águas" não significa os oceanos e mares como nós os conhecemos, mas a condição gasosa da matéria da qual falamos antes. O Espírito de Deus pairava "sobre" as águas, e não "dentro" delas, para mostrar que Deus é um Ser pessoal separado de Sua obra. Como resultado desse pairar, o que apareceu? Não precisamos supor que Deus falou apenas como um ser humano fala, mas a vinda da luz das densas trevas teria parecido para um espectador como o efeito de uma ordem divina (Sl 33.6-9). No plano natural das coisas, a vibração é luz ou produz luz, o que ilustra a relação entre o pairar do Espírito sobre a matéria inerte e o efeito que isto produziu.[113]

Jamieson, Fausset e Brown podem bem ser citados aqui: "O Espírito de Deus pairava – é como um pássaro faz, quando choca seus ovos. A agência imediata do Espírito, por operar sobre os elementos mortos e discordantes, combinados, arranjados e desenvolvidos num estado adaptado para ser o cenário de uma nova criação. A narrativa desta nova criação começa propriamente no final deste segundo versículo; e os detalhes do processo são descritos de um modo natural como um observador teria feito, que contemplou as mudanças que sucessivamente aconteceram".[114] Assim, também, C. H. Mackintosh afirma: "'O Espírito de Deus pairava sobre a face das águas'. Ele pairava sobre o cenário de Suas futuras operações. Um cenário escuro, verdadeiramente; e um cenário em que havia um amplo lugar para o Deus de luz e vida agir. Ele somente poderia iluminar as trevas, causar o surgimento da vida, substituir o caos pela ordem, abrir e expandir entre as águas, onde a vida poderia mostrar-se sem medo da morte. Estas foram operações dignas de Deus".[115]

Jó 26.13: "Pelo seu sopro [espírito] ornou o céu; a sua mão traspassou a serpente veloz".

As três referências ao Espírito Santo no livro de Jó estão inclusas no período pré-abraâmico, tanto por causa da data provável do livro dentro daquele período quanto pelo fato de que neste livro bem antigo nenhuma menção é feita de qualquer outro além do propósito geral de Deus com a raça humana ainda não dividida, raça obtida antes da chamada de Abraão. A referência citada acima é da criação pelo Espírito Santo e contém o registro de que por Sua mão o Espírito Santo formou a "serpente veloz". Isto é usualmente entendido como uma referência à Via Láctea com suas inumeráveis constelações. A sugestão direta da passagem é que Deus o Espírito Santo serviu como Criador do universo material.

Gênesis 6.3: "Então disse o Senhor: O meu Espírito não permanecerá para sempre no homem, porquanto ele é carne, mas os seus dias serão cento e vinte anos".

Sobre esta advertência divina, Matthew Henry comenta: "A resolução de Deus nem sempre é de lutar com o homem pelo seu Espírito. O Espírito então trabalhou na pregação de Noé (1 Pe 3.19,20) e por testes interiores, mas foi em vão com a maioria dos homens; portanto, diz Deus, *não permanecerá para sempre*. Observe: 1. Que o bendito Espírito permanece com os pecadores, por convicções e admoestações de consciência, para fazê-los voltar do pecado para Deus; 2. Se o Espírito é resistido, apagado e combatido, embora Ele trabalhe muito tempo, não trabalha para sempre (Os 4.17); 3. Aqueles que são amadurecidos rapidamente para a ruína em quem o Espírito da graça tem deixado de trabalhar. A razão desta resolução: *porquanto ele é carne*, isto é, incuravelmente corrupto, e carnal, e sensual, de forma que é trabalho perdido lutar com ele. Pode o etíope mudar a sua pele? Ele também, isto é, todos, tanto um como outro, têm todos se afundado no atoleiro da carne".[116]

O tema total do julgamento divino é introduzido aqui. Esse julgamento estava para vir sobre a situação imediata descrita no contexto; mas a passagem também serve como uma advertência de que o tempo da graça de Deus é restrito em sua duração. "Filhos de Deus" – assim chamados aqui (v. 2) e em Jó 1.6; 2.1 – podem ser seres angelicais, provavelmente aqueles que não guardaram o seu estado original. Do juízo sobre eles está escrito: "Porque se Deus não poupou a anjos quando pecaram, mas lançou-os no inferno, e os entregou aos abismos da escuridão, reservando-os para o juízo" (2 Pe 2.4); "...aos anjos que não guardaram o seu principado, mas deixaram a sua própria habitação, ele os tem reservado em prisões eternas na escuridão para o juízo do grande dia" (Jd 6).

Jó 27.3; 33.4: "Enquanto em mim houver alento, e o sopro de Deus no meu nariz... O Espírito de Deus me fez, e o sopro do Todo-poderoso me dá vida".

Os dois textos apresentam a vida humana como totalmente dependente do Espírito de Deus. No primeiro texto, Jó iguala seu próprio alento e vida à presença imediata do Espírito; e no segundo texto, Eliú, a fim de expressar as convicções de homens piedosos de seu tempo, assevera que ele é feito pelo Espírito Santo.

Todas estas cinco passagens servem para construir uma indicação do que os homens criam e o que era verdadeiro do Espírito Santo desde o começo da raça.

2. O REVELADOR DA VERDADE. O Espírito que produz e proporciona a palavra escrita igualmente produz e proporciona todas as comunicações de Deus aos homens. Nos dias precedentes à era judaica, Deus falou aos homens e sem dúvida mais livre e freqüentemente do que estaria sugerido no texto da Escritura. Um exemplo notável é a verdade revelada a Enoque registrada em Judas – uma revelação dada a Enoque que não se encontra no Antigo Testamento como sendo dada. A passagem diz: "Para estes também profetizou Enoque, o sétimo depois de Adão, dizendo: Eis que veio o Senhor com os seus milhares de santos, para executar juízo sobre todos e convencer a todos os ímpios de todas as obras de impiedade, que impiamente cometeram e de todas as duras palavras que ímpios pecadores contra ele proferiram" (Jd 14,15). Uma distinção deveria ser feita entre uma coisa revelada por Deus que não exige uma proclamação dela e uma revelação de Deus que prediz sua publicação.

Deus falou a Adão, a Caim e a Noé, mas sem nenhuma instrução que deve ser transmitida a outros e preservada como verdade revelada. Mas aos profetas Ele falou com a expectativa de que a mensagem fosse comunicada de alguma forma a outros. Sobre esta distinção Kuyper escreve: "Deus falou também a outros além dos profetas, *exemplo*, a Eva, Caim, Hagar etc. Receber uma revelação ou uma visão não torna alguém um profeta, a menos que seja acompanhada por uma ordem de comunicar a revelação a outros. A palavra 'nabi', o termo bíblico para profeta, não indica uma pessoa que recebe alguma coisa de Deus, mas alguém que traz alguma coisa ao povo. Daí, ser um engano confinar a revelação divina ao ofício profético".[117]

Em vista da evidência à mão pareceria razoável presumir que a própria revelação plena foi dada aos primeiros membros da raça humana. Muita coisa foi dita diretamente a Adão. A diferença entre o sacrifício oferecido por Caim e o oferecido por Abel sugere não somente o conhecimento relativo ao sacrifício da parte deles, mas indica quais aspectos peculiares foram incluídos nas instruções divinas. Os antediluvianos tiveram luz suficiente para servir de base sobre a qual o mundo de então podia ser julgado por sua pecaminosidade. O livro de Jó é rico de doutrina. Recentemente, R. R. Hawthorne identificou mais cem doutrinas contidas nele e coletou as várias passagens sob suas divisões doutrinárias.[118] Tudo o que Jó teve e pelo qual viveu para Deus era totalmente à parte de um versículo sequer da Escritura registrada. De onde veio Melquisedeque com o pão e vinho que ele serviu para Abraão? E a qual referência é feita em Gênesis 26.5 quando diz: "Porquanto Abraão obedeceu à minha voz, e guardou o meu mandado, os meus preceitos, os meus estatutos e as minhas leis"?

Quão extenso foi o conhecimento do propósito de Deus e da consumação futura de todas as coisas, se a profecia de Enoque deve ser considerada como uma indicação do conhecimento possuído no tempo em que ele viveu? Noé foi profundamente ensinado por Deus com respeito à construção da arca, como

Moisés foi orientado a respeito do Tabernáculo, e com respeito à mensagem para pregar – uma mensagem não sua, mas vinda de Deus – porque ele era o pregoeiro da justiça (2 Pe 2.5). Tudo o que caracteriza os primeiros dois mil anos ou mais da história humana está comprimido nos primeiros onze capítulos da Bíblia, de modo que cada aspecto daquele tempo tem apenas um reconhecimento muito vago no Texto Sagrado; mas daquilo que está revelado e daquele que pode ser deduzido, deve ser concluído que o Espírito Santo estava ativo então no amparo daqueles relacionamentos que existiam entre Deus e homens. Os gentios, ou a raça humana original, foram favorecidos pelos ministérios do Espírito Santo.

II. De Abraão a Cristo

Esta divisão da obra do Espírito é extensa, visto que ela abarca a história total dos judeus registrada nas Escrituras, e atinge todo o caminho de Abraão a Cristo. Ela propriamente contempla a Bíblia toda relativa à sua inspiração, devido à verdade de que estes oráculos são, sem a mais leve exceção, dados através dos membros da raça judaica (no caso do Novo Testamento, contudo, os escritores eram cristãos, estritamente falando). Deve ser observado, também, que o grande número de profetas falou como se eles fossem "movidos" pelo Espírito Santo, e que freqüentemente os oficiais e governantes estavam sob o poder de orientação do Espírito de Deus. O Espírito vinha sobre os homens para a realização de empreendimentos divinamente designados, e chegaram mesmo a tarefas mecânicas e a obras de arte. Deve ser observado especialmente o fato de que não havia provisão para a presença permanente do Espírito Santo nem a promessa dela na vida de qualquer santo do Antigo Testamento.

Nesta verdade deve ser visto um dos aspectos mais diferenciadores do relacionamento do Espírito na era mosaica, quando comparada com a presente era. O termo *soberano* descreve melhor o relacionamento do Espírito com os homens antigos. Ele vinha sobre eles e saía deles de acordo com o seu prazer soberano. Em nenhum dos casos a fé do homem determinava as ações do Espírito. Duas passagens podem ser citadas neste contexto:

(1) Há o pedido de Eliseu, quando Elias estava para ser tomado dele. A narrativa apresenta o velho profeta Elias acompanhado pelo jovem profeta Eliseu à medida que eles andavam juntos para o lugar onde o primeiro iria ser trasladado. A descrição é a seguinte: "Havendo eles passado, Elias disse a Eliseu: Pede-me o que queres que eu te faça, antes que seja tomado de ti. E disse Eliseu: Peço-te que haja sobre mim dobrada porção do teu espírito. Respondeu Elias: Coisa difícil pediste. Todavia, se me vires quando for tomado de ti, assim se te fará; porém, se não, não se fará. E, indo eles caminhando e conversando, eis que um carro de fogo, com cavalos de fogo, os separou um do outro; e Elias subiu ao céu num redemoinho. O que vendo Eliseu, clamou: Meu pai, meu pai! O carro de Israel, e seus cavaleiros! E não o viu mais. Pegou então nas suas vestes

e as rasgou em duas partes; tomou a capa de Elias, que dele caíra, feriu as águas e disse: Onde está o Senhor, o Deus de Elias? Quando feriu as águas, estas se dividiram de uma à outra banda, e Eliseu passou" (2 Rs 2.9-14).

Nesta narrativa Eliseu faz um pedido a Elias que uma "porção dobrada" do espírito que estava sobre ele pudesse vir sobre si. Não está determinado por este texto que o jovem profeta reconheceu e pediu para si mesmo o Espírito Santo de Deus. Se ele assim reconheceu o Espírito Santo, o seu pedido é tratado sem demora como uma "coisa difícil", o que indicaria o caráter excepcional dele. Ainda permanece como uma característica daquela era que como uma regra que os homens não esperassem receber o Espírito por pedir por Ele.

(2) A segunda passagem é encontrada no salmo 51.11, onde Davi ora: "Não retires de mim o teu Santo Espírito". Duas coisas estão imediatamente evidentes – o Espírito Santo poderia ser tirado de Davi, e Davi desejava que a presença e o poder do Espírito Santo pudesse ser a sua porção por um longo período, de modo que ele pudesse servir bem a Israel como seu rei. A evidência é bem mantida pelo fato de que, em contraste com a provisão para a era presente pela qual todo crente é habitado pelo Espírito Santo e totalmente à parte de pedir por essa presença, na dispensação passada a relação do Espírito com os homens era uma mera questão de soberania. A força desta verdade é vista no fato de que, quando no começo do Seu ministério de três anos e meio, Cristo prometeu o Espírito Santo àqueles que lhe pedissem – Ele disse: "Se vós, pois, sendo maus, sabeis dar boas dádivas aos vossos filhos, quanto mais dará o Pai celestial o Espírito Santo àqueles que lho pedirem?" (Lc 11.13) – tanto quanto o registro revela, nenhum dos discípulos jamais fez esse pedido.

A oferta e tudo o que ela sugere evidentemente era inovação demasiada para aquilo que era a condição relativa ao Espírito e para o que eles estavam ajustados. Mais tarde, no final de Seu ministério, Cristo disse: "E eu rogarei ao Pai, e ele vos dará outro ajudador, para que fique convosco para sempre, a saber, o Espírito da verdade, o qual o mundo não pode receber; porque não o vê nem o conhece; mas vós o conheceis, porque ele habita convosco, e estará em vós" (Jo 14.16,17). Porque, na verdade, deveria Cristo orar assim pelo Espírito, se o Espírito já havia sido a porção dos santos daquela dispensação? Será observado que a questão aqui sob consideração tem somente a ver com o fato de que a relação do Espírito com os santos do Antigo Testamento era *soberana*. Os homens daquela era que foram discípulos de Cristo não agiram como se estivessem preparados para tão grande privilégio, a saber, que o Espírito Santo poderia ser reivindicado pelo mero pedido.

Observe, também, que a presente bênção imensurável da habitação interminável do Espírito Santo é devida ao pedido de Cristo e não ao pedido de qualquer pessoa na terra. Cada referência à presença e obra do Espírito nesta era, especialmente aquelas referências relacionadas à sua introdução que publicam e revelam a nova ordem e o caráter disso, implica um plano totalmente novo para o cristão que propicia a própria presença e poder do Espírito Santo na vida de cada crente. Estas implicações constituem a própria indicação importante da relação que o Espírito mantinha com os santos do Antigo Testamento. Esta interpretação – muitíssimo comum – que presume que os santos do Antigo Testamento estiveram na mesma base de privilégio dos crentes desta era, é considerada possível somente através de uma desatenção imperdoável à revelação que foi dada sobre este ponto.

Dos presentes ministérios do Espírito Santo em relação ao crente – regeneração, habitação ou unção, batismo, selo e enchimento – nada de fato é dito com respeito a estes como se fosse experimentado pelos santos do Antigo Testamento, exceto uns poucos exemplos bem definidos onde indivíduos foram reconhecidos como cheios do Espírito Santo. Os santos do Antigo Testamento são investidos destas bênçãos somente em teoria, e sem o suporte da Bíblia, por aqueles que lêem as bênçãos do Novo no Antigo Testamento – um erro equalizado, a ponto de soar o perigo para a sã doutrina somente por sua contraparte, que vê as limitações do Antigo Testamento em relação às porções do Novo Testamento designadas e apresenta o novo propósito divino em graça.

Com respeito à regeneração, os santos do Antigo Testamento foram evidentemente renovados; mas como não há uma doutrina definida relativa ao alcance e caráter dessa renovação, nenhuma declaração positiva pode ser feita. Em seu aspecto do Novo Testamento, a regeneração proporciona a comunicação da natureza divina; a pessoa regenerada se torna, assim, a própria descendência de Deus, e herdeiro de Deus e uma co-herdeira com Jesus Cristo. Ela resulta no fato da pessoa se tornar membro da família de Deus. Se a primeira lei de interpretação deve ser observada – aquela que restringe toda verdade doutrinária ao conjunto exato de textos que pertence a ela – não pode ser demonstrado que esta renovação espiritual conhecida do Antigo Testamento, qualquer que possa ter sido o seu caráter, resultasse na comunicação da natureza divina, numa filiação real, uma co-herança com Cristo, ou uma colocação na família de Deus. Assim, o caso de Nicodemos – um santo aperfeiçoado sob o judaísmo – foi duplicado na experiência de cada judeu que passava da antiga para a nova ordem.

A Nicodemos Cristo disse: "...vos é necessário nascer de novo", e é significativo que este imperativo não tenha sido dirigido ao menor membro da sociedade judaica, exceto a um de seus governantes, que bem poderia servir como um exemplo supremo de tudo o que fazia parte da realidade que o judaísmo proporcionava. Nicodemos, igual a Saulo de Tarso, poderia ter sido classificado como "um justo" diante da lei de Moisés; mas reivindicar para ele que estava justificado com base na justiça imputada em Cristo pelo Santo Espírito é asseverar aquilo que de fato não poderia ter fundamento; do contrário, ele não teria tido necessidade alguma ou oportunidade de ser "nascido de cima". O silêncio de Deus deve ser respeitado com relação ao que constituía uma pessoa *justa* de acordo com as exigências mosaicas. Ele naturalmente permanecia "apalpando a justiça que está na lei inculpável" se, porventura, tivesse providenciado o sacrifício exigido; mas sua real posição perante Deus era basicamente determinada pelo fato de que foi nascido numa relação de Pacto com Ele.

De Abraão a Cristo

O Antigo Testamento será pesquisado em vão para o registro dos judeus que passam de um estado de não-salvos para o de salvos, ou para qualquer declaração a respeito dos termos sobre os quais tal mudança seria assegurada. Em outras palavras, o pacto nacional permanente deles era uma tremenda vantagem espiritual; mas ela não podia legitimamente ser comparada com o estado do crente hoje que é justificado e aperfeiçoado para sempre, por ter recebido o *plērōma* da divindade através da união vital com Cristo.

1. Habitando. Com respeito à habitação do Espírito Santo nos santos do Antigo Testamento, já foi afirmado que o Espírito entrava numa pessoa e saía dela, de acordo com a Sua relação soberana com os homens daquela época. Sua vinda a eles era para um propósito específico, como no caso de Bezaliel, meramente para dar habilidade em sua obra como artesão e isto restrito à construção do Tabernáculo. A concepção de uma habitação permanente do Espírito Santo, pela qual cada crente agora se torna um templo inalterável do Espírito Santo, pertence somente a esta era da Igreja, e não tem lugar nas provisões do judaísmo.

2. Batizando. De todas as presentes funções do Espírito Santo, nenhuma é mais comparativamente estranha ao Antigo Testamento do que o batismo no Espírito. O Antigo Testamento nada sabe a respeito do Corpo de Cristo, nem do senhorio da nova criação no Cristo ressurrecto. Os homens eram *justos* e *retos* com relação à Lei de Moisés, mas ninguém possuía a justiça de Deus imputada a eles com base na simples fé, exceto Abraão, aquele que foi tão evidentemente levantado por Deus para predizer e ilustrar (cf. Romanos e Gálatas) a doutrina da justiça imputada do Novo Testamento; assim, somente de Abraão, Cristo disse: "Abraão, vosso pai, exultou por ver o meu dia; viu-o, e alegrou-se" (Jo 8.56).

3. Selando. Além disso, nenhuma idéia semelhante é descoberta no Antigo Testamento. O "laço do pacto" era aquele que ligava o judeu a Jeová e esses laços eram perfeitamente reconhecidos pelo próprio Jeová; mas isto está muito longe do selamento do Espírito para o dia da redenção (cf. Ef 4.30).

4. Enchendo. O enchimento do Espírito Santo é comum a ambos os testamentos; igualmente, é uma expressão equivalente a *o Espírito veio sobre*: mas como o enchimento do Espírito Santo é com a finalidade de que o propósito total de Deus em alguma coisa possa ser cumprido, é importante descobrir exatamente em cada caso a finalidade designada do enchimento. No caso dos homens dos tempos do Antigo Testamento, o Espírito Santo vinha sobre eles ou os enchia para que eles pudessem realizar alguma obra específica, cujo objetivo pode ter abrangido todo o campo de atividade deles ou ter sido restrito a algum aspecto. Em oposição a isto, será visto que o propósito divino no enchimento apresentado no Novo Testamento é o ministério mais amplo e ilimitado do Espírito manifesto em cada aspecto da vida do crente – seus conflitos, suas vitórias e realizações.

Como foi indicado anteriormente, o Espírito Santo é dito ter vindo sobre Bezaliel. Ele também veio sobre Balaão, Sansão, Saul, Azarias e Ezequiel; e, por uma consideração de coisas operadas por meio desse relacionamento, será visto que a presença do Espírito não era determinada pelas qualidades morais e espirituais daquele que era abençoado, enquanto que, como está claramente ensinado no Novo Testamento, o enchimento do Espírito depende agora de um ajustamento completo à Sua mente e vontade.

Em cada consideração do problema da salvação dos santos do Antigo Testamento, deveria ser lembrado que, em sua forma completa, todo Israel será salvo quando o Libertador vier de Sião (cf. Rm 11.26,27) e isto inclui homens das dispensações de Abraão e de Moisés que serão levantados para aquele julgamento específico de Israel e, se aceitos, entrarão em seu reino terrestre, mas exclui aqueles que são rejeitados e condenados naquele julgamento específico. Qualquer que seja a salvação operada nos tempos do Antigo Testamento pelo Espírito Santo, como no Novo Testamento, o Espírito é o Executor de todas as obras de Deus.

Os "homens santos de Deus" que escreveram as Escrituras do Antigo Testamento foram movidos pelo Espírito Santo (2 Pe 1.21). Essa influência sobre esses santos homens representa um empreendimento divino distinto e forma uma grande parte da doutrina a respeito do Espírito Santo encontrada no Antigo Testamento. Os profetas falaram pelo poder divino, tenha sido a sua mensagem registrada em forma escrita ou não. O profeta era o mensageiro de Deus ao povo e suas declarações, se designadas por Deus, eram cumpridas pelo poder do Espírito Santo. Assim, o fato da revelação pelo Espírito e sua doutrina semelhante da inspiração estão incluídas na lista das obras do Espírito Santo em Sua relação com o povo judaico. A asserção de que "toda escritura é dada por inspiração de Deus" refere-se primariamente ao Antigo Testamento, e estes oráculos de Deus dados quase que totalmente através de autores judaicos. Israel deu ao mundo tanto a Palavra escrita quanto a Palavra Viva. Sobre a extensão da Inspiração, o Dr. John F. Walvoord escreveu:

> Um exame nos registros do Antigo Testamento revelará literatura de todos os tipos: história, poesia, drama, sermões, histórias de amor e uma visão dos pensamentos devocionais mais íntimos dos escritores. É um assunto de grande importância que a inspiração se estenda a todas essas espécies de literatura, sem levar em conta a forma ou o estilo, sem preocupação com a origem ou o conhecimento incorporado nos escritos. A questão naturalmente se apresenta a respeito da relação da inspiração de várias porções da Escritura. Toda tentativa de sondar o sobrenatural está condenada a certa medida de fracasso. O homem não tem um critério pelo qual possa julgar aquilo que transcende a nossa experiência. Sem tentar explicar a inspiração, um exame de sua aplicação pode ser empreendido. Ao menos sete tipos de operação podem ser observados na obra da inspiração:
>
> (1) *O Passado Desconhecido*. A Escritura ocasionalmente fala com autoridade a respeito de passado em tal detalhe e sobre tais temas desconhecidos do homem. Nos primeiros capítulos de Gênesis, por exemplo, Moisés descreve eventos ocorridos antes da criação do

DE ABRAÃO A CRISTO

homem; portanto, além de todos os limites possíveis da tradição. Em Isaías e Ezequiel, é feita referência a eventos no céu fora da esfera do conhecimento do homem e anteriores à sua criação. Está claro que essas narrativas exigem tanto a revelação a respeito dos fatos quanto a obra do Espírito Santo na inspiração para garantir a afirmação acurada deles. Alguns têm desenvolvido a idéia em relação às narrativas da criação que estas são similares em muitos detalhes a narrativas pagãs da criação. É possível que a revelação tenha sido dada anteriormente ao registro da Escritura sobre o assunto da criação, e que homens tenham acrescentado algo a esta revelação e tenham alterado na formação de narrativas não-bíblicas da criação. A existência de outros registros da criação e pontos de similaridade destes com as Escrituras de modo algum afeta a inspiração de Gênesis. Se Moisés usou documentos ou não, não tem ligação alguma com o registro das Escrituras. Se os documentos foram usados, se havia conhecimento de idéias pagãs da criação, ou se a tradição contribuiu com alguma verdade sobre o assunto, a obra da inspiração foi necessária de qualquer modo para distinguir a verdade do erro e para incorporar ao registro tudo o que era verdadeiro e omitir tudo o que era falso. Sem dúvida, a fonte primária de informação foi uma revelação direta, e os documentos, se os houve, e as narrativas da tradição, como possam ter sido conhecidas por Moisés, foram totalmente incidentais.

(2) *História*. Uma grande porção do Antigo Testamento se conforma ao padrão de história. Em tais seções, o escritor fala a respeito de eventos conhecidos de muitos e a respeito de outros documentos não inspirados que podem ter sido escritos. Em muitos casos, o escritor lida com eventos contemporâneos em que o elemento de revelação está praticamente ausente. Como pode a inspiração ser dita operar em tal texto? Como em toda Escritura, a inspiração não está preocupada com a fonte dos fatos, mas somente com a afirmação exata deles. No registro da história, o Espírito Santo guiou os escritores na seleção dos eventos a serem observados, a afirmação própria da história desses eventos, e a omissão de tudo que não deveria ser incluído. O resultado é uma narrativa infalivelmente exata do que aconteceu com a ênfase sobre os eventos importantes para a mente de Deus.

(3) *Lei*. Certas porções do Antigo Testamento consistem em leis que governam fases da vida nacional e individual. Esta espécie de texto é encontrado principalmente no Pentateuco, onde a lei é revelada em três divisões importantes: os mandamentos, que governam a vida moral do povo; as ordenanças, que governam a vida religiosa do povo; e os juízos, que tratam com a vida social do povo. Em alguns casos, a lei consistia de mandamentos dados por meio de ditado, as leis que retiam em cada detalhe o caráter de serem transmitidas por Deus. Em outros casos, Moisés fala ao povo como profeta de Deus e dá mandamentos que dificilmente podem ser construídos e entregues a ele por meio de

ditado; todavia, os mandamentos têm força igual em relação aos outros mandamentos. A inspiração opera no registro de toda lei nas Escrituras com a finalidade de que as leis expressem perfeitamente a mente de Deus para o povo a quem elas são dadas; as leis são guardadas livres de erro e incluem tudo o que Deus deseja ordenar naquele tempo; as leis são normativas e são a base devida para todos os assuntos aos quais elas pertencem.

(4) *Ditado.* Como foi sugerido anteriormente, algumas porções da Palavra de Deus consistem de citação direta dos mandamentos e da revelação de Deus. Como a inspiração opera sob essas circunstâncias? A inspiração garante que os mandamentos e a revelação recebidos de Deus sejam devidamente registrados do modo exato em que Deus quer. De Sua parte, Deus fala na linguagem daquele que escreve, usa seu vocabulário e fala Sua mensagem de tal modo que natural ou sobrenaturalmente o escritor pode receber e registrar a mensagem de Deus. Em tais porções, as peculiaridades do escritor são provavelmente menos observadas. O ditado, contudo, não deveria ser considerado como mais normativo do que outras porções da Escritura. A inspiração se estende livre e igualmente a todas as partes da Escritura, mesmo no registro fiel do pecado humano e da repetição da linguagem humana que pode ser inverossímil. A inspiração acrescenta à narrativa o selo do registro infalível, e justifica ao leitor a aceitação das Escrituras com toda a confiança.

(5) *Literatura Devocional.* Um dos problemas intrincados da inspiração é relacionar sua operação aos escritos de literatura devocional do Antigo Testamento, da qual os salmos são a porção maior. A inspiração meramente garante uma descrição exata do que os escritores sentiram e pensaram, ou ela faz mais do que isso? No caso do registro da linguagem humana, a inspiração não necessariamente assegura a verdade do que é dito. Por exemplo, no registro da tentação, Satanás é observado como se tivesse dito: "É certo que não morrereis" (Gn 3.4). A inspiração garante a exatidão desta citação das palavras de Satanás, mas não torna estas palavras verdadeiras. No caso dos salmistas, então, que eram homens sujeitos ao pecado e ao erro, cujas experiências e pensamentos não eram necessariamente exatos, a inspiração faz mais do que meramente dar um registro fiel? A resposta ao problema é encontrada nos próprios salmos. Um exame do conteúdo deles revelará que Deus não somente causou um registro inspirado dos pensamentos deles que foram escritos, mas operou em seus pensamentos e em suas experiências, o que resultou naquilo como a revelação de Deus, e retrata a verdadeira adoração do coração, o ouvido atento de Deus à oração, a alegria do Espírito, o fardo do pecado, e mesmo a predição de eventos futuros. Assim Davi, em sua própria experiência, ao perceber a preservação de Deus, fala da bondade de Deus, o seu louvor que transcende os limites de sua própria

experiência para aquela de Cristo, Aquele que é maior do que Davi. Ele exulta: "Portanto está alegre o meu coração e se regozija a minha alma; também a minha carne habitará em segurança. Pois não deixarás a minha alma no Seol, nem permitirás que o teu Santo veja corrupção" (Sl 16.9,10). Muita coisa que Davi disse se aplicaria a si mesmo. Ele podia dizer que o seu coração estava alegre, que a sua carne descansaria em segurança. Ele sabia que sua alma não permaneceria para sempre no Seol. Mas quando Davi disse que seu corpo não veria corrupção, estava claramente além de sua própria experiência e revelava a experiência de Cristo. Pedro afirma este fato em seu sermão no Pentecostes (At 2.25-31), e assinala a diferença entre Davi e Cristo. A inspiração pode, portanto, ser tida como o resultado em mais do que o registro de pensamentos devocionais. Conquanto o processo seja inescrutável, a inspiração assim operou de forma que um registro exato foi feito dos pensamentos dos escritores, e estes pensamentos foram preparados pela providência de Deus. Tudo o que os escritores experimentaram não foi incorporado nas Escrituras. A inspiração foi seletiva. Como Warfield bem descreve: "Ou considere como um salmista estaria preparado para colocar em versículos tocantes uma peça de experiência religiosa normativa: como ele seria nascido com a qualidade exata de sensibilidade religiosa, de pais por meio de quem ele receberia exatamente a inclinação hereditária correta, e de quem ele obteria exatamente o exemplo e o treinamento religioso correto, em circunstâncias de vida nas quais as suas tendências religiosas deveriam ser desenvolvidas exatamente nas linhas corretas; como ele seria trazido pelas experiências corretas para despertar nele as emoções exatas que seria obrigado a expressar, e finalmente seria colocado exatamente nas exigências que desafiariam a sua expressão".[119] Enquanto a preparação providencial não deveria ser confundida como inspiração, pode ser visto que *com* a preparação providencial, a inspiração de literatura devocional do Antigo Testamento toma a natureza do registro da revelação, não revelação pela voz de Deus, mas revelação pelas operações de Deus no coração humano.

(6) *A Mensagem Profética Contemporânea.* Muita coisa é registrada como uma mensagem de um profeta preocupado com as necessidades imediatas de sua própria geração. Para eles, traria a mensagem de advertência da parte de Deus; ele os exortaria; dirigiria as multidões deles; escolheria os líderes deles; nas múltiplas necessidades do povo por sabedoria de Deus, o profeta seria o instrumento de revelação de Deus. Neste aspecto do ministério profético, a Escritura indubitavelmente registra somente uma pequena porção. O registro é dado por causa de sua importância histórica e para constituir um exemplo vivo às gerações posteriores. Como a inspiração está relacionada com este aspecto da Escritura? Como no caso de outros tipos de textos, a inspiração é primeiramente seletiva. No registro da Escritura, o escritor é orientado

PNEUMATOLOGIA

para incluir e excluir de acordo com a mente de Deus. A inspiração assegura que o registro é acurado, e dá à mensagem do profeta o caráter de infalibilidade. Isto era verdadeiro mesmo no caso de poucos homens ímpios que levantaram a voz para profetizar e foram guiados nisso por Deus. A obra da inspiração neste tipo particular de texto é similar à operação de registrar a história num sentido mais amplo, no registro da história, o qual guia na seleção e afirmação da história, e no caso da profecia, o qual guia na seleção e afirmação da mensagem e atos de Deus por meio de seus profetas.

(7) *Profecia do Futuro.* Na natureza da profecia, ela freqüentemente tomou o aspecto de predizer eventos futuros. Ela advertiria sobre juízos iminentes, e no meio de experiências de castigo, ela retrataria a glória e a libertação que viriam com o Messias. Aproximadamente um quarto da Escritura do Antigo Testamento está na forma de predição. Tem a inspiração uma relação peculiar com esta forma de profecia? A maioria da Escritura do Antigo Testamento foi compreendida pelos escritores. Eles podiam entender em grande medida os eventos da história. Eles podiam apreciar muita coisa nos Salmos. O que eles escreveram era, em grande medida, o que lhes passava nos seus próprios pensamentos e estava sujeito ao entendimento deles. A introdução da profecia preditiva, entretanto, traz para o primeiro plano a afirmação de eventos futuros que não eram entendidos. Os próprios profetas confessaram que eles nem sempre entendiam o que escreveram. Como Pedro escreve: "Desta salvação inquiriram e indagaram diligentemente os profetas que profetizaram da graça que para vós era destinada, indagando qual o tempo ou qual a ocasião que o Espírito de Cristo que estava neles indicava, ao predizer os sofrimentos que a Cristo haviam de vir, e a glória que se lhes havia de seguir" (1 Pe 1.10,11). A obra da inspiração na profecia preditiva é provavelmente mais evidente do que em outros tipos de textos. Aqui, na verdade, a sabedoria humana não era de proveito algum, e a exatidão da mais fina espécie, era exigida. Aqui a inspiração pode ser testada mais severamente do que em qualquer outro campo, e o testemunho da profecia cumprida dá a sua voz conclusiva à obra do Espírito Santo, que fez com que ela fosse escrita. A profecia preditiva exigia revelação de Deus de tal forma que a inspiração poderia ocasionar o registro dela, e revelava os propósitos eternos e a vontade soberana de Deus. Visões e êxtases exercem uma parte importante em algumas revelações de eventos futuros, e o poder de Deus através do Espírito Santo era especialmente evidente.

Conquanto os aspectos distintivos da operação do Espírito Santo possam ser vistos, e correspondem aos vários tipos de textos, pode ser concluído que na maior parte a inspiração porta as mesmas características em todas as espécies de textos do Antigo Testamento. Nisto tudo o Espírito guiava, excluía o que era falso, incluía tudo o que

DE ABRAÃO A CRISTO

a mente de Deus dirigia, e dava à revelação uma afirmação exata e à história uma seleção intencional e fatos autênticos, para a experiência providencialmente guiada, em seu registro profundo de Deus, que tratava com os corações de Seus servos, à profecia, seja uma mensagem contemporânea ou preditiva, uma exatidão infalível que a tornava o padrão próprio para a fé ser apreendida. A obra da inspiração não era realizada por uma força impessoal, por uma lei da natureza, ou pela providência unicamente; mas o Espírito Santo imanente, que trabalhava nos corações e nos afazeres humanos, não somente revelava a verdade de Deus, mas fez com que o Antigo Testamento fosse escrito, o mais espantoso documento que já foi produzido, a fim de portar em suas páginas evidências inconfundíveis de que as mãos que o inscreveram foram guiadas pelo resoluto, infinitamente sábio e infalível Espírito Santo.[120]

Capítulo VI

O Caráter Distintivo da Presente Era

Como uma introdução ao vasto tema da relação do Espírito Santo com a presente era – cujo assunto nos leva ao restante deste volume – seria bom apontar os quatro períodos de tempo que marcam as atividades do Espírito por toda a história humana:

(1) O Antigo Testamento. Como indicado anteriormente, a relação do Espírito nas eras anteriores foi soberana. Ele vinha sobre quem queria e para propósitos determinados por Deus; Ele deixava as pessoas tão livremente quanto Ele veio sobre elas, quando o Seu desígnio era cumprido. Se Ele habitava com um rei ou um profeta, era somente por causa do fato de sua habitação ser o propósito imediato de Deus; portanto, não de conformidade com alguma característica da era de habitação universal e interminável em homens bons e úteis. Neste primeiro período, como foi anteriormente afirmado, o Espírito Santo é visto como Criador, como o poder energizador que operava em certos homens que cumpriram um propósito específico de Deus, e como o Autor das Escrituras.

(2) O período de transição. Desde o começo do ministério de Cristo sobre a terra como homem encarnado, à primeira pregação do Evangelho aos gentios na casa de Cornélio (At 10.44), há a indicação de um período de transição: o Espírito Santo era oferecido por Cristo a todos os que pediam por Ele (Lc 11.13), Cristo prometeu orar para que o Espírito pudesse vir e habitar, uma presença de habitação dentro dos Seus (cf. Jo 14.16,17), após Sua ressurreição soprou sobre eles o Espírito (Jo 20.22), e permaneceram em Jerusalém, até que foram revestidos de poder pelo Espírito (Lc 24.49), o Espírito veio no Pentecostes como havia sido profetizado, em cujo tempo os crentes judeus (o Evangelho estava ainda restrito aos judeus àquela altura) foram juntados em um Corpo espiritual (At 2.47), a doação do Espírito foi precedida pela imposição de mão dos apóstolos em Samaria (At 8.14-17; cf. Hb 6.2), e o Espírito "caiu" sobre os gentios na casa de Cornélio (At 10.44). Muita coisa nesta situação transicional se tornou permanente; mas a condição final dessa era para receber o Espírito Santo, como Cristo havia indicado em João 7.37-39, não foi estabelecida até que os gentios fossem recebidos no mesmo corpo espiritual com os crentes judeus. Não há registro algum a respeito da imposição de mãos na casa de

Cornélio. Indubitavelmente, esta experiência marcou o começo de uma nova e permanente ordem para a presente era.

(3) A presente era. Visto que este tempo é o tema da porção maior deste volume e a principal revelação bíblica a respeito dos empreendimentos do Espírito Santo, não será esboçado aqui mais do que afirmar que neste período são reveladas a totalidade da nova realidade que é o cristão, assim como a sua responsabilidade e serviço da vida diária, cuja vida e serviço devem ser operados pelo Espírito Santo em resposta a uma fé continuada.

(4) A era do reino. Além disso, com a finalidade de que a repetição seja evitada, este tema que se constitui no assunto de páginas anteriores deste volume (Cap. IV) não será desenvolvido aqui. Deveria ser lembrado, contudo, que ainda permanece uma era toda de empreendimentos específicos e benefícios da parte do Espírito Santo, cuja era ainda é futura.

A presente era, que se estende desde o primeiro advento de Cristo em diante até o Seu retorno para receber os Seus, é distinta em diversos detalhes dos outros períodos de tempo listados.

I. Uma Intercalação

A era em si mesma é uma intercalação que não é explicada em nenhuma das predições do Antigo Testamento, as quais traçam o curso e o destino final de Israel, das nações, dos anjos e da Terra Prometida; mas cada uma destas linhas de profecia deixa de lado a presente era e o chamamento da Igreja, como se ela não existisse. Está reafirmado como fundamental para o entendimento correto de toda profecia bíblica, então, que a presente dispensação não é somente imprevista pelos profetas do Antigo Testamento (cf. 1 Pe 1.10,11), mas que ela é totalmente sem relação alguma com o que aconteceu antes e com o que acontece depois.

II. Um Novo Propósito Divino

Esta era é distintiva também, por ser, como é, um desenvolvimento de um propósito divino totalmente novo, a saber, o ajuntamento (ἐκκλησία) tanto de judeus quanto de gentios em um povo celestial, o Corpo e Noiva do Cristo ressurrecto glorificado, que pelo poder transformador divino não somente será qualificado para habitar no mais alto dos céus, mas será qualificado também para se associar eternamente com os membros da bendita Trindade. Essa Noiva satisfará todo ideal do Noivo por toda a eternidade. Nada além de um empreendimento infinito e divino poderia realizar isto. Este incompreensível propósito desta era marca esta dispensação como singular e não possuidora de relação alguma com qualquer outra era na história humana que tenha havido ou que haverá. Em sua tentativa de unificar as eras num único suposto pacto da graça divina e misturar a presente dispensação numa seqüência inquebrável com o restante, os teólogos têm perdido os aspectos caracterizadores deste período e têm fracassado em ver a posição insuperável e historicamente não-relacionada e a glória da Igreja, o Corpo e a Noiva de Cristo.

III. Uma Era de Testemunho

Esta era é peculiarmente um período de testemunho. Israel como uma nação deu um testemunho a respeito do único Deus, Jeová, ao povo da terra; mas eles não tinham um evangelho para proclamar, uma grande comissão igual à da Igreja, nem tiveram um empreendimento missionário. Mesmo Cristo, quando restrito ao seu ministério aos israelitas (cf. Rm 15.8) em seus dias antes da cruz, disse de si mesmo: "Não fui enviado senão às ovelhas perdidas da casa de Israel" (Mt 15.24); e quando enviou seus discípulos com uma mensagem específica ao seu povo, ordenou que *não* fossem aos gentios nem entrassem em qualquer cidade de samaritanos, mas "ide antes às ovelhas perdidas da casa de Israel" (Mt 10.5,6). A respeito desse ministério a Israel somente, Cristo não deu uma instrução sobre o significado da mensagem que eles deviam comunicar, porque isto estava subentendido do Antigo Testamento, embora entrasse em detalhes minuciosos relativos à maneira de ir a um povo ainda rebelde (cf. Mt 10.1-42). Em oposição a isto está a ordem posterior de que estes mesmos discípulos deveriam ir a todo mundo e pregar tal inovação, o Evangelho, a toda criatura, como um testemunho para Si mesmo em Seu novo caráter de um Salvador crucificado e ressurrecto. Este contraste notável não deveria ser passado em branco. Ele havia igualado a empreitada desta era a um semeador que saiu para semear, não um ceifeiro. Semelhantemente, o apóstolo declara que a palavra de reconciliação "nos foi entregue" (2 Co 5.18,19). Na era futura não haverá uma necessidade do Evangelho, ao menos para Israel, a fim de dizer-lhes: "Conhecei ao Senhor", porque todos O conhecerão desde o menor até o maior (Jr 31.34). Portanto, torna-se evidente que a presente era, ligada pelos dois adventos de Cristo, é distintiva no sentido em que ela é uma época de testemunho até os confins da terra, da graça salvadora proporcionada pela morte e ressurreição de Cristo.

IV. Israel Dormente

Agora Israel está em dormência e tudo o que é ligado aos seus pactos e promessas está em inatividade. Para eles – não como uma nação, mas como indivíduos – o privilégio de ser salvo para a glória celestial com os gentios, individualmente, é estendido neste tempo do propósito celestial de Deus. Nenhum dos pactos judaicos é cumprido agora; eles estão "espalhados", "desgarrados", "cortados", e ainda serão "odiados de todas as nações" por causa do nome de Cristo. Esta é uma era peculiar em que não há "nenhuma diferença" entre judeus e gentios, embora nos tempos anteriores o próprio Deus tenha instituído a mais drástica distinção entre estas duas classes de pessoas.

V. O Caráter Especial do Mal

O mal atinge um caráter especial no tempo presente. Diversas razões explicam o fato que o apóstolo escreve sobre esta era como um "século mau" (Gl 1.4). (1) Cristo descreve o caráter mau deste período em conexão com as sete parábolas de Mateus, 13. Nesta descrição, Ele fala da influência do mal em relação com a semeadura, com o joio, os pássaros na árvore de mostarda, o fermento no pão e os peixes ruins. É evidente que o Seu propósito era atribuir um caráter novo até então não experimentado do mal como se vê nesta presente era. (2) Igualmente, o apóstolo afirma que há uma forma misteriosa de mal nesta era que já havia começado a operar em seu tempo (2 Ts 2.7). (3) Dos crentes é dito que eles mantêm uma guerra contra o *cosmos*, a carne e o diabo. Sem dúvida, o cosmos e a carne exerceram uma influência má nas eras passadas. Uma revelação especial é dada em Efésios 6.10-12; contudo, em que um conflito peculiar a esta era foi mostrado como existente entre o crente e Satanás. (4) O próprio Satanás porta o título de "deus deste século" (2 Co 4.3, 4). (5) Assim, também, o conflito específico dos "últimos dias" da Igreja sobre a terra apresenta uma nova forma de mal no mundo. E (6) a alegação de Cristo sobre a fé do homem através de sua morte e ressurreição obriga todas as pessoas a terem uma resposta razoável e cria a possibilidade de um pecado novo e sem precedente – o pecado da incredulidade no Salvador.

VI. Uma Era de Privilégio Gentílico

De acordo com a verdade totalmente peculiar a esta era, os gentios são privilegiados em entrar no mais elevado propósito e glória divinos. O estado deles diante de Deus nas eras passadas está descrito em Efésios 2.12: "Estáveis naquele tempo sem Cristo, separados da comunidade de Israel, e estranhos aos pactos da promessa, nem tendo esperança, e sem Deus no mundo". O estado deles perante Deus na era do reino vindouro é igualmente claro e plenamente predito, como está em Isaías 14.1, 2; 60.12. Estas passagens afirmam: "Pois o Senhor se compadecerá de Jacó, e ainda escolherá a Israel e os porá na sua própria terra; e ajuntar-se-ão com eles os estrangeiros, e se apegarão à casa de Jacó. E os povos os receberão, e os levarão aos seus lugares; e a casa de Israel os possuirá por servos e por servas, na terra do Senhor e cativarão aqueles que os cativaram, e dominarão os seus opressores... Por que a nação e o reino que não te servirem perecerão; sim, essas nações serão de todo assoladas". No julgamento das nações, descrito em Mateus 25.31-46, certas nações devem entrar no reino preparado para elas desde a fundação do mundo; mas nesta relação e posição devem se conformar às restrições estabelecidas na Escritura citadas por Isaías. De tal comparação com as eras passadas e futuras é certo que a presente era tem sido marcada por um privilégio e benefício especiais para os povos gentílicos.

VII. A Obra do Espírito Santo no Mundo

Ainda mais evidente do que o que precedeu está a verdade de que a presente era é aquela em que o Espírito Santo exerce uma influência sobre toda a raça humana, e especialmente sobre aqueles que são salvos e aqueles que, de acordo com o eterno propósito de Deus, ainda serão salvos. Com relação a este último grupo, o apóstolo escreve que eles são aqueles "que são chamados segundo o seu propósito" (Rm 8.28-30). Esta, a sétima característica da presente era, não somente conclui o resumo estabelecido neste capítulo, mas aponta para o principal aspecto da totalidade da doutrina do Espírito Santo.

CAPÍTULO VII

A Obra do Espírito Santo no Mundo

A presente era, por causa das extensas atividades do Espírito Santo, tem legitimamente sido chamada de *dispensação do Espírito*. Um tratamento proporcionado da Pessoa e obra do Espírito Santo é mostrado na Bíblia, e revelará o fato de que ao menos 90% do material que compõe a Pneumatologia é encontrado naquelas porções da Escritura que se relacionam com a era da graça. Esta mesma proporção é necessariamente refletida em algum grau nas páginas deste volume. Este extenso tratamento será buscado sob três grandes divisões gerais: (1) o Espírito como Aquele que restringe do mundo; (2) o Espírito como Aquele que convence os não-salvos; e (3) o Espírito em relação ao cristão. As primeiras duas divisões devem ser consideradas neste capítulo.

I. O Restringidor do *Cosmos*

Embora apenas uma passagem seja encontrada que trata da obra restringente do Espírito Santo, o escopo das questões envolvidas é tal que exige a consideração extrema. Ela contempla o governo divino sobre as forças do mal em operação no mundo por toda esta presente era. O texto, por ser um tanto velado, não deve ter recebido uma interpretação uniforme. Ele diz: "Ninguém de modo algum vos engane; porque isso não sucederá sem que venha primeiro a apostasia e seja revelado o homem do pecado, o filho da perdição, aquele que se opõe e se levanta contra tudo o que se chama Deus ou é objeto de adoração, de sorte que se assenta no santuário de Deus, apresentando-se como Deus. Não vos lembrais de que eu vos dizia estas coisas quando ainda estava convosco? E agora vós sabeis o que o detém para que a seu próprio tempo seja revelado. Pois o mistério da iniqüidade já opera; somente há um que agora o detém até que seja posto fora; e então será revelado esse iníquo, a quem o Senhor Jesus matará com o sopro de sua boca e destruirá com a manifestação da sua vinda; e esse iníquo cuja vinda é segundo a eficácia de Satanás com todo o poder e sinais e prodígios de mentira, e com todo o engano da injustiça para os que perecem, porque não receberam o amor da verdade para serem salvos" (2 Ts 2.3-10).

Poucas passagens apresentam uma verdade mais vital a respeito do futuro do que esta. Após ter declarado o fato de que o Dia do Senhor – o reino de mil anos com todos os seus julgamentos introdutórios – não pode vir até a apostasia final ter sido experimentada e o homem do pecado ter aparecido, esse homem do pecado é identificado, aqui como em outro lugar, por sua suposição ímpia das prerrogativas de deidade (cf. Ez 28.1-10). Ele é o iníquo. O mistério da impiedade do qual ele é a consumação, começou no tempo do apóstolo, e teria sido completado por Satanás num período anterior se essa impiedade não tivesse sido restringida. Aquele que restringe exercerá essa função até que seja retirado. Então, esse "iníquo" será revelado, e não antes. Mas quem é Aquele que restringe? A noção de que é a própria Igreja é corrigida imediatamente pela revelação de que o restringidor é uma pessoa, porque a identificação é de alguém que pode ser designado como do gênero masculino. Igualmente, a alegação de que esta pessoa é Satanás é totalmente insustentável, visto que de Satanás não pode ser dito restringir-se a si mesmo. Que o restringidor realiza uma tarefa estupenda e sobrenatural classifica-o imediatamente como um dos membros da Trindade; e visto que o Espírito Santo é a agência ativa da Trindade no mundo por toda esta era, é uma conclusão bem estabelecida que o restringidor é o Espírito Santo. Alguma porção desta restringência é, sem dúvida, operada através da Igreja, que é o templo do Espírito Santo (cf. 1 Co 6.19; Ef 2.19-22).

Sobre esta notável passagem, o Dr. C. I. Scofield afirma: "A ordem dos eventos é: (1) A operação do mistério da iniqüidade sob a restringência divina que já havia começado no tempo do apóstolo (v. 7); (2) a apostasia da Igreja professante (v. 3; Lc 18.8; 2 Tm 3.1-8); (3) a remoção daquilo que restringe o mistério da iniqüidade (vv. 6,7). O restringidor é uma pessoa – "ele", e visto que um 'mistério' sempre implica num elemento sobrenatural (Mt 13.11, *nota*), esta pessoa não pode ser outra senão o Espírito Santo na Igreja, que vai ser "retirada" (v. 7; 1 Ts 4.14-17); (4) a manifestação do iníquo (vv. 8-10; Dn 7.8; 9.27; Mt 24.15; Ap 13.2-10); (5) a vinda de Cristo em glória e a destruição do iníquo (v. 8; Ap 19.11-21); (6) o Dia de Jeová (vv. 9-12; Is 2.12 e referências)".[121]

Está claramente implícito que se não houvesse uma restringência no mundo, o fluxo do mal se levantaria a alturas incompreensíveis. Esta conclusão concorda com a declaração bíblica de que o coração humano não é somente "desesperadamente corrupto" em si mesmo, mas está sob o domínio de Satanás (Jr 17.9; Ef 2.2, 3). Em oposição a esta evidência, o homem tem argumentado que ele é fundamentalmente correto e precisa somente obter a cultura, a educação e o refinamento. A hora em que a restringência presente for removida da terra, ela demonstrará a veracidade da Palavra de Deus a respeito da corrupção do coração humano. Nada precisa ser imposto sobre a humanidade caída para se estabelecer a Grande Tribulação na terra: essa tribulação acontecerá automaticamente quando a restringência do Espírito for tirada. A remoção do Espírito Santo é o reverso do Pentecostes.

No dia de Pentecostes Aquele que havia sido onipresente em relação ao mundo, tornou-se residente no mundo, e quando Ele for removido, Aquele que é agora residente, será novamente onipresente em sua relação com o mundo. Isto explica o aparente paradoxo que Aquele que já estava aqui na terra, porque era infinito, veio no dia do Pentecostes, e Aquele que é removido, ainda estará presente. Quanto a ser uma mera referência de que a Igreja – a presente residência do Espírito no mundo – permanecerá aqui após o Espírito ser removido, sua partida com o Espírito Santo, embora essa partida não seja expressamente mencionada neste contexto, ela é uma necessidade. O fato unificador mais vital a respeito da Igreja é a verdade de que seus membros são possuídos da natureza divina que é comunicada por meio da operação do Espírito Santo.

Os cristãos são, cada um deles, habitados pelo Espírito Santo, e a Sua presença constitui o selo deles, selo esse longe de ser intermitente ou temporário, é "para o dia da redenção". É um absurdo contemplar a idéia de um cristão que não tenha recebido o Espírito Santo, visto que a presença do Espírito no cristão é o seu aspecto mais distintivo. Se o Espírito Santo partisse da Igreja, ela instantaneamente deixaria de ser o que ela é; e quaisquer membros da Igreja, esvaziados do Espírito, passariam pela Grande Tribulação, não por serem mais da igreja, não se envolveriam na verdadeira Igreja na hora do teste. Em outras palavras, visto que não pode haver uma separação entre o Espírito Santo e a Igreja, quando a Grande Tribulação aparecer, o Espírito Santo deve permanecer aqui com a Igreja, o que é uma noção sem base na Escritura, ou a Igreja deve ser removida deste mundo com o Espírito.

Escondida em uma das promessas mais preciosas do Salvador, está a certeza de que o Espírito habitará para sempre com aqueles em quem Ele habita (Jo 14.16,17), e o próprio João escreve em sua primeira epístola: "A unção que dele recebestes fica em vós, e não tendes necessidade de que alguém vos ensine; mas, como a sua unção vos ensina a respeito de todas as coisas, e é verdadeira, e não é mentira, como vos ensinou ela, assim nele permanecei" (1 Jo 2.27). Destas declarações deve ser concluído que qualquer separação agora ou sempre entre o Espírito Santo e o crente é divinamente proibida. Quando o Espírito for removido, a Igreja será removida com Ele. Ela não pode ser deixada para trás.

A extensão da restringência do Espírito no mundo não foi revelada. Como foi sugerido acima, a extensão da restringência do Espírito pode ser medida por comparar o mundo em seus presentes relacionamentos mais ou menos civilizados, seu reconhecimento e defesa dos direitos humanos, e sua atitude de favorecer Deus e sua Palavra, com a descrição da tribulação vindoura revelada em Apocalipse. Uma ligeira indicação do poder restringente do Espírito no presente deve ser visto no fato que de todos os palavrões ditos pelos lábios humanos, nunca há uma maldição do nome do Espírito Santo. Esta restringência não é devida a qualquer sentimento de consciência da parte daqueles que odeiam Deus e daqueles que desafiam Deus; é devida à restringência sobrenatural operada pelo próprio Espírito Santo para que o homem não blasfeme. Está assim demonstrado que o Espírito Santo restringe a corrupção do sistema do mundo até que a corrupção percorra o seu curso (cf. Gn 15.16), que Ele restrinja até que seja retirado, e que, quando Ele for retirado, os poderes irrestritos das trevas haverão de constituir a provação e o terror da Grande Tribulação. É ainda adicionalmente indicado que necessariamente a Igreja deve partir com o Espírito Santo quando Ele for removido de seu lugar de residência no mundo.

II. O Que Convence os Não-salvos

Dentro do empreendimento divino total de ganhar os perdidos, não há um fator mais vital do que a obra do Espírito Santo em que Ele convence ou reprova o mundo a respeito do pecado, justiça e juízo. A noção totalmente sem base bíblica e insustentável da graça comum do arminianismo, que assevera que todos os homens são trabalhados, no nascimento, pelo Espírito Santo, para que eles sejam capazes de uma resposta ao convite do Evangelho sem impedimento algum, tem, com a ajuda da vaidade do homem que não possui limitações na capacidade humana, disseminado tanto os seus erros enganosos que pouco reconhecimento é dado à capacidade total dos não-salvos, os homens naturais, de responder ao apelo do Evangelho. Os evangelistas desatentos e sem instrução, mas que são zelosos ganhadores de almas, muito freqüentemente presumem que todas as pessoas em toda parte são capazes em qualquer tempo de aquiescer com os termos do Evangelho, enquanto que as Escrituras ensinam que nenhum homem é capaz de fazer uma decisão inteligente por Cristo à parte da obra iluminadora do Espírito Santo. Os evangelistas e pregadores são desafiados a enfrentar, se quiserem, um fator sobrenatural neste programa de ganhar os perdidos. Por causa da falha em entender este fator ou por causa da indisposição de ser assim restrito à obra soberana do Espírito, os homens inventam métodos que atribuem ação humana quanto aos termos sobre os quais uma alma pode ser salva, e não reconhecem a verdade de que os perdidos devem ser salvos, não quando eles fazem alguma ação prescrita, mas somente quando crêem em Jesus Cristo como Salvador. O problema do evangelista não é o de lisonjear indivíduos para fazer alguma demonstração pública; é antes o de criar um conceito claro da graça salvadora de Deus. Nenhum indivíduo é capaz em si mesmo de crer em Cristo para a salvação de sua alma, à parte da obra iluminadora do Espírito Santo pela qual ele recebe a visão de Cristo como Salvador e é inclinado a recebê-lo pela fé. Todo pregador sincero sente mais ou menos este fator sobrenatural, mas muitos não estão cônscios do seu importante significado. Torna-se desconcertante para o programa de métodos de ganhar almas do evangelista confrontar uma situação sobrenatural arbitrária sobre a qual ele, ou o não-salvo a quem ele apela, não tem o mais leve controle. A obra do Espírito nesta esfera particular de influência é soberana. É o ponto onde a eleição divina é exercida e onde ela faz sua demonstração. É verdade que somente o eleito será salvo. É verdade, também, que Deus pode redigir dentro do cristão aquela oração que será um fator essencial na grande obra de inclinar o perdido a aceitar o Salvador; mas a oração não determina a eleição dos homens; antes, a oração em si mesma estará sujeita ao mesmo Espírito soberano, se feita na vontade de Deus. É totalmente evidente que a resposta humana ao Evangelho pode ser assegurada onde não há uma visão de Cristo divinamente operada. Não obstante, muito enfáticas são as palavras de Cristo, quando disse: "Porquanto esta é a vontade de meu Pai: Que todo aquele que vê o Filho e crê nele, tenha a vida eterna; e eu o ressuscitarei no último dia" (Jo 6.40). Está claramente afirmado, também, que não pode haver uma salvação à parte de uma iluminação preliminar e preparatória dos não-salvos pelo Espírito Santo. Que tal obra pelo Espírito é exigida se torna evidente de certos textos que apresentam a incapacidade dos não-salvos. Alguns deles estão aqui apresentados.

1 Coríntios 2.14: "Ora, o homem natural não aceita as coisas do Espírito de Deus, porque para ele são loucura; e não pode entendê-las, porque elas se discernem espiritualmente".

Este, o homem natural ($\psi \upsilon \chi \iota \kappa \acute{o} \varsigma$) – um na divisão tríplice da humanidade feita pelo apóstolo, apresentada neste contexto – é definitivamente a pessoa não-regenerada, e sua incapacidade é constitucional. Sobre esta incapacidade, ele não tem um controle, nem qualquer instrução humana à parte do Espírito Santo pode alterar esta incapacidade. O não-salvo em si mesmo não pode receber as coisas do Espírito de Deus. Para ele, elas são loucura. Ele é incapaz de compreendê-las. Ele permanece, dessa forma, frágil até que seja trabalhado pelo Espírito Santo.

2 Coríntios 4.3,4: "Mas, se ainda o nosso evangelho está encoberto, é naqueles que se perdem que está encoberto, nos quais o deus deste século cegou os entendimentos dos incrédulos, para que lhes não resplandeça a luz do evangelho da glória de Cristo, o que é a imagem de Deus".

Não somente os não-salvos são aqui mencionados como cegos com respeito ao próprio Evangelho pelo qual eles podem ser salvos, mas essa cegueira é imposta sobre suas mentes por Satanás, porque ele propositadamente quer evitar que o Evangelho os alcance. Nenhum apelo humano de si mesmo pode ter esperança de tirar esse véu da mente de alguém que não crê. É um grande engano falar de uma "graça comum" sobre todos os homens, à luz de uma revelação como esta. Somente a desatenção para com a Palavra de Deus pode explicar esta estranha perversão da verdade.

João 14.16,17: "E eu rogarei ao Pai, e ele vos dará outro Ajudador, para que fique convosco para sempre, a saber, o Espírito da verdade, o qual o mundo não pode receber; porque não o vê nem o conhece; mas vós o conheceis, porque ele habita convosco, e estará em vós".

Um dos fatos importantes a respeito do Espírito Santo em relação aos homens nesta era é que tudo o que Ele realiza, assim como qualquer reconhecimento de Si mesmo, está totalmente fora da observação dos não-salvos. Com tais limitações sobre eles, é tão irrazoável quanto sem base bíblica supor que eles, sem a ajuda do Espírito, são capazes de se voltar para Deus em fé salvadora. Esta palavra de Cristo claramente afirma que o mundo não pode receber o Espírito, porque ele não O conhece.

Efésios 2.1: "E vos vivificou, estando vós mortos nos vossos delitos e pecados".

Os não-salvos são declarados ser espiritualmente mortos, e de pessoas assim não pode vir um reconhecimento vivo de Cristo.

João 6.39,40: "E a vontade do que me enviou é esta: Que eu não perca nenhum de todos aqueles que me deu, mas que eu os ressuscite no último dia. Porquanto esta é a vontade de meu Pai: Que todo aquele que vê o Filho e crê nele, tenha a vida eterna; e eu o ressuscitarei no último dia".

Há uma eleição da parte do Pai e nenhum desses que o Pai elegeu se perderá. É igualmente verdadeiro que nem toda pessoa "vê o Filho" (cf. Jo 6.40), visão essa gerada pelo Espírito Santo; mas imediatamente após ver o Filho como a resposta para toda necessidade que eles possuem no tempo e na eternidade, os indivíduos a quem Deus assim chama são capazes de receber Cristo como Salvador.

João 6.44: "Ninguém pode vir a mim, se o Pai que me enviou não o trouxer; e eu o ressuscitarei no último dia".

Como foi apresentado nesta passagem, as restrições que estão sobre os não-salvos são tão completas quanto poderiam ser. Somente podem vir a Cristo aqueles a quem o Pai, pelo Espírito, os atrai. Deve ser dado o reconhecimento a uma atração geral ou universal que acompanha a pregação da cruz de Cristo. Esta atração universal é descrita por Cristo nas seguintes palavras: "E eu, quando for levantado da terra, todos atrairei a mim" (Jo 12.32); mas o Salvador não diz de ninguém assim atraído, "e eu o ressuscitarei no último dia", porque Ele ressuscitará justamente aqueles a quem o Pai especialmente designa e atrai.

1 Coríntios 1.23, 24: "Nós pregamos a Cristo crucificado, que é escândalo para os judeus, e loucura para os gregos, mas para os que são chamados, tanto judeus como gregos, Cristo, poder de Deus, e sabedoria de Deus".

Novamente, a incapacidade na direção do poder salvador da cruz de Cristo para o gentio não-regenerado e para o judeu não-regenerado é asseverada. A cruz pela qual somente eles podem ser salvos não é de valor algum para eles, por ser ela para o gentio "loucura" e para o judeu "escândalo". Em oposição a isto está a evidência da obra do Espírito Santo naqueles que são chamados de Deus. Para eles a mesma cruz de Cristo, que antes era sem significado, imediatamente se torna a base de toda sabedoria e poder de Deus – sabedoria, visto que pela cruz Deus resolveu o Seu maior problema de como Ele poderia ser justo e, ainda, ser o justificador do ímpio, e poder, visto que pela cruz toda a capacidade infinita de Deus de salvar o perdido é liberada dessas restrições que o pecado do homem impôs.

Romanos 8.28-30: "E sabemos que todas as coisas concorrem para o bem daqueles que amam a Deus, daqueles que são chamados segundo o seu propósito. Porque os que dantes conheceu, também os predestinou para serem conformes à imagem do seu Filho, a fim de que ele seja o primogênito entre muitos irmãos; e aos que predestinou, a estes também chamou; e aos que chamou, a estes também justificou; e aos que justificou, a estes também glorificou".

Este texto vital pode bem ser considerado a passagem central do Novo Testamento, relacionada à doutrina da vocação eficaz; porém, a implicação mais profunda a ser descoberta neste contexto é a verdade de que somente aqueles que são chamados são capazes de responder. Isto significa que, à parte desta chamada, ninguém pode se voltar para Deus. Todo crente sincero está cônscio do fato de que, se não tivesse sido movido nessa direção pelo Espírito Santo, ele nunca por si mesmo teria se voltado a Deus para a salvação por intermédio de Cristo. Esta passagem assevera que aqueles que são "chamados segundo o seu propósito" são os objetos de uma providência total. Especificamente, certos empreendimentos divinos são aqui itemizados como "todas as coisas que cooperam" para o bem daqueles que são assim chamados, a saber, a presciência divina, a predestinação divina, o chamamento divino, a justificação divina, e a glorificação divina.

Deveria ser observado que a vocação divina é aqui listada como a mais determinante e abrangente de todas as realizações divinas. De fato, a verdade apresentada neste contexto, será ainda visto, está centrada especificamente na vocação divina. No primeiro caso, os crentes são designados como "chamados segundo o seu propósito", e, no segundo caso, é dito deles que são chamados por Deus. A designação, *chamados segundo o Seu propósito*, pode bem incluir todos os eleitos, mesmo aqueles que ainda vão ser salvos; porque tal descrição se lhes aplica e eles são identificados perfeitamente na mente de Deus (cf. Ef 1.4,5). Contudo, os eleitos que ainda não são salvos, estão cegos – como o restante – por Satanás a respeito do Evangelho até que eles sejam iluminados pelo Espírito Santo. A presciência e a predestinação estão relacionadas à eternidade passada; a glorificação, por ser perfeitamente assegurada através da fidelidade de Deus, está relacionada à eternidade vindoura.

Assim, os dois empreendimentos divinos restantes da lista – chamamento e justificação – são deixados como a apresentação daquilo que Deus realiza na experiência terrestre presente daquele que crê. Imediatamente será observado que estes dois empreendimentos são exaltados à importância extrema como a representação de tudo o que Deus executa, quando Ele salva uma alma aqui e agora. A justificação é facilmente o ato consumado da graça salvadora de Deus neste mundo para aquele que crê, embora não porque siga outros aspectos da salvação num ponto do tempo. Ela consome lógica, não cronologicamente, todos os outros aspectos da salvação em seu primeiro momento do real contato do pecador com Deus. Por outro lado, a vocação de Deus marca o passo inicial no próprio processo da realização da salvação de uma alma. Assim, o apóstolo emprega o Alfa e o Ômega do esforço divino em aplicar a salvação como uma apresentação de tudo que está entre ambas.

Agora, finalmente, o que é operado quando a chamada divina é feita? É meramente a extensão de um convite que pode ou não ser aceito – como supõe o arminiano – de acordo com o capricho da vontade humana? O texto em si fornece a resposta. *Todos* os que são predestinados são chamados, e todos os que são chamados, são justificados. A linguagem mostra a soberania absoluta de Deus e pode sugerir que uma chamada divina não é mais do que uma coação; mas o pensamento expresso na palavra *chamar* não é o de coação, mas o de convite, e o uso do termo aqui não é exceção, a menos que se pense diferente em que, a soberania divina e a vontade livre do homem se misturem neste caso particular. Aquilo que Deus, o Espírito Santo, empreende é iluminar a mente com respeito a Cristo como Salvador, e criar na consciência mais interior do indivíduo não-salvo um desejo dessa salvação que Cristo provê e isto num grau que o indivíduo assim impressionado certamente agirá na recepção de Cristo como Salvador; mas será observado que quando age assim, o indivíduo exercita a sua vontade livre no seu grau máximo.

Ainda permanece verdade que "aquele que quiser vir", e é igualmente verdadeiro que à parte desta inclinação divinamente operada, nenhuma pessoa perdida jamais desejará vir. Deus é assim declarado na Escritura ser Aquele que, à parte de qualquer grau de coação ainda, não obstante, com certeza soberana e com a completa liberdade da vontade humana intacta, é capaz de garantir que, sem exceção de um só em todas as gerações da humanidade nesta era, todos que são predestinados serão chamados, todos os que são chamados serão justificados, e todos que são justificados serão glorificados. A experiência de alguém assim chamado é tal que traz uma nova consciência do desejo de Cristo e de um supremo anelo de reivindicá-lo como seu Salvador. O grau em que esta experiência divinamente operada pode desenvolver, embora sem dúvida varie com diferentes indivíduos, em cada caso será abundantemente suficiente para assegurar uma resposta perfeita e uma cooperação sincera da própria vontade do indivíduo. O objetivo nesta discussão é demonstrar novamente que nenhuma pessoa não-regenerada, sem ser ajudada pelo Espírito Santo, poderá se voltar para Cristo como Salvador. Alguma preparação pode assim ser feita na direção de um entendimento correto da passagem central que trata desta obra do Espírito Santo na consciência mais interior da pessoa não-regenerada, a saber:

João 16.7-11: "Todavia, digo-vos a verdade, convêm-vos que eu vá; pois se eu não for, o Ajudador não virá a vós; mas, se eu for, vo-lo enviarei. E quando ele vier, convencerá o mundo do pecado, da justiça e do juízo; do pecado, porque não crêem em mim; da justiça, porque vou para meu Pai, e não me vereis mais, e do juízo, porque o príncipe deste mundo já está julgado".

Pode ser primeiro observado que tal obra do Espírito Santo não foi, pelo menos até onde os registros mostram, empreendida em outras eras da história humana; e como Cristo é Aquele que fala com autoridade direta e absoluta, é significativo que esta declaração crucial venha dos lábios do próprio Cristo e num contexto que, acima de qualquer outro onde Suas palavras são registradas, é caracterizada como instrução aos cristãos. Estas palavras de Cristo não são dirigidas como instrução aos não-salvos; elas antes comunicam a informação mais vital ao Filho de Deus que seria inteligente e eficaz em seu serviço de ganhar almas. Com grande clareza e ênfase o Salvador afirma que o Espírito Santo, por ter vindo como ora Ele se apresenta no mundo, empreenderá uma obra tríplice e indivisível na mente e no coração dos não-salvos. Embora seja feita referência ao *cosmos* como o objetivo para o qual a obra do Espírito é dirigida, a convicção que o Espírito realiza é de necessidade individual e, de acordo com todos os textos relacionados, é restrita àqueles a quem "o Senhor nosso Deus chamar".

A palavra determinante é ἐλέγχω, visto que ela define o que é que o Espírito faz na mente e no coração do indivíduo não-salvo com respeito ao pecado, justiça e juízo. A Authorized Version traduz esta palavra por *reprovar*, e a Revised Version a traduz por *condenar*, e ainda outros eruditos a têm traduzido por *convencer*. Em cada caso em que esta palavra aparece, ela conota a comunicação do entendimento com respeito ao assunto em questão. Com isto em mente, a tradução pela palavra *iluminar* seja talvez a mais satisfatória. Não está sugerido que esta obra do Espírito Santo no coração do indivíduo seja a de criar tristeza ou remorso. Longe de apontar a atenção dos não-salvos para si mesmos e para sua pecaminosidade sobre a qual eles devem lamentar, o Espírito dirige a atenção para Cristo e a verdade de que Cristo suportou os julgamentos deles, que era o que eles exatamente precisavam para crer nele, a fim de serem salvos.

Na verdade, esta é a boa nova que o Evangelho anuncia. As Escrituras nunca asseveram que os não-salvos são impedidos de ser salvos por não terem tristeza pelos seus pecados. A noção – totalmente de origem humana – de que um devido senso da pecaminosidade de uma pessoa com sua depressão correspondente deve preceder a exultação que a salvação assegura, é devida, sem dúvida, à suposição de que o motivo impulsor no não-salvo é uma consciência de sua impiedade, enquanto que o verdadeiro motivo que o Espírito Santo gera é que, visto que toda condenação legitimamente nossa por causa do nosso pecado foi lançada sobre Cristo, o caminho está aberto ao perdão absoluto e à paz celestial. É uma manifestação de perversidade humana quando pregadores do Evangelho enfatizam a indignidade do pecado na esperança de que isto conduza à salvação. É possível para a doutrina total do arrependimento ser confundida e pervertida, ao supor que o arrependimento é uma tristeza pelo pecado antes que uma mudança de mente a respeito dele. Ao basear a mensagem deles sobre este erro, os homens têm colocado o apelo por uma depressão de espírito no lugar do "evangelho glorioso de Cristo".

O tríplice ministério do Espírito Santo aos não-salvos revelado por Cristo é indivisível no sentido em que o Espírito não empreende um dos aspectos dele e omite dois, nem que Ele empreende dois e omite um. Se o Espírito opera no coração dos não-salvos, Ele fará tudo para que esta operação tríplice do Espírito esteja envolvida. A necessidade dessa obra iluminadora do Espírito Santo na mente e no coração dos não-salvos está claramente indicada na Palavra de Deus. Já foi chamada a atenção acima para as passagens que afirmam que os não-salvos são totalmente incapazes em si mesmos de se voltar inteligentemente para Cristo como Salvador. Em 2 Coríntios 4.3, 4 está dito que a mente – não os olhos – daqueles que estão perdidos torna-se cega por Satanás. Este véu deve ser tirado para que a luz do "evangelho glorioso de Cristo" os alcance. Semelhantemente, em 1 Coríntios 2.14 está escrito que o não-regenerado, o homem natural, não recebe as coisas do Espírito de Deus, nem pode recebê-las.

Em João 14.17, Cristo é registrado como tendo dito do cosmos que ele não recebe o Espírito porque não O vê, nem O conhece. Além disso, está registrado em Atos 26.18 que o primeiro efeito do ministério do apóstolo aos gentios seria o de "abrir os olhos deles" e Cristo declarou a Nicodemos que, a menos que nascesse de cima, ele não poderia "ver o reino de Deus" (Jo 3.3). Esta incapacidade total dos não-salvos para entender, ver, receber, ou crer nas coisas de Deus é, por provisão divina, vencida quando o Espírito Santo ilumina com respeito ao pecado, justiça e juízo. Estes empreendimentos divinos podem bem ser considerados separadamente e mais especificamente.

1. Do Pecado. Esta iluminação não é de *pecados*. Se fosse dos pecados pessoais, ele não poderia realizar mais do que um aprofundamento do remorso e da vergonha, e não proporcionaria uma cura. A iluminação do Espírito é com respeito a um pecado, e este é a falha em receber Cristo e sua salvação. Isto sugere que o caminho da vida através da fé em Cristo tornou-se claro para aqueles que são assim iluminados, e com esta revelação houve a revelação do novo pecado – um pecado que antes da morte de Cristo não poderia ter sido cometido – a saber, incredulidade em Cristo e na salvação que Ele assegurou. O estudante deveria preocupar-se com as implicações assim como com as declarações diretas que são encontradas nesta passagem. Se for perguntado por que o Espírito não ilumina os não-salvos com respeito aos seus pecados, a resposta é que Cristo levou esses pecados e que Deus reconhece isto perfeitamente.

Parece impossível para os homens aceitar a verdade de que todo pecado foi colocado sobre Cristo e que Cristo já suportou o julgamento deles duma maneira que satisfaz Deus de uma forma infinita. Evidentemente, é a obra do Espírito criar esta consciência na mente da pessoa não-regenerada, individualmente. É esta mensagem que o Espírito Santo promoveria e que Ele poderia usar nos lábios do pregador; mas muito freqüentemente a obrigação do não-salvo lhes é apresentada como se fosse necessário para eles persuadirem Deus a ser bom o suficiente para fazer alguma coisa com respeito aos pecados deles. O Evangelho de boas novas declara que Deus *fez* tudo, e deixou o indivíduo com apenas a questão de crer ou de não crer no que Ele fez. O Evangelho não apresenta alguma coisa para o não-salvo fazer; ele antes apresenta alguma coisa para ele crer; e, na verdade, necessária é a obra do Espírito Santo iluminar aqueles que estão perdidos a respeito do caráter e extensão do pecado de "não crerem em mim".

2. Da Justiça. Esta passagem apresenta o único caso em todos os ensinos de Cristo quando Ele fala diretamente da justiça imputada – justiça essa que longe de ser um produto do esforço e da atenção humanos é o dom de Deus (cf. Rm 5.17), em que o crente é agora aceito por Deus (Ef 1.6), e pela qual unicamente uma pessoa desta esfera terrestre entrará no céu. É totalmente com base nesta justiça imputada que Deus justifica o ímpio. Ela é legítima e realmente a porção de todo crente e com essa base suficiente que ele está em Cristo. Por ser um membro no Corpo de Cristo, o crente se torna por absoluta necessidade tudo o que Cristo é, mesmo justiça de Deus (cf. Rm 3.22; 1 Co 1.30; 2 Co 5.21; Fp 3.9). Não está afirmado que o não-salvo deve compreender a difícil doutrina da justiça imputada; está evidente, contudo, que, para colocar sua confiança em Cristo, ele deve abandonar toda confiança em si como capaz de recomendar-se a si mesmo a Deus, e contar que tudo o que um pecador condenado sempre necessitou diante de Deus é providenciado em Cristo Jesus, que é a própria justiça de Deus.

Visto que tal confiança é tão estranha à vida, às limitações e à experiência do homem natural, é essencial que esta verdade vital seja revelada ao não-salvo pelo Espírito Santo. Isto o Espírito faz quando Ele ilumina com respeito à justiça. A justiça imputada é o tema principal da carta aos Romanos, carta essa que se constitui a declaração central e exaustiva do Evangelho da graça de Deus. Portanto, segue-se que o fato da justiça imputada é o fator central no Evangelho da graça. Cristo, também, deu ao tema da justiça imputada o lugar central de acordo com este contexto. Segue-se que aquele que prega que esta obra do Espírito pode ser realizada, não somente inclui o tema da justiça imputada em sua mensagem, mas também dá o lugar central a ela. O fato óbvio de que os pregadores do Evangelho têm negligenciado quase toda esta verdade central, não forma uma desculpa válida para a sua negligência continuada. Como foi indicado anteriormente, nenhuma aceitação inteligente de Cristo pode ser assegurada à parte de alguma apreensão desta verdade vital.

É exatamente esse entendimento dele, contudo, que o Espírito Santo comunica aos não-salvos. No aspecto do suave cheiro de Sua morte, Cristo ofereceu-se a si mesmo sem mancha a Deus (cf. Hb 9.14). Esta oferta de Si mesmo tornou-se uma substituição perfeita e eficaz para aqueles que não têm um mérito ou virtude de si mesmos. Por Sua morte sobre a cruz Cristo liberou o Seu próprio *plērōma* e perfeição, e assim quando o Pai veste alguém que crê com a plenitude de Cristo, essa plenitude é concedida em perfeita equidade com base na verdade que é proporcionada e torna-se disponível na morte de Cristo. A morte de Cristo em seu aspecto de suave cheiro é tão eficaz no sentido de assegurar mérito quanto o aspecto sem suave cheiro de sua morte é eficaz em dispor do demérito. O aspecto do suave cheiro da morte de Cristo não é algum mero incidente sentimental entre o Pai e o Filho sem nenhuma realização em favor daqueles por quem Cristo morreu. Ainda, como quase universalmente é discutido, não há um reconhecimento do valor deste aspecto da graça salvadora de Deus. Qual essencial é a segurança de mérito para aqueles que não têm mérito algum! E quão completa é a provisão no aspecto do suave cheiro da oferta que Cristo fez de si mesmo sem mancha a Deus!

3. Do Juízo. Visto que este aspecto da obra do Espírito Santo na mente do não-salvo é tão intimamente relacionado à Sua obra iluminadora a respeito do pecado – já considerado – a iluminação a respeito do juízo foi predita. Conquanto este ministério do Espírito seja relacionado diretamente ao julgamento de Satanás, isto é algo já realizado por Cristo em sua morte. Não é

PNEUMATOLOGIA

uma advertência com respeito a alguma disposição futura do mal, mas refere-se ao maior de todos os juízos que foi ou será empreendido, a saber, quando Cristo se tornou o substituto do homem, ao levar sobre si a condenação que o Pai impôs sobre aqueles que são caídos e pecaminosos. O indivíduo pode bem conceber de si mesmo como tendo sido detido e arrastado perante o tribunal do juízo divino, como tendo sido justamente sentenciado à morte, e como tendo sido tomado e executado – exceto por outro que foi executado no lugar do pecador.

A execução pertencia total e unicamente aos indivíduos que pecaram. Pela morte de Cristo, então, o pecador é colocado do outro lado de sua própria execução. Embora vivo e sem danos, o pecador crente pode olhar para trás e ver a sua própria execução como realizada (cf. 2 Co 5.14). Por ter crido em Cristo e ter, assim, pela fé entrado no valor de Sua morte, esse julgamento uma vez suportado por Cristo não pode jamais ser retornado para aquele por quem Cristo morreu. "Portanto, agora nenhuma condenação há para os que estão em Cristo Jesus" (Rm 8.1). É dessa completa substituição que o Espírito Santo, em primeira instância destes três ministérios, ilumina, quando é dito: "...do pecado, porque não crêem em mim". Além disso, deve ser observado que o Evangelho que o Espírito exprime é a demonstração de alguma coisa a ser crida. É agora afirmado nesta terceira e final declaração que Satanás, o príncipe deste *cosmos*, foi julgado.

A base sobre a qual Satanás tem sustentado a sua autoridade sobre os homens caídos, foi o fato de que a condenação divina repousa sobre eles por causa do pecado. Em sua reivindicação sobre eles, foram como que seus prisioneiros (Is 14.17), mas o mesmo profeta do Antigo Testamento, quando predisse o que Cristo realizaria, afirmou – em palavras que mais tarde Cristo diretamente aplicaria a Si próprio (cf. Lc 4.18, 19) – que Ele "proclamaria liberdade aos cativos, e abriria as prisões aos que estavam presos" (Is 61.1). É provável que neste sentido Cristo triunfou sobre os principados e potestades através da cruz, como está registrado em Colossenses 2.15. A passagem diz: "...e, tendo despojado os principados e potestades, os exibiu publicamente e deles triunfou na mesma cruz".

Conclusão

Assim, é visto que o Espírito revela aos não-salvos o que Ele chama de as coisas essenciais do evangelho da graça divina – a morte substitutiva de Cristo como algo que foi realizado, com a condenação de todo pecador, de não crer nAquele que assim morreu, também a perfeita posição proporcionada na mesma cruz, posição essa que não é menos do que a própria justiça de Deus imputada. À parte desta iluminação, a pessoa não-salva não responde embora seja confrontada com toda a sinceridade que a persuasão humana e a eloqüência

CONCLUSÃO

possam imaginar. Dificilmente é necessário assinalar novamente que qualquer forma de evangelização que ignora esta obra do Espírito Santo e que presume que os não-salvos sejam capazes em si mesmo de receber o Evangelho e de se voltar em fé salvadora para Cristo – embora pode ser que pela influência humana algumas ações externas venham a ser asseguradas – está condenada a resultados superficiais e em grande perigo de atrapalhar antes que ajudar aqueles a quem ele apela. Cristo deve ser recebido como a escolha do coração individual, e isto deve ser impulsionado por uma convicção interior da Sua capacidade de salvar – um entendimento e escolha que nunca poderiam ser assegurados à parte da iluminação do Espírito a respeito do pecado, da justiça e do juízo.

O Espírito Santo em Relação ao Cristão

Capítulo VIII
Introdução à Obra do Espírito Santo no Crente

Q UANDO CONSIDERAMOS A QUANTIA de textos pertencente à obra, a relação do Espírito com o cristão é vista como o aspecto principal da doutrina total a respeito do Espírito. No Novo Testamento somente, onde à verdade a respeito do Espírito é dada sua apresentação mais plena, há a demonstração, como observado acima, de ambos os fatos, o de que o Espírito restringe o mundo (que é basicamente revelado numa passagem) e o fato de que Ele ilumina os não-salvos (também um conjunto limitado de verdade); mas a revelação toda do Novo Testamento a respeito do Espírito Santo ocupa uma grande porção do Novo Testamento, de tal maneira que esta era da Igreja é também propriamente chamada de dispensação do Espírito Santo. As divisões da doutrina do Espírito Santo, quando relacionadas aos cristãos, contemplam dois aspectos gerais, a saber, (a) a obra do Espírito Santo em e através do crente (Caps. IX–XI) e (b) a responsabilidade correspondente do crente (Caps. XII–XVII).

Antes destes principais aspectos da verdade receberem um tratamento construtivo, deve ser dada atenção ao fato de que, neste ponto, a tese entra numa esfera que é muitíssimo vital, mas que é tão estranha às obras de teologia como se ela não existisse. Na verdade, como a fonte da qual os ministros bem preparados têm recebido o seu conhecimento da doutrina bíblica da Teologia Sistemática, é repreensível por causa da sua negligência da doutrina do Espírito Santo, e especialmente esse aspecto vital desta doutrina que pertence à vida e ao serviço do crente pelo poder capacitador do Espírito Santo. Não tem havido um reconhecimento da verdade patente de que a Bíblia contém três regras principais de vida que são dirigidas respectivamente a pessoas diferentes e aplicáveis em eras diversas – nenhuma menção é feita a esta altura, para ser exato, do governo divino naquelas eras que vieram antes da promulgação da lei de Moisés (cf. Gn 26.5), eras que não puderam ser beneficiadas pelos registros das Escrituras porque eles não haviam sido escritos ainda.

As três eras sob estudo começaram com a era da lei, que foi seguida pela presente era da graça, e esta deve ser seguida pela era de mil anos do reino. A era mosaica permaneceu até a morte de Cristo (Jo 1.17), e o sistema do governo divino para essa era foi em todos os sentidos adaptado a Israel a quem somente ele foi destinado, e os judeus ainda não haviam alcançado maturidade e ficaram sujeitos a tutores e governadores (Gl 4.1-3). O sistema mosaico, embora perfeito em si mesmo (cf. Rm 7.12), está em contraste com o chamamento da presente era, chamado de "rudimentos fracos e pobres" nos quais um crente de hoje, ao reverter a este sistema, pode ser inserido (cf. Gl 4.9), e à perda, não de sua salvação, mas de sua liberdade em Cristo (Gl 5.1-4). Reverter à lei é falhar em obedecer a verdade (Gl 5.7). Tal erro nunca vem de Deus (cf. Gl 5.8), mas dos mestres judaizantes que "zelosamente afetam" os filhos de Deus (Gl 4.17).

Embora encorajem uns aos outros a fazerem assim, os teólogos não têm desculpa alguma ao ignorarem a mudança que tem acontecido tanto na posição quanto no requisito correspondente da maneira de vida que os eventos intervenientes interpuseram entre a era mosaica e esta era da Igreja. Estes eventos são: (a) a introdução de uma nova era que é imprevista com sua revelação específica a respeito do seu caráter; (b) a morte de Cristo com todas as novas realidades e relacionamentos que ela assegura; (c) a ressurreição de Cristo com seu senhorio sobre a nova criação; (d) a presente intercessão de Cristo com suas provisões ilimitadas; (e) a vinda do Espírito no Pentecostes com Suas bênçãos ilimitadas para todos aqueles em quem Ele habita; (f) a inauguração de um novo propósito divino no chamamento de um povo celestial tanto de judeus quanto de gentios num só Corpo; e (g) a introdução de uma nova ética ou código de governo para um povo que é aperfeiçoado em Cristo, vestido com a justiça divina, justificado para sempre, e cheio do *plērōma* da divindade. A imposição zelosa, mas imprudente, de um sistema de mérito da lei sobre um povo aperfeiçoado é muito errônea e é feita somente porque os próprios teólogos têm experimentado um aprisionamento a uma teoria de pacto imposta sobre as divisões corretas da Escritura feita por Deus, de uma noção construída por homens da unidade através de toda a Palavra de Deus.

Igualmente, os grandes eventos intervenientes formarão uma rachadura drástica entre a responsabilidade humana nesta presente era e a responsabilidade do povo na era vindoura. Estes eventos são: (a) a remoção da Igreja e o término na terra de tudo que pertence a ela; (b) o reajuntamento e a reinstalação de Israel com o complemento de seus pactos não-cumpridos; (c) o término dos tempos gentílicos com seus julgamentos; (d) o retorno glorioso de Cristo, para julgar tanto judeus quanto gentios, e estabelecer o reino terrestre, messiânico e davídico que foi predito; (e) a prisão de Satanás; (f) a Igreja como Noiva e Esposa do Rei e o reino dela com Ele sobre todas as esferas onde Ele exerce autoridade; e (g) a aplicação de uma nova regra de vida adaptada às condições criadas por essas mudanças poderosas. Além disso, os teólogos, embora geralmente não reconheçam uma era do reino ou dos pactos e promessas de Deus – selados por Seu juramento – que exigem um cumprimento dessa era vindoura, procuram misturar este vasto conjunto de textos numa única idéia de um povo redimido que abarca os homens de todas as eras.

A teoria do pacto pode não ter importância alguma para os diferentes propósitos divinos e as correspondentes eras de tempo. De acordo com este ensino, Israel deve fundir-se com a Igreja e a esta deve ser a consumação de todos os propósitos terrestres anteriores. A despeito dos erros doutrinários, contudo, ainda permanece verdadeiro que há novos empreendimentos consumados pelo Espírito Santo, um novo povo divinamente aperfeiçoado, chamado hoje, uma nova obrigação na vida e serviço anunciados para esses chamados, responsabilidade essa que pode ser efetuada somente pelo poder capacitador do Espírito que neles habita. Voltando, então, para as duas principais divisões deste tema como indicado, deverá ser dada consideração à obra do Espírito em e através do crente, primeiramente.

Em acréscimo aos dois ministérios do Espírito Santo já estudados (Cap. VII), há ainda cinco mais e eles constituem a relação do Espírito com o cristão, estes com os dois apresentados perfazem um total de sete ministérios do Espírito Santo nesta era. Dos cinco agora em vista, os primeiros quatro podem ser classificados em um grupo (como sugerido anteriormente) visto que eles apresentam os empreendimentos do Espírito em favor de todos os que são salvos. Estes são aspectos vitais da salvação, por serem operados numa perfeição infinita em favor de cada crente no momento em que ele é salvo. Igualmente, estes quatro ministérios apresentam aspectos da obra do Espírito que nunca são repetidos, por serem realizados de uma vez por todas. O quinto nesta série, que é o sétimo quando todos os ministérios do Espírito são considerados, é o do enchimento do Espírito – em si mesmo singular no sentido em que ele não é um aspecto da salvação, porque nem todos cristãos o experimentam e no sentido em que ele deve ser renovado constantemente.

Em nenhum aspecto as distinções entre estes sete ministérios devem ser tratadas com desprezo. É neste ponto, e por falta de exatidão na análise destas verdades, que grupos de cristãos sinceros, mas desinformados, têm se dividido sobre as questões da santidade e de certas manifestações da presença do Espírito. As reivindicações extremas entre os cristãos e as profissões religiosas heréticas são usualmente determináveis para a negligência de alguma verdade entre os líderes cristãos, e está especialmente evidente que a presente confusão entre os crentes menos instruídos a respeito da obra do Espírito nesta era é devida, em grande medida, à completa negligência de líderes e mestres cristãos em fornecer mesmo o ensino elementar a respeito destes temas vitais e extensos. Os mestres e expositores da Bíblia geralmente têm procurado superar os efeitos da negligência da doutrina do Espírito Santo em disciplinas teológicas comuns pela ênfase especial sobre estes temas.

A igreja da presente geração deve muito ao movimento de Keswick, da Inglaterra, e seu testemunho extenso nesta e em outras terras. A inclusão destes assuntos nas convenções modernas do estudo da Bíblia e por homens capazes de falar com autoridade tem feito muita coisa para dar a estas doutrinas a sua ênfase legítima. Um grande teólogo que escreveu bons tratados sobre a Pessoa e obra de Cristo, mas que praticamente nunca se arrisca no campo da Pessoa e obra do Espírito Santo, pode ser creditado com tal testemunho que ele tem dado, mas deve, ao mesmo tempo, receber o descrédito pelo encorajamento que tem dado à negligência de doutrina tão vital da parte de todos os que o seguem. Que esta apresentação de Teologia Sistemática pode não ser assim desafiada, o restante deste volume está incorporado nesta extensa obra. Os cinco ministérios distintos do Espírito Santo para o crente vão agora ser considerados na seguinte ordem: (a) regeneração, (b) a habitação do Espírito, (c) o batismo com o Espírito Santo, (d) o selo do Espírito Santo e (e) o enchimento com o Espírito Santo.

CAPÍTULO IX

A Regeneração e o Espírito Santo

NO PROPÓSITO INCOMPARÁVEL DE DEUS pelo qual ele está "trazendo muitos filhos à glória" (Hb 2.10) e com a finalidade de que Cristo seja o primogênito dentre muitos irmãos (Rm 8.29) – não menos um empreendimento do que o de povoar o terceiro e o mais alto dos céus (até aqui a habitação somente do Deus triúno) com seres adaptados àquela esfera santa e exaltada e, na verdade, suficientemente aperfeiçoada para ser a Noiva plenamente satisfeita da Segunda Pessoa – um passo vital é o de que estes seres são participantes da real natureza de Deus. Tal mudança estrutural como esta é essencial na real natureza do caso. O novo nascimento, então, não é um mero remédio para as falhas humanas: é uma criação pela geração divina, uma constituição de filhos inerentes, inatos e legítimos de Deus. A mente humana não pode abordar a compreensão daquilo que está envolvido nas realidades imensuráveis de uma relação real de filiação com Deus, que torna o cristão um herdeiro de Deus e um co-herdeiro com Cristo Jesus (Rm 8.17). Em cada aspecto dela, esta é uma obra de Deus e é operada como uma expressão de Seu propósito sublime e a satisfação de Seu amor infinito por aqueles que Ele salva. Na busca destas sugestões mais plenamente, diversos fatos devem ser observados:

I. A Necessidade

Antes do reino de Deus ser alcançado por um indivíduo caído desta esfera humana, deve haver uma metamorfose operada por Deus na forma de um nascimento do alto. Tal nascimento é especificamente indicado por Cristo em Suas palavras a Nicodemos: "O que é nascido da carne é carne, e o que é nascido do Espírito é espírito" (Jo 3.6). No anúncio destas grandes verdades a respeito da carne e do espírito, Cristo não lhes falou para os menores da escala social – que obviamente necessitava ser melhorado; Ele resolveu falar essas palavras a uma autoridade e a um mestre em Israel que era, sem dúvida, a fina flor do judaísmo. A esta altura, a questão sobre o que constituía a relação correta de um judeu para com Deus dentro do escopo e do propósito do judaísmo poderia ser levantada. É o teólogo do pacto que desenvolve neste ponto a suposição de que os santos da antiga dispensação foram regenerados na mesma base de relacionamento com Jeová que os santos do Novo Testamento tiveram.

Tal suposição é necessária se a teoria deles deve ser mantida. Mas as perguntas pertinentes se seguem: Por que uma exigência direta e incondicional de um novo nascimento sobre alguém do caráter que Nicodemos representava? Por que a narrativa freqüentemente repetida e enfatizada da salvação de Saulo de Tarso, que tinha vivido em toda boa consciência diante da lei (At 9; 22; 26, etc.)? E por que a salvação dos apóstolos, de três mil judeus no dia do Pentecostes, e de muitos sacerdotes que foram obedientes à fé? É argumentado que qualquer um de todos estes salvos tinha satisfeito os anseios dos ideais espirituais do judaísmo? É verdade que todos estes poderiam ter sido perfeitamente salvos debaixo do judaísmo assim como mais tarde o foram debaixo do cristianismo, mas que cada um somente acidentalmente declarou seu ajustamento a Deus após a fé cristã ter sido estabelecida? O que, então, quis dizer o apóstolo quando diz: "Mas, antes que viesse a fé, estávamos guardados debaixo da lei, encerrados para aquela fé que se havia de revelar. De modo que a lei se tornou nosso aio, para nos conduzir a Cristo, a fim de que pela fé fôssemos justificados. Mas, depois que veio a fé, já não estamos debaixo do aio" (Gl 3.23-25)?

Por que, também, deveria ele orar por Israel e definir as falhas espirituais deles como ele o fez quando disse: "Irmãos, o bom desejo do meu coração e a minha súplica a Deus por Israel é para sua salvação. Porque lhes dou testemunho de que têm zelo por Deus, mas não com entendimento. Porquanto, não conhecendo a justiça de Deus, e procurando estabelecer a sua própria, não se sujeitaram à justiça de Deus. Pois Cristo é o fim da lei para justificar a todo aquele que crê" (Rm 10.1-4)? E o que o mesmo apóstolo quis dizer quando, ao se referir aos motivos que o moveram no momento de sua própria escolha de Cristo como Salvador, ele disse: "Se bem que eu poderia até confiar na carne. Se algum outro julga poder confiar na carne, ainda mais eu: circuncidado ao oitavo dia, da linhagem de Israel, da tribo de Benjamim, hebreu de hebreus; quanto à lei fui fariseu; quanto ao zelo, persegui a igreja; quanto à justiça que há na lei, fui irrepreensível. Mas o que para mim era lucro passei a considerá-lo como perda por amor de Cristo; sim, na verdade, tenho também como perda todas as coisas pela excelência do conhecimento de Cristo Jesus, meu Senhor; pelo qual sofri a perda de todas estas coisas, e as considero como refugo, para que possa ganhar a Cristo, e seja achado nele, não tendo como minha justiça a que vem da lei, mas a que vem pela fé em Cristo, a saber, a justiça que vem de Deus pela fé" (Fp 3.4-9)?

Por que em todo contraste entre qualquer dos aspectos do judaísmo e os aspectos do cristianismo o primeiro é apresentado como insuficiente, do qual o indivíduo deve ser salvo por fidelidade ao último? A resposta a todas estas questões será encontrada quando se determina que Deus não fazia exatamente a mesma coisa no judaísmo como Ele faz agora no cristianismo. Deus nunca disse a Israel: "Eu te apresentarei imaculado diante da presença da minha glória".

Sem dúvida, está de acordo com a humildade afirmar que uma pessoa não assume um lugar mais alto no propósito de Deus do que o que está acordado para os santos do Antigo Testamento. Mas nada disto está de acordo com a eleição do homem: é uma questão do plano revelado e inalterável de Deus. Ele enfatiza tanto a diferença entre Israel e a Igreja que, quando recebe judeus com gentios na Igreja, não reconhece uma qualidade superior no judeu em relação ao gentio, mas declara: "não há diferença" (cf. Rm 3.9; 10.12). Contudo, se o judeu já estivesse sobre esta base cristã, é um procedimento muito irrazoável rebaixá-lo ao nível da posição gentílica somente para exaltá-lo, de volta, à sua posição original novamente. Embora na era judaica esse povo tivesse relações de pacto com Jeová, não pode ser demonstrado que eles estavam em qualquer aspecto sobre a base cristã. A regeneração, portanto, é tanto uma necessidade para o judeu quanto para o gentio. À parte dela mesmo Nicodemos não poderia ver o reino de Deus.

II. A Comunicação da Vida

Na tarefa estupenda de preparar e qualificar seres terrestres e caídos para a corporação do Pai, do Filho e do Espírito Santo – mesmo para ser a Noiva adequada para o Cordeiro – no mais alto dos céus e na glória, a participação da natureza divina pela comunicação da verdadeira vida de Deus, é um dos aspectos mais importantes de todo esse empreendimento transformador. A recepção da natureza divina significa que o indivíduo assim abençoado foi nascido de Deus. Deus se tornou o seu Pai legítimo e ele é o filho legítimo do Pai. Esta é uma mudança tão radical e completa que há a realização de uma passagem de uma ordem de existência para outra. Eventualmente nesta grande mudança a natureza adâmica será retirada e o ego, como entidade separada, representará pouco mais do que o fato estupendo de ser um filho de Deus e um membro legítimo na família de Deus.

O salvo se tornará exatamente o que a sua nova posição em glória exige que ele seja. A metamorfose básica que é realizada por um nascimento de cima – uma geração operada pelo Espírito Santo – realmente agora é recebida por todos que são salvos, é muito freqüentemente, e por falta da devida consideração, totalmente apreendida de forma errônea. A concepção de que a regeneração pelo Espírito Santo é uma influência indefinida para o bem na presente vida do indivíduo está muito abaixo da concepção apresentada no Novo Testamento. Ali é ensinado que uma nova e eterna ordem de existência é criada com relações filiais indissolúveis em relação ao Criador de todas as coisas. O fato do novo nascimento, seja compreendido ou não, é o aspecto básico e distinto do cristão. A vida de Deus que é eterna e que, portanto, é o que Cristo representa, foi comunicada tão definitivamente quanto o sopro da vida natural foi soprado por Deus em Adão na primeira criação.

A COMUNICAÇÃO DA VIDA

Ao menos 85 passagens do Novo Testamento asseveram que um cristão é uma pessoa mudada, em virtude do fato de que ele recebeu a verdadeira vida de Deus. Através do amor infinito, o Filho de Deus foi dado pelo Pai, para que os homens pecadores não perecessem, mas que tivessem a vida eterna (Jo 3.16). Cristo disse: "Eu sou o caminho, a verdade, e a vida" (Jo 14.6) e "vim para que pudessem ter vida" (Jo 10.10). Assim, também, "o dom de Deus é a vida eterna" (Rm 6.23). Essa vida comunicada é dita ser "Cristo em vós, a esperança da glória" (Cl 1.27). Embora alguma leve evidência desta grande mudança deva ser reconhecida enquanto ainda está nesta esfera, a experiência total da natureza divina aguarda a "manifestação dos filhos de Deus". Certas evidências presentes da permanência no coração da vida de Deus podem bem ser observadas.

1. UM CONHECIMENTO DE DEUS. A partir do coração com uma consciência definida de Sua realidade, o salvo será capaz de dizer: "Abba, Pai". Tal reconhecimento de Deus como Pai é operado no coração por Cristo. Disto Ele disse: "Todas as coisas me foram entregues por meu Pai; e ninguém conhece plenamente o Filho, senão o Pai; e ninguém conhece plenamente o Pai, senão o Filho, e aquele a quem o Filho o quiser revelar. Vinde a mim, todos os que estais cansados e oprimidos, e eu vos aliviarei" (Mt 11.27, 28). O descanso aqui prometido é o da alma e é o resultado de vir a conhecer Deus como Pai. É uma coisa conhecer a respeito de Deus, mas é outra totalmente diferente conhecer Deus. De acordo com este grande convite, é possível conhecer o Pai pelos ofícios graciosos e pela operação eficaz do Filho, e nenhuma alma jamais encontrou o descanso verdadeiro à parte desta intimidade com Deus.

2. UMA NOVA REALIDADE NA ORAÇÃO. A oração é comunhão com Deus que tem sido baseada na confiança nascida no conhecimento de Deus. Não é natural falar a alguém que não é conhecido ou incapaz de ser conhecido, como é o caso do não-salvo que tenta orar; mas quando Deus é reconhecido e é real ao coração, há precisão em toda forma de oração e, então, como em nenhum outro tempo ou debaixo de quaisquer outras condições, a alma que ora encontra descanso.

3. UMA NOVA REALIDADE NA LEITURA DA PALAVRA DE DEUS. A Palavra de Deus é alimento somente para aqueles que receberam a natureza de Deus. Como uma criança recém-nascida chora por comida, assim um cristão normal desejará a Palavra de Deus. Essa Palavra é leite para os que são "bebês" e "carne" para aqueles preparados no coração para recebê-la.

4. UM RECONHECIMENTO DA FAMÍLIA DE DEUS. João coloca isto na frente como um teste confiável para se saber se o indivíduo é um filho de Deus. Ele escreve: "Nós sabemos que já passamos da morte para a vida, porque amamos os irmãos. Quem não ama permanece na morte" (1 Jo 3.14). O cristão naturalmente tem prazer na comunhão daqueles que são salvos. Seu amor por eles será manifesto no amor sacrificial por eles. Este não é um amor humano, mas uma demonstração do amor de Deus derramado nos corações pelo Espírito Santo (Rm 5.5). No mesmo contexto mencionado, João afirma: "Nisto conhecemos o amor: que Cristo deu a sua vida por nós; e nós devemos dar a vida pelos irmãos.

Quem, pois, tiver bens no mundo, e, vendo o seu irmão necessitado, lhe fechar o seu coração, como permanece nele o amor de Deus? Filhinhos, não amemos de palavra, nem de língua, mas por obras e em verdade" (1 Jo 3.16-18).

5. Uma Compaixão Divina por um Mundo Perdido. Os objetos do amor divino não são mudados com respeito à identidade deles, mesmo quando esse amor é reproduzido no cristão ou é passado através do cristão. Ele amará, portanto, aquilo que Deus ama. Este é de fato um campo extensivo de estudo. Acima de tudo, o amor de Deus por um mundo perdido – esse amor que não poupou a seu próprio Filho como conseqüência – será operado no filho de Deus como um peso incessante por aqueles que não são salvos. Isto constitui um sofrimento na companhia de Cristo, e por causa disso há uma grande recompensa. "Se com ele sofrermos, com ele também reinaremos."

Todas essas experiências que foram indicadas são naturalmente a expressão de uma nova natureza divina; mas, igual a toda experiência cristã, ela pode ser obstruída devido a alguma condição não-espiritual que é permitida existir no coração do crente. Se o Espírito que habita no crente, que é o reprodutor de Cristo no crente, é entristecido, o poder de Sua presença não se torna manifesto. A esta altura, o perigo de julgar qualquer pessoa de acordo com alguma experiência ou conduta, deveria ser reconhecido. Ainda que toda experiência normal seja desfrutada, todavia quão ilimitado é aquilo que aguarda o dia de Sua manifestação!

III. Aquisição da Natureza de Deus

O fato básico de ter uma nova natureza divina comunicada é de tal caráter que deve ser reconhecido imediatamente como uma mudança que Deus somente pode efetuar. O esforço humano é totalmente estranho a esse empreendimento todo. Por onde Nicodemos teria de começar, se ele tentasse a realização de seu próprio nascimento de cima? Somente é espírito aquele que é nascido do Espírito. Intimamente ligada ao dom da vida eterna está a comunicação da natureza divina. Provavelmente não podem ser feitas distinções entre elas. O filho de Deus, ao receber essas realidades, entra numa carreira por meio disso numa esfera de relacionamento que pertence a outra ordem de existência. Na verdade, é a mais alta forma de existência – a vasta realidade e eternidade de Deus. Nenhuma comparação pode ser feita entre a aquisição de uma natureza humana e a aquisição da natureza divina. A distinção fundamental, além daquela da similaridade delas a respeito do caráter inerente, é o fato de que uma tem um começo, mas não um fim, enquanto que a outra, por ser relacionada a Deus, não pode ter nenhum começo ou fim.

Com relação à consciência, a natureza humana é agora uma realidade ativa em graus variados, mas a experiência consciente da natureza divina, embora algo possuído plenamente, aguarda o tempo de entrada na vida e na habitação celestial. O aumento da consciência experimental que virá sobre o filho de Deus quando for removido desta terra para o céu, quando passar do modo temporal

INTRODUÇÃO NA FAMÍLIA DE DEUS

de existência para um modo eterno, quando "o poder de uma vinda infindável" suplantar todas as limitações humanas, isto é vasto demais para qualquer presente compreensão. Nesta esfera terrestre, os homens são afetados pelos preconceitos, opiniões e avaliações que constituem apenas uma mera sombra daquilo que é verdadeiro. Na esfera e na posição vindouras, todas as coisas serão vistas, e então não meramente como informação acrescentada pode expandir a capacidade humana de entender, mas serão vistas como Deus as vê, como Deus as entende. É aí que o salvo conhecerá como também ele é conhecido (1 Co 13.12); isto é, ele então conhecerá como Deus agora conhece.

A frase *como também sou conhecido* deve se referir ao presente conhecimento de Deus. Pelo poder capacitador do Espírito Santo algumas medidas de experiência do amor, da alegria e da paz divinos, ainda por vir, devem ser asseguradas agora. Assim, igualmente, o conhecimento de Deus e especialmente aquela parte que Ele fez com que fosse registrada nas Escrituras, pode ser trazido pelo mesmo Espírito. Mas quando a esfera celestial é trazida, haverá uma entrada no contínuo e não no diminuído amor divino, na alegria, e na paz, e num maior entendimento que é comparável ao do próprio Deus. Tudo isto surgirá da natureza de Deus que é possuída e será tão irrestrita, dentro dos limites finitos, como Deus é irrestrito. Aqui repousa a base para o companheirismo dos santos com Deus e de uns para com os outros. Nada pode ser escondido e nada pode ser compreendido erroneamente. Os motivos serão tão puros quanto Deus é puro e mesmo a história dos pecados, falhas e dúvidas desta terra serão vistas somente naquele retrospecto e entendidas como coisas pertencentes a Deus. A vida do cristão em glória e toda a sua extensão serão nos moldes e nos padrões daquilo que agora é considerado sobrenatural, a saber, a *experiência* para a plenitude da natureza divina. Aqueles que são salvos devem estar adaptados à esfera que é de Deus.

IV. Introdução na Família de Deus

Nenhuma relação terrestre une tanto os membros da raça humana quanto a da família, e assim este parentesco humano é a melhor ilustração disponível da associação celestial do ajuntamento dos crentes. Ambos os fatos, o da relação entre o pai e o filho e o fato da irmandade, aparecem. Como foi indicado acima, a paternidade de Deus é devida a uma geração divina absoluta: embora, como no caso do nascimento de Cristo, a geração é operada pela Terceira Pessoa, ainda a Primeira Pessoa é vista como o Pai daqueles que crêem. O lugar de um indivíduo na família de Deus não é o de mera adoção, embora um crente seja adotado no sentido em que, quando nascido de Deus como Seu filho, ele é imediatamente levado para a posição de um filho adulto com todos os privilégios e responsabilidades resultantes da maturidade plena. A prática humana da adoção, que meramente estabelece a responsabilidade legal sobre outra criança diferente, não comunica uma natureza de parentesco e não cria uma unidade real com a nova relação paterna.

Nas relações humanas, na verdade, um pai pode por ação legal repudiar seu filho e retirar toda responsabilidade em relação a ele, embora não possa evitar que o filho o lembre na aparência, na disposição, ou nas características. Em outras palavras, a natureza básica que a geração comunica não pode ser extinta, mesmo nas esferas humanas, exatamente como não pode ser extinta nas esferas divinas. Uma vez que se torna filho de Deus, ele sempre é um filho de Deus. Esta é uma verdade não somente ensinada nas Escrituras, mas sustentada por toda experiência de filiação conhecida, seja aqui na terra ou no céu. A família de Deus é composta de uma descendência real e legítima de Deus. Esse tipo de relacionamento é sugerido entre Jeová e os israelitas. Toda a nação de Israel é assemelhada a um filho, mas totalmente como uma expressão que descreve o cuidado de Jeová por eles. O fato de o povo israelita ser chamado de filho está muito longe de ser uma geração de indivíduos, uma descendência inalterável de Deus.

A filiação na família de Deus implica prontidão para a posição. Por um breve tempo – o período da vida do cristão sobre a terra após ser salvo – o Pai administra as imperfeições de Seu filho e administra disciplina; mas na eternidade da realidade que se segue, os membros de Sua família demonstrarão a todos como os salvos foram feitos "idôneos para participar da herança dos santos na luz" (Cl 1.12).

V. Herança da Porção de um Filho

Baseado na realidade da filiação através do poder regenerador do Espírito Santo está o fato inevitável da possessão da porção de um filho. A extensão dessa porção está indicada pelo apóstolo quando ele afirma: "O Espírito mesmo testifica com o nosso espírito que somos filhos de Deus; e, se filhos, também herdeiros, herdeiros de Deus e co-herdeiros de Cristo" (Rm 8.16,17). A filiação eterna de Cristo está em vista aqui e nesta herança em que estão incluídos todos os tesouros do universo, todo o πλήρωμα da sabedoria, e a infinidade de autoridade e poder, os recém-constituídos filhos são trazidos à condição de "co-herdeiros com Cristo". Enquanto o crente é retido neste mundo como uma testemunha, pouco uso pode ser feito dessas riquezas celestiais. Elas pertencem a outra esfera, e o desfrutar delas aguarda o tempo de entrada na esfera à qual essas riquezas pertencem.

VI. O Propósito de Deus para a sua Eterna Glória

Muito encorajadora e impressionante é a verdade revelada de que tudo que faz parte da constituição de um cristão, o que ele é e o que será na glória, é operado por Deus. O apóstolo declara: "Porque somos feitura sua, criados em Cristo Jesus para boas obras, as quais Deus antes preparou para que andássemos nelas" (Ef 2.10). Toda incerteza a respeito do resultado definitivo da regeneração

O Propósito de Deus para a sua Eterna Glória

é retirada para sempre. A variada experiência da vida pode apresentar problemas imediatos; mas os fatores essenciais da salvação, preservação e glória eterna são Seus para serem realizados e nunca são dependentes do sucesso, da realização e ou do mérito humano. O cristão aprende após ser salvo – não antes – que ele foi "escolhido nele [Cristo] antes da fundação do mundo", que no devido tempo e pelo poder de Deus somente ele veio a entrar num relacionamento de salvação com Deus sob o princípio da graça, e que pelo mesmo poder divino ele aparecerá em glória – tudo devido à fidelidade imutável de Deus.

Está escrito sobre os crentes: "Tendo por certo isto mesmo, que aquele que em vós começou a boa obra a aperfeiçoará até o dia de Cristo Jesus" (Fp 1.6). Grande importância deve ser dada à descrição de um crente como "chamado segundo o seu propósito" (Rm 8.28). Esse propósito de Deus é imediatamente definido no contexto, que diz: "Porque aos que dantes conheceu, também os predestinou para serem conformes à imagem de seu Filho, a fim de que ele seja o primogênito entre muitos irmãos; e aos que predestinou, a estes também chamou; e aos que chamou, a estes também justificou; e aos que justificou, a estes também glorificou" (Rm 8.29,30). Ser "conformado à imagem do Seu Filho" indica que a filiação divina deve ser realizada por parte daquele que é salvo – uma filiação feita à própria *imagem* do Filho de Deus. Nenhuma palavra de Deus jamais revelou um destino e um estado mais altos do que este; mas ainda é acrescentado que "ele é o primogênito dentre muitos irmãos".

Cristo na verdade será o primogênito num ponto de tempo e no caráter, a fonte de tudo que faz parte da realidade eterna e da glória do cristão; mas a ênfase indicada aqui é antes sobre o fato de que todos aqueles que são salvos são Seus *irmãos*, por serem gerados de Deus como tal, real e imutavelmente constituídos como filhos de Deus. Muito freqüentemente é suposto que Cristo veio ao mundo, para que os homens pudessem ter uma nova idéia para a sua vida diária, exemplo de um caráter elevado, ou em uma nova regra de vida. Quando Cristo disse, entretanto: "...o ladrão não vem senão para roubar, matar e destruir; eu vim para que tenham vida, e a tenham em abundância" (Jo 10.10) – apenas uma das 81 passagens que tratam deste fator essencial, o novo ser do cristão – Ele falava de uma vida comunicada que nenhum ser humano jamais teve ou possuiu à parte do poder regenerador do Espírito Santo.

Com toda razão, Deus apela ao salvo por uma vida diária que esteja de acordo com esta alta vocação em Cristo; mas a necessidade de uma vida santa deve estar sempre desassociada do "dom de Deus que é a vida eterna em Cristo Jesus nosso Senhor" (Rm 6.23). A possessão da vida eterna cria o verdadeiro motivo para a vida santa; certamente a vida santa nunca comunicará a vida divina ou substituirá o nascimento do alto que vem do Espírito. Uma vida diária recomendável apresenta o propósito daquele que a vive; o dom da vida eterna apresenta a providência eterna de Deus para o homem que Ele propôs em Cristo Jesus. Desta verdade sublime, a mente espiritual naturalmente avança para a contemplação do fato de que o propósito divino, igual a todas as obras de Deus, ainda será realizado e completado de um modo infinito que Deus se satisfará com ele e será glorificado por ele. Assim, fica concluído

455

propriamente que a salvação desde o princípio nos conselhos eternos de Deus, pela provisão da graça redentora e pelo exercício dela, e por sua consumação em glória, é operada somente por Deus e com o mesmo propósito sempre em vista, a saber, que deva redundar para a Sua glória eterna. Ele certamente será assim glorificado.

VII. A Base da Fé

A razão somente ditaria a verdade de que, visto que a salvação é totalmente operada por Deus, o indivíduo que se preocupa em ser salvo não pode manter outra relação com ela além de recebê-la em simples fé. Cada aspecto da salvação em seu tempo passado completado – libertação da penalidade do pecado, em seu tempo presente – libertação do poder do pecado, em seu tempo futuro – libertação da presença do pecado, exige dependência de Deus. As grandes realidades, a saber, *perdão, o dom da vida eterna*, e *o dom da justiça* que é a base da justificação (Rm 3.22, 26; 4.5; 10.4), são a porção daqueles que nada fazem, além de crer em Jesus como Salvador. Duas passagens que tratam desta verdade essencial serão suficientes aqui: (a) João 1.12,13: "Mas, a todos quantos o receberam, aos que crêem no seu nome, deu-lhes o poder de se tornarem filhos de Deus; os quais não nasceram do sangue, nem da vontade da carne, nem da vontade do varão, mas de Deus".

É para aqueles que recebem Cristo, ou que crêem nele, que o direito de se tornar e de serem filhos de Deus é dado. Isto significa que a resposta de Deus à fé individual em Cristo é tal que pelo poder de Deus, ele é nascido de Deus e, assim, se torna um real filho Seu. O conhecimento do Salvador sobre quem a fé repousa é ganho da palavra de Deus através do Espírito, visto que Cristo disse que são nascidos da Palavra que é simbolizada pela água e pelo Espírito (Jo 3.5) e o apóstolo Paulo declara: "Não em virtude de obras de justiça que nós houvéssemos feito, mas segundo a sua misericórdia, nos salvou mediante o lavar da regeneração e renovação pelo Espírito Santo" (Tt 3.5). (b) João 3.16: "Porque Deus amou o mundo de tal maneira que deu o seu Filho unigênito, para que todo aquele que nele crê não pereça, mas tenha a vida eterna". Que afirmação poderia ser mais direta ou conclusiva do que esta? Está asseverado que "todo aquele que nele crê não pereça, mas tenha a vida eterna". Assim, sem exceção, tudo o que faz parte da salvação, inclui o dom da vida eterna, depende somente de uma exigência humana de crer no Salvador.

Um estudo excelente da doutrina da regeneração está incluso no livro já citado do Dr. John F. Walvoord. Visto que isto é tão bem afirmado e posto que o tema é tão vitalmente importante, estas páginas, embora extensas, são reproduzidas aqui.

Em sua introdução, o Dr. Walvoord afirma: "Poucas doutrinas são mais fundamentais para a pregação eficaz do que a doutrina da regeneração. A falha em compreender sua natureza e em entender claramente sua necessidade

A Base da Fé

aleijará a eficácia da pregação do Evangelho. Tanto para o mestre da Bíblia quanto para o evangelista, é indispensável o conhecimento acurado da doutrina da regeneração. O conceito bíblico de regeneração é comparativamente simples, e um estudo de sua história teológica não é totalmente necessário para uma pregação acurada. A história da doutrina, contudo, revela as suas armadilhas e pode advertir o incauto dos perigos de um entendimento superficial da regeneração. A doutrina da regeneração oferece uma rica recompensa para aqueles que estudam seus tesouros e vivem à luz de sua realidade".[122]

Sobre o significado de regeneração, o Dr. Walvoord escreve:

A palavra *regeneração* é encontrada somente duas vezes no Novo Testamento (Mt 19.28; Tt 3.5), mas ela tem sido apropriada como o termo geral para designar a comunicação da vida eterna. Somente um dos dois exemplos do Novo Testamento é usado neste sentido (Tt 3.5), onde é feita referência ao "lavar regenerador, e renovador do Espírito Santo". A palavra grega παλιγγενεσία é propriamente traduzida como "*novo nascimento, reprodução, renovação, recriação*" (Thayer). Ela é aplicada não somente a seres humanos, mas também aos novos céus e à nova terra renovada do milênio (Mt 19.28). Em relação à natureza do homem, ela inclui as várias expressões usadas para a vida eterna como *nova vida, novo nascimento, ressurreição espiritual, nova criação, nova mente, "tornados vivos", filhos de Deus* e *transporte para o reino*. Em linguagem simples, a regeneração consiste de tudo que é representado pela vida eterna num ser humano. O uso teológico da palavra *regeneração* tem tendido a confundir antes do que a enriquecer a palavra. Outras palavras como *conversão, santificação* e *justificação* têm sido também identificadas ou inclusas no conceito de regeneração. Os teólogos católicos romanos têm considerado a *regeneração* como aquilo que inclui tudo que está abarcado pela salvação, não somente justificação e santificação, mas mesmo a glorificação. A regeneração é tomada como aquilo que inclui os meios, o ato, o processo e a conclusão definitiva da salvação. Os teólogos protestantes têm sido mais cautelosos em estender esse significado da regeneração. Os antigos teólogos luteranos usaram a regeneração como aquilo que inclui o processo total pelo qual um pecador passava de seu estado de perdido para o de salvo, o que também incluía a justificação. Os luteranos posteriores tentaram uma clarificação da doutrina, ao sustentarem que a justificação não incluía uma transformação da vida, e, por meio disso, excluía a santificação da doutrina da regeneração. A Igreja Luterana continua a sustentar que os infantes são regenerados no momento do batismo com água; contudo, ao mesmo tempo afirmam que esta regeneração significa somente a entrada delas na Igreja visível, não a salvação delas. Sobre o assunto da regeneração infantil, o teólogo luterano Valentine escreve: "Pode ser dito da criança como sendo *regenerada* pelo ato do batismo? Nós podemos responder propriamente que *sim*; mas somente no sentido em que a relação vital estabelecida e a graça comunicada, sob a justiça imputada e o Espírito Santo, podem ser ditos como sustentando, em suas provisões e forças, o desenvolvimento pactual final"(*Christian Theology*, Vol. II, 329,30). Valentine objeta, contudo, à afirmação de que o batismo regenera as crianças. Em outro lugar, Valentine escreve: "a justificação *precede* a regeneração e a santificação" (*Ibid*, 237). Fica claro que a teologia luterana não usa o termo no sentido bíblico de comunicação da vida eterna. A teologia luterana, entretanto, exclui a santificação da doutrina da regeneração. Os teólogos reformados têm falhado na consistência no seu uso também, e têm compartilhado em algum grau dos erros abraçados por outros. Durante o século XVII, a conversão foi usada comumente como um sinônimo de regeneração. Este uso ignorou um fato muito importante, contudo – o de que a conversão é um ato humano enquanto que o da regeneração é um ato de Deus. Além disso, a conversão, quando usualmente relacionada à regeneração, nem sempre é assim, como demonstrado por seu uso em conexão com o arrependimento e a restauração de Pedro (Lc 22.32), profetizados por Cristo. Mesmo Calvino falhou em fazer uma distinção devida entre regeneração e conversão. Charles Hodge, contudo, argumenta efetivamente por uma distinção necessária no significado destes termos (*Teologia Sistemática*, 1029-1031). Shedd concorda com Hodge e cita os seguintes contrastes: "A regeneração, propriamente, é um ato; a conversão é uma atividade, um processo. A regeneração é a originação da vida; a conversão é a evolução e a manifestação da vida. A regeneração é totalmente um ato de Deus; a conversão é totalmente uma atividade do homem. A regeneração é uma causa; a conversão é um efeito. A regeneração é instantânea; a conversão é contínua" (*Dogmatic Theology*, Vol. II, p. 494). No último século, os teólogos reformados têm concordado em que a regeneração designa propriamente o ato da comunicação da vida eterna. Charles Hodge afirma: "Por um consenso quase universal, a palavra regeneração é empregada hoje para designar não toda a obra de santificação, nem as primeiras etapas daquela obra incluída na conversão, mas a mudança instantânea da morte espiritual para a vida espiritual" (*Teologia Sistemática*, p. 1030). Num estudo da doutrina da regeneração, então, o inquiridor fica preocupado somente com o aspecto da salvação relacionado com a comunicação da vida eterna. Outras obras importantes que podem se preocupar com ela, ser antecedentes a ela ou subseqüentes a ela, devem ser consideradas como obras distintas de Deus.[123]

Assim, também, da regeneração como um ato do Espírito Santo, o Dr. Walvoord declara:

A regeneração, por sua natureza, é unicamente uma obra de Deus. Enquanto algumas vezes considerada como um resultado, cada caso presume ou afirma que o ato da regeneração foi um ato de Deus. Um

A BASE DA FÉ

número de textos importantes dá suporte ao assunto da regeneração (Jo 1.13; 3.3-7; 5.21; Rm 6.13; 2 Co 5.17; Ef 2.5,10; 4.24; Tt 3.5; Tg 1.18; 1 Pe 2.9). Está afirmado explicitamente que o regenerado é "nascido, não do sangue, nem da vontade da carne, nem da vontade do varão, mas de Deus" (Jo 1.13). A regeneração é assemelhada à ressurreição, que por sua natureza é totalmente de Deus (Jo 5.21; Rm 6.13; Ef 2.5). Em outros exemplos, a regeneração é declarada ser um ato criador de Deus, a natureza do que se presume ser um ato de Deus (2 Co 5.17; Ef 2.10; 4.24). Pode ser visto claramente, então, que a regeneração é sempre revelada como um ato de Deus realizado por Seu próprio poder sobrenatural à parte de quaisquer outras agências. A obra da regeneração é propriamente atribuída ao Espírito Santo. Igual à obra eficaz da graça, a regeneração é freqüentemente atribuída a Deus sem distinção de pessoas, e em diversos casos é atribuída ao Pai, ao Filho e ao Espírito Santo, respectivamente. A Primeira Pessoa é declarada ser a fonte da regeneração ao menos em um caso (Tg 1.17, 18). O próprio Cristo está ligado à regeneração diversas vezes na Escritura (Jo 5.21; 2 Co 5.17; 1 Jo 5.12). Além disso, o Espírito Santo é declarado ser o agente da regeneração (Jo 3.3-7; Tt 3.5). Como em outros empreendimentos da divindade, cada pessoa tem uma parte importante, mantendo a essência única. Como no nascimento de Cristo, assim no novo nascimento do cristão a Primeira Pessoa se torna o Pai do crente, a Segunda Pessoa comunica sua própria vida eterna (1 Jo 5.12), e o Espírito Santo, a terceira Pessoa, atua como o agente eficaz da regeneração. A obra da regeneração pode ser atribuída ao Espírito Santo, tão definitivamente quanto a obra da salvação pode ser atribuída a Cristo.[124]

Sobre a importante verdade de que a vida eterna é comunicada pela regeneração, o mesmo escritor assevera:

Como a palavra em si mesma sugere, o pensamento central da doutrina da regeneração é o de que a vida eterna é comunicada. A regeneração satisfaz a necessidade criada pela presença da morte espiritual. O método da comunicação é, naturalmente, inescrutável. Não há um método visível ou processo discernível. Por sua natureza ela é sobrenatural e, portanto, sua explicação está além do entendimento humano. As Escrituras, na apresentação da comunicação da vida eterna, usam três figuras para descrevê-la. A regeneração é algumas vezes apresentada na figura do novo nascimento. Cristo disse a Nicodemos: "importa-vos nascer de novo" (Jo 3.7). Em contraste com o nascimento humano de ascendência humana, alguém pode ser nascido "de Deus" (Jo 1.13) a fim de se tornar filho de Deus. De acordo com Tiago 1.18: "...segundo a sua própria vontade, ele nos gerou pela palavra da verdade, para que fôssemos como que primícias das suas criaturas". A figura é eloqüente na descrição da relação íntima do filho de Deus com seu Pai celestial e em relação à espécie de vida que o crente recebe para a vida eterna que está em Deus. Freqüentemente na Escritura, a regeneração é descrita como ressurreição espiritual. O cristão é revelado como sendo "vivo dentre os mortos" (Rm 6.13), e Deus "estando ainda nós mortos em nossos delitos, nos vivificou juntamente com Cristo" (Ef 2.5). O próprio Cristo disse: "Em verdade, em verdade vos digo que vem a hora, e agora é, em que os mortos ouvirão a voz do Filho de Deus, e os que a ouvirem viverão" (Jo 5.25). O fato de nossa ressurreição é tornado a base para uma exortação freqüente para viver como os que são ressuscitados dentre os mortos (Rm 6.13; Ef 2.5-6; Cl 2.12; 3.1,2). A regeneração é também apresentada na figura da criação ou recriação. Somos "criados em Cristo Jesus para as boas obras" (Ef 2.10), e exortados a nos "revestir do novo homem, que segundo Deus foi criado em verdadeira justiça e santidade" (Ef 4.24). A revelação de 2 Coríntios 5.17 é explícita: "Pelo que, se alguém está em Cristo, nova criatura é; as coisas velhas já passaram; eis que se tudo se fez novo". A figura da criação indica que a regeneração é criativa em sua natureza e resulta numa mudança fundamental no indivíduo, uma nova criação sendo acrescida de suas novas capacidades. O indivíduo se torna uma parte da nova criação que inclui todos os regenerados desta dispensação e Cristo seu Cabeça. A nova vida dada ao cristão é manifesta nas novas capacidades e atividades encontradas somente nos regenerados, formando a fonte e o fundamento de todos os outros ministérios divinos aos salvos. O fato importante, nunca a ser esquecido na doutrina da regeneração, é o de que o crente em Cristo recebeu a vida eterna. Este fato de ser mantido livre de toda confusão de pensamento que surge do conceito de regeneração que a torna meramente um antecedente da salvação, ou um despertamento preliminar para capacitar a alma a crer. É antes o próprio coração da salvação. Ela atinge o problema essencial da ausência da vida eterna, sem a qual nenhuma alma pode passar a eternidade na presença de Deus. A regeneração supre esta falta de vida eterna enquanto que a justificação e a santificação tratam do problema do pecado especificamente. Ela é um golpe excelente em todas as filosofias que sustentam que o homem tem capacidades inerentes de salvar-se a si mesmo. A regeneração é totalmente de Deus. Nenhum esforço humano possível, mesmo que nobre, pode suprir a vida eterna. A doutrina própria da regeneração dá a Deus toda glória e poder devidos ao Seu nome, e ao mesmo tempo exibe Sua abundante provisão para a raça morta em pecado.[125]

Além disso, que a regeneração não é realizada por meios está bem expresso pelo Dr. Walvoord, da seguinte maneira:

A teologia reformada tem se oposto de modo definitivo à introdução de quaisquer meios na realização do ato divino da regeneração. A questão sobre se os meios são usados para efetuar a regeneração é determinada basicamente pela atitude tomada em relação à graça eficaz. Os teólogos pelagianos e arminianos, que sustentam a cooperação da vontade humana e capacidade parcial da vontade através da graça comum ou poderes naturais, reconhecem em algum grau a presença de meios na obra da regeneração. Se a incapacidade total do homem for reconhecida, e a doutrina da graça eficaz crida, segue-se naturalmente que a regeneração é realizada à parte de meios. A teologia reformada, ao manter a sua doutrina da graça eficaz, tem sustentado que a vontade humana em si mesma é ineficaz e não produz quaisquer mudanças incidentes à salvação da alma. Com relação à fé, a vontade humana pode agir por meio da graça eficaz. A vontade humana pode agir mesmo à parte da graça eficaz em ouvir o Evangelho. No ato da regeneração, contudo, a vontade humana é inteiramente passiva. Não há uma cooperação possível. A natureza da obra da regeneração proíbe qualquer assistência humana possível. Como um filho no nascimento natural é concebido e nascido sem qualquer volição de sua parte, assim o filho de Deus recebe o novo nascimento à parte de qualquer volição de sua parte. No novo nascimento, naturalmente, a vontade humana não é posta à regeneração e deseja pela graça divina crer, mas este ato em si não produz o novo nascimento. Como na ressurreição do corpo humano da morte física, o corpo de modo algum assiste na obra da ressurreição, assim na obra da regeneração, a vontade humana é inteiramente passiva. Não significa que a vontade humana seja descartada, nem que a responsabilidade de crer seja colocada de lado. Significa antes que a regeneração é totalmente uma obra de Deus no coração crente. Todos os outros meios são igualmente excluídos na obra da regeneração. Conquanto a regeneração seja freqüentemente precedida por vários antecedentes como a obra da graça comum e suas influências, estas devem ser agudamente distintas da regeneração. Mesmo a obra da graça eficaz, embora simultânea da regeneração, e indispensável a ela, em si mesma não efetua a regeneração. A graça eficaz somente torna possível e certa a regeneração. A regeneração em sua própria natureza é instantânea, um ato imediato de Deus, e na natureza de um ato imediato, nenhum meio é possível. O fato de que a regeneração é consistentemente revelada como um ato de Deus e a revelação bíblica da doutrina da graça eficaz são evidências suficientes para excluir a possibilidade do uso de meios no efetuar da regeneração.[126]

De grande importância, especialmente para os esforços evangelísticos, é a palavra do Dr. Walvoord sobre o caráter não-experimental da regeneração, e ele diz:

Até o assunto ser considerado cuidadosamente, é um pensamento surpreendente que a regeneração não seja experimental. No testemunho cristão muita coisa tem sido dita da experiência da regeneração. Se a regeneração é um ato instantâneo e um ato da vontade divina, segue-se que a regeneração em si mesma não é experimental. Pode ser admitido

PNEUMATOLOGIA

livremente que os fenômenos experimentais abundantes vêm depois do ato do novo nascimento. As experiências de um cristão normal cheio do Espírito Santo podem imediatamente resultar sobre o novo nascimento. Este fato não altera o caráter não-experimental da regeneração. Se é admitido que a regeneração é um ato instantâneo de Deus, é logicamente impossível para ela ser experimental, no sentido em que experiência envolve tempo e seqüência de experiência. Pode ser concluído, portanto, que nenhuma sensação assiste o ato do novo nascimento, toda experiência procedente vem antes da regeneração realizada e surge da nova vida como sua fonte. Na natureza do caso, não podemos experimentar o que não é verdadeiro, e a regeneração deve ser totalmente operada antes que a experiência possa ser encontrada. Conquanto a alma regenerada possa se tornar imediatamente cônscia da nova vida, o ato da regeneração em si não é sujeito à experiência ou análise, sendo um ato de Deus instantaneamente sobrenatural. A natureza não-experimental da regeneração, se compreendida, faria muito para liberar o não-salvo da noção de que uma experiência de alguma espécie é antecedente à salvação, e, por sua vez, evitaria que aqueles que procuram ganhar almas esperassem de forma parcial os frutos da salvação antes da regeneração acontecer. A noção popular de que alguém deve *sentir-se* diferente *antes* de ser salvo tem impedido muitos da simplicidade da fé em Cristo e da regeneração genuína que Deus somente pode efetuar. A natureza não-experimental da regeneração, infelizmente, tem também aberto a porta para o ensino da regeneração dos infantes sustentado pela Igreja Luterana. É argumentado que se a regeneração não é experimental, não há razão válida por que os infantes não podem ser regenerados. Mesmo Shedd aprova a idéia da regeneração infantil com base em que a regeneração não é experimental, na seguinte afirmação: "A regeneração é uma obra de Deus na alma humana que está sob a consciência. Não há sensação alguma interna causada por ela. Nenhum homem jamais foi cônscio desse ato instantâneo do Espírito Santo pelo qual ele foi tornado uma nova criatura em Cristo Jesus. E visto que a obra é de Deus somente, não há necessidade alguma de que o homem seja consciente dela. Este fato coloca o infante e o adulto no mesmo pé de igualdade, e torna a regeneração infantil tão possível quanto a do adulto A regeneração do infante é ensinada na Escritura. Lucas 1.15, 'e ele será cheio do Espírito Santo já desde o ventre de sua mãe'. Lucas 18.15,16: 'Deixai vir a mim as crianças, e não as impeçais, porque de tais é o reino de Deus'. Atos 2.39: '...a promessa é para vós e para os vossos filhos'. 1 Coríntios 7.14: '...agora os vossos filhos são santos'. A regeneração dos infantes é também ensinada simbolicamente. (a) Pela circuncisão infantil no Antigo Testamento; (b) Pelo batismo infantil no Novo Testamento" (*Op. cit.* Vol. II, 505,6). É duvidoso se qualquer desses textos oferecidos por Shedd realmente provam a regeneração infantil. Conquanto seja verdadeiro que muitos cristãos nunca tenham conhecido uma experiência de crise à qual o ato do novo nascimento possa estar ligado, não há uma autorização certa da Escritura para afirmar a regeneração infantil, ao menos na presente era. O padrão normal para a regeneração é que ela ocorre no momento da fé salvadora. Nenhum apelo é jamais feito a homens para que eles creiam porque já são regenerados. É antes para que eles creiam e recebam a vida eterna. Dos cristãos é definitivamente dito que eles antes de terem aceitado Cristo, estavam "mortos nos seus delitos e pecados" (Ef 2.1). O caso daqueles que morrem antes de alcançar a idade da responsabilidade é um problema diferente. A posição própria parece ser que os infantes são regenerados no momento da morte deles, não antes, e se eles vivem para a maturidade, eles são regenerados no momento em que aceitam Cristo. O batismo infantil, certamente, não é eficaz para efetuar a regeneração, e a posição reformada está em oposição à luterana sobre este ponto. A doutrina da regeneração infantil, se criada, confunde assim a doutrina como a tira de todo o seu caráter decisivo. Ninguém deveria ser declarado regenerado que não possa ser declarado salvo por toda a eternidade.[127]

Ao concluir a sua tese sobre a regeneração, o Dr. Walvoord escreve sobre o *efeito* da regeneração e indica a verdade a respeito de uma nova natureza, uma nova experiência, e uma nova segurança. Disto tudo ele diz:

A obra da regeneração é tremenda em suas implicações. Uma alma uma vez morta recebeu a vida eterna que caracteriza o ser de Deus. O efeito da regeneração é resumido no fato da posse da vida eterna. Todos os outros resultados da regeneração são realmente uma dilatação do fato da vida eterna. Enquanto a vida em si é difícil de definir, a vida eterna é imaterial, certas qualidades pertencem a alguém que é regenerado em virtude do fato de que a vida eterna permanece nele.

Na natureza da vida eterna, ela envolve primeiramente a criação de uma natureza divina na pessoa regenerada. Sem erradicar a velha natureza com sua capacidade e vontade para o pecado, a nova natureza tem em si o desejo de Deus e de Sua vontade, de forma que podemos esperar que seja resultante da vida eterna. A presença da nova natureza constitui uma mudança fundamental na pessoa que é denominada "criatura" (2 Co 5.17; Gl 6.15) e "novo homem" (Ef 4.24). Uma mudança drástica na maneira de vida, na atitude para com Deus e para com as coisas de Deus, e nos desejos do coração humano, pode ser esperada naquele que recebe a nova natureza. A nova natureza que é uma parte da regeneração não deveria ser confundida com a natureza sem pecado de Adão antes da Queda. A natureza de Adão era uma natureza sem ser provada e inocente em relação ao pecado. Ela não teve como sua fonte nem teve a sua natureza determinada pela vida eterna que é concedida para a pessoa regenerada. A natureza humana de Adão estava aberta para o pecado e a tentação e era pecável. É duvidoso se a natureza divina concedida em conexão com a regeneração esteja sempre envolvida diretamente ao pecado. Enquanto as Escrituras são claras que uma pessoa regenerada pode pecar, e peca, o lapso é traçado à natureza pecaminosa, ainda que o ato seja da totalidade da pessoa. Isto não deve ser confundido com as várias afirmações de que um cristão pode ser sem pecado ou incapaz de pecar. O estado de perfeição sem pecado jamais pode ser alcançado até que a natureza pecaminosa seja eliminada, e isto é cumprido somente pela morte do corpo físico ou da transformação do corpo sem a morte no arrebatamento. Mesmo a nova natureza, embora nunca seja a origem do pecado, não tem a capacidade suficiente de conquistar a velha natureza. O poder para a vitória repousa na presença do Espírito que habita no crente. A nova natureza provê uma vontade de fazer a vontade de Deus, e o poder de Deus provê a capacitação de realizar este fim a despeito da pecaminosidade inata da natureza pecaminosa. O estado de fazer a vontade de Deus é alcançado quando a vontade da nova natureza é realizada plenamente. A vida eterna e a nova natureza estão inseparavelmente unidas, a natureza correspondendo à vida que traz à existência.

Enquanto a regeneração em si não é experimental, ela é a fonte de experiência. O ato da comunicação da vida eterna, por ser instantâneo, não é experimentado, mas a presença da vida eterna após a regeneração é a fonte da nova experiência espiritual que pode ser esperada. A nova vida traz consigo uma nova capacidade. A pessoa que antes da regeneração estava morta espiritualmente e cega para a verdade espiritual se torna agora viva para um novo mundo de realidade. Como um cego que pela primeira vez contempla as belezas da cor e da perspectiva quando a vista é restaurada, assim a alma nascida de novo contempla a nova revelação da verdade espiritual. Pela primeira vez ela é capaz de entender o ministério do ensino do Espírito Santo. Ela é capaz agora de desfrutar as intimidades da comunhão com Deus e da liberdade na oração. Como sua vida está sob o controle do Espírito Santo, ela é capaz de manifestar o fruto do Espírito, totalmente estranho ao homem natural. O seu ser total tem novas capacidades para a alegria e tristeza, amor, paz, orientação e todo o exército de realidades no mundo espiritual. Enquanto a regeneração não é uma experiência, ela é o fundamento para toda experiência cristã. Isto exige imediatamente que a regeneração seja inseparável da salvação, e que a regeneração manifeste-se nas experiências normais de uma vida cristã rendida a Deus. A regeneração que não desemboca numa experiência cristã pode ser questionada.

Uma das muitas razões para confusão na doutrina da regeneração é a tentativa de evitar a conclusão inevitável de que uma alma uma vez genuinamente regenerada seja salva para sempre. A concessão da vida eterna não pode ser revogada. Ela declara o propósito imutável de Deus de trazer a pessoa regenerada à glória. Nunca nas Escrituras encontramos qualquer pessoa regenerada pela segunda vez. Conquanto os cristãos possam perder muita coisa de uma experiência espiritual normal através do pecado, e desesperadamente precisam de confissão e restauração, o fato da regeneração não muda. Em última análise, as experiências desta vida são somente antecedentes de experiências mais amplas que a pessoa regenerada terá após a libertação da presença e da tentação do pecado. A regeneração terá a sua manifestação definitiva quando a pessoa regenerada for completamente santificada e glorificada. As nossas presentes experiências, limitadas como são pela presença de uma natureza pecaminosa e um corpo pecaminoso, são somente uma descrição parcial das glórias da vida eterna. Por meio das experiências da vida, contudo, o fato da regeneração deveria ser a fonte de esperança constante e de confiança permanente de que "aquele que começou boa obra em vós há completá-la até o dia de Cristo Jesus" (Fp 1.16).[128]

Conclusão

A regeneração é o passo essencial mais importante naquela preparação que deve ser feita se os indivíduos desta raça devem ser constituídos moradores dignos dentro daquelas mais altas esferas e tornados ali associados com o Pai, o Filho e o Espírito Santo. Ela se torna um dos maiores fatos em todo o universo. Sua extensão mais plena e o seu valor serão vistos não sobre a terra ou no tempo, mas na glória e por toda a eternidade.

Capítulo X

Habitação do Espírito Santo

Do ponto de vista doutrinário ou como um fundamento para toda verdade a respeito da relação entre o Espírito Santo e o crente na presente era, não há um motivo mais caracterizador ou determinante do que o fato do Espírito Santo habitar na pessoa regenerada. A falha em reconhecer o conjunto de textos sobre os quais esta distinção de doutrina repousa, é apreender erroneamente um dos fatores mais essenciais no ser do cristão, conceber do cristão como totalmente despreparado para as elevadas e santas exigências que caem sobre ele, abrir a porta para a promoção de suposições não-escriturísticas relativas à santidade pessoal, e criar divisões desautorizadas no Corpo de Cristo. Nenhum estudante deveria ignorar este aspecto da verdade, mesmo que ligeiramente. Nenhum progresso pode ser feito no conhecimento da relação do Espírito Santo com o crente, até que este aspecto na doutrina do Espírito seja reconhecido e aceito como declarado pelo Texto Sagrado.

A falha em discernir que o Espírito Santo habita em cada crente era o erro comum e universal dos homens de duas gerações atrás. Esse erro foi promovido nas primeiras conferências de Keswick, recebido e ensinado geralmente através de toda a Inglaterra e Estados Unidos. Contudo, os expositores americanos das últimas duas gerações têm feito muito para recuperar esta importante doutrina deste e de outros erros semelhantes. A noção de que o Espírito Santo é recebido como uma segunda obra da graça é agora defendida somente por grupos defensores da santidade extrema. Em outras palavras, é mais claramente entendido do que foi anteriormente que não pode haver tal coisa como um cristão que não seja habitado pelo Espírito Santo. Esta verdade é tão enfaticamente declarada no Novo Testamento, que parece quase impossível que outra idéia possa jamais ter sido nutrida. Será lembrado que o ministério do Espírito como Aquele que habita é apenas um de Seus presentes benefícios e não deve ser confundido com Seu batismo, Seu selo ou Seu enchimento.

Destas outras obras, mais coisas serão apresentadas. Como tem sido observado, embora a presença do Espírito Santo no crente possa não ser indicada por qualquer experiência revolucionária correspondente, Sua habitação é, não obstante, um dos mais característicos de todos os aspectos que fazem um cristão ser o que ele é (cf. Rm 8.8,9). A mesma habitação do Espírito Santo se torna, também, uma característica da era. Esta é uma dispensação do Espírito, um período de tempo em que o Espírito Santo é o recurso todo-suficiente tanto de poder quanto de orientação. Nesta era o cristão é designado para viver por um novo princípio de vida (cf. Rm 6.4). A percepção da presença, do poder e da orientação do Espírito constitui-se num método totalmente novo da vida diária e está em contraste com aquela dominância e autoridade que a lei mosaica exercia sobre Israel na era que já é passada.

Em Romanos 7.6 está escrito: "Mas agora fomos libertos da lei, havendo morrido para aquilo em que estávamos retidos, para servirmos em novidade de espírito, e não na velhice da letra". A frase *novidade de espírito* está em contraste com a frase *velhice da letra*. Estas coisas não se referem a métodos espiritualizantes e literais de interpretação da verdade; elas antes indicam economias divinas diferentes que caracterizam duas dispensações diferentes. A era agora passada é marcada pela letra da lei, era em que nenhuma provisão para a capacitação jamais foi feita. A presente era é distinta como um período da habitação do Espírito, cuja presença proporciona todo recurso para a realização da vida diária que honra a Deus. A mesma distinção é apresentada em 2 Coríntios 3.6, que diz: "...o qual também nos capacitou para sermos ministros dum novo pacto, não da letra, mas do espírito; porque a letra mata, mas o espírito vivifica".

Assim, longe de ser capacitadora, a lei era um ministério de condenação e de morte (cf. Rm 7.4, 6, 10, 11). Em oposição a isto, a habitação do Espírito é agora um recurso ilimitado que mantém cada aspecto da vida humana. Ao reconhecer o mesmo contraste em princípios pelos quais as vidas dos homens em duas dispensações diferentes foram guiadas, o apóstolo afirma em Gálatas 5.18: "Mas, se sois guiados pelo Espírito, não estais debaixo da lei". Assim, deve ser visto que, por causa da nova provisão tornada disponível, todo cristão desde o menor até o maior tem sido equipado com a suficiência necessária pela qual toda responsabilidade sobrenatural pode ser plenamente desincumbida para a glória de Deus. O cristão enfrenta problemas de ajustamento, mas nunca é seu o problema de adquirir o Espírito ou a capacitação. Andar por meio do Espírito é uma técnica totalmente nova; visto que todo filho de Deus é incumbido com uma vida que é sobre-humana, contudo, cada um sem exceção recebeu o Espírito e cada um é, portanto, confrontado com a necessidade, se cumpre o ideal divino, de viver sua vida no poder capacitador do Espírito, por ser a nova técnica que é.

O fato da habitação do Espírito deveria ser reconhecido em seus próprios aspectos simples. Este ministério deve ser distinto de outros ministérios que são Seus, sem levar em conta a dependência que outros ministérios mantêm com este. A confusão surge mais freqüentemente e diferente entre a verdade a respeito da habitação do Espírito e a respeito de Seu enchimento. O enchimento depende dos ajustamentos pessoais, ajustamentos esses que serão apresentados em capítulo posterior deste volume; e por causa desta dependência dos ajustamentos humanos, as fraquezas podem ser manifestas e, assim, a experiência do enchimento pode ser caracterizada como parcial, variável ou completa. Nenhum enchimento imperfeito com o Espírito é satisfatório para Deus, porque Ele ordena a todos os cristãos sem qualquer exceção a serem cheios do Espírito (Ef 5.18).

A habitação, por ser um aspecto da salvação e assegurado pela fé salvadora, é igualmente comum a todas as pessoas regeneradas. O Espírito Santo é recebido apenas uma vez e Ele nunca sai do crente; mas há muitos enchimentos que surgem à medida da necessidade. O Espírito habita sem necessariamente gerar uma experiência; mas o enchimento é dirigido para o amor, alegria, paz e a medida plena de vida e de serviço. Que o Espírito habita em cada cristão é asseverado pela revelação e é ordenado pela razão. A consideração destas duas abordagens amplamente diferentes a esta verdade está em ordem agora, além do que deve haver observação no devido curso dos dois ministérios relacionados ao Espírito, a saber, a unção e o selo.

I. De Acordo com a Revelação

A contemplação da verdade relativa à habitação do Espírito Santo deveria ser com o devido reconhecimento de Seus outros ministérios em relação ao crente, porque nenhum deles é completo dentro de si mesmo, mas obviamente depende da presença do Espírito. Contudo, no interesse de uma avaliação verdadeira, uma análise de cada ministério é exigida separadamente. Cada um deve ser considerado em seu próprio caráter peculiar e individual. As Escrituras abundantemente mantêm a verdade da habitação do Espírito, ministério que deve ser examinado aqui. As principais passagens são agora tomadas em sua ordem, cada uma em seu contexto.

João 7.37-39: "Ora, no último dia, o grande dia da festa, Jesus pôs-se em pé e clamou, dizendo: Se alguém tem sede, venha a mim e beba. Quem crê em mim, como diz a Escritura, do seu interior correrão rios de água viva. Ora, isto ele disse a respeito do Espírito que haviam de receber os que nele cressem; pois o Espírito ainda não fora dado, porque Jesus ainda não tinha sido glorificado".

Esta predição feita por Cristo antes de sua morte antecipa a presente era e assevera que nesta era todo o que *crê* recebe o Espírito Santo quando aceita o Evangelho. Em outras palavras, o Espírito é recebido precisamente na mesma condição e no mesmo momento em que a salvação é realizada. Duas operações de fé não estão implícitas; a única instrumentalidade humana na salvação é crer e essa salvação completa que é assim assegurada inclui a vinda do Espírito para morar naquele que é salvo. Por ser um aspecto essencial da salvação, a condição humana para a habitação, quando esse aspecto da verdade soteriológica é considerado separadamente, é crer e unicamente crer. Portanto, segue-se desta passagem que o Espírito Santo é dado a todos os que crêem e quando eles crêem. O Espírito não havia sido dado quando Cristo falou, nem poderia ser dado até que Cristo fosse glorificado (cf. Jo 16.7). Incidentalmente, uma distinção muito clara é vista aqui entre os santos da dispensação anterior e os da presente dispensação. As realidades novas certamente pertencem àqueles que são identificados com o Cristo glorificado.

João 14.16,17; 1 João 2.27: "E eu rogarei ao Pai, e ele vos dará outro Ajudador, para que fique convosco para sempre, a saber, o Espírito da verdade, o qual o mundo não pode receber; porque não o vê nem o conhece; mas vós o conheceis, porque ele habita convosco, e estará em vós". "E quanto a vós, a unção que dele recebestes fica em vós, e não tendes necessidade de que alguém vos ensine; mas, como a sua unção vos ensina a respeito de todas as coisas, e é verdadeira, e não é mentira, como vos ensinou ela, assim nele permanecei".

Aqui a mesma implicação, que sob a devida consideração não pode ser interpretada erroneamente, está presente, no sentido de que todo cristão recebeu o Espírito Santo; mas uma verdade adicionada é desenvolvida e que é de importância imensurável para a doutrina da habitação do Espírito, a saber, que, por ter feito Sua habitação no crente, Sua presença nunca é removida. Ele habita ali para sempre. Tão importante quanto é em si mesma, a maneira correta de vida não faz parte dos termos sobre os quais o filho de Deus pode ser cheio do Espírito. É a própria presença do Espírito Santo, para ser exato, que exige uma vida santa. Quando corrigia os crentes de Corinto a respeito de suas práticas espirituais, o apóstolo disse: "Ou não sabeis que o vosso corpo é santuário do Espírito Santo, que habita em vós, o qual possuís da parte de Deus, e que não sois de vós mesmos? Porque fostes comprados por preço; glorificai pois a Deus no vosso corpo" (1 Co 6.19, 20). O medo de que o Espírito Santo venha a ser retirado do coração foi uma profunda tristeza para multidões nas gerações passadas. O exercício desautorizado da alma deles foi bem expresso num versículo de um hino escrito por William Cowper, freqüentemente cantado:

Retorna, Ó Pomba Santa,
retorna, Doce mensageiro de descanso:
E odeio os pecados que Te fizeram chorar,
E Te retiraram do meu peito.

É duvidoso que as passagens sob consideração pudessem ser mais positivamente negadas do que elas são por este pedaço de poesia.

Atos 11.17: "Portanto, se Deus lhes deu o mesmo dom que dera também a nós, ao crermos no Senhor Jesus Cristo, quem era eu, para que pudesse resistir a Deus?"

Esta passagem registra a narrativa que Pedro fez da primeira pregação do Evangelho aos gentios. Aquilo que chamou a atenção do apóstolo naquela memorável ocasião da qual ele fala, é que os gentios, assim como os judeus no Pentecostes, receberam o Espírito Santo quando eles creram em Cristo. Esta recepção foi e é uma parte da própria salvação. A presença habitadora do Espírito é o dom de Deus para aqueles que crêem.

Romanos 5.5: "E a esperança não desaponta, porquanto o amor de Deus está derramado em nossos corações pelo Espírito Santo que nos foi dado".

Uma tradução mais literal deste texto da Escritura é no sentido de que o amor de Deus é transbordado no coração do crente, e que o amor divino procede do Espírito Santo que é dado a ele para morar dentro dele. Este texto é o primeiro dentre diversos que declaram especificamente que o Espírito é dado igualmente a todos os que são salvos. A universalidade do dom do Espírito é asseverada aqui no uso do pronome *nos*, cuja palavra não pode, por qualquer interpretação correta, significar um grupo seleto ou particular de cristãos. Se é argumentado, como freqüentemente tem sido, que há salvos que não receberam o Espírito Santo, a resposta encontrada ali, como igualmente em outras passagens ainda a ser consideradas, é que o pronome *nos* não pode ser limitado, porque ele representa todos que são salvos.

Romanos 8.9: "Vós, porém, não estais na carne, mas no Espírito, se é que o Espírito de Deus habita em vós. Mas, se alguém não tem o Espírito de Cristo, esse tal não é dele".

Esta declaração é dogmática e final. Se qualquer homem não tem o Espírito de Cristo, o que significa uma presença habitadora – distintamente um título do Espírito Santo, como o Espírito que veio de Cristo e foi enviado ao mundo (cf. Jo 16.7) – esse não é Dele. A base desta afirmação é muito razoável. Entre outras coisas e totalmente acima de muitas coisas, o cristão é caracterizado pelo fato de que ele recebeu a natureza divina. Tal pessoa não poderia existir como cristã sem possuir a vida divina que é essencial para o seu eu recém-criado. Essa nova vida não é freqüentemente declarada ser nada além do Espírito Santo.

Romanos 8.23: "E não só ela, mas até nós, que temos as primícias do Espírito, também gememos em nós mesmos, aguardando a nossa adoção, a saber, a redenção do nosso corpo".

Novamente o significado universal está incluso na expressão *nós mesmos*. Esta expressão não pode se referir a uma classe ou grupo dentro da comunhão cristã; ela atinge a todos. E a afirmação positiva é que todos têm as primícias que somente a presença do Espírito Santo assegura.

1 Coríntios 2.12. "Ora, nós não temos recebido o espírito do mundo, mas sim o Espírito que provém de Deus, a fim de compreendermos as coisas que nos foram dadas gratuitamente por Deus".

Semelhantemente, como acima, o pronome *nos* atesta um grupo inclusivo de crentes. É o propósito de Deus que cada um de todos que são salvos seja instruído com relação às verdades que podem entrar no entendimento humano somente pela revelação divina. Nenhuma consideração poderia ser feita mesmo por um momento sobre a suposição de que o ministério de ensino do Espírito, que é apresentado neste contexto (cf. vv. 9-16), é pretendido somente por um grupo restrito dentro de todos os que são salvos. Segue-se que, se é o propósito de Deus para todos os Seus filhos igualmente conhecer a gloriosa revelação que Ele tem reservado para eles, devem igualmente estar numa relação vital e íntima com o Espírito Santo, o Mestre deles. Deus não pode esperar que qualquer crente faça progresso no conhecimento dEle ou que seja informado a respeito de Sua vontade para eles se, porventura, esse crente não esteja na posse do Espírito, o divino Mestre, que é o único a revelar as coisas de Deus. Esta grande provisão e necessidade são declaradas em termos certos quando é dito: "Ora, nós não temos recebido... o Espírito que provém de Deus, a fim de compreendermos as coisas que nos foram dadas gratuitamente por Deus".

1 Coríntios 6.19,20: "Ou não sabeis que o vosso corpo é santuário do Espírito Santo, que habita em vós, o qual possuís da parte de Deus, e que não sois de vós mesmos? Porque fostes comprados por preço; glorificai a Deus no vosso corpo".

Esta passagem serve novamente para responder completamente àqueles que argumentam que o Espírito é dado somente a um grupo favorecido, e especialmente responde a alegação de que Ele é dado somente àqueles que são autorizados e fiéis em suas vidas. Este apelo, citado acima, é para os crentes que são críticos de quem o apóstolo declarou que são carnais (cf. 3.1-4), fornicadores (cf. 5.1), e desconsideram a relação correta com Deus e de uns para com os outros (cf. 6.1-8); todavia, eles são igualmente solicitados a sair desses caminhos impuros com base no fato de que os corpos deles são templos do Espírito Santo. Não haverá o reverso do apelo, como alguns fazem, e asseveram que cristãos como os de Corinto, se retornassem de seus pecados, seriam recompensados pela presença do Espírito Santo que neles habita. A razão direta para requerer uma vida santa é que os crentes já são templos do Espírito. Portanto, não é uma questão de assegurar o Espírito por uma vida santa, mas antes de uma vida santa que se espera daquele que recebeu o Espírito. Esta é a ordem fundamental do relacionamento da graça com Deus. O sistema de mérito mosaico diria: "Sede bons de modo que possais vos tornar templos do Espírito Santo"; a graça diz: "Vós sois templos do Espírito, portanto, sede bons".

1 Coríntios 12.13: "Pois em um só Espírito fomos todos nós batizados em um só corpo, quer judeus, quer gregos, quer escravos quer livres; e a todos nós foi dado beber de um só Espírito".

Dos mesmos cristãos indignos de Corinto é novamente dito que eles bebem do mesmo Espírito – não alguns deles, mas *todos* eles. Neste mesmo versículo está também declarado que estes mesmos crentes carnais, cada um deles, foram unidos ao Senhor pelo batismo do Espírito Santo. Não é mais difícil crer que todos os crentes são habitados pelo Espírito do que crer que todos foram batizados com o Espírito no Corpo de Cristo. Ambas as verdades estão claramente ensinadas no Novo Testamento e em nenhum caso é a obra operada por causa da dignidade pessoal do filho de Deus, mas simplesmente em resposta à fé que resulta na salvação – essa obra graciosa da qual ambos, o batismo e a habitação, são partes integrais.

2 Coríntios 5.5: "Ora, quem para isto mesmo nos preparou foi Deus, o qual nos deu como penhor o Espírito".

O penhor é um pagamento parcial que é dado adiantado e que garante o pagamento final da totalidade. A bênção divina que a presença e o poder que o

Espírito assegura, por ser um penhor, garante a realização plena e final de todas as provisões imensuráveis de Deus para o crente em glória. Semelhantemente, nos negócios, uma entrada assegura a totalidade com a certeza de que tudo será pago plenamente e que será pago com a mesma espécie. Não somente o dom do Espírito assegura o cumprimento de cada promessa que Deus fez, mas ele indica o caráter daquilo que ainda está por vir. O Espírito é designado como o *penhor* em três passagens do Novo Testamento – 2 Coríntios 1.22; 5.5; Efésios 1.14 – e deveria ser desautorizado presumir que este antegozo de todas as glórias do céu seja retido mesmo do menor de todos os santos. Sua permanente presença é assegurada ao cristão, visto que Ele próprio deve habitar para ser o penhor que Ele é.

Gálatas 3.2: "Só isto quero saber de vós: Foi por obras da lei que recebestes o Espírito, ou pelo ouvir com fé?"

A segurança dada neste texto é que os Gálatas haviam recebido o Espírito como resposta à fé salvadora, a saber, como um aspecto da salvação deles. Assim, é ensinado novamente que o Espírito se torna a presença habitadora em cada indivíduo que é salvo e no momento em que ele é salvo.

Gálatas 4.6: "E, porque sois filhos, Deus enviou aos nossos corações o Espírito de seu Filho, que clama: Aba, Pai".

Este texto determinante é totalmente contraditado pela teoria de que o Espírito é dado em resposta à santificação pessoal. Antes, é por causa do fato de que os crentes são *filhos* que o Espírito lhes é dado, e este procedimento necessariamente deve incluir cada filho.

1 João 3.24; 4.13: "Quem guarda os seus mandamentos, em Deus permanece e Deus nele. E nisto conhecemos que ele permanece em nós: pelo Espírito que nos tem dado... Nisto conhecemos que permanecemos nele, e ele em nós: por ele nos ter dado do seu Espírito".

Estas passagens servem para selar e confirmar a verdade de que o Espírito Santo *nos* foi concedido e é dado a todos os que são salvos. Nenhum sequer dos nascidos de Deus pode ser excluído.

A conclusão a ser feita deste conjunto claro e extenso de textos é a de que o Espírito Santo é uma presença viva em cada cristão; com base neste fato determinante, outros relacionamentos entre o Espírito e o crente são construídos. Fica evidente que uma vez que uma interpretação errônea surge haverá ali também o aparecimento de enganos daqueles outros ministérios do Espírito que são construídos sobre isso.

Certas passagens, por causa da conotação dispensacional ou por causa do fraseado, têm sido cridas por alguns como contraditórias ao conjunto de textos que declara que o Espírito Santo habita e é uma presença permanente em cada cristão. Uma discussão da doutrina da habitação do Espírito seria incompleta à parte de uma consideração dessas passagens.

1 Samuel 16.14: "Ora, o Espírito do Senhor retirou-se de Saul, e o atormentava um espírito maligno da parte do Senhor".

Numa era quando o Espírito Santo não habitava nos santos universalmente e quando Ele exercia liberdade soberana em entrar e sair daqueles sobre quem

Ele vinha, estava totalmente em ordem para o Espírito deixar o rei Saul e especialmente como um julgamento sobre ele.

Salmo 51.11: "Não me lances fora da tua presença, e não retires de mim o teu santo Espírito".

Assim, dentro da mesma dispensação do rei Saul e sem dúvida lembrando os juízos de Deus sobre o rei anterior, Davi ora para que possa ser poupado do mesmo julgamento. Ele sabe que o Espírito pode, em completa liberdade – no que diz respeito a qualquer promessa em contrário – deixá-lo sem jamais retornar. Evidentemente, Davi estava consciente em algum grau da vantagem e bênção que a presença do Espírito significava para ele.

Lucas 11.13: "Se vós, pois, sendo maus, sabeis dar boas dádivas aos vossos filhos, quanto mais dará o Pai celestial o Espírito Santo àqueles que lho pedirem?"

Porque está localizado no Novo Testamento e porque foi falado por Cristo, muitos têm concluído que esta passagem deve ser incorporada à doutrina geral da relação do Espírito com o cristão. Grande erro e engano foram assim gerados. Há duas provisões amplamente separadas que não há reconciliação entre elas neste ponto da Pneumatologia e não há uma ocasião de tentar essa reconciliação. A passagem sob consideração condiciona a recepção do Espírito Santo ao pedido, enquanto que o cristão, como foi visto, recebe o Espírito Santo sem qualquer pedido como uma parte de sua salvação e quando ele crê. O Espírito, conseqüentemente, é agora dado àqueles que nada fazem senão crer. Nas divisões dispensacionais da doutrina do Espírito Santo, que foram declaradas no começo deste volume, foi assinalado que o período entre o batismo de Cristo e o dia de Pentecostes foi caracterizado por transição, e nesse período Cristo ofereceu o Espírito àqueles que pedissem por Ele.

Esta provisão dEle foi tão adiantada em relação ao que o Espírito mantinha com os santos nos tempos do Antigo Testamento, relacionamento ao qual os apóstolos estavam em alguma medida ajustados, que não há um registro deles terem se aventurado nesta nova base; adequadamente, no final do seu ministério terrestre, Cristo disse: "E eu rogarei ao Pai, e ele vos dará outro Ajudador, para que fique convosco para sempre" (Jo 14.16). Isto introduz um relacionamento inteiramente diferente com o Espírito. Os discípulos não estavam para receber o Espírito Santo como resposta ao próprio pedido deles, mas em resposta à petição de Cristo. Assim, fica indicado que o Espírito Santo foi agora dado por causa da oração de Cristo e a todos os que crêem. Como 1 Samuel 16.14 e Salmo 51.11 servem para demonstrar que a experiência dos santos do Antigo Testamento não pode ser tornada a norma da experiência cristã, de igual modo Lucas 11.13, que estava para os discípulos entre o batismo de Cristo e o dia de Pentecostes, não pode se tornar a norma da experiência presente.

Quatro passagens ainda restam para ser consideradas que são freqüentemente tidas como o ensinamento de que o Espírito é recebido como um passo ou experiência subseqüente à salvação. Estes textos estão dentro do presente relacionamento divino do Espírito. Eles são os seguintes:

Atos 5.32: "E nós somos testemunhas destas coisas, e bem assim o Espírito Santo, que Deus deu àqueles que lhe obedecem".

O uso deste texto para provar que o Espírito Santo é dado somente àqueles que são obedientes à vontade de Deus em suas vidas diárias é possível somente quando há falha no reconhecimento de que a fidelidade aqui indicada é a dos não-salvos ao Evangelho da salvação deles. O contexto claramente sustenta essa interpretação e, além disso, a obediência ao Evangelho como uma exigência para a salvação, é ordenada em outras passagens do Novo Testamento. O apóstolo escreve da vingança que virá sobre aqueles que não conhecem a Deus e que não obedecem ao Evangelho de nosso Senhor Jesus Cristo (2 Ts 1.8). Fazer a recepção do Espírito Santo depender da obediência na vida diária é ignorar o conjunto total de textos já apresentados em que Ele é visto estar presente em todo crente, e então atribuir ao cristão a capacidade de ser obediente em sua própria força, ao passo que a vida fiel é vivida somente por meio do poder que o Espírito que habita provê. Quem, na verdade, jamais satisfaria as exigências de obediência se essa fidelidade fosse elevada, como deveria ser, ao grau infinito de justiça?

Atos 8.14-20: "Os apóstolos, pois, que estavam em Jerusalém, tendo ouvido que os de Samaria haviam recebido a palavra de Deus, enviaram-lhes Pedro e João; os quais, tendo descido, oraram por eles, para que recebessem o Espírito Santo. Porque sobre nenhum deles havia ele descido ainda; mas somente tinham sido batizados em nome do Senhor Jesus. Então lhes impuseram as mãos, e eles receberam o Espírito Santo. Quando Simão viu que pela imposição das mãos dos apóstolos se dava o Espírito, ofereceu-lhes dinheiro, dizendo: Dai-me também a mim esse poder, para que aquele sobre quem eu impuser as mãos, receba o Espírito Santo. Mas disse-lhe Pedro: Vá tua prata contigo à perdição, pois cuidaste adquirir com dinheiro o dom de Deus".

Nesta passagem há a introdução daquilo que poderia parecer ser uma exceção a todos os outros ensinos diretos pelos quais é estabelecido que o Espírito Santo é concedido nesta era como um dom sobre todos os que crêem e quando eles crêem. Por causa da sua natureza contraditória, uma exceção de tal caráter seria muito séria. Que a passagem registra uma exceção na presente ordem, na verdade, é livremente admitido. É bom observar, contudo, como indicado anteriormente, que a ordem final para esta era e para o povo que não os judeus não foi estabelecida senão até a experiência da casa de Cornélio registrada em Atos 10.44-46. A introdução da relação do Espírito com os judeus que receberam Cristo foi realizada no dia de Pentecostes, e as insinuações em várias passagens sugerem a importância que o Espírito atribui a este evento. Tão certamente como o Espírito deveria ser dado no devido tempo aos samaritanos e aos gentios, tão certamente como eles não tiveram parte alguma no Pentecostes, e tão certamente como foi importante no dom do Espírito evitar uma atitude superior da parte dos judeus em relação aos samaritanos e gentios, foi necessário marcar a recepção inicial do Evangelho de um desses grupos com uma ênfase distinta sobre o ministério do Espírito em favor deles. Não há uma alegação feita de que em Samaria tenha havido uma repetição de Pentecostes;

EM RELAÇÃO À UNÇÃO

é meramente assinalar que nenhuma base foi permitida aos judeus crentes – totalmente inclinados a olhar com desprezo para os gentios – presumir que eles, tendo tido a experiência do Pentecostes, fossem superiores a todos os outros. É de grande importância a declaração de Pedro de que a manifestação do Espírito na casa de Cornélio era-lhe um lembrete do Pentecostes (At 11.15). O registro a respeito de Samaria dado na passagem citada, então, é de uma demonstração especial do Espírito Santo com o fim de que o Evangelho pudesse ser selado aos samaritanos sem diminuição de poder. Uma exceção notável e muito necessária para a ordem desta era foi introduzida por meio disso.

Atos 19.1-6: "E sucedeu que, enquanto Apolo estava em Corinto, Paulo tendo atravessado as regiões mais altas, chegou a Éfeso e, achando ali alguns discípulos, perguntou-lhes: Recebestes vós o Espírito Santo quando crestes? Responderam-lhe eles: Não, nem sequer ouvimos que haja Espírito Santo. Tornou-lhes ele: Em que fostes batizados então? E eles disseram: No batismo de João. Mas Paulo respondeu: João administrou o batismo do arrependimento, dizendo ao povo que cresse naquele que após ele havia de vir, isto é, em Jesus. Quando ouviram isso, foram batizados em nome do Senhor Jesus. Havendo-lhes imposto as mãos, veio sobre eles o Espírito Santo, e falavam em línguas e profetizavam".

Em primeiro lugar, o termo *discípulo* não é sinônimo do termo cristão. Um discípulo é um seguidor ou um aprendiz, e além do mais, ser um discípulo de João Batista estava longe de ser salvo através da fé em Cristo, crucificado e ressurrecto. O apóstolo, por não ter percebido certas realidades nestes doze homens, realidades essas que pertencem a pessoas regeneradas, inquiriu: *quando crestes,* recebestes o Espírito Santo? Esta é uma tradução mais exata (cf. Ef 1.13), e esta pergunta extraiu a resposta que imediatamente revelou a condição de não-salvos deles. Logo depois o apóstolo voltou a sua atenção para Cristo como aquele em quem se deve confiar, e após terem crido eles foram batizados no nome do Senhor Jesus; sinais se seguiram a esse caso excepcional também como nos anteriores já citados e pelas mesmas razões.

Efésios 1.13: "No qual também vós, tendo ouvido a palavra da verdade, o evangelho da vossa salvação, e tendo nele também crido, fostes selados com o Espírito Santo da promessa".

Toda dificuldade que esta passagem parece apresentar é devido a uma tradução equivocada. A passagem deve dizer: *ao crerdes, vós fostes selados.* Crer é a causa lógica do selamento, não a cronológica. Os crentes são selados quando eles crêem e por causa deles crerem.

II. Em Relação à Unção

Visto que a habitação do Espírito e a Sua unção são na realidade a mesma coisa, as três referências ao Espírito Santo como uma unção deveriam ser incluídas neste capítulo. Pelos mesmos argumentos conclusivos da revelação dada, a unção é vista como sendo, igual à habitação, um fato presente na vida de todo crente. Estas passagens incluem:

2 Coríntios 1.21,22. "Mas aquele que nos confirma convosco em Cristo, e nos ungiu, é Deus, o qual também nos selou e nos deu como penhor o Espírito em nossos corações".

Quatro resultados imediatos da habitação do Espírito são sugeridos: (a) O batismo com o Espírito coloca o crente em Cristo; assim cada filho de Deus é dito agora ser "estabelecido em Cristo" (1 Co 6.17; 12.13; Gl 3.27). (b) Igualmente, por dar-nos o Espírito, Deus nos ungiu. (c) Além disso, Deus através do Espírito nos selou (Ef 4.30), e o próprio Espírito é o selo. (d) Assim, também, Deus é dito aqui como nos tendo dado o Espírito como um "penhor", e visto que um penhor é uma parte da compra, ou propriedade, dada adiantadamente como segurança para o restante, o Espírito é visto como o penhor da herança total do céu que pertence a todo crente através da graça infinita (2 Co 5.5; Ef 1.14; 1 Pe 1.4).

1 João 2.20: "Ora, vós tendes a unção da parte do Santo, e todos tendes conhecimento".

Aqui, novamente, está implícito que todo cristão, ao ser ungido, é habitado pelo Espírito e, portanto, está a caminho do conhecimento daquelas "coisas profundas" de Deus que são somente comunicadas pelo Espírito que habita (Jo 16.12-15; 1 Co 2.10,12,15).

1 João 2.27: "E quanto a vós, a unção que dele recebestes fica em vós, e não tendes necessidade de que alguém vos ensine; mas, como a sua unção vos ensina a respeito de todas as coisas, e é verdadeira, e não é mentira, como vos ensinou ela, assim nele permanecei".

Nesta passagem, a verdade importante revelada é que a unção permanece. O Espírito realmente pode ser entristecido (Ef 4.30), mas Ele nunca é afugentado pela tristeza. Ele pode ser apagado, ou resistido (1 Ts 5.19), mas Ele nunca abandona o crente (Jo 14.16).

Por tudo isto fica demonstrado que não há um texto que contradiga o testemunho claro que o Novo Testamento dá da verdade de que todos os crentes são permanentemente habitados pelo Espírito Santo uma vez que crêem.

III. De Acordo com a Razão

Tão certamente como é instado a todos os que são salvos para viverem uma vida sobrenatural, assim certamente todos estão em necessidade desse poder capacitador que o Espírito Santo supre. Deus não tem zombado mesmo de um sequer de Seus redimidos por colocar uma tarefa sobre-humana sobre ele sem, ao mesmo tempo, proporcionar os recursos pelos quais ele possa fazer toda a Sua vontade. Portanto, pode ser o testemunho da razão que todo crente recebeu o Espírito Santo. Não é alegado que todo crente é cheio do Espírito, e por meio disso chegar a realizar toda a vontade de Deus para ele. O enchimento depende dos ajustes humanos ao Espírito interiormente e estes freqüentemente falham. Por outro lado, a habitação do Espírito Santo é a responsabilidade de Deus para com Seu filho sem nenhuma condição humana envolvida além da fé que será exercida e que assegura a salvação com todas as suas características.

Visto que isto é completamente um empreendimento Seu e visto que Ele é sempre fiel em tudo o que faz, não poderia haver alguma coisa semelhante como o cristão que não é capacitado com todos os recursos pelos quais possa fazer a vontade de Deus. Além disso, um protesto está registrado contra a noção de que, pelo esforço próprio, o crente é sempre capaz de tornar-se a si mesmo pronto de receber algo do Espírito Santo. Isto não poderia ser verdadeiro, visto que a força para fazer a vontade de Deus está disponível somente por um novo plano para a vida diária sob a graça, que é derivado do fato da habitação do Espírito. Cristo declarou: "...sem mim nada podeis fazer", mas um sistema de mérito sempre argumenta que totalmente à parte de Cristo o indivíduo deve fazer alguma coisa a fim de merecer Sua presença e Sua bênção.

Entretanto, a razão dita que visto que uma vida santa é tão exigida de um cristão como de outro e visto que não há dois padrões para a vida diária – um para aqueles que têm o Espírito e outro para aqueles que não o têm – e também visto que toda exigência relativa ao crente é sobrenatural em seu escopo, o Espírito Santo deve ser dado a todos igualmente. O fato de que Deus trata todos os cristãos como se eles possuíssem o Espírito, é suficiente e evidente de que todos têm o Espírito Santo.

Um sumário dos ensinos da Bíblia sobre o fato do Espírito habitar nos crentes é feito pelo Dr. John Walvoord, da seguinte maneira:

Conquanto a habitação do Espírito Santo começa no mesmo momento de outros tremendos empreendimentos de Deus na alma daquele que foi salvo, uma distinção cuidadosa deve ser mantida entre estas várias obras de Deus. A habitação não é sinônima de regeneração. Enquanto a nova vida do crente é divina e por sua natureza identificada com a vida de Deus, a posse da vida divina e da presença divina é distinta. A obra do batismo pelo Espírito deve também ser distinta da habitação. O batismo ocorre uma só vez e para todos e diz respeito à separação do mundo e à união com Cristo. A habitação, conquanto comece no mesmo momento do batismo, é contínua. Como será indicado no material a seguir, a presença habitadora do Espírito Santo tem uma relação muito íntima com o selo do Espírito Santo. A presença do Espírito Santo constitui um selo. Provavelmente a distinção mais difícil é a da habitação e do enchimento do Espírito. As duas doutrinas estão intimamente relacionadas; todavia, não são sinônimas. O enchimento diz respeito totalmente à experiência, enquanto que a habitação não é experimental, em si mesma. No período do Antigo Testamento, uns poucos santos foram cheios temporariamente sem permamentemente serem habitados pelo Espírito. Conquanto cheios do Espírito, os santos do Antigo Testamento poderiam, em

PNEUMATOLOGIA

algum sentido, ser considerados também habitados, mas não de modo permanente e imutável, como é revelado no Novo Testamento. Na era da Igreja, é impossível para alguém ser cheio do Espírito que não seja habitado. A habitação é a presença permanente do Espírito, enquanto que o enchimento do Espírito indica o ministério e a extensão do controle do Espírito sobre o indivíduo. A habitação não é ativa. Todos os ministérios do Espírito e as experiências relacionadas à comunhão e fruto vêm do enchimento do Espírito. Daí, enquanto nunca somos exortados a ser habitados, somos instados a ser cheios do Espírito (Ef 5.18). A importância da presença permanente do Espírito Santo na vida do cristão não pode ser superestimada. Ela constitui uma prova significativa da graça, e do propósito divino em conexão com a frutuosidade e com a santificação. A presença do Espírito Santo é nosso "penhor" da bênção que vem pela frente (2 Co 1.22; 5.5; Ef 1.14). A presença do Espírito não somente produz toda certeza do constante cuidado de Deus e ministério nesta vida, mas também o propósito infalível de Deus em cumprir todas as suas promessas para nós. A presença do Espírito Santo faz do corpo do crente um templo de Deus (1 Co 6.19). Revela o propósito de Deus de que o Espírito reside na terra durante a presente era. Render-se a esta doutrina ou permitir sua certeza de ser questionada aplica um grande golpe em todo sistema de doutrina cristã. O bendito fato de Deus ter feito dos corpos terrenos de cristãos o Seu presente templo terrestre concede à vida e ao serviço um poder e significação que está no coração de toda experiência cristã.[129]

IV. Em Relação ao Selo

Muita verdade que pertence à salvação do cristão apresenta aquilo que, em seu caráter essencial, é mais uma vantagem para Deus do que é para aquele que é salvo. Isto é especialmente verdadeiro a respeito do fato do selo do Espírito, que serve como uma classificação e uma identificação peculiar para o céu e para a realização do propósito divino. É a própria presença do Espírito Santo no crente que constitui o selo. Assim, este aspecto da verdade está intimamente relacionado à doutrina da habitação do Espírito. A referência ao selo do Espírito é feita em três passagens do Novo Testamento – 2 Coríntios 1.22; Efésios 1.13 e 4.30. Estas passagens dizem o seguinte: "O qual também nos selou e nos deu como penhor o Espírito em nossos corações"; "...no qual também vós, tendo ouvido a palavra verdade, o evangelho da vossa salvação, e tendo nele também crido, fostes selados com o Espírito Santo da promessa"; "...e não entristeçais o Espírito Santo de Deus, no qual fostes selados para o dia da redenção".

Será observado que esta é uma obra de Deus visto que não há um apelo a pessoa alguma, salva ou não-salva, para orar ou lutar por essa realidade. Visto que isto pertence a todos os crentes, é evidentemente operado por Deus

EM Relação ao Selo

no momento em que alguém é salvo e como um fator essencial na salvação. A tradução de Efésios 1.13 pelas palavras "tendo nele também crido, fostes selados" é confusa. A tradução mais correta seria: "Quando crestes, vós fostes selados". Naturalmente somente aqueles que crêem são selados e, assim, o ato de crer se torna lógica, embora não cronologicamente, a causa do selamento. Há uma segurança vital em Efésios 4.30 relativa ao caráter eterno do selamento e, assim, da salvação da qual ele é uma parte. A consumação futura da salvação quando da redenção do corpo é que está em vista aqui. Baseada no mérito e na dignidade de Cristo, a salvação é tão segura e tão duradoura quanto é por causa do fundamento sobre o qual ela permanece.

Portanto, não é uma idéia nova ou incrível que o selo do Espírito caracterizaria a plena medida e intento de Deus com respeito àqueles que são salvos de acordo com Seu propósito (cf. Rm 8.28). Embora não haja uma experiência correspondente conectada com o selamento do Espírito, este ministério particular é, não obstante, real e deveria fazer surgir louvor a Deus como a fé segura consigo o que Deus revelou.

479

CAPÍTULO XI

O Batismo no Espírito Santo

VISTO QUE PELO BATISMO NO ESPÍRITO SANTO as maiores transformações são operadas a favor do crente, deve ser esperado que Satanás, o inimigo de Deus, fará tudo dentro do seu poder de confundir, de direcionar erroneamente, e para desviar a investigação a respeito deste ministério específico do Espírito Santo. Foi permitido a Satanás causar este dano. Não somente há necessidade de que todos os conceitos falsos que têm alcançado as multidões de pessoas insuspeitas sejam corrigidos, mas é exigida uma atenção especial da parte daqueles que são instruídos, para que eles próprios não falhem na compreensão da verdade exata que a doutrina abarca. Nenhuma explicação adicional além da influência de Satanás é necessária para a desordem inexplicável ou para a ignorância, com um preconceito correspondente, para com esta doutrina específica. É o ponto estratégico em que Satanás pode realizar muita coisa na obliteração do efeito da presente verdade. Esta anulação da verdade é vista em ao menos três campos mais importantes da doutrina, a saber, as posições do crente em Cristo, sua segurança eterna, e a base do único motivo efetivo para a vida diária que honra a Deus.

Na tentativa de chegar a um entendimento correto do caráter essencial deste ministério do Espírito Santo, quatro divisões gerais do assunto serão consideradas: (1) o significado da palavra $\beta\alpha\pi\tau\acute{\iota}\zeta\omega$; (2) os textos determinantes; (3) a coisa realizada; e (4) seu caráter distintivo.

I. A Palavra ΒΑΠΤΙΖΩ

Mais do que uma influência passageira deveria ser dedicada ao fato da mesma palavra $\beta\alpha\pi\tau\acute{\iota}\zeta\omega$ ser usada no Novo Testamento tanto para o batismo real quanto para o ritual, e significa assim um laço de relacionamento entre estes dois aspectos da verdade. A palavra dificilmente seria empregada propriamente, se ela tivesse um significado separado e não-relacionado em um exemplo. A palavra básica desta raiz, Βάπτω, em sua importância primária,

A Palavra ΒΑΠΤΙΖΩ

conota um mergulho e ocorre apenas três vezes no Novo Testamento – Lucas 16.24; João 13.26; e Apocalipse 19.13. Em seu significado secundário, que é tingir ou manchar – que usualmente era realizado pelo mergulhar, mas nem sempre assim – a palavra aparece apenas uma vez e isto na terceira passagem citada acima, que diz: "Está vestido de um manto salpicado de sangue; e o nome pelo qual se chama é o Verbo de Deus".

O mesmo evento e situação são apresentados em Isaías 63.1-6, onde entre outros detalhes está escrito: "Por que está vermelha a tua vestidura e as tuas vestes como as daquele que pisa no lagar? Eu sozinho pisei no lagar, e dos povos ninguém houve comigo; eu os pisei na minha ira, e os esmaguei no meu furor, e o seu sangue salpicou as minhas vestes, e manchei toda a minha vestidura" (vv. 2,3). As vestes do Messias que retorna não são mergulhadas num tanque de sangue; antes, eles foram aspergidos e manchados com sangue; todavia, isto é ainda descrito pelo βάπτω da LXX. De igual modo, a palavra βαπτίζω tem tanto um sentido primário quanto secundário. Em seu sentido primário ela indica uma intusposição, um envoltório físico num elemento, elemento esse que tem poder de influenciar ou de mudar aquilo que envolve. Em seu significado secundário, entretanto, βαπτίζω, como no caso do significado secundário de βάπτω, foge em algum sentido do aspecto físico original e se refere a uma coisa trazida sob o poder transformador ou influência de outra coisa.

Ninguém poderia falar com mais autoridade a respeito do significado exato de βαπτίζω, do que o Dr. James W. Dale, por causa de sua extensa pesquisa. Ele define esta palavra em seu significado secundário, da seguinte maneira: "Aquilo que é capaz de mudar completamente o caráter, o estado ou a condição de qualquer objeto; é capaz de batizar aquele objeto; e por tal mudança de caráter, de estado, ou de condição, ele de fato batiza-o".[130] Tal definição é muito importante visto que a grande maioria dos usos que o Novo Testamento faz desta palavra está totalmente dentro do significado secundário. No curso de suas grandes obras sobre o batismo, o Dr. Dale assevera que a palavra, em sua opinião, nunca é usada no Novo Testamento em qualquer outro sentido além do seu sentido secundário. Aqui deveria ser observado que a mesma distinção acontece entre as palavras gregas βάπτω e βαπτίζω como entre os seus equivalentes em nossa língua, *mergulhar* e *imergir*.

Um mergulho é um contato momentâneo que envolve duas ações, a de colocar na água e a de tirar dela, enquanto que imergir implica em apenas uma ação, a de colocar dentro da água. No uso estrito e próprio das palavras, sem levar em conta todo o modo descuidado em que ela tem sido empregada universalmente, o batismo ritual nunca é uma imersão; por imersão resultaria na morte por afogamento. O que tem sido comumente chamado de imersão é melhor descrito por βάπτω em seu significado primário da palavra. Nenhuma intusposição física certamente está em vista quando as Escrituras falam de um batismo para arrependimento (Mt 3.11), um batismo para remissão de pecados (Mc 1.4), um batismo em nome do Pai, e do Filho, e do Espírito Santo (Mt 28.19), o próprio Cristo batizado, por beber o cálice do sofrimento

(Mt 20.23; Lc 12.50), um batismo de Israel em Moisés (1 Co 10.2), um batismo operado pela presença e influência do Espírito Santo no coração do crente, isto é, o batismo de um crente no Corpo de Cristo (1 Co 12.13).

Estes batismos, deixa-me repetir, não representam uma intusposição e devem ser classificados como pertencentes ao uso secundário de βαπτίζω. Nenhum poderia ser propriamente classificado como um uso de βάπτω, seja em seu significado primário ou secundário. Eles não poderiam ser meramente um mergulho num elemento porque eles todos apresentam o estado como permanente. Quando um crente é batizado no Espírito Santo, a coisa a ser mais desejada é que ele nunca seja retirado novamente. Ser batizado para arrependimento é ser trazido sob a influência do arrependimento – não apenas por um momento, mas permanentemente; ser batizado para a remissão de pecados, é ser trazido sob o poder ou valor da remissão de pecados – não por um momento, mas permanentemente; ser batizado em Moisés como Israel o foi pela agência da nuvem e do mar deveria ser trazido sob a liderança de Moisés, liderança essa não havia sido acordada antes com ele – não por um momento, mas permanentemente; ser batizado na morte e ressurreição de Cristo é se tornar tão identificado com Ele nessa morte e ressurreição que todos os valores delas são assegurados – não por um momento, mas eternamente. O sofrimento de angústia que Cristo teve não foi um mergulho momentâneo no sofrimento. Esse batismo que resulta o advento do Espírito no coração com Suas influências celestiais não é para um momento, mas dura para sempre. Ser batizado no Corpo de Cristo é estar sob o poder e Senhorio de Cristo; é estar unido ao Senhor, ser identificado com Ele, participar do que Ele é e do que Ele fez – não por um momento, mas inalteravelmente.

Concluindo, pode ser dito que esta porção do capítulo, que deve ser colocada em Cristo pela agência batizadora do Espírito Santo, resulta numa nova realidade de relacionamento em que uma pessoa é abençoada, e isto vem pelo poder do senhorio de Cristo, cuja posição suplanta o relacionamento ao primeiro Adão e é em si mesmo uma nova união orgânica com o último Adão, o Cristo ressurrecto. Neste caso, como em outros batismos, a palavra βαπτίζω é usada somente em seu significado secundário à parte de uma intusposição física, pois ela assegura o mérito, a influência dominante, e o fato de Cristo ter o domínio de um cabeça.

II. Os Textos Determinantes

Aqueles textos em que o Espírito Santo está relacionado ao batismo devem ser classificados em duas divisões. Num grupo, Cristo é o agente batizador; todavia, o Espírito Santo é a bendita influência que caracteriza o batismo. Em outro grupo de passagens, o Espírito Santo é o agente batizador e Cristo, o Cabeça de seu Corpo místico, é o elemento de recepção, e dessa maneira

OS TEXTOS DETERMINANTES

acontece a bendita influência que caracteriza o batismo. Seis passagens devem ser identificadas como pertencentes ao primeiro grupo, a saber, Mateus 3.11; Marcos 1.8; Lucas 3.16; João 1.33; Atos 1.5 e 11.16. Embora haja uma repetição envolvida, estas passagens – todas acontecem para apresentar o testemunho de João Batista a respeito de Cristo – são citadas plenamente: "Eu, na verdade, vos batizo em água, na base do arrependimento; mas aquele que vem após mim é mais poderoso do que eu, que nem sou digno de levar-lhe as alparcas; ele vos batizará no Espírito Santo, e em fogo" (Mt 3.11); "Eu vos batizei em água; ele, porém, vos batizará no Espírito Santo" (Mc 1.8); "Respondeu João a todos, dizendo: Eu, na verdade, vos batizo em água, mas vem aquele que é mais poderoso do que eu, de quem não sou digno de desatar a correia das alparcas; ele vos batizará no Espírito Santo e em fogo" (Lc 3.16); "Eu não o conhecia; mas o que me enviou a batizar em água, esse me disse: Aquele sobre quem vires descer o Espírito, e sobre ele permanecer, esse é o que batiza no Espírito Santo" (Jo 1.33); "Porque, na verdade, João batizou em água, mas vós sereis batizados no Espírito Santo, dentro de poucos dias" (At 1.5); "Lembrei-me então da palavra do Senhor, como disse: João, na verdade, batizou em água; mas vós sereis batizados no Espírito Santo" (At 11.16).

Pela autoridade de Cristo, o Espírito Santo é dado a todos aqueles que crêem, e vir a estar sob o poder e influência do Espírito, como acontece com todo cristão quando ele crê, é ter sido batizado por essa influência. Contudo, esta bênção universal do Espírito que habita deve ser distinta de alguma suposta segunda obra da graça subseqüente à salvação, cuja experiência, alegada por alguns grupos extremos de santidade, é acompanhada de manifestações que são sobrenaturais. Já foi demonstrado pelo Novo Testamento que o Espírito Santo é recebido como um dom de Cristo por todos os que crêem e quando eles crêem. Este dom é o novo direito de primogenitura, e, por ser possuído por todos, indica que todos os que são salvos estão debaixo do poder do Espírito Santo, cujo fato, de acordo com o significado estrito da palavra $\beta\alpha\pi\tau\acute{\iota}\zeta\omega$, é um batismo. Poderia se dito com base neste significado da palavra que qualquer pessoa sob a influência de Satanás, é com isso batizada por Satanás. Este batismo particular relacionado tão intimamente ao Espírito Santo é totalmente removido do batismo operado por Ele, quando traz os crentes do Corpo de Cristo, cuja realidade vai ser considerada agora.

A segunda classificação de passagens apresenta o Espírito Santo como o agente batizador e o Corpo de Cristo ou o próprio Cristo como o elemento que se recebe. Estas passagens constituem um testemunho distinto por si mesmas, que é no sentido de que, pela operação do Espírito Santo, o crente é orgânica e vitalmente unido ao Senhor e, assim, se torna um participante da posição, do mérito e da dignidade perfeita de Cristo. Visto que estas passagens tratam do ministério batizador do Espírito Santo ou do batismo real em oposição ao batismo ritual, a elas deveria ser dada uma consideração específica. Sem dúvida, algumas diferenças podem surgir sobre quais passagens poderiam ser incluídas nesta lista; mas onde os resultados do batismo são tais que nunca poderiam ser realizados por um mero batismo ritual, fica evidente que a referência é feita a um batismo real, o do Espírito: na verdade, além dos textos já considerados que asseveram que a presença do Espírito no crente é um batismo especial operado por Cristo na concessão do Espírito, as passagens restantes devem se referir tanto ao batismo ritual quanto ao real. Como uma regra geral, será visto que nenhum texto se refere a ambos os batismos. Uma exceção será indicada posteriormente quando Efésios 4.5 for considerado. Estas passagens são:

1 Coríntios 12.12,13: "Porque, assim como o corpo é um, e tem muitos membros, e todos os membros do corpo, embora muitos, formam um só corpo, assim também é Cristo. Pois em um só Espírito fomos todos nós batizados em um só corpo, quer judeus, quer gregos, quer escravos quer livres. E a todos nós foi dado beber de um só Espírito".

Até onde qualquer texto possa apresentar definições didáticas, esta passagem define o batismo do Espírito. É a junção do crente ao Corpo de Cristo, e o fato dele ser trazido a esse Corpo – em outras palavras, a formação dessa relação orgânica entre Cristo e o crente, que é expressa pelas palavras *em Cristo* e que é a base de todas as posições e posses do cristão. O contexto desta passagem apresenta a unidade ou identidade absoluta que se obtém entre Cristo e os membros de Seu Corpo. Os membros são uma unidade, estando num Corpo, e em seu significado mais amplo este Corpo, quando unido ao seu Cabeça, é também uma unidade – o Cristo. Esta revelação, que é um aspecto vital na doutrina paulina de um Corpo, é mais iluminadora, enfática e convincente. Contudo, esta ênfase sobre a unidade que o versículo 12 depõe é somente para preparar o caminho à revelação de como os membros são unidos a este Corpo.

É dito que eles são *batizados* neste Corpo por um Espírito. A referência a um Espírito é apenas a continuação daquilo que tem sido declarado vez após outra através da porção precedente deste capítulo, a saber, que é por um e pelo mesmo Espírito que os vários dons são operados. Assim, também, embora muitos sejam batizados no Corpo de Cristo, essa operação é feita por um Espírito em cada caso. A verdade central é que esse Espírito batiza todos – todo crente – num só Corpo. O que é assim realizado em favor de cada crente é uma parte da própria salvação deles; do contrário, não poderia incluir cada um deles. A investigação daquilo que este batismo realiza está reservada para a parte seguinte deste capítulo. Que os crentes todos bebem de um só Espírito é um testemunho adicionado ao fato da habitação do Espírito, cuja habitação, como já foi visto, é um assunto do batismo. A universalidade de ambos, do batismo num Corpo e da habitação, é asseverada pelo uso repetido da palavra *todos*, termo esse que é inclusivo tanto de judeus quanto de gentios que crêem.

Gálatas 3.27: "Porque todos quantos fostes batizados em Cristo vos revestistes de Cristo".

De acordo com esta declaração reveladora, o batismo que é em Cristo resultou na união vital que aqui é descrita pela frase *vos revestistes de Cristo*. Sobre esta passagem Dean Alford escreve, com uma citação de Crisóstomo: "Não *'tendo sido batizado'*, e '*vos revestistes*', como está na Authorized Version, que deixa as duas ações somente concomitantes: os tempos passados as tornam idênticas: tantos quantos foram batizados em Cristo, foram naquele ato revestidos de Cristo. A força do argumento é bem fornecida por Crisóstomo: "Por que ele não disse: 'Tantos quantos de vós fostes batizados em Cristo, fostes nascidos de Deus?' pois isto naturalmente seguiria do fato de ter mostrado que eles eram filhos. Por causa disso, ele coloca uma proposição muito surpreendente. Porque se Cristo é o Filho de Deus, e tu tens sido revestido dele, tendo o Filho em ti, e feito à semelhança dele, tu és trazido a uma família com Ele e um tipo".[131]

É importante observar que no versículo precedente – "Pois todos sois filhos de Deus pela fé em Cristo Jesus" – o fato da filiação está declarado e é este exato grupo numérico que pelo batismo em Cristo tem sido revestido de Cristo. A frase *todos quantos* é propriamente uma referência a *todos vós* que foram nascidos de Deus. Estes foram, assim, unidos a Cristo. Fica claro de outros textos que este batismo é operado pelo Espírito Santo e que o Corpo de Cristo, ou o próprio Cristo, é o elemento que se recebe. É impossível para alguém que é unido a Cristo não ser *revestido de Cristo* com todo Seu mérito e posição. O erro de tornar este efeito o tronco do batismo ritual é excedido somente por aqueles que o tornam meramente uma experiência emocional ou energizante. Este batismo é operado pelo Espírito Santo e é totalmente posicional e, portanto, vital.

Romanos 6.1-4: "Que diremos, pois? Permaneceremos no pecado, para que abunde a graça? De modo nenhum. Nós, que já morremos para o pecado, como viveremos ainda nele? Ou, porventura, ignorais que todos quantos fomos batizados em Cristo Jesus fomos batizados na sua morte? Fomos, pois, sepultados com ele pelo batismo na morte, para que, como Cristo foi ressuscitado dentre os mortos pela glória do Pai, assim andemos nós também em novidade de vida".

Havendo declarado que o crente está eternamente justificado – porque a justificação é tão duradoura quanto o mérito de Cristo sobre o qual ela permanece – o apóstolo entra na questão sobre se alguém assim salvo e seguro continuaria em pecado, e por meio disso faça concessão à natureza pecaminosa, para que a graça pudesse ser abundante. A resposta da inspiração a esta questão será a réplica de cada pessoa regenerada, a saber: "de modo algum". Não é consistente nem é necessário produzir fruto da natureza pecaminosa. A respeito do ponto de sua necessidade, a verdade revelada é no sentido de que na morte de Cristo, a natureza pecaminosa do crente foi julgada. "Nós, que já morremos para o pecado [isto é, que morremos na morte de Cristo], como viveremos ainda nele?" É verdade que Cristo morreu "pelos nossos pecados", que Ele foi sepultado, e que ressurgiu dos mortos, para que os homens pudessem ser salvos (cf. 1 Co 15.3, 4); mas é igualmente verdadeiro – e Romanos 6.1-10 agora sob estudo tem a ver somente com este fato adicionado – que Cristo morreu *para o pecado*, a fim de significar a natureza (cf. Rm 6.10; Cl 2.11, 12).

Neste contexto, o julgamento da natureza pecaminosa sobre a cruz é indicado por várias frases ou afirmações – "mortos para o pecado" (v. 2);

"unidos a ele na semelhança da sua morte" (v. 5); "o nosso velho homem foi crucificado com ele" (v. 6); "se já morremos com Cristo" (v. 8); "de uma vez por todas morreu para o pecado [isto é, a natureza pecaminosa]" (v. 10). Por tudo isto, não está implícito que a morte de Cristo resultou na destruição ou no término desta natureza (a palavra καταργέω do versículo 6, traduzida como *desfeito*, é melhor traduzida como *anulado*); significa antes que a morte de Cristo para o pecado operou um julgamento da natureza pecaminosa à vista de Deus, com a finalidade de que o Espírito Santo, que mora no crente, possa ser livre para tratar com a natureza julgada, restringindo-a ou anulando-a em resposta à dependência do crente dAquele que habita para interpor e controlar essa natureza. Este aspecto da morte de Cristo e da identificação do crente com ela é tudo com o único fim de que possamos "andar em novidade de vida".

"Para que, como Cristo foi ressuscitado dentre os mortos pela glória do Pai, assim andemos nós também em novidade de vida" (v. 4), que é a nova provisão para um andar no Espírito e na capacitação dele, sendo Ele próprio livre para prestar ajuda por causa do julgamento da morte para o pecado que Cristo executou. A união do cristão com Cristo, realizada pelo batismo do Espírito nEle, é a base da perfeita identificação com Cristo em tudo aquilo que a sua morte para o pecado realizou. Assim, vindo para o valor e vindo sob o poder da crucificação, morte, sepultamento e ressurreição de Cristo, isto é um batismo num sentido secundário da palavra. Aqueles que são batizados em Cristo são batizados em sua morte, são sepultados com Cristo pelo batismo deles na morte do Salvador. Nenhuma ordenança é sugerida por estas expressões, nem há qualquer obrigação imposta que justifique uma tentativa de ordenar o que está aqui apresentado.

Esta passagem, com aquilo que se segue no contexto, apresenta a afirmação central a respeito da base da vitória do cristão na vida diária sobre a natureza pecaminosa. Este é o seu objetivo e o seu significado. Descobrir neste texto somente a forma externa de uma ordenança ritual, como muitos têm feito, é renunciar um dos recursos mais inestimáveis em todo campo da doutrina cristã e abandonar a esperança de qualquer vida que agrada a Deus; pois se este contexto significa uma coisa, ele não pode significar a outra.

Colossenses 2.9-13: "Porque nele habita corporalmente toda a plenitude da divindade, e tendes a vossa plenitude nele, que é a cabeça de todo principado e potestade, no qual também fostes circuncidados com a circuncisão não feita por mãos no despojar do corpo da carne, a saber, a circuncisão de Cristo; tendo sido sepultados com ele no batismo, no qual também fostes ressuscitados pela fé no poder de Deus, que o ressuscitou dentre os mortos; e a vós, quando estáveis mortos nos vossos delitos e na incircuncisão da vossa carne, vos vivificou juntamente com ele, perdoando-nos todos os delitos".

A referência passageira ao batismo que este texto apresenta não será entendida à parte do contexto total. Quando relacionado ao rito da circuncisão, o apóstolo divide a família humana em três classes, a saber: a "incircuncisão" – os gentios; "a circuncisão na carne feita por mãos" – os judeus; e "a circuncisão feita sem mãos" – os cristãos (cf. Ef 2.11; Cl 2.11). Essa circuncisão que caracteriza o judeu e que falta aos gentios é "feita por mãos", enquanto que a circuncisão que o cristão recebeu é "feita sem mãos" e é uma realidade espiritual. Quatro vezes a Bíblia fala de circuncisão em relação ao coração – Deuteronômio 10.16; 30.6; Ezequiel 44.7; Atos 7.51 – diante da menção da bênção trazida ao cristão quando o corpo dos pecados da carne foi desvestido e isso pela circuncisão de Cristo. Quando o corpo humano manifesta a vida que está nele, de igual modo a natureza pecaminosa se manifesta "pelos pecados da carne".

A circuncisão de Cristo, aqui mencionada, não é aquela que foi feita com as mãos quando Ele tinha oito dias de idade, mas Sua morte para a natureza pecaminosa. Há uma semelhança notável aqui a Romanos 6.1-10 que deve ser vista na passagem que consideramos agora, e esta similaridade diz respeito à referência ao sepultamento e ressurreição de Cristo como fatores que proporcionam um valor imensurável para o crente e uma influência sobre ele. Ao assegurar os resultados que eles produzem, a morte, o sepultamento e a ressurreição de Cristo são em seu sentido mais absoluto um batismo. As transformações que são indicadas aqui, como são também em Romanos 6.1-10, nunca poderiam ser produzidas por qualquer batismo ritual e ler o batismo ritual nesta passagem é novamente ignorar as realidades ilimitadas pelas quais Cristo morreu, foi sepultado e ressuscitou. É substituir uma das mais gloriosas realizações de Deus por um esforço humano. Sem dúvida, é mais fácil para aqueles que compreendem apenas pouca coisa destas grandes realidades substituir os valores mais profundos, invisíveis e espirituais de um real batismo por um empreendimento tangível e físico como o batismo ritual. Contudo, sem levar em conta as limitações humanas, a importância desta passagem não desce ao nível de um ritual sem poder.

Efésios 4.4-6: "Há um só corpo e um só Espírito, como também fostes chamados em uma só esperança da vossa vocação; um só Senhor, uma só fé, um só batismo; um Deus e Pai de todos, o qual é sobre todos, e por todos e em todos".

No meio destas sete agências unificadoras, e não a menor delas, está "um batismo". Imediatamente a questão que pode surgir em muitas mentes é sobre se a referência neste caso é ao real batismo do Espírito, que coloca os crentes no corpo de Cristo ou ao batismo ritual com água. Alguns argumentam que é este último batismo que está em vista e que a passagem ensina que há apenas um modo correto de tal batismo. Impor tais limitações sobre o texto é deplorável. Não há nesta passagem algo que dê suporte a um modo de batismo. A afirmação inadequada de que há apenas *um* batismo se torna um problema muito exigente para aqueles que têm levado a água do batismo a um lugar onde ela deve ser um batismo separado, independente e diverso – portanto, alguma coisa que seja totalmente sem relação com o batismo do Espírito. Alguns argumentam que, visto que o batismo real que excede em importância ao batismo ritual, o batismo ritual não deve ser mencionado em comparação com o batismo real, aqui ou em outra parte.

Ainda outros alegam que o apóstolo aqui não contempla o batismo ritual, e consideram que ele somente assevera que na esfera das forças espirituais que unificam, há somente um batismo, e este necessariamente seria o batismo com o Espírito Santo. Ainda a ser considerada está uma classe de intérpretes que sustentam que o batismo no Espírito ocorreu uma só vez e em favor de toda a Igreja no dia de Pentecostes, e que não é uma coisa operada no tempo em que uma pessoa é salva. Este conceito, que tão pouco se articula com o texto do Novo Testamento que trata deste tema, não desafia o *fato*, embora tente mudar o tempo, do batismo no Espírito tão claramente mencionado aqui em Efésios. A porção mais ampla da Igreja, contudo, à medida que considera o assunto, assevera que o batismo ritual é um sinal ou símbolo externo da obra do Espírito e, assim, os dois combinam para formar o que é chamado aqui de *um* batismo.

Entre os argumentos desenvolvidos em apoio à convicção de que um batismo é o do Espírito pelo qual os crentes são unidos ao Senhor e pelo qual eles ganham todas as posses e posições, o mais eficaz observa que esta referência a um batismo é dada como uma das sete agências unificadoras. É facilmente discernido que o batismo pelo Espírito Santo em um Corpo gera a união mais perfeita vital que poderia ser formada entre homens; por outro lado, se a história da Igreja sobre a terra dá um testemunho para o curso dos eventos, é no sentido de que o batismo ritual serviu mais do que qualquer outra coisa para perturbar essa manifestação de união orgânica que a comunhão cristã tencionou exibir. Sobre uma interpretação correta de Efésios 4.5, o Dr. John W. Bradbury, Editor do *Watchman Examiner*, o principal jornal batista de seu tempo nos Estados Unidos, escreve o seguinte como uma contribuição para a presente discussão de Efésios 4: "O conceito corporativo da Igreja é tão essencial quanto o individual.

O 'corpo' de Cristo é mantido 'no vínculo da paz', por preservar 'a unidade do Espírito' (v. 3). O pensamento de que a Igreja é um 'corpo' cuja vida é uniformemente identificada com o Espírito Santo é ilustrado pelo que conhecemos de um organismo tal como o corpo humano tem o espírito humano como um sinal de vida. Portanto, temos na *ecclesia* um corpo que possui o Espírito de Deus, e evidencia isso através da profissão de 'uma só esperança... um Senhor, uma só fé, um só batismo, um só Deus... em todos'. A ênfase sobre 'um' está em oposição à diversidade corporativa no 'corpo' de Cristo. Como em relação à 'esperança', 'Senhor', 'fé', 'Deus', haverá pouca, se houver, diferença entre os verdadeiros crentes. Mas em relação à palavra 'batismo' há uma diferença, porque a maioria das pessoas tem somente um ponto de vista com respeito ao batismo e que ele é uma ordenança. Mas nesta passagem, onde as ordenanças não estão diante de nós, exceto a verdade concernente ao organismo chamado 'o corpo de Cristo', temos o batismo mencionado em termos iguais à 'esperança', 'Senhor', 'fé', 'Deus'. Isto significa que o 'batismo' referido aqui é o de 1 Coríntios 12.13 – "Pois em um só Espírito fomos todos nós batizados em um só corpo, quer judeus, quer gregos, quer escravos, quer livres; e a todos nós foi dado beber de um só Espírito". Igualmente, sobre a crença de que o batismo de Efésios 4 não é o batismo ritual, o Dr. Merrill Frederick Unger escreve:

Erroneamente, o batismo no Espírito Santo foi uma operação feita de uma vez por todas no Pentecostes (At 2), e na casa de Cornélio (At 10), e então dita ter cessado. Durante esta presente era, sustenta-se, não há mais batismo com o Espírito Santo. 1 Coríntios 12.13 é explicado como se referisse àqueles eventos do passado. Tais textos como Romanos 6.3,4; Colossenses 2.12; Gálatas 3.27; 1 Pedro 3.21 são considerados como se referissem exclusivamente à água do batismo. De 'um só batismo' de Efésios 4.5 é fortemente asseverado como a água do batismo e isto somente. O Dr. I. M. Haldeman,[132] ao adotar esta posição, comenta assim sobre Efésios 4.5: "Se for o batismo do Espírito Santo, o batismo com água está excluído. Não há uma autoridade, um lugar para ele. Nenhum ministro tem o direito de realizá-lo; ninguém está debaixo da obrigação de se submeter a ele. Realizá-lo, ou submeter-se a ele, seria não somente sem autoridade, mas inútil, totalmente sem significado. Se for o batismo com água, o batismo com o Espírito Santo não mais está em operação. O batismo deve ser um ou outro, o Espírito Santo ou água. Não pode ser ambos. Dois não são mais permissíveis".[133] Outros, ao adotar a posição extrema de oposição, conquanto corretamente insistam que Efésios 4.5 se refere ao batismo no Espírito Santo, drasticamente anulam qualquer prática de batismo com água para a Era da Igreja. Embora eles encontrem o batismo ritual, naturalmente, como prática regular na Igreja primitiva (At 2.38; 8.12, 13, 16, 36; 9.18; 10.47, 48; 16.15, 33; 18.8; 19.3, 5) e mencionado em 1 Coríntios 1.13-17, esta prática é crida como confinada à Igreja 'judaica' primitiva, e descontinuada pelo apóstolo Paulo, quando a "real" Igreja do Novo Testamento começou mais tarde no livro de Atos. Esta posição deve ser rejeitada. O fato básico, que é ignorado, é que a Igreja realmente começou com o batismo com o Espírito no dia do Pentecostes (At 1.4; 2.4,47 com 11.16; 1 Co 12.13), e que o batismo com água foi regularmente administrado, não somente na chamada Igreja "judaica" primitiva, mas também muito depois nas igrejas "gentílicas" plenamente estabelecidas (At 18.8; 1 Co 1.13-17).

O apóstolo, ao falar de "um batismo" em Efésios 4.5, para ser exato, fala do batismo no Espírito Santo, que é igualmente o caso em Romanos 6.3,4; Colossenses 2.12 e Gálatas 3.27. Mas quando ele descreve esta operação importante do Espírito como "um só batismo" e quando uma das sete unidades essenciais a ser reconhecida e guardada na preservação da unidade e da harmonia cristã, necessariamente sugere ele que o batismo com água não mais deve ser administrado? Não quis ele meramente dizer: "Há somente um batismo [espiritual]?" Seu tema não é mais batismo com água em Romanos 6.3,4; Colossenses 2.12 e Gálatas 3.27 do que em Efésios 4.5. Nestas passagens, o apóstolo não considera o batismo ritual. A sublimidade do pensamento, o contexto do argumento, a natureza exaltada das verdades espirituais ensinadas são fortemente em

PNEUMATOLOGIA

apoio desta posição. Ele fala de alguma coisa infinitamente mais alta – não de uma mera ordenança simbólica que é sem poder de efetuar mudança intrínseca, mas de uma operação divina que nos coloca eternamente em Cristo, e em Suas experiências de crucificação, morte, sepultamento e ressurreição. Deve ser temido que o homem, ao ler batismo com água nestas passagens sublimes, as tem colocado em "troncos" eclesiásticos e torturado e torcido até que elas gritassem alguma confissão, nunca escrita nelas. Para ser exato, este processo tortuoso e corrupto começou muito cedo, talvez mesmo dentro do tempo de vida do grande apóstolo. Mas parece evidente, se aos fatos históricos e filosóficos fosse permitido falar, que o leitor do primeiro século, incorrupto com relação à verdade, nunca teria pensado de ver batismo com água nestas passagens. Para ele, esses textos significariam unicamente o batismo com o Espírito Santo, e isto somente. A real natureza deles o teria impedido de associá-los com qualquer uso ritual de água. Seu conceito total do significado e modo de batismo teria sido totalmente estranho às palavras do apóstolo a respeito de "morte", "sepultamento" e "ressurreição". Nunca teria ocorrido a ele conectar estas figuras ao batismo com água.

O batismo, ao referir-se às cerimônias levíticas do Antigo Testamento (Hb 9.10), tinha vindo para ter um significado amplo de "purificação cerimonial, ou purificação ritual pela água, e isso por aspersão ou efusão", séculos antes da era cristã. Fairchild, por um pleno conjunto de fatos, e lógica irretorquível, conclusivamente prova este uso estabelecido de βαπτίζω da Septuaginta, a Apócrifa, Josefo e do Novo Testamento grego.[134] Dale, com erudição brilhante e exaustiva, empregou com habilidade perfeita em atas, exames científicos de cada fase deste assunto, assim conclui a sua obra monumental sobre o estudo do batismo entre os antigos judeus: "O batismo judaico é uma condição de purificação cerimonial efetuada pelo lavar... aspergir... e efusão... de modo algum dependente de qualquer forma de ato ou da cobertura do objeto".[135] Dale conclui sua grande obra sobre o estudo do batismo de João Batista com estas palavras: "Este mesmo βάπτισμα é declarado por palavra e exibido em símbolo, pela aplicação de água pura à pessoa na ordenança ritual. Este é o batismo joanino em sua sombra... Mergulho e imersão em água são uma fraseologia totalmente desconhecida do batismo de João".[136] As provas bíblicas, históricas e filológicas existem em abundância, portanto, de que João Batista "purificou cerimonialmente" (batizou) por aspersão ou efusão, de que Jesus foi assim batizado (consagrado) ao Seu sacerdócio (Êx 29.4; Sl 110.1; Mt 3.15; Hb 7.9)[137], e que os batismos primitivos feitos por judeus e cristãos não conheciam outro modo.[138] Com todo este grande peso de uso estabelecido da palavra βαπτίζω por detrás dele, tornado claro como cristal como um resultado de seu conhecimento íntimo do judaísmo, como um Rabi treinado, quão impensável é que o apóstolo teria assim violado todo princípio do uso estabelecido da linguagem e do costume de

490

Os Textos Determinantes

séculos, como ter tornado βαπτίζω em tais passagens, como Romanos 6.3, 4; Colossenses 2.12; Gálatas 3.27; Efésios 4.5 se referindo a qualquer modo de batismo com água, na verdade, ao batismo com água afinal![139]

1 Pedro 3.21: "...que também agora, por uma verdadeira figura – o batismo, vos salva, o qual não é o despojamento da imundícia da carne, mas a indagação de uma boa consciência para com Deus, pela ressurreição de Jesus Cristo".

A tendência peculiar com muitos de presumir que o batismo ritual está implícito onde quer que a palavra βαπτίζω ocorra tem conduzido a muita confusão. À luz de sua importância relativa, seria mais razoável sugerir que o batismo real está em vista, até que seja tornado certo que o batismo ritual seja indicado. Dois pontos devem ser observados nesta passagem: (1) que o batismo mencionado é salvador em seu efeito e (2) que ele é relacionado à ressurreição de Cristo, que é vitalmente verdadeiro do real batismo, mas não diretamente verdadeiro do batismo ritual.

Marcos 16.16: "Quem crer e for batizado será salvo; mas quem não crer será condenado".

Novamente o batismo é mencionado como se tivesse poder salvador. A referência evidentemente é ao batismo real. Sobre esta passagem, o Dr. G. Campbell Morgan escreve: "*Aquele que crê* (que é a condição humana) *e for batizado* (que é o milagre divino) *será salvo*. Quando o lado negativo é afirmado, o batismo é omitido, como não necessário; porque aquele que não crê não pode ser batizado. Se é o batismo de água, ele pode; mas se é o batismo no Espírito Santo, ele não pode".[140]

Como um resumo destas sete passagens que ensinam sobre o batismo no Espírito Santo, pode ser observado que 1 Coríntios 12.13 – que não é somente o primeiro deles cronologicamente, mas também o testemunho central com respeito ao batismo no Espírito Santo – declara diretamente o que esse batismo realiza. No segundo – Gálatas 3.27 – o batismo no Espírito Santo é dito resultar no revestimento de Cristo. No terceiro – Romanos 6.1-10 – identificação com Cristo em Sua crucificação, morte, sepultamento e ressurreição, como um julgamento da natureza pecaminosa, é que está em vista, e com a finalidade de que o crente possa andar no poder da ressurreição a despeito da natureza pecaminosa. Na quarta passagem – Colossenses 2.9-13 – a mesma influência da morte (vista agora como uma circuncisão espiritual), sepultamento e ressurreição de Cristo, é novamente dito que é um batismo. Na quinta passagem – Efésios 4.4-6 – o batismo no Espírito Santo é apresentado como um dos elementos unificadores no Corpo de Cristo. No sexto e sétimo textos – 1 Pedro 3.21 e Marcos 16.16 – esse batismo está relacionado à salvação como o aspecto mais vital dela. Visto que pelo batismo com o Espírito Santo o crente é unido a Cristo, mais de cem passagens que incluem as frases *em Cristo* ou *nele* (isto é, em Cristo) deveriam ser acrescidas a esta lista por exaustão.

Pode mostrar-se vantajoso chamar a atenção novamente para este ponto quanto ao sentido secundário de βαπτίζω – o significado que tão amplamente se alcança no Novo Testamento – que significa que à parte de uma intusposição física uma coisa batiza outra quando seu poder e influência são exercidos sobre essa outra coisa. Cristo dá o Espírito Santo a todos os crentes para que habite neles, para confortá-los e capacitá-los. Assim, o crente fica sob o poder e influência do Espírito Santo. Tal dom não é um batismo em qualquer coisa física, mas é aquela forma de batismo que assegura um poder dominante e uma influência. Ser unido a Cristo pelo batismo no Espírito Santo não é um envoltório físico em Cristo ou em Seu Corpo; não obstante, é um verdadeiro batismo em que alguém assim unido ao Senhor foi não somente trabalhado pelo Espírito que batiza, mas que fica sob os valores imensuráveis de tudo o que Cristo é e de tudo o que Ele fez, ao encontrar-se em Cristo. A importância de um reconhecimento devido de tudo que faz parte do significado secundário de βαπτίζω dificilmente pode ser superestimado. A porção mais ampla de teólogos tem mais ou menos relacionado de modo definitivo o batismo ritual à obra do Espírito Santo como uma sombra ou símbolo está relacionado à substância e realidade. Outros teólogos, parece-me, têm apenas perdido o significado secundário desta grande palavra num esforço sectário de defender um modo de batismo ritual.

III. A Coisa Realizada

Uma das maiores revelações no Novo Testamento é desafiada neste ponto da discussão: nada menos do que o tema da doutrina paulina da Igreja, da nova criação, por ter como seu Cabeça o Cristo ressurrecto. Embora esta grande linha da verdade tenha tido um estudo extenso sob Eclesiologia, ele deve ser introduzido novamente aqui, por ser, como é, um aspecto tão vital na doutrina do batismo no Espírito Santo. Independentemente de seu lugar fundamental na teologia paulina, esta fase da Eclesiologia é quase totalmente negligenciada pelos teólogos do pacto, e pela razão óbvia de que a idéia deles de um pacto que unifica toda a Bíblia é estilhaçado pela revelação de um novo Cabeça e sua nova criação. A acusação, antes mencionada, que é no sentido de que o aspecto doutrinário total da ressurreição de Cristo – central na teologia paulina – é negligenciado, é muitíssimo sério e danoso. O escopo e a importância da doutrina do batismo no Espírito Santo, então, devem ser vistos da coisa que ele realiza.

1. UNIÃO ORGÂNICA. As ilustrações divinas desta união gerada entre Cristo e o crente incluem a do ramo enxertado na oliveira (Rm 11.17) e da união de um membro a um corpo humano. É prontamente reconhecido que a cirurgia humana não tenta tal realização como esta última, mas então isto nada determina no valor da figura como uma demonstração da união que o Espírito Santo cria. Uma intensidade de *interioridade* é assegurada quando o crente é unido a Cristo que, embora totalmente sobre-humano, contudo, é debilmente ilustrado por estas figuras humanas. Ambos, o ramo e o membro do corpo se

tornam vivos, partes orgânicas daquilo para o que eles foram unidos. Este novo relacionamento estabelecido no caso do ramo e do membro resulta na vida da oliveira ou do corpo que se movimenta *na direção* do ramo e do membro; ele também resulta no ramo e no membro que está *na* oliveira e no corpo.

Este resultado duplo é expresso por Cristo nas sete pequenas, mas significativas palavras jamais pronunciadas. Elas propiciam uma expressão miniatura de uma das obras-primas da infinidade. As sete palavras são "vós em mim, e eu em vós" (Jo 14.20). Como indicado anteriormente, dois poderosos ministérios do Espírito Santo são aqui reconhecidos – o de formar Cristo no crente ou a obra regeneradora ("Eu em vós") e o de colocar o crente em Cristo ou da obra batizadora que ele apresenta ("vós em mim"). Nenhuma linguagem humana pode descrever estas duas realidades, seja com respeito ao caráter celestial destas bênçãos ou com respeito à duração eterna delas.

2. A QUÁDRUPLA ORAÇÃO DE CRISTO. Pouca admiração é gerada quando é observado pela primeira vez que Cristo fez a mesma declaração duas vezes em Sua última oração sacerdotal. Duas vezes Ele disse: "...eles não são do mundo, como eu não sou do mundo" (Jo 17.14,16). Por que, na verdade, deveria qualquer palavra do Filho ao Pai ser repetida? A resposta é que por fazer assim há uma ênfase registrada, neste caso uma que exalta a verdade da separação do crente do sistema do *cosmos*. Contudo, se o Salvador repetiu o mesmo pedido quatro vezes, como realmente aconteceu aqui na mesma oração sacerdotal, a ênfase excede todos os limites e exige atenção num grau incomparável. Estas são as quatro petições similares que Ele fez nesta oração: "...para que eles sejam um, assim como nós" (v. 11); "para que todos sejam um; assim como tu, ó Pai, és em mim, e eu em ti, que também eles sejam um em nós" (v. 21); "para que sejam um, como nós somos um" (v. 22); "para que eles sejam perfeitos em unidade" (v. 23).

Esta quádrupla ênfase exalta a coisa pela qual Ele orou acima de outros aspectos desta oração independentemente deles todos terem um caráter sobrenatural. O Senhor pede ao Pai para realizar uma coisa muito definida. A despeito das noções no sentido de que os homens têm responsabilidade de responder a esta oração, o pedido é para o Pai fazer esta real coisa; e quando a natureza e o escopo da coisa são considerados, há uma evidência completa de que Deus somente poderia responder a esta oração. Há três grandes unidades apresentadas na Bíblia – a unidade entre as Pessoas da divindade; a unidade entre as Pessoas da divindade e o crente, unidade em que cada Pessoa é dita estar no crente e o crente estar em cada Pessoa; e a unidade entre os próprios crentes. Todas essas três unidades são mencionadas por Cristo nesta oração sacerdotal registrada nos versículos 21-23.

Contudo, a unidade dos crentes é o pedido básico desta porção de Sua oração. Ele apresenta a unicidade entre as Pessoas da divindade e o crente como a base para a unidade entre os crentes. Eles serão um, portanto, quando esta oração for respondida por causa deles estarem "em nós", isto é, as Pessoas da divindade. Seria impossível para os crentes estarem nas Pessoas da divindade e não, por meio disso, serem constituídas um em si mesmos; mas ainda as esferas da infinidade são alcançadas quando o Salvador ora, para que os crentes possam ser um em relação aos outros "como tu, ó Pai, és em mim, e eu em ti" (v. 21). Que mente pode conceber ou que linguagem pode expressar a realidade declarada quando é pedido pelo Filho, cuja oração é respondida, que o Pai crie uma unidade entre os crentes que esteja no mesmo plano de unidade existente entre as Pessoas da divindade!

A verdade da existência triúna de Deus é um mistério sublime; assim a sua exaltação é uma realidade que repousa totalmente dentro da esfera da infinidade. À luz deste fato, a conclusão a que devemos chegar, como medida pelo próprio Deus, é que há realizado através do Seu poder criador uma união sobrenatural entre os cristãos que é similar ao que une as Pessoas da divindade. Quão trágico isto é para a falta de devida instrução que a maioria dos cristãos nunca ouviu de tal relacionamento! E quão deplorável é o engano que se concebe desta unidade como uma mera filiação nas organizações eclesiásticas humanas!

Esta oração quádrupla do Filho de Deus foi primeiro respondida no dia de Pentecostes quando todos os crentes então vivos foram batizados com o Espírito Santo num Corpo – o Corpo de Cristo – e a todos foi dado beber de um Espírito, com a finalidade de que uma unidade pudesse existir entre as Pessoas da Trindade e os crentes. A este grupo original e pela mesma operação do Espírito Santo, todos os que foram salvos desde aquele dia até agora foram unidos a Cristo quando eles creram e como um aspecto da salvação deles. Assim, e somente assim, a oração de Cristo é respondida.

3. A ÚNICA BASE PARA A JUSTIÇA IMPUTADA. Que há uma justiça que o crente pode possuir totalmente à parte de quaisquer obras ou esforços próprios e como um dom de Deus (cf. Rm 5.17) é pura revelação e livre de qualquer experiência confirmatória; além disso, esta justiça concedida é a única justiça que Deus aceita no tempo e na eternidade. Ele próprio, por ser infinitamente justo, nada pode receber menos do que aquilo que Ele é pessoalmente. Visto que a presente salvação é para a associação eterna e íntima com Deus em Sua habitação na mais alta glória, a necessidade de ser qualificado para essa esfera é óbvia com uma perfeição que vai além da capacidade humana de proporcionar. Assim o apóstolo escreve: "Dando graças ao Pai que vos fez idôneos para participar da herança dos santos na luz" (Cl 1.12). Por respeitar essa justiça que é dom de Deus através de seu Filho, Abraão é o padrão divinamente ordenado.

Embora seja a cabeça da raça judaica, ele não representa o judeu sob a lei mosaica visto que a lei não havia sido dada ainda; antes, ele descreve um crente da presente era sob o relacionamento da graça como ele próprio esteve debaixo desse relacionamento. Praticamente toda ilustração empregada pelo apóstolo para demonstrar a graça de Deus como a que é agora exercida para com aqueles que não têm mérito é retirada da vida e da experiência de Abraão. Em resposta à promessa de Deus a respeito de um filho, Abraão creu, ou assentiu; Deus e a sua fé se tornaram a base da justiça imputada. Essa justiça que foi concedida sobre Abraão em resposta à sua fé, é concedida agora a todos os que exercem a mesma fé na Palavra ou promessa de Deus. Está escrito: "Ora, não é só por causa dele que está escrito que lhe foi imputado; mas também por causa de nós a quem há de ser imputado, a nós os que cremos naquele que dos mortos ressuscitou a Jesus nosso Senhor" (Rm 4.23, 24).

De Israel é dito que eles falharam em assegurar esta justiça visto que Eles a procuraram pelas obras da lei e não pela fé; mas alguns gentios não buscaram a justiça que é da lei, ou uma base em mérito pessoal, mas encontraram a perfeita justiça de Deus através da fé em Cristo. A falha de Israel – como é a de incontáveis membros de igrejas hoje – é ser encontrada no fato de que eles eram "ignorantes" a respeito da provisão total da justiça imputada e estabeleciam a sua própria justiça pessoal como uma base para que Deus os aceitasse, por não saberem que Cristo satisfaz toda necessidade daqueles que não possuem mérito e é Ele próprio "o fim da lei para a justiça de todo aquele que crê" (Rm 9.30–10.4). Estar em Cristo é possuir a justiça de Deus que é Cristo e que Ele satisfaz toda necessidade nesta vida e na vindoura. Os não-salvos não estão em Cristo, nem Cristo está neles; mas quando um destes crê em Cristo como Salvador, ele instantaneamente vem a estar em Cristo pelo ministério batizador do Espírito Santo e Cristo vem a essa pessoa pelo ministério regenerador do Espírito Santo.

Esta grande operação dupla do Espírito cumpre a predição de Cristo dada em Sua despedida aos discípulos no cenáculo, a saber: "Naquele dia conhecereis que estou em meu Pai, e vós em mim, e eu em vós" (Jo 14.20). As palavras determinantes desta operação são *em Cristo*, ou o sinônimo *nele*, *no Amado*, e é apenas essa posição incomparável em Cristo que é assegurada pelo batismo do Espírito em Cristo; porque é impossível que qualquer pessoa que está em Cristo e que não participe daquilo que Cristo é, Ele que é a justiça de Deus. Por causa aparentemente do caráter insignificante delas, as palavras *em Cristo* ou *nele* são passadas desapercebidas; todavia, como nas passagens a seguir, tudo que está declarado do cristão é dependente unicamente do fato de que alguém tão abençoado está em Cristo: "Portanto, agora nenhuma condenação há para os que estão em Cristo Jesus" (Rm 8.1); "Mas vós sois dele, em Cristo Jesus, o qual para nós foi feito por Deus sabedoria, e justiça, e santificação, e redenção" (1 Co 1.30); "Pelo que, se alguém está em Cristo, nova criatura é; as coisas velhas já passaram; eis que tudo se fez novo... Àquele que não conheceu pecado, Deus o fez pecado por nós; para que nele fôssemos feitos justiça de Deus" (2 Co 5.17, 21); "Bendito seja o Deus e Pai de nosso Senhor Jesus Cristo, o qual nos abençoou com todas as bênçãos espirituais nas regiões celestes em Cristo... para o louvor da glória da sua graça, a qual nos deu gratuitamente no Amado" (Ef 1.3,6); "Mas agora, em Cristo Jesus, vós, que antes estáveis longe, já pelo sangue de Cristo chegastes perto" (Ef 2.13); "Porque nele habita corporalmente toda a plenitude da divindade, e tendes a vossa plenitude nele, que é a cabeça de todo principado e potestade" (Cl 2.9, 10). Adicionadas a estes textos estão todas as passagens que relacionam a aceitação, justiça e justificação ao ato de crer.

Num estudo anterior da doutrina da justiça imputada como algo assegurado pelo batismo no Espírito Santo, foi assinalado que a obtenção da justiça de

Deus não é somente realizada com base na posição do crente em Cristo, mas que o dom da justiça é baseado no aspecto do suave cheiro da morte de Cristo pela qual Ele, como substituto daqueles que estavam sem mérito, ofereceu-se a Si mesmo sem mácula a Deus, e liberou assim o seu próprio mérito, para que pudesse estar disponível numa base justa a todos os que crêem.

4. O Devido Reconhecimento da União. Por ter nos três primeiros capítulos da carta aos Efésios declarado as posições e as possessões de todos que estão em Cristo Jesus, o apóstolo faz o seu apelo àqueles assim abençoados, para que eles se esforcem em "preservar a unidade do Espírito no vínculo da paz". Eles não são ordenados a *criar* uma união, mas, antes, a preservar a união que o Espírito criou. Isto será feito somente quando o filho individual de Deus reconhecer e amar os outros filhos de Deus. Tal reconhecimento e amor não criam uma unidade, mas tendem a preservar a unidade que existe. Esta unidade é manifesta em sete fatores que o próprio apóstolo cita: "Há um só corpo e um só Espírito, como também fostes chamados em uma só esperança da vossa vocação; um só Senhor, uma só fé, um só batismo; um Deus e Pai de todos, o qual é sobre todos, e por todos e em todos" (Ef 4.4-6). Todos estes aspectos são unificadores em seu caráter e nada mais do que "um batismo" pelo Espírito, pelo qual os crentes se tornam membros de um Corpo espiritual. O batismo ritual, como indicado anteriormente, não tem o poder em si mesmo de criar uma unidade, mas, ao contrário, tem servido mais do que outras questões para quebrar a observância da unidade que Deus criou.

Quando reprovava os cristãos de Corinto por causa dos pecados ou falhas que estavam presentes porque toleravam em suas reuniões, o apóstolo colocava no começo na sua lista de coisas sujeitas a reprovação o espírito sectário e as divisões deles. Tais divisões são exatamente o oposto da graça cristã de preservar a unidade do Espírito no vínculo da paz. Esta correção pelo apóstolo permanece primeiro na correspondência de Corinto, visto que no tempo da avaliação divina a preservação da unidade do Espírito é de importância primária. O sectarismo é assim visto como a coisa mais desagradável perante Deus e uma desconsideração violenta por aquilo que Deus operou. Como a preservação da unidade do Espírito é uma responsabilidade pessoal, de igual modo, a correção se torna uma consideração pessoal.

5. A Base de Apelo para uma Vida Santa. Há uma diferença imensurável entre o que Deus pode fazer pelo crente e o que o crente pode fazer por Deus. A ordem da verdade nas grandes epístolas doutrinárias, quando elas refletem a revelação sob a graça, é primeiro declarar o que Deus fez por aqueles que crêem para a salvação da alma deles e, então, apelar para andar dignamente, ou quando ela torna aqueles assim salvos. Esta ordem não pode ser revertida ou desconsiderada, sem grande confusão e dano. Tentar ser bom, a fim de que alguém possa ser aceito por Deus não somente é algo sem esperança, mas é legal em caráter e, com relação aos resultados obtidos, provará ser tão fraco quanto à carne à qual o apelo é feito. Por outro lado, suplicar aos homens para andar de modo digno de uma perfeição e maturidade em Cristo a quem o Espírito os trouxe, é colocar diante deles o mais alto de todos motivos impulsionadores.

O novo problema na vida de todo cristão não é quão bom alguém deve ser para ser aceito por Deus, mas quão bom aquele que é aceito por Deus deveria ser. Tal conformidade com os ideais celestiais mais elevados se torna graciosa em seu caráter visto que suas exigências são as expressões voluntárias de um coração agradecido e não uma submissão forçada à lei como a base de qualquer que seja a relação com Deus. Nenhuma capacitação é jamais oferecida por Deus sob a lei, mas uma vida que honra a Deus é possível sob as provisões da graça.

IV. A Clareza

Como uma consumação daquilo que aconteceu antes e esteve implícito em discussão anterior, os diversos aspectos da verdade que são peculiares a este tema podem agora ser apresentados seqüencialmente. Os fatos primários de que este ministério – diferentemente das obras da regeneração, habitação e enchimento – não é mencionado no Antigo Testamento, que não esteve em operação antes do dia do Pentecostes, e que não há uma previsão dele na era vindoura, restringe-o a era presente, e seus benefícios são vistos como exclusivamente a porção da Igreja, a nova criação; na verdade, aquilo que a Igreja apresenta em sua glória celestial exaltada é quase totalmente devido a este ministério específico do Espírito Santo. Esse grupo deveria ser chamado um por um tanto de judeus quanto de gentios, cada indivíduo aperfeiçoado na absoluta plenitude ou πλήρωμα de Cristo, que é Ele próprio o πλήρωμα da divindade corporalmente (cf. Jo 1.16; Cl 1.19; 2.9,10), assim em cada aspecto a ser adaptado à mais alta glória, e isto é uma inovação que a teologia do pacto não pode admitir.

Sobre o batismo com o Espírito Santo, cada membro no Corpo de Cristo depende de toda qualificação pela qual ele é aprontado, para ser "participante da herança dos santos na luz" (Cl 1.12). É trágico, na verdade, quando estas grandes realidades são negligenciadas, quando não rejeitadas, somente porque algum sistema feito pelo homem não pode dar lugar a eles. Que privação tanto do conhecimento da verdade quanto do seu poder santificador foi experimentada por aqueles que estiveram sem a posse da revelação! Graças deveriam ser dadas a Deus por aqueles que são salvos, não importa a qual sistema de teologia eles pertençam, porque possuem essas bênçãos, quer percebam eles essas bênçãos ou não; pois tal é o caráter da salvação deles. Em misericórdia Deus nunca limitou Suas bênçãos àquilo que o crente entende. Na explicação da clareza do batismo real, então, certas verdades salientes deveriam ser enfatizadas uma vez mais.

1. Não é Regeneração. A obra do Espírito Santo na regeneração resulta na comunicação da natureza divina que é "Cristo em vós, a esperança da glória" (Cl 1.27), enquanto que o batismo no Espírito resulta no fato do crente ser colocado em Cristo. Como já foi asseverado, há a mais ampla distinção a ser feita entre aquilo que Cristo expressou quando Ele disse "Vós em mim" – o resultado do batismo no Espírito, e "Eu em vós" – o resultado da regeneração do Espírito.

2. NÃO É HABITAÇÃO. O Espírito que habita, o dom de Cristo a todo crente, é, no significado estrito de βαπτίζω, embora secundário, uma forma de batismo. Cristo assim batiza todo crente pelo dom do Espírito Santo, quando o crente é salvo. Seis passagens foram citadas neste contexto: Mateus 3.11; Marcos 1.8; Lucas 3.16; João 1.33; Atos 1.5; 11.16. Cada uma destas passagens distintamente assevera que Cristo é o agente batizador e por Seu batismo o crente é trazido sob a influência que a presença do Espírito Santo gera. O dom de habitar do Espírito Santo, dom esse que é universal e é concedido no momento da salvação e, então, como uma parte integral da salvação, não deveria ser interpretado erroneamente por causa de um erro muito comum, a saber, o erro de supor que o Espírito é recebido subseqüentemente à salvação e por um número restrito de pessoas que "se demoram" ou "procuram" uma segunda bênção.

Os benefícios que a habitação do Espírito assegura são a porção de todos os crentes e não são as manifestações que resultam do enchimento do Espírito. Em oposição a esta interpretação errônea, há um grupo de textos já citados – notadamente Marcos 16.16; Romanos 6.3,4; 1 Coríntios 12.13; Gálatas 3.27; Efésios 4.5; Colossenses 2.11-13; 1 Pedro 3.21 – que apresentam ou sugerem o Espírito como o batizador e Cristo, ou Seu Corpo, como o elemento recebedor. Isto é o que é chamado batismo real porque é operado pelo Espírito Santo, e que coloca o crente em Cristo e, assim, assegura para ele o mérito e a posição do Filho de Deus.

3. NÃO É ENCHIMENTO. Será observado que o batismo do Espírito Santo é mais confundido com o enchimento do Espírito do que é com outros quaisquer ministérios do Espírito. Embora não tenha havido ainda um exame do ministério de enchimento do Espírito, por ser esse exame a principal e final divisão deste volume, certos contrastes óbvios entre o batismo e o enchimento do Espírito podem ser apontados.

Primeiro, em relação à permanência, o batismo pelo Espírito em Cristo é operado apenas uma vez, quando o crente é salvo (e permanece uma realidade imutável no tempo e na eternidade), enquanto que o enchimento do Espírito pode ser subseqüente à salvação e freqüentemente repetido.

Segundo, não há uma experiência ou sensação relacionada ao batismo do Espírito do crente em Cristo, mas todas as manifestações espirituais de bênçãos e poder estão diretamente relacionadas e devidas ao enchimento do Espírito.

Terceiro, os cristãos nunca são ordenados a ser batizados pelo Espírito em Cristo visto que é a porção de todos os que crêem, mas todo filho de Deus é exortado a ser constantemente cheio do Espírito Santo.

Quarto, como foi declarado acima, cada crente é batizado pelo Espírito em Cristo, mas nem todo crente é necessariamente cheio do Espírito Santo.

Quinto, o batismo do Espírito em Cristo resulta no fato do crente ser vitalmente unido a Cristo por toda a eternidade, enquanto que o enchimento do Espírito resulta nas manifestações exteriores e bênçãos para o presente. O batismo estabelece a posição do cristão, portanto, enquanto que o enchimento tende a melhorar a condição do cristão. O batismo é um aspecto da salvação, enquanto que o enchimento está relacionado ao serviço e às recompensas.

Sexto, o batismo do Espírito em Cristo é operado quando os termos da salvação são satisfeitos, enquanto que os termos que governam o enchimento dos cristãos são tais que entram na relação correta do crente com Aquele que o salvou, dia a dia.

Conclusão

Tanto, a introdução quanto a porção concludente do artigo do Dr. Merrill Fredrick Unger, *The Baptism with the Holy Spirit*, já citado, podem servir como o fechamento desta discussão relativa ao batismo do Espírito do crente para colocá-lo em Cristo. O Dr. Unger escreve:

O batismo com o Espírito Santo é uma das doutrinas mais vitais e importantes da Escritura. Sua vasta importância pode prontamente ser apreciada quando se percebe que ela é aquela operação divina do Espírito de Deus que coloca o crente "em Cristo", em seu Corpo místico, a Igreja, e que o torna um com todos os outros crentes em Cristo, um na vida, a verdadeira vida do Filho do próprio Deus, um nEle, um cabeça comum, um no compartilhar Sua comum salvação, esperança e destino. Na verdade, apenas uma consideração superficial revelará a importância suprema e as ramificações amplas deste tema bíblico vital, e afeta, como o faz, tão íntima e vitalmente a posição e experiência do crente, e seu estado. A coisa espantosa, contudo, é que uma matéria de tão grande importância, com efeitos de tão grande alcance sobre a posição e a prática do cristão, deva sofrer tão angustiosamente nas mãos de ambos, seus inimigos e amigos. De seus inimigos ela tem sofrido não tanto uma hostilidade aberta ou oposição, quanto da negligência constante. Ela é simplesmente ignorada, ou no máximo tratada superficialmente. Aqueles que rejeitam o ensino dispensacionalista, que postulam "um pacto da graça o tempo todo", que não fazem uma distinção adequada entre a "assembléia" de Israel no deserto no Antigo Testamento e a Igreja como o Corpo de Cristo no Novo Testamento, simplesmente não sabem o que fazer com ela. Ela permanece, e deve continuar assim, um enigma escriturístico para todos esses. Se esta doutrina tem sofrido nas mãos de seus inimigos, ela tem especialmente sido ferida na casa de seus amigos. Grandes grupos de cristãos sinceros e bem-intencionados, mas pobremente ensinados, em evidente reação contra as omissões e negligências que têm prestado atenção a esta verdade, a têm aceito no coração, e atribuem a ela grande ênfase e proeminência. Em seu zelo e entusiasmo, contudo, eles nem sempre têm se limitado a clarear e tornar exata a afirmação bíblica. Na verdade, seria difícil encontrar um tema bíblico usado imediatamente para ensinar uma vida espiritual mais profunda, e ainda ao mesmo tempo sujeito a mais engano, afirmação errônea, e confusão do que este. Em nenhum lugar em todo campo da teologia bíblica há maior necessidade de afirmação exata e correta da verdade vital do que no campo desta doutrina...

Por ter traçado em detalhes a doutrina do batismo com o Espírito Santo apresentado na Escritura com todo o material em mão, colocado ordenadamente os fatos, os seguintes resultados e conclusões são oferecidos: (1) O batismo com o Espírito Santo é um tema de importância suprema, e afeta vitalmente a vida e o andar do crente, sua posição e estado, suas posições e posses em Cristo. (2) O batismo com o Espírito Santo é um dos assuntos mais abusados e confusos no âmbito total da teologia bíblica. (3) A causa da confusão é centrada no confundir esta doutrina com a regeneração, com a recepção do Espírito, com a habitação, com o selamento, com uma "segunda bênção", com o enchimento, e com o batismo nas águas. (4) Os resultados horrendos da confusão são: divisões, incompreensões, desunião no Corpo de Cristo, obscurecimento do Evangelho da graça, perversão da verdade da união do crente com Cristo, e os tristes impedimentos à santidade no andar e na vida. (5) Um estudo cuidadoso de todos os textos que tratam deste assunto tem revelado que o batismo com o Espírito Santo é meramente um dos vários ministérios desempenhados pelo Espírito Santo, desde que Ele veio ao mundo: que todo crente no momento em que ele crê em Cristo é regenerado, batizado, habitado, e selado por toda a eternidade, e tem o dever e o privilégio de continuamente ser cheio para a vida e para o serviço. (6) Nenhum exemplo nos Evangelhos e em Atos, quando visto de uma perspectiva própria do dispensacionalismo, está em desacordo com esta verdade. Que não há base em toda a Palavra de Deus para o erro do batismo com o Espírito Santo ser considerado como uma "segunda experiência" após a regeneração, torna-se patente. (7) O batismo com água não está em vista em Romanos 6.3,4; Gálatas 3.27; Efésios 4.5; Colossenses 2.12, e lê-lo nestas passagens é anuviar a verdade, e aumentar a confusão.

Com estas várias verdades possuidoras de sua ênfase devida, a doutrina do batismo com o Espírito Santo é imediatamente retirada do nevoeiro e da bruma do erro que tanto a obscurecem, e, em sua pureza majestosa e grande simplicidade, se torna um dos fatores mais preciosos e vitais na unidade cristã. Não é de admirar que o grande apóstolo clama por "um batismo" como uma das sete unidades indispensáveis a ser preservada na percepção da "unidade do Espírito no vínculo da paz" (Ef 4.3-6)! Quem pode começar a imaginar a poderosa transformação que aconteceria na cristandade pobre, perturbada e dividida, se repentinamente toda a confusão e obscurantismo fossem removidos, e uma luz intensa e uma glória plena da verdade da unidade de todo cristão em Cristo pela obra do batismo no Espírito Santo irrompessem sobre a consciência de todo o povo de Deus? Bênção, reavivamento, comunhão, e poder como a Igreja jamais experimentou, talvez desde os dias apostólicos, seriam o resultado inevitável. Devemos pensar, então, quão espantosamente esta doutrina vital sempre deve ter sido o alvo especial dos mais sutis *ataques* satânicos? Este caso agora deveria inspirar a fidelidade intrépida e determinada em sua proclamação e defesa, em vista da glória sublime da verdade imperecível que esta doutrina representa.[141]

A Responsabilidade do Crente

Capítulo XII

Introdução à Responsabilidade do Crente

Visto que eles são esvaziados de aspectos experimentais, os ministérios do Espírito ao crente, já citados – regeneração, habitação, selamento e batismo – serviram para estabelecer a verdade relacionada às posições e possessões do cristão. Este conjunto de verdades pode bem ser chamado como algo fundamental e primário em toda doutrina a respeito do cristão; mas há também aquilo que é corretamente chamado de aspectos *práticos* da verdade. Estes abrangem a responsabilidade do crente no pensamento e na ação para com Deus, seus semelhantes e consigo mesmo. Com respeito à importância, não pode haver comparação entre estes dois aspectos da doutrina, embora em um caso tudo é realizado completamente quando alguém crê e no outro caso há uma obrigação incessante vinda sobre o converso; todavia, a mesma situação que todo pastor confronta na vida individual à qual ele ministra está dentro da esfera de menor importância, a fase prática da doutrina.

Ela bem pode ser chamada de *verdade da vida,* visto que ela diz respeito da sobrevivência daquilo que é infinitamente verdadeiro e certo na esfera da *verdade posicional.* Quão indefeso deve ser o pretenso doutor da alma que em seus cursos de treinamento nunca ouviu nem mesmo a insinuação da instrução específica que Deus dirige ao crente, ou do plano divino tão extensivamente ensinado no Novo Testamento pelo qual o cristão pode ser mais do que vencedor sobre as forças malignas por meio do poder do Espírito que nele habita! Dos professores de seminário, contudo, não pode ser esperado que ensinem assuntos e cursos – não importa quão importantes sejam – dos quais eles, por sua vez, nunca ouviram nos dias de sua própria formação e que eles têm consistentemente ignorado depois disso.

I. Motivos Inteligentes

O cristão, que é aperfeiçoado para sempre, por estar em Cristo, não obstante, tem uma vida de imperfeição para viver, enquanto está neste mundo. O novo problema que ele enfrenta, como foi afirmado diversas vezes, não é o de como deveria viver para ser aceito e aperfeiçoado perante Deus, mas, antes, de como ele, por ser uma pessoa aceita e aperfeiçoada, deveria viver após essas realidades estupendas serem realizadas pela graça e poder de Deus. Até esta distinção vital ser compreendida e recebida, não haverá um progresso feito no extenso campo da verdade que direciona a vida e o serviço do cristão. Até a verdade posicional ser reconhecida e recebida ao grau em que o salvo reconhece que ele é salvo e aperfeiçoado à vista de Deus sobre nenhuma outra base além daquela que, de sua parte, ele creu em Cristo para a salvação de sua alma, e, da parte de Deus, ele é justificado, por ser tanto perdoado quanto constituído justo através da imensurável substituição dupla de Cristo – ao sofrer a condenação por causa do demérito do crente e oferecer-se a Si mesmo como a fonte de mérito – pode haver somente confusão e engano a respeito do verdadeiro princípio motivador na vida diária do cristão.

Não pode ser negado verdadeiramente que o conjunto de cristãos professos tem sido privado do conhecimento da verdade posicional e por causa disto nunca foi concebido de qualquer outra idéia da conduta cristã, além daquela em que eles foram obrigados a fazer-se a si mesmos aceitáveis diante de Deus por suas próprias obras de justiça. Naturalmente, por serem privados do conhecimento da verdade posicional, eles se tornam correspondentemente ignorantes da verdadeira base e motivo para a verdade da vida. Esta distinção entre a verdade posicional e a verdade da vida constitui um dos contrastes mais vitais entre a lei e a graça. Está declarado que o judeu falhou porque ele procurou sua justiça diante de Deus por meio das obras da lei, por ser "ignorante" da verdade de que Deus providenciou tudo, a posição e o mérito, em e através de Cristo que Sua santidade jamais poderia exigir.

Por causa desta ignorância, o judeu "estabeleceu a sua própria justiça" e não "submeteu-se" ou esteve debaixo da justiça que Deus concedeu, por ser Cristo "o fim da lei para a justiça de todo aquele que crê". Em oposição a isto, alguns gentios – a quem a lei nunca foi dirigida e que, portanto, nunca havia tentado ser pertencente a Deus por meio das obras de justiça da lei – obtiveram instantaneamente a justiça concedida por Deus quando eles receberam a Cristo como Salvador pela fé nele (Rm 9.30–10.4). A questão do motivo na vida diária do cristão é suprema nesta discussão. O conjunto de verdades a ser considerado agora diz respeito à vida diária do crente, e nenhuma questão é mais determinante do que a da razão ou princípio que impulsiona aquele que alcança uma vida que honra Deus no modo que Deus aponta através do poder do Espírito Santo que nele habita.

O Espírito Santo não pode cooperar ou gerar qualquer realidade da experiência quando a própria base do relacionamento da graça com Deus é ignorada. Na verdade, como poderia o Espírito Santo dar poder a uma vida que está totalmente desorientada e errada em seus objetivos, métodos e motivos? Seus benefícios, necessariamente, têm importância somente para aqueles que reconhecem e crêem que são aperfeiçoados de uma vez por todas pela simples fé em Cristo como Salvador e que a nova obrigação deles não é tornarem-se a si mesmos aceitos, mas antes, é andar dignamente dAquele em quem eles são aceitos. Em João 15.1-16, as palavras de Cristo relativas à permanência nEle estão registradas. Neste contexto, uma distinção fundamental deve ser feita entre a *união* do crente com Cristo e sua *comunhão* com Cristo. Muito freqüentemente se supõe que nesta passagem Cristo ensina que o ramo, que representa o cristão, deve manter sua união com a videira, que representa Cristo.

Essa comunhão, contudo, que está em vista por toda a passagem, está claramente indicada. No versículo 2 está escrito: "...toda vara em mim que não dá fruto", e as palavras *em mim* declaram a perfeita união do ramo infrutífero com Cristo. A obrigação do ramo é continuar na relação com Cristo que torna a comunhão possível, pela qual a vida divina ou energia pode fluir para o ramo de forma que o fruto possa ser produzido. A salvação, que é a união com Cristo, e a perfeita posição que ela assegura continua sempre, visto que tais benefícios dependem somente da posição do crente em Cristo. Contudo, o crente sempre enfrenta os fatos de sua própria fraqueza e dos inimigos arbitrários que estão contra ele; e somente por guardar os mandamentos de Cristo, que significa o ajustamento à Sua vontade perfeita (cf. Jo 15.10), é o modo claro para o poder divino necessário fluir para o crente como a seiva flui para o ramo.

Esta passagem ilustra a importância de um objetivo certo e um método na vida do cristão, se ele vai se tornar espiritual por meio da energia divina comunicada. Embora em união perfeita e inalterável com Cristo, o crente será infrutífero a menos que ele permaneça naquela relação de obediência a Cristo onde o poder do Espírito pode ser percebido em e através dele. Cristo declarou no versículo 10 que Ele guarda os mandamentos de seu Pai e permanece no seu amor, e isto está afirmado como um padrão para o crente que permanece nEle. Certamente, Cristo não se empenhava para manter-se salvo por fazer qualquer coisa exigida para esse fim; Ele, contudo, manteve-se em perfeita comunhão com Seu Pai pela obediência à Sua vontade. A união com Cristo é um empreendimento de Deus e é operada por Ele, e continua como uma porção daquele que meramente crê; a comunhão é o empreendimento do crente – um plano específico de vida que exige um propósito inteligente e um método de vida, adaptados à exata vontade de Deus, da parte daquele que é salvo.

II. Obrigações Prescritas

Por causa das exigências sobre-humanas que recaem sobre o crente, o enchimento do Espírito para um poder sobrenatural é exigido. Isto prediz o entendimento verdadeiro e correto das Escrituras, assim como dos ajustamentos necessários que asseguram o poder divino.

Três vezes o apóstolo dividiu a raça humana em uma classificação tríplice:

(1) Com respeito ao caráter essencial deles em relação a Deus, ele identifica os gentios não-salvos como a "incircuncisão", e declara sobre eles que "naquele tempo estáveis sem Cristo, sendo separados da comunidade

de Israel, e estrangeiros da aliança da promessa, não tendo esperança, e sem Deus no mundo" (Ef 2.12). No mesmo contexto (Ef 2.11,12), o apóstolo distingue o judeu como aquele que recebeu a "circuncisão da carne feita por mãos", cuja mudança física selou para o judeu as promessas do pacto de Jeová (cf. Gn 17.11). Mas em adição, o mesmo apóstolo afirma que o cristão é separado com uma "circuncisão feita sem mãos" (Cl 2.11), cujo texto, como anteriormente observado, reconhece sua união vital com Cristo pela qual ele é participante de todas as bênçãos celestiais, por ter sido identificado com Cristo em Sua morte, sepultamento e ressurreição. A mesma tríplice divisão é apresentada em 1 Coríntios 10.32, que diz: "Não vos torneis causa de tropeço nem a judeus, nem a gregos, nem a igreja de Deus".

(2) Com respeito aos relacionamentos sobrenaturais, eles são classificados de acordo com a atitude deles em relação à Palavra escrita de Deus. Nisto, como foi assinalado anteriormente, eles são homens *naturais*, o que é uma referência aos não-salvos desta era, sejam eles judeus ou gentios; homens *carnais*, termo que identifica os homens salvos, judeus ou gentios, que vivem ou andam na carne; e homens *espirituais*, cuja terminologia indica o judeu ou gentio que anda com Deus em sujeição à Sua vontade revelada e na dependência de Seu poder.

(3) Finalmente, o apóstolo divide os homens em três classes com respeito ao exercício da lei ou autoridade divina sobre eles. Em 1 Coríntios 9.20,21, isto está revelado, e o texto diz: "Fiz-me como judeu para os judeus, para ganhar os judeus; para os que estão debaixo da lei, como se estivesse eu debaixo da lei (embora debaixo da lei não esteja), para ganhar os que estão debaixo da lei; para os que estão sem lei, como se estivesse sem lei (não estando sem lei para com Deus, mas debaixo da lei de Cristo), para ganhar os que estão sem lei". Nestes grupos, primeiro os gentios não-salvos de todas as eras e os judeus não-salvos da presente era devem ser reconhecidos como os que não estão debaixo da lei de Moisés; mas, então, no tempo do registro das Escrituras em séculos anteriores todos os judeus, e de fato até quase aquele tempo quando a Escritura apostólica ou cristã tinha começado a ser formulada, tinham o seu lugar certo debaixo da lei.

Esta, a antiga classificação dos judeus sob a lei, constitui-se na segunda divisão aqui – os homens debaixo da lei. Na presente era, para ser exato, em que o judeu é reconhecido com os gentios como alguém sem mérito perante Deus, toda a raça está igualmente sem lei. A terceira divisão de homens é a de cristãos, sejam judeus ou gentios, em cujo grupo o apóstolo se coloca a si mesmo como um que não está debaixo da lei nem sem a lei, mas antes, *sob a lei de Cristo*. "A lei de Cristo" (cf. Gl 6.2) está contida nos Seus ensinos a respeito da responsabilidade dos cristãos como pessoas que foram aperfeiçoadas pela graça salvadora de Deus. A frase "meus mandamentos", significativamente suficiente, não foi usada por Cristo até o discurso do Cenáculo. O conjunto de verdades incluído ali é aumentado por aquilo que está apresentado nas epístolas do Novo Testamento, escrito como foi por homens comissionados para a própria tarefa por Cristo.

Tudo isso é apresentado como uma obrigação peculiar ajustada em seu caráter para a perfeição que o crente mantém em Cristo. Esta base de apelo é única e não há exceção a ela. Um reconhecimento pleno é tomado da revelação de que o menor dos crentes é participante do πλήρωμα da divindade (cf. Jo 1.16; Cl 1.19; 2.9,10). A direção da vida de alguém já completo em Cristo é técnica no grau máximo; todavia, tudo isto não foi observado num grau infeliz por teólogos das gerações passadas. Estes ensinos da graça são claros e evidentes, e a negligência ou a confusão persistente deles com outros relacionamentos não pode ser facilmente explicada.

Do Espírito Santo na capacitação do filho de Deus para cumprir toda a vontade do Pai para ele em sua vida diária, pode ser esperado que Ele trabalhe vantajosamente somente dentro da esfera daquilo que Deus requer do crente. Se pela ignorância mal-orientada o cristão se põe a guardar a ordem mosaica quando Deus fielmente o advertiu de que a guarda dessa lei não é Sua vontade para ele, e que Deus o tem liberto dessa lei, ele não deve esperar qualquer cooperação do Espírito Santo na busca de tal curso errôneo. Naturalmente, a Bíblia não se dirige a pessoas que viveram e cujas obrigações foram completadas antes do texto ter sido escrito; contudo, ela se dirige a pessoas da era da lei que começou com Moisés e que terminou com a morte de Cristo, e dirige a pessoas da presente era, e ela também contempla uma era vindoura. Assim, as três grandes regras de vida estão escritas e cada uma delas corresponde perfeitamente ao caráter do propósito divino para a época à qual ela está relacionada.

Os defensores da teologia do pacto, que moldaram as principais concepções teológicas por muitas gerações, não reconhecem uma distinção de eras; portanto, não podem permitir quaisquer distinções entre a lei e a graça. Esta atitude dominante dos defensores da teologia do pacto deve explicar a negligência total da verdade da vida em todas as obras deles sobre teologia. Nenhum dito teológico representativo da teologia do pacto foi formado além da Confissão de Fé de Westminster, cujo documento valioso e importante reconhece a verdade da vida somente ao ponto de impor os Dez Mandamentos sobre os cristãos como a única obrigação deles, e a despeito dos ensinos do Novo Testamento que asseveram que a lei nunca foi dada aos gentios ou cristãos e que, como foi dito antes, estes últimos foram salvos e libertos dela (cf. Jo 1.16,17; At 15.23-29; Rm 6.14; 7.1-6; 2 Co 3.11,13; Gl 3.23-25). Que seja reafirmado que o Espírito Santo, para capacitar o crente, depende somente da vida e do esforço dele em sere conformado à vontade e ao plano de Deus para ele nesta era.

III. Dependência do Espírito

Além disso, precisa ser enfatizado ainda que o plano divino para a vida diária do crente incorpora a questão do método pelo qual essa vida será vivida.

Dois procedimentos são possíveis, a saber, dependência da própria capacidade de alguém e dependência do Espírito que habita nele. Estes dois métodos são totalmente incompatíveis, ou, para usar a linguagem do apóstolo, eles se "opõem um ao outro" (Gl 5.17). Qualquer tentativa de combinar dois princípios opostos terminará em fracasso. Certamente qualquer tentativa de viver pelos padrões celestiais, quando se depende dos recursos humanos, será um desapontamento, ainda que motivada pela maior sinceridade. É obra do Espírito Santo capacitar o crente, não somente na escolha de uma maneira inteligente de vida que não tente estabelecer união com Cristo, mas, antes, que entenda a necessidade de manter comunhão com Cristo, nunca desejoso de outras regras de vida, além da que foi dirigida aos cidadãos celestiais, mas também em confrontar as vicissitudes da vida à medida que ele entrega tudo a Cristo com a consciência da incapacidade do homem e da Sua capacidade infinita. Assim, fica demonstrada a verdade fundamental de que o método de vida da fé, que permanece totalmente separado da força humana, é o único que assegura ou percebe o poder e a realização do Espírito Santo.

IV. Palavra de Deus

A atitude de qualquer pessoa para com a Palavra de Deus é uma indicação certa do caráter mais interior de uma pessoa e da realidade do estado espiritual dela. Ao reconhecer esta verdade básica, o apóstolo afirma que todos os homens desta era estão divididos, como anteriormente indicado, em três classes, a saber, (a) o homem natural – o homem ψυχικός que não é regenerado; (b) o homem espiritual – o homem πνευματικός que é salvo e capacitado pelo Espírito Santo; e (c) o homem carnal – o homem σαρκικός que é regenerado, está em Cristo, mas que vive na esfera da carne. Tão vital é este agrupamento de todos os homens que as Escrituras reconhecem que se deve dar atenção específica a estas distinções. O homem natural, será visto, não pode conhecer as coisas do Espírito de Deus, o homem espiritual discerne todas as coisas, e o homem carnal pode ter somente o leite da Palavra e não pode ter a "comida sólida".

A passagem central diz o seguinte: "Ora, o homem natural não aceita as coisas do Espírito de Deus, porque para ele são loucura; e não pode entendê-las, porque elas se discernem espiritualmente. Mas o que é espiritual discerne bem tudo, enquanto ele por ninguém é discernido. Pois, quem jamais conheceu a mente do Senhor, para que possa instruí-lo? Mas nós temos a mente de Cristo. E eu, irmãos, não vos pude falar como a espirituais, mas como a carnais, como a criancinhas em Cristo. Leite vos dei por alimento, e não comida sólida, porque não a podíeis suportar; nem ainda agora podeis; porquanto ainda sois carnais; pois, havendo entre vós inveja e contendas, não sois porventura carnais, e não estais andando segundo os homens?" (1 Co 2.14–3.3). A declaração a respeito do homem natural em relação à sua incapacidade de conhecer as coisas de Deus é de grande importância como uma explicação da situação religiosa no mundo moderno.

PALAVRA DE DEUS

Nenhum dano dos efeitos da verdade de Deus é mais prejudicial em sua extensão do que o daquele causado pelos homens não-regenerados que, com base na erudição humana, interpretam e definem as coisas de Deus. Os homens dificilmente podem ser salvos quando negam a única base sobre a qual qualquer alma pode ser redimida. Está óbvio que as grandes denominações, uma vez conhecidas como cristãs, estão debaixo da direção de homens eruditos que renunciam a própria base da salvação pela graça através da morte de Cristo. Os mestres nas faculdades e universidades são quase sem exceção comprometidos com uma hipótese não-provada que estigmatiza a Palavra de Deus como inverossímil e tentam uma solução oca para o problema das origens somente por causa da incapacidade básica do homem natural, não-regenerado, de receber as coisas do Espírito de Deus. Estas coisas são "loucura" para os não-salvos, ainda que sejam homens estudiosos, e não podem – por não estarem em relação vital com o Espírito de Deus – entendê-las.

Ainda permanece verdadeiro que a salvação com toda a luz que ela comunica é ganha somente pela fé no Salvador crucificado e ressurrecto, e nenhuma quantia de formação acadêmica ou proeminência eclesiástica servirá para dissipar as trevas espirituais dos não-regenerados. Sobre todos os temas espirituais, a opinião e o dito dos não-salvos não são somente tão debalde quanto a conversa infantil de uma criança, mas se tornam tão prejudiciais quanto a posição e a influência de um falso mestre podem lhe causar. A necessidade básica do homem não-regenerado não é a educação ou a cultura – de grande valor como elas são no seu devido lugar – mas a salvação. Um estudante sincero julgará as opiniões e as elocuções de um homem com base em sua consideração primária – é ele salvo e, assim, chamado para falar como um iluminado pelo Espírito Santo?

O homem espiritual é o tema do restante deste volume. É suficiente dizer a esta altura que ele é chamado espiritual porque manifesta um ajustamento correto ao Espírito Santo que nele habita. Esta manifestação inclui a iluminação dada, pela qual o homem espiritual pode vir a conhecer a Palavra de Deus.

O homem carnal, a quem um estudo mais extenso será dado ainda, é assim porque ele, ainda que perfeitamente salvo e seguro em Cristo, não obstante, anda na carne. Na porção do contexto sob estudo agora que o descreve (1 Co 3.1-3) ele é chamado de *irmão*. Quando este título é usado num relacionamento espiritual, ele se refere somente àquele que definitivamente é um filho de Deus pelo nascimento do alto. No mesmo contexto está afirmado também que um homem carnal está em Cristo. Estas palavras determinantes não devem passar despercebidas, porque elas possuem a mais forte evidência possível de que ele está salvo e seguro. Sua união com Cristo está estabelecida, e visto que ela depende do mérito imputado de Cristo, ela nunca pode ser cancelada. A comunhão do crente carnal, contudo, é perturbada pela maneira carnal de sua vida. Mais sério do que tudo mais, visto que ele recebe somente o "leite da palavra", ele está privado do poder santificador das Escrituras e, assim, faz concessão ao ciúme, inveja, contendas e divisões.

Enquanto o homem espiritual "anda no Espírito", aqueles que são carnais "andam como homens", isto é, como os não-salvos andam. Ao invés de um "andar em amor", eles preferem as divisões e separações, e violam o mandamento essencial de "preservar a unidade do Espírito no vínculo da paz". De todos os vários males na igreja de Corinto contra os quais o apóstolo levanta a sua voz, o pecado do sectarismo é o primeiro a ser mencionado. A intensa malignidade do pecado está indicada aqui tão plenamente quanto em qualquer lugar no Novo Testamento. O sectário, então, se salvo, é um bebê em seu desenvolvimento espiritual. Todo discurso que se gloria em seu grupo separado de crentes professos é propriamente chamado de *conversa de criança*. Há apenas um Corpo e um Espírito. Cada cristão é chamado para amar um ao outro cristão na mesma base da unidade de um Corpo e de parentesco na mesma família de Deus.

O fato das divisões e da promoção delas é uma expressão exterior de um pecado mais profundo de uma carnalidade destituída de amor. Um aspecto importante da carnalidade descrita aqui pelo apóstolo é a separação de um crente de outro. Isto é normalmente precipitado por uma de duas pessoas que se considera mais santa do que a outra, mas se encontra esvaziada nesse grau de humildade ou de consciência de sua própria maneira espiritual de vida. Além desses exemplos específicos quando a Igreja deve exercer disciplina sobre as pessoas que erram, o homem carnal pode bem ser deixado confiantemente nas mãos de Deus. Como o apóstolo adverte: "Quem és tu, que julgas o servo alheio? Para seu próprio senhor ele está em pé ou cai; mas estará firme, porque poderoso é o Senhor para o firmar" (Rm 14.4). Uma atitude amorosa para com os crentes em pecado certamente gera no coração daqueles que fiel e verdadeiramente tratam diante de Deus de sua própria condição espiritual.

A Bíblia ensina por meio de vários termos que há duas classes de cristãos: os que "permanecem em Cristo" e os que "não permanecem", os que estão "andando na luz" e os que "andam nas trevas", os que "andam no Espírito" e os que "andam como homens", os que "andam em novidade de vida" e os que "andam segundo a carne", os que têm o Espírito *em* e *sobre* eles e os que têm o Espírito neles, mas não *sobre* eles, os que são "espirituais" e os que são "carnais", os que são "cheios do Espírito" e os que não o são. Tudo isto tem a ver com a qualidade da vida diária nas pessoas salvas, e de modo algum está em um contraste entre os salvos e os não-salvos. Onde há tal ênfase na Bíblia, como está indicado por estas distinções, deve haver uma realidade correspondente. Então, há a possibilidade de uma grande transição para aqueles que são carnais para uma realidade de verdadeira vida espiritual. A revelação a respeito desta possível transição, com todas as suas experiências e bênçãos, é levada a sério somente pelos crentes sinceros que fielmente procuram uma vida diária que traga honra a Deus. Para tais, há alegria e consolação sem limite neste Evangelho de libertação, poder e vitória!

É provável que haja graus de diferenças dentro do grupo conhecido como *espiritual* e dentro do grupo conhecido como *carnal*. Alguns que são classificados como espirituais podem ser mais espirituais do que outros em seu grupo, enquanto que alguns que são classificados como carnais podem ser mais carnais do que outros dentro de seu grupo; mas nestas diferenças de distinção o Novo Testamento não entra. Este silêncio é razoável. Qualquer relacionamento com Deus que é menos do que um ajustamento completo deve necessariamente ser classificado como carnal em algum grau. Poderia ser mais exato afirmar que a carnalidade se estende sobre um amplo raio de ação da experiência humana, enquanto que a espiritualidade, embora seja permitida uma latitude para personalidades variadas, por meio de vários graus de disciplina educacional, e em ambientes variados, não obstante, está padronizado de acordo com a extensão em que a experiência do enchimento do Espírito for acordada dentro daquele grupo.

Deverá ser lembrado, contudo, que o aspecto da manifestação do Espírito que entra no campo do serviço cristão deve ser, e é, adaptado às exigências individuais peculiares que são designadas pelo Espírito Santo. O crente não é um autômato, mas exibe todas as variações aparentemente infinitas encontradas nas características humanas e na personalidade. Nem ele mantém relações com um Deus que não é mais do que a incorporação de leis inflexíveis. Como um pai terreno pode reconhecer o temperamento peculiar de uma criança, assim Deus, mas num grau infinito de eficácia, reconhece o campo total de questões que uma pessoa específica apresenta. Que interpretação melhor pode ser dada do texto: "Mas se sois conduzidos pelo Espírito, vós não estais debaixo da lei" (Gl 5.18) do que aquela em que a vida não é somente uma personalidade dirigida pelo Espírito Santo no seu detalhe final, mas é contado com uma pessoa viva antes do que mera conformidade com um conjunto de regras?

Nenhuma obtenção na experiência cristã é mais eficaz ou de grande alcance em seu valor instrutivo do que a de vir a conhecer Deus – não meramente conhecer a respeito dEle, mas experimentar o descanso para a alma que tal familiaridade íntima com Deus gera. Neste contexto, a importância de não separar Mateus 11.27 de 11.28 pode ser vista. A passagem quando conectada diz: "Todas as coisas me foram entregues por meu Pai; e ninguém conhece plenamente o Filho, senão o Pai; e ninguém conhece plenamente o Pai, senão o Filho, e aquele a quem o Filho o quiser revelar. Vinde a mim, todos os que estais cansados e oprimidos, e eu vos aliviarei". A espiritualidade não pode ser definida propriamente como uma conformidade a um conjunto de regras; ela é comunhão, cooperação e submissão a uma Pessoa soberana. O princípio da lei pode facilmente se tornar um grande impedimento para a vida espiritual.

Deus indica em Sua Palavra uma maneira particular de vida que torna o crente espiritual e Deus reconhece as limitações do crente no entendimento; mas pode ser observado também que todas as direções para uma conduta própria podem ser observadas pelo cristão antes indisposto, ou sem o senso de necessidade, ou sem a mais ligeira consciência de uma relação com Deus como Seu filho. Ser um cristão espiritual, contudo, é andar com Deus numa comunhão e companheirismo contínuo e vital no poder capacitador do Espírito Santo.

V. Uma Transformação Espiritual

Como há uma grande transição do estado de não-salvo para o de salvo, há também uma transição para o cristão do estado de carnal para o estado de espiritual. A mudança anterior é operada por Deus em resposta à fé salvadora em Cristo, enquanto que a última é trazida por uma liberação natural do poder do Espírito no crente quando os ajustes necessários são feitos, cujo poder todos têm possuído embora não necessariamente experimentado desde o momento da salvação. É possível que o salvo por meio da fé possa, ao mesmo tempo, ser rendido a Deus e, assim, entrar imediatamente numa verdadeira experiência espiritual; mas um estado espiritual não é uma realização feita de uma vez por todas: deve ser mantida pela renovação do Espírito. Poderia parecer que o apóstolo Paulo entrou numa experiência de enchimento do Espírito três dias após ter sido salvo e em conexão com a visita de Ananias (At 9.17,18); todavia, o apóstolo não entendeu plenamente as condições sobre as quais ele poderia ser espiritual, a partir de todas as aparências, visto que em tempo posterior ele passou pela experiência registrada em Romanos 7. Ali ele afirma: "Mas quanto a realizar aquilo que é bom eu não consigo".

Uma distorção séria da doutrina foi promovida por pessoas zelosas, mas pessoas que não raciocinam bem no sentido de que os termos da salvação devem incluir, em adição à fé em Cristo, uma rendição completa à Sua autoridade. Tão importante quanto é em seu lugar próprio, contudo, a rendição é uma questão que pertence somente ao filho de Deus. Os defensores deste idealismo deveriam considerar que a exigência da rendição – como é verdadeiro de todas as outras obrigações humanas que os homens estão habituados a acrescentar à simples fé – não aparece uma vez nas mais de 150 passagens em que a salvação é dita depender da fé ou da crença somente. Se a rendição, ou qualquer outra condição, é acrescentada, estas passagens se tornam não somente totalmente inadequadas, mas realmente enganosas. João 3.16 não diz: "Porque Deus amou o mundo de tal maneira que ele deu o seu Filho unigênito para que todo aquele que nele crê *e se rende a ele* não pereça, mas tem a vida eterna"; todavia, essas palavras ou equivalentes devem ser acrescentadas ali como em outros textos semelhantes, se qualquer texto desse tipo deve ficar dependente disso para orientar no caminho da salvação.

Conseqüentemente, permanece verdadeiro que há condições bem definidas pelas quais o crente carnal pode se tornar espiritual e que estas são totalmente sem qualquer relação com uma exigência pela qual aqueles que estão perdidos podem ser salvos. O fato de que os cristãos são muito freqüentemente carnais é reconhecido e lamentado, e as exortações dos sermões são muitas vezes dirigidas a eles; mas há pouco ensino para mostrar *como* o crente carnal pode se tornar espiritual. O apóstolo certamente não teve falta de ideais nem falta de desejo de realizá-los quando disse: "Mas quanto a realizar o bem eu não consigo". Ainda, ele não havia ganhado naquele tempo o conhecimento do plano e da provisão de Deus para a vida espiritual. Isto, na verdade, foi revelado posteriormente a ele visto que ele, acima de todos os outros, estabeleceu a vida espiritual em toda a sua maravilhosa realidade e declarou as condições precisas sobre as quais ela poderia ser experimentada.

VI. A Terminologia Usada

Três frases são usadas na Palavra de Deus, para apresentar a vida cheia do Espírito, a saber, *o Espírito sobre vós, ele que é espiritual,* e *cheio do Espírito.* No primeiro caso – o Espírito sobre vós – uma distinção deve ser feita entre o Espírito que habita no crente e Sua vinda sobre o cristão. Prevendo que o relacionamento que se obteria entre o Espírito Santo e o crente após Sua vinda ao mundo no Pentecostes e após, a fim de declarar o relacionamento que o Espírito Santo então sustentava com os discípulos por toda a dispensação a que Ele se referia, Cristo disse: "E eu rogarei ao Pai, e ele vos dará outro Ajudador, para que fique convosco para sempre, a saber, o Espírito da verdade, o qual o mundo não pode receber; porque não o vê nem o conhece; mas vós o conheceis, porque ele habita convosco e estará em vós" (Jo 14.16,17). A isto devem ser acrescentadas instruções adicionais dadas aos discípulos, após Ele ter soprado sobre eles e dito "Recebei o Espírito" (Jo 20.22), a saber, que eles deveriam permanecer em Jerusalém – isto é, não empreender uma missão ou serviço – até que o Espírito viesse *sobre* eles (Lc 24.49).

Posteriormente, Ele disse que, o Espírito vindo *sobre* eles, eles seriam Suas testemunhas até os confins da terra (At 1.8). A referência ao Espírito que desce *sobre* o crente é, assim, vista como idêntica ao enchimento que vem dele. No segundo caso – aquele que é espiritual – é feita referência ao estado daquele que está cheio do Espírito. Ele somente deve ser avaliado como espiritual (1 Co 2.15). No terceiro caso – cheio do Espírito – a frase indica uma manifestação plena e irrestrita do Espírito que habita. O enchimento do Espírito não é um recebimento do Espírito Santo visto que foi realizada como uma parte da salvação, nem é um recebimento de mais do Espírito. Ele é uma Pessoa e nenhuma pessoa está sujeita a subdivisão, nem poderia uma pessoa estar mais ou menos presente num determinado local. Por uma liberação mais completa da vida do crente a Ele, contudo, e por ser o Espírito Santo o que habita no crente pode assegurar uma esfera mais ampla de manifestação. Ser cheio do Espírito é ter o Espírito cumprindo tudo o que Ele veio fazer no coração.

Esta verdade está muito longe da noção de que o Espírito Santo deve ser recebido como "uma segunda obra da graça" ou "uma segunda bênção". A vida cheia do Espírito é uma realização em experiência real daquilo que foi possuído desde o momento da salvação da pessoa. Efésios 1.3 revela a verdade de que toda bênção espiritual é assegurada quando alguém é salvo. Esse versículo diz: "Bendito seja o Deus e Pai de nosso Senhor Jesus Cristo, o qual nos abençoou com todas as bênçãos espirituais nas regiões celestes em Cristo". De todos os cinco ministérios do Espírito no crente – regeneração, habitação, selo, batismo e enchimento – somente este último é ordenado ao crente e esperado dele. A implicação é que este ministério, totalmente diferente dos outros quatro, depende da cooperação e do ajustamento humano. Fica claro que além da responsabilidade de crer em Cristo para a salvação, nenhuma obrigação repousa sobre o cristão a respeito dos quatro ministérios mencionados.

PNEUMATOLOGIA

A ordem de ser cheio do Espírito (Ef 5.18), por ser dirigida ao filho de Deus, não somente indica que ela é uma experiência subseqüente à salvação, mas que a própria fidelidade do cristão determina o grau de enchimento. No capítulo precedente deste volume, o enchimento do Espírito foi contrastado com o batismo com o Espírito. Por causa da confusão dominante sobre estes ministérios do Espírito Santo, uma ênfase especial tem sido dada sobre esta distinção. Pouca coisa mais precisa ser acrescentada ao que já foi apresentado, além de assinalar novamente os fatos de que o batismo do Espírito é operado por Deus em favor de todos os crentes quando eles crêem, que ele não gera uma experiência correspondente pela qual sua realidade possa ser identificada, e que de nenhum modo ele é relacionado ao serviço ou ação do cristão. Em oposição a este conjunto de fatos estão as verdades de que o enchimento do Espírito depende da fidelidade humana, que nem todos os crentes são entregues a Deus para serem cheios, que é a fonte de toda experiência cristã correta, e que é a força suficiente por detrás de toda vida e serviço cristãos.

Aqui deveria ser observado que em Seu enchimento o Espírito Santo provoca naquele a quem Ele governa a manifestação da própria personalidade dessa pessoa, o exercício dos dons que Ele possui para o serviço – dons divinamente concedidos como são, e para a realização da obra e o preenchimento do lugar que Deus lhe designou. Muito freqüentemente tem sido suposto que a vida cheia do Espírito provocaria na pessoa alguma experiência padronizada, uma maneira de vida ou de serviço. Todavia, nada há mais vital relacionado ao crente ou nada mais a ser estimado do que a individualidade. Não é procedimento do Espírito no crente e por meio dele anular a individualidade, mas operar através da individualidade para a glória de Deus. O crente cheio do Espírito deveria ser o normal, embora possa não ser o usual do cristão.

Ser cheio do Espírito não é ganhar alguma concessão extraordinária de Deus; é ser capacitado normalmente para cumprir a vontade de Deus na esfera que é divinamente pretendida por Deus para cada indivíduo. Não poderia em si mesmo ser extraordinário visto que esse enchimento é ordenado a cada cristão e, à parte disso, tudo deve permanecer carnal. Deve ser visto em toda parte no Novo Testamento que Deus espera de todos que testemunham dEle que sejam fortalecidos para este serviço pelo enchimento do Espírito. E assim, conquanto possa haver sacrifício no meio do caminho, a nota dominante para os homens cheios do Espírito é a da experiência regozijante e da paz superabundante. De acordo com Romanos 12.2 a vida consagrada dá plena prova da vontade de Deus que é boa, perfeita e agradável. O tratamento de Deus com a Igreja Primitiva é certamente o padrão para todos os crentes visto que os registros foram incorporados no Texto Sagrado com esse propósito óbvio.

Desses registros será visto que é o ideal divino para todo crente ser cheio do Espírito antes de iniciar qualquer serviço cristão; e como os cristãos primitivos eram cheios do Espírito novamente na preparação para cada missão, de igual modo, deveria ser verdadeiro a respeito dos crentes hoje. Como foi observado anteriormente, os discípulos foram ordenados a permanecer em Jerusalém até que fossem revestidos de poder do alto (Lc 24.49). Foi uma espera até que o Espírito veio *sobre* eles. A eles o Salvador disse: "E recebereis poder ao descer sobre vós o Espírito Santo" (At 1.8). As palavras significativas: "Eles foram cheios do Espírito Santo", precedem o registro de cada serviço importante que eles realizaram. Da família toda – Zacarias, Isabel e João Batista – foi dito que individualmente foram cheios do Espírito; e também a Cristo na esfera da sua humanidade – cuja humanidade é o exemplo mais definido deixado para o crente – o Espírito foi dado sem medida (Jo 3.34), e a frase: "...sendo cheio do Espírito Santo" (Lc 4.1), qualifica todas as coisas que Ele fez.

À luz dos exemplos que são apresentados do cristão e da vocação celestial que ele tem do caráter de sua vida diária, não é estranho que todos sem exceção recebem a ordem de ser cheios do Espírito.

Concluindo esta extensa introdução para uma consideração mais detalhada da vida cheia do Espírito a seguir, é importante observar que três vezes no Novo Testamento o efeito da bebida forte é colocado em oposição à vida cheia do Espírito (Lc 1.15; At 2.12-21; Ef 5.18). Como a bebida forte estimula as forças físicas do corpo e os homens são inclinados a se voltar para ela para ajudá-los em situações difíceis, assim o filho de Deus, ao enfrentar o que parece uma responsabilidade impossível em seu andar e no seu serviço celestial, é dirigido ao Espírito como a fonte de toda suficiência. Cada momento numa vida espiritual é uma das imensuráveis necessidades e exigências sobre-humanas, e o suprimento de poder capacitador ou de graça capacitadora deve ser constantemente recebido e empregado. "Como são teus dias, assim será a tua força." Ser cheio do Espírito é ter o Espírito cumprindo em nós tudo o que Deus pretendeu que Ele fizesse quando Deus o colocou ali.

Ser cheio não é uma questão de obter *mais* do Espírito: é antes uma questão do Espírito obter *mais* dos cristãos. Ninguém jamais terá *mais* do Espírito do que a unção que todo verdadeiro cristão tem recebido. Por outro lado, o Espírito pode ter controle de tudo do crente e assim ser capaz de manifestar nele a vida e o caráter de Cristo. Uma pessoa espiritual, então, é aquela que experimenta o propósito e o plano divino em sua vida diária pelo poder do Espírito que habita. O caráter dessa vida será tal que manifestará Cristo. A raiz-causa dessa vida não será nada menos que a habitação desimpedida do Espírito (Ef 3.16-21; 2 Co 3.18). O Novo Testamento é claro a respeito do que o Espírito produziria numa vida plenamente ajustada, e toda esta revelação juntada forma uma definição bíblica de espiritualidade. Estes empreendimentos na vida do crente são distintamente atribuídos ao Espírito, e assim são Suas manifestações nos cristãos e através deles.

Há um desenvolvimento duplo para a obra do Espírito no cristão e por meio dele, a saber, o aspecto negativo e o positivo. Seguindo a presente introdução sem mais delongas, estes dois aspectos serão considerados em capítulos sucessivos.

CAPÍTULO XIII
O Poder para Vencer o Mal

O indivíduo é um cristão quando corretamente ligado a Cristo; o cristão é espiritual quando corretamente ligado ao Espírito. A espiritualidade contempla duas realizações, a saber, vencer o mal e promover aquilo que é bom na vida e na experiência do crente. Um é negativo – a anulação do mal, e o outro é positivo – uma realização das qualidades e realizações sobrenaturais que pertencem ao modo sobre-humano de vida. Embora muito amplamente diferentes em seus alvos imediatos, ambas as linhas de trabalho são essenciais e, em algum grau, inseparáveis, embora seja totalmente concebível que uma libertação do mal possa ser obtida sem também uma manifestação do poder do Espírito na esfera das realizações vitais para o bem. O reverso certamente não poderia ser verdadeiro, isto é, a experiência do poder do Espírito para o bem não seria desfrutada se o mal não fosse vencido em algum grau.

Mas, por outro lado, dificilmente se espera que o Espírito Santo, quando livre para trabalhar no filho de Deus, não faça tudo o que Ele deseja; e ambos os aspectos da espiritualidade, para ser exato, pertencem aos Seus empreendimentos. Aqui surge o que parece um paradoxo: o mal não pode ser vencido à parte do poder energizador do Espírito Santo; todavia, todo esse poder latente não pode ser experimentado onde o mal não é vencido. A resposta a este problema é encontrada na verdade de que o Espírito Santo, que habita no crente, quando lhe é confiado para fazer isso, realizará ambos os alvos da espiritualidade de acordo com o que é necessário. Portanto, nenhum fardo é colocado sobre o cristão para ordenar ou fazer arranjos a respeito dos empreendimentos do Espírito; o cristão é antes ordenado a nada fazer, a não ser viver numa dependência correta do Espírito com relação a toda Sua obra no coração do indivíduo.

Visto que o mal sempre surge no coração por causa do poder ativo da natureza pecaminosa, o poder do Espírito Santo é sempre necessário para vencê-lo; e visto que a obrigação de viver e de servir para a glória de Deus está sempre presente, o mesmo poder capacitador do Espírito é incessantemente exigido. Existe uma noção mal refletida e excêntrica de que a espiritualidade é conseguida quando há uma cessação de algumas formas exteriores do mal, que a espiritualidade consiste daquilo que uma pessoa *não* faz. Contudo, a espiritualidade não é uma supressão apenas; ela é também uma expressão. Ela é somente restringente do eu; ela é sobrevivente do Cristo que habita. O não-regenerado não seria salvo se ele cessasse de pecar; ele ainda estaria sem o novo nascimento. O cristão não se tornaria espiritual se se abstivesse da mundanidade; faltariam a ele ainda as manifestações positivas do Espírito.

A espiritualidade é primariamente um resultado, um viver vital e um serviço frutífero para Deus. Contudo, ambos os aspectos, o positivo e o negativo, da vida espiritual são essenciais e a cada um deles deve ser dada a devida consideração aqui. A passagem central, a que se deve freqüentemente se referir, é Gálatas 5.16-23. Neste texto há primeiro um desvendamento da obra do Espírito em relação ao mal da carne e isso a despeito de toda a oposição que a carne gera. Este texto diz: "Digo, porém: Andai pelo Espírito e não haveis de cumprir a cobiça da carne. Porque a carne luta contra o Espírito, e o Espírito contra a carne; e estes se opõem um ao outro, para que não façais o que quereis. Mas, se sois guiados pelo Espírito, não estais debaixo da lei. Ora, as obras da carne são manifestas, as quais são: a prostituição, a impureza, a lascívia, a idolatria, a feitiçaria, as inimizades, as contendas, os ciúmes, as iras, as facções, as dissensões, os partidos, as invejas, as bebedices, as orgias e coisas semelhantes a estas, contra as quais vos previno, como já antes vos preveni, que os que tais coisas praticam não herdarão o reino de Deus" (Gl 5.16-21). Em oposição a isto, a porção que registra o resultado positivo, construtivo e espiritual da vida do crente operada pelo Espírito diz: "Mas o fruto do Espírito é: o amor, o gozo, a paz, a longanimidade, a benignidade, a bondade, a fidelidade, a mansidão e o domínio próprio; contra estas coisas não há lei" (Gl 5.22, 23). Agora, a atenção será dada a um desses aspectos de uma vida espiritual.

O cristão experimenta um conflito tríplice, incessante e simultâneo – com o mundo, a carne e o diabo. A vida do cristão é assemelhada a uma corrida, um andar e uma batalha. Na corrida (Hb 12.1, 2), os pesos que o mundo coloca sobre nós devem ser deixados de lado; no andar (Rm 8.4; Gl 5.16,17), o poder da carne deve ser vencido; e na batalha (Ef 6.10-12), Satanás e seus exércitos devem ser subjugados. O conflito com o mundo é externo e exige uma separação drástica dele; o conflito com a carne é interior e exige uma confiança completa na força divina e um entendimento inteligente e digno das forças mais interiores da vida humana; o conflito com Satanás é basicamente nas esferas espirituais e envolve a mesma dependência total do poder suficiente do Espírito que em nós habita. Satanás é o inimigo mais poderoso, mais perverso, o mais despótico, o mais enganoso e o mais mortal.

O conflito com o mundo é contra as influências; o conflito com a carne é contra os desejos interiores; mas o conflito com Satanás é contra uma pessoa, impiedosa e cruel, uma pessoa que é obrigada a obter permissão de Deus para tudo o que faz com os santos (cf. Jó 1.11,12); se fosse possível, ela destruiria cada cristão apenas num instante. Não é uma figura de linguagem sem significado que declara que Satanás é como um leão que ruge, à procura de alguém para devorar.

Em nenhum momento da vida o filho de Deus está livre desses inimigos, e em nenhum momento da vida ele é capaz de enfrentar um só desses inimigos, e em nenhum momento da vida ele deve ficar sem a capacitação infinita do Espírito Santo que lhe é dado como seu recurso neste impacto imensurável contra o mal. Cristo disse: "...sem mim nada podeis fazer" (Jo 15.5). Em oposição a isto, como o outro lado da historia, o apóstolo declara: "Eu posso todas as coisas naquele que me fortalece" (Fp 4.13). Ainda, ele declara: "Porque a lei do Espírito da vida, em Cristo Jesus, te livrou da lei do pecado e da morte" (Rm 8.2).

Nenhum desses inimigos é superior ao Espírito Santo. Descobrir isto, crer nisto, e reivindicar a Sua suficiência por uma atitude de fé é a chave para uma vida vitoriosa que traz honra a Deus. É uma *atitude* de fé e não apenas um ato de fé ou uma experiência de crise. Combater "o bom combate da fé" significa manter uma confiança no Espírito para lutar contra o inimigo. Este conflito continua enquanto houver um inimigo. Nunca nesta vida essa influência do mundo é erradicada, e o mesmo acontece com a carne e com Satanás. Destes inimigos podemos fazer individualmente uma avaliação mais abrangente.

I. O Mundo

Logo depois da verdade revelada a respeito de Satanás estão a confusão, a ignorância e o mal-entendido que existem relativos aos fatos revelados no Novo Testamento, a respeito do sistema do *cosmos* governado por Satanás. A verdade a respeito de Satanás e seu sistema do cosmos é claramente apresentada nas Escrituras; a despeito disto, existe muito mais do que uma negligência normal e uma perversão destas doutrinas. Por esta distorção da verdade, muito perigo é gerado ao crente, para que ele próprio, ao refletir sobre a ignorância de seu tempo, não esteja inconsciente da natureza, do poder e do propósito desses inimigos. A verdade a respeito de Satanás e seu sistema mundial foi examinada detalhadamente sob Satanologia, uma subdivisão da angelologia. Um retorno ao estudo destas doutrinas é exigido na ordem e no decurso deste capítulo.

No Novo Testamento, a palavra *mundo* é uma tradução, na sua grande maioria, de três termos amplamente diferentes: αἰών, usado 41 vezes quando se refere a tempo, e denota uma era; οἰκουμένη, usado 14 vezes, e denota uma terra desabitada; e κόσμος, usada 186 vezes, indica um vasto sistema mundial. A palavra *cosmos* (o seu oposto é caos) significa uma ordem, um sistema, um arranjo, que é assim porque é muito determinado por uma mente dominante. Sobre este sistema está aquele a quem Cristo três vezes denominou de "o príncipe deste mundo" (Jo 12.31; 14.30; 16.11). Como já foi demonstrado anteriormente de um modo detalhado, o sistema do mundo é aquele projeto de realização impulsionado por Satanás desde o princípio, quando ele se separou da vontade de Deus (Is 14.12-14; Jo 8.44), um sistema do mundo que Deus permitiu que Satanás realizasse com o fim desse mundo ser julgado, com seu príncipe, pois isso será demonstrado ser o que é por si mesmo.

Além e à parte da permissão divina evidente para este sistema fazer funcionar o seu curso, inclusive o mal que ele incorpora, Deus exerce Sua autoridade não-diminuída sobre a Sua criação. Estritamente falando, Satanás nada criou. Tudo o que ele utiliza, ele tomou daquilo que de forma alguma não lhe pertence. O conhecimento exato de tudo que faz parte do *cosmos* satânico será obtido somente à medida que os contextos forem examinados, em que a palavra *cosmos* ocorre. Este estudo específico, uma das maiores doutrinas do Novo Testamento, que muitos homens honrados têm falhado em estudar; e, porque este conjunto de verdades é tão pouco apreendido, o grande grupo de crentes está inconsciente da inimizade que o sistema do mundo mantém em relação a Deus e Seu povo. Tiago escreve: "Infiéis, não sabeis que a amizade do mundo é inimizade contra Deus? Portanto qualquer que quiser ser amigo do mundo constitui-se inimigo de Deus" (Tg 4.4).

Esta referência à infidelidade está ligada aqui ao uso espiritual e, portanto, significa um abandono do amor correto e da lealdade para com Deus, e coloca no lugar dessas coisas as manifestações do mundo governado por Satanás. Tiago diz, além do mais, que a responsabilidade do cristão é "guardar-se imaculado" do mundo (Tg 1.27). É de grande vantagem para o cristão conhecer a natureza e a extensão do sistema do cosmos. Ele inclui governos dominados pela força e motivados pela ganância (Mt 4.8,9; Lc 4.5, 6); todavia, o crente deve viver e orar por esses governos, e numa grande medida compartilhar deles. É dito que as leis deles são ordenadas por Deus. Este sistema satânico tem os seus padrões e ideais educacionais que resistem e ignoram cada fato e aspecto da revelação. "O mundo por sua sabedoria não conheceu a Deus (1 Co 1.21); todavia, o filho de Deus deve manter uma relação com o sistema do mundo e seu sistema educacional de vários modos.

Este sistema do mundo professa defender, ou ao menos tolerar, seus próprios ideais religiosos, ideais que não são mais do que um reconhecimento da ética casada com uma negação de cada aspecto da graça salvadora de Deus, que foi possibilitada pelo sangue sacrificial de Cristo; ainda o crente é chamado para se associar a homens que assim interpretam a fé cristã e a manter tal relação com eles, a qual pode testificar-lhes. Semelhantemente, o sistema do mundo apresenta sua própria espécie de entretenimento. O mundo e os cristãos "mundanos" voltam-se para as chamadas coisas "mundanas" porque eles descobrem nelas um anestésico para insensibilizar a dor de um coração e de uma vida vazia. O anestésico, que é freqüentemente quase inocente em si mesmo, não é assunto tão sério como o coração e a vida vazios. Pouca coisa é ganha para a verdadeira espiritualidade quando os supostos doutores da alma têm sucesso em persuadir os aflitos a progredir sem o anestésico.

Se esses instrutores não apresentam a realidade de tal consolação e preenchimento do coração e da vida como Deus proporcionou, a condição não será melhorada. Quão enganosa é a teoria de que para ser espiritual alguém deve abandonar a brincadeira, a diversão e o entretenimento útil! Tal conceito de espiritualidade é nascido numa consciência humana mórbida. Ele é estranho à Palavra de Deus. É um instrumento de Satanás fazer as bênçãos de Deus parecerem aborrecidas aos jovens que transbordam em vida e energia físicas. Deve ser lamentado que haja aqueles que, em cegueira, enfatizam tanto os negativos da verdade cristã, assim como criam a impressão de que a espiritualidade é oposta à alegria, liberdade e naturalidade da expressão do pensamento e da vida, quando tais coisas são feitas no Espírito. A espiritualidade não é uma postura piedosa. Ela é não meramente um "não farás, não farás".

Ela abre as portas para a bem-aventurança eterna, para as energias e recursos de Deus. É uma coisa séria remover o elemento de brincadeira e de diversão da vida das pessoas. Não podemos ser normais física, mental ou espiritualmente, se negligenciamos este fator vital na vida humana. Deus arranjou de tal forma as coisas que a nossa alegria pode ser plena. Deve também ser observado que uma das características da verdadeira espiritualidade exige suplantar os desejos e as questões menores. Tanto a cura bíblica quanto a prática para a "mundanidade" entre os cristãos deve ser a de encher o coração e a vida com as bênçãos eternas de Deus, pois haverá uma preocupação jubilosa e uma distração relativa às coisas espirituais. Uma folha morta que possa estar presa ao galho mesmo por tempestades ferozes do inverno, silenciosamente cairá no chão quando o novo fluxo de seiva começar a aparecer na primavera.

A folha cai porque há uma nova manifestação de vida que pressiona de dentro para fora. Uma folha morta não pode permanecer onde um novo botão em flor brota, nem pode a mundanidade permanecer onde as bênçãos do Espírito fluem. O pregador não é chamado para pregar contra as "folhas mortas". Ele tem uma mensagem de uma primavera imperecível. Ela vem do fluxo da vida ilimitada de Deus. Quando pelo Espírito você anda, você *não pode* fazer as coisas que de outra forma você realizaria.

A linha de demarcação entre as coisas de Deus e as do *cosmos* não é sempre facilmente discernida. A esta altura, é imperativo que o cristão deva ser conduzido pelo Espírito. Contudo, o conflito com o mundo, com seu esplendor, enfeites e enganos, é muito real. O apóstolo João escreve: "Não ameis o mundo, nem o que há no mundo. Se alguém ama o mundo, o amor do Pai não está nele. Porque tudo o que há no mundo, a concupiscência da carne, a concupiscência dos olhos e a soberba da vida, não vem do Pai, mas sim do mundo. Ora, o mundo passa, e a sua concupiscência; mas aquele que faz a vontade de Deus permanece para sempre" (1 Jo 2.15-17). O filho de Deus não pertence a esta espécie de mundo. Duas vezes em Sua última oração conectada com o cenáculo Cristo disse: "Eles não são do mundo, como eu do mundo não sou" (Jo 17.14,16). Assim, além disso: "Sabemos que somos de Deus, e que o mundo jaz no maligno" (1 Jo 5.19).

Portanto, isso faz o cristão viver em separação do mundo. Isto ele pode fazer somente por meio da capacitação e direção constante do Espírito Santo. João novamente declara em sua primeira carta: "...porque todo o que é nascido de

Deus vence o mundo; e esta é a vitória que vence o mundo: a nossa fé. Quem é o que vence o mundo, senão aquele que crê que Jesus é o Filho de Deus?" (1 Jo 5.4, 5). Fica evidente do fato de que João se refere no versículo 5 à fé no Filho de Deus como o caminho para a vitória sobre o mundo, e que ele aqui contempla a libertação do cristão do sistema mundano, libertação essa que é operada quando o cristão é salvo (cf. Cl 1.13); mas é igualmente verdadeiro dizer que é pela fé ou confiança no poder de Deus, que ele é liberto da influência do cosmos dia a dia. A última libertação do mundo dia a dia parece ser aquela à qual é feita referência na última metade do versículo 4: "...e esta é a vitória que vence o mundo: a nossa fé". Visto que a linha de demarcação entre o andar espiritual de um crente e a escolha do cosmos freqüentemente é muito difícil de traçar, e porque as atrações e as exigências do mundo são fortes, quando não predominantes, a suficiência divina deve ser reivindicada o tempo todo e sob todas as circunstâncias.

II. A Carne

Em alguns casos a palavra σάρξ, traduzida como *carne*, é sinônima da palavra σῶμα, traduzida como *corpo*; a palavra *carne* é mais freqüentemente empregada com referência à totalidade do homem não-regenerado – espírito, alma e corpo. Assim, ela assume um significado ético e psicológico que não é inerente à palavra *corpo*. Um corpo físico é denominado *carne*, seja morto ou vivo, enquanto que o termo carne em seu significado ético inclui não somente o corpo, mas também aquilo que o torna uma coisa viva – a realidade invisível que expressa e se manifesta através do corpo. Uma situação muito complexa é assim confrontada onde os fatores vivos da existência humana – espírito, alma, natureza adâmica, coração, rins, mente, sensibilidade, vontade e consciência – são todos partes integrantes. Esta complexidade, que em alguns aspectos dela desafia a análise humana, teve o tratamento exigido anteriormente no estudo da Antropologia.

Assim – repeti brevemente do volume II – como um aspecto da parte imaterial do homem, está incluída uma natureza que é inclinada ao pecado. É na realidade a natureza humana original que foi danificada, e como tal tem sido reproduzida por todas as gerações subseqüentes. Por seu primeiro pecado, o primeiro homem tornou-se imediatamente uma ordem diferente de ser em relação ao que havia sido feito por criação, e a lei da procriação adquiriu a capacidade no sentido da espécie reproduzir segundo a sua espécie. Que a descendência de Adão foi caída é confirmado e demonstrado pelo ato do assassinato da parte do primogênito. Por ser derivada de Adão, esta natureza caída é corretamente chamada de *natureza adâmica*. A falha em reconhecer esta natureza como um aspecto inalterável e universal em toda a existência humana não muda o fato, e é parte da sabedoria reconhecê-la e deveria ser o plano de vida de uma pessoa se ajustar a ela.

Quatro erros mais ou menos comuns deveriam ser identificados e evitados: (1) que o homem não é mau por natureza; (2) que as crianças são nascidas no mundo sem serem caídas; (3) que a natureza adâmica pode ser erradicada; e (4) que a natureza adâmica pode ser controlada pelo poder da determinação e vontade humana. Por ser uma parte integral de um ser humano, esta natureza má não pode nem será dispensada, até que o próprio corpo, no qual ela funciona, seja redimido, ou até a separação entre o corpo e os elementos imateriais da alma e espírito aconteça na morte. A natureza adâmica é o fator dominante em tudo o que faz parte da carne. Essa natureza permanece sem diminuição e intacta em cada crente, após ele ser salvo e se torna um dos três grandes inimigos da vida espiritual. Com o recebimento da natureza divina, que é comunicada pela regeneração, o cristão se torna um ser complexo, possuidor de duas naturezas – não duas personalidades – com uma complexidade de vida correspondente, porque a menos que a natureza má seja controlada por algo mais forte que o poder humano, ela perseverará para desonrar Deus.

Não está dentro da esfera do poder da vontade humana, mesmo quando fortificada pelas melhores resoluções, controlar a natureza adâmica. O conflito deve ser vencido pelo Espírito Santo, que habita em nós com fidelidade constante e inflexível. Para ter a vitória, o crente deve manter uma *atitude* de fé com o fim de que possa ser salvo do poder reinante do pecado, exatamente como ele foi salvo por um *ato* de fé da culpa e da penalidade do pecado. Em cada aspecto da situação fica claro que se deve viver pela fé. A vida que uma pessoa justificada deve viver é (por causa de seus inimigos superiores e por causa de sua própria fragilidade) uma impossibilidade à parte da capacitação divina que é realizada em resposta à fé. A salvação em segurança do juízo eterno e a salvação em santidade são ambas uma obra de Deus. A determinação humana não pode lucrar mais em uma do que em outra. O fato de que o não-regenerado possui uma natureza caída é geralmente admitido. O engano é com respeito ao cristão.

O ensino bíblico é claro, e ainda alguns cristãos professos são mal conduzidos ao supor que eles não mais possuem a tendência para o pecado. Esta questão pode ser discutida tanto do ponto de vista experimental quanto do ponto de vista bíblico. Experimentalmente, o mais santo dos filhos de Deus tem estado consciente da presença e do poder de uma natureza caída. Isto pode ser chamado a consciência normal do crente devoto. Tal consciência não é uma evidência de imaturidade: é antes a evidência de uma verdadeira humildade e uma visão clara do próprio coração dessa pessoa. Não implica em falta de comunhão com Deus, ocasionada pelo entristecimento do Espírito Santo através do pecado. Quem pode odiar o pecado mais do que aquele que está *consciente* de sua presença e poder? E quem está em maior perigo de sua destruição em sua vida espiritual do que aquele que, em presunção desautorizada, tem presumido que a disposição do pecado foi removida?

A argumentação de que alguém não tem uma disposição de pecar deve estar baseada numa ausência de choque de autoconhecimento a respeito dos motivos e impulsos do coração, ou, se não, tal suposição é feita por meio da falha em compreender o verdadeiro caráter do pecado em si. Se um indivíduo pode se convencer de que o pecado é algo diferente de *qualquer coisa* que ele já fez ou esteve inclinado a fazer, ou além de qualquer coisa que ele pensa, sente, ou empreende, ele pode sem dúvida convencer-se a si mesmo de que ele não pecou de forma alguma. Se, em sua própria mente, alguém pode modificar o caráter do pecado, ele pode, por esse próprio processo, aliviar-se da *consciência* do pecado. Há muitas pessoas que pensam assim hoje no mundo. A verdade de uma natureza espiritual não pode permanecer quando está baseada na experiência humana. Ela deve estar baseada na revelação.

O pecado não é o que uma pessoa preconceituosa e enganada reivindica ser; ele é o que Deus *revelou* que ele é. O pecado foi bem definido, a partir de um estudo do testemunho total da Palavra de Deus, como "qualquer falta de conformidade com a vontade revelada de Deus". É o *erro do alvo*. Mas qual alvo? Certamente o *padrão divino*. O crente pode perguntar: "Tenho feito *toda* a sua vontade e *somente* ela com motivos tão puros quanto o céu e em fidelidade imutável de maneira que caracterize o infinito?" Deus tem proporcionado a possibilidade de uma vitória perfeita; mas os cristãos todos têm freqüentemente falhado nessa empreitada. Se estivessem possuídos em qualquer grau do conhecimento de Deus e do autoconhecimento, eles estariam cônscios de que muito freqüentemente eles estão longe de viver sem pecado aos olhos de Deus. A consciência da pecaminosidade às vezes na vida deles tem sido o testemunho dos crentes mais espirituais de todas as gerações, de como eles têm sido capacitados a ver a Pessoa de Deus em contraste com eles próprios. Jó, o reto de coração, abominou-se a si mesmo perante Deus. Daniel, contra quem não há pecado registrado, disse: "...a minha decência foi tornada em corrupção".

A passagem central que trata sobre a verdade de que o crente possui duas naturezas e que uma delas, a natureza pecaminosa, não pode ser governada mesmo pelo poder de vontade de uma pessoa regenerada, é encontrada em Romanos 7.15–8.4; mas antes da passagem ser citada, são necessárias algumas palavras introdutórias gerais. Este texto apresenta um conflito entre dois aspectos do *ego* que o crente apresenta. A palavra *Eu* aparece em dois usos totalmente diferentes e conflitantes, mas todos dentro de uma personalidade do apóstolo cuja experiência é aqui registrada. A controvérsia é real, por ser travada como é entre duas naturezas – a natureza caída original que é inclinada para o mal e que por conveniência pode ser chamada de a *velha natureza*, e aquela que na mesma pessoa satisfaz o seu *eu* salvo e que pode ser chamada de *nova natureza*.

Daqui por diante, e com a melhor das razões, o *eu* salvo é hipoteticamente contemplado à parte do Espírito Santo que no crente habita. A questão vital é se um cristão, de si mesmo e meramente porque ele é salvo, tem o poder de contender vitoriosamente contra a sua natureza pecaminosa. Não é possível batalha mais sutil e enganosa. Neste conflito entre o homem salvo possuído de uma nova natureza e de sua natureza caída, o salvo com seus anelos santos é totalmente derrotado. Por ser salvo, agora ele tem altos e santos ideais, e, todavia, por causa de sua incapacidade de realizá-los, ele se torna um "homem desventurado". Totalmente em contraste a esta espécie de batalha está o conflito descrito em Gálatas 5.16,17, passagem que diz: "Digo, porém: Andai pelo Espírito [lit., por meio do Espírito] e não haveis de cumprir a cobiça da carne. Porque a carne luta contra o Espírito, e o Espírito contra a carne; e estes se opõem um ao outro, para que não façais o que quereis".

Aqui, a vitória sobre a carne é assegurada se ela é travada na confiança sobre o Espírito Santo. Nesta passagem está também revelado que a velha natureza do crente e o Espírito Santo são sempre "contrárias" uma a outra. Estas duas nunca podem por qualquer autodisciplina da velha natureza ser trazidas ao mais ligeiro acordo. O que é verdade a respeito da discordância entre o Espírito Santo e a velha natureza de acordo com Gálatas 5.16,17, é igualmente verdade do desacordo entre a nova natureza ou o *eu* salvo e a velha natureza, de acordo com a passagem de Romanos que está em evidência. Das duas passagens, deveria ser observado que uma registra uma derrota total e a outra uma vitória total, por ser a diferença essencial e impressiva entre elas a de que num caso a força limitada do *eu* salvo operou no conflito com a velha natureza, o que resultou numa derrota total e no outro caso o Espírito Santo quando seguido operou no conflito com a velha natureza o que resultou numa vitória total.

Várias interpretações de Romanos 7.15-25 têm sido desenvolvidas, e todas elas falham num grau maior ou menor na explicação da situação que o contexto apresenta. O tipo mais comum e mais errôneo é o desenvolvido, por exemplo, por Philip Mauro, o qual afirma que a Escritura registra aqui uma experiência do grande apóstolo antes dele ser salvo. A falácia desta interpretação é evidente. Nenhuma experiência dessa poderia realmente ter ocorrido na vida do apóstolo, nem poderia acontecer na experiência de qualquer pessoa não-regenerada. Ao contrário, o apóstolo declara que antes dele ter sido salvo, ele vivia em boa consciência e antes da lei como irrepreensível (Fp 3.6). Além do preceito de uma consciência fraca os não-salvos não nutrem ideais ou propósitos como estes de Romanos 7, de andar de modo agradável a Deus. Deus não está em todos os pensamentos deles. Final e conclusivamente, o mesmo *eu* de Romanos 7 é continuado inalterado no capítulo 8 em sua ênfase cristã. A diferença, indicada entre os capítulos 7 e 8, não é de salvação, mas libertação do poder do pecado e da morte que é o fruto sempre legítimo da natureza pecaminosa.

Este registro é claramente o da experiência do apóstolo Paulo. Ele descreve aquilo que passou quando com menos entendimento de seu próprio *eu*, ele havia tentado realizar os ideais celestiais na vida por confiar em sua própria força de propósito e vontade. Seria inconsistente àqueles que nunca lutaram por meio algum, falso ou verdadeiro, para alcançar tais ideais e olhar com compaixão para aquele que está ao menos no caminho de descobrir suas próprias limitações e os recursos ilimitados que estão residentes no Espírito Santo.

Por haver determinado que esta passagem registra a luta de um filho de Deus, é de real valor observar que ele, embora salvo, possui uma natureza caída, e sua libertação não é pela erradicação, mas pelo poder vencedor do Espírito Santo

(Rm 8.2). De cada referência ao velho *eu*, assim como da fraseologia paralela que é encontrada na passagem, a saber, "[a natureza do] pecado que habita em mim" (vv. 17, 20); "em mim (isto é, na minha carne), não habita bem nenhum" (v. 18); "o mal está comigo" (v. 21); "o pecado que está nos meus membros" (v. 23); "eu mesmo com o entendimento sirvo à lei de Deus, mas com a carne à lei do pecado" (v. 25); é evidente que o escritor possuía uma natureza caída.

A porção desta passagem que leva à pergunta: "Quem me livrará?" lida com alguns comentários inseridos é a seguinte: "Porque aquilo que Eu [por causa da velha natureza] faço *eu* [por causa da nova] não o entendo: porque o que *eu* [por causa da nova] quero, isso *eu* [por causa da velha] não pratico; mas o que *eu* [por causa da nova] aborreço, isso *eu* [por causa da velha] faço. E, se *eu* [por causa da velha] faço o que *eu* [por causa da nova] não quero, *eu* consinto com a lei [ou vontade de Deus], que é boa. Agora, porém, não sou mais *eu* [a nova] que faço isto, mas o pecado [a velha] que habita em mim. Porque *eu* sei que em mim [a velha], isto é, na minha carne, não habita bem algum; com efeito o querer o bem está em mim [a nova], mas o efetuá-lo não está. Pois não faço o bem que *eu* [por causa da nova] quero, mas o mal que *eu* [por causa da nova] não quero, esse pratico. Ora, se *eu* faço o que *eu* [por causa da nova] não quero, já o não faço *eu*, mas o pecado [a velha] que habita em mim. Acho então esta lei [não a lei de Moisés] em mim, que, mesmo querendo *eu* [a nova] fazer o bem, o mal [a velha] está comigo. Porque, segundo o homem interior [a nova], tenho prazer na lei de Deus; mas vejo nos meus membros [a velha] outra lei guerreando contra a lei do meu entendimento; e me levando cativo à lei do pecado, que está nos meus membros [a velha]. Miserável homem [cristão] que *eu* sou! Quem me livrará do corpo desta morte?"

A natureza deste conflito está evidente assim como está também a completa falha registrada. Como desempenhar o que é bom é um problema que todo cristão sério enfrenta, e enquanto milhares de pregadores estão ocupados como falar às suas congregações que eles deveriam ser bons, praticamente ninguém diz a elas *como* serem bons. Esta falha é devida à negligência da verdade da vida cristã nas instituições onde os homens são treinados para o ministério. Esta negligência não é devido a qualquer falta de texto explícito que trate sobre o assunto, ou a qualquer falta de provisão da parte de Deus com a finalidade de que os crentes possam ser vitoriosos na vida e no serviço. O grande apóstolo percebeu que muitos outros descobriram que quando ele estava para fazer o bem, o mal – a natureza pecaminosa com sua disposição para o pecado – estava presente com ele. Seus próprios esforços em perceber aqueles altos ideais, que são o corolário natural de um estado de regenerado, eram ineficazes. Assim, numa angústia extrema ele clamou: "Miserável homem que eu sou! Quem me livrará do corpo desta morte?" Por intermédio de uma figura repulsiva, todavia significativa, o apóstolo assemelha sua natureza caída a um cadáver açoitado que ele deve carregar para onde venha a andar.

A resposta a este problema é dupla: ele será liberto *através* da obra salvadora do Senhor Jesus Cristo (7.25) e *pela* intervenção pessoal do Espírito Santo

PNEUMATOLOGIA

(8.2). A libertação real ou experimental é pelo Espírito Santo, mas a libertação torna-se possível somente por meio daquilo que Cristo fez em Sua morte, como um julgamento veraz da natureza pecaminosa. Conquanto considerado anteriormente, este tema novamente surge no presente ponto e por um exame cuidadoso, visto que é um fator importante na totalidade da vida e do serviço capacitado pelo Espírito. Visto que este aspecto da morte de Cristo constituiu-se o tema central do capítulo precedente na carta aos Romanos, Paulo é justificado, ao construir o seu argumento sobre ele e isso sem uma análise posterior dele. Como foi afirmado anteriormente, o Espírito Santo, por ser santo, não poderia ser livre para fazer alguma coisa com a natureza pecaminosa, a menos que ela tivesse sido julgada por Deus e de uma maneira que O satisfizesse.

Toda barreira para a santidade infinita tinha de ser removida. Neste contexto, pode ser observado que o Espírito Santo é livre para regenerar o não-salvo sem os julgamentos ou a imposição de um simples golpe, e isto com a base na verdade de que Cristo morreu pelos pecados daquele a quem o Espírito vai salvar. A obra regeneradora do Espírito é vista como operada "através de Cristo Jesus nosso Senhor". De igual modo, Cristo, por ter morrido por um julgamento de morte para a natureza pecaminosa, o Espírito é livre para libertar incessantemente "através de Cristo Jesus nosso Senhor". A morte de Cristo para o pecado, a fim de significar a natureza, está descrita em Romanos 6.1-10 e consiste na co-crucifixão, co-morte, co-sepultamento e co-ressurreição do crente com Cristo. Tudo o que o crente é, mesmo com relação à sua natureza pecaminosa, esteve debaixo daquela substituição, substituição essa que se tornou um julgamento perfeito que satisfez e foi assegurada por Deus contra essa natureza.

Visto que a estrutura total do plano divinamente elaborado por meio do qual o crente pode viver acima do poder da carne para a glória de Deus, está baseado absoluta e unicamente na verdade de que Cristo morreu para a natureza pecaminosa como um julgamento satisfatório dela, este fato se torna imediatamente uma questão importante, o Evangelho da libertação, as boas-novas a respeito de uma obra terminada para o crente que, em ponto de importância e escopo de realização, perde apenas para a obra salvadora do Espírito Santo que está baseada na obra terminada de Cristo pelos não-salvos. Por causa de si mesmo e de outros a quem ele possa ser chamado para ministrar, o estudante deveria ser cônscio de quatro realidades imensuráveis: (1) que cada cristão, por ser pecador, ainda é da carne e é chamado para travar uma luta incessante contra a velha natureza; (2) que cada cristão é habitado pelo Espírito e é assim equipado com poder para ser vitorioso sobre a carne; (3) que Cristo morreu como julgamento de morte exigido por causa da velha natureza; e (4) que a libertação do poder da carne é operado sobre o princípio da fé ou dependência do Espírito, antes que com base em quaisquer supostos recursos de si mesmo.

Estas quatro verdades que estão muito intimamente relacionadas são provavelmente mais confundidas ou negligenciadas do que quaisquer outras dentro da esfera da doutrina bíblica. Na verdade, quem poderia avaliar o que teria acontecido na história dos crentes com respeito ao caráter e à fidelidade deles se a estas verdades tivesse sido dada a ênfase elucidadora que pertence a elas! Quão importante no progresso de cada crente é que ele venha a uma compreensão correta e a um reconhecimento de si mesmo, isto é, do fato e da força dominante da carne contra a qual ele luta! Anteriormente neste volume, quando se examinava a doutrina do batismo do Espírito, a verdade foi apresentada no sentido de que por meio desse batismo somos revestidos de Cristo (cf. Gl 3.27), e isto com base na justiça do aspecto do suave cheiro da morte de Cristo.

Sob a presente discussão a verdade complementar está em evidência, a qual revela que pela morte de Cristo para o julgamento da natureza pecaminosa o "velho homem" é "despojado" e o crente é revestido de Cristo. Experimentalmente, por meio do poder do Espírito Santo, o crente pode perceber o aspecto negativo da vida espiritual, que significa libertação e preservação do mal; e posicionalmente, por meio do Espírito, ele pode perceber o aspecto positivo da vida espiritual, que é a sobrevivência de Cristo que vive interiormente (cf. Gl 2.20).

Diversas passagens importantes estabelecem a verdade de que a carne do crente com sua natureza pecaminosa foi julgada por Cristo em Sua morte, e mostram como ela foi uma substituição completa ao ponto em que a carne com sua natureza pecaminosa foi tão perfeitamente tratada como teria sido se todos esses aspectos tivessem sido julgados no próprio crente. Na verdade, visto que nada houve de uma natureza pecaminosa em Cristo que o relacionou a um julgamento de morte, a única explicação possível de Sua morte neste aspecto torna-a uma substituição no lugar de outros; as almas por quem ele morreu essa morte (cf. Gl 5.24), sobre a fé, são contadas por Deus como possuidoras, total e eternamente, de cada valor dessa morte. Certas passagens podem bem ser consideradas:

Gálatas 5.24: "E os que são de Cristo Jesus crucificaram a carne com as suas paixões e concupiscências".

Diferente de algumas outras referências no Novo Testamento para a morte de Cristo como um julgamento da natureza pecaminosa residente no crente, o tempo do verbo traduzido neste versículo é devidamente apresentado. Num sentido passado e completado, a morte do cristão, com suas afeições e concupiscências, foi crucificada quando Cristo foi crucificado. Na verdade, está muito distante da idéia de que o crente deve tentar a autocrucifixão por qualquer meio; antes, a grande transação é feita e a responsabilidade que recai sobre o cristão é a de *crer* nela e de *considerá-la* como verdadeira. Uma certeza completa pode, assim, ser ganha para que o modo seja claro para o Espírito realizar uma libertação experimental plena do poder reinante do pecado. A declaração da passagem é direta e conclusiva. Todos os que são de Cristo *crucificaram* a carne.

Esta é a realização divina em e através da morte de Cristo. Está muito evidente que isto se refere a uma realidade posicional antes que uma realidade experimental; todavia, quão ilimitado é para o crente o valor do fato de que o julgamento está realizado e a vitória é possível! Não há necessidade de espanto se este fato não for geralmente entendido e reconhecido. Mesmo a morte de Cristo como a base justa para o perdão e justificação é desprezada e mal-entendida por um grande número de pessoas; e é provável que onde cem pessoas vieram a compreender a dependência deles da morte de Cristo para a sua salvação, não há mais do que um que apreende sua dependência da morte de Cristo para sua santificação também.

Romanos 6.1-10. Embora não citada novamente aqui, esta porção do texto deveria ser lida cuidadosamente considerando o fato de que ela é um registro – o mais extenso e exaustivo no Novo Testamento – do que Cristo fez no julgamento da natureza pecaminosa do crente. Com referência à presença e poder da natureza pecaminosa e da possível vitória sobre ela, o contexto continua no capítulo 8. Por ter declarado em 6.1-10 a verdade de que um julgamento foi ganho contra a natureza pecaminosa, o apóstolo em 6.11-23 insta à apropriação deste benefício ilimitado. Em 7.1-14, ele declara o sistema de mérito como removido, de forma que a vida agora está numa relação imediata com Cristo e pode realmente ser efetuada. Em 7.15–8.2 é declarada a incapacidade do salvo em si mesmo de vencer a natureza pecaminosa. A referência freqüentemente repetida do que está descrito definitivamente como "o pecado que está nos meus membros" indica a presença da natureza pecaminosa no crente: alguma coisa que, conquanto identificada, é incapaz de ser dominada por qualquer poder que não seja o do Espírito Santo.

Contudo, o modo para a vitória está preparado desde que Cristo morreu para a natureza pecaminosa (8.3-13). A vitória deve ser "através de Jesus Cristo nosso Senhor", mas será realizada em nossa experiência, até mesmo a liberdade do poder do pecado e da morte, pelo Espírito de vida em Cristo Jesus. Em 8.3 é feita a mais determinante declaração. O versículo diz: "Porquanto o que era impossível à lei, visto que se achava fraca pela carne, Deus, enviando o seu próprio Filho em semelhança de carne do pecado, e por causa do pecado, na carne condenou o pecado". O sistema de mérito em si é santo, justo e bom. Sua falha deve ser, portanto, devido ao fato de que ela foi relacionada à carne fraca, que não poderia ter uma resposta sábia às suas exigências. Visto que o sistema de mérito falha, como sempre acontece, Deus moveu-se em direção de um novo princípio de vida (8.4), a saber, um andar após, segundo o Espírito ou na dependência do Espírito.

Em tal caso, toda a vontade de Deus será cumprida *no* crente, mas nunca será ela cumprida *pelo* crente. Atrás desta realização do Espírito está a verdade de que, para tornar possível esse novo andar, Deus enviou Seu próprio Filho, que veio não como alguém possuidor de uma natureza pecaminosa, mas em semelhança da carne do pecado, e pelo pecado, isto é, a natureza pecaminosa, trazer a condenação, no sentido de julgamento, a essa natureza pecaminosa que está na carne. Assim, como um apogeu no final de um texto tão extenso que trata da natureza pecaminosa e seu controle, é feita uma declaração direta de que Cristo trouxe a juízo a natureza pecaminosa do crente, e sobre essa base legal e justa o Espírito Santo pode fazer o crente triunfar mesmo ao grau da realização da plena vontade de Deus.

Atrás somente da própria salvação está esta grande realidade de uma vida que honra a Deus e este caminho divinamente providenciado que deve ser alcançado. Que este texto sob estudo apresente somente o problema da natureza pecaminosa, está óbvio na identificação dele que é repetidamente encontrada neste texto das Escrituras, Romanos 6.1-10, e em tudo o que se segue até o fim do contexto, ou seja, Romanos 8.13. Os pecados dos não-salvos ou os pecados

A CARNE

dos salvos não estão em vista aqui; é um problema totalmente relacionado à raiz de tudo – a natureza pecaminosa e o seu julgamento. As seguintes expressões neste contexto, inclusive 7.15-25 e 8.3, atestam isso: "morte para o pecado" (6.2); "unidos a ele na semelhança da sua morte" (6.5); "nosso velho homem foi crucificado com ele" (6.6); "se já morremos com ele" (6.8); "pois quanto a ter morrido, de uma vez por todas morreu para o pecado" (6.10); "considerai-vos como mortos para o pecado" (6.11); "o pecado não mais terá domínio sobre vós" (6.14); "o pecado que habita em mim" (7.17,20); "o pecado que está em meus membros" (7.23); "o pecado na carne" (8.3).

Em nenhum sentido este grande tema é uma mera ordem para o cristão tentar crucificar a sua própria carne, nem é algo que é convocado a ordenar pelo uso de uma simples ordenança. Quando qualquer uma destas interpretações inverossímeis é colocada sobre esta ou outras passagens, nada deve ser à custa daquilo que é vital e valioso.

Igualmente, por meio da ressurreição de Cristo no aspecto substitutivo dela, o cristão é trazido judicialmente à base da ressurreição onde a morte, como um julgamento da natureza pecaminosa, é totalmente passada. Esta é a realidade sublime asseverada em Romanos 6.7-10, que diz: "Pois quem está morto está justificado do pecado. Ora, se já morremos com Cristo, cremos que também com ele viveremos, sabendo que, tendo Cristo ressurgido dentre os mortos, já não morre mais; a morte não mais tem domínio sobre ele. Pois quanto a ter morrido, de uma vez por todas morreu para o pecado, mas, quanto a viver, vive para Deus". Aquele que está morto, como o crente é contado no julgamento da morte de Cristo, está liberto daquelas exigências a respeito da natureza pecaminosa que requerem a penalidade da morte; mas então uma pessoa não pode ter morrido na morte de Cristo sem se tornar viva também com Ele em Sua ressurreição.

Como esse julgamento de morte dele não mais tem qualquer reivindicação sobre Cristo, por ser realizado numa perfeição infinita, Cristo não mais morre, nem há qualquer necessidade de tal morte. Portanto, a grande realidade que surge é que, como Cristo morreu para a natureza pecaminosa de uma vez por todas, tanto que aquele por quem ela foi realizada possui os benefícios não-diminuídos de sua morte num grau de perfeição infinita, assim para se tornar não somente aquele em quem a natureza pecaminosa é julgada e que permanece livre da penalidade de tal julgamento de morte, mas aquele que judicialmente entrou na esfera ilimitada da ressurreição da vida procedente de Cristo. Esta posição na ressurreição é tão real quanto a morte ou o sepultamento com Cristo. Sobre esta nova base o crente é ordenado a respeito da vida diária: "Se, pois, fostes ressuscitados juntamente com Cristo, buscai as coisas que são de cima, onde Cristo está, assentado à destra de Deus. Pensai nas coisas que são de cima, e não nas que são da terra; porque morrestes, e a vossa vida está escondida com Cristo em Deus" (Cl 3.1-3).

Colossenses 2.11,12: "No qual também fostes circuncidados com a circuncisão não feita por mãos no despojar do corpo da carne, a saber, a circuncisão de Cristo; tendo sido sepultados com ele no batismo, no qual também fostes ressuscitados pela fé no poder de Deus, que o ressuscitou dentre os mortos".

O entendimento correto deste texto depende muito basicamente do reconhecimento de que a circuncisão de Cristo é uma referência à sua morte – um desvestir-se do corpo ou da substância da carne como um impedimento formidável à espiritualidade, não o corpo físico de Cristo como Paulo disse anteriormente em Colossenses 1.22, não o corpo físico do crente, mas uma circuncisão ética na qual a natureza pecaminosa, que é encontrada na carne, é judicialmente deposta de seu domínio. Como foi indicado anteriormente, visto que o próprio Cristo não possuía natureza pecaminosa, este é um caso de substituição; é o julgamento da morte de Cristo em favor da natureza pecaminosa residente naqueles por quem Ele morreu, o mesmo empreendimento tríplice anunciado em Romanos 6.2-4, a saber, a co-morte, co-sepultamento e a co-ressurreição. A morte representa a execução das demandas da santidade infinita contra a natureza pecaminosa e é, em todos os casos, apresentada como uma coisa totalmente cumprida em favor do crente.

O sepultamento representa a disposição da ofensa da natureza pecaminosa perante Deus, como o mesmo sepultamento, de acordo com 1 Coríntios 15.3, 4, é também a disposição da ofensa dos pecados do mundo. Semelhantemente, Romanos 6.4 declara que o sepultamento é a disposição judicial da ofensa da natureza pecaminosa, em si mesma, por ser assegurada pela união de Cristo com os crentes que o batismo do Espírito operou. Além disso, nenhuma ordem, exemplo ou preceito a respeito de uma ordenança está incorporada a esta grandiosa passagem de Colossenses 2. A referência ao batismo é um reconhecimento do batismo do Espírito, que sozinho gera essa união vital com Cristo pela qual o crente se torna tão identificado com Ele, que assegurou para si mesmo todo o valor da crucificação, morte, sepultamento e ressurreição de Cristo.

Efésios 4.20-24; Colossenses 3.8-10: "Mas vós não aprendestes assim a Cristo, se é que o ouvistes, e nele fostes instruídos, conforme é a verdade em Jesus, a despojar-vos, quanto ao procedimento anterior, do velho homem, que se corrompe pelas concupiscências do engano; a vos renovar no espírito da vossa mente; e a vos revestir do novo homem, que segundo Deus foi criado em verdadeira justiça e santidade... Mas agora despojai-vos também de tudo isto: da ira, da cólera, da malícia, da maledicência, das palavras torpes da vossa boca; não mintais uns aos outros, pois que já vos despistes do homem velho com os seus feitos, e vos vestistes do novo, que se renova para o pleno conhecimento, segundo a imagem daquele que o criou".

As duas expressões *despojai-vos* e *vesti-vos* são significativas quando a forma correta do verbo é colocada na tradução. Além disso, é uma alusão ao passado, à realização completa de Cristo em sua morte e ressurreição. Por essa morte o velho homem foi despojado (cf. Rm 6.6; Gl 5.24), e por essa morte e ressurreição a provisão foi feita pela qual o novo homem pode ser vestido. Tudo isto, que é evidentemente posicional em seu caráter, conduz com toda a razoabilidade às exortações que se seguem imediatamente, e exigem um andar que traga honra a Deus.

III. O Diabo

Qualquer leitura séria e atenta do Texto Sagrado revelará dois fatos, a saber, (1) que Satanás é um ser tal real quanto qualquer outro descrito na Bíblia, e (2) que, embora limitado naquilo que pode fazer por causa da restrição divina, ele trava uma guerra incessante e impiedosa contra aqueles que são salvos. A ignorância dos instrumentos de Satanás, mesmo que não seja universal, é indesculpável visto que a Palavra de Deus apresenta os fatos como aparecem tanto do lado divino quanto do humano. O assunto geral da Satanalogia, já tratado anteriormente em detalhes, incorpora os aspectos salientes da doutrina de Satanás, como suas idéias, sua influência sobre o cosmos, e sua inimizade contra os crentes. Foi observado que Satanás é como um leão que ruge, à procura de quem possa engolir (1 Pe 5.8). Visto que não há inimizade alguma entre Satanás e os não-salvos, pois que são seus súditos (cf. Cl 1.13) a quem ele energiza (cf. Ef 2.2), o seu ataque é dirigido somente contra os filhos de Deus, e, evidentemente, por causa da natureza divina que está neles.

Possuidores dessa natureza, eles se tornam imediatamente uma oportunidade para os dardos inflamados a serem atirados em Deus, contra quem Satanás está primariamente em conflito. Este ataque contra os filhos de Deus e por causa do fato de que eles portam a natureza de Deus, está descrito em Efésios 6.10-17, onde se lê: "Finalmente, fortalecei-vos no Senhor e na força do seu poder. Revesti-vos de toda a armadura de Deus, para poderdes permanecer firmes contra as ciladas do Diabo; pois não é contra carne e sangue que temos que lutar, mas sim contra os principados, contra as potestades, contra os príncipes do mundo destas trevas, contra as hostes espirituais da iniqüidade nas regiões celestes. Portanto tomai toda a armadura de Deus, para que possais resistir no dia mau e, havendo feito tudo, permanecer firmes. Estai, pois, firmes, tendo cingido os vossos lombos com a verdade, e vestida a couraça da justiça, e calçados os pés com a preparação do evangelho da paz, tomando, sobretudo, o escudo da fé, com o qual podereis apagar todos os dardos inflamados do Maligno. Tomai também o capacete da salvação, e a espada do Espírito, que é a palavra de Deus".

Esta batalha não somente é real e o inimigo factual, mas sua força sobrepassa a esfera da capacidade ou da compreensão humana. Assim, no texto citado, o cristão é direcionado a lançar-se sobre Deus, e a usar as armas e a seguir as instruções que Deus providenciou. Nenhuma situação ou combinação de circunstâncias pode ser tão sem esperança quanto aquela em que o crente é colocado, quando em conflito com Satanás, na dependência dos recursos humanos. Como foi declarado anteriormente, o conflito com o mundo é externo e é também uma chamada para uma separação dele; o conflito com a carne é interno e está circunscrito ao indivíduo, enquanto que o conflito com Satanás é com uma pessoa poderosa, das esferas espirituais. Em cada caso a única esperança de sucesso está baseada naquilo que o Espírito supre para os crentes. "Maior é aquele que está em vós do que aquele que está no mundo" (1 Jo 4.4), "ao qual resisti firmes na fé" (1 Pe 5.9), e "fortalecei-vos no Senhor" (Ef 6.10):

estas não são somente instruções sábias, mas elas apresentam o único modo de vitória. Nem Satanás, nem o mundo, nem a carne jamais serão erradicados, nem o conflito será diminuído. A provisão de Deus é suficiente para uma conquista triunfal, mesmo quando aparentemente os inimigos trabalham sem restrição.

Conclusão

Na conclusão deste capítulo a respeito do aspecto negativo da vida espiritual, pode ser reafirmado que cada um dos três inimigos – o mundo, a carne e o diabo – pode sobrepujar toda capacidade humana e a vitória sobre elas é ganha somente pelo poder superior do Espírito Santo; e este sucesso, deve se tornar uma realidade na vida diária, exige um plano ou princípio de vida totalmente diferente e peculiar. A mudança da auto-suficiência para a dependência do Espírito Santo é abrangente; todavia, em tempo algum, mesmo quando os crentes estão plenamente capacitados, o Espírito opera fora das funções da vontade humana, nem é experimentada uma consciência de que algo além da vontade própria age ou determina. A vida espiritual não consiste na retirada do *eu*, da iniciativa ou da consciência da responsabilidade dele. O apóstolo declara que "é Deus quem opera em vós tanto o querer [com toda a sua vontade] como o realizar [com o seu próprio fazer] segundo a sua boa vontade" (Fp 2.13).

Assim, fica visto que a real experiência, à qual o crente é trazido, é um resultado da dependência do Espírito Santo e não uma coação de sua vontade, mas um exercício mais amplo e mais efetivo dela. Não é uma questão do Espírito Santo forçar aquele a quem Ele fortalece a fazer escolha dos ideais certos, seja o que alguém quer fazer ou não; é uma realização mais efetiva e mais normal do Espírito que inclina aquele que dele depende para *querer* no sentido do desejo, e para *fazer* no sentido de uma realização completa daquilo que constitui a vontade de Deus – a vontade de Deus que é boa, perfeita e agradável (Rm 12.2) – ou o que está de acordo com o beneplácito de sua vontade. O ponto em questão é vitalmente importante, se o princípio da fé deve ser exercido na vida do crente. É natural concluir que, se outro além do próprio crente empreende por ele o conflito com o mundo, a carne e o diabo, o crente deve se retirar desse conflito e tornar-se simplesmente nada mais do que um espectador interessado; mas não há um tipo de retirada ou de aposentadoria deste tríplice impacto.

O crente confiante permanece no calor da batalha sem a consciência imediata da presença do Espírito de quem ele depende. Contudo, a presença do Espírito é tornada evidente pelo fato de que a vontade é fazer escolha daquilo que honra Deus e pelo fato de que a vitória é experimentada em lugar da derrota. A advertência deveria ser soada a respeito de cada conflito relacionado à vida espiritual, no sentido de que, no que diz respeito à consciência do crente, a questão não é de uma retirada lenta da realidade e da responsabilidade, mas,

CONCLUSÃO

antes, do sabor da vitória por meio de uma ação mais efetiva da vontade, movida, como isto deve sempre ser, por uma apreciação mais vívida de cada ideal divino e da determinação vital de alcançá-lo. O conflito não é um teste de força física numa luta contra um inimigo externo. É uma batalha interna e o cristão que é derrotado descobre que ele não possui um poder suficiente para determinar as questões; ainda mais, quando fortalecido pelo Espírito Santo, ele não somente tem o poder da vontade, mas vê claramente e com equilíbrio de mente todos os aspectos do problema em que ele está envolvido.

O paralelo deste método divino de tratar com a vontade humana deve ser visto na salvação daqueles que estão perdidos, caso em que a escolha de Cristo pela ação do coração é desenvolvida pelo Espírito a ponto de um desejo ardente, mas sempre a vontade humana age sem compulsão e a verdade inalterável é preservada pelo fato de vir quem quiser. Assim, a vida espiritual é o resultado de uma escolha voluntária da vontade de Deus e, conseqüentemente, dela pode ser dito que "quem quiser pode alcançar vitória sobre todo inimigo". Como o não-salvo não faz e não pode fazer a escolha de Cristo, até que seja movido a fazê-lo pela ação do Espírito Santo que opera no seu coração, de igual modo os cristãos não fazem e não podem fazer a escolha das coisas de Deus que constituem a espiritualidade até que sejam movidos a fazer assim pela operação do Espírito na mente e no coração.

Viver a vida espiritual com uma base de fé não é na realidade uma cessação das obras; antes, é a aquisição da capacidade de realizar "toda boa obra". Exatamente como Tiago enfatiza o fato de que a justificação perante os homens repousa numa base de obras, há um sentido em que é verdade que a espiritualidade deve ser demonstrada pelo fruto que é gerado. Há no campo total da pistologia (estudo da fé) uma forma de fé que reivindica do poder do Espírito a operação das obras de Deus. Este tema deve ainda reaparecer para exposição num capítulo posterior.

Ainda permanece verdadeiro que este lado negativo da vida espiritual é secundário em relação ao lado positivo, que é um resultado vital, uma realidade espiritual para a glória de Deus. O aspecto positivo deve ser considerado a seguir, no Capítulo XIV.

531

CAPÍTULO XIV

O Poder para Fazer o Bem

ARAZOABILIDADE DA ORDEM DIRIGIDA A TODO CRENTE, para ser cheio do Espírito Santo (Ef 5.18), é mantida tanto pelo fato de que Cristo instruiu Seus discípulos que nenhum serviço deveria ser feito antes do Espírito Santo descer sobre eles (cf. Lc 24.49; At 1.4, 8), quanto pelo fato de que em cada empreendimento subseqüente importante é dito que eles foram enchidos novamente para esse serviço. A obra do Espírito Santo no crente e através dele é, como já foi indicado, uma obra tanto negativa (uma vitória sobre o mundo, a carne e o diabo) quanto positiva – um resultado daquilo que vem de dentro que é bom; além do mais, o enchimento do Espírito, conquanto proporcione um triunfo sobre o mal, tem como seu objetivo mais importante uma vida vital e positiva e um serviço que somente Deus, o Espírito, pode realizar. No campo mais amplo daquilo que é positivo, a obra do Espírito durante a presente era é abrangida em sete ministérios dos quais o enchimento é apenas um; contudo, reconhecidamente este ministério somente está relacionado ao cristão como a base e a fonte da vida espiritual.

Os outros seis ministérios – restrição, reprovação, regeneração, habitação, selamento e batismo – foram considerados em porções anteriores deste volume; com relação ao sétimo ministério do Espírito, quando relacionado ao resultado da vida espiritual e do serviço, está demonstrado no Novo Testamento como a realização das sete manifestações do Espírito nesta era. A expressão positiva do poder do Espírito – à parte da Sua poderosa obra de vitória sobre o mal – é manifesta em não menos que sete modos distintos. Há razão aqui para a ação de graças a respeito deste fato, pois o cristão não é deixado nas trevas relativas às realidades exatas que constituem a vida espiritual e o serviço, ambos positivos e dignos. Somente incertezas e angústias seriam obtidas, se tudo o que poderia ser descoberto a respeito da realização da vida espiritual tivesse de ser ganho da experiência daqueles que tentaram viver essa vida.

A norma ou o padrão de Deus é indicado claramente. Qualquer coisa que as mentes sem instrução tenham pensado que a vida espiritual possa ser, segue-se um canal que é (à parte do exercício variado dos dons espirituais e da realização das responsabilidades pessoais) uma expressão padronizada da mente de Deus

O Fruto do Espírito

a favor do crente. Um cristão espiritual é um filho *normal* de Deus, embora na realização da vida diária, com suas fraquezas e falhas humanas, ele possa não ser o tipo *comum*. Ainda permanece verdadeiro que a vida cheia do Espírito com toda sua riqueza de realidade é o padrão de Deus, normal e ideal, ainda que ninguém tenha jamais atingido isso. A apresentação destas sete manifestações do Espírito no Novo Testamento não é com a finalidade de colocar um ideal diante do crente que ele deve tentar atingir por sua própria força; antes, é a apresentação diante dele daquela vida abençoada que ele pode prever como o resultado da operação do Espírito nele e através dele.

A estes ideais manifestados por Deus o cristão deveria prestar atenção a eles, e deveria mostrar simpatia e cooperação, mas a realização é definitivamente uma obra do próprio Espírito Santo – estas são somente manifestações do Espírito. As sete realidades indicadas no Novo Testamento são: (1) o fruto do Espírito; (2) os dons que são operados pelo Espírito; (3) o louvor e a ação de graças que são inspirados pelo Espírito; (4) o ensino do Espírito; (5) a direção do Espírito; (6) a vida de fé que é realizada pelo Espírito; e (7) a intercessão do Espírito.

I. O Fruto do Espírito

"Mas o fruto do Espírito é: o amor, o gozo, a paz, a longanimidade, a benignidade, a bondade, a fidelidade, a mansidão, o domínio próprio; contra estas coisas não há lei" (Gl 5.22, 23).

Este contexto – Gálatas 5.16-25 – segue-se naturalmente a porção da Escritura que foi recentemente considerada, Romanos 6.1–8.4, em que o apóstolo lançou o fundamento sobre o qual toda a vida espiritual e o serviço efetivo estão baseados: é aquele aspecto da morte de Cristo, que é um julgamento da natureza pecaminosa, e pelo qual a liberdade é assegurada para o Espírito Santo desempenhar uma operação desimpedida dentro do cristão a despeito da presença ativa da natureza pecaminosa que está na carne. Visto que Deus em Cristo "condenou o pecado na carne", a totalidade da vontade de Deus pode ser "realizada em nós", mas nunca *por* nós (Rm 8.3, 4). O Espírito está designado para realizar toda vontade de Deus na vida do crente, cuja experiência nunca poderia ser realizada se dependesse da capacidade humana (cf. Rm 7.15-25). Este resultado, que realiza a vontade de Deus, não é cumprido em todos os cristãos em virtude do fato deles serem salvos, mas somente naqueles dentre eles que "não andam segundo a carne, mas segundo o Espírito".

O contraste é entre aqueles cristãos que dependem de seus próprios recursos – cuja linha de ação é compatível com o caráter de todo relacionamento de lei com Deus – e aqueles cristãos que dependem do poder do Espírito que neles habita. Um método apresenta "as obras da carne", ou aquilo que a lei prevê quando faz seu apelo aos recursos humanos; o outro método, visto que contempla a capacitação do Espírito, resulta na concretização de tudo o que o

Espírito Santo pode fazer. Aquilo que se segue no contexto de Romanos 8.4 é um desenvolvimento importante do contraste entre o princípio da lei e o da fé; então, também, como foi afirmado, o andar determinante na dependência do Espírito Santo, anunciado em Romanos 8.4, é mencionado novamente em Gálatas 5.16-26, com a continuação do mesmo contraste entre as obras da carne e as realizadas pelo Espírito Santo.

Na passagem de Gálatas, a carne e o espírito são declarados como totalmente irreconciliáveis. O fato de que os dois não podem jamais ser reconciliados é verdadeiro sem exceção a respeito de todo filho de Deus (cf. Gl 5.17), e enquanto ele permanece neste corpo e neste mundo. Nenhum crente jamais alcançou o lugar onde não precise mais andar por meio do Espírito Santo. O cristão mais experiente deve, ser despertado para a verdade a respeito de si próprio, testemunhar sobre o fato de que a carne com suas afeições e desejos está presente nele e demonstrará sua presença por meio das "obras da carne", se não forem colocadas em xeque pelo poder superior do Espírito. Os ideais de respeitabilidade podem impedir alguém de um desprezo chocante das exigências da sociedade, mas a plena vitória interior sobre a carne é ganha somente pela operação do Espírito em resposta à dependência específica dele.

Grandes e pavorosas são "as obras da carne": "Porque a carne luta contra o espírito, e o espírito contra a carne; e estes se opõem um ao outro, para que não façais o que quereis. Mas, se sois guiados pelo Espírito, não estais debaixo da lei. Ora, as obras da carne são manifestas, as quais são: a prostituição, a impureza, a lascívia, a idolatria, a feitiçaria, as inimizades, as contendas, os ciúmes, as iras, as facções, as dissensões, os partidos, as invejas, as bebedices, as orgias e coisas semelhantes a estas, contra as quais vos previno, como já antes vos preveni, que os que tais coisas praticam não herdarão o reino de Deus" (Gl 5.17-21). Mas contra as obras da carne está o fruto do Espírito.

Quando se anda pela fé ou na dependência do Espírito Santo, dois resultados são assegurados: (1) as obras da carne não serão realizadas e (2) o fruto do Espírito terá sua manifestação. Tanto o aspecto, negativo e positivo, da vida espiritual são garantidos àqueles que assim dependem do Espírito. Aquilo que constitui o fruto do Espírito está mencionado com exatidão. É um produto do Espírito que opera no crente e por meio dele. Empregadas na passagem agora em consideração (Gl 5.22, 23), as nove palavras que denotam o fruto do Espírito apresentam qualidades de caráter sobrenaturais; elas não poderiam ser produzidas sob circunstâncias naturais pela capacidade humana; elas são características divinas. Semelhantemente, estas nove graças tomadas juntas constituem um fruto do Espírito. A forma singular de *fruto* usada é explicada pelo fato de que estas nove graças formam um todo indivisível.

O Espírito Santo não produzirá apenas alguns destes e não todos. Se alguns estão presentes, tudo estará realmente presente. Assim, também, estas nove graças constituem os elementos essenciais do caráter cristão. Com pouco pensamento evidente para as implicações envolvidas, os líderes cristãos têm instado os crentes à idéia de que o caráter cristão é algo a ser construído

O Fruto do Espírito

pelo extenuante auto-esforço, e tem entrado assim num caminho que não é caracterizado pela dependência das obras humanas (ainda que termine nelas) como a base de qualquer aceitação perante Deus. A seqüência suposta na construção do caráter é dita ser simplesmente que os pensamentos determinam os atos, que os atos determinam o caráter, e que o caráter determina o destino. Pouca coisa sobra para um Salvador ou o poder de Deus em tal programa de desenvolvimento.

O que quer que o mundo possa resolver designar como seu plano pelo qual o homem pode alcançar o que é suposto ser o caráter correto, o método singular, imediato e efetivo, é designado para o filho de Deus. O caráter cristão é um produto divino que não deve ser realizado apenas parcialmente e isso no final de um doloroso auto-esforço, como é o caso do mundo no uso de seu método, mas é um produto que se torna total e instantaneamente disponível quando a relação correta com o Espírito Santo é desobstruída. Como foi dito, Gálatas 5.22, 23 é a forma escrita mais resumida da vida de Cristo, porque o fruto do Espírito é a sobrevivência do Cristo que vive em nós. Bem pode então ser aceita a realização da experiência à qual o apóstolo se referiu, quando disse: "Para mim o viver é Cristo" (Fp 1.21; cf. Gl 2.20).

A respeito das nove graças que juntamente compreendem o fruto do Espírito, o Dr. C. I. Scofield escreveu: "O caráter cristão não é uma mera correção moral ou legal, mas a posse e a manifestação de nove graças: amor, alegria, paz – caráter na expressão de um estado interior; longanimidade, benignidade e bondade – caráter para com o homem; fé, mansidão, domínio próprio – caráter na expressão para com Deus. Tomadas juntas elas apresentam um retrato moral de Cristo, e podem ser tomadas como a explicação do apóstolo, de Gálatas 2.20, 'não eu, mas Cristo', e como uma definição de 'fruto' em João 15.1-8. Este caráter é possível por causa da união vital do crente com Cristo (Jo 15.5; 1 Co 12.12, 13), e é totalmente o fruto do Espírito naqueles crentes que são rendidos a Ele (Gl 5.22, 23)".[142]

Com estas palavras introdutórias gerais em mente, deveria ser dada atenção a cada uma dessas nove palavras em sua ordem e deveria ser feita uma observação do caráter divino delas, assim como da qualidade desejável de todas as coisas que elas apresentam.

1. Amor. Visto que o Espírito Santo declara, como Ele o faz em 1 Coríntios 13, e esse amor é supremo entre todos os dons, é razoável que deva aparecer primeiro na lista do fruto múltiplo do Espírito. O amor é o aspecto preeminente da experiência humana tanto sob as dispensações de Moisés e do reino, quanto ela o é no cristão. Com relação ao período mosaico, está declarado que o "amor é o cumprimento da lei" (Rm 13.10); e o avanço na responsabilidade a respeito do amor que o reino vindouro antecipa está afirmado em Mateus 5.43,44,46: "Ouvistes que foi dito: Amarás ao teu próximo, e odiarás ao teu inimigo. Eu, porém, vos digo: Amai aos vossos inimigos, e orai pelos que vos perseguem... Pois, se amardes aos que vos amam, que recompensa tereis? Não fazem os publicanos também o mesmo?" Contudo, esse padrão de amor que

Cristo ordena para os crentes de sua era é sobrenatural e totalmente divino em caráter.

Ele disse: "Um novo mandamento vos dou: que vos ameis uns aos outros; assim como eu vos amei a vós, que também vós vos ameis uns aos outros. Nisto conhecerão todos que sois meus discípulos, se tiverdes amor uns aos outros" (Jo 13.34,35). Quando ele é chamado a exercer uma característica divina e quando é providenciado um poder suficiente para essa tarefa pela qual ela pode ser realizada, não é pedir demais esperar que o crente manifeste essa característica. Tendo indicado a compaixão divina pelos perdidos que levou ao sacrifício da cruz e após indicar também a falta de amor que não faz sacrifício algum pelos outros, o apóstolo João faz a pergunta: "Como permanece nele o amor de Deus?" (1 Jo 3.17). Semelhantemente, o mesmo apóstolo, após ter afirmado que o sistema do cosmos não deveria ser amado, ele declara: "Se alguém ama o mundo, o amor do Pai não está nele" (1 Jo 2.15).

Novamente, isto não é uma referência ao amor do crente por Deus; é o amor de Deus que opera através do crente. Assim também, no final de Sua oração sacerdotal, quando Cristo falava da providência daquele amor pelo qual o Pai O havia amado, o amor poderia estar naqueles por quem Ele orou (Jo 17.26). Ainda de um modo mais direto, o apóstolo Paulo assevera que "o amor de Deus está derramado em nossos corações pelo Espírito Santo que nos foi dado" (Rm 5.5). À luz desses textos, não é difícil aceitar a realidade a que o apóstolo se refere quando diz que "o fruto do Espírito é o amor". O Dr. Norman B. Harrison falou do "próprio amor de Deus que impulsiona a vida humana!" Assim, novamente, ele afirma: "Deus selou Seu amor 'pelo mundo' – João 3.16; 1 João 2.2. Deus apregoou esse amor à terra através da pessoa de Seu Filho. Ele apregoou esse amor aos corações através da pessoa do Espírito Santo. Ele apregoaria esse amor aos necessitados em toda parte por meio das pessoas de Seus filhos redimidos. Assim, o amor é a chave de seu programa redentor: recebido, ele se torna a nossa salvação; se respondemos a esse amor, ele se torna a nossa santificação; liberados a outros, ele se torna o nosso serviço. E – lembremo-nos bem – o amor não tem substituto algum".[143]

Tão certamente quanto o próprio amor de Deus passa através de Seus filhos quando cheios do Espírito, assim certamente esse amor continuará a ser dirigido para com os seus objetos próprios e o cristão assim abençoado amará o que Deus ama e odiará o que Deus odeia. Portanto, é pertinente observar aquilo que Deus ama e observar sua expressão naqueles que estão cheios do Espírito; mas deveria ser lembrado que isto não é o amor humano aumentado ou estimulado, embora o amor humano em si mesmo seja real. É o amor divino manifesto pela própria Pessoa da divindade e surge daquela pessoa que mora no crente. Estes objetos do amor divino estão mencionados na Escritura.

A. INCLUI O MUNDO INTEIRO. A ênfase na Escritura é plena e completa sobre este fato, a saber, o de que Deus ama a raça humana (cf. Jo 3.16; Hb 2.9; 1 Jo 2.2). O que é chamado de "o espírito missionário" não é nada além da compaixão que trouxe o Filho de Deus do céu à terra, para morrer de forma que os homens pudessem ser salvos. O interesse nos perdidos não é acidental com os cristãos, nem é ele uma mera inclinação humana; é uma realização imediata do amor divino. A paixão por ganhar almas não é assegurada pela exortação; ela é um fluxo normal que vem de dentro dos crentes, como produto de uma realidade divina.

B. Exclui o Sistema Mundial. João declara: "Não ameis o mundo, nem o que há no mundo. Se alguém ama o mundo, o amor do Pai não está nele. Porque tudo o que há no mundo, a concupiscência da carne, a concupiscência dos olhos e a soberba da vida, não vem do Pai, mas sim do mundo" (1 Jo 2.15,16). Esta aparente contradição com o ponto estabelecido no parágrafo anterior pode ser explicada facilmente, quando se reconhece que, embora seja o mesmo *cosmos* que Deus tanto ama quanto odeia, são os homens do mundo que Ele ama e somente as instituições e males dele que Ele odeia. Assim, o cristão deve amar o mundo dos homens perdidos e lutar pela salvação deles, e, ao mesmo tempo, odiar o sistema satânico em que os perdidos estão colocados.

C. Inclui a Verdadeira Igreja. "Logo muito mais, sendo agora justificados pelo seu sangue, seremos por ele salvos da ira. Porque se nós, quando éramos inimigos, fomos reconciliados com Deus pela morte de seu Filho, muito mais, estando já reconciliados, seremos salvos pela sua vida" (Rm 5.9,10); "Vós, maridos, amai a vossas mulheres, como também Cristo amou a igreja, e a si mesmo se entregou por ela" (Ef 5.25). Ele ama os Seus ainda que eles possam se desviar, como está revelado na cena ligada com o retorno do filho pródigo. "Se nos amarmos uns aos outros, Deus permanece em nós, e o seu amor é em nós aperfeiçoado" (1 Jo 4.12). Por esta compaixão divina de um pelos outros, o cristão atesta a realidade de sua profissão e isto diante do mundo: "Um novo mandamento vos dou: que vos ameis uns aos outros; assim como eu vos amei a vós, que também vós vos ameis uns aos outros. Nisto conhecerão todos que sois meus discípulos, se tiverdes amor uns aos outros" (Jo 13.34, 35). Tal amor divino é também um teste de irmandade em Cristo: "Nisto conhecemos o amor: que Cristo deu a sua vida por nós; e nós devemos dar a vida pelos irmãos. Quem, pois, tiver bens no mundo, e, vendo o seu irmão necessitado, lhe fechar o seu coração, como permanece nele o amor de Deus?" (1 Jo 3.16,17); "Nós sabemos que já passamos da morte para a vida, porque amamos os irmãos" (1 Jo 3.14).

D. Sem fim. "Tendo amado os seus que estavam no mundo, amou-os até o fim" (assim, *eternamente*, Jo 13.1). Do amor de Deus operado no crente é dito que ele é "sofredor" e que, afinal de contas, deve ser dessa espécie (1 Co 13.4).

E. Para com Israel. Aos de Israel Deus disse: "Com amor eterno eu te amei" (Jr 31.3). Com algum conhecimento dos propósitos eternos de Deus para a nação eleita e também da parte dos crentes com uma relação correta com Deus pela qual o amor divino pode fluir desimpedidamente, haverá um amor muito definido experimentado por este povo a quem Deus ama tão definida e eternamente como Ele faz com o próprio cristão.

F. Sacrificial. Aqueles que experimentam o amor divino serão impelidos ao sacrifício com o fim de que outros possam ser salvos e edificados em Cristo.

Está escrito aos cristãos: "Pois conheceis a graça de nosso Senhor Jesus Cristo que, sendo rico, por amor de vós se fez pobre, para que pela sua pobreza fôsseis enriquecidos" (2 Co 8.9). Tal atitude da parte do Filho de Deus para com as riquezas eternas deve, se reproduzida no cristão, afetar basicamente sua atitude para com as riquezas terrestres. Não somente o amor de Deus é sacrificial em relação às riquezas celestiais; ele é sacrificial com respeito à própria vida. "Nisto conhecemos o amor: em que Cristo deu a sua vida por nós". Portanto, segue-se que "nós devemos dar a vida pelos irmãos" (1 Jo 3.16). O apóstolo Paulo testificou: "Digo a verdade em Cristo, não minto, dando testemunho comigo a minha consciência no Espírito Santo, que tenho grande tristeza e incessante dor no meu coração. Porque eu mesmo desejaria ser separado de Cristo, por amor de meus irmãos, que são meus parentes segundo a carne" (Rm 9.1-3). O apóstolo sabia muito bem que não haveria uma ocasião para ele ser amaldiçoado, visto que o Senhor havia sido feito maldição por todos; mas ele poderia ainda estar *disposto* a ser feito maldição. Tal experiência é a realização direta do amor divino na vida humana que deu Jesus para morrer sob a maldição e julgamento do pecado do mundo. Quando esta compaixão divina pelos perdidos é reproduzida no crente, isto se torna a dinâmica verdadeira e suficiente para a obra de ganhar almas.

G. Puro e não-recompensado. O amor de Deus não procura compensação e é tão santo em seu caráter quanto é Aquele de quem ele flui. Quais os elementos humanos imperfeitos podem ser fundidos nele não seria fácil de definir; mas em si mesmo ele vem do coração de Deus que é simples e infinitamente digno. Deus é em si mesmo amor. Isto não significa que Ele tenha alcançado o amor ou que Ele o mantenha por um esforço. Ele é amor em razão de sua natureza essencial e de ser a fonte de todo o verdadeiro amor que é encontrado no universo. Contudo, o amor significa, entre outras coisas, a capacidade de ficar indignado e de reagir no julgamento sobre aquilo que é oposto a ele ilegitimamente. Pode ser crido que este é também um dos aspectos divinos do amor infinito.

Na verdade, inútil é qualquer tentativa de imitar o amor divino comunicado, embora ele possa ser normalmente manifesto no crente espiritual. Mesmo o amor humano não está sujeito ao controle da vontade humana. Um indivíduo não pode fazer com que ele próprio ame aquilo que ele não ama, nem pode ele por qualquer capacidade alojada em si mesmo, começar a amar de novo aquilo que ele parou de amar. Certamente, a possibilidade de uma falsificação da compaixão divina é inconcebível. Se as afeições pelos objetos normais do amor humano não podem ser governadas pela vontade humana, como poderia a afeição pelos objetos divinos ser gerada ou descartada à vontade? Assim, fica demonstrado que a presença da compaixão divina no coração do crente não é nada além do exercício direto do próprio Deus em relação ao seu próprio amor através do crente como um canal. Quando há alguma falha a ser ajustada ou uma relação correta com Deus, o amor divino não fluirá livremente; mas quando a relação correta é mantida, o fluxo do amor divino corre livremente. Tal controle da expressão do amor divino está longe da mera disposição para amar ou não amar o que Deus ama. O amor divino é a força dinâmica e motivadora na vida espiritual. Com ele, a vida é uma realização do ideal divino; sem ele, há somente a falha e o desapontamento trágicos.

Igualmente, o caráter sobre-humano do amor divino é prontamente evidente. Não somente esse amor está além da capacidade humana, está muito longe da qualidade das afeições humanas como os céus estão mais altos do que a terra. Considere novamente a medida do amor exigido, quando Cristo disse: "Um novo mandamento vos dou: que vos ameis uns aos outros; assim como eu vos amei a vós, que também vós vos ameis uns aos outros" (Jo 13.34). Não se espante dele ter dito que este amor totalmente sobrenatural seria o sinal ou a evidência indiscutível ao mundo do que é a realidade cristã. Assim ele falou: "Nisto conhecerão todos que sois meus discípulos, se tiverdes amor [igual a este] uns aos outros" (v. 35). Em Sua oração sacerdotal, Cristo pediu quatro vezes que seus discípulos pudessem ser um, como o Pai e o Filho são um. Esta oração é respondida na unidade realizada por um Corpo que o Espírito Santo formou.

O fato desta unidade cria uma obrigação para todo crente amar um ao outro com compaixão não menor do que a de Cristo, que por eles morreu. Se tal amor fosse realmente manifesto entre os cristãos, Cristo declarou que, como um resultado certo, o mundo viria a *conhecê-lo* e a *crer* nele (cf. Jo 17.21-23). Possuir e manifestar a compaixão de Deus não é algo opcional; é uma ordenança de Cristo. Isto é igualmente essencial para os cristãos em suas vidas, ou o mundo nunca conhecerá ou crerá em Cristo. À luz de tão deplorável desunião entre os cristãos, pode ser questionado se o mundo jamais tenha tido uma oportunidade passageira de conhecer ou de crer. Imensurável é a eficácia e atração que os outros têm por um amor cristão puro; e para aquele que ama dessa forma a satisfação jubilosa está além da expressão. Pouco espanto causa o fato do apóstolo afirmar que o amor é supremo e o dom a ser desejado acima de todos os outros; nem é esse amor outro além do próprio amor a ser listado como o primeiro entre os elementos que compõem o fruto do Espírito. Aquele que ama com a compaixão divina bebe do vinho do céu e passa realmente pela experiência ao êxtase que constitui a felicidade de Deus.

2. ALEGRIA. De igual modo, a alegria, que é o segundo elemento listado no fruto do Espírito, não é outra coisa senão a alegria celestial de Deus que passa através do filho de Deus, ou reproduzida nele. Ela não é uma alegria humana estimulada ou aumentada pela influência divina. É a própria alegria do Espírito e de Cristo e do Pai, operada como uma experiência no crente. Neemias declarou: "A alegria do Senhor é a nossa força" (8.10), e esta verdade permanece para sempre. Sobre a alegria divina que é comunicada, Cristo disse: "...para que o meu gozo permaneça em vós, e o vosso gozo seja completo" (Jo 15.11). O apóstolo João, por ter declarado o fato da comunhão entre Deus, Pai e Filho, e o crente, afirma: "Estas coisas vos escrevemos, para que o nosso gozo seja completo" (1 Jo 1.4). Quando a oração é realizada em toda a sua bênção, a alegria será completa (Jo 16.24).

Assim também Pedro escreve: "...a quem, sem o terdes visto, amais; no qual, sem agora o verdes, mas crendo, exultais com gozo inefável e cheio de glória" (1 Pe 1.8). Somente a alegria divina é um πλήρωμα ou infinitamente plena. Grandes erros têm sido gerados por artistas que esboçam os seus retratos imaginários de Cristo – uma empreitada atrevida à luz de 2 Coríntios 5.16, esforço pelo qual eles têm parecido disputar com os outros na descrição da angústia e da tristeza. Para eles, Cristo era somente "um homem de dores, e que sabe o que é padecer" (Is 53.3); mas os discípulos a quem Ele falou e que o haviam acompanhado por todos os três anos e meio de ministério sabiam muito bem ao que Ele se referia quando falava de sua própria alegria, como seus escritos dão testemunho.

Ao mostrar as mesmas características gerais do amor, igualmente a alegria divina não pode ser aumentada ou diminuída pelo comando da vontade humana, e igualmente certa é a evidência de que tal alegria não pode ser imitada. A alegria celestial no coração se constitui num atrativo mais eficaz do que pode ser dito. Ela é um elemento altamente desejado por Deus no cristão, ou não seria providenciado por Deus para o cristão como sempre acontece. É uma capacidade espiritual dada por Deus para ele ser capaz de sofrer com Cristo como alguém que compartilha com ele do fardo de um mundo perdido, e, todavia, tanto a alegria celestial quanto a tristeza divina – um aspecto do Seu amor – devem ser experimentadas pelo cristão de uma vez e ao mesmo tempo. Se isto sugere uma contradição de termos, é somente no preceito das limitações humanas com respeito ao entendimento. É da natureza divina estar ambos, alegria e tristeza, ao mesmo tempo, e assim deve ser o crente espiritual como um resultado do desenvolvimento das características divinas nele: não ser neutro, porque um aspecto neutraliza o outro, mas estar ambos triste e alegre com a plenitude divina não diminuída, à medida que estas características são geradas pelo Espírito Santo. "Regozijai-vos sempre no Senhor; outra vez digo, regozijai-vos" (Fp 4.4); "Regozijai-vos sempre" (1 Ts 5.16).

3. Paz. Quando Cristo transmitiu a sua paz, de igual modo Ele a revelou quando disse: "Deixo-vos a paz, a minha paz vos dou; eu não vo-la dou como o mundo a dá. Não se turbe o vosso coração, nem se atemorize" (Jo 14.27). É feita referência aqui à paz que é divina, mas que pode ser, não obstante, operada no coração humano. O apóstolo Paulo a definiu quando disse: "E a paz de Deus, que excede todo o entendimento, guardará os vossos corações e os vossos pensamentos em Cristo Jesus" (Fp 4.7). Uma distinção deveria ser observada entre "a paz de Deus", que é uma experiência subjetiva operada interiormente, e a "paz com Deus" (Rm 5.1), que se refere à verdade que, por meio da perfeição da obra de Cristo, o crente está numa condição de paz com Deus para sempre. Neste último caso, Paulo descreve a perfeição da reconciliação.

A paz que Cristo deixou e que é um elemento no fruto do Espírito, contudo, é uma experiência de paz sentida no coração. Ela, igual a todas as coisas inclusas no fruto do Espírito, é uma comunicação direta e constante daquilo que constitui a própria natureza e caráter de Deus. Ela não pode, mais do que o amor e a alegria, ser assegurada pela força da vontade humana, nem pode ela ser descartada. Somente a experiência dela pode demonstrar o que a paz de Deus realmente é – uma tranqüilidade sublime do coração e da mente a despeito de toda lembrança perturbadora, de todo mau agouro, de toda circunstância, ou condição. Tal paz, inestimável como é, honra Deus diante dos homens e assim satisfaz Deus; na verdade, somente a "grande paz" se torna daqueles cujas vidas estão "ocultas com Cristo em Deus" (Cl 3.3).

Estes três – amor, alegria e paz – formam um grupo que apresenta o caráter como um estado interior, aquilo que o coração experimenta diretamente de Deus e especialmente quando olhado como uma entidade em si mesmo.

4. LONGANIMIDADE. Cada elemento no fruto do Espírito é contrário a um aspecto correspondente no coração humano. A cura para um aspecto espiritual não é uma cessação experimentada de uma coisa má, mas uma substituição do fruto do Espírito ou de todas as virtudes que Deus comunica. A longanimidade, por exemplo, é o antídoto divino para a impaciência. Não há um mero alargamento da paciência humana contemplado; antes, é a paciência de Deus trabalhada. A longanimidade-paciência de Deus não conhece limites. Isto é visto em seu tratamento duradouro da raça humana, em Sua paciência com aqueles indivíduos que por longo tempo rejeitam Cristo, e em sua paciência com aqueles a quem Ele traz para Si mesmo (cf. Lc 18.7). Quando Jeová proclamou o Seu nome a Moisés no monte fumegante, foi dito: "Tendo o Senhor passado perante Moisés, proclamou: Jeová, Jeová, Deus misericordioso e compassivo, tardio em irar-se e grande em beneficência e verdade" (Êx 34.6).

Assim, Moisés numa oração intercessória lembra Jeová de Sua própria revelação a respeito de Si mesmo: "O Senhor é tardio em irar-se, e grande em misericórdia; perdoa a iniqüidade e a transgressão; ao culpado não tem por inocente, mas visita a iniqüidade dos pais nos filhos até a terceira e a quarta geração" (Nm 14.18). E o salmista declarou: "Mas tu, Senhor, és um Deus compassivo e benigno, longânimo e abundante em graça e em fidelidade" (Sl 86.15). O apóstolo Paulo adverte aqueles que se opõem a Deus quando ele pergunta: "Ou desprezas tu as riquezas da sua benignidade, e paciência e longanimidade, ignorando que a benignidade de Deus te conduz ao arrependimento?" (Rm 2.4). Mesmo "os vasos de ira preparados para a perdição" são objetos da longanimidade de Deus. Está escrito: "E que direis, se Deus, querendo mostrar a sua ira, e dar a conhecer o seu poder, suportou com muita paciência os vasos da ira, preparados para a perdição" (Rm 9.22). Pedro declara: "O Senhor não retarda a sua promessa, ainda que alguns a têm por tardia; porém é longânimo para convosco, não querendo que ninguém se perca, senão que todos venham a arrepender-se" (2 Pe 3.9). E Pedro também afirma a salvação como se estivesse ligada à "longanimidade de Deus" (2 Pe 3.15).

Que a característica divina da longanimidade deve ser comunicada diretamente ao crente e por intermédio dele manifestada para a glória de Deus não está somente declarado visto que está dito que ela é um elemento no fruto do Espírito, mas também está escrito concernente a ele e ao Senhor que ele serve: "...corroborados com toda a fortaleza, segundo o poder da sua glória, para toda a perseverança e longanimidade com gozo" (Cl 1.11). Assim, além disso, o crente é ordenado a revestir-se, por meio divinamente proporcionado, de coração compassivo, de benignidade, humildade, mansidão, longanimidade" (Cl 3.12). Mas quão definido e pessoal o grande apóstolo se torna a respeito da longanimidade de Cristo, quando diz: "Mas por isso alcancei misericórdia, para que em mim, o principal, Cristo Jesus mostrasse toda a sua longanimidade, a fim de que eu servisse de exemplo aos que haviam de crer nele para a vida eterna" (1 Tm 1.16)!

A longanimidade é uma virtude que deve ser esperada e manifesta na vida do crente. No meio das orientações mais vitais a respeito da responsabilidade de "andar de modo digno", está escrito: "...com toda humildade e mansidão, com longanimidade, suportando-vos uns aos outros em amor, procurando diligentemente guardar a unidade do Espírito no vínculo da paz" (Ef 4.2, 3). Igualmente Paulo diz: "...sejais longânimos para com todos" (1 Ts 5.14). Essa era uma prática da própria experiência de Paulo. Ele, portanto, testifica a Timóteo: "Tu, porém, tens observado a minha doutrina, procedimento, intenção, fé, longanimidade, amor, perseverança" (2 Tm 3.10); na verdade, esta virtude pertence especialmente àqueles que são chamados para pregar. Ao dirigir-se a Timóteo mais uma vez, o mesmo apóstolo ordena: "...prega a palavra, insta a tempo e fora de tempo, admoesta, repreende, exorta, com toda a longanimidade e ensino" (2 Tm 4.2).

De Abraão é dito que "tendo esperado com paciência, alcançou a promessa" (Hb 6.15). O atraso com relação ao retorno de Cristo exige paciência. Assim Tiago exorta: "Portanto, irmãos, sede pacientes até a vinda do Senhor. Eis que o lavrador espera o precioso fruto da terra, aguardando-o com paciência, até que receba as primeiras e as últimas chuvas. Sede vós também pacientes; fortalecei os vossos corações, porque a vinda do Senhor está próxima" (Tg 5.7, 8). O fruto do Espírito que habita no crente inclui esta longanimidade. Ela será realizada definida e suficientemente, e como uma manifestação da própria paciência infinita de Deus quando o fruto do Espírito é gerado na vida do crente.

5. BENIGNIDADE. A benignidade de Deus não envolve fraqueza. O Cordeiro *mudo* diante dos seus tosquiadores é uma demonstração daquilo em Deus que não se resiste, como a ocasião exige; mas não deveria ser concluído que outros atributos não estão em Deus e que também defendem Sua santa Pessoa e Seu justo governo: nem o crente cheio do Espírito manifestará somente benignidade. Ele, também, pode conhecer o poder da indignação; mas igualmente ele será benigno. Em seu cântico de libertação Davi disse: "Também me deste o escudo da tua salvação, e tua brandura me engrandece" (2 Sm 22.36). Este testemunho revelador Davi repete no salmo 18.35. O apóstolo suplica aos coríntios: "...pela mansidão e benignidade de Cristo" (2 Co 10.1). Em adição à revelação em Gálatas 5.22 de que a benignidade é derivada do Espírito para ser reproduzida por Ele na vida entregue do crente, Tiago também assevera: "Mas a sabedoria que vem do alto é, primeiramente, pura, depois pacífica, moderada, tratável, cheia de misericórdia e de bons frutos, sem parcialidade e sem hipocrisia" (Tg 3.17).

O Fruto do Espírito

Esta sabedoria é a sabedoria de Deus. Ela vem de cima. Ela é manifesta no filho de Deus e através dele. Quão plenamente o grande apóstolo experimenta o poder direto do Espírito produtor da benignidade quando pode dizer: "...antes nos apresentamos brandos entre vós, qual ama que acaricia seus próprios filhos" (1 Ts 2.7)! Esta mesma virtude também é exigida de todos que manifestam a verdadeira graça no serviço. Está escrito: "...e ao servo do Senhor não convém contender, mas sim ser brando para com todos, apto para ensinar, paciente; corrigindo com mansidão os que resistem, na esperança de que Deus lhes conceda o arrependimento para conhecerem plenamente a verdade, e que se desprendam dos laços do Diabo (por quem haviam sido presos), para cumprirem a vontade de Deus" (2 Tm 2.24-26). Igualmente o apóstolo insta "que a ninguém infamem, nem sejam contenciosos, mas moderados, mostrando toda a mansidão para com todos os homens" (Tt 3.2). Além disso, o coração anelante é encorajado a crer que a propriedade da ternura e da semelhança com Cristo, que é própria da benignidade pode ser ganha, não pelo esforço humano ou pela imitação inútil, mas como um fruto direto do Espírito.

6. **Bondade.** Um elemento escondido, mas vital na bondade, distingue essa virtude especial daquela relacionada da retidão. O apóstolo, por exemplo, escreve, "Porque dificilmente haverá quem morra por um justo; pois poderá ser que pelo homem bondoso alguém ouse morrer" (Rm 5.7). Esta distinção pode ser indicada pelo fato de que um justo poderia desapropriar judicialmente uma viúva com recursos insuficientes de sua casa no dia do vencimento de seu aluguel, quando um bom homem haveria de encontrar um meio de evitar fazer isso. Na Pessoa de Deus, a bondade alcança as raias do infinito, e as Escrituras dão um testemunho abundante de Sua bondade ilimitada. Na verdade, embora pouca coisa conscientemente tenha sido reconhecida por eles, o mundo se apega à convicção fundamental de que Deus é bom. Nenhuma mente pode descrever a miséria e a confusão que eventualmente aconteceriam, se o mundo fosse convencido de que Deus é essencialmente mau em Si mesmo.

Mesmo a soberania de Deus, ainda que em si mesma seja pouco entendida, é uma expressão de Sua bondade essencial. Adequadamente, Deus disse a Moises após ele ter intercedido por Israel: "Eu farei passar toda a minha bondade diante de ti, e te proclamarei o meu nome Jeová; e terei misericórdia de quem eu tiver misericórdia e me compadecerei de quem me compadecer" (Êx 33.19). Na defesa da perfeição e da vontade soberana de Deus, o salmista escreveu: "Porque a palavra do Senhor é reta; e todas as suas obras são feitas com fidelidade. Ele ama a retidão e a justiça; a terra está cheia da benignidade do Senhor" (Sl 33.4, 5). Neemias fala a Deus de Sua "grande bondade" (Ne 9.25, 35), e Davi predisse que a "bondade e misericórdia" o seguiriam durante todos os dias de sua vida (Sl 23.6). Assim, além disso, ele declarou: "Creio que hei de ver a bondade do Senhor na terra dos viventes" (Sl 27.13).

Igualmente, ele disse: "Oh! Quão grande é a tua bondade, que guardaste para os que te temem, a qual na presença dos filhos dos homens preparaste para aqueles que em ti se refugiam! No abrigo da tua presença tu os escondes

PNEUMATOLOGIA

das intrigas dos homens; e um pavilhão os ocultas da contenda das línguas" (Sl 31.19,20). Como foi observado, é a bondade de Deus que conduz ao arrependimento no coração. Este princípio da ação divina não deveria ser esquecido (Rm 2.4). Uma advertência aos gentios à luz dos julgamentos de Deus sobre Israel se refere à sua bondade: "Considera pois a bondade e a severidade de Deus: para com os que caíram, severidade; mas para contigo, a bondade de Deus, se permaneceres nessa bondade; do contrário também tu serás cortado" (Rm 11.22). Assim, pode ser visto que Deus é bondade essencial, cuja característica é mantida em perfeito equilíbrio com todos os seus outros atributos, e que o Espírito é designado para reproduzir a bondade divina naquele que Ele próprio capacita.

7. FIDELIDADE. A palavra virtude usada aqui por Gálatas 5.22 como o sétimo elemento do fruto não é *fé* no sentido subjetivo, naturalmente. É verdade também, que a fé salvadora é uma obra divina no coração, mas obviamente não é verdade que Deus exercita tal fé; antes Ele é fiel, digno de confiança, e constante, e Gálatas 5.22 é um registro desta característica divina reproduzida no crente pelo Espírito Santo. O vestígio humano da infidelidade é corrigido somente por uma manifestação mais ampla da fidelidade de Deus. Deus é sempre fiel. Está declarado em Lamentações 3.22, 23: "A benignidade do Senhor jamais acaba, as suas misericórdias não têm fim; renovam-se cada manhã. Grande é a tua fidelidade". Nenhuma palavra mais forte sobre esta matéria pode ser dada além do salmo 36.5: "A tua benignidade, Senhor, chega até os céus, e a tua fidelidade até as nuvens".

Deus prometeu em sua fidelidade se lembrar de Davi. Ele disse: "A minha fidelidade, porém, e a minha benignidade estarão com ele, e em meu nome será exaltado o seu poder... Mas não lhe retirarei totalmente a minha benignidade, nem faltarei com a minha fidelidade" (Sl 89.24, 33). O mesmo salmo 89 pode bem ser chamado de o salmo da fidelidade de Jeová, visto que esta virtude é mencionada ao menos seis vezes. O salmo abre com estas palavras: "Cantarei para sempre as benignidades do Senhor; com a minha boca proclamarei a todas as gerações a tua fidelidade. Digo, pois: A tua benignidade será renovada para sempre; tu confirmarás a tua fidelidade até nos céus... Os céus louvarão as tuas maravilhas, ó Senhor, e a tua fidelidade na assembléia dos santos" (Sl 89.1,2,5). A fidelidade de Jeová é um assunto adequado para o louvor. Daí, o salmo 92.1, 2 diz: "Bom é render graças ao Senhor, e cantar louvores ao teu nome, ó Altíssimo, anunciar de manhã a tua benignidade, e à noite a tua fidelidade". Então, como este atributo imperativo pertence a Deus, assim certamente ele pode ser e será reproduzido no crente pelo Espírito. Tal fidelidade será mostrada nas relações do crente com Deus, com seus companheiros, e consigo mesmo. A honestidade, sinceridade e devoção sacrificial são fatores nesta fidelidade divina. Esta graça comunicada será direcionada para com aquilo a que o próprio Deus é fiel.

8. MANSIDÃO. De todos os elementos que juntamente formam o fruto do Espírito, nenhum é mais indefinível ou difícil de definir do que a mansidão, e nenhum é mais necessário visto que a vaidade e o orgulho são os traços

humanos mais comuns. Se fosse possível obter a mansidão pelo auto-esforço mesmo que num grau menor, dessa realização alguém logo se orgulharia. Tão estranho quanto possa parecer e tão contraditória quanto possa parecer quando a onipotência, a soberania, e a glória essencial de Deus são consideradas, não obstante é verdadeiro que uma das características divinas é a mansidão. Lembremo-nos de que a mansidão não consiste em pretender ser menos do que realmente é; antes, ela é demonstrada quando alguém não pretende ser mais do que realmente é. Certamente, a verdade de que Deus deve exigir que Ele publique tudo o que é verdadeiro de Si próprio.

Menos que isto seria inverídico e mais do que isso seriam vaidade e orgulho juntados com a inverdade. Em 2 Coríntios 10.1 é feita referência à mansidão de Cristo, e semelhantemente a mansidão é ordenada para o crente ao menos doze vezes na Palavra de Deus. Sofonias ordena: "Buscai ao Senhor, vós todos os mansos da terra, que tendes posto por obra o seu juízo; buscai a justiça, buscai a mansidão; porventura sereis escondidos no dia da ira do Senhor" (Sf 2.3). Em adição a esta afirmação do fato notável de que a mansidão divina deve ser reproduzida no crente como um elemento no fruto do Espírito, o mesmo apóstolo escreve: "E nós, cooperando com ele, também vos exortamos a que não recebais a graça de Deus em vão" (2 Co 6.1; cf. 2 Tm 2.25), e um dos aspectos mais vitais de um andar digno igual a este, apresentado em Efésios 4.2, é a mansidão.

Assim, igualmente, a mansidão, entre outras virtudes necessárias, deve ser algo de que o crente deve se revestir – tudo pelos meios divinamente providenciados. Está assim registrado em Colossenses 3.12: "Revesti-vos, pois, como eleitos de Deus, santos e amados, de coração compassivo, de benignidade, humildade, mansidão, longanimidade". A mesma virtude é ordenada em 1 Timóteo 6.11: "Mas tu, ó homem de Deus, foge destas coisas, e segue a justiça, a piedade, a fé, o amor, a constância, a mansidão". A mansidão é a condição correta da mente, a fim de que a Palavra de Deus possa ser recebida. Tiago, portanto, declara: "Pelo que, despojando-vos de toda sorte de imundícia e de todo vestígio do mal, recebei com mansidão a palavra em vós implantada, a qual é poderosa para salvar as vossas almas" (Tg 1.21). Tiago também fala da "mansidão de sabedoria" (3.13). Em adição a tudo isto o apóstolo Pedro dá uma palavra final: "Antes santificai em vossos corações a Cristo como Senhor; e estai sempre preparados para responder com mansidão e temor a todo aquele que vos pedir a razão da esperança que há em vós" (1 Pe 3.15). Aquilo que é muito necessário em todo coração humano e essencial para uma maneira correta de vida espiritual, é providenciado para cada crente pela ministração do Espírito Santo.

9. DOMÍNIO PRÓPRIO. Novamente no nono elemento do fruto a ser listado a palavra *temperança* encontrada na Authorized Version, por causa de seu significado restrito presente, falha em comunicar a mensagem do apóstolo. Esta, a última listada dos elementos que compõem o fruto do Espírito, é realmente *domínio próprio*. Essa realidade é verdadeira de Deus e não precisa ser declarada ou defendida; mas é igualmente prevista como uma virtude no crente. Além do mais, quando é listada entre as nove graças em estudo, pode haver certeza de que ela não é somente prevista, mas proporcionada pelo poder do Espírito. Pedro inclui esta característica entre as graças importantes que ele lista. Ele escreve: "E por isso mesmo vós, empregando toda a diligência, acrescentai à vossa fé a virtude, e à virtude a ciência, e à ciência o domínio próprio, e ao domínio próprio a perseverança, e à perseverança a piedade" (1 Pe 1.5-7). O apóstolo Paulo assevera que o domínio próprio deve caracterizar aqueles que lutam por uma coroa: "E todo aquele que luta, exerce domínio próprio em todas as coisas; ora, eles o fazem para alcançar uma coroa corruptível, nós, porém, uma incorruptível" (1 Co 9.25). O domínio próprio é exigido do presbítero na igreja (cf. Tt 1.7-9), assim como do crente (Tt 2.2).

Na conclusão do estudo destas palavras e na consideração daquilo para o qual elas dão segurança, será bom enfatizar novamente a verdade de que Deus não somente prediz uma maneira elevada e santa de vida da parte daquele que Ele salvou, mas providenciou todos os recursos necessários pelos quais a vida que O satisfará e O glorificará possa ser experimentada como uma manifestação do Espírito. A vida que é aprovada por Deus tem sido afirmada mui plena e claramente pelo apóstolo em 2 Coríntios 6.3-10: "Não dando nós nenhum motivo de escândalo em coisa alguma, para que o nosso ministério não seja censurado; antes em tudo recomendando-nos como ministros de Deus; em muita perseverança, em aflições, em necessidades, em angústias, em açoites, em prisões, em tumultos, em trabalhos, em vigílias, em jejuns, na pureza, na ciência, na longanimidade, na bondade, no Espírito Santo, no amor não fingido, na palavra da verdade, no poder de Deus, pelas armas da justiça à direita e à esquerda, por honra e por desonra, por má fama e por boa fama; como enganadores, porém verdadeiros; como desconhecidos, porém bem conhecidos; como quem morre, e eis que vivemos; como castigados, porém não mortos; como entristecidos, mas sempre nos alegrando; como pobres, mas enriquecendo a muitos; como nada tendo, mas possuindo tudo".

O recente princípio proporcionado pelo qual o crente pode, pela adequação da mente e da vontade de Deus, experimentar os resultados da plenitude do Espírito, é bem visto na revelação concernente ao fruto do Espírito, revelação essa que é a primeira na série de sete manifestações do Espírito que juntamente apresentam a constituição da vida cheia do Espírito, ou da vida espiritual. Naturalmente, o que Deus é obviamente, o que Deus requer, e na verdade seus atributos, até onde eles podem ser adaptados à vida humana, devem ser operados diretamente no crente pelo Espírito. A vida a ser vivida não poderia ser mais divina se o crente tivesse saído do seu corpo e o Espírito somente permanecesse como o ocupante, apenas pelo fato de que o Espírito faz uso de todas as faculdades como Ele faz do corpo do crente. Então, também, a manifestação direta das características divinas não é impedida por causa da presença das faculdades humanas vivas.

O estudo destas nove graças divinamente operadas estimulará uma apreciação das qualidades que elas têm de serem desejáveis e da necessidade delas se a vida do cristão deve glorificar a Deus ou produzir consolação a ele mesmo que somente o amor, a alegria e a paz interiores podem comunicar. O não-regenerado que está em desespero procura alívio dessa angústia incessante que somente podem ser esperados e criados por um coração e vida vazios. Certamente ele poderia perceber o valor experimental deles e poderiam tais bênçãos ser compradas com ouro, poderia dar tudo em seu poder para desfrutar mesmo um breve período de tal satisfação e conforto; todavia a cegueira da carnalidade é tanta que aqueles a quem todas as riquezas estão disponíveis se tornam indispostos a entrar nas esferas da realidade imensurável. Ao considerar o que essas bênçãos ilimitadas são, há pouca necessidade de espanto de que Deus ordene por meio de Seu apóstolo que todos os salvos por sua graça sejam cheios do Espírito.

II. Os Dons do Espírito Santo

Independentemente de toda a desconsideração universal dela, a doutrina a respeito dos dons de serviço que são operados pelo Espírito no crente ocupa um amplo lugar no Novo Testamento e exige o seu pleno reconhecimento em qualquer obra de Pneumatologia. A ação de graças do apóstolo pela igreja de Corinto quando ele lhes asseverou "que nenhum dom [espiritual] vos falte", dificilmente é entendida hoje; todavia, este grande ministério do Espírito é uma realidade presente, e se torna um desafio para todo cristão e toda igreja que se propõe a preservar os ideais do Novo Testamento.

Ao se tentar uma definição exata, pode ser dito que um dom no sentido espiritual significa o Espírito Santo que faz um serviço particular através do crente e usa o crente para fazê-lo. Não é algo que o crente faça com a ajuda do Espírito Santo, nem é um mero aumento daquilo que é chamado um dom natural. De acordo com 1 Coríntios 12.7, um dom é uma "manifestação do Espírito". É concebível que o Espírito possa usar dons naturais, mas o dom que é operado pelo Espírito é uma expressão de Sua própria capacidade antes do que o mero uso das qualidades humanas naquele em quem Ele opera e por meio dele. Como foi visto anteriormente a respeito do fruto do Espírito que é um produto direto operado pelo Espírito dentro do crente, de igual modo o exercício de um dom espiritual é uma realização direta do Espírito Santo.

O fruto do Espírito é interior, é padronizado, e é uniforme em sua realização; mas os dons que são operados pelo Espírito são externos nas esferas do serviço, e são variados ao grau em que pode ser suposto que dois cristãos não possuem exatamente a mesma responsabilidade, visto que esses dois não estão situados exatamente do mesmo modo nem têm as mesmas obrigações. Para que esta verdade importante possa ser entendida, certos dons estão listados no Texto

Sagrado. Estes podem servir como uma classificação geral das atividades do Espírito no campo do serviço do crente. Os dons específicos listados são apresentados nos seguintes textos:

"Pois assim como em um corpo temos muitos membros, e nem todos os membros têm a mesma função, assim nós, embora muitos, somos um só corpo em Cristo, e individualmente membros uns dos outros. De modo que, tendo diferentes dons segundo a graça que nos foi dada, se é profecia, seja ela segundo a medida da fé; se é ministério, seja em ministrar; se é ensinar, haja dedicação ao ensino; ou quem exorta, use esse dom em exortar; o que reparte, faça-o com liberalidade; o que preside, com zelo; o que usa de misericórdia, com alegria" (Rm 12.4-8); "Ora, há diversidade de dons, mas o Espírito é o mesmo; E há diversidade de ministérios, mas o Senhor é o mesmo. E há diversidade de operações, mas é o mesmo Deus que opera tudo em todos. A cada um, porém, é dada a manifestação do Espírito para o proveito comum. Porque a um, pelo Espírito, é dada a palavra da sabedoria; a outro, pelo mesmo Espírito, a palavra da ciência; a outro, pelo mesmo Espírito, a fé; a outro, pelo mesmo Espírito, os dons de curar; a outro, a operação de milagres; a outro, a profecia; a outro, o dom de discernir espíritos; a outro, a variedade de línguas; e a outro, a interpretação de línguas. Mas um só e o mesmo Espírito opera todas estas coisas, distribuindo particularmente a cada um como quer" (1 Co 12.4-11); "Mas a cada um de nós foi dada a graça conforme a medida do dom de Cristo; Por isso foi dito: Subindo ao alto, levou cativo o cativeiro, e deu dons aos homens. Ora, isto – ele subiu – que é, senão que também desceu às partes mais baixas da terra? Aquele que desceu é também o mesmo que subiu muito acima de todos os céus, para cumprir todas as coisas. E ele deu uns como apóstolos, e outros como profetas, e outros como evangelistas, e outros como pastores e mestres" (Ef 4.7-11); "Servindo uns aos outros conforme o dom que cada um recebeu, como bons despenseiros da multiforme graça de Deus. Se alguém fala, fale como entregando oráculos de Deus; se alguém ministra, ministre segundo a força que Deus concede; para que em tudo Deus seja glorificado por meio de Jesus Cristo, a quem pertencem a glória e o domínio para todo o sempre. Amém" (1 Pe 4.10,11).

Para elucidação posterior da doutrina dos dons, os capítulos 12 e 14 de 1 Coríntios, deveriam ser observados cuidadosamente, e duas verdades importantes deveriam ser observadas: (1) que todo cristão é o recipiente de algum dom, pois a respeito disso está escrito: "A cada um, porém, é dada a manifestação do Espírito para o proveito comum... Mas um só e o mesmo Espírito opera todas estas coisas, distribuindo particularmente a cada um como quer" (1 Co 12.7, 11); "Mas a cada um de nós foi dada a graça conforme a medida do dom de Cristo" (Ef 4.7) e (2) que estes dons são sempre operados pelo mesmo Espírito. Cinco vezes em 1 Coríntios 12.4-11 está declarado que, independente da variedade dos dons ou do número de crentes por meio de quem Ele opera, sem exceção, os dons são operados pela mesma pessoa, o Espírito Santo.

Como uma ilustração do funcionamento dos dons espirituais no Corpo de Cristo, o apóstolo compara esse corpo espiritual a um corpo humano com seus muitos membros, e como os membros do corpo humano não servem para o mesmo propósito, de igual modo, aqueles que compõem o Corpo de Cristo servem de vários modos e com várias finalidades. As instruções que governam o uso dos dons na Igreja, o valor comparativo dos dons, e o reconhecimento, o regulamento e a coordenação exigidos dos dons, em relação a tudo isto que está demonstrado no Novo Testamento, deveria receber de todo estudante um estudo cuidadoso.

Dos diversos dons listados em Efésios 4.11: "E ele deu uns como apóstolos, e outros como profetas, e outros como evangelistas, e outros como pastores e mestres", pode ser dito que estes são ministérios de liderança designados para a Igreja por Deus. O serviço daqueles aqui designados como *apóstolos* evidentemente cessou com a primeira geração da Igreja, pois esse ministério qualificado não deve ser reconhecido na Igreja hoje. O serviço do profeta no Novo Testamento é definido da seguinte maneira: "Mas o que profetiza fala aos homens para edificação, exortação e consolação" (1 Co 14.3). O que é chamado *evangelista* não é o reavivalista dos tempos modernos, mas é antes o missionário para os não-evangelizados. O *pastor* e *mestre* – provavelmente uma referência a dois dons exercidos por uma pessoa – tanto, pastoreia o rebanho quanto instrui o povo de Deus. Sob esse ministério os santos são aperfeiçoados na obra divinamente entregue a eles e são edificados. Todo pastor é o deão de uma escola de treinamento bíblico, escola essa composta daqueles membros na Igreja de Cristo que lhe foram entregues. Se o pastor não teve preparação para servir como um mestre acurado da Palavra de Deus, esta responsabilidade total deve permanecer sem ser cumprida (cf. Ef 4.11,12).

O serviço cristão designado e apresentado no Novo Testamento é muito mais ordenado e efetivo do que os esforços mais ou menos acidentais e desordenados que agora recebem esse nome. Na Igreja Primitiva, ninguém era liberado para servir que não fosse cheio do Espírito, e a posse dos dons espirituais era reconhecida e estes dons eram inteligentemente empregados. Que tudo agora se tornou quase que perdido de vista e estranho às presentes condições, está evidente.

Este estudo limitado da totalidade da doutrina dos dons será fortalecido pela seguinte citação do Dr. John F. Walvoord:

Antes de voltar à discussão dos dons propriamente ditos, certos fatores gerais relativos aos dons podem ser mencionados. *Primeiro*, os dons espirituais são revelados como dados soberanamente por Deus, e como tal, eles não são propriamente os objetos da busca dos homens. Aos Coríntios, que exaltavam os dons menores e negligenciavam os dons mais importantes, Paulo escreveu: "Mas procurai com zelo os maiores dons" (1 Co 12.31), ainda em suas outras cartas está claro o seu silêncio sobre o assunto, que procurar dons espirituais não é um assunto próprio para a exortação. Porque a concessão deles é soberana, segue-se que isto não é uma questão de espiritualidade. Um cristão que não está comprometido com o Senhor pode possuir grandes dons espirituais, enquanto que outro comprometido pode ter relativamente capacidade para dons menores. De acordo com as Escrituras, "um só e o mesmo Espírito opera todas estas coisas, distribuindo particularmente a cada um como quer" (1 Co 12.11). Permanece verdadeiro, naturalmente, que o ajustamento devido na vida espiritual do crente é essencial para um exercício devido dos seus dons, mas a espiritualidade em si mesma não produz dons espirituais. A questão que tem sido levantada sobre se os dons espirituais são uma parte da concessão original da graça que acompanha a salvação, ou se eles são uma obra subseqüente. As Escrituras não dão uma resposta clara, mas da natureza do batismo com o Espírito Santo, que ocorre no momento do novo nascimento, e a resultante colocação no corpo de Cristo, seria razoável inferir que os dons espirituais são concedidos nesse tempo e isso está de acordo com o lugar do crente no corpo de Cristo, mesmo se estes dons não sejam imediatamente observados ou exercidos. Portanto, os dons espirituais provavelmente estão presentes no batismo com o Espírito Santo, ainda que a concessão deles não esteja inclusa no ato do batismo. Na analogia dos dons naturais vista no homem natural, está claro que todos os fatores da capacidade e do dom natural estão latentes no bebê recém-nascido. Assim, também, pode ser verdadeiro para os dons espirituais no nascido de novo. Em ambas as esferas, natural e sobrenatural, é um assunto do uso devido e do desenvolvimento dos dons antes que de quaisquer dons adicionais concedidos. *Segundo*, pode ser observado que todo cristão tem alguns dons espirituais. De acordo com as Escrituras, "a manifestação do Espírito é concedida a cada um para o proveito comum" (1 Co 12.7), e "mas um só e o mesmo Espírito opera todas estas coisas, distribuindo particularmente a cada um como quer" (1 Co 12.11). Os cristãos são "membros em particular" (1 Co 12.27), e "são um corpo em Cristo, e cada um membro uns dos outros" (Rm 12.5). Ainda que o dom seja pequeno, ou insignificante o lugar, todo cristão é essencial para o corpo de Cristo. Como diz a Escritura: "Antes, os membros do corpo que parecem ser mais fracos são necessários" (1 Co 12.22). Há propósito divino na vida de todo cristão, e os dons espirituais estão de acordo com esse propósito. É o desafio das Escrituras sobre este assunto (cf. 1 Pe 4.10) que todo cristão cumpra o ministério para o qual foi equipado por Deus. *Terceiro*, está claro que os dons diferem em valor. Onde há igualdade de privilégio na fé cristã, não há igualdade de dom. De acordo com 1 Coríntios 12.28: "E a uns pôs Deus na Igreja, primeiramente apóstolos, em segundo lugar profetas, em terceiro mestres, depois operadores de milagres, depois dons de curar, socorros, governos, variedade de línguas". Na natureza dos vários dons, alguns são mais eficazes e essenciais do que outros. Paulo contrasta o dom de profecia e o dom de línguas com as seguintes palavras: "Ora, quero que todos vós faleis em línguas, mas muito mais que profetizeis" (1 Co 14.5); e ainda: "Todavia na igreja eu antes quero falar cinco palavras com o meu entendimento, para que possa também instruir os outros, do que dez mil palavras em língua" (1 Co 14.19). *Quarto*, 1 Coríntios 13 dá testemunho de que os dons espirituais são proveitosos quando usados em amor. Os dons espirituais em si mesmos não produzem grandes cristãos. O uso deles do modo próprio, motivado pelo amor divino, que é o fruto do Espírito, é efetivo e produz fruto para a glória de Deus. Um *quinto* aspecto geral dos dons espirituais é que certos dons foram temporários em sua concessão e uso. Está claro que o grande conjunto de cristãos amantes da Bíblia não tem todos os dons espirituais manifestados no seu meio diferentemente do que aconteceu com a Igreja apostólica. Por outro lado, certos dons caracterizam claramente a totalidade da presente dispensação. As considerações que levam à classificação de cada dom serão observadas em seu estudo individual. Um *sexto* e concludente aspecto dos dons espirituais, que é de grande importância, é o contraste evidente entre os dons espirituais e os dons naturais. Conquanto Deus possa escolher homens de capacidade natural, fica claro que os dons espirituais pertencem ao nascimento espiritual do cristão antes que ao nascimento natural dele. As qualidades dos dons espirituais não são evidentes no indivíduo antes da salvação dele. Os dons espirituais pertencem à sua nova natureza antes que à velha. Os dons espirituais não devem ser considerados, então, como um alargamento dos poderes naturais, mas um dom sobrenatural concedido de acordo com o propósito de Deus, ao colocar esse indivíduo no corpo de Cristo. Pode ser freqüentemente observado que os indivíduos com pouco talento natural são freqüentemente usados poderosamente por Deus quando aqueles com grande talento natural, ainda que salvos, nunca são usados dessa mesma forma. O dom espiritual não é, então, uma demonstração do que o homem pode fazer debaixo de certas circunstâncias favoráveis, mas antes ele revela o que Deus pode conceder em graça.

Um exame dos quinze dons espirituais revelados no Novo Testamento revelará diferenças consideráveis no caráter dos dons. Certos dons estão claramente sob posse da Igreja hoje, e são mostrados no exercício deles em homens dotados por toda esta presente dispensação. Há pouca dúvida de que alguns homens hoje têm (1) o dom do ensino; (2) o dom da ajuda ou da ministração; (3) o dom da administração ou governo; (4) o dom de evangelista; (5) o dom de ser um pastor; (6) o dom da exortação; (7) o dom de contribuição; e (8) o dom de mostrar misericórdia. Em contraste com esses, como a exposição individual deles vai mostrar, permanecem os outros dons conhecidos pelos cristãos primitivos, que parecem ter saído de cena com o período apostólico. Alguns destes são reivindicados hoje por certas seitas, cuja negligência das instruções da Escritura para o uso desses dons é em si mesma um testemunho da qualidade espúria de seus dons simulados. Entre esses dons temporários o seguinte pode ser listado: (1) o dom de apostolado; (2) o dom de profecia; (3) o dom de milagres; (4) o dom de cura; (5) o dom de línguas; (6) o dom de interpretar línguas; (7) o dom de discernir espíritos.[144]

III. A Oferta de Louvor e Ação de Graças

Intimamente relacionada à experiência de alegria, que vem em segundo na lista das nove graças que compõem o fruto do Espírito, está o de louvor e de ação de graças. Este aspecto adicional da vida espiritual alcança a distinção de estar diretamente relacionado à ordem de ser cheio do Espírito, e é o resultado normal disso, e a implicação é que, no seu desenvolvimento primário, o enchimento do Espírito resultará em louvor e ação de graças. O contexto todo sob consideração neste ponto diz: "Portanto, vede diligentemente como andais, não como néscios, mas como sábios, usando bem cada oportunidade, porquanto os dias são maus. Por isso, não sejais insensatos, mas entendei qual seja a vontade do Senhor. E não vos embriagueis com vinho, no qual há devassidão, mas enchei-vos do Espírito, falando entre vós em salmos, e hinos, e cânticos espirituais, cantando e salmodiando ao Senhor no vosso coração, sempre dando graças por tudo a Deus, o Pai, em nome de nosso Senhor Jesus Cristo, sujeitando-vos uns aos outros no temor de Cristo" (Ef 5.15-21).

A obrigação estupenda de oferecer uma adoração de louvor a Deus e de lhe render graças pelos benefícios incessantes, é tal que não pode ser descartada por nenhum ser humano. Os anjos que não caíram, que sempre têm estado na presença gloriosa de Deus, visto que desde a criação deles não cessam de clamar, "Santo, Santo, Santo, é o Senhor dos Exércitos" (Is 6.3); todavia, o valor infinito da redenção nunca os alcançou nem ela foi designada para eles. Eles adoram a Deus por Sua dignidade intrínseca; mas quanto mais obrigação pesa sobre os da raça humana que não somente têm a mesma obrigação de reconhecer a dignidade infinita de Deus, mas são os recipientes da graça salvadora de Deus! Na verdade, uma obrigação imensurável repousa sobre todos os homens de adorar a Deus pelo que Ele é, e de reconhecer o Seu amor expresso na morte de Cristo seja ele recebido ou não como a base da salvação. É obra normal do Espírito inspirar no coração crente o louvor que honra Deus. Esta adoração resulta direta e automaticamente no coração quando o Espírito é livre para operá-la. Há grande satisfação na oferta do louvor digno a Deus. Esse exercício estimula outras graças no coração e uma das principais é a humildade.

Semelhantemente, como um resultado do enchimento do Espírito que os cristãos têm, o Espírito move o coração à ação de graças num grau em que nenhum ser humano jamais poderia obter. Talvez esteja dentro dos limites humanos dar graças algumas vezes por algumas coisas, mas quão diferente é a exigência que o texto bíblico apresenta na ordem de ser agradecido "sempre por todas as coisas"! Essa gratidão sobre-humana está inclusa, então, na ordem de ser cheio com o Espírito. Se todas as coisas "cooperam juntamente para o bem dos que amam a Deus", há uma ampla razão para dar graças pela fé por todas as coisas. Nenhum argumento é necessário para demonstrar a razoabilidade do louvor e da ação de graças nos lábios e no coração daqueles que são salvos, ou para convencer uma mente sem preconceito da impossibilidade de uma dispensa dessa obrigação quando há uma somente atração daquilo que pertence à capacidade humana. Uma vida cheia do Espírito somente será radiante com o louvor e ação de graças.

IV. O Ensino do Espírito

O Espírito Santo é o Senhor Mestre, mas espiritualmente este ministério é restrito, na maior parte, à Palavra de Deus. Essa Palavra foi dada aos homens por Deus em boa-fé e com a expectativa de que ela pudesse ser entendida e recebida por aqueles a quem ela foi pretendida. O fato de eles não precisarem estudar para mostrarem-se aprovados por Deus, ao fazerem as divisões corretas da doutrina e ao alcançarem o seu verdadeiro significado não diminui a obrigação; na verdade, poucos apreendem o fato de que a Palavra de Deus, totalmente diferente de outros temas do conhecimento, não pode ser recebida com outro entendimento além da iluminação pessoal que somente o Espírito Santo pode proporcionar. Mesmo os não-salvos não recebem o Evangelho a menos que seja pela revelação do Espírito a eles (cf. Jo 16.7-11), e semelhantemente a verdade pode vir ao crente somente quando ela lhe é revelada pelo Espírito.

Multidões estão "sempre aprendendo, mas nunca podendo chegar ao pleno conhecimento da verdade" (2 Tm 3.7) – ao aprender naquele sentido restrito que eles vagamente apreendem certos aspectos da verdade, mas nunca são plenamente informados ou transformados por ela. Uma evidência do enchimento do Espírito – aquele que Ele faz quando livre para operar eficazmente – é quando Ele traz a pessoa em quem Ele habita a um entendimento sempre crescente das Escrituras com todo o poder santificador que elas possuem (Jo 17.17). Assim, a única chave para se conseguir um conhecimento da Palavra de Deus, em si mesma uma lei pedagógica não aparece em geral na formação acadêmica, é sugerida pela necessidade imperativa de que a relação correta a ser mantida com o Espírito Santo pela qual somente o Seu ministério de ensino pode continuar desimpedido.

O estudante que não possui relações corretas com Deus não pode esperar fazer progresso no estudo da verdade espiritual. É lamentável, na verdade, que em tantos casos cursos inteiros sobre doutrina bíblica sejam oferecidos sem uma palavra de advertência sequer ou instrução a respeito deste aspecto muitíssimo

PNEUMATOLOGIA

vital e fundamental de toda a pedagogia cristã. Pouca coisa parece ser dita ou implícita nas Escrituras sobre este tema antes do Discurso do Cenáculo. Foi então que Cristo primeiro apresentou esta grande verdade em termos certos. Neste discurso, Ele disse: "Ainda tenho muito que vos dizer; mas vós não o podeis suportar agora. Quando vier, porém, aquele, o Espírito da verdade, ele vos guiará a toda a verdade; porque não falará por si mesmo, mas dirá o que tiver ouvido, e vos anunciará as coisas vindouras. Ele me glorificará, porque receberá do que é meu, e vo-la anunciará. Tudo quanto o Pai tem é meu; por isso eu vos disse que ele, recebendo do que é meu, vo-lo anunciará" (Jo 16.12-15).

Mesmo após três anos e meio incomparáveis em constante companhia com Jesus e recebendo instruções dele, ainda era verdadeiro para os discípulos que Ele tinha muitas coisas a lhes dizer. Deve sempre ser assim com os crentes até o final desta vida. Ele sempre terá mais coisas a revelar para aquele que pode ouvir e que dará ouvidos. Que havia verdades que eles não podiam suportar é um reconhecimento do fato de que estes homens foram impedidos de receber a totalidade da verdade relacionada à morte e ressurreição de Cristo, visto que até aquele tempo eles não sabiam, ou antes, não criam que Ele morreria e que ressuscitaria novamente. Quando toda verdade pertencente à presente dispensação, que depende tanto da morte quanto da ressurreição de Cristo, é deixada fora de consideração, haverá pouca coisa restante, e naturalmente isto demonstra o fato de que os doze discípulos não tinham pregado em tempo algum o Evangelho da graça divina, Evangelho esse que é baseado totalmente sobre a morte, sepultamento e ressurreição de Cristo (cf. 1 Co 15.3, 4).

Como as próprias Escrituras mostram, estes homens pregaram o Evangelho do reino. Contudo, uma nova dispensação com toda a sua realidade surgia para eles e a todos esses homens deviam ser ensinadas revelações novas e maravilhosas pelo ministério direto do Espírito. Anteriormente Cristo lhes havia dito que o Espírito Santo "estará em vós" (Jo 14.17), e a isto Ele acrescenta agora (16.12-15) a verdade nova e importante de que o Espírito é designado para empreender um ministério imensurável de ensino e isto com a grande e incomparável vantagem da posição que Ele ocupa dentro do coração. De uma maneira direta e eficaz, além de tudo o que a experiência humana registra, está essa abordagem interior do Espírito ao entendimento e ao coração do homem. Um testemunho em apoio dessa verdade é o fato de que Pedro impetuosamente repreendeu Cristo somente um ano ou menos antes de Sua morte por asseverar que Ele estava para morrer e ressuscitar; todavia esse mesmo Pedro cinqüenta dias após a morte de Cristo levantou-se no meio de uma multidão pública, em Jerusalém, e pregou o maior sermão jamais ouvido vindo de lábios humanos, se levarmos em conta os resultados, e o seu apelo total esteve baseado na morte e ressurreição de Cristo.

Uma grande verdade havia alcançado a mente de Pedro àquela altura e evidentemente isso viera da única fonte, que é o ensino do Espírito Santo dentro do próprio coração de Pedro. O arranjo divinamente proporcionado reivindica atenção de todo crente sincero. O Espírito Santo "guia" a partir do coração do homem "a toda verdade". O escopo desta promessa deveria ser observado e também a falta de todas as condições qualificantes. Nenhuma limitação humana pode impedir. Uma mente insensível não é considerada um problema especial para o Espírito. É ainda verdadeiro que Ele ainda guia a toda verdade. Todavia, Ele, o Espírito, não fala a mensagem que Ele comunica como o autor ou originador dela. Qualquer coisa que Ele venha a ouvir, então Ele fala. Se for perguntado quem origina e transmite a mensagem ao Espírito Santo que vive dentro do coração, a resposta é dada duas vezes neste contexto limitado, a saber, Aquele que disse: "Ainda tenho muito que vos dizer; mas vós não o podeis suportar agora", e que disse, ao falar do Espírito, "porque receberá do que é meu, e vo-lo anunciará". O tema primeiramente mencionado no ministério de ensino do Espírito é o da revelação das Escrituras proféticas. "E vos anunciará as coisas vindouras". Deve também ser observado que o Espírito no coração humano glorificará Cristo antes do que a Si mesmo e que o mais rico de todos os tesouros do conhecimento a ser comunicado, as coisas de Cristo, é aumentado a ponto de incluir "todas as coisas" do Pai.

Como o Discurso do Cenáculo é a demarcação para a doutrina das epístolas, especialmente as do apóstolo Paulo, deve ser esperado que esse tema tão novo e vital do ministério de ensino do Espírito e o modo dele, como está apresentado na passagem que examinamos, seja visto e a ele dada uma apresentação mais ampla nas epístolas doutrinárias. Tal estudo, na verdade, é encontrado em 1 Coríntios 2.9-12, que diz: "Mas como está escrito: As coisas que os olhos não viram, nem ouvidos ouviram, nem penetraram o coração do homem, são as que Deus preparou para os que o amam. Porque Deus no-las revelou pelo seu Espírito; pois o Espírito esquadrinha todas as coisas, mesmo as profundezas de Deus. Pois, qual dos homens entende as coisas do homem, senão o espírito do homem que nele está? Assim também as coisas de Deus, ninguém as compreendeu, senão o Espírito de Deus. Ora, nós não temos recebido o espírito do mundo, mas sim o Espírito que provém de Deus, a fim de compreendermos as coisas que nos foram dadas gratuitamente por Deus".

Como em João 16.12-15, o assunto da passagem novamente é "coisas" – as "cousas vindouras", as coisas de Cristo, e "todas as coisas" do Pai. Assim, o apóstolo se refere a "coisas" que chegam ao coração do homem pela revelação direta sem referência aos canais naturais de informação vinda através do portão dos olhos, do portão dos ouvidos, e do coração ou do poder de raciocínio do homem. Muito antes de a psicologia moderna ter tentado enfatizar os três canais naturais de abordagem ao entendimento humano, essa parte da Palavra de Deus os havia identificado, mas tinha acrescentado a isso o que nenhum psicólogo ou pedagogo humano pode por si mesmo alcançar, muito menos comunicar, ou seja, as coisas que são diretamente reveladas pelo Espírito Santo àquele em quem Ele habita. Neste contexto, o apóstolo assevera: "Agora temos recebido... o espírito que é de Deus" e termina de uma forma grandiosa: "...para que pudéssemos conhecer as coisas que nos são livremente dadas por Deus".

A qualificação infinita do Espírito neste papel como Mestre é afirmada nas seguintes palavras: "...pois o Espírito esquadrinha todas as coisas, mesmo as profundezas de Deus". O homem pode conhecer as coisas pertencentes à esfera humana, mas o Espírito somente conhece as coisas que pertencem à esfera de Deus. Tal obra iluminadora como foi operada pelo Filho de Deus, Cristo, por exemplo, nos corações dos dois discípulos no caminho de Emaús. Disto está escrito: "E disseram um para o outro: Porventura não se nos abrasava o coração, quando pelo caminho nos falava, e quando nos abria as Escrituras?... Então lhes abriu o entendimento para compreenderem as Escrituras" (Lc 24.32,45). Assim, pelo ministério de ensino do Espírito Santo, o crente é colocado numa posição singular daquele que pode ser direta e interiormente ensinado pelo Mestre de todos os mestres, o Espírito Santo. Certamente o Espírito divino trabalhará no coração daquele que Ele habita.

V. A Direção do Espírito

Ser conduzido por Deus é uma das grandes realidades mesmo do Antigo Testamento. Mais de quarenta vezes a mão diretora de Deus é vista movendo sobre o seu antigo povo; e na esfera de Sua humanidade, Cristo foi conduzido pelo Espírito (cf. Mt 4.1; Lc 4.1). Neste, assim como em qualquer aspecto da humanidade de Cristo, Ele se tornou e é o exemplo ou padrão para o filho de Deus. O grau de vantagem que este ministério do Espírito Santo provê é além de toda imaginação. Como um paciente pode ser trazido de volta à saúde por atender às diretrizes de um médico sábio, assim o cristão pode ser conduzido pelo Espírito Santo aos caminhos escolhidos pelo amor, pelo poder e sabedoria infinitos. Um ser humano é então projetado por Deus de modo que ele não pode guiar-se a si mesmo. Jeremias, portanto, afirma: "Eu sei, ó Senhor, que não é do homem o seu caminho; nem é do homem que caminha o dirigir os seus passos" (Jr 10.23).

Uma pessoa não pode contemplar o desamparo expresso por Davi, sem uma consciência de uma igual necessidade da direção divina. Ele disse: "Guia-me, Senhor, na tua justiça, por causa dos meus inimigos; aplana diante de mim o teu caminho" (Sl 5.8); "Guia-me na tua verdade, e ensina-me; pois tu és o Deus da minha salvação; por ti espero o dia todo" (25.5); "Ensina-me, ó Senhor, o teu caminho, e guia-me por uma vereda plana, por causa dos que me espreitam" (27.11); "Porque tu és a minha rocha e a minha fortaleza; pelo que, por amor do teu nome, guia-me e encaminha-me" (31.3); "Sonda-me, ó Deus, e conhece o meu coração; prova-me, e conhece os meus pensamentos; vê se há em mim algum caminho perverso, e guia-me pelo caminho eterno" (139.23, 24). Nenhuma ordem está registrada no Novo Testamento que dirige o crente a ser conduzido pelo Espírito; contudo, fica suposto como uma conclusão precedente que à parte deste ministério ninguém pode seguir o caminho da escolha do próprio Deus.

Está dito, por exemplo, que "todos os que são guiados pelo Espírito de Deus, esses são filhos de Deus" (Rm 8.14). Pela direção do Espírito, eles são provados como filhos maduros de Deus. Aqui aparentemente é feita uma distinção entre o *filho* de Deus (τέκνον) e o *filho* maduro (υἱος), e sugere que nem todos os cristãos, embora todos igualmente filhos de Deus, manifestam as características daqueles que cresceram para a maturidade. Em outras palavras, nem todos os cristãos são espirituais ou cheios do Espírito; mas aqueles conduzidos pelo Espírito o são. Igualmente, está também escrito: "Mas, se sois guiados pelo Espírito, não estais debaixo da lei" (Gl 5.18). Assim, além disso, pode ser sugerido que nem toda pessoa salva é guiada pelo Espírito; porque aqueles que são guiados são supridos com o verdadeiro conselho e direção que manifestamente não necessitam de mandamentos exteriores.

Este maravilhoso relacionamento que proporciona tais realidades benditas pode facilmente ser pervertido por pessoas sinceras, se elas não conhecem um relacionamento correto com Deus por meio do qual a verdadeira direção pode ser assegurada. Não somente é exigido que um entendimento correto deva ser obtido em relação à direção do Espírito, mas que haja liberdade do fanatismo, do emocionalismo indevido e da superstição. Visto que o curso total de uma vida pode ser mal-dirigido e que, a despeito da sinceridade, é indispensável num grau imperativo para o crente aprender por si mesmo – porque a experiência de outra pessoa não é um padrão – como ser dirigido pelo Espírito. Nenhum passo pode ser dado seguramente neste mundo à parte da orientação divina. Mas pouca ajuda pode ser recebida pela imitação da experiência de outros ou por seguir regras que os homens fizeram.

A direção do Espírito, como o próprio termo usado para este ministério sugere, é uma experiência muito profunda e pessoal. Para aqueles que pela constante atenção e oração ficam familiarizados com o modo do Espírito guiá-los, a direção se torna uma das experiências mais ricas que o coração do crente pode conhecer. A importância de substituir a sabedoria infinita pela adivinhação finita nunca pode ser superestimada. É o propósito de Deus que um filho dentro de casa através da obediência venha a beneficiar-se da sabedoria de seus pais. É igualmente o propósito de Deus que Seu próprio filho através da orientação do Espírito Santo venha a beneficiar-se da sabedoria infinita de Deus. Mais do que desnecessário é pior para o crente depender de sua própria sabedoria e mesmo mais inútil e perigoso ainda para ele é procurar a sabedoria e o conselho de outros, ainda que de crentes. Em assuntos dos quais os homens nada podem conhecer, eles são legitimamente chamados *cegos*. Sobre este ponto, Cristo perguntou: "Pode porventura um cego guiar outro cego? Não cairão ambos no barranco?" (Lc 6.39).

Ao considerar a maneira na qual a vontade de Deus pode agora ser conhecida, deveria ser observado que a direção direta do Espírito tem suplantado, como algo muito mais vantajoso, o método de direção do Antigo Testamento pela luz natural, por sonhos, por vozes e por testes. Todos esses métodos antigos deveriam ser considerados como ineficazes agora. O filho de Deus não pode magnificar demais a verdade para ele que vive debaixo dos relacionamentos da graça e que serve num companheirismo mais íntimo com o Espírito Santo. Ele com o Espírito ocupa o mesmo corpo e como parceiros eles entram nos mesmos empreendimentos que Deus, o Pai, pode designar. Naturalmente, esta espécie de vida é sobrenatural em alto grau; ainda mais, nenhum filho de Deus deveria temer as coisas sobrenaturais. É também verdade que em cada caso da direção do Espírito tem de ser contemplado sob três tempos ou relacionamentos de tempo.

Há um tempo antes da experiência, o tempo da experiência em si, e um tempo após ela que é caracterizado pelo retrospecto. Assim, uma pessoa plena do Espírito sempre se prepara para a experiência, sempre conduz, e sempre olha para trás para ver os procedimentos fiéis de Deus. No assunto da preparação, duas passagens podem servir para dar toda a instrução necessária: "Confia no Senhor de todo o teu coração, e não te estribes no teu próprio entendimento" (Pv 3.5); "Rogo-vos pois, irmãos, pela compaixão de Deus, que apresenteis os vossos corpos como um sacrifício vivo, santo e agradável a Deus, que é o vosso culto racional. E não vos conformeis a este mundo, mas transformai-vos pela renovação da vossa mente, para que experimenteis qual seja a boa, agradável, e perfeita vontade de Deus" (Rm 12.1,2). É legítimo que alguém conduzido não somente dependa definitivamente do Espírito para a direção, mas que sempre esteja desejoso de ser dirigido.

Relativo ao tempo quando alguém é realmente conduzido, a pergunta pode ser feita: "Como pode alguém estar cônscio da coisa que Deus quer?" Responder esta pergunta envolve as realidades mais pessoais, cujo grau de desenvolvimento e experiência a respeito do fato de duas pessoas jamais serem iguais. Nenhum texto é mais revelador a respeito deste assunto do que Filipenses 2.13, que afirma: "Porque Deus é o que opera em vós tanto o querer como o efetuar, segundo a sua boa vontade". Esta revelação traz segurança que é tanto definida quanto final. Pode ser que um atraso seja imposto sobre a ação considerada ou que Deus venha a falar sua vontade pro meio de outra providência ou circunstância; mas uma coisa pode ser sempre contada: Ele operará interiormente, e a direção no final cria um convencimento de mente que todas as influências podem simplesmente ter gerado de qualquer modo.

Deus é certamente capaz de falar alto o suficiente para uma alma disposta a ouvir. George Müller ensinou e testificou a respeito de uma experiência muito rica em companhia do Espírito Santo de que Deus dirige, não por sinais ou coisas exteriores, mas por meio de uma mente disposta e cheia de expectativa. Ele influencia o próprio julgamento, e então alguém se torna claro e convencido a respeito do curso que Deus indica. A voz dos homens pode ser ouvida somente se Deus os tiver enviado a Seu filho com aquele propósito. Com relação ao tempo após alguém ter sido conduzido, há então a necessidade de descansar naquilo que foi determinado por ele. A direção deve ser tão convincente de forma que não haja dúvida nos dias que se seguem quando, porventura, os tempos de teste possam vir. Essa direção que conduz alguém ao seu campo particular de serviço deve ser definida de tal natureza que o sofrimento e a privação possam ser suportados, sem qualquer questionamento do passo pelo qual alguém chegou ao lugar de teste.

Finalmente, aquele que está entregue a Deus deve contar-se como dentro da vontade de Deus quando ele sem reservas deseja fazer a vontade de Deus. Se a posição que essa pessoa ocupa na vida ou serviço não é o que Deus deseja, certamente Ele pode, desde que essa pessoa esteja comprometida, movê-la a um lugar que Ele venha a escolher. A vontade de Deus, na verdade, não é primariamente uma questão do cristão estar num lugar ou outro; é antes de estar desejoso de fazer a vontade de Deus. O restante é, então, facilmente ajustado.

Um fator muito vital, então, na vida espiritual é o de ser dirigido pelo Espírito Santo, e esta experiência necessária será a porção de todos os que são plenos do Espírito.

VI. A Vida de Fé

Mais vital ainda é a realização do Espírito Santo pela qual Ele torna coisas sobrenaturais reais para aquele em quem Ele habita. Este empreendimento é totalmente similar em caráter ao de Sua obra de ensino, exceto em que esta última é basicamente restrita à comunicação de conhecimento das Escrituras enquanto que a primeira abrange um vasto campo na experiência do crente. O que deve ser mais enfatizado na primeira é a verdade de que o Espírito Santo dá testemunho no coração do crente, testemunho esse que torna uma certeza o fato do crente ser um filho de Deus. O apóstolo Paulo declara: "O Espírito mesmo testifica com o nosso espírito que somos filhos de Deus" (Rm 8.16), e o apóstolo João igualmente escreve: "Se recebemos o testemunho dos homens, o testemunho de Deus é maior; porque o testemunho de Deus é este, que de seu Filho testificou – Quem crê no Filho de Deus, em si mesmo tem o testemunho; quem a Deus não crê, mentiroso o fez, porquanto não creu no testemunho que Deus de seu Filho deu" (1 Jo 5.9,10).

Assim, também, a capacidade de falar com Deus, o Pai, com o sentido de relacionamento filial é uma obra do Espírito Santo realizada no coração, e então, também é por causa da genuinidade da filiação que o Espírito Santo dá ao crente onde Ele pode com sucesso gerar a consciência de filiação. Está adequadamente escrito: "E, porque sois filhos, Deus enviou aos nossos corações o Espírito de seu Filho, que clama: Aba, Pai" (Gl 4.6). Não somente o Espírito realiza a relação de filiação, mas Ele é designado também para tornar real todo grande fato do relacionamento da verdade que pode ter sido teoricamente reconhecido pela fé. As orações do apóstolo tratam diretamente desta obra específica do Espírito Santo. Ele orou "para que o Deus de nosso Senhor Jesus Cristo, o Pai da glória, vos dê o espírito de sabedoria e de revelação no pleno conhecimento dele; sendo iluminados os olhos do vosso coração, para que saibais qual seja a esperança da sua vocação, e quais as riquezas da glória da sua herança nos santos, e qual a suprema grandeza do seu poder para conosco, os que cremos, segundo a operação da força do seu poder, que operou em Cristo, ressuscitando-o dentre os mortos e fazendo-o sentar-se à sua direita nos céus, muito acima de todo principado, e autoridade, e poder, e domínio, e de todo nome que se nomeia, não só neste século, mas também no vindouro" (Ef 1.17-21); e "para que, segundo as riquezas da sua glória, vos conceda que sejais robustecidos com poder pelo seu Espírito no homem interior; que Cristo habite pela fé nos vossos corações, a fim de que, estando arraigados e fundados em amor, possais compreender, com todos os santos, qual seja a largura, e o comprimento, e a altura, e a profundidade, e conhecer o amor de Cristo, que excede todo o entendimento, para que sejais cheios até a inteira plenitude de Deus" (Ef 3.16-19).

Igual à direção do Espírito, a obra de aplicação por parte do Espírito, por estar tão definidamente na esfera da experiência, pode ser distorcida por aqueles que têm falta de uma instrução correta e de um conhecimento dos caminhos de Deus com eles; não obstante, a direção e o verdadeiro testemunho do Espírito devem ser reconhecidos e mantidos independentemente das perversões. É uma questão do registro das Escrituras que um crente ficará consciente de sua relação de filiação com Deus pelo testemunho ao espírito humano e com o espírito humano que vem da Terceira Pessoa que no homem habita. Esta é na verdade a atitude comum daqueles que fazem parte do grande grupo de crentes espirituais ter paz em seus corações a respeito da salvação pessoal. Eles podem ter vários problemas na esfera da vida diária deles, mas, a menos que seja muito anormal, eles não nutrem uma incerteza a respeito da aceitação deles da parte de Deus. Tal paz é fundamental, pois ninguém crescerá no conhecimento de Cristo dentro da esfera da graça que não tenha descanso a respeito de sua própria relação com Deus (cf. 2 Pe 3.18).

Pode ser concluído, então, que as grandes realidades que fazem parte da relação de um crente com Deus serão tornadas reais para ele pelo Espírito Santo.

VII. A Intercessão do Espírito

Nenhum crente deveria estar desinformado a respeito do arranjo divino nesta dispensação a respeito da oração. Como um novo privilégio para o filho de Deus (Jo 16.24), o próprio Cristo direcionou que a oração fosse feita ao Pai no nome do Filho (cf. Jo 16.23). A isto o apóstolo acrescenta pela mesma autoridade divina que a oração seja feita no poder capacitador do Espírito Santo. Ele escreve: "Do mesmo modo também o Espírito nos ajuda na fraqueza; porque não sabemos o que havemos de pedir como convém, mas o Espírito mesmo intercede por nós com gemidos inexprimíveis. E aquele que esquadrinha os corações sabe qual é a intenção do Espírito: que ele, segundo a vontade de Deus, intercede pelos santos" (Rm 8.26,27); "...com toda oração e súplica orando em todo tempo no Espírito e, para o mesmo fim, vigiando com toda a perseverança e súplica, por todos os santos" (Ef 6.18).

E a este testemunho Judas também acrescenta: "Mas vós, amados, edificando-vos sobre a vossa santíssima fé, orando no Espírito Santo" (Jd 20). De acordo com a primeira dessas passagens – Romanos 8.26-27 – está indicado que na esfera dessa forma específica de oração chamada *intercessão*, que é o ato de permanecer entre Deus e o homem em favor de outra pessoa, o instrumento humano não sabe pelo que ele deveria orar. Como pode ele saber qual é o propósito de Deus na vida de outra pessoa? Ou como pode ele saber qual o relacionamento que existe entre Deus e essa pessoa? Por causa dessa limitação óbvia, o Espírito expressa a oração de intercessão, e além disso Ele, como um dos membros da Trindade que conhece as necessidades dos corações humanos e na verdade é o que sonda os corações, é compreendido pelo Pai visto que Ele conhece perfeitamente a mente ou as petições apresentadas pelo Espírito Santo, quando este faz intercessão pelos santos de acordo com a vontade do Pai.

Deste plano divino para a oração, Dean Alford escreve: "O Espírito Santo de Deus habitando em nós, conhecendo os nossos desejos melhor do que nós próprios, Ele mesmo suplica em nossas orações, levantando-nos para os desejos mais elevados e mais santos do que poderíamos expressar em palavras, que podem somente encontrar expressão em suspiros e aspirações".[145] Assim, o homem cheio do Espírito pode entrar e realmente entra na esfera do ministério efetivo em oração por causa da intercessão do Espírito que opera internamente.

Conclusão

Foi o propósito deste capítulo de Pneumatologia apresentar e ampliar a verdade revelada a respeito daquilo que é operado pelo Espírito Santo no coração e na vida do crente a quem Ele torna cheio de Si mesmo. O enchimento do Espírito resulta em sete manifestações de Si mesmo no filho de Deus e através dele. Não há necessidade de se ter dúvida a respeito de quais são os objetivos do Espírito. Por causa da apresentação clara no Texto Sagrado, todas as experiências humanas discordantes devem ser rejeitadas como irrelevantes, e o cristão pode julgar-se do modo mais prático com respeito à medida com que ele é cheio do Espírito. Foi dada a devida atenção ao fato determinante de que todos esses sete efeitos são operados no crente e por meio dele que veio a ser chamado propriamente de *manifestações do Espírito*. Estas operações não devem ser buscadas como concessões especiais de Deus, mas são atividades normais do Espírito dentro daquele que Ele habita. Esta verdade conduz à consideração do problema de quais são os termos exatos ou condições reveladas no Novo Testamento, sobre o qual um cristão pode chegar à realização na vida diária dessa experiência inestimável e que honra a Deus.

CAPÍTULO XV

Condições Exigidas para a Plenitude

NOVAMENTE, O CRENTE DEVE SER CONFRONTADO com as mais simples das condições, e exatamente aquelas que são naturalmente exigidas do lado humano, a fim de que o crente possa ser pleno do Espírito. Como acontece muito freqüentemente com intérpretes, contudo, os ajustamentos indispensáveis esboçados pela Escritura têm sido aumentados, exigências são acrescentadas, estranhas à revelação que Deus concedeu. A fim de mostrar a mesma disposição de acrescentar fardos não designados, cuja disposição é revelada quando qualquer coisa é acrescentada a uma condição de salvação pela fé somente, os homens têm enfatizado além da medida as supostas obrigações humanas relativas ao enchimento do Espírito. É regularmente estimulado que o enchimento do Espírito dependa da oração para que ele aconteça. Este erro é impelido pela noção de que orar para o enchimento do espírito é alguma coisa razoável.

Para alguns que também confundem o recebimento do Espírito com o enchimento do Espírito, é crido que a oração para o Espírito é ordenada em Lucas 11.13, onde as palavras registradas do Salvador são: "Se vós, pois, sendo maus, sabeis dar boas dádivas aos vossos filhos, quanto mais dará o Pai celestial o Espírito Santo àqueles que lho pedirem?" Anteriormente, foi demonstrado que a orientação que Cristo deu, que está afirmada na passagem acima, não se aplica nem pode se aplicar aos crentes da presente era, e é igualmente verdadeiro que a recepção do Espírito não é a mesma coisa que ser cheio dEle. A oração pelo enchimento do Espírito é um erro de grandes proporções e indica um entendimento errôneo das condições que agora prevalecem. O enchimento do Espírito não aguarda a influência da oração. Deus não retém esta bênção até Ele ser persuadido ou que alguma relutância de Sua parte seja derrubada. Ele aguarda os ajustamentos humanos indispensáveis.

Em outras palavras, Ele espera que o crente se entregue totalmente a Ele. Quando as condições reveladas, que são muito razoáveis, forem satisfeitas, o Espírito agirá no coração do crente com todas as suas atividades que juntamente constituem o enchimento do Espírito. O Espírito não precisa ser implorado para fazer aquilo que Ele veio realizar no coração do cristão; antes implora para que o cristão deixe o caminho claro, a fim de que Ele faça a Sua obra graciosa. Os resultados são imediatos e a bênção é assegurada quando as condições são preenchidas, mas a oração para o enchimento do Espírito não é uma dessas condições.

"Não Entristeçais o Espírito de Deus"

Junto ao erro de supor que a oração é uma condição para o crente ser cheio do Espírito é a de se pensar que, por causa dos discípulos terem esperado dez dias pelo Espírito antes que viesse plenamente o dia de Pentecostes, todos os crentes devem esperar pelo Espírito. Esta noção é possível somente por causa da verdade que não é observada de que os discípulos não esperavam por seu próprio enchimento, mas aguardavam o advento do Espírito no mundo. Desde que o Espírito veio como aconteceu no Pentecostes, ninguém jamais havia tido a mais ligeira oportunidade de esperar por Ele; mas quanto tempo e com que paciência o Espírito tem esperado pelas vidas comprometidas a serem rendidas a Ele!

Semelhantemente, há aqueles que, por continuarem no engano de duas ou três gerações atrás, argumentam que o enchimento do Espírito depende de alguma experiência de crise, tempo esse em que o enchimento é reivindicado por um esforço supremo de fé, e resulta naquilo que se crê ser um estado permanente de espiritualidade. Os homens têm ensinado que os cristãos deveriam receber o enchimento do Espírito por um esforço específico, da mesma forma que eles esboçam uma respiração profunda de seus pulmões. Tudo isto, conquanto sincero, ignora a simples verdade de que o Espírito habita em cada crente e assim o problema diante do crente é somente o de ajustamento ao fim que a obra do Espírito no coração e na vida pode ser desimpedida.

Na abordagem do tema a respeito dos termos sobre os quais o filho de Deus pode ser cheio do Espírito, deveria se tornar claro para todos que somente aquelas instruções que estão apresentadas na Bíblia devem ser consideradas. Um grande pregador do passado elaborou uma tabela de dezoito exigências que ele declarou de que deveriam ser satisfeitas por aqueles que haveriam de ser plenos do Espírito; contudo, em sua autobiografia, quando descreveu a sua própria experiência em se tornar cheio do Espírito, ele falhou em indicar que aquiesceu em uma dessas exigências infundadas. Tal irrealidade deve ser evitada e somente essas condições que Deus revelou devem ser consideradas. Três condições estão diretamente afirmadas no Novo Testamento. Não há mais nem há menos. Visto que isto é verdade, fica evidente que estas três apresentam tudo o que é exigido. Destas três condições, duas são negativas – o que o crente não deveria fazer, e uma é positiva – aquilo que o crente deveria fazer. As instruções negativas são: "Não entristeçais o Espírito Santo de Deus" (Ef 4.30) e "não apagueis o Espírito" (1 Ts 5.19), enquanto que a condição positiva é: "Andai no Espírito" (Gl 5.16). Estas devem ser consideradas separadamente agora e na mesma ordem.

I. "Não Entristeçais o Espírito de Deus"

O cristão é habitado pelo Espírito Santo com o propósito em vista de que a vida divina domine todos os seus pensamentos, ações e sentimentos, antes que o pecado, que é tão estranho ao Espírito Santo, na verdade, o oposto e aquilo que está muitíssimo longe da pureza e santidade absolutas daquele que no crente habita. A presença do pecado na vida do crente entristece o Espírito Santo. Este é o testemunho da Bíblia e é também o testemunho abundante da razão. Quando o pecado é tolerado na vida diária do cristão, necessariamente o Espírito deve dissuadir de Seu ministério *através* do cristão para um ministério de apelo *a* ele. A Bíblia não fornece uma sanção à idéia, muito freqüentemente sugerida, de que o Espírito é entristecido e sai. Ao contrário, está assegurado que, por ter assumido a sua residência no filho de Deus, Ele permanece para sempre (Jo 14.16,17; 1 Jo 2.27). Ele permanece, mas é entristecido quando o pecado está presente.

O entristecimento do Espírito se torna uma experiência bem definida dentro daquele em quem o Espírito habita, uma experiência que porta uma semelhança próxima das coisas de sua própria alma quando deprimido. Davi expressou o sentimento que veio sobre si após seu grande pecado, dizendo: "Enquanto guardei silêncio, consumiram-se os meus ossos pelo meu bramido durante o dia todo. Porque de dia e de noite a tua mão pesava sobre mim; o meu humor se tornou em sequidão de estio" (Sl 32.3, 4). Tudo isto, por ser uma questão da experiência humana, está sujeito ao entendimento e à interpretação errôneos. As condições físicas freqüentemente geram um estado mental depressivo, estado esse que não tem relação alguma com o entristecimento do Espírito. Uma permissão sempre deveria ser dada quando os nervos estão esgotados ou quando a vitalidade física está baixa.

Muitos são os casos quando a mente, por causa da fraqueza do nervo ou do corpo, está predisposta a imaginar uma separação de Deus, mesmo ao suspeitar que um pecado imperdoável foi cometido. Contudo, o teste de tudo isto é muito simples. Aquele pecado que entristece o Espírito se torna imediatamente uma questão conhecida. O pecado se salientará como a causa conhecida e reconhecida do fardo do coração. A cura é a confissão a Deus e aquele que de qualquer forma confessar não será deixado na dúvida ou na incerteza a respeito do que deve ser confessado. Ninguém pode ser definido ao confessar pecados desconhecidos. O pecado conhecido pode ser confessado em harmonia com o conhecimento dele que o Espírito Santo cria na mente e no coração. Se um crente ficasse deprimido sem erro reconhecido à vista, é certo que a causa é física antes que espiritual.

À luz da verdade de que o Espírito Santo é entristecido pelo pecado e que esta reação ao pecado da parte do Espírito é experimentada por aquele em quem Ele habita, bem pode ser questionado se o crente vive pelos ditames de sua consciência após ele ser salvo. A presença do Espírito Santo cria novos padrões tão elevados quanto a própria santidade divina, e a maneira de vida do cristão entristece ou não o Espírito nesse plano elevado e santo. O apóstolo testificou que sua consciência deu testemunho no Espírito Santo (Rm 9.1-3). É provável que o Espírito Santo empregue a consciência humana, mas Ele certamente comunica a ela um novo padrão a respeito do que é certo e errado. A ordem clara dirigida ao crente é que "não entristeça o Espírito de Deus". Haverá pouco argumento de qualquer fonte contra a verdade de que o pecado no cristão é a causa da tristeza para o Espírito; nem há qualquer coisa a ser dita contra o fato de que o filho de Deus, por ser possuidor de uma natureza caída, e estar sujeito a um conflito incessante com o mundo, com a carne e com o diabo, cometa o pecado e, assim, entristeça o Espírito Santo. O problema prático é duplo: (a) como ser guardado de pecar e (b) como aplicar a cura providenciada por Deus, uma vez que o pecado entrou na vida.

1. Prevenção do Pecado Cristão. Três fatores principais entram na prevenção do pecado na vida do cristão.

Primeiro, *a Palavra de Deus* é em si mesma uma proteção quando guardada no coração. O salmista declarou: "Escondi a tua palavra no meu coração, para não pecar contra ti" (Sl 119.11). A Palavra de Deus não somente é inevitavelmente um poder para evitar o pecado, mas ela é um poder na detecção do pecado dentro da vida. Aqueles cristãos que pecam incessantemente não se sentem confortáveis quando lêem as Escrituras e eles naturalmente evitam tal leitura. Está escrito: "Porque a palavra de Deus é viva e eficaz, e mais cortante do que qualquer espada de dois gumes, e penetra até a divisão de alma e espírito, e de juntas e medulas, e é apta para discernir os pensamentos e intenções do coração" (Hb 4.12).

Segundo, *o Espírito que habita no crente* é o recurso de que uma capacidade abundante de resistir ao pecado pode ser retirada. O fato de que a presença e o poder do Espírito Santo é a base imediata de toda a vida santa. Relacionada a este aspecto da capacitação divina está a ação da vontade humana, a determinação capacitadora de fazer aquilo que unicamente traz honra a Deus. A vontade é motivada pelo conhecimento das posições elevadas, as quais uma pessoa é trazida pela graça e é energizada pelo Espírito Santo a querer e a fazer aquilo que é agradável a Deus.

Terceiro, *a Intercessão de Cristo* é aquele aspecto de Seu ministério sacerdotal no céu pelo qual Ele sustenta os Seus que estão no mundo. Ela contempla a fraqueza, o desamparo e as limitações deles. Ela pertence ao pastoreio de Cristo.

2. Remédio para o Pecado Cristão. Como uma abordagem ao assunto mencionado, um ponto deve ser colocado, e na verdade é facilmente reconhecido como fundamental que, em adição à verdade da malignidade do pecado, o crente não deveria pecar porque o pecado entristece o Espírito Santo. Muita ênfase é dada no Novo Testamento a esta última verdade e, como visto, Deus providenciou impedimentos vitais ao pecado; mas ainda permanece verdadeiro que, por causa da falha em reivindicar a proteção que Deus proporcionou, por causa da força dos inimigos encontrados – o mundo, a carne e o diabo – embora mesmo estes não sejam grandes demais para Deus controlar, e por causa da fraqueza humana, o cristão peca num grau maior ou menor e, portanto, bate de frente com um problema diferente além da prevenção unicamente: ele deve estar informado a respeito da condescendência com o remédio do plano divino.

À luz da probabilidade de algum pecado em sua vida, o cristão que não reivindica a cura do efeito do seu pecado necessariamente alcançará o lugar onde todas as manifestações da presença e do poder do Espírito são anuladas e a vida é vivida sob a nuvem da depressão que a tristeza incessante do Espírito cria. Portanto, é um aspecto importante na realização da vida espiritual para o crente entender as provisões para a restauração às relações corretas com Deus e a agir com base nessas provisões com fidelidade ininterrupta. Essas provisões divinamente fornecidas para a restauração do crente danificado pelo pecado, a fim de que ele tenha comunhão com o Espírito Santo, são apresentadas na Bíblia em certas passagens importantes, e destas provisões deveria ser dito que elas conduzem o cristão que foi prejudicado pelo pecado de volta à completa comunhão com Deus.

Os resultados assegurados pela busca do plano divinamente proporcionado são *absolutos*. Não pode ser dada uma ênfase demasiada sobre este fato, e há sempre necessidade da verdade ser reafirmada à luz da tendência de supor que o perdão e a restauração de Deus são sujeitos às mesmas limitações que caracterizam o perdão e a restauração que os homens exercem de uns para com os outros com base na generosidade. As principais passagens a respeito do perdão e da restauração que vêm de Deus são agora consideradas.

João 13.3-11: "Jesus sabendo que o Pai lhe entregara tudo nas mãos, e que viera de Deus e para Deus voltava, levantou-se da ceia, tirou o manto e, tomando uma toalha, cingiu-se. Depois deitou água na bacia e começou a lavar os pés aos discípulos, e a enxugar-lhos com a toalha com que estava cingido. Chegou, pois, a Simão Pedro, que lhe disse: Senhor, lavas-me os pés a mim? Respondeu-lhe Jesus: O que eu faço, tu não o sabes agora; mas depois o entenderás. Tornou-lhe Pedro: Nunca me lavarás os pés. Replicou-lhe Jesus: Se eu não te lavar, não tens parte comigo. Disse-lhe Simão Pedro: Senhor, não somente os meus pés, mas também as mãos e a cabeça. Respondeu-lhe Jesus: Aquele que se banhou não necessita de lavar senão os pés, pois no mais está todo limpo; e vós estais limpos, mas não todos. Pois ele sabia quem o estava traindo; por isso disse: nem todos estais limpos".

Dentre outros aspectos importantes a serem apresentados nesta passagem da Escritura e que fazem parte da relação correta do crente com Deus, está um que é mais importante, a saber, o de que Cristo somente pode limpar o crente da impureza do pecado. Nos capítulos anteriores deste Evangelho, o caminho da salvação foi apresentado, mas, ao começar com o capítulo 13 e continuar até o capítulo 17, o privilégio e a responsabilidade do crente em relação a Deus são declarados. Das várias questões importantes que estão inclusas nesta passagem específica ou discurso, é importante observar que a limpeza da impureza é a primeira a ser mencionada e que à parte da purificação não pode haver experiência alguma normal das grandes realidades que este discurso apresenta. Que Cristo pode dizer – como realmente Ele o fez mais tarde (15.3) – "Vós já estais limpos pela palavra que vos tenho falado", é a mais impressionante.

A limpeza, entretanto, é contemplada por Cristo em dois aspectos amplamente diferentes, ou seja, aquele que é operado como uma parte da salvação e aquele que produz a limpeza do crente impuro. Assim, no versículo

10 da presente passagem, Cristo declara a Pedro: "Aquele que se banhou [λούω – totalmente lavado] não necessita de lavar senão os pés, pois no mais está todo limpo". Esta verdade esboçada diz respeito à realidade dos costumes daquele tempo, quando as pessoas se banhavam em casas de banho públicas e retornavam para casa descalços ou com sandálias por aquelas ruas poeirentas e, ao chegarem de volta em casa, precisavam se banhar, não um banho completo, mas um banho parcial – o dos pés. Ao aproximar-se de Pedro, uma resistência normal é encontrada da parte deste que não entendeu o simbolismo do banho dos pés e que há pouco tempo tinha dito a Cristo: "Tu és o Cristo, o Filho do Deus vivo" (Mt 16.16).

Essa resistência foi oferecida pela pergunta de Pedro: "Senhor, lavas-me os pés a mim?" A isto Cristo disse: "O que eu faço, tu não o sabes agora; mas depois o entenderás", a fim de indicar assim que havia um significado escondido no ato de lavar os pés dos discípulos – um significado que, para o seu entendimento, depende do sangue de Cristo derramado para a purificação, mas que nenhum discípulo poderia então entender, visto que eles não criam que Jesus estava para morrer (cf. Lc 18.31-34). Pedro está pouco impressionado com qualquer significado escondido. Ele vê somente a irracionalidade do Filho de Deus, ao lavar os pés de um homem pecaminoso. Sua resposta brusca a Cristo foi: "Nunca me lavarás os pés". Este protesto arrancou da boca do Salvador uma afirmação que explica muito bem tudo o que está envolvido. Cristo disse: "Se eu não te lavar, não tens parte comigo".

Aqui, duas palavras há que precisam ser entendidas em seu significado real. O termo *lavar* (νίπτω) fala somente de um banho parcial como o que Cristo fazia, e está totalmente em contraste com a palavra λούω do versículo 10, que se refere a um banho total. O segundo termo a ser corretamente entendido é μέρος, traduzido como *parte* – "não tens parte comigo". Não há sugestão alguma de que Pedro não manteria uma ligação com Cristo; é antes uma questão de comunhão. Pedro não estaria em companheirismo, a menos que a impureza fosse removida pela purificação do sangue de Cristo. O sacerdote dos tempos do Antigo Testamento é o tipo do sacerdote do Novo Testamento e todo cristão é um sacerdote do Novo Testamento. Na função de um tipo, o sacerdote do Antigo Testamento era totalmente banhado num ritual de uma vez por todas quando entrava no seu ofício sacerdotal (Êx 29.4).

De igual modo, o sacerdote do Novo Testamento é, como uma parte de sua salvação, banhado com o lavar da regeneração (Tt 3.5). Semelhantemente, do sacerdote do Antigo Testamento era exigido que se banhasse parcialmente – mãos e pés – na bacia antes de cada ato de culto (Êx 30.17-21). Assim, também, o sacerdote do Novo Testamento deve ser limpo repetidamente onde quer que a impureza seja encontrada; mas Cristo somente pode limpar, e embora os discípulos tenham sido ordenados a lavar os pés uns dos outros como uma evidência de serviço um pelo outro, nenhum ser humano pode limpar a impureza espiritual de seus companheiros, nem está ele na posição, mesmo que simbolicamente, de realizar tão grande empreendimento. A verdade é assim estabelecida de que Cristo somente pode limpar a impureza do crente, e isto por causa de sua morte e de seu sangue derramado sacrificialmente pelo crente (1 Jo 2.2).

1 João 1.5–2.2: "E esta é a mensagem que dele ouvimos, e vos anunciamos: que Deus é luz, e nele não há treva nenhuma. Se dissermos que temos comunhão com ele, e andarmos nas trevas, mentimos, e não praticamos a verdade; mas, se andarmos na luz, como ele na luz está, temos comunhão uns com os outros e o sangue de Jesus seu Filho nos purifica de todo pecado. Se dissermos que não temos pecado nenhum, enganamo-nos a nós mesmos, e a verdade não está em nós. Se confessarmos os nossos pecados, ele é fiel e justo para nos perdoar os pecados e nos purificar de toda injustiça. Se dissermos que não temos cometido pecado, fazemo-lo mentiroso, e a sua palavra não está em nós. Meus filhinhos, estas coisas vos escrevo, para que não pequeis; mas, se alguém pecar, temos um Advogado para com o Pai, Jesus Cristo, o justo. E ele é a propiciação pelos nossos pecados, e não somente pelos nossos, mas também pelos de todo o mundo".

João é a testemunha experimentada em relação à comunhão contínua com o Pai e com o Filho, como está indicado nos primeiros versículos de 1 João. Neste primeiro capítulo desta epístola, uma mensagem é trazida diretamente do ministério terrestre de Cristo, que não aparece em qualquer registro dos evangelhos. A mensagem tem a ver com a manutenção da comunhão com o Pai e com o Filho. No estudo de tal relacionamento, deveria ser lembrado que "Deus é luz", frase essa que se refere à perfeição moral ou santa, e é com esse Ser que o crente deve ter comunhão. Esse trazer do cristão à comunhão com Deus não é realizado pelo rebaixamento daquilo que pertence a Deus; é ganho antes por elevar o crente ao nível no qual a comunhão com Deus é possível. Para alguém dizer que tem comunhão com Deus enquanto ao mesmo tempo anda em trevas é mentir e não praticar a verdade; mas se o cristão anda na luz como Deus está na luz, é experimentar comunhão com Deus, a comunhão que é a experiência normal de todos os que são salvos.

Tal comunhão não é uma concessão especial de Deus, mas é antes aquilo que é providenciado para todos os que estão em relação correta com Deus. Toda esta bênção imensurável está condicionada ao "andar na luz". Andar na luz não é se tornar luz, que seria uma perfeição sem pecado; é estar ajustado à luz. Quando o holofote, que Deus é, revela as mudanças necessárias na vida de uma pessoa perante Deus, então, a fim de andar na luz, essa pessoa deve adaptar-se à vontade de Deus que foi revelada. Quando assim adaptada, o sangue de Jesus Cristo limpa essa pessoa incessantemente de todo pecado. A comunhão não depende da perfeição sem pecado que é impossível, mas depende da disposição de submissão a tudo o que Deus quer e torna conhecido de nós. Assim, a confissão, que é a expressão externa de um arrependimento interno, se torna a única condição na qual um filho de Deus, que foi danificado pelo pecado, pode ser restaurado à comunhão plena novamente.

Não somente essa comunhão será absoluta em um grau infinito, mas a graça divina que perdoa e purifica é realizada em uma base que é justa em um

"Não Entristeçais o Espírito de Deus"

grau infinito. Visto que é o próprio filho de Deus que pecou contra Aquele a quem está ligado por eternos laços, Ele é "fiel" a esses relacionamentos; e visto que Cristo satisfez todos os julgamentos justos contra o pecado que está em questão, Ele é "justo" para purificar e perdoar. Era assim na ordem do Antigo Testamento e deve sempre ser assim onde quer que Deus, o Santo, trate com o pecado humano. O israelita trazia o seu sacrifício e isso era após o sacerdote ter oferecido o sacrifício que aquele que o trazia era perdoado. Levítico 4.35 declara: "Tirará toda a gordura, como se tira a gordura do cordeiro do sacrifício pacífico, e a queimará sobre o altar, em cima das ofertas queimadas do Senhor; assim o sacerdote fará por ele expiação do pecado que cometeu, e ele será perdoado".

É colocada uma grande ênfase sobre o fato de que a única condição a ser satisfeita para a restauração de um crente para ter comunhão com Deus é a confissão do pecado. Muito freqüentemente a oração pelo perdão é substituída; mas a oração pelo perdão não é um ajustamento à luz que Deus é. A oração pelo perdão realmente supõe que o próprio Deus precisa ser mudado em Sua atitude para com aquele que pecou.

1 Coríntios 11.31,32: "Mas, se nós nos julgássemos a nós mesmos, não seríamos julgados; quando, porém, somos julgados pelo Senhor, somos corrigidos, para não sermos condenados com o mundo".

Ao chegarmos ao final desta extensa porção desta epístola, porção que é dedicada à correção da carnalidade na igreja de Corinto (1.10–11.34), esta orientação clara relativa à responsabilidade humana na cura dos efeitos sobre si mesmo do pecado do cristão é muito apropriada. A contribuição específica que esta passagem faz para a totalidade da doutrina do andar do crente com Deus é vista na ordem dos eventos que ela revela. O Pai é visto aqui como o que espera pelo autojulgamento ou confissão de Seu filho que pecou. Este período de aparente silêncio ou desatenção da parte de Deus que vem depois do pecado que o crente cometeu é facilmente passível de entendimento errôneo, e pode ser erroneamente interpretado pelo crente como indicativo de que Deus não levou em conta o pecado que foi cometido. É a graça de Deus que aguarda a ação do crente primeiro em seu próprio favor a respeito de seu pecado.

Contudo, se esse filho de Deus ainda pecador não se julga a si mesmo por uma confissão plena, torna-se necessário para o Pai, por ser um perfeito disciplinador, trazer o seu filho a julgamento. Esta é a força das palavras do apóstolo: "...se nós nos julgássemos a nós mesmos, não seríamos julgados". O ato voluntário de autojulgamento satisfaz toda exigência divina e nenhum julgamento do Pai será imposto. É somente quando o cristão retém a sua confissão, e nisso ele assume a atitude de autojustificação a respeito de seu pecado, ou pelo amor ao pecado, se recusa a ser ajustado à santa vontade de Deus, e então o Pai o traz ao lugar de correção. Será reconhecido ainda que a questão não é a de manter uma união com o Pai, união essa, igual filiação, que, uma vez estabelecida, nunca pode ser quebrada; é antes a questão a respeito da comunhão.

Portanto, a pergunta é: "Acaso andarão dois juntos, se não estiverem de acordo?" (Am 3.3). Deus não pode andar nas trevas com o crente, nem a comunhão pode ser experimentada quando o crente chama o preto de branco e o branco de preto. O cristão deve concordar com Deus que branco é branco e que preto é preto. Chegando a um acordo com Deus, não permanece obstáculo algum que possa impedir a comunhão e esta é restaurada pelo perdão gracioso e pela purificação que vem de Deus. A passagem de Paulo continua assim: "...quando, porém, somos julgados pelo Senhor, somos corrigidos". A esta altura uma distinção deve ser óbvia entre o castigo e penalidade ou satisfação. Ainda que o crente seja castigado, a penalidade pelo seu pecado não é exigida dele, visto que Cristo tomou toda a penalidade dele sobre Si e nunca mais ela é exigida novamente.

Muito freqüentemente os cristãos não compreendem a verdade de que não há nem poderia haver qualquer penalidade. O castigo tem como seu propósito trazer o crente à penitência e através da confissão conseqüente vem a restauração. Esse castigo, que não é penal, é demonstrado pelo fato de que a restauração e o perdão são assegurados imediatamente à parte mesmo do castigo, quando a confissão é feita sem demora. A penalidade não poderia ser retardada ou perdoada se ela fosse designada para vir sobre o crente. Por ter empreendido salvar o cristão de todos os julgamentos penais (cf. Jo 3.18; 5.24; Rm 8.1), e por ter pactuado para perdoar e purificar instantânea e perfeitamente sob a única condição de confissão, o crente é castigado somente quando resiste a Deus. Ao permanecer no mérito do Filho de Deus e se abrigar debaixo da eficácia do sangue de Cristo, o filho de Deus nunca pode ser "condenado com o mundo".

Hebreus 12.5-11: "E já vos esquecestes da exortação que vos admoesta como a filhos: Filho meu, não desprezes a correção do Senhor, nem te desanimes quando por ele és repreendido; pois o Senhor corrige ao que ama, e açoita a todo o que recebe por filho. É para disciplina que sofreis; Deus vos trata como a filhos; pois qual é o filho a quem o pai não corrija? Mas, se estais sem disciplina, da qual todos se têm tornado participantes, sois então bastardos, e não filhos. Além disto, tivemos nossos pais segundo a carne, para nos corrigirem, e os olhávamos com respeito; não nos sujeitaremos muito mais ao Pai dos espíritos, e viveremos? Pois aqueles por pouco tempo nos corrigiam como bem lhes parecia, mas este, para nosso proveito, para sermos participantes da sua santidade. Não verdade, nenhuma correção parece no momento ser motivo de gozo, porém de tristeza; mas depois produz um fruto pacífico de justiça nos que por ela têm sido exercitados".

A importância da doutrina a respeito do castigo garante o espaço dado a ela no Texto Sagrado. A passagem citada é central e deste contexto como dos outros textos pode ser visto que o castigo abrange mais do que a correção pelo mal; pode incluir disciplina, crescimento, ou instrução como seu objetivo também. Se fosse restrito à correção pelo mal nos filhos de Deus, dificilmente poderia ser dito dela como universal em escopo. Com relação ao seu caráter universal, está escrito: "...pois o Senhor corrige ao que ama", e no castigo, "Deus vos trata como a filhos", e a menos que sejam castigados – como todos os filhos o são – "sois então bastardos, e não filhos". O crente não deveria "desprezar" o castigo nem desmaiar sob sua disciplina. No caso de um filho terreno, toda vantagem provém para aquele que "por ela tem sido exercitado". O versículo 6 sugere uma distinção entre castigo e açoite. O castigo, não importa quão amplo possa ser em seu alcance, pode ser experimentado muitas vezes; mas o açoite, que parece significar a conquista final da vontade do crente, precisaria ser experimentado apenas uma vez. Muitos episódios tristes na vida de um crente insubmisso poderiam ser evitados se ele rendesse sua vontade à mente de Deus.

Embora algumas formas específicas de castigo sejam citadas nas Escrituras e este empreendimento divino é visto em funcionamento em muitas vidas registradas na Palavra de Deus, é provável que, visto que Deus trata desse modo com os filhos, individualmente, Seus modos e meios no castigo são múltiplos. Eles podem variar em cada situação específica. A extensão de um castigo é asseverada em 1 Coríntios 11.30. Ao falar de irregularidades em conexão com a mesa do Senhor e da disciplina que acompanha um ato errado, o apóstolo diz: "Por causa disto há entre vós muitos fracos e enfermos, e muitos que dormem". Assim, é revelado que o Pai pode empregar fraquezas físicas, doença física ou morte física, como Seus meios de aplicar o castigo. Uma referência à morte física é feita no mesmo contexto em outros textos do Novo Testamento. O ramo em Cristo que não dá fruto pode ser cortado e lançado fora (Jo 15.2), e há um pecado para morte que um irmão pode cometer (1 Jo 5.16) – em tal caso uma oração por cura será sem qualquer proveito. Mesmo Satanás pode ser usado como um instrumento no castigo. O apóstolo declara: "E entre esses Himeneu e Alexandre, os quais entreguei a Satanás, para que aprendam a não blasfemar" (1 Tm 1.20).

Por causa do conforto que ele assegura e por causa do fato a respeito do caráter de Deus que é revelado nesse ponto, a verdade que o amor é o motivo divino em cada caso onde o castigo é empregado, não deveria ser deixado de lado. Nenhuma tentativa de explicar esta importante doutrina deveria ser feita porque pode falhar em indicar que o castigo divino surge na compaixão infinita de Deus e é administrado sob a influência da infinita afeição divina.

2 Coríntios 7.8-11: "Porquanto ainda que vos contristei com a minha carta, não me arrependo; embora antes me tivesse arrependido (pois vejo que aquela carta vos contristou, ainda que por pouco tempo), agora folgo, não porque fostes contristados, mas porque o fostes para o arrependimento; pois segundo Deus fostes contristados, para que por nós não sofrêsseis dano em coisa alguma. Porque a tristeza segundo Deus opera arrependimento para a salvação, o qual não traz pesar; mas a tristeza do mundo opera a morte. Pois vede quanto cuidado não produziu em vós isto mesmo, o serdes contristados segundo Deus! sim, que defesa própria, que indignação, que temor, que saudades, que zelo, que vingança! Em tudo provastes estar inocentes nesse negócio".

Esta passagem é citada como um exemplo de um verdadeiro arrependimento da parte dos crentes. O apóstolo tinha escrito à igreja de Corinto – a correspondência de sua primeira epístola aos Coríntios está em vista – e nessa mensagem, como antes observado, ele trouxe à baila os pecados deles e as irregularidades com o resultado de que eles estavam convencidos de seus modos maus, e em arrependimento – a fim de significar uma mudança radical de mente – eles se limpam totalmente perante Deus. Um verdadeiro arrependimento não resultará numa experiência superficial e temporária que vai tolerar e tornar o mal repetido; contudo, o poder de evitar repetições não está no grau do arrependimento, mas numa confiança mais eficaz no Espírito Santo capacitador. Deve ser dada consideração a esta passagem à luz da verdade de que ela é um padrão do que Deus tem o direito de esperar de todos a quem Ele castiga.

Salmo 51.1-19: Este salmo familiar, que é muito extenso para ser citado, apresenta Davi como um exemplo notável de arrependimento e confissão entre os santos do Antigo Testamento. Na Palavra de Deus, o pecado de Davi é mostrado e com ele o seu coração compungido e contrito. Ele havia participado daquela forma de salvação que estava acordada para os santos do Antigo Testamento, salvação essa, por ser operada por Deus como toda salvação deve ser, não foi em si mesma prejudicada. Davi, portanto, orou para que a alegria da salvação, ao invés da própria salvação, lhe pudesse ser restaurada. Assim, é indicado que Davi entendeu exatamente o que ele havia perdido por causa do pecado. O seu testemunho também havia sido impedido. Após fazer um pedido para que ele pudesse ser restaurado e antecipando sua bem-aventurança, ele disse: "Então ensinarei aos transgressores os teus caminhos; e os pecadores se converterão a ti".

Neste grau, os santos do Antigo Testamento foram similares em seu relacionamento com Deus aos santos do Novo Testamento; contudo, diferenças notáveis devem ser observadas e elas estão reveladas neste salmo. O crente do Novo Testamento nunca precisa orar: "Não retires de mim o teu Santo Espírito", visto que o Espírito uma vez dado, nunca é removido do coração do cristão; nem deve o santo do Novo Testamento pedir perdão ou restauração. Após Cristo ter morrido e levado todo pecado – do salvo assim como o do não-salvo – e após essa morte por levar o pecado que fez Deus propício, não há base restante para o cristão pedir o perdão de Deus. Ele perdoa exatamente porque prometeu, quando o pecado é confessado (cf. 1 Jo 1.9). Davi reconheceu, como todos os santos deveriam reconhecer, que o seu pecado era primariamente contra Deus. "Contra ti, contra ti somente, pequei" era o clamor de um coração quebrantado.

Sua restauração baseada na confissão era completa; porque foi a despeito do pecado de Davi e após a sua restauração que Jeová disse: "Achei a Davi, filho de Jessé, homem segundo o meu coração, que fará toda a minha vontade" (At 13.22; cf. 1 Sm 13.14). O pecado de Davi não era agradável a Deus; mas, por ter se arrependido e confessado o seu pecado, ele foi restaurado ao favor de Deus.

Lucas 15.1-32. A última das sete passagens principais que tratam da cura dos efeitos do pecado sobre a vida espiritual de um crente – seja ele do Antigo ou do Novo Testamento – é encontrada em Lucas 15.1-32. Esta porção das Escrituras contém uma parábola em três partes (cf. v. 3). É uma história tríplice de uma ovelha perdida, de uma dracma perdida e de uma pessoa perdida. Embora três incidentes sejam mencionados, há apenas um propósito subjacente. O valor específico desta passagem, no presente contexto, repousa na revelação que ela faz da compaixão divina, vista na restauração de um santo que peca. É a revelação do coração do Pai. A ênfase recai sobre o pastor, antes do que sobre a ovelha; sobre a mulher, antes do que sobre a dracma perdida; e sobre o Pai, antes do que sobre

"Não Entristeçais o Espírito de Deus"

o seu filho. Ao considerar esta passagem, deve se ter em mente que o que está registrado aqui reflete as condições que são obtidas antes da cruz.

Portanto, essa passagem tem a ver primariamente com Israel. Eles eram o povo do pacto do Antigo Testamento, "as ovelhas do seu pastoreio", a posição deles era sem mudança até o novo pacto ser estabelecido no Seu sangue. Por ser o povo do pacto, eles podiam retornar às bênçãos de seu pacto, se essas bênçãos tivessem sido perdidas pelo pecado, com base no arrependimento e na confissão. De acordo com as Escrituras e com o que tem sido visto, isto é verdadeiro de todas as pessoas do pacto. Os pactos de Israel não são o mesmo em caráter como "o novo pacto [feito] no Seu sangue"; mas os termos da restauração às bênçãos do pacto não são os mesmos num caso assim como no outro. A *factualidade* do pacto permanece pela fidelidade de Deus, mas a *bênção* do pacto pode ser perdida por meio da infidelidade do santo. A bênção é reconquistada, também, não pelo estabelecimento de outro pacto, mas pela restauração aos privilégios imutáveis do pacto original.

A parábola tríplice aqui é a respeito dos israelitas e foi dirigida a eles. Qualquer aplicação que possa haver na parábola ao cristão sob o novo pacto só é possível com base no fato de que o caminho da restauração pelo arrependimento e confissão é comum a ambos os pactos, o antigo e o novo. A parábola, portanto, fornece uma descrição do coração de Deus em relação a cada pessoa do pacto quando ela peca.

A parábola começa assim: "Ora, chegavam-se a ele todos os publicanos e pecadores para o ouvir. E os fariseus e os escribas murmuravam, dizendo: Este recebe pecadores, e come com eles". Aqui está a chave de tudo o que se segue. "Publicanos e pecadores" não eram gentios. "Publicanos" eram israelitas sob o pacto "feito com os pais" que haviam se tornado traidores de sua nação, a ponto de serem coletores de impostos de Roma. "Pecadores" eram israelitas sob o mesmo pacto que tinham falhado em apresentar os sacrifícios pelo pecado prescritos na lei de Moisés. Um israelita era contado "inculpável" diante da lei quando ele proporcionava as ofertas exigidas. Assim Paulo poderia dizer de si mesmo a respeito de sua posição anterior como não mais do que um judeu sob a lei: "...quanto à justiça que está na lei, irrepreensível". O apóstolo não alegava uma perfeição sem pecado; ele testificava o fato de que tinha sempre sido fiel na providência de sacrifícios prescritos pela lei de Moisés.

Os fariseus e escribas eram israelitas que utilizaram todas as suas energias para o cumprimento exato da lei de Moisés. Paulo uma vez havia sido não mais do que um fariseu, "um hebreu de hebreus". Estes homens não eram cristãos e não deveriam ser julgados como tais. Há pouca coisa em comum aqui com os cristãos. Esses israelitas eram irrepreensíveis por meio dos sacrifícios animais que prediziam a morte de Cristo. Os cristãos são inculpáveis por intermédio da fé no sangue eficaz de Cristo que já foi derramado. Uma é a justificação pelas obras, inadequada porque dependente do lado humano; a outra é uma justificação pela fé concernente à obra consumada de Deus. Os fariseus e escribas murmuravam quando eles viram que Jesus recebia publicanos e pecadores e comia com eles. Portanto, Ele transmitiu esta parábola para *eles*, Seus críticos.

A parábola é explicitamente dirigida aos fariseus e escribas que murmuravam antes do que dirigida a todos, em qualquer lugar. E pode haver pouco entendimento da verdade contida nela a menos que o propósito claro para o qual ela é contada seja mantido na mente. Quando voltamos para a interpretação da parábola, alguma consideração deve ser dada à impressão quase universal de que esta parábola é uma descrição da salvação. Conquanto ela seja uma descrição do coração de Deus, evidentemente ela tem a ver com Sua obra de *restauração* antes do que com a *regeneração*.

A primeira divisão da parábola diz respeito a um homem que tinha cem ovelhas. "Qual de vós é o homem que, possuindo cem ovelhas, e perdendo uma delas, não deixa as noventa e nove no deserto, e não vai após a perdida até que a encontre?" (Lc 15.4). Esta não é a descrição de 99 ovelhas e um bode: é de cem ovelhas e "ovelhas", segundo as Escrituras, são sempre simbólicas do povo do pacto. Os israelitas eram ovelhas, assim também são os cristãos nesta dispensação. Jesus, quando falava daqueles que haveriam de ser salvos através de sua morte, disse aos judeus: "Tenho ainda outras ovelhas, não deste aprisco" (Jo 10.16). Outra distinção importante deveria ser observada nesta parábola: A ovelha, a dracma e o filho estavam *perdidos*, mas eles estavam perdidos somente no sentido em que precisavam ser *achados*. Isto dificilmente é a mesma coisa que ser perdido de modo total a ponto de precisar ser *salvo*. O uso bíblico da palavra *perdido* tem ao menos esses dois sentidos amplamente diferentes.

"O Filho do homem veio para buscar e salvar o que estava perdido"; mas, em todas as três partes desta parábola, as três coisas são procuradas, a fim de ser encontradas, ao invés de serem procuradas para ser salvas. A palavra *salvar*, deveria ser observado, não aparece uma só vez nesta parábola. Se esta parábola fosse aceita como um ensino com respeito à salvação, não teríamos como escapar do erro do universalismo, porque este Pastor procura *até* encontrar o que estava perdido. A passagem, por outro lado, apresenta uma bendita revelação do coração de Deus para com Seu filho que precisa ser encontrado, em vez de ser salvo. "Noventa e nove" que estão seguras no aprisco comparadas a uma que está perdida é uma descrição pobre das proporções que sempre têm existido nesta era entre os salvos e os não-salvos. Se esta parábola ensinasse a salvação de um pecador, teria sido muito melhor se se tivesse usado as figuras das 99 como perdidas em contraste com uma que estava segura no aprisco.

A parábola continua: "E achando-a, põe-na sobre os ombros, cheio de júbilo; e chegando a casa, reúne os amigos e vizinhos e lhes diz: Alegrai-vos comigo, porque achei a minha ovelha que se havia perdido. Digo-vos que assim haverá maior alegria no céu por um pecador que se arrepende, do que por noventa e nove justos que não necessitam de arrependimento" (vv. 5-7).

O pecador aqui mencionado não pode ser outro além dos "pecadores" do pacto, mencionados no primeiro versículo da passagem e concernente a quem a parábola foi contada. Ele, por ser uma pessoa do pacto, é aqui descrito pelo Espírito como o que retorna mediante a base do arrependimento, ao invés de ser salvo com base na fé salvadora. Assim, além disso, dificilmente alguém poderia encontrar-se na classe de pessoas dentro da igreja correspondente às "noventa e nove pessoas justas, que não necessitam de arrependimento". Tal caso era possível, não obstante, sob a lei de Moisés, e Paulo quando debaixo do judaísmo era um exemplo disso. Os próprios fariseus e escribas a quem a parábola foi dirigida eram também dessa classe. Dentro das exigências externas da lei de Moisés, eles não precisavam de arrependimento. O arrependimento, que significa uma mudança de mente, é um elemento vital na presente salvação; mas ele é agora *incluído* no único ato de crer, porque plenamente 150 passagens no Novo Testamento condicionam a nossa presente salvação na fé, ou na crença.

O evangelho de João, escrito especialmente para que pudéssemos crer que Jesus é o Cristo, o Filho de Deus, e para que, ao crermos, pudéssemos ter vida por meio de Seu nome, não usa uma só vez a palavra *arrependimento*. Os não-salvos hoje são salvos pela fé, que evidentemente inclui tal arrependimento que pode ser produzido naqueles que estão "mortos em seus delitos e pecados". O arrependimento significa uma mudança de mente e ninguém pode crer em Cristo como seu Salvador e não ter mudado sua mente com respeito a seu pecado, sua condição de perdido, e o lugar de sua confiança salvadora naquele que é "poderoso" para salvar.

A segunda divisão da parábola diz respeito à mulher e à dracma perdida. É a mesma história de procurar e achar o que estava perdido. A ênfase especial nesta divisão da parábola recai sobre a *alegria* daquele que encontra o que está perdido. É a alegria daquele em cuja presença os anjos estão. A história, além disso, é a de um pecador arrependido, antes do que a de um pecador que crê.

A terceira divisão da parábola diz de "um certo homem". Esta história é evidentemente contada para revelar o coração do pai. Incidentalmente, ele tinha dois filhos, e um deles era típico de um "publicano e pecador", e o outro de um "fariseu e escriba". Um deixou as bênçãos da casa de seu pai (mas não deixou de ser um filho); o outro murmurou, como fizeram os escribas e fariseus, quando o "pecador" foi restaurado. Não havia profundezas maiores de degradação que poderiam ser descritas para uma mente judaica do que ser alimentado no lugar dos porcos. Aqui temos o Senhor, ao declarar, em termos de sua própria época e das pessoas de então, que um *filho* desviado pode retornar pela confissão, mesmo procedente das maiores profundezas do pecado. Foi lá, do campo com os porcos, que o filho veio "cair em si" e propôs no seu coração de retornar ao seu pai em confissão, que é somente a expressão normal de um verdadeiro arrependimento do coração.

Não há menção alguma de regeneração. Nada é dito da fé, à parte da qual nenhuma alma pode esperar ser salva para uma filiação. Ele era um filho e retornou a seu pai como um filho. O sentimento que uma pessoa não-salva, quando retorna a Cristo, é o de "voltar para casa", como é algumas vezes expresso em sermões e cânticos do evangelho, é estranho aos ensinos da Palavra de Deus. Filhos, que se afastaram, podem retornar para casa, e, por estarem perdidos em sua perambulação, podem ser encontrados. Isto não poderia se aplicar a alguém que nunca foi um filho de Deus. Essa pessoa está certamente perdida, mas precisa antes ser salva. Nesta dispensação, as pessoas não-salvas podem se *voltar* para Deus, mas elas não *retornam* a Deus. Quando o filho pródigo estava ainda muito distante, o pai o viu e teve compaixão dele e correu e abraçou o seu pescoço e o beijou. O pai o viu, porque ele olhava para aquele lado.

Ele não havia cessado de olhar para aquele caminho desde que o filho partira. Este é o quadro do coração de Deus, o Pai, expresso também na busca feita tanto pelo pastor quanto pela mulher. Toda justiça requereria que este retorno fosse punido de uma maneira muito severa. Não havia ele desonrado o nome do pai? Não tinha ele desperdiçado tudo o que pertencia a seu pai? Não tinha ele trazido ruína para si próprio? Mas ele não foi punido. O fato de que ele não foi punido revela aos crentes desta dispensação a bendita verdade de que, por causa da obra de Cristo na cruz, o Pai pode receber e receberá Seu filho sem punição. Os termos da restauração a serem satisfeitos são somente os de uma confissão de um coração contrito. A culpa do pecado caiu sobre outro em nosso lugar.

É importante observar que o pai beijou o filho, mesmo antes da confissão ser feita. A razão ditaria que o filho fosse beijado após sua confissão. Na medida em que este incidente pode ser aplicado corretamente aos presentes relacionamentos entre Deus, o Pai, e os cristãos que pecaram, ele enfatiza a verdade de que *Deus é propício*, por haver se tornado propício pela morte satisfatória de Cristo como substituto no julgamento devido dos pecados do cristão. Neste contexto, está escrito: "E ele [Cristo e sua morte] que é a propiciação pelos nossos [dos cristãos] pecados" (1 Jo 2.2). É o fato de ter Cristo morrido como substituto que torna possível para Deus receber aqueles por quem Ele morreu como se toda obrigação à justiça divina que os pecados deles criaram fosse cumprida, como de fato estas obrigações foram satisfeitas por Cristo, ao agir no lugar deles. Nada há de lágrimas, arrependimento, ou apelo da parte daqueles que pecaram.

Tanto, os não-salvos quanto o pecador crente, são convidados a vir ao Deus propício. De grande importância também é o fato de que, sem reprimenda ou punição, o filho foi restabelecido na posição e na bênção da casa do pai. A confissão que ele preparou não foi plenamente repetida ao pai. As últimas palavras: "Faze-me como um de teus trabalhadores", foram cortadas por uma ordem vigorosa do pai, que disse: "trazei..." Assim, instantaneamente, quando uma confissão completa é feita, independentemente das palavras adicionais do penitente estarem presentes, a restauração é realizada.

A confissão do filho primeiro em direção ao céu e, então, ao seu pai. Esta é a ordem verdadeira de toda confissão. Ela deve primeiro ser feita a Deus e, depois, àqueles que foram injustiçados pela retenção de nossa confissão. Grande é o poder de uma confissão de um coração contrito. Ninguém poderia crer que um filho perambulante, após ter sido restaurado, e após repousar novamente nos confortos da comunhão e do lar, imediatamente pedisse ao seu pai mais bens para que ele pudesse retornar à vida de pecado. Tal ação seria totalmente inconsistente com a confissão contrita que ele havia feito. A verdadeira confissão é real e transformadora em seu poder (cf. 2 Co 7.11). Ele era um *filho* durante todos os dias de sua ausência de casa. Se ele tivesse morrido junto aos porcos, ele teria morrido como um filho.

Na medida em que isto ilustra o estado de um pecador cristão, pode ser concluído, deste e de outros textos da Escritura sobre este assunto, que um cristão imperfeito, tais como nós somos, seria recebido no lar celestial na morte, embora ele seja privado de todas as recompensas e de muita alegria, e ainda que encontre o seu Senhor face a face, ele é chamado a fazer ali a sua confissão até aqui negligenciada.

Destas sete principais passagens pode ser concluído que a cura dos efeitos do pecado sobre a vida espiritual de um filho de Deus é prometida àquele que, em arrependimento do coração, faz uma confissão genuína do pecado. O pecado é sempre pecado à vista de Deus. Não é menos pecado porque é cometido por um cristão, nem pode ser ele curado em qualquer caso, a não ser pela redenção que está em Cristo. É por causa do preço da redenção que já foi pago no precioso sangue de Cristo que Deus pode salvar pecadores que crêem somente e restaurar os santos que somente confessam. Nenhum grau de punição que caiu sobre o substituto deles pode vir sobre o santo ou pecador. Visto que Cristo suportou tudo por nós, crer ou confessar é tudo que pode ser justamente exigido. Até a confissão ser feita por aquele que pecou, este argumenta em favor do que é mau e, assim, está em desacordo com o Pai.

"Podem duas pessoas andar juntas se não houver entre elas acordo?" Deus não pode concordar com o pecado. O filho pode concordar com o Pai, e isto é verdadeiro arrependimento que é expresso na verdadeira confissão. Deixa-me dizer novamente: o arrependimento é uma mudança de mente. Por meio dele aqueles que pecaram se voltam do pecado em direção a Deus. A bênção não depende da perfeição sem pecado; é uma questão de não entristecer o Espírito. Não é uma questão de pecado *desconhecido*; é uma atitude do coração que está sempre disposto instantaneamente a confessar todo pecado *conhecido*. "Se confessarmos os nossos pecados, ele é fiel e justo para nos perdoar os pecados e nos purificar de toda injustiça." O cristão que plenamente confessa todo pecado conhecido terá removido um – quando não todos – dos impedimentos à mais plena manifestação do Espírito. "E não entristeçais o Espírito de Deus para o qual fostes selados para o dia da redenção" (Ef 4.30).

Da discussão anterior, pode se determinado que uma das condições sobre as quais o crente pode ser cheio do Espírito é satisfeita quando o que entristece o Espírito Santo é removido por uma confissão completa, confissão essa que é a expressão de um coração contrito. O segredo pelo qual este aspecto da responsabilidade pode melhor ser mantido é manter as coisas em dia com Deus. Deixe a primeira impressão da depressão espiritual ser um sinal para averiguar imediatamente a causa e aplicar prontamente o remédio – a confissão a Deus.

II. "Não Extingais o Espírito"

A segunda ordem direta que governa a relação correta entre o Espírito Santo e o crente está afirmada em 1 Tessalonicenses 5.19: "Não extingais o

Espírito". Estas são palavras de importância solene visto que elas sugerem uma possibilidade muito séria na atitude do cristão para com o Espírito Santo. O filho de Deus pondera é assim lembrado da alta responsabilidade celestial e da realidade que uma comunhão inquebrantável com o Espírito Santo impõe – uma responsabilidade e uma realidade que não podem ser diminuídas ou evitadas. Embora as exigências sejam sobre-humanas, não há base sobre a qual isto propriamente possa ser considerado como um fardo ou escravidão evitar a extinção do Espírito. Toda exigência que a presença do Espírito gera é em si mesma um caminho para as riquezas indizíveis da bênção. Na verdade, a presença do Espírito Santo e as riquezas de Seus benefícios constituem um penhor e um antegozo das realidades imensuráveis do céu.

A sanidade espiritual nunca diminuirá as obrigações que a vida em companhia do Espírito cria. Essas obrigações, na melhor das hipóteses, podem ser apenas parcialmente dispensáveis, mas a ambição em aquiescer com tudo o que elas exigem nunca deveriam faltar. Novamente a atenção é dirigida ao fato de que isto, igual à questão anterior a respeito do entristecimento do Espírito, é um mandado direto que não possui opção alguma relativa à aquiescência. Ambas as ordens são negativas, e fazem um pedido a respeito de coisas específicas que não devem ser permitidas, se a medida plena da bênção do Espírito deve ser realizada. Embora um tanto similar, visto que elas são dirigidas igualmente à vida interior e ao poder de reação do crente, elas são diferentes. O Espírito é entristecido quando o pecado ocorre e permanece inconfesso. Este aspecto da verdade está totalmente dentro do escopo do lado negativo da vida espiritual.

O Espírito é extinto quando o cristão resiste ou rejeita a vontade de Deus para ele, cujo conjunto de verdades apresentado nas Escrituras está usualmente dentro do escopo do lado positivo da vida espiritual, embora seja possível extinguir o Espírito quando se resiste a Deus a respeito das questões que têm a ver com a vitória sobre o pecado assim como em questões que pertencem à vida e ao serviço. As três exigências que condicionam o enchimento do Espírito – (a) confissão do pecado conhecido; (b) entrega à vontade de Deus; e (c) andar na dependência do Espírito Santo – não estão baseadas num capricho irracional em Deus. Elas indicam aquilo que é o fundamento da comunhão e do relacionamento – que deve ser mantido entre o Espírito Santo e aquele em quem o Espírito habita. Nada está envolto em mistério ou velado mesmo daqueles que são menos capazes de entendimento. O problema é aceitar e fazer a vontade de Deus.

Esta é a questão central no problema todo da vida espiritual. Em última instância, a confissão de todo pecado conhecido e da manutenção do princípio da confiança no Espírito no andar diário depende da ação da vontade humana, mas é igualmente verdadeiro que muito mais importante é que a vontade humana seja capacitada pelo Espírito Santo, ou ela não agirá para a glória de Deus. Está escrito: "...porque Deus é o que opera [$\dot{\epsilon}\nu\epsilon\rho\gamma\dot{\epsilon}\omega$, *energiza*] em vós tanto o querer como o efetuar, segundo a sua boa vontade" (Fp 2.13). O ato inicial é uma rendição à vontade de Deus, de que a vontade humana pode depender para realizar a sua responsabilidade assim capacitada pelo Espírito

"Não Extingais o Espírito"

Santo. Na defesa de um calvinismo teórico e como uma crítica do ensino de que a vida espiritual depende da ação da vontade humana, ainda que energizada por Deus, o Dr. B. B. Warfield escreveu que desse modo ela equivalia a "sujeitar todas as obras graciosas de Deus à determinação humana".[146]

Nenhum estudante honesto da doutrina bíblica questionaria que Deus tem um propósito soberano ou que todas as coisas acontecem para a realização desse propósito, mas deve ser reconhecido também de textos como Romanos 12.1,2, Gálatas 5.16, Efésios 4.30, 1 Tessalonicenses 5.19 e 1 João 1.9 que o apelo é à vontade humana, com toda sugestão presente que pode estabelecer a verdade de que, no plano divino, a vontade humana determina o curso total da vida do crente. A falha neste ponto com o calvinismo extremado surge do fato de que, em seu zelo em defender a doutrina da soberania divina, eles não reconhecem como a própria soberania de Deus em sua concretização utiliza a vontade humana como seu instrumento, não, contudo, por qualquer forma de coação, mas pela forma de persuasão que ilumina e gera os santos desejos aos quais a vontade pode responder e pelos quais ela pode ser motivada.

Aqui, além disso, deve ser asseverado com toda força possível que quando uma decisão é feita com respeito a algum passo na vida espiritual, mesmo debaixo das persuasões mais poderosas e impulsionadoras que Deus pode comunicar, a ação da vontade humana é soberana e livre em sua própria escolha. Como foi demonstrado anteriormente, este mesmo procedimento caracteriza o empreendimento total quando uma alma é salva através da fé em Cristo. Não importa que a vontade humana não possua poder algum em si mesma de aceitar Cristo. O coração deve ser movido completamente pelo Espírito Santo ou nenhuma escolha de Cristo é feita; mas acontece exatamente a mesma coisa quando a escolha é feita e ela não é devida à coerção mas à vontade que age em sua liberdade soberana. Ninguém pode duvidar dessa implicação no texto que afirma: "...e quem quiser, receba de graça a água da vida" (Ap 22.17).

É enganoso asseverar, como o Dr. Warfield está acostumado a fazer, que "a quem Deus quiser pode vir". Não obstante é verdade, mas não no mesmo sentido em que os calvinistas extremados têm apresentado, a saber, que todo aquele a quem Deus compele virá – ao invés disso, deveria ser afirmado assim: aquele a quem Deus chama com uma vocação eficaz, chamada essa que é uma persuasão suficiente para garantir a escolha determinada, por meio de sua própria determinação soberana, virá. Que não seja suposto que esta interpretação de uma importante doutrina bíblica leve a qualquer suporte para a noção arminiana de que os não-regenerados – por causa de alguma comunicação universal e hipotética da "graça comum" – podem, a qualquer hora, debaixo de quaisquer circunstâncias, e por virtude de sua própria visão e determinação sem auxílio de Deus, aceitar Cristo como Salvador, se eles assim o quiserem.

Esses enganos trágicos têm sido o fruto de um calvinismo extremo que concebe a vontade humana como subjugada por Deus, e do arminianismo falacioso que não oferece lugar para uma necessidade inerente e constitucional da ação imediata divina sobre a vontade humana antes que a escolha certa possa ser feita. A vida espiritual é, em todos os casos, apresentada como o resultado da livre escolha da vontade do crente; mas esta doutrina não deve ser deixada isoladamente. Outra doutrina de significação ainda mais vital é a verdade de que a vontade deve ser movida por Deus. Este fato bem pode conduzir à consideração do problema concernente ao extinguir do Espírito de Deus. Tal tema será estudado sob cinco divisões gerais, ou seja: (1) resistência ao Espírito; (2) uma vida entregue; (3) o exemplo de Cristo; (4) a vontade de Deus; e (5) a vida sacrificial.

1. Resistência ao Espírito. Como foi usada em 1 Tessalonicenses 5.19, a palavra *extinguir* não significa extinguir no sentido em que o Espírito pode se tornar extinto ou expelido do coração. Tal interpretação estaria em contradição direta com outros textos que asseveram que o Espírito Santo permanece no cristão para sempre. Ela se refere antes à supressão das manifestações do Espírito, ou aquilo que acontece quando as forças divinas são impedidas e das quais a vida espiritual depende. Como foi sugerido acima, o Espírito é extinto por uma atitude de resistência ou indiferença para com a vontade conhecida de Deus. Mais simplesmente afirmado, é o fato de se dizer não a Deus.

2. Vida de Entrega. Toda a responsabilidade, ao recair sobre o crente com respeito à extinção do Espírito, igual àquela que recai sobre ele com respeito ao entristecimento do Espírito, está sumariada numa palavra: *entregar-se*. Na divisão principal a seguir deste capítulo, será visto que uma exigência que assegura a cura para o andar segundo a carne é sumariada numa palavra: *andar* – em sua relação ao Espírito Santo. Assim, da maneira mais breve e mais vital, três grandes responsabilidades – as três que condicionam espiritualmente – são juntadas em três palavras: *confessar, entregar-se* e *andar*. O contexto em que uma vida entregue pode principalmente ser encontrada, é Romanos 6.1-23. O tema àquela altura, como anteriormente observado, é a santificação na vida diária e pelo poder do Espírito Santo somente. A vitória diária sobre a carne por meio do Espírito é tornada possível numa base justa pelo fato de que Cristo sofreu o julgamento de morte que pertencia à natureza caída do crente.

Então seguem-se duas responsabilidades vitalmente essenciais que repousam direta e incessantemente sobre o filho de Deus: Ele deve *considerar* a morte de julgamento de Cristo que tinha em vista a natureza caída do crente como totalmente realizada, e assim crer que toda libertação é proporcionada e agora tornada possível por um custo infinito; e ele deve *entregar-se* a si mesmo a Deus como aquele que passou por uma co-crucifixão, co-morte e um co-sepultamento com Cristo como um julgamento sobre a sua natureza caída, e assim crer que agora através da união com Cristo na ressurreição, ele é "vivo dentre os mortos". O crente deve considerar os membros do seu corpo como "instrumentos de justiça para Deus". Assim, a entrega a Deus é vista como mais do que uma responsabilidade secundária ou isolada. Ela é tão essencial quanto a doutrina total da santificação experimental que depende dela.

O apelo para viver uma vida entregue, apresentado em Romanos 6, é feito da seguinte maneira: "Assim também vós considerai-vos como mortos para o pecado, mas vivos para Deus, em Cristo Jesus. Não reine, portanto, o pecado em vosso corpo mortal, para obedecerdes às suas concupiscências; nem tampouco apresenteis os vossos membros ao pecado como instrumentos de iniqüidade; mas apresentai-vos a Deus, como redivivos dentre os mortos, e os vossos membros a Deus, como instrumentos de justiça" (Rm 6.11-13). O mesmo apelo é feito novamente em Romanos 12.1,2, que afirma: "Rogo-vos pois, irmãos, pela compaixão de Deus, que apresenteis os vossos corpos como um sacrifício vivo, santo e agradável a Deus, que é o vosso culto racional. E não vos conformeis a este mundo, mas transformai-vos pela renovação da vossa mente, para que experimenteis qual seja a boa, agradável, e perfeita vontade de Deus".

A apresentação de todo corpo a Deus é chamada "um culto racional", ou, talvez melhor, "uma adoração espiritual", que não é um sacrifício a ser oferecido em morte, mas um sacrifício vivo que continua sua dedicação através de todo o tempo vivido aqui na terra. A vida não deve ser vivida nos moldes desta era, mas para ser transfigurada pela manifestação livre da mente divinamente renovada. A nossa versão em português usa a palavra *transformai-vos* como uma tradução de μεταμορφόομαι, cuja palavra provavelmente deveria ser traduzida como *transfigurai-vos* (cf. Mt 17.2; Mc 9.2; 2 Co 3.18). Esta distinção é importante. Uma coisa pode ser transformada por uma luz brilhante, que vem sobre ela de fora, mas uma coisa é transfigurada somente quando essa libertação é assegurada por uma luz que vem de dentro. A transfiguração de Cristo não veio de fora, mas foi antes o brilho de Sua glória essencial [*Shekinah*]. O apelo de Romanos 12.2 é para a manifestação ou o brilho da natureza divina que o crente possui, ou seja, a manifestação do Espírito na realização de uma vida perfeitamente espiritual.

Tal entrega como exigida – assim se assegura – daria plena prova daquilo que é a *boa*, do que é a *agradável*, e do que é a *perfeita* vontade de Deus. Nenhuma experiência mais rica é concebível, além da apresentada pela ajuda destas três palavras da descrição. É a vida suprema. As palavras "Rogo-vos" com que esta passagem começa (cf. Ef 4.1) estão muito longe de ser uma ordem; elas são um apelo para se ter uma maneira específica de vida que perfaz o filho de Deus. Não é um apelo para alguma coisa que o crente *deve* fazer para ser salvo ou continuar salvo; é antes alguma coisa que *faria* porque é salvo. A exortação é para a dedicação e não, como é muito freqüentemente afirmado de um modo errôneo, para consagração, visto que a consagração é um ato de Deus somente pelo qual Ele toma e aplica aquilo que foi dedicado. O cristão se rende, se entrega, e se dedica; Deus deve empregar o que é apresentado. A chamada re-consagração é também uma terminologia aberta ao questionamento, embora ela tenha sido e é geralmente mencionada e empreendida. A dedicação, se feita como Deus a faria, dificilmente precisa ser feita novamente. Em outras palavras, a dedicação é um ato determinante, e não um processo.

A questão bem pode ser levantada: Por que à luz do direito soberano do Criador sobre a criatura a quem Ele fez deveria haver qualquer hesitação no coração humano a respeito de uma conformidade absoluta com a mente e a vontade de Deus? Como foi demonstrado totalmente sob o estudo de Satanalogia, a primeira resistência à autoridade do Criador foi introduzida por Lúcifer, a estrela da manhã, que é, de acordo com a Escritura, o maior de todos os anjos. Ele foi quem conduziu o que pode ter sido a terceira parte dos anjos de Deus consigo em rebelião contra Deus, e estes se tornaram demônios e poderes malignos de origem sobrenatural que são descritos e identificados no Novo Testamento. Este mesmo grande anjo entrou no Jardim do Éden e realizou a degeneração constitucional do primeiro homem e da primeira mulher, e através deles a ruína da raça, da qual somente uma redenção da vida pelo sangue através do Filho de Deus pode resgatar.

Que esses homens estão caídos e num estado de independência em relação a Deus está claramente indicado pelo fato de que é tão difícil, mesmo para os regenerados, ser conformado à imagem de Deus. Por que deveria qualquer criatura achar difícil ser obediente a Deus? Não somente Deus tem o direito inerente e soberano sobre tudo o que Ele fez, mas o mais alto e possível destino de cada indivíduo, seja anjo ou homem, deve ser encontrado no cumprimento exato da coisa para a qual ele foi criado. Nada é mais irrazoável do que supor que uma criatura pode melhorar seu estado ou melhorar seus prospectos por manter a direção de sua vida em suas próprias mãos. O próprio Satanás é o exemplo supremo dessa loucura. Por desviar-se da posição exaltada e de uma glória sempre crescente que foi sua por criação, para ir na direção de um programa do cosmos em oposição a Deus, ele evidentemente supôs que aumentava a sua posição; mas em lugar da honra eterna e da glória como o mais elevado de todos os anjos que foi uma vez a sua porção, ele deve gastar eternamente a sua existência no lago de fogo.

Não há incerteza alguma a respeito do destino de Satanás. Esse lago de fogo foi feito para "o diabo e seus anjos" (Mt 25.41) e é a resposta de Deus à criatura que se rebela contra a Sua legítima autoridade. Se os homens vão para o lago de fogo, é porque eles, também, adotaram a filosofia satânica da independência em relação a Deus (cf. Ap 20.12-15). Com receio de que em tal discussão em vista da derrota esmagadora e da miséria eterna, vindas aos inimigos de Deus, seja criada uma impressão de que Deus se porta como um tirano que está disposto somente a destruir os que O resistem, deveria ser lembrado que somente benefícios comensuráveis com o amor infinito de Deus estão reservados para aqueles que fazem a Sua vontade; e, como uma mensagem aos não-salvos, que obedecer ao Evangelho, se conformar ao plano inestimável de Deus da graça redentora, é o primeiro passo no fazer a Sua vontade.

3. O EXEMPLO DE CRISTO. Na esfera da Sua humanidade, Cristo se tornou o exemplo dessa maneira de vida que somente agrada ao Pai. Com o fim de que pudesse em todos os sentidos apresentar um ideal divino perfeito, Cristo evidentemente não se valeu de todos os Seus próprios recursos como um membro da Trindade, mas se sujeitou a ser totalmente dependente do Espírito Santo, como todo crente deveria se sujeitar. Na mesma perfeição de conformidade, Ele rendeu sua vida humana e sua mente à vontade de Seu Pai. Ao entrar na esfera humana, não houve outro curso aberto para Aquele que foi designado para se tornar a perfeição do ideal divino. Acima de tudo mais, torna-se aquele que entra na esfera humana para ser entregue totalmente à vontade de Deus. Qualquer coisa menos do que a entrega completa é anarquia na família de Deus.

Voltando um momento para o registro a respeito da insubordinação do anjo mais elevado, será lembrado que o seu pecado consistiu não somente na rejeição da vontade de Deus, mas em substituir alguma coisa de seu próprio desígnio em lugar daquela vontade. Como uma consumação de cinco afirmações de "eu farei" contra a mente de Deus, Satanás disse: "Eu serei igual ao Altíssimo" (Is 14.13,14) – igual a Deus no único particular em que a criatura pode ser parecida com Ele, ou seja, agir em independência (de Deus); e tal desobediência é a própria essência do pecado. Foi a mesma desobediência que Satanás instigou nas vidas de nossos primeiros pais. Foi a mesma desobediência que Satanás procurou excitar na humanidade de Cristo pela tríplice tentação no deserto. Como no caso do primeiro Adão não houve mal algum inerente na coisa proposta, assim, no caso do Último Adão, as coisas sugeridas não eram más em si mesmas.

Como sempre deve ser, o pecado consistiu na desobediência da criatura ao Criador. Nesta Sua perfeita obediência, Cristo se tornou, em Sua humanidade, o modelo de um relacionamento correto com Deus. Está registrado dele que quando estava para descer ao mundo, disse: "Pelo que, entrando no mundo, diz: Sacrifício e oferta não quiseste, mas um corpo me preparaste; não te deleitaste em holocaustos e oblações pelo pecado. Então eu disse: Eis-me aqui (no rol do livro está escrito de mim) para fazer, ó Deus, a tua vontade"(Hb 10.5-7). Quando se aproximava da Cruz Ele disse: "...contudo, não se faça a minha vontade, e sim a tua" (Lc 22.42). Assim, também, está registrado dEle que, na mais escura hora de Sua separação da comunhão consciente com o Pai, ele disse: "Mas tu és santo" (Sl 22.3). O apóstolo registra de Cristo que "Ele se tornou obediente até a morte, e morte de cruz" (Fp 2.8). Aquele que poderia verdadeiramente dizer: "porque faço sempre o que é do seu agrado" (Jo 8.29), é dito de si mesmo, embora sendo Filho, que "aprendeu a obediência pelas coisas que sofreu" (Hb 5.8).

A entrega absoluta do Filho ao Pai se torna, assim, o exemplo dessa rendição que é a atitude legítima de todos aqueles que através da obra regenerada do Espírito se tornaram filhos de Deus. A esses o apóstolo Paulo escreve: "Tende em vós aquele sentimento que houve também em Cristo Jesus" (Fp 2.5). A primeira palavra desta injunção, "tende em vós", é especialmente iluminadora. Por qualquer palavra que do grego seja traduzida, ela sugere que o fato de ter o sentimento de Cristo será produzido no crente por outro, e que a responsabilidade do crente é ter a mente de Cristo. Tal mente ou sentimento exaltado nunca pode ser produzido pelo crente, nem mantido por ele; mas Aquele que opera no filho de Deus "tanto o querer como o realizar segundo a sua boa vontade" (Fp 2.13) é plenamente capaz de realizar esse grande fim. É essencial que o cristão saiba o que está incluso no sentimento de Cristo que deve ser reproduzido nele; do contrário, não pode haver cooperação inteligente nesse empreendimento.

Conseqüentemente, os elementos essenciais que compõem a mente de Cristo são enumerados. O texto diz: "...o qual, subsistindo em forma de Deus, não considerou o ser igual a Deus coisa a que se devia aferrar, mas esvaziou-se a si mesmo, tomando a forma de servo, tornando-se semelhante aos homens; e, achado na forma de homem, humilhou-se a si mesmo, tornando-se obediente até a morte, e morte de cruz. Pelo que também Deus o exaltou soberanamente, e lhe deu o nome que é sobre todo nome; para que ao nome de Jesus se dobre todo joelho dos que estão nos céus, e na terra, e debaixo da terra, e toda língua confesse que Jesus Cristo é Senhor, para glória de Deus Pai" (Fp 2.6-11). Os sete passos decrescentes seguidos por sete passos crescentes, que juntamente compõem esta declaração da mente de Cristo (cf. Hb 12.1,2), não estão meramente listados para relacionar os fatos vitais com respeito a Cristo, mas para informar o crente e, assim, prepará-lo para o desenvolvimento desses grandes valores em sua própria vida.

Os sete passos decrescentes representam o sacrifício, enquanto os sete passos crescentes representam a glória. É a cruz seguida pela coroa. Nem todos os elementos da mente de Cristo podem encontrar uma reprodução imediata no crente; contudo, três podem ser considerados em particular e como representativos de todos. (1) A disposição de Cristo em deixar a sua esfera nativa e o seu domicílio acima para vir, como o Pai decidiu que Ele fizesse, a este mundo como um desenvolvimento da graça salvadora de Deus, que está expressa nestas palavras: "Eu vou onde tu queres que eu vá". (2) Semelhantemente, também, Cristo estava desejoso de se tornar qualquer coisa que seu Pai desejasse que ele se tornasse, mesmo se tornando "sem reputação", e em assim fazendo, Ele disse em relação a seu Pai: "Eu serei o que Ele quer que eu seja". E (3) em Sua obediência, mesmo até a morte de cruz, Ele virtualmente disse: "Eu farei o que quiseres que eu faça". Estas e outras palavras semelhantes são freqüentemente cantadas, e sem dúvida, o cântico delas é menos exigente do que uma participação na experiência imediata e direta de tudo o que essas frases delineiam. Na verdade, este deve ser o padrão da vida que está entregue a Deus.

Num outro caso a vida rendida é assemelhada por Cristo com o ramo que permanece na videira (Jo 15.1-16). Como foi indicado anteriormente, permanecer em Cristo não é um assunto de manter *união* com Cristo, união essa que é assegurada antes pelo batismo do Espírito e dura tanto quanto dura o mérito de Cristo, mas uma matéria de manter *comunhão* com Cristo. Permanecer é a continuação no relacionamento onde a vitalidade divina pode ser comunicada e o fruto que traz honra a Deus pode ser gerado. Quando assim relacionado a Cristo em comunhão inquebrantável, a oração é eficaz (Jo 15.7), a alegria é celestial (Jo 15.11) e o fruto é perpétuo (Jo 15.16). Esta vida – que deve ser desejada – depende da permanência, e a permanência da obediência. O Salvador disse: "Se guardardes os meus mandamentos, permanecereis no meu amor; do mesmo modo que eu tenho guardado os mandamentos de meu Pai, e permaneço no seu amor" (Jo 15.10).

Além disso, Cristo aparece como o exemplo supremo de fidelidade. O objeto em vista com Sua própria permanência ou obediência aos mandamentos do Pai não era manter a união, porque essa nunca poderia ser quebrada; era manter a comunhão entre Pai e Filho na esfera da humanidade do Filho. De igual modo, que se repita, guardar os mandamentos de Cristo da parte do crente não é para manter união, pois esta nunca pode ser quebrada; é manter uma comunhão inquebrantável – comunhão que fica na dependência de conhecer e de fazer a vontade de Deus. Permanecer é o resultado de ser entregue à vontade conhecida de Deus, como Cristo se entregou à vontade de seu Pai. Nisto tudo, Cristo é apresentado como o padrão.

"Não Extingais o Espírito"

É bom observar aqui que a entrega à vontade de Deus não é demonstrada por alguma questão específica apenas; é antes uma questão de se tomar a vontade de Deus como a regra ou princípio dominante da totalidade da vida. Estar na vontade de Deus é simplesmente desejar fazer a Sua vontade sem referência a qualquer aspecto particular e distintivo dessa vontade. É escolher a vontade de Deus como final, antes que qualquer problema específico surja para aquela decisão. Não é uma disposição de fazer uma única coisa; é a disposição de fazer qualquer coisa, quando, onde, e como possa parecer melhor para a sabedoria e amor de Deus. É tomar a posição normal que um filho deve ter de confiança em que livremente consente aos desejos do Pai antes que qualquer detalhe daquilo seja descoberto. A importância desta distinção é clara. É muito freqüentemente dito: "Se Ele deseja que eu faça determinada coisa, deixe que Ele me mostre o que é e eu determinarei o que eu vou fazer a respeito disso".

A essa atitude do coração nada está revelado. Deve haver um relacionamento de confiança em que a vontade de Deus é aceita de uma vez por todas e sem reservas. Por que isto não deveria ser assim? Está se espreitando na mente e no coração dizer: "Senhor, eu sabia que tu és um homem duro...?" É Ele um duro capataz? Há qualquer esperança por mais que um filho de Deus possa de si mesmo decidir o que é melhor quando põe tudo da vida em suas próprias mãos? Nenhuma promessa fútil precisa ser feita a Ele de que não pecará ou que os desejos naturais do coração serão revolucionados apenas pela força humana. O Pai tem prazer somente naquilo que é melhor para o Seu filho e Ele jamais imporá algo sobre o Seu filho ou será um Pai descuidado. Sobre a base que para toda razão a vontade de Deus é a melhor, o pacto de fazer essa vontade quando ela foi revelada não é difícil. Desse ponto de vista em diante, é Sua parte operar no crente, ambos, para querer e fazer segundo a Sua boa vontade. Longa espera pode acontecer antes de sua vontade ser revelada, mas quando ela é revelada, não há lugar para debate. Hesitar é dizer não a Deus e é extinguir o Espírito.

4. A Vontade de Deus. Além disso, este aspecto mais vital da vida espiritual – direção – deve ser introduzido numa abordagem lógica a toda a verdade a ser considerada agora. Certas sugestões gerais estão na seguinte ordem: (1) A direção do Espírito é somente para aqueles que já estão comprometidos em fazer a vontade de Deus. Ele é capaz de falar alto o suficiente para fazer uma alma disposta ouvir. (2) A direção do Espírito sempre estará em harmonia com as Escrituras que, em sua aplicação primária, dirigem a vida do crente nesta dispensação. O cristão que procura direção pode ir às Escrituras com expectativa piedosa; todavia, a Bíblia não é uma loteria mágica. A vontade de Deus não é encontrada no abrir da Bíblia num versículo casual e permanecer nessa mensagem. Tais noções desconsideram a verdade essencial de que a direção é do Espírito Santo que, por ser Aquele que habita, manifesta sua direção dentro do coração e da mente do crente, mas não mais por sinais, sonhos ou visões.

O Espírito pode usar coisas externas, eventos ou circunstâncias; não obstante, é ainda um assunto de Sua direção e não dos meros instrumentos que Ele possa empregar. Um conhecimento geral da Palavra de Deus como um todo é mais desejável, visto que a direção está em harmonia com tudo o que a Bíblia apresenta e não usualmente centralizada num texto específico por si mesmo. (3) Não há regras que governem a direção do Espírito. Nem duas pessoas são dirigidas igualmente e é igualmente provável que nenhuma pessoa seja jamais orientada duas vezes da mesma maneira. Os princípios gerais podem ser anunciados como são aqui apresentados; a aplicação destes, contudo, terão de variar em cada caso. Em vista da importância vital da direção do Espírito Santo em cada vida do cristão, a capacidade de ser conduzido é um dos fatores mais conseqüentes nessa vida.

Esta capacidade será obtida somente através da atenção e da experiência pessoal. Todo crente deveria aprender a magnificar a realidade da presença habitadora do Espírito e deveria se tornar familiar com os modos do Espírito em relação à sua própria vida. À luz do fato de que a direção do Espírito prova ser tão individual, deveria ser óbvio que é muito perigoso procurar direção, mesmo do melhor dos homens. Deus pode resolver usar homens para dar a orientação que o crente necessita; ainda assim essa orientação não é de homens, mas do Espírito através de tais homens. Ser guiado pelo Espírito é ser movido através dos mais delicados relacionamentos que o coração possa conhecer. Ser guiado pelo mero gentil olhar de Seus olhos – Ele disse, "aconselhar-te-ei, tendo-te sob a minha vista" (Sl 32.8) – deve ser muito mais desejado do que pelo duro "cabresto e freio" (Sl 32.9).

O apelo de uma consciência mórbida, das impressões enganosas a respeito do dever, ou uma falta de entendimento da Palavra de Deus que pode conduzir erroneamente, apenas o erro pode freqüentemente ser detectado pelo fato de que a condução falsa prova ser aborrecida, dolorida e desagradável enquanto que, de acordo com Romanos 12.2, a vontade de Deus é "boa, perfeita e agradável". Deus é quem opera no crente "o que é agradável a sua vista" (Hb 13.21), porque Ele "opera em vós tanto o querer como o fazer segundo a sua boa vontade" (Fp 2.13).

5. A Vida Sacrificial. Fazer a vontade de Deus deve ser sempre algo voluntário da parte do crente. Ele foi salvo da escravidão do pecado para a gloriosa liberdade dos filhos de Deus. Ele é ordenado a não ceder naquela liberdade onde Cristo o tornou livre. Cristo não é um dono de escravos. Seu sangue redentor não comprou o cristão com a idéia de passar o cristão de uma escravidão para outra. Ele pode dizer, contudo, como um servo hebreu no Antigo Testamento foi permitido fazer: "Eu amo a meu senhor... não quero sair livre" (Êx 21.5), e assim, por dedicação, que é totalmente voluntária, se tornar um escravo de Cristo. Foi assim que Cristo se tornou o escravo em sua relação humana com o Pai. A frase "abriste-me os ouvidos" (Sl 40.6) sem dúvida relaciona a autodedicação de Cristo ao tipo apresentado em Êxodo 21.5,6.

O motivo mais elevado para entregar-se a Deus não é meramente um desejo de vitória na vida diária ou por poder ou por bênção; é por uma vida igual a de Cristo, que é sacrificial, e que deve ser realizada. Sacrificial não significa necessariamente dolorida; aqui ela é simplesmente descritiva de fazer a vontade de outra pessoa. Alguma dor pode aparecer no caminho, mas a nota dominante é a de alegria e da experiência do coração que é a paz.

Todo filho de Deus, então, deve definitivamente entregar-se à vontade de Deus, não a respeito de uma questão da vida diária, mas a respeito de todas as coisas como uma atitude permanente para com Deus. À parte dessa autodedicação, não há escape algum da mão flageladora do Pai; porque o Pai não pode, e não fará o seu filho experimentar viver sem as bênçãos inestimáveis que Seu amor anela conceder e que necessariamente são condicionadas a uma rendição da vontade. Satanás e Cristo permanecem opostos na questão de fazer a vontade de Deus. Satanás cinco vezes repudiou a vontade de Deus; Cristo em muitas declarações distintas comprometeu-se com a vontade de Seu Pai. Toda vontade não submissa apenas perpetua o pecado de Satanás. Ao fato de ser espiritual e cheio do Espírito, o crente jamais deve dizer não a Deus. "Não extingais o Espírito."

III. "Andai no Espírito"

O avanço neste ponto para um estudo da terceira condição sobre a qual o enchimento do Espírito poder ser experimentado, deveria ser reafirmado, para que essa condição seja positiva em seu caráter enquanto os dois pontos já considerados são negativos – a respeito do que não deveria ser permitido. A exigência positiva diz respeito ao que deve ser produzido na vida pelo Espírito Santo e é abrangente naquilo que ela inclui. A tradução da Authorized Version de um versículo determinante como Gálatas 5.16 é confusa. Por esta espécie de tradução o texto parece impor responsabilidade sobre o crente de manter um andar no Espírito, enquanto que a tradução mais exata do texto atribui tal realização do andar ao Espírito Santo e ordena para o cristão a atitude de dependência do Espírito. É óbvio que o cristão não tem o poder dentro de si, a despeito da nova natureza, pela qual entra no andar do Espírito, o promove, ou mantém esse andar no Espírito.

É por causa desta incapacidade natural que o Espírito é dado para habitar nele. A situação total é revertida e as suposições impossíveis são sugeridas quando o crente é instado a andar por sua própria capacidade antes que pela capacidade do Espírito Santo. A responsabilidade que recai sobre o cristão não é a de tentar andar; é antes, a obrigação de manter uma atitude de confiança e de expectativa em relação ao Espírito Santo, cuja dependência fará com que a promoção de andar pelo Espírito seja uma realidade abençoada. Uma interpretação desta passagem de Gálatas sugere que o crente deve dirigir ou conduzir o Espírito Santo, enquanto que um ponto de vista mais defensável diz que o crente deve ser conduzido num caminho pela própria decisão de Deus e deve ser capacitado pelo Espírito a toda boa obra. A promessa imediata para o crente é que, quando andar por meio do Espírito, a concupiscência da carne não acontecerá.

No mesmo contexto (Gl 5.16-23) está declarado no versículo 18 que aqueles que são conduzidos pelo Espírito não estão debaixo da lei. Esta declaração é mais do que uma asserção de que o crente, quando conduzido pelo Espírito, é livre do sistema de mérito de Moisés; antes, está implícito que a direção do Espírito se abre para um campo de responsabilidade totalmente diferente, cujo campo incorpora a totalidade da vontade de Deus – uma responsabilidade muitíssimo mais extensa em relação ao que está incluído do que uma mera conformidade aos padrões e regras. Na esfera da direção do Espírito, cada fase da vida e do serviço do indivíduo é estudada e sua realização é assegurada. "Andar no Espírito" significa, então, depender do Espírito. O uso como uma figura literária do ato de andar para representar a responsabilidade continuada de viver diariamente para a glória de Deus é apropriado. Cada passo no processo do andar físico é uma queda incipiente.

Em cada passo o corpo sai do equilíbrio e vai para a frente sem apoio físico, e depende somente de um passo do pé à frente para recuperar o equilíbrio e o apoio. Assim, o andar no Espírito não é somente uma série constante de comprometimentos, mas um lançar constante do eu sobre o Espírito com a confiança e previsão de que todo suporte necessário será fornecido. Tudo isto sugere uma intimidade pessoal com o Espírito Santo. Sua presença deve ser uma realidade na experiência, e a prática da dependência consciente e habitualmente de Seu poder capacitador, deve ser mantida. Esta maneira específica de vida é totalmente diferente dos modos naturais e da prática dos homens. O andar por meio do Espírito é uma realização que exige uma atenção incessante e um avanço paciente, por ter em vista a sua concretização.

Todos os que são nascidos neste mundo devem aprender a andar como uma função própria do corpo físico; não deveria parecer estranho se fosse exigido daqueles nascidos do Espírito que eles aprendessem também pela experiência e prática como andar por meio do mesmo Espírito. Deve ser esperado que um filho engatinhe antes de andar e que ele experimente falhas e quedas antes de ser capaz de andar livremente. É igualmente razoável esperar certa quantia de esforço e que falhas ocorram no caminho antes que o andar pelo Espírito seja aperfeiçoado. Sem dúvida, é somente uma consideração teórica não-experimentada nas mentes da grande maioria dos crentes em que o Espírito tem feito Sua habitação. Para tais, isto se torna um dia de maravilhosa descoberta quando talvez em fé fraca eles colocam o peso deles sobre Ele e descobrem por experiência viva que Ele está ali e está pronto e desejoso de realizar aquilo que pertence a Ele.

Não precisa ser demonstrado além disso que se o poder do Espírito deve ser realizado, alguém deve passar para além da esfera das teorias, e para os testes vitais de um comprometimento do primeiro passo no andar por meio do Espírito para Sua pessoa graciosa completar. Nenhum passo inteligente pode ser dado até que haja alguma distinção gerada na mente a respeito da diferença de método e prática entre o andar na dependência do eu ou da carne e o andar na dependência do Espírito. Aqui, novamente, as regras são de pouca ajuda. O andar no Espírito deve ser a realização da experiência pessoal – não a imitação experimentada de outros, mas o resultado do próprio teste da fé de uma pessoa. É provável que, como um método geral, um compromisso definido na manhã de tudo que aguarda uma pessoa durante o dia é eficaz, embora os compromissos extras e especiais venham a ser exigidos à medida que o dia avança.

O aspecto importante é o caráter desse comprometimento. Não é meramente buscar ajuda durante o dia – uma prática muito comum entre os crentes espirituais;

"Andai no Espírito"

é entrar num pacto definido de entendimento com Deus em que a capacidade natural e os recursos naturais são renunciados e a confiança exercida em relação ao Espírito de que Ele próprio impulsionará e motivará a totalidade da vida. Este exercício de fé deve ser suficientemente definido que uma expectativa é gerada e que um tempo de avaliação e de ação de graças seja observado no final do dia. Uma verdadeira confiança na manhã exigirá uma avaliação e uma recontagem quando o dia terminar. Então, à luz do sucesso ou do fracasso, lições podem ser aprendidas a respeito do verdadeiro progresso de uma pessoa no seu andar espiritual.

A esta altura cabe uma palavra adicional que foi apresentada anteriormente a respeito do aspecto experimental do andar por meio do Espírito, ou seja, que dentro da esfera da experiência do crente, não há indicação, manifestação ou identificação, seja da presença ou da atividade do Espírito, além dos resultados perceptíveis que Ele realiza. A mente humana continua a pesar todas as questões, as afeições e desejos ainda dominantes, e os atos da vontade com liberdade e responsabilidade normais. O ponto a ser observado é que o Espírito, totalmente à parte de qualquer intrusão de Suas próprias faculdades, está "se inserindo" – energizando – no crente para que ele queira e faça aquilo que é agradável a Deus (Fp 2.13). O fato e a força da energia do Espírito serão vistos na qualidade dos resultados e não em qualquer reconhecimento da maneira de Sua operação.

Contudo, o crente verdadeiramente sincero, não obstante, a partir do coração e por causa dos resultados reais, será movido à ação de graças quando um dia assim vivido é completado. Em muitos casos a vida espiritual tem sido exposta erradamente e, portanto, confundida. A impressão tem sido criada de que as funções naturais da vida humana devem ser colocadas de lado e a mente e a vontade são tornadas dormentes, a fim de que o Espírito possa exercer Sua própria mente e vontade. Tal noção é estranha ao plano de Deus na medida em que esse propósito é revelado no Novo Testamento. Como Ele fez com Gideão, o Espírito se veste a si mesmo com o corpo e as faculdades do crente e, sem manifestações de Si mesmo, opera em e por meio daquelas faculdades. Embora fique escondido da observação, entretanto, é uma obra simples do Espírito. Com a tremenda questão da vida do crente em vista, fica evidente que a exatidão no assunto da atitude de confiança do crente é da maior importância.

Com esta introdução ao assunto em mente, deve ser dada atenção à revelação na Escritura de que o cristão enfrenta incessantemente do lado negativo de sua vida espiritual três inimigos superiores – o mundo, a carne e o diabo – e do lado positivo de sua vida espiritual que ele enfrenta a responsabilidade sobre-humana de ser plenamente cheio de tudo que faz parte daquelas manifestações que juntamente se constituem na plenitude do Espírito. Uma grande porção deste volume já foi dedicada ao estudo destas questões abrangentes que compõem a vida e o serviço do crente. Não é necessário reafirmar plenamente este conjunto de verdades. Resta apenas ser visto, contudo, a vitória tanto na esfera de conflito com os inimigos quanto na esfera de uma maneira de vida que honra Deus e o serviço, coisas que dependem totalmente de um relacionamento com o Espírito que é liberado com respeito à presença do mal e ativamente dependente dEle para a realização de Sua perfeita vontade.

Assim, novamente o filho de Deus é visto na confrontação da questão de sua real dependência do Espírito que nele habita. Isso pode facilmente se tornar o começo da vida espiritual eficaz da parte de um cristão quando ele crê e dá atenção à Palavra de Deus, ao respeitar as provisões que são suas por meio do dom que o Espírito lhe dá. O racionalismo está diretamente oposto à fé. Há aqueles que se rebelam diante do ensino de que a salvação é pela fé somente. Eles se rebelam por causa da sua ignorância da Palavra de Deus, ou porque não crêem nela. Igualmente, há aqueles que se rebelam no ensino de que uma vitória inquebrantável na vida diária do crente é pela fé somente, e isto, também, é assim porque eles não conhecem as Escrituras ou porque não crêem nela. A doutrina a respeito de uma santidade de vida divinamente produzida não repousa sobre um ou dois textos. É uma doutrina de grandes temas, se não o tema mais extenso nas epístolas; pois não somente é a doutrina ensinada detalhadamente, mas toda injunção ao cristão está baseada sobre os princípios exatos revelados na doutrina. É um dos elementos mais vitais nas provisões da graça que caracterizam esta era.

1. O MUNDO. O sistema satânico do cosmos, que é chamado de o *mundo*, foi definido detalhadamente em porções anteriores desta obra. Neste sistema do *cosmos* o cristão deve viver e ainda guardar-se incontaminado dele (Tg 1.27). A linha divisória entre o mundo e o que é uma esfera legítima do viver espiritual, não pode ser bem definida. Nada, exceto a direção pessoal do Espírito, vai determinar esses problemas. É aqui que os cristãos precisam aprender a ser graciosos um com o outro. As Escrituras asseveram que aqueles que são fortes são livres para fazer o que aqueles que são fracos podem não fazer com vantagem. Aqueles que são fracos evitam o julgamento dos fortes, e é essencial para aqueles que são fortes evitar colocar uma pedra de tropeço no caminho dos fracos. O apóstolo Paulo declara: "Ora, ao que é fraco na fé, acolhei-o, mas não para condenar-lhe os escrúpulos. Um crê que de tudo se pode comer, e outro, que é fraco, come só legumes. Quem come não despreze a quem não come; e quem não come não julgue a quem come; pois Deus o acolheu" (Rm 14.1-3).

Nada poderia ser mais definido do que este ensino, que afirma que cada homem em sinceridade deve ser persuadido em sua própria mente. Se, porventura, um erro é feito por alguém sob estas circunstâncias, deverá ser lembrado que os cristãos são responsáveis perante Deus e não um perante o outro (Rm 14.4).

Esta é na verdade a necessidade, que está ali introduzida pela orientação do Espírito com respeito a tudo que surge como um conflito entre o sistema do mundo e o crente e também uma provisão definida pela qual o crente pode reivindicar sobre o princípio da fé o poder capacitador do Espírito Santo para vencer as investidas do sistema do mundo. Ao andar por meio do Espírito Santo em sua relação com o sistema do cosmos, é exigido que a dependência positiva do Espírito seja exercida incessantemente.

2. A CARNE. A concupiscência dentro do cristão que luta contra o Espírito Santo, e cria vários problemas, é chamada no Novo Testamento de *a carne*. Cristãos descuidados não estão preocupados com a Pessoa e obra do Espírito Santo, ou com as distinções exatas que condicionam a verdadeira espiritualidade; mas estas distinções e verdades apelam para aqueles que realmente desejam uma vida que é agradável a Deus. Satanás tem ciladas e doutrinas falsas na esfera das realidades espirituais mais profundas. A maioria desses ensinos falsos está baseada numa apreensão errônea do ensino da Bíblia a respeito do pecado, especialmente esta questão do pecado que está relacionada ao crente. A Escritura é "divinamente inspirada e proveitosa para ensinar, para repreender, para corrigir, para instruir em justiça; para que o homem de Deus seja perfeito, e perfeitamente preparado para toda boa obra" (2 Tm 3.16,17); portanto, na mesma epístola os crentes são instados com o fim de que possam "estudar" e "manejar corretamente" a palavra da verdade.

Deveria ser observado que dois dos quatro valores da Escritura na vida do "homem de Deus", como estão mencionados na passagem acima, são "repreender" e "corrigir"; todavia quão poucos, especialmente aqueles que sustentam algum erro, possuem um espírito disposto a aprender! Parece ser uma das características de todos os erros satânicos que aqueles que os têm abraçado parecem nunca ser inclinados honestamente a reconsiderar a base deles. Eles lêem somente a literatura sectária e enganosa e freqüente e cuidadosamente evitam ouvir qualquer ensino corretivo da Palavra de Deus. Esta dificuldade é grandemente aumentada quando o erro deles os conduz a assumir alguma posição desautorizada com respeito a uma suposta libertação do pecado, ou conquistas pessoais em santidade. Uma "correção", ou "repreensão", para essas pessoas parece ser uma sugestão em direção à "apostasia", e nenhuma pessoa zelosamente mentalizada escolheria facilmente um curso de ação como esse.

Muito erro floresce sem nenhuma outra dinâmica além do zelo humano, e a Palavra de Deus é persistentemente distorcida para preservar as teorias humanas. Muitos destes erros são repreendidos e corrigidos quando a distinção fundamental é reconhecida entre a *posição* do cristão em Cristo e sua *experiência* na vida diária. Qualquer coisa que Deus tenha feito pelos crentes em Cristo é perfeita e completa; mas essa perfeição não deveria ser confundida com a conduta imperfeita da vida diária.

3. O DIABO. A Bíblia apresenta Satanás como o inimigo dos santos de Deus, e especialmente isto se vê como verdadeiro a respeito dos santos nesta era. Não há controvérsia alguma entre Satanás e as pessoas não-salvas, porque estas são uma parte deste sistema do cosmos. Elas não foram libertas do poder das trevas nem foram transportadas para o reino do Filho do amor de Deus. Satanás é o poder energizador naqueles que não são salvos (Ef 2.2), como Deus é o poder energizador naqueles que são salvos (Fp 2.13). Todo ser humano está sob o poder de Satanás ou sob o poder de Deus. Isto não significa dizer que os cristãos não possam ser influenciados por Satanás ou que os não-salvos não sejam influenciados pelo Espírito de Deus, mas que a vida de cada homem, como um todo, está ligada a um domínio ou outro; e, além do mais, o domínio de Satanás não é em todos os pontos caracterizado por coisas que são inerentemente más ao passo em que a vida é avaliada pelo mundo.

O propósito de vida de Satanás é ser "igual ao Altíssimo" (Is 14.14), e ele aparece como "um anjo de luz" e seus ministros como "ministros de justiça"

(2 Co 11.13-15). Seus seguidores, no papel deles como ministros de justiça, pregam um evangelho de reforma e uma salvação obtida pelo caráter humano, antes do que uma salvação obtida pela graça somente sem qualquer relação com a virtude humana. Portanto, o mundo, não obstante a todos os seus padrões morais e cultura, não está necessariamente livre do poder e do controle energizante de Satanás. Ele é o que sempre promove formas de religião e excelência humana à parte da redenção que está em Cristo, e o mundo está evidentemente energizado para empreender exatamente isso. Ele tem cegado os não-salvos, mas se preocupa somente com uma coisa: tornam-se cegos por Satanás para que a luz do glorioso evangelho de Cristo não brilhe sobre eles (2 Co 4.3, 4).

A inimizade de Satanás sempre tem sido dirigida contra a Pessoa de Deus somente e não contra a humanidade como tal. Somente quando os homens são tornados "participantes da natureza divina", que eles são confrontados com este inimigo poderoso. Os ataques de seus "dardos inflamados" realmente objetivam Deus que neles habita. Contudo, o conflito é real e o inimigo sobre-humano. "Finalmente, fortalecei-vos no Senhor e na força do seu poder. Revesti-vos de toda armadura de Deus, para poderdes permanecer firmes contra as ciladas do diabo; pois não é contra carne e sangue que temos que lutar, mas sim contra os principados, contra as potestades, contra os príncipes do mundo destas trevas, contra as hostes espirituais da iniqüidade nas regiões celestes" (Ef 6.10-12). Esses governantes do mundo das trevas desta era, os poderes espirituais da impiedade que aqui são referidos como causadores de um conflito incessante contra nós, não podem ser vencidos pela estratégia ou força humana.

A Bíblia não fornece sanção alguma às suposições tolas de que o diabo está diante da mera resistência de determinada vontade humana. Devemos "resistir o diabo", mas isso deve ser feito quando "permanecemos firmes na fé" e nos submetemos nós mesmos a Deus (Tg 4.7; 1 Pe 5.9). Satanás, por ser em razão da criação superior em glória a todas as outras criaturas, não pode ser conquistado por qualquer delas sem ajuda. Mesmo de Miguel, o arcanjo, é dito que, "discutindo com o diabo... não ousou pronunciar contra ele juízo de maldição, mas disse: o Senhor te repreenda" (Jd 9). Miguel, o arcanjo, não discute desautorizadamente com Satanás. Ele deve antes depender do poder de outra pessoa, que age assim sob um princípio de dependência antes do que sob um princípio de independência. Certamente um cristão, com todas as suas muitas limitações presentes, deve apelar para o poder de Deus no conflito com este poderoso inimigo, e ele está na verdade direcionado a fazer isto: "Tomando, sobretudo, o escudo da fé, com o qual podereis apagar todos os dardos inflamados do Maligno" (Ef 6.16).

O conflito do crente com Satanás é tão violento e incessante quanto um ser humano pode torná-lo. Diante dele os cristãos em si mesmos nada são; mas Deus previu este desamparo e proporcionou uma vitória perfeita por intermédio do Espírito que neles habita: "...porque maior é aquele que está em vós do que aquele que está no mundo" (1 Jo 4.4). Um cristão, por causa do poder de seu novo inimigo, deve "andar por meio do Espírito", se ele deseja triunfar sobre o diabo.

CAPÍTULO XVI

Doutrinas Relacionadas

VISTO QUE O PROBLEMA DA INFLUÊNCIA DA CARNE no cristão é interior e sempre presente, há de um modo geral três doutrinas importantes envolvidas nesta discussão, ou seja: (1) a doutrina do compartilhamento dos crentes na morte de Cristo; (2) a doutrina da perfeição; e (3) a doutrina da santificação. Estas estão intimamente relacionadas, especialmente as duas últimas, e a primeira, será ainda visto, é a base sobre a qual as duas últimas tornam-se possíveis. Muitas suposições desautorizadas e noções fanáticas a respeito de ambas, da perfeição e da santificação, seriam evitadas se aos textos que portam essas doutrinas fosse dada a devida atenção. Aqui, novamente, a repreensão e a correção (2 Tm 3.16, 17) podem ter um lugar importante, se assim é permitido.

Embora considerados extensivamente em páginas anteriores, deve ser dada atenção primeiramente aos termos "velho homem" – παλαιὸς ἄνθρωπος – e "pecado" – ἁμαρτία –, que se referem à natureza. A palavra *carne* é ampla em sua importância, e dentro de seus limites e relativo a estes dois fatores – o "velho homem" e o "pecado". Embora esses fatores sejam similares em tal grau que poucos podem fazer distinção entre eles, é bom dar atenção aos textos relacionados a cada um deles.

A terminologia "velho homem" é usada somente três vezes no Novo Testamento. Uma vez tem a ver com a presente *posição* do "velho homem" pela morte de Cristo (Rm 6.6). Em outras duas passagens (Ef 4.22-24; Cl 3.9) o fato de que o "velho homem" tem sido desvestido para sempre torna-se a base de apelo para uma vida santa. Em Romanos 6.6, está escrito: "Sabendo isto, que o nosso velho homem foi crucificado com ele, para que o corpo do pecado fosse desfeito, a fim de não servirmos mais ao pecado". Não pode haver referência alguma aqui à *experiência* do cristão, mas antes à co-crucifixão "com ele" e mais evidentemente ao tempo e lugar onde Cristo foi crucificado. No contexto, esta passagem segue-se imediatamente à afirmação concernente à transferência do crente para o Cabeça através do primeiro para o último Adão (Rm 5.12-21). O primeiro Adão, perpetuado no crente, foi julgado na crucificação de Cristo.

O "velho homem", a natureza caída recebida de Adão, *foi* "crucificada com ele". Esta co-crucifixão, como foi visto, é da maior importância, do lado divino, em tornar possível a verdadeira libertação do poder do "velho homem". Um julgamento justo deve ser obtido da natureza pecaminosa antes que qualquer obra divina possa ser empreendida em relação à libertação. O julgamento é agora assegurado pela cruz, e o caminho está aberto para uma vitória abençoada por intermédio do Espírito. Na segunda passagem em que o termo "velho homem" é usado, o fato de que o velho homem já foi crucificado com Cristo é a base para um apelo que vem a seguir: "...a despojar-vos, quanto ao procedimento anterior, do velho homem, que se corrompe pelas concupiscências do engano; a vos renovar no espírito da vossa mente; e a vos revestir do novo homem, que segundo Deus foi criado em verdadeira justiça e santidade" (Ef 4.22-24).

Na terceira passagem, a posição em Cristo sugere novamente uma experiência correspondente: "...não mintais uns aos outros, pois que já vos despistes do velho homem com os seus feitos, e vos vestistes do novo, que se renova para o pleno conhecimento, segundo a imagem daquele que o criou" (Cl 3.9,10). *Posicionalmente,* o "velho homem" foi despojado para sempre. *Experimentalmente,* o "velho homem" permanece como uma força ativa na vida que pode ser controlada somente pelo poder de Deus. Os cristãos se beneficiam dessa suficiência divina, quando renunciam inteiramente o pensamento do compromisso com o fruto da velha natureza ou o toleram, e pela fé aplicam o elemento oposto divinamente proporcionado para a vitória por meio da dependência do Espírito. O resultado de "considerar" como mortos e "mortificar os membros" será abrir o caminho para o Espírito operar na vida as manifestações do "novo homem", Cristo Jesus.

O filho de Deus não poderia de si mesmo julgar o "velho homem". Isto, contudo, foi feito *por* ele por intermédio de Cristo. Nem pode ele controlar o "velho homem". Isto tem de ser feito *por* ele através do Espírito. "Mas revesti-vos do Senhor Jesus Cristo; e não tenhais cuidado da carne em suas concupiscências" (Rm 13.14). O fruto do "velho homem" e o fruto do "novo homem", será lembrado, são claramente contrastados em Gálatas 5.19-23: "Ora, as obras da carne são manifestas, as quais são: a prostituição, a impureza, a lascívia, a idolatria, a feitiçaria, as inimizades, as contendas, os ciúmes, as iras, as facções, as dissensões, os partidos, as invejas, as bebedices, as orgias, e coisas semelhantes a estas, contra as quais vos previno, como já antes vos preveni, que os que tais coisas praticam não herdarão o reino de Deus. Mas o fruto do Espírito é: o amor, o gozo, a paz, a longanimidade, a benignidade, a bondade, a fidelidade, a mansidão, o domínio próprio; contra estas coisas não há lei".

Não há base bíblica para uma distinção entre a natureza adâmica e a "natureza humana". O não-regenerado tem apenas uma natureza, enquanto que o regenerado possui duas. Há apenas uma natureza caída, que é a de Adão, e apenas uma nova natureza, que é de Deus. O "velho homem", então, é a natureza adâmica que foi julgada na morte de Cristo. Ela ainda permanece com o salvo como um princípio ativo em sua vida, e sua vitória *experimental* sobre ela será realizada somente por meio de uma confiança definida no Espírito que nele habita. O "velho homem" é uma parte, portanto, mas não tudo da "carne".

Em certas porções das Escrituras, notadamente de Romanos 6.1–8.13 e 1 João 1.1–2.2, há também uma distinção importante entre dois usos da palavra ἁμαρτία, *pecado*. Os dois significados serão óbvios se for lembrado que a palavra algumas vezes se refere à natureza adâmica, e algumas vezes ao mal resultante dessa natureza. O pecado, como uma natureza, é a fonte do pecado que é cometido. O pecado é a raiz que gera o seu próprio fruto em pecado que é a conduta má. O pecado é o "velho homem", enquanto os pecados são as manifestações da vida diária. O pecado é o que o indivíduo é por nascimento, enquanto que os pecados são o mal que ele comete na vida. Há um testemunho bíblico abundante do fato de que a "carne", o "velho homem", ou "pecado", são a fonte do mal, e são a posse do filho de Deus enquanto ele permanece neste corpo terreno. Os crentes têm um tesouro bendito na posse do "novo homem" que habita neles; mas eles têm este tesouro "em vasos de barro".

O vasilhame é o "corpo de nossa humilhação" (2 Co 4.7; Fp 3.21). A personalidade – o *ego* – permanece a mesma individualidade através de todas as operações da graça, embora ela experimente o maior avanço, transformação, regeneração possíveis em seu estado perdido em Adão para as posições e posses de um filho de Deus em Cristo. Aquilo que foi perdido é dito ser perdoado, justificado, salvo, e recebe a nova natureza divina que é a vida eterna. Aquilo que estava morto nasce de novo e se torna uma nova criatura em Cristo Jesus, embora ela permaneça a mesma personalidade que foi nascida de pais segundo a carne. Embora nascida de Deus e possuidora de uma nova natureza divina, a fraqueza da carne e as disposições da natureza pecaminosa permanecem até a mudança final de residência da terra para o céu. Em 1 João 1.8,10 é dada uma advertência clara contra qualquer presunção concernente ao pecado.

Primeiramente, os cristãos são advertidos contra dizer que eles não possuem natureza pecaminosa: "Se dissermos que não temos pecado nenhum, enganamo-nos a nós mesmos, e a verdade não está em nós". Esta é distintamente uma palavra a respeito da natureza pecaminosa do cristão e não tem aplicação alguma com relação ao não-salvo. Ela é dirigida aos crentes, e a *todos* eles. Não se deve supor que a referência feita na passagem seja a alguma classe infeliz, ignorante ou não-santificada de cristãos. Não há distinção alguma de classe aqui. É o testemunho do Espírito de Deus com referência a *toda* pessoa nascida de novo. Para essa pessoa dizer que não tem uma natureza pecaminosa significa que ela está auto-enganada e que a verdade não está nela. Esta passagem é evidentemente pretendida para a correção daqueles cristãos que reivindicam ser livres da natureza pecaminosa e que podem ter se convencido de que realmente são livres dela.

Uma mente auto-satisfeita não é necessariamente a mente de Deus. Na mesma passagem os cristãos são também advertidos contra dizer que eles não têm pecado e que os pecados são fruto da velha natureza: "Se dissermos que não temos cometido pecado, fazemo-lo mentiroso, e a sua palavra não está em nós"

(1 Jo 1.10). Nada poderia ser mais explícito do que esta afirmação. É possível que um cristão possa ter sido instruído a dizer que ele não pecou; mas aqui está uma palavra de repreensão quando ele confronta o testemunho do Espírito de Deus. Além disso, isto não é dito a respeito de alguma classe impura de cristãos; é algo ligado a todos os cristãos. Fugir deste ensino claro desta grande passagem corretiva é tornar Deus um "mentiroso" e revelar o fato de que "sua palavra não está em nós". A fonte do pecado é, então, a natureza pecaminosa, antes do que a nova natureza divina.

Esta verdade importante está assinalada na mesma epístola um pouco depois numa passagem que primariamente ensina que o cristão não vive agora na *prática* do pecado ilegalmente como fazia antes de ter recebido uma nova natureza divina, mas que também ensina que o pecado não pode ser atribuído à natureza divina como sua fonte: "Aquele que é nascido de Deus não peca habitualmente; porque a semente de Deus permanece nele; e não pode continuar no pecado, porque é nascido de Deus" (1 Jo 3.9). Está evidente que a nova natureza é algo que tem sido gerado de Deus, e por causa da presença desta natureza, aquele em quem ela habita agora não pratica o pecado como o fez antes de ser salvo, nem pode o pecado jamais ser produzido pela nova natureza que vem de Deus. A passagem não ensina que os cristãos jamais pecam, ou mesmo que alguns cristãos não pecam; porque não há uma classe de cristãos em vista, e o que está dito aqui é verdadeiro de todos os que foram "nascidos de Deus".

Além disso, é ensinado nas Escrituras que, visto que há duas naturezas no crente, há um conflito entre a nova natureza, conquanto operativa por meio do Espírito, e a velha natureza, operativa por intermédio da carne: "Digo, porém: Andai pelo Espírito, e não haveis de cumprir a cobiça da carne. Porque a carne luta contra o Espírito, e o Espírito contra a carne; e estes se opõem um ao outro, para que não façais o que quereis" (Gl 5.16,17).Outro aspecto desta verdade é visto mais detidamente em Romanos 7.15–8.4. Nesta passagem, o velho "eu" é visto como uma oposição ativa ao novo "eu". Alega-se sobre esta passagem que ela se refere a uma experiência na vida do apóstolo antes dele ser salvo. Esta é uma discussão aberta muito séria. Nenhum conflito como este pode biblicamente estar relacionado à vida de Saulo de Tarso, nem pode se referir a qualquer homem não-regenerado.

Saulo de Tarso não era um "homem desventurado": ele era um fariseu satisfeito consigo mesmo, que vivia "em toda boa consciência", e "no tocante à justiça que está na lei, irrepreensível". Foi somente quando ele começou a "ter prazer na lei do Senhor segundo o homem interior" que este conflito mais profundo foi experimentado. Assim, também, a alegação é algumas vezes feita que esta passagem tinha a ver somente com Paulo que havia sido um judeu sob a lei mosaica e assim não poderia se aplicar a qualquer gentio, visto que a Lei mosaica não foi dirigida aos gentios. É totalmente verdadeiro que a lei não foi dada aos gentios. O propósito primário desta passagem não é apresentar alguma característica distinta de um judeu convicto debaixo da lei; ela claramente apresenta um santo de hoje confrontado com a impossibilidade de viver de acordo com a vontade revelada de Deus, não somente por causa da fraqueza humana, mas por causa do princípio ativo de oposição que é encontrado na "carne".

A mente e a vontade de Deus para o crente sob a graça, como já foi visto, são infinitamente mais impossíveis para a força humana do que a lei mosaica. Os cristãos encontram-se como ainda mais "miseráveis", quando tentam resolver os seus conflitos simplesmente com o "braço da carne". A lei de Deus, referida no Novo Testamento, algumas vezes significa Sua presente vontade para o Seu povo antes do que simplesmente a "lei de Moisés". Está claro que o conflito nesta passagem de Romanos é entre o *mal* e o *bem*, em termos gerais, antes do que um assunto da lei de Moisés. Se os crentes debaixo da graça não estão em vista em Romanos 7, eles não estão em Romanos 8; porque ao passar de um capítulo para outro não há intervalo algum no desenvolvimento da doutrina ou sua aplicação. No combate a este ponto de vista tem sido assinalado que há uma crise específica indicada nas palavras de 7.25: "Graças a Deus, por Jesus Cristo nosso Senhor! De modo que eu mesmo com o entendimento sirvo à lei de Deus, mas com a carne à lei do pecado".

Esta afirmação dificilmente descreve a experiência de um homem não-regenerado. Anteriormente, no contexto, a lei de Moisés foi colocada de lado como a regra de vida para o crente hoje (6.14; 7.1-6), e a nova lei de Cristo (1 Co 9.21; Gl 6.2; Jo 15.10), a "vida em Cristo Jesus" (Rm 8.2), ou aquilo que é produzido *no* crente pelo Espírito (Rm 8.4) entrou em cena. Nenhuma menção do Espírito é feita nesta passagem. Portanto, nem mesmo constitui um conflito entre o Espírito e a "carne"; é antes um conflito entre o novo "eu" e o velho "eu". É o novo "eu" – o homem regenerado – isolado, por ora, do poder capacitador do Espírito, e visto como se confrontasse por si próprio toda a lei de Deus (v. 16), a "carne" inalterada (v. 18), e as capacidades do novo homem (vv. 22, 23, 25). Uma questão vital é levantada: Pode o homem regenerado, à parte do Espírito, cumprir a totalidade da lei de Deus? A resposta é clara. Embora ele tenha "prazer" na lei de Deus (na qual o não-regenerado não pode ter prazer; cf. Rm 3.10-18; 1 Co 2.14), ele deve descobrir o poder divinamente proporcionado para viver, que é liberado somente através da morte de Cristo (v. 25), e através do poder do Espírito (8.2). À parte disto, somente resta para ele uma derrota contínua.

A passagem, com algumas interpretações, apresentada anteriormente, é a que se segue: "Pois o que *eu* [por causa da velha natureza] faço *eu* [por causa da nova] não o entendo: porque o que *eu* [por causa da nova] quero, isso *eu* [por causa da velha] não pratico; mas o que *eu* [por causa da nova] aborreço, isso *eu* [por causa da velha] faço. E, se *eu* [por causa da velha] faço o que *eu* [por causa da nova] não quero, *eu* consinto com a lei [ou, vontade de Deus], que é boa. Agora, porém, não sou mais *eu* [a nova] que faço isto, mas o pecado [a velha] que habita em mim. Porque *eu* sei que em mim [a velha], isto é, na minha carne, não habita bem algum; com efeito o querer o bem está em mim [a nova], mas o efetuá-lo não está. Pois não faço o bem que *eu* [por causa da nova] quero, mas o mal que *eu* [por causa da nova] não quero, esse pratico. Ora, se *eu* faço o que *eu* [por causa da nova] não quero, já o não faço *eu*, mas o pecado [a velha] que habita em mim. Acho então esta lei [não a lei de Moisés] em mim, que, mesmo querendo *eu* [a nova] fazer o bem, o mal [a velha] está comigo. Porque, segundo o homem interior [a nova], tenho prazer na lei de Deus; mas vejo nos meus membros [a velha] outra lei guerreando contra a lei do meu entendimento; e me levando cativo à lei do pecado, que está nos meus membros [a velha]. Miserável homem [cristão] que eu sou! Quem me livrará do corpo desta morte?" (Rm 7.15-24).

A resposta a esta grande pergunta e o clamor de angústia com que essa passagem termina são dados no versículo seguinte: "Porque a lei do Espírito da vida, em Cristo Jesus, te livrou da lei do pecado e da morte" (Rm 8.2). Isto é mais do que uma libertação da lei de Moisés; é a libertação direta do pecado (o velho homem) e da morte (seus resultados; cf. Rm 6.23). O efeito desta libertação é indicado pela bênção registrada no capítulo oito, em contraste com a desventura registrada no capítulo sete. É tudo do "eu" desesperado e derrotado num caso, e do "eu" suficiente e vitorioso, pela capacitação do Espírito, no outro caso. Os cristãos, então, devem ser libertos pela lei ou poder do Espírito. Mas deve ser chamada a atenção novamente para o fato afirmado em 7.25, de que isso é possível somente "através de Cristo Jesus nosso Senhor". Os crentes são libertos *pelo* Espírito; mas isso é possível somente "através de Jesus Cristo nosso Senhor" por causa da união deles com Ele em Sua crucificação, morte e sepultamento.

I. A Participação do Crente na Morte de Cristo

A doutrina que revela a participação do crente na morte de Cristo toma um grande espaço nas epístolas paulinas e é a base sobre a qual a vida espiritual torna-se possível. Nada poderia ser mais explícito ou determinante do que a palavra do apóstolo em Gálatas 5.24, que declara: "E os que são de Cristo Jesus crucificaram a carne com as suas paixões e concupiscências". Neste texto, é feita referência ao aspecto especial da morte de Cristo que era e é um julgamento da natureza pecaminosa do crente e com base na qual o Espírito Santo, que habita no crente, torna-se livre para tomar controle da natureza pecaminosa. Todas as formas de perfeição e santificação (a serem consideradas brevemente) que se relacionam com a experiência da vida diária na matéria da libertação da natureza pecaminosa, são totalmente dependentes desta morte substitutiva de Cristo em favor da natureza pecaminosa. A liberação é operada pelo Espírito somente e a liberdade do Espírito para vencer a natureza pecaminosa depende totalmente da verdade de que a natureza pecaminosa foi julgada por Cristo na cruz. Contudo, o que Cristo operou é provisório e aguarda uma apropriação inteligente da parte do crente.

A Participação do Crente na Morte de Cristo

Três verbos são apresentados por Romanos 6.11-13 que registram em ordem lógica a responsabilidade do cristão em dirigir a ação de sua própria vontade.

Primeiro, *considerai-vos:* "Assim também vós considerai-vos como mortos para o pecado, mas vivos para Deus, em Cristo Jesus" (Rm 6.11). A exortação apresentada nesta passagem significa simplesmente crer nestes fatos revelados da união com Cristo como tendo consideração pelo eu de uma pessoa, e crer neles o suficiente para agir com confiança por meio deles.

Segundo, *não reine:* "Não reine, portanto, o pecado em vosso corpo mortal, para obedecerdes às suas concupiscências" (Rm 6.12). *Não dê nenhuma sanção ao pecado* é o pensamento aqui, mas a proibição encontrada nessas palavras implica que o plano buscado deveria ser de acordo com a promessa de Deus, de vencer o pecado por uma dependência do Espírito Santo.

Terceiro, *apresenteis:* "Nem tampouco apresenteis os vossos membros ao pecado como instrumentos de iniqüidade; mas apresentai-vos a Deus, como redivivos dentre os mortos, e os vossos membros a Deus, como instrumentos de justiça" (Rm 6.13). Esta exortação apresenta a própria essência do ato de dependência do Espírito": "apresenteis" os vossos membros para instrumentos de justiça como aqueles que permanecem com base na ressurreição fariam.

Numa consideração da morte de Cristo relacionada à natureza pecaminosa – cuja reafirmação parece exigida para completar esta declaração final da verdade a respeito do andar por meio do Espírito Santo e para concluir o estudo do conjunto de textos mais amplo relativo à vida espiritual – pode ser dito que pela morte de Cristo ambos, a *penalidade* dos pecados cometidos foi levada por todos os homens e o *poder* do pecado foi julgado e destruído para os filhos de Deus. A realização de tudo isto foi um problema de dimensões infinitas; porque o pecado é primariamente contra Deus e Ele somente pode tratar dele. A Bíblia descreve o pecado como visto do ponto de vista divino. Ele também revela um problema de Deus, que foi criado pelo pecado, e registra a maneira exata e o método de solução.

O tema sob consideração está relacionado à morte de Cristo somente como aquele sacrifício que está ligado ao julgamento que Deus fez da natureza pecaminosa no filho de Deus. A necessidade de tal julgamento e a revelação sublime de que a obra de julgamento está agora plenamente cumprida para o crente, está revelada em Romanos 6.1-10. Esta passagem é o fundamento assim como a chave para a possibilidade de um "andar no Espírito". Aqui está declarado que os cristãos não precisam "continuar no pecado", mas, ao contrário, podem "andar em novidade de vida". "O pecado não terá domínio sobre vós", está dito, e o filho de Deus não mais precisa ser escravo do pecado. Para este fim, Ele trabalhou na cruz. Quão importante a Seus olhos, portanto, é a qualidade de vida diária do cristão; porque a morte de Cristo não somente contemplou a bem-aventurança eterna na glória, mas o seu presente "andar" também!

A velha natureza deve ser julgada, a fim de que Deus possa ser livre para tratar com ele na vida diária do crente e à parte de todos os julgamentos. Que destruição viria sobre o não-salvo se Deus tivesse de julgá-lo por seus pecados antes que ele fosse salvo! "Corrige-me, ó Senhor, mas com medida justa; não na tua ira, para que não me reduzas a nada" (Jr 10.24). Quão grande é a Sua misericórdia! Ele já levou a questão do pecado e a resolveu para todos os homens na morte do substituto. Por causa disto, Ele agora pode salvar da *penalidade* do pecado. Mesmo assim, a que maiores extensões a Sua misericórdia tem alcançado, visto que Ele também entrou em justos juízos do "velho homem"! E por causa disto Deus é capaz agora de liberar Seu filho do *poder* do pecado. É dito que o "velho homem" foi "crucificado com ele" e "morreu com Cristo", foi "sepultado com ele" e participou também em sua vida ressurrecta.

Tudo isto, é revelado, foi para servir a um grande propósito: "...para que nós também pudéssemos andar em novidade de vida", da mesma forma que Cristo "foi ressuscitado dos mortos pela glória do Pai". Que libertação e que andar podem ser experimentados uma vez que isto está de acordo com o poder e a glória da ressurreição! A ressurreição, pode ser acrescentado, não é a mera reversão da morte; é a introdução ao poder e fronteiras ilimitadas da vida eterna. Nessa nova esfera e por esse novo poder o cristão pode agora andar.

A passagem começa assim: "Que diremos, pois? Permaneceremos no pecado, para que abunde a graça? De modo nenhum. Nós, que já morremos para o pecado [veja também, vv. 7, 8, 11; Cl 2.20; 3.3], como viveremos ainda nele?" Nos capítulos precedentes desta epístola a salvação para a *segurança* é apresentada. No começo dessa passagem a questão da salvação para a *santidade* da vida é levantada. Este segundo aspecto da salvação é proporcionado somente para aquele que já está salvo e seguro. "Permaneceremos [os que são agora salvos e seguros na graça] no pecado?" *Não ficaria bem* para eles fazer assim, como os filhos de Deus, e não é *necessário* para eles fazer assim, visto que agora eles estão "mortos para o pecado". Mas quem está "morto para o pecado"? É verdade que qualquer cristão já *experimentou* a morte para o pecado? Nunca houve um só deles. Mas a morte, que é mencionada nesta passagem, é dita ser realizada por *todo* crente. Todos os cristãos são aqui vistos como mortos para o pecado.

Uma morte que é inclusiva não poderia ser considerada *experimental*. Ela é antes *posicional*. Deus considera *todos* os crentes, com relação à natureza pecaminosa deles, como mortos *em* Cristo e *com* Cristo; porque somente assim eles podem "andar em novidade de vida" como aqueles que estão "vivos para Deus". Não é mais necessário pecar. Os cristãos não podem apelar para o poder de uma tendência sobre a qual eles não possuem controle. Eles ainda têm a tendência, e ela é mais do que eles podem controlar; mas Deus proporcionou a possibilidade de uma vitória completa e uma liberdade tanto pelo julgamento da velha natureza quanto pelo dar a eles a presença e o poder do Espírito. Então, segue-se a explicação importante da presente relação do crente com a morte de Cristo, como o que forma a base de sua libertação do poder do pecado. Primeiramente, um esboço é dado (Rm 6.3, 4), e então a mesma verdade é repetida, mas com mais detalhes (6.5-10).

Não está dentro do escopo desta discussão considerar a importância de um sacramento que proponha apresentar a verdade da morte do crente com Cristo. Tal coisa, no máximo, é apenas a sombra da substância. Nenhuma ordenança

A PARTICIPAÇÃO DO CRENTE NA MORTE DE CRISTO

apresentada pelo homem pode realizar o que está aqui descrito. O batismo do cristão *em* Jesus Cristo nada pode ser além do ato de Deus em colocá-lo *em* Cristo (cf. Gl 3.27). Isto evidentemente é um batismo em Seu Corpo apresentado pelo Espírito (1 Co 12.13); porque em nenhum outro sentido *todos* são "batizados em Jesus Cristo". Por serem unidos vitalmente e colocado "nele" pelo batismo, aqueles que são salvos participam daquilo que ele *é* e do que Ele *fez*. Ele *é* a justiça de Deus, e as Escrituras ensinam que eles são feitos justiça de Deus *nele* (2 Co 5.21) e foram *tornados* aceitos *no Amado* (Ef 1.6). Tudo isto é verdadeiro porque eles estão "nele". Assim, também, Ele os substituiu, e o que Ele fez é contado como deles porque eles estão "nele" – ou em outras palavras, porque eles são batizados em Jesus Cristo.

O argumento nesta passagem de Romanos 6 está baseado na união vital pela qual os cristãos estão organicamente unidos a Cristo através do batismo deles no Seu Corpo: "Ou, porventura, ignorais que todos quantos fomos batizados em Cristo Jesus fomos batizados na sua morte?" (Rm 6.3) Tão certamente quanto os crentes estão "nele", eles participam do *valor* de sua morte. Assim, também, a passagem afirma: "Portanto fomos sepultados com ele no batismo" (cf. Cl 2.12). Então também os cristãos são declarados como realmente participantes de Sua crucificação (v. 6), morte (v. 8), sepultamento (v. 4) e ressurreição (vv. 4, 5, 8) e tão essencialmente quanto eles participariam nesta união como se eles próprios tivessem sido crucificados, mortos, sepultados e ressuscitados. Ser batizado em Jesus Cristo é a *substância* da qual a co-crucifixão, co-morte, co-sepultamento e co-ressurreição são *atributos*. Uma é a *causa*, enquanto que as outras são os *efeitos*.

Tudo isto em união é para a realização de um grande propósito divino, ou seja, para que "como Cristo foi ressuscitado da morte pela glória do Pai, assim andemos nós também em novidade de vida" (Rm 6.4), ou por um novo princípio de vida. O "andar" dos cristãos, então, é o objetivo divino. Cristo morreu no lugar do crente. O julgamento pertencia ao crente, mas Cristo tornou-se o seu substituto. Ele é, assim, considerado como um co-participante de tudo o que o seu substituto fez. O que Ele fez para sempre satisfez as justas exigências de Deus contra o "velho homem" e abriu o caminho para um "andar" que agradou a Deus (cf. 2 Co 5.15). À medida que o texto prossegue, esta verdade da co-parceria do crente com Cristo é apresentada novamente e com maiores detalhes: "Porque, se temos sido unidos [crescidos juntos; a palavra é usada apenas esta vez no Novo Testamento] a ele na semelhança [i.e., unidade, cf. Rm 8.3; Fp 2.7] na sua morte, certamente também o seremos na semelhança da sua ressurreição".

O cristão já está unido a Cristo pelo batismo do Espírito (1 Co 12.12,13), que o coloca posicionalmente além dos julgamentos do pecado, e ele está, portanto, livre para ter a experiência do poder eterno e da vitória de Sua ressurreição. "Sabendo isto [ou, porque conhecemos isto], que o nosso velho homem foi crucificado com ele [e pelo mesmo propósito divino afirmado anteriormente], para que o corpo do pecado fosse desfeito [ou o poder de expressão é por intermédio do corpo. Este fato bem conhecido é usado como uma figura a respeito da manifestação do pecado. O corpo não é destruído, mas o poder do pecado e os meios de expressão podem ser anulados, cf. v. 12], a fim de não servirmos [ser escravo do] mais ao pecado [velho homem]. Pois quem está morto está justificado do pecado [i.e., aqueles que uma vez morreram para o pecado, como o crente fez em seu substituto, agora permanece livre de suas reivindicações legais]. Ora, se já morremos com Cristo [ou, uma vez que morremos com Cristo], cremos que também com ele viveremos [não somente no céu, mas agora. Há tanta certeza para a *vida* nEle como há certeza para a *morte* nEle]: sabendo que, tendo Cristo ressurgido dentre os mortos, já não morre mais; a morte não mais tem domínio sobre ele [o cristão é conseqüentemente encorajado a crer assim sobre si mesmo]. Pois quanto a ter morrido, de uma vez por todas morreu para o pecado [a natureza pecaminosa], mas, quanto a viver, vive para Deus [e daí pode o crente viver para Deus]" (Rm 6.6-10).

Tais fatos são registrados nas Escrituras a respeito do significado e do valor da morte de Cristo e da presente posição do cristão nEle, para que ele possa ser levado a crer que tudo é uma bênção para ele e realmente é verdadeiro a respeito dele agora. Por crer nisto, ele pode destemidamente reivindicar uma posição em Sua graça ilimitada e se atrever a entrar na vida de vitória. Até agora nesta passagem nada foi dito que tocasse em qualquer obrigação do homem, nem foi feita qualquer referência a qualquer obra do homem. É tudo obra de Deus para o Seu filho, na verdade, e a conclusão desta grande passagem é no sentido de que é Seu plano e provisão que ele deva saber que Deus já proporcionou para ele uma libertação da servidão ao pecado. Baseado neste conhecimento recebido da Palavra concernente a tudo que Deus fez em Cristo, segue-se imediatamente uma injunção da passagem em discussão que apresenta a responsabilidade do cristão: "Assim também vós considerai-vos como mortos para o pecado, mas vivos para Deus, em Cristo Jesus" (Rm 6.11). Ele não é exortado a considerar a natureza pecaminosa a ser morta; mas ele é exortado a considerar-se a si mesmo morto para ela.

A morte de Cristo literalmente destruiu o poder do "velho homem" de forma que o crente pode não ter disposição para pecar? Não, porque o texto continua e afirma: "Não reine, portanto o pecado em vosso corpo mortal, para obedecerdes às suas concupiscências" (Rm 6.12). Evidentemente, então, o "velho homem" permanecerá ativo, independentemente de um controle suficiente. A união com Cristo proporcionou uma libertação possível; mas ela deve ser apropriada e reivindicada por atos de fé como aqueles expressos nas palavras "considerai-vos" ou "não reine", e as palavras adicionais que se seguem no texto: (vv. 13, 14) "mas apresentai-vos a Deus, como redivivos dentre os mortos, e os vossos membros a Deus, como instrumentos de justiça. Pois o pecado [a natureza pecaminosa] não terá domínio sobre vós, porquanto não estais debaixo da lei [que não proporciona nenhum poder para o seu cumprimento], mas debaixo da graça" (que proporciona para o seu cumprimento o substituto suficiente e a capacitação ilimitada do Espírito de Deus).

A PARTICIPAÇÃO DO CRENTE NA MORTE DE CRISTO

Toda provisão foi feita. "Não reine, portanto, o pecado em vosso corpo mortal, para obedecerdes às suas concupiscências." Quem pode medir a verdade que está comprimida nesta única palavra, *portanto*, para encabeçar este apelo? Ela se refere a todos os empreendimentos divinos na morte de Cristo pelos quais o cristão tem sido associado a Ele, a fim de que possa receber os valores eternos da crucificação, morte, sepultamento e ressurreição de Cristo. "Portanto", por causa de tudo isto que está agora realizado e providenciado, o crente tem o encorajamento ilimitado para entrar no plano e propósito de Deus para a sua libertação. A fé, que crê ser possível a vitória porque ela considera o "velho homem" como julgado, é o resultado normal de tal revelação. Os cristãos são em todo lugar ordenados a *restabelecer* as exigências divinas para a libertação deles do "velho homem" por terem sido plenamente satisfeitas e a crerem que, por causa disto, agora podem "andar em novidade de vida".

Algum texto justificaria a reivindicação de alguns cristãos de que eles morreram para o pecado como uma experiência pessoal? Diversas passagens do Novo Testamento se referem ao crente como se já estivesse morto. Nenhuma delas, contudo, aponta para uma *experiência*; elas se referem antes a uma *posição* em que o crente foi colocado através de sua união com Jesus Cristo em Sua morte de cruz. "Portanto, se já morrestes com Cristo" (Cl 2.20); "porque morrestes, e a vossa vida está escondida com Cristo em Deus" (Cl 3.3); "estou crucificado com Cristo" (Gl 2.20); "mas longe esteja de mim gloriar-me a não ser na cruz de nosso Senhor Jesus Cristo, pela qual o mundo está crucificado para mim e eu para o mundo" (Gl 6.14); "e os que são de Cristo Jesus crucificaram a carne com as suas paixões e concupiscências" (Gl 5.24). Nesta última passagem, como nas outras, é feita referência a algo que está realizado em todos aqueles que são de Cristo.

Portanto, não poderia se referir a alguma experiência, o resultado de uma santidade especial ou particular da parte de uns poucos. Estas passagens, visto que se referem a todos os crentes, podem ter apenas um significado: na união deles com Cristo a "carne com suas paixões e concupiscências" foi crucificada *posicionalmente*. A palavra "crucificar" relacionada aos crentes está sempre datada no passado, a fim de sugerir um fato judicial e não uma experiência espiritual. O crente pode "mortificar", que significa considerar como morto; mas ele nunca é chamado a crucificar. Mesmo a mortificação só é possível pelo poder capacitador do Espírito: "...mas, se pelo Espírito mortificardes as obras do corpo, vivereis" (Rm 8.13). Está claramente afirmado na Escritura que a crucificação é uma realização feita uma só vez. Em vista desta realização básica de Deus, o filho dele é exortado a "considerar; a mortificar; a despojar-se; a não deixar; a tomar toda armadura de Deus; pensar nas coisas de cima; a revestir-se do novo homem, que é renovado em conhecimento segundo a imagem daquele que o criou; a negar-se a si mesmo; a permanecer em Cristo; a lutar; a participar da corrida; a andar em amor; a andar no Espírito; a andar na luz; a andar em novidade de vida".

Esta é a responsabilidade humana em relação à libertação que Deus providenciou através da morte de Seu Filho e propõe agora realizar pelo Espírito. O objetivo divino, então, em tudo o que está registrado em Romanos

PNEUMATOLOGIA

6.1-10 é um "andar em novidade de vida". Deus satisfez toda exigência de Sua santidade em realizar para o crente, através de Cristo, todo o julgamento contra a natureza pecaminosa que Ele sempre exigiu. Está registrado agora para ele entender e crer. "Conhecer isto", ou "porque ele sabe disto", ele é justificado em possuir confiança de que ele pode "andar em novidade de vida" pelo poder capacitador do Espírito. Que descanso, que paz, e que vitória seriam a porção dos filhos de Deus se eles realmente soubessem que o "velho homem" foi crucificado com Cristo e assim, do lado divino, torna-se possível para eles viver onde o poder e a manifestação do pecado podem ser constantemente anulados!

A totalidade da afirmação doutrinária a respeito de uma possível libertação da servidão ao pecado, contida em Romanos 6.1–8.4, está sumariada e concluída nos últimos dois versículos do contexto (Rm 8.3,4). Nestes dois versículos, sete fatores que fazem parte da revelação a respeito de uma possível vitória sobre o pecado, e que foram os assuntos de discussão neste contexto todo, são mencionados novamente como uma consumação de tudo o que aconteceu antes. Os sete fatores são: (1) "a lei" (8.3), que apresenta aqui a justa vontade de Deus porque não está limitada à lei de Moisés (cf. 6.14; 7.4, 25) que passou como regra de vida (7.1-6; 2 Co 3.7-18; Gl 3.24, 25). Ela antes inclui aquilo que o Espírito produz naquele que é espiritual (8.4; Gl 5.22, 23). A tentativa, na mera força humana, de assegurar uma justiça perfeita através da obediência a quaisquer preceitos sempre fracassará. A graça proporciona o bem suficiente para que os seus altos padrões celestiais possam ser realizados através do poder energizador do Espírito. (2) Ser "fraco através da carne" (8.3), ou a total incapacidade dos recursos humanos diante das exigências celestiais (7.14-23; Jo 15.5). (3) "Pecado na carne" (8.3), ou aquilo na carne que é diferente da "fraqueza"; agora ela é alguma coisa oposta ao Espírito (7.14-23; Gl 5.17). (4) Cristo veio "em semelhança de carne pecaminosa" (8.3). Ele tomou o lugar da união vital com o pecador (6.5,10,11); mas não se tornou um pecador, ou participante da natureza pecaminosa (Hb 4.15; 7.26). (5) "E por causa do pecado, na carne condenou o pecado" (8.3). Assim Ele satisfez toda reivindicação da justiça de Deus contra o "velho homem" (6.10; 7.25). (6) "Para que a justiça da lei pudesse ser cumprida em nós" (8.4; cf. 7.4, 22, 25), embora nunca cumprida *por* nós (6.4, 14; 7.4, 6). Portanto, é o "fruto do Espírito". (7) "Não andamos segundo a carne, mas segundo o Espírito" (8.4).

Essa é a condição humana para um "andar" vitorioso. Deve ser operado pelo Espírito (6.11-22). Provisões plenas são feitas por intermédio do julgamento divino da carne e do velho homem para a vida espiritual de todo cristão, mesmo o cumprimento de toda a vontade de Deus nele pelo Espírito. Mas estas provisões se tornam efetivas somente para aqueles que "não andam segundo a carne, mas segundo o Espírito". O crente tem uma revelação clara da instrução de Deus, e é perigoso negligenciar, confundir estas coisas ou fracassar nas responsabilidades exatas que lhe foram entregues.

A Perfeição

II. A Perfeição

Intimamente relacionada à doutrina da vida espiritual e especialmente a morte de Cristo como uma parte dela estão as duas doutrinas afins da perfeição e da santificação. Uma breve referência a cada uma destas é necessária aqui.

Na Palavra de Deus, a perfeição é apresentada sob sete aspectos:

(1) o uso que o Antigo Testamento faz da palavra aplicada a pessoas. A palavra no Antigo Testamento tem o significado de "sincero" e "reto". Noé era "justo" (Gn 6.9); Jó era "perfeito" (Jó 1.1,8); a fim de evitar os pecados das nações gentílicas, Israel era ordenado a ser "perfeito" (Dt 18.13); o fim do homem "perfeito" era dito ser a paz (Sl 37.37); assim, também, os santos do Antigo Testamento aparecerão na cidade celestial como "os espíritos dos justos aperfeiçoados" (Hb 12.23). A Bíblia não ensina que essas pessoas são sem pecado.

(2) A perfeição posicional em Cristo. "Pois com uma só oferta tem aperfeiçoado para sempre os que estão sendo santificados" (Hb 10.14), i.e., aqueles separados para Deus por sua salvação. A extensão e a força desta passagem serão vistas se a palavra *salvos* for substituída pela palavra *santificados*. Este é claramente um versículo sobre a perfeição da obra de Cristo para o crente e assim não deve ser relacionado à vida diária do cristão.

(3) Maturidade espiritual e entendimento. "Na verdade, entre os perfeitos, falamos sabedoria" (i.e., maduros, 1 Co 2.6; cf. 14.20; veja também 2 Co 13.11; Fp 3.15; 2 Tm 3.17).

(4) Perfeição que é progressiva. "Sois vós tão insensatos? Tendo começado pelo Espírito, é pela carne que agora acabareis?" (Gl 3.3).

(5) Perfeição em alguma coisa específica. (a) Na vontade de Deus: "...para que permaneçais perfeitos e plenamente seguros em toda a vontade de Deus" (Cl 4.12). (b) Em imitar algum aspecto da plenitude de Deus: "Sede perfeitos como é perfeito o vosso Pai celestial" (Mt 5.48). O contexto é o do amor do Pai por Seus inimigos e assim a injunção é no sentido de que este aspecto da bondade do Pai seja reproduzida. (c) No serviço: "vos aperfeiçoe em toda boa obra" (Hb 13.21). (d) Na perseverança: "...e a perseverança tenha a sua obra perfeita, para que sejais perfeitos e completos, não faltando em coisa alguma" (Tg 1.4).

(6) A perfeição definitiva do indivíduo no céu. "O que nós anunciamos, admoestando a todo homem, e ensinando a todo homem em toda a sabedoria, para que apresentemos todo homem perfeito em Cristo" (Cl 1.28; cf. 1.22; Fp 3.12; 1 Ts 3.13; 1 Pe 5.10).

(7) A perfeição definitiva do corpo de crentes no céu. "Até que todos cheguemos à unidade da fé e do pleno conhecimento do Filho de Deus, ao estado de homem feito, à medida da estatura da plenitude de Cristo" (Ef 4.13; veja também 5.27; Jo 17.23; Jd 24; Ap 14.5).

O substantivo *perfeição* encontrado no Novo Testamento é uma tradução de duas raízes gregas, τέλειος, que significa *maduro*, e καταρτίζω, que significa *ajustar*. E é óbvio que nenhuma destas palavras, etimologicamente consideradas, tem qualquer referência à vida sem pecado. Estes fatos deveriam ser avaliados muito cuidadosamente por qualquer um que tem tentado a formulação de uma doutrina sobre o uso enganoso da palavra portuguesa *perfeito*. Há uma liberação completa pelo Espírito para todo filho de Deus, mas isto não deveria ser confundido com qualquer uso da palavra perfeito quando a incapacidade de pecar está implícita nessa palavra.

III. A Santificação

Além disso, a doutrina não deve ser formulada para exceder aquilo que está realmente expresso pelo uso bíblico de sua palavra fundamental, *santificar*. Para descobrir o escopo total e o significado desta palavra, é necessário incluir todas as passagens no Antigo e Novo Testamento onde ela é usada, e acrescentar a elas assim como em todas as passagens onde a palavra *santo* é usada, visto que estas duas palavras ordinariamente são a tradução tanto do hebraico quanto do grego da mesma palavra-raiz. O significado básico de *santificar* e *santo*, é tal que uma pessoa ou coisa é, por meio disso, dita ser colocada à parte, ou classificada, usualmente como pertencente a Deus. Embora estas palavras e a verdade que elas expressam sejam encontradas por toda a Bíblia, a discussão agora está preocupada somente com aquele aspecto do ensino que se aplica ao filho de Deus sob a graça. Aqui será visto que os crentes são os objetos de uma tríplice santificação.

Primeira, santificação posicional: "Mas vós sois dele, em Cristo Jesus, o qual para nós foi feito por Deus sabedoria, e justiça, e santificação, e redenção" (1 Co 1.30); "É nessa vontade dele que temos sido santificados pela oferta do corpo de Jesus Cristo, feita uma vez para sempre" (Hb 10.10). Assim, também, o apóstolo dirige-se a todos os crentes como *santos*, e nas Escrituras é feita referência aos "santos profetas, homens santos, sacerdócio santo, santas mulheres, nação santa". Eles são tais por sua posição em Cristo. Paulo dirigiu-se mesmo aos Coríntios como *santos* e como já *santificados* (1 Co 1.2; 6.11); todavia, sua carta aos Coríntios foi escrita para corrigir os cristãos por causa dos seus pecados (1 Co 5.1, 2; 6.1, 7, 8). Eles eram santos e santificados como presentes em Cristo, mas estavam muito longe de possuir tal procedimento na vida diária.

Segundo, santificação experimental. Este segundo aspecto da obra santificadora de Deus para o crente é *progressivo* em alguns de seus aspectos, e assim está em contraste com a santificação *posicional* que é feita "de uma vez por todas". Ela é realizada pelo poder de Deus por meio do Espírito e da Palavra: "Santifica-os pela palavra; a tua palavra é a verdade" (Jo 17.17; veja também 2 Co 3.18; Ef 5.25, 26; 1 Ts 5.23; 2 Pe 3.18). A santificação experimental é desenvolvida de acordo com vários relacionamentos. (1) Em relação à rendição do crente a Deus. Em virtude de apresentar o seu corpo como um sacrifício vivo, o filho de Deus, por meio disso, é separado para Deus e assim é experimentalmente santificado. A apresentação pode ser absoluta e, assim, não admite progresso algum, ou ela pode ser parcial e, assim, exige um desenvolvimento posterior. Em qualquer caso é uma obra de santificação experimental. (2) Em relação ao pecado. O filho de Deus pode assim aquiescer com cada condição para a verdadeira espiritualidade, como seja, experimentar toda a libertação proporcionada e a vitória do poder do pecado, ou, por outro lado, ele pode experimentar apenas uma libertação parcial do poder do pecado. Em qualquer caso, ele é separado e assim é experimentalmente santificado. (3) Em relação ao crescimento cristão. Este aspecto da santificação experimental é progressivo em cada caso. Portanto, de modo algum deveria ser confundido com uma rendição incompleta a Deus ou uma vitória incompleta sobre o pecado. Seu significado é que o conhecimento da verdade, a devoção e a experiência cristã são naturalmente sujeitos ao desenvolvimento. De acordo com o presente estado de desenvolvimento deles como cristãos, os crentes experimentalmente são separados para Deus. Esse desenvolvimento deveria crescer a cada dia que passa. E assim, novamente, o cristão está sujeito a uma santificação experimental que é progressiva.

Terceiro, santificação definitiva. Mesmo a santificação *experimental* será aperfeiçoada quando os santos estiverem reunidos na presença do Salvador em glória. "Quando ele se manifestar, seremos semelhantes a ele; porque assim como é, o veremos" (1 Jo 3.2; Rm 8.29).

O ensino bíblico a respeito da santificação, então, é (1) que todos os crentes são *posicionalmente* santificados em Cristo "de uma vez por todas" no momento em que são salvos. Esta santificação é tão perfeita quanto Ele é perfeito. (2) Todos os crentes *são* santificados pelo poder de Deus através da Palavra, e esta santificação é tão perfeita quão perfeito é o crente. Assim, também (3) todos os crentes *serão* santificados e aperfeiçoados em glória segundo a imagem do Filho de Deus. A Bíblia, portanto, não ensina que algum filho de Deus é totalmente santificado experimentalmente na vida diária antes da consumação final de todas as coisas.

IV. O Ensino Sobre a Erradicação

Que há uma natureza pecaminosa no cristão que Deus reconhece como tal e para a qual Ele fez uma completa provisão com o fim de poder ser tratada de uma maneira que satisfaça a Sua santidade infinita, é uma verdade solene e evidente que a revelação manifesta, e, com essa verdade, toda experiência certa e real necessariamente deve estar em harmonia. A revelação é igualmente tão explícita a respeito do plano divino a ser seguido para a santificação quanto com respeito às provisões divinas a serem empregadas, se esta natureza deve ser trazida ao lugar de controle que Deus designou para ela. Por outro lado, o racionalismo é uma forma disfarçada, piedosa e efêmera como aquela que é superespiritual, e tem desenvolvido uma teoria a respeito da disposição da natureza pecaminosa. Nenhum texto, quando corretamente interpretado, ensina esta teoria racionalista, e nenhuma experiência humana jamais se conformou a ela realmente.

A matéria toda é metafísica num grau avançado e em sua consideração da opinião humana ou suposta experiência não pode provar ou estabelecer nada. É o testemunho claro ou a instrução a ser encontrada no Novo Testamento que deve ser aceita. A teoria supõe que é o propósito de Deus erradicar a natureza pecaminosa e por ela todo crente deve estar empenhado. Conseqüentemente, idéias humanas estranhas e exigências são introduzidas e que são adversas à Escritura. Verdades e doutrinas são distorcidas ou afirmadas de uma maneira errônea para manter uma noção humana sem fundamento. Esta afirmação da crítica não é meramente a opinião de uma pessoa emitida contra a opinião de outra pessoa. Mas aqueles que ensinam a erradicação da velha natureza não podem e, portanto, não baseiam suas alegações na Palavra de Deus.

Eles não somente ignoram o ensino da Escritura de que a natureza pecaminosa permanece em seu poder ativo a despeito do fato de que ela está julgada em relação ao crente por Cristo em Sua morte, mas eles ignoram também o extenso conjunto de textos que dirige o crente no sentido de obter uma libertação constante por intermédio do poder do Espírito que nele habita. Na verdade, se a erradicação é o modo de Deus tratar com a natureza caída, não há praticamente necessidade alguma para a presente obra do Espírito Santo. Tudo desta obra divina, então, danifica a teoria, enquanto que a teoria é, em si mesma, perigosa para as almas sinceras. Por estar sem base bíblica sobre a qual se firmar, esta teoria é afirmada por tantos modos quantos os seus mestres a promovem. A presente discussão pode se referir somente aos princípios envolvidos e as conclusões disto que devem ser tiradas.

Uma determinação sincera a ser bem agradável para Deus sem dúvida impulsiona muitos que promovem a erradicação da idéia; contudo, a doutrina bíblica do domínio incessante do mal pelo poder do Espírito em resposta a uma dependência absoluta do Espírito que é diametralmente oposta e contrária à teoria da erradicação. A consideração de algumas questões definidas envolvidas pode servir para tornar estas asseverações da crítica conclusivas.

Primeira, a erradicação não é o método divino de tratar com os três grandes inimigos do crente. Estes, como indicado anteriormente, são o mundo, a carne e o diabo. Ninguém jamais sugeriu um plano para se tornar livre da influência do mundo que tornaria o mundo erradicado. Na verdade, da carne em sua esfera mais ampla de realidade, que inclui a natureza pecaminosa, nunca é dito como erradicada, mas é claramente dito dela como sujeita pelo Espírito quando o andar diário é entregue a Ele (Gl 5.16,17). Nem jamais qualquer pessoa foi aliviada da influência satânica pela erradicação de Satanás. Por que, então, e com que grande vantagem em si mesma se permanecer só, seria a erradicação da natureza pecaminosa, que é somente uma parte integral de um desses inimigos poderosos, se nenhum deles pode jamais ser erradicado?

Segunda, a erradicação não está de acordo com a experiência humana. Embora alguns intrepidamente reivindicam a erradicação de sua natureza pecaminosa, poucos têm demonstrado com sucesso uma vida sem pecado. O teste rigoroso dessas suposições seria feito se um homem e uma mulher, cada um dos quais cresse em si mesmos – e com a melhor evidência conhecida para tais alegações – tivessem experimentado a erradicação da natureza pecaminosa, casassem e tivessem uma criança. Seria essa criança nascida sem uma natureza

O Ensino Sobre a Erradicação

pecaminosa? Não, simplesmente por causa do fato de que a natureza pecaminosa, independentemente das suposições, não tinha sido erradicada no caso de um dos pais. Alguns têm alegado que a erradicação fê-los retornar ao estado de inocência do qual Adão caiu; mas nesse estado, se fosse obtido novamente, não seria mantido por um só momento sob a presente tensão da vida. O primeiro lapso necessariamente restituiria a suposta pessoa não-caída para um estado caído. A Escritura, contudo, nada mencionada de uma queda da parte de qualquer ser humano além dos primeiros pais, mas ela afirma que a redenção é operada em favor de todos e que um caminho de libertação da natureza caída herdado foi assegurado para o filho de Deus, através da morte de Cristo e do poder do Espírito Santo.

Terceira, os erradicacionistas ignoram o grande conjunto de verdade que apresenta a obra vitoriosa do Espírito Santo no crente e o aspecto mais profundo da morte de Cristo que serve como a base de toda libertação. Essa morte para o pecado que é posicional e que inclui todo crente, por outro lado, é interpretada como experimental e limitada a uns poucos que têm reivindicado algum estado do qual o Novo Testamento nada sabe. Não obstante, tudo o que foi operado por Deus é com o fim de que cada crente possa "andar" no novo princípio de vida (Rm 6.4). A responsabilidade humana neste andar, na verdade, está longe do que seria, se porventura a natureza pecaminosa fosse realmente removida. Debaixo de tais circunstâncias não haveria lugar para as palavras "considerai-vos, cedei, não reine, despojai-vos, mortificai ou permanecei". A natureza pecaminosa não deve ser considerada como morta, mas sim o crente morto para ela.

Quarta, os erradicacionistas magnificam a experiência humana, a ponto deles desconsiderarem qualquer revelação que discorde da experiência deles. De que valor é a revelação quando uma pessoa teve a experiência, especialmente se a revelação tende a corrigir ou a contradizer a experiência?

Quinta, o Novo Testamento adverte especificamente contra a erradicação do erro. Em 1 João 1.8 é dito: "Se dissermos que não temos pecado nenhum, enganamo-nos a nós mesmos, e a verdade não está em nós". A referência aqui é a uma natureza pecaminosa, enquanto que no versículo 10 a referência é ao pecado que é o fruto da natureza má. Dizer como uma suposição que uma pessoa não possui uma natureza pecaminosa pode ser devido ao auto-engano; não obstante, para qualquer pessoa que diz isso, está escrito: "A verdade não está nela". A alegação básica dos erradicacionistas está bem afirmada nas seguintes palavras: "Porque minha natureza pecaminosa está erradicada, não sou capaz de pecar", enquanto que o testemunho daquele que segue a provisão e o padrão divino é: "Por causa da morte de Cristo e do poder imediato do Espírito, sou capaz de não pecar". As duas teorias, então, não devem ser reconciliadas.

De acordo com a teoria racionalista, os crentes devem ser aliviados da pressão por uma remoção abrupta da disposição de pecar, remoção essa que vai consumar todo futuro conflito com uma natureza pecaminosa e vai exaltar os beneficiários a um suposto alto nível de existência no qual a Palavra de Deus concernente à libertação pelo Espírito Santo através da morte de Cristo não se lhes aplica. Por outro lado, o Novo Testamento ensina uma vitória perfeita sobre todo mal – o mundo, a carne com todas as suas partes componentes, e o diabo – pelo constante poder capacitador do Espírito Santo. Não há nem mesmo espaço para discussão, a fim de determinar quais destas duas proposições é ensinada na Bíblia.

Conclusão

A terceira condição, então, sobre a qual alguém pode ser espiritual, é uma confiança definida no Espírito, que significa um "andar por meio do Espírito". Tal confiança no Espírito é imperativa por causa da vocação celestial impossível (humanamente falando), do poder não-espiritual do mundo, do poder opositor de Satanás, e da presença continuada da "carne" com sua natureza adâmica. O filho de Deus não pode realizar hoje as questões do amanhã. O andar é alguma coisa empreendida passo a passo e isto exige uma constante apropriação do poder de Deus. A vida cristã nunca é assemelhada a uma ascensão em que se pode subir espiritualmente acima do nível terreno de uma vez por todas e sem ter algum problema ou tentação aqui novamente. Antes, é um "andar, uma corrida, uma luta". Tudo isto fala de continuação. O bom combate da fé é o de uma atitude continuada de confiança no Espírito.

Para aqueles que assim andam com Deus há uma porta aberta para a "comunhão com o Pai, e com seu Filho Jesus Cristo" e para uma vida de produzir fruto e de serviço com toda manifestação espiritual de poder, para a glória de Deus. Qual, então, é a verdadeira espiritualidade? É a manifestação livre do Espírito que em nós habita. Ao todo, há sete aspectos de manifestação. Estas benditas realidades são todas proporcionadas na presença e no poder do Espírito e normalmente serão produzidas pelo Espírito no cristão que não entristece o Espírito, mas que tem confessado cada pecado conhecido; que não apaga o Espírito, mas é entregue a Deus; e que anda no Espírito por uma atitude de dependência de Seu poder somente (Gl 5.22,23). Tal pessoa é espiritual porque ela está cheia do Espírito. O Espírito é livre para cumprir nela todo o propósito e desejo de Deus para sua vida. Nada há na vida e no serviço diário a ser desejado além disso. "Graças sejam dadas a Deus, que nos dá a vitória através do Senhor Jesus Cristo."

"Nosso bendito Redentor, antes de expirar
Sua terna e última despedida,
Um Guia, um Confortador, deixou tudo
Para conosco morar...

E cada virtude que possuímos,
E cada vitória ganha,
e cada pensamento de santidade,
são Seus somente."

CAPÍTULO XVII

Uma Analogia

Embora dentro do aspecto positivo da vida espiritual possa haver uma comparação entre aquelas coisas que são concedidas ou comunicadas quando alguém é salvo, e a manifestação do Espírito na vida diária do cristão cheio do Espírito, há também vários aspectos bem definidos da comparação que sugere uma analogia entre a libertação da *penalidade* do pecado na salvação daqueles que estão sem Cristo e a libertação do *poder* do pecado daqueles que entre os crentes consentem com as condições governantes da vida espiritual. Sem dúvida, os benefícios positivos recebidos quando Deus salva são de importância primária; todavia, a analogia a ser buscada agora, como sugerido acima, nada contempla além de duas formas de salvação – uma da penalidade e outra do poder do pecado. Talvez seja necessário assinalar o fato de que a Bíblia trata da libertação do crente da escravidão do pecado como uma forma distinta de salvação.

Como seria esperado da epístola aos Romanos, que declara o escopo total da salvação tanto da penalidade quanto do poder do pecado para uma segurança absoluta e perene, ali aparece como a principal estrutura do livro esta diferenciação entre a salvação da penalidade do pecado para o perdão, justiça imputada, e justificação através da morte de Cristo (Rm 1.1–5.21), de um lado, e a salvação do poder do pecado para a santificação, que é tanto posicional quanto experimental, tornada possível através da mesma morte de Cristo (Rm 6.1–8.27), de outro lado. Esta própria estrutura da porção doutrinária da epístola aos Romanos servirá para enfatizar a força de uma quíntupla analogia que se segue.

I. O Estado de Perdição

A Palavra de Deus apresenta uma descrição extensa do estado de todos os não-regenerados em sua necessidade de salvação da culpa e da penalidade do pecado. Eles são mostrados como "perdidos, condenados e [espiritualmente] mortos"; "não há nenhum justo, nenhum sequer"; "todos pecaram, e destituídos estão da glória de Deus". Mas por detrás de tudo isto está a revelação de que em si mesmos eles estão sem esperança e sem poder para alterar ou melhorar a sua condição. A única esperança deles é depender completamente de outra pessoa através de Sua graça e poder salvadores. "Crê no Senhor Jesus Cristo, e serás salvo."

De igual modo, as Escrituras revelam o estado do regenerado em relação ao poder da natureza pecaminosa como de fraqueza e abandono: "Porque eu sei que em mim (isto é, na minha carne) não habita bem nenhum"; "acho então esta lei em mim, que, mesmo querendo eu fazer o bem, o mal está comigo". A esperança do filho de Deus em sua salvação do poder do pecado está também ligada a uma completa dependência do poder e da graça de outra pessoa. "Porque a lei do Espírito da vida, em Cristo Jesus, te livrou da lei do pecado e da morte"; "Filhinhos, vós sois de Deus, e já os tendes vencido; porque maior é aquele que está em vós do que aquele que está no mundo"; "Andai pelo Espírito, e não haveis de cumprir a cobiça da carne".

II. O Objetivo e o Ideal Divinos

O maior de todos os contrastes existe entre o estado de uma pessoa não-regenerada e o estado da mesma pessoa após ser salva. Somente a eternidade pode medir esta transformação. O perdão é infinitamente perfeito para ela, mesmo para tal purificação que qualificará o filho de Deus para ser isento até mesmo de uma sombra do pecado na presença de Deus para sempre; igualmente, a filiação em relação a Deus real e eterna, a justiça divina que é imputada, a perfeição de uma vez por todas, a justificação sem uma causa, a recepção do próprio πλήρωμα ou plenitude da divindade pela qual ela está "sendo conformada à imagem" do Filho maior, para citar apenas umas poucas bênçãos da posição.

Com não menos que um ideal divino e perfeito em vista, o cristão é chamado a uma maneira celestial de vida e à vitória, através da morte de Cristo para a natureza pecaminosa e para o poder capacitador ilimitado do Espírito Santo. Ao crente é apelado que ele "ande dignamente" em relação às gloriosas posições que são suas através da graça e do poder infinitos. Ele foi chamado a "andar na luz".

III. O Dom de Deus

A salvação deve ser de Deus somente, porque cada aspecto dela está além do poder e da força humana. Dos muitos grandes milagres que juntos constituem a salvação da culpa e da penalidade do pecado, nenhum deles poderia sequer ser entendido ou cumprido pelo homem. "[O evangelho de Cristo] é o poder de Deus para a salvação"; "... para que ele seja o justificador daquele que crê".

É igualmente verdadeiro que o crente fica desamparado, ao libertar-se a si mesmo do poder do pecado. Deus somente pode fazê-lo, e Ele propõe fazê-lo de acordo com a revelação contida em Sua Palavra. Não há poder qualquer que esteja no homem para libertar do "mundo, da carne e do diabo". "Andai pelo Espírito, e não haveis de cumprir a cobiça da carne"; "é Deus quem opera em vós o querer e o realizar segundo a sua boa vontade"; "a lei do Espírito de vida em Cristo Jesus me libertou da lei do pecado e da morte"; "Finalmente, fortalecei-vos no Senhor e na força do seu poder"; "Quem me libertará?... Mas graças a Deus através de Jesus Cristo nosso Senhor".

IV. A Obra da Cruz

Se o pecador estivesse desprotegido e Deus julgasse seus pecados no próprio homem, nada haveria que o pudesse salvar. É somente porque Deus já julgou a vida do pecador num substituto que Ele pode salvá-lo dos julgamentos profundos; na verdade, visto que a substituição foi perfeita e completa, o pecador é agora salvo de toda punição ou penalidade e para uma perfeição infinita em Cristo. Essa salvação tanto satisfaz o amor de Deus por aquele que Ele salva quanto glorifica Deus para sempre. Porque nenhum obstáculo moral permanece para impedir o amor divino de sua expressão extrema, Deus continua a fazer tudo o que a infinidade pode fazer – Ele faz com que aquele que é salvo se torne parecido com Cristo, Seu Filho. Uma maravilha da graça divina como esta pode ser operada por Deus somente com base na substituição que Cristo fez. É essencial também que o pecado tome conhecimento da base sobre a qual ele é salvo. Então, ele deve vir voluntária e inteligentemente a Deus através do Salvador providenciado. Pela morte de Seu Filho, Deus fez-se a si mesmo livre para salvar o principal dos pecadores, i.e., para fazê-lo de tal forma que Ele é justo e reto.

Semelhantemente não poderia haver uma salvação para o cristão do poder do pecado, se Deus não tivesse primeiro levado a carne com a sua natureza pecaminosa, seu "velho homem", ao julgamento. A condição do crente seria sem esperança, na verdade, se Cristo não tivesse primeiro exposto ao julgamento a natureza pecaminosa. Como no caso da penalidade pelo pecado, a obra de julgamento sobre a cruz é feita agora e Deus torna-se propício tanto para com o pecador quanto para com o santo. O "velho homem" foi julgado numa co-crucifixão, co-morte e co-sepultamento com Cristo. "... sabendo isso, que o nosso velho homem foi crucificado com ele". Visto que Cristo morreu para a natureza pecaminosa, ao aperfeiçoar todos os julgamentos divinos contra ela, Deus está agora infinitamente livre para ter o controle direto da carne e sua natureza pecaminosa, com o fim de que Ele possa operar libertação para o santo, da escravidão do pecado. Tudo isto é algo para o crente "considerar" como verdadeiro e com base no julgamento que Cristo fez do "velho homem" para "render-se a si mesmo a Deus".

V. O Lugar da Fé

Visto que a salvação é sempre uma obra de Deus, a única relação que o homem pode manter com ela é a de expectativa em relação Àquele que é o único que pode empreendê-la e realizá-la. A salvação da culpa e da penalidade do pecado é operada em favor do não-salvo no *momento* em que ele crê. Ela está condicionada a um *ato* solitário de fé. Os homens não são salvos, ou mantidos salvos, das conseqüências dos pecados porque eles *continuam* em sua fé. A fé salvadora, relacionada a este primeiro aspecto da salvação, é uma transação completa. "Porque Deus amou o mundo de tal maneira que deu o seu Filho unigênito, para que todo aquele que nele crê não pereça, mas tenha a vida eterna" (Jo 3.16); "Em verdade, em verdade vos digo que quem ouve a minha palavra, e crê naquele que me enviou, tem a vida eterna e não entra em juízo, mas já passou da morte para a vida" (Jo 5.24); "Crê no Senhor Jesus Cristo, e serás salvo, tu e tua casa" (At 16.31).

A salvação para a santidade da vida diária é igualmente uma obra de Deus, e a única relação que o filho de Deus mantém com ela é uma *atitude* de expectativa para com Aquele que é o único capaz. Deveria haver um ajustamento da vida e da vontade de Deus, e esta salvação deve então ser reivindicada pela fé; mas, neste caso, é ainda somente uma atitude de fé. Os crentes são salvos do poder do pecado quando eles crêem. Aquele que foi justificado por um *ato* de fé deve agora e doravante *viver* pela fé. Há uma multidão de pecadores por quem Cristo morreu que não está ainda salva. Do lado divino, tudo já foi proporcionado e eles têm somente que entrar pela fé nessa graça salvadora que lhes está disponível em Jesus Cristo. Assim, há uma multidão de santos cuja natureza pecaminosa foi perfeitamente julgada e toda provisão feita do lado divino para uma vida de vitória e glória para Deus, mas que agora não realiza uma vida de vitória.

Eles têm somente que entrar pela fé na graça salvadora disponível para libertar do poder e domínio do pecado. Este passo os introduziria na realidade de "um andar, uma corrida, uma batalha". Tudo isto significa uma atitude constante. Aos cristãos é dito que "combatam o bom combate da fé". Os pecadores não são salvos até que eles confiem no Salvador, e os santos não são vitoriosos até que eles confiem no libertador do poder reinante do pecado. Deus tornou esse resgate possível através da cruz de Seu Filho. A salvação do poder do pecado deve ser reivindicada pela fé. Ao discutir este quinto aspecto da analogia, o bispo H. C. G. Moule, de Durham, Inglaterra, escreve:

O primeiro caso é em sua natureza um e único: uma admissão, uma incorporação. O segundo é em sua natureza progressivo e passível de desenvolvimento: a descoberta, aproveitando a ocasião para ela, de grandeza dos recursos de Cristo para a vida. A última *pode*, mas não *deve*, assim incluir uma grande crise na consciência, um ato espiritual particular. É muito mais correto incluir muitos pontos-de-partida, desenvolvimentos críticos, avanços marcantes. O ato de fé de auto-rendição no poder de Cristo para uma limpeza interior da vontade e das afeições pode ser, e na verdade freqüentemente o é, *como se fosse* uma nova conversão, uma nova "vocação eficaz". Mas é certo, se o homem se conhece à luz de Cristo, for seguido por ecos e reiterações até o fim; não meros retornos aos começos do velho nível (certamente não é o plano de Deus que deva ser assim), mas avanços definidos devidos à nova descoberta de necessidade pessoal e de pecado, e de mais do que "riquezas" correspondentes em Cristo. Com cada avanço desse a sagrada promessa da *plenitude do Espírito* será recebida com uma santa e feliz realização.[147]

O Espírito, quando salva do poder reinante do pecado, não coloca de lado a personalidade daquele que salva. Ele meramente toma posse das faculdades e poderes do indivíduo. É o poder de Deus que age por meio das faculdades humanas da vontade, emoções, desejos e disposição. A experiência do crente que está sendo capacitado é somente a de uma consciência do seu próprio poder de escolha, seus próprios sentimentos, desejos e disposição relacionados ao eu. A força que ele possui, contudo, está "no Senhor, e na força do seu poder".

Conclusão

Até agora porque esta discussão tem tratado principalmente da teoria ou doutrina da vida espiritual, a adição de umas poucas sugestões práticas pode não ser inoportuna. Visto que a vida no poder do Espírito depende de uma atitude contínua de consideração e apropriação, é importante para a maior parte dos cristãos ter um tempo definido com Deus em que eles podem examinar os seus corações com relação ao pecado e a necessidade que eles têm de rendição, e em que eles podem reconhecer tanto a insuficiência deles quanto a suficiência dEle revelada pelo Espírito. Então, nesse tempo específico, eles podem reivindicar o Seu poder e força para suplantar as suas fraquezas. A Bíblia não estabelece uma norma a respeito do tempo ou condições. É um caso para o filho individualmente, em toda a extensão de sua própria personalidade, o tratar com seu Pai.

A espiritualidade não é um ideal futuro; deve ser experimentado *agora*. A questão vital é: "Estou andando no Espírito agora?" A resposta a esta pergunta não deveria depender da presença ou ausência de alguma manifestação incomum do sobrenatural. Muita coisa da vida de uma pessoa será vivida num lugar comum e rotineiro; mas mesmo ali o crente deve ter convicção de que ele está de bem com Deus e em comunhão inquebrantável com Ele. "Amados, se o coração não nos condena, temos confiança para com Deus" (1 Jo 3.21). Igualmente, o filho de Deus não deveria confundir a idéia de nervos extenuados, fraqueza física, ou depressão com falta de espiritualidade. Muitas vezes o sono é mais necessário do que a oração, e a recreação física melhor do que a sondagem do coração.

Que se lembre também que as Suas provisões são sempre perfeitas, mas que a entrada do cristão nestas provisões é freqüentemente imperfeita. Há, sem dúvida, uma referência muito superficial às atitudes e ações humanas em relação a Deus, como se elas fossem totais, tais como rendição, consagração e devoção absolutas. Se há condições bem definidas sobre as quais o crente pode se tornar espiritual, deixe-o se lembrar que, do ponto de vista do Deus infinito, sua submissão com aquelas condições é freqüentemente imperfeita. O que Deus proporciona e concede está de acordo com a perfeição divina mais plena, mas o ajustamento do cristão é humano e, portanto, usualmente sujeito à melhora. Não obstante, o fato da possível libertação do crente, que depende do Espírito somente, não muda. O filho de Deus terá outro tanto em qualquer tempo quando ele torna possível para o Espírito conceder.

Normalmente, o cristão espiritual estará ocupado com o serviço efetivo para o seu Senhor. Isto, contudo, não é uma regra. Os cristãos necessitam somente de tomar cuidado, para que eles sejam entregues e prontos a fazer qualquer coisa que Ele possa decidir. "Descansar no Senhor" é uma das vitórias essenciais numa vida espiritual. "Vinde um pouco à parte... repousar um pouco." Um filho de Deus é tão espiritual quando descansa, diverte-se, dorme, ou quando está incapaz, se é Sua vontade para ele, quanto ao que ele serve.

A vida espiritual não é passiva. Muito freqüentemente é assim julgado erroneamente e por causa do fato de que alguém, para ser espiritual, deve parar com o auto-esforço com relação à obtenção de coisas espirituais e aprender a viver e servir pelo poder que Deus proporcionou. A verdadeira espiritualidade nada sabe a respeito de ficar inerte. Ao contrário, ela é uma vida muito mais ativa, ampliada, e vital, porque ela é energizada pelo poder ilimitado de Deus. Os cristãos cheios do Espírito são totalmente capazes de estar fisicamente exauridos no final do dia. Eles estão cansados *no* trabalho, mas não *do* trabalho.

A vida cheia do Espírito nunca está livre das tentações; mas "Deus é fiel, o qual não deixará que sejais tentados acima do que podeis resistir, antes com a tentação dará também o meio de saída, para que a possais suportar" (1 Co 10.13). O ensino claro desta promessa, em harmonia com todos os textos sobre este assunto, é que as tentações como fenômenos "comuns ao homem" atingem todos os cristãos, mas, sobretudo, há um meio de escape divinamente providenciado. O filho de Deus não precisa ceder à tentação. Há sempre a *possibilidade* do pecado, mas nunca a *necessidade* dele. Tem sido bem dito que os crentes espirituais são honrados com a batalha nas trincheiras avançadas. Ali a mais feroz pressão do inimigo é sentida. Mas eles são também privilegiados em testemunhar a derrota esmagadora do inimigo, tão grande é o poder de Deus; e assim o crente espiritual é altamente honrado.

Viver na ausência de realidades é uma fonte de impedimento à espiritualidade. Qualquer coisa que cheire uma "postura religiosa" é prejudicial. Num sentido muito particular aquele que tem sido mudado do natural para o espiritual algumas vezes precisa ser mudado de volta para o natural – significando obviamente coisas naturais do modo e de vida. A verdadeira vida espiritual apresenta a extensão suficiente para permitir ao crente viver muito próximo de todas as classes de pessoas sem nunca afastá-lo de Deus. A espiritualidade impede o pecado, mas nunca deveria impedir a amizade e confiança de

Conclusão

pecadores (Lc 15.1). Quem pode ver a falha de outros mais do que aquele que possui a visão espiritual? E por causa deste fato, quem precisa mais do poder divino guardá-lo de se tornar crítico, com tudo o que resulta disso?

Os cristãos precisam estudar muito cuidadosamente a adaptação praticada pelo apóstolo Paulo como ele a revelou em 1 Coríntios 9.19-22. Se a espécie de espiritualidade de uma pessoa que torna Cristo sem atração para outros, ela precisa de algumas mudanças drásticas. Possa Deus livrar seus filhos de assumir um santo tom de voz, uma santa melancolia de espírito, uma santa expressão de face, ou uma santa feição (se por feição eles desejam parecer santos)! A verdadeira espiritualidade é um adorno interior. Ela é muito simples e natural e deveria ser um prazer e uma atração para todos.

Ela nada fará para *fingir* ideais ou para *imitar* outros. Este é exatamente o grande perigo na análise de experiências. Alguns são facilmente induzidos a tentar imitar outra pessoa. Aquilo que dá ao crente uma distinção inestimável é sua própria personalidade, e ele não pode agradar a Deus mais do que ser aquilo que Ele designou que ele seja. Alguns cristãos estão dispostos a trafegar na verdade apagada no passado, ao repetir frases piedosas de uma verdade da qual eles nunca realmente experimentaram. Isto deve sempre entristecer o Espírito.

Os filhos de Deus sempre se relacionam com o Pai. Muito freqüentemente o andar no Espírito é crido ser uma coisa mecânica. O crente não lida com uma máquina: ele lida com o Pai mais amoroso e mais terno de coração em todo o universo. O segredo mais profundo de seu andar é exatamente conhecê-lo, e assim crer em Seu amoroso Pai que ele pode chorar seus pecados no Seu amoroso seio se for necessário, ou falar claramente a Ele em ação de graças por toda vitória. Quando os cristãos conhecem a consolação e o alívio de tal comunhão, eles têm menos oportunidade de apelar para outra coisa qualquer. É tarefa deles Lhe dizer exatamente o que eles sentem, exatamente que mal eles têm dentro de seu coração – e dizer até a respeito da mais escura incredulidade deles. Fazer isso somente abre o coração para Ele e a Sua bendita luz e força. A separação dessa comunhão íntima é a primeira coisa que um crente deveria temer, e a primeira ajuda em todo acidente espiritual é o simples ato de dizer-lhe tudo contritamente. Havendo feito a confissão, o crente deveria considerar o seu perdão e sua restauração plenamente realizados e imediatamente retornar à Sua comunhão e graça.

O ensino de que "o pássaro com asa quebrada nunca voa alto novamente" não é escriturístico. Através do sacrifício de Cristo, nenhuma penalidade relativa ao pecado recai sobre o santo ou pecador (se este último receber a Cristo). Ao contrário, "o pássaro com asa quebra nunca voa alto"; mas naturalmente não deveria haver condescendência com o fracasso e com a derrota por causa disso.

Os cristãos, na terra, nunca serão os santos maravilhosos de quem Deus pode se orgulhar; eles são Seus filhinhos, imaturos e cheios de tolices, com quem Ele é infindavelmente paciente e sobre quem Ele tem agradado demonstrar o Seu infinito coração cheio de amor. Ele é maravilhoso: os cristãos não o são.

Creia no que está escrito. Lembre-se das palavras vitais de Romanos 6.6, 9: "Sabendo isso..." ou "porque sabemos isto". Uma pessoa é sempre justificada em

PNEUMATOLOGIA

agir com boa evidência. Então, onde há uma palavra mais segura de testemunho maior do que a imperecível Palavra de nosso Deus? Por essa própria Palavra os crentes *sabem* que Deus proporcionou um julgamento consumado para os pecados deles, e que o caminho está aberto para uma vida transbordante no poder do bendito Espírito. O crente deveria saber que tal vida é Seu propósito para ele. Ele deve crer em Sua promessa infalível. Longe de impor sobre Ele se ele reivindica esta graça, falhar em reivindicar *tudo* o que Seu amor concederia O ferirá mais do que qualquer outro.

A verdadeira espiritualidade é uma grande realidade. Ela diz respeito a *todas* as manifestações do Espírito em e através daquele em quem Ele habita. Ele manifesta no crente a vida que é Cristo. Ele veio não para Se revelar, mas para tornar Cristo real *ao* coração, e *através* do coração, do homem. Assim o apóstolo Paulo pôde escrever: "Por esta razão dobro os meus joelhos perante o Pai, do qual toda família nos céus e na terra toma o nome, para que, segundo as riquezas da sua glória, vos conceda que sejais robustecidos com poder pelo seu Espírito no homem interior; que Cristo habite pela fé nos vossos corações, a fim de que, estando arraigados e fundados em amor, possais compreender, com todos os santos, qual seja a largura, e o comprimento, e a altura, e a profundidade, e conhecer o amor de Cristo, que excede todo o entendimento, para que sejais cheios até a inteira plenitude de Deus. Ora, àquele que é poderoso para fazer tudo muito mais abundantemente além daquilo que pedimos ou pensamos segundo o poder que em nós opera, a esse seja a glória na igreja e em Cristo Jesus, por todas as gerações, para todo sempre. Amém" (Ef 3.14-21).

Notas
Volume 5

Cristologia

Cap. I [1] O Título contém a expressão "........*Cristo Encarnado*" traduzido como *Verbo Encarnado*, pois quem se encarna, segundo a Escritura é o Verbo ou o Filho, não Cristo.

[2] Capítulo II, I-II

[3] Lightfoot, *Commentary on Colossians*, 8a. edição, 141,42.

[4] Govett, *Exposition of the Gospel of St. John*, I, 23-24.

[5] Dean Alford, *New Testament for English Readers*, nova edição, II, 446.

[6] Vincent, *Word Studies in the New Testament*, IV, 383.

[7] John F. Walvoord, *Outline of Christology*, manuscrito não publicado, 5-6.

[8] William Cooke, *Christian Theology*, 97-99.

[9] William Cooke, *Op.cit.*, 107-8.

[10] Lightfoot, *Op.cit.*, 144.

[11] Alford, *Op.cit.* I, 580.

[12] A. A. Hodge, *Outlines of Theology*, 371.

[13] John F. Walvoord, *Op.cit.*, 6-8.

[14] Alford, *Op. cit.*, I, 547.

[15] R. Govett, *Exposition of the Gospel of St. John*, II, 284-86.

[16] Farrar, *Messages of the Books*, 299.

[17] John Hutchison, *Lectures on St. Paul´s Epistle to the Philippians*, 90-93.

[18] Lightfoot, *Epistle to the Philippians*, 110.

Cap. II [19] B. B. Warfield, *International Standard Bible Encyclopaedia*, IV, 2343-44.

[20] Notas não publicadas de Walvoord sobre Cristologia, p.p. 9-11.

[21] A. B. Davidson, *Hebrew Grammar*, (*Prophetic Perfect*), 156-57.

Cap. III [22] H. Werner, *Neue kirchliche Zeitschrift*, maio de 1911, 389.

[23] B. B. Warfield, *Christology and Criticism*, 285-86; 303-4.

[24] C. I. Scofield, *Scofield Reference Bible*, 716-17.

Cap. IV [25] Gregory Thaumaturgus (X, 1184-8) (Citado por Dr. J. W. Dale, *Johannic Baptism*, 404-5).

[26] Dean Alford, *New Testament for English Readers*, I, 16, sobre Mateus 3.13.

[27] John Goff, *How Was Jesus Baptized and Why?*, 1-2.

[28] Dale, *Op.cit.*, 380.

[29] Dale, *Ibid.*, 384.

[30] J. W. Dale, *Christic and Patristic Baptism*, 32-33.

Cap. V [31] Martensen, *Christian Dogmatics*, 284-85.

Cap. VI [32] Neander, *History of the Planting of the Christian Church*, I, 376 (Citado por Peters, *Theocratic Kingdom*, II, 559).

Notas

³³ Charles Hodge, *Systematic Theology*, III, 796.

³⁴ Scofield, *Scofield Reference Bible*, 1022.

³⁵ George N. H. Peters, *Theocratic Kingdom*, II, 559-61.

Cap. VII ³⁶ Martin Dibelius, *The Sermon on the Mount*, 105.

³⁷ Scofield, *Scofield Reference Bible*, 999-1000.

³⁸ Martin Dibelius, *The Sermon on the Mount*, 105-6.

³⁹ Dean Alford, *New Testament for English Readers*, I, 169.

⁴⁰ Scofield, *op.cit.*, 1034.

⁴¹ Trench, *Notes on the Parables of Our Lord*, 9a. edição, 15-16.

⁴² Manuscrito não publicado.

Cap. III ⁴³ R. C. Trench, *Notes on the Miracles of Our Lord*, 2a. edição Americana, 9-14.

Cap. IX ⁴⁴ *Scofield Reference Bible*, 150.

⁴⁵ *Scofield Reference Bible*, 91.

⁴⁶ A. C. Gaebelein, *Studies in Zechariah*, 121, 124.

⁴⁷ H. A. Ironside, *Notes on the Minor Prophets*, 406-7.

⁴⁸ Erling C. Olsen, *Walks with Our Lord through John´s Gospel*, I, 111-13.

⁴⁹ H. A. W. Meyer, *Commentary on the New Testament*, in loc.

⁵⁰ Dean Alford, *New Testament for English Readers*, I, 572.

⁵¹ R. Govett, *Exposition of the Gospel of St. John*, II, 69-70.

⁵² Scofield, *Op. cit.*, 1321.

⁵³ Dean Alford, *op.cit.*, in loc.

⁵⁴ Dean Alford, *Ibid.*, in loc.

⁵⁵ C. F. Hogg e W. E. Vine, *Epistle to the Galatians*, 134-35.

⁵⁶ *Ibid.*, 186-87.

⁵⁷ Martin Luther, *Commentary on Galatians*, edição de 1860, sobre 4.4-5.

⁵⁸ Charles Hodge, *A Commentary on the Epistle to the Ephesians*, 277-79.

⁵⁹ Dean Alford, *Op. cit.*, in loc.

⁶⁰ *Scofield Reference Bible*, 1291.

Cap. X ⁶¹ *Scofield Reference Bible*, 190.

⁶² Erling C. Olsen, *Meditations in the Psalms*, I, 148, 150.

⁶³ Everett F. Harrison, *The Christian Doctrine of Resurrection*, manuscrito não-publicado, 55.

⁶⁴ *Ibid.*, 56.

⁶⁵ James Denney, *Jesus and the Gospel*, 111 (citado por Harrison, *ibid.*, 82).

Cap. XI ⁶⁶ F. W. Grant, *The Numerical Bible*, *Hebrews to Revelation*, 2a. edição, 50-52.

⁶⁷ C. H. Mackintosh, *Notes on Leviticus*, edição americana, 337-39, 341-42.

⁶⁸ Erling C. Olsen, *Meditations in the Psalms*, I, 494.

⁶⁹ H. A. Ironside, *Notes on Proverbs*, 435-39.

⁷⁰ Dean Alford, *New Testament for English Readers*, I, 484.

Cap. XII ⁷¹ George N. H. Peters, *The Theocratic Kingdom*, II, 169.

⁷² William Newton Clarke, *An Outline of Christian Theology*, 5a. edição, 443-46.

⁷³ Henry Ward Beecher, "The Future Life", um sermão na *Christian Union*, 5/9/1877 (citado por Peters, *op.cit.*, I, 475).

NOTAS

[74] Na versão americana usada pelo autor, aparece no começo do verso 6 a palavra *"ainda"*, o que não acontece com a versão em português usada nesta tradução.

[75] H. A. Ironside, *Lectures on Daniel*, 39-42.

[76] C. I. Scofield, *Scofield Reference Bible*, 982.

[77] Auberlen, *Divine Revelation*, 387 (Citado por Peters, *Theocratic Kingdom*, I, 21).

[78] Ford C. Ottman, *Imperialism and Christ*, 81-82.

[79] Ford C. Ottman, *Imperialism and Christ*, 9-21.

[80] Rollin Thomas Chafer, *The Science of Biblical Hermeneutics*, 43.

[81] Peters, *The Theocratic Kingdom*, I, 15.

Cap. XIV [82] George N. H. Peters, *The Theocratic Kingdom*, II, 634-36.

Volume 6

PNEUMATOLOGIA

Cap. I [83] Griffth Thomas, *Principles of Theology*, 24.

[84] H. Bettenson (editor), *Documentos da Igreja Cristã* (São Paulo: ASTE, 1998), 63.

[85] Citado por Watson, *Theological Institutes*, loc. cit.

[86] Capítulo II.III

[87] No prefácio do Livro de A. J. Gordon, *The Ministry of the Spirit*, que foi escrito por F. B. Meyer.

[88] William Cooke, *Christian Theology*, 5a. edição, 67-73.

[89] Cummings, *Through the Eternal Spirit*, 36.

[90] Cummings, *Ibid.*, 44.

[91] *Loc. cit.*

[92] Thayer, *Greek-English Lexicon of the New Testament*, 483.

[93] John F. Walvoord, *The Doctrine of the Holy Spirit*, 15-19.

Cap. II [94] William Cooke, *Christian Theology*, 154-55.

[95] *The Companion Bible*, Vol. I, Apêndice 5.

[96] Em inglês Striving.

[97] S. R. L. Gaussen, *Theopneusty*, 36-39.

[98] Verbete "Regeneration", IV, 2547.

[99] Vincent, *Word Studies*, II, 243-44.

[100] William Kelly, *Lectures on the Doctrine of the Holy Spirit*, 87-88.

[101] Dean Alford, *New Testament for English Readers*, nova edição, em Romanos 8.27.

[102] W. R. Newell, *Romans Verse by Verse*, 326-27.

Cap. III [103] C. H. Mackintosh, *Notes on Leviticus*, edição americana, 258-59.

[104] John F. Walvoord, *The Doctrine of the Holy Spirit*, 22-23.

[105] F. E. Marsh, *Emblems of the Holy Spirit*, 2a. edição, 114-15.

[106] C. H. Mackintosh, *Notes on Genesis*, 4a. edição, 104-5.

Cap. IV [107] Boettner, *The Inspiration of the Scriptures*, 10.

NOTAS

[108] B. B. Warfield, *International Standard Bible Encyclopaedia*, s.v. *Inspiration*, 1473.

[109] *Ibid.*, 1474.

[110] John F. Walvoord, *The Doctrine of the Holy Spirit*, 56-60.

[111] Walvoord, *Ibid.*, 255-57, 262, 264-65.

[112] William Kelly, *Lectures Introductory to the Study of the Minor Prophets*, 5a. edição, *in loc.*

Cap. V [113] James M. Gray, *Christian Worker´s Commentary*, 6a. edição, em Gênesis 1.2-5.

[114] *The Critical and Explanatory Commentary*, em Gênesis 1.2).

[115] C. H. Mackintosh, *Notes on Genesis*, 4a. edição americana, 4.

[116] Matthew Henry, *Commentary*, Gênesis 6.3.

[117] Abraham Kuyper, *The Work of the Holy Spirit*, 70. (citado por Walvoord, *The Doctrine of the Holy Spirit*, 46).

[118] *Bibliotheca Sacra*, CI: 64ss.

[119] B.B. Warfield, *International Standard Bible Encyclopaedia*, *s.v.* "Inspiration, 1481.

[120] John F. Walvoord, *The Doctrine of the Holy Spirit*, 64-70.

Cap. VII [121] *Scofield Reference Bible*, 1272.

Cap. IX [122] Walvoord, *The Doctrine of the Holy Spirit*, 140.

[123] Walvoord, *The Doctrine of the Holy Spirit*, 140-43.

[124] *Ibid.*, 143-44.

[125] *Ibid.*, 144-45.

[126] *Ibid.*, 145-47.

[127] *Ibid.*, 147-49.

[128] *Ibid.*, 149-51.

Cap. X [129] Walvoord, *The Doctrine of the Holy Spirit*, 173-75.

Cap. XI [130] James W. Dale, *Classic Baptism*, segunda edição, 354.

[131] Dean Alford, *New Testament for English Reader*, nova edição, em Gálatas 3.27.

[132] Nota do autor: O Dr. Haldeman foi um dos pensadores mais lógicos de sua geração. Portanto, é estranho que ele não tenha reconhecido a confusão necessária à qual sua interpretação conduziria finalmente. Lógico ou não, aqui o Dr. Haldeman está admitindo a perplexidade que surge quando é suposto que há dois batismos irrelacionados e independentes na Igreja — um com água relacionado à morte de Cristo e o outro relacionado ao Espírito Santo. Aparentemente o Dr. Haldeman sustentou com outros de sua escola de exegese que o batismo do Espírito foi operado por todos e uma vez por todas no Pentecostes, que antecipou o grupo dos eleitos que seriam salvos, e que, sendo empreendido no começo da história da Igreja, não entra em conflito com o batismo ritual. Mas certamente a simples questão de tempo, para determinar quando o batismo do Espírito é operado, não muda o *fato* desse batismo particular. Está sem dúvida ainda em vigor e assim bem pode, mesmo se operado no Pentecostes, ser o batismo de Efésios 4.5.

[133] I. M. Haldeman, *Holy Ghost or Water?*, 4.

[134] Edmund B. Fairchild, *Letters on Baptism*, 32-122.

NOTAS

135 James W. Dale, *Judaic Baptism*, 400.

136 James W. Dale, *Johannic Baptism*, 417.

137 E. E. Hawes, *Baptism Mode Studies*, 81-109.

138 James W. Dale, *Christic and Patristic Baptism*, 162-240.

139 Merril Frederick Unger, "The Baptism with the Holy Spirit", *Bibliotheca Sacra*, CI, 244-47.

140 G. Campbell Morgan, *The Spirit of God*, 181-82.

141 Merrill Frederick Unger, "The Baptism with the Holy Spirit", *Bibliotheca Sacra*, CI, 232-33, 497-99.

Cap. XIV 142 *Scofield Reference Bible*, 1247.

143 Norman B. Harrison, *His Love*, 6, 32-33.

144 John F. Walvoord, *The Doctrine of the Holy Spirit*, 182-85.

145 Dean Alford, *New Testament for English Readers*, nova edição, em Romanos 8.27.

Cap. XV 146 B. B. Warfield, *Princeton Review*, abril de 1919, 322.

Cap. XVII 147 H. C. G. Moule, *Outlines of Christian Doctrine*, 2a. edição revisada, 199.

Sua opinião é importante para
nós. Por gentileza, envie seus
comentários pelo e-mail
editorial@hagnos.com.br

Visite nosso site: www.hagnos.com.br

Esta obra foi composta na fonte
Horley Old Style MT corpo 11.
Foi impressa na
imprensa da Fé.
São Paulo, Brasil.
Inverno de 2013

TEOLOGIA SISTEMÁTICA

Lewis Sperry Chafer

volumes 7 & 8

Lewis Sperry Chafer
D.D., Litt.D., Th.D.
Ex-presidente e professor de Teologia Sistemática no
Seminário Teológico em Dallas

© 1948, 1976 por *Dallas Theological Seminary* Originalmente publicado por Kregel Publications
Título Original
Systematic Theology

Tradução
Heber Carlos de Campos
Revisão
Edna Batista Guimarães

Projeto gráfico
Atis Produção Editorial

Editor
Juan Carlos Martinez

Coordenador de produção
Mauro W. Terrengui

1ª edição - Março 2003
2ª edição - Fevereiro 2008
3ª edição - Junho 2013

Impressão e acabamento
Imprensa da Fé

Todos os direitos desta edição reservados à
EDITORA HAGNOS
Av. Jacinto Júlio, 27
São Paulo - SP - 04809-270 Tel/Fax: 11) 5666-1969
e-mail: hagnos@hagnos.com.br www.hagnos.com.br

Dados Internacionais de Catalogação na Publicação (CIP)
(Câmara Brasileira do Livro, SP, Brasil)

Chafer, Lewis Sperry
   Teologia Sistemática / Lewis Sperry Chafer ; (tradução Heber Carlos de Campos). --
São Paulo: Hagnos, 2003.

Título original: Systematic theology

1. Teologia - Estudo e ensino I. Título.

03-0105   CDD-230

Índices para catálogo sistemático:
1. Teologia sistemática: Cristianismo 230

ISBN   85-89320-06-5

Conteúdo da obra:

Livro 1:   Vol. 1 Prologômenos, Bibliologia, Teontologia
           Vol. 2 Angelologia, Antropologia
           Vol. 3 Soteriologia, Eclesiologia
           Vol. 4 Escatologia

Livro 2:   Vol. 5 Cristologia
           Vol. 6 Pneumatologia.
           Vol. 7 Sumário Doutrinário
           Vol. 8 Índices Biográficos

Dedicatória

Esta obra de Teologia Sistemática é dedicada com profunda afeição ao corpo discente de todas as épocas do Seminário Teológico em Dallas.

ÍNDICE

CHAFER 7

SUMÁRIO DOUTRINARIO	15
Adão	15
Adoção	17
Advogado	19
Alma e Espírito	20
Amor	21
Anjos	23
Anticristo	25
Antropologia	26
Apostasia	27
Arrependimento	29
Ascensão	30
Autoridade	31
Babilônia	32
Batismo Real	35
Batismo Ritual	36
Bibliologia	44
Blasfêmia	47
Carnalidade	49
Carne	51
Casamento	53
Castigo	54
Cegueira	56
Ceia do Senhor	59
Céu	59
Chamamento	61
Chifre	63
Confissão	64
Consciência	66
Conversão	67
Convicção	68
Coração	71
Corpo	71
Credos	73
Criação(veja Evolução)	74
Cristão	76
Cristianismo	78
Cristologia	80
Crítica	85

ÍNDICE

Cruz	86
Culpa	88
Cura	89
Demonologia	91
Depravação	94
Deus	95
Dia do Senhor	97
Dias	97
Discípulos	100
Dispensações	101
Dispersões de Israel	103
Dizimar(veja Mordomia)	106
Eclesiologia	107
Eleição	110
Encarnação	115
Era(veja Dispensações)	116
Escatologia	116
Esperança	119
Espírito Santo	119
Espiritualidade	120
Estado Intermediário	120
Eternidade	121
Evangelho	123
Evangelização	124
Evolução	127
Expiação	128
Fé	130
Filiação	132
Genealogia	133
Gentios	134
Glória	136
Governo	137
Graça	138
Hades	139
Herança	141
Homem do Pecado	142
Homem Natural	142
Humildade	143
Igreja(veja Eclesiologia)	143
Imortalidade	143
Imputação	144
Infinidade	147
Inocência	147
Inspiração	147

ÍNDICE

Intercessão	148
Interpretação	149
Israel	151
Jeová	152
Jerusalém	153
Jesus	155
Judaísmo	155
Julgamento	158
Justiça	160
Justificação	161
Justo	165
Lei	165
Línguas	166
Logos	167
Louvor	168
Mandamentos	168
Mediação	171
Messias	172
Milagres	172
Milênio(veja Reino)	172
Ministério	174
Misericórdia	174
Mistério	174
Mordomia	175
Morte	177
Mulher	179
Mundo	180
Noiva	181
Nome	183
Números	183
Obediência	184
Onipotência	184
Onipresença	185
Onisciência	185
Oração	186
Ordenança	187
Ordenar	188
Pactos	188
Pão	190
Paracleto	193
Paraíso	193
Parousia	194
Paternidade de Deus	194
Paz	196

ÍNDICE

Pecado	197
Pedra	198
Perdão	199
Perfeição	203
Permanência	204
Poder	206
Posição da Cabeça	207
Posição e Estado	208
Predestinação	208
Pregação	209
Preordenação	210
Presbíteros	210
Presciência	212
Primícias	214
Profecia	216
Propiciação	216
Propiciatório	218
Providência	219
Punição	219
Purificação	220
Queda	222
Recompensa	223
Reconciliação	224
Redenção	225
Regeneração	226
Rei	227
Reino	227
Ressurreição	229
Retidão	230
Revelação	230
Sábado	231
Sacerdócio	232
Sacrifício	233
Salvação	234
Salvação Infantil	235
Sangue	238
Santidade	241
Santificação	242
Santo	251
Satanás	251
Segurança	252
Segurança Eterna	255
Separação	256
Sepultado	257

Sião	258
Sofrimento	259
Substituição	261
Tabernáculo e Templo	262
Tempos Gentílicos	263
Tentação	265
Teologia Paulina	266
Tipos	267
Transfiguração	268
Trevas	268
Tribulação	270
Trindade	271
Trono	271
Unigênito	272
Vida	272
Vontade	273

CHAFER 8

AGRADECIMENTOS	277
ÍNDICE GERAL DA OBRA	281
ÍNDICE DE AUTORES	309
CATECISMOS, CREDOS, DICIONÁRIOS E ENCICLOPÉDIAS	319
ÍNDICE REMISSIVO	323
NOTAS	373

TEOLOGIA SISTEMÁTICA
Lewis Sperry Chafer

Volume 7
Sumário Doutrinário

Lewis Sperry Chafer
D.D., Litt.D., Th.D.
Ex-presidente e professor de Teologia Sistemática no
Seminário Teológico em Dallas.

SUMÁRIO DOUTRINÁRIO

Sumário Doutrinário

Adão

DEUS VÊ APENAS DOIS representantes e toda humanidade está incluída, seja num ou noutro. Ele contempla o primeiro Adão com uma raça caída e perdida nele, e Ele observa o Último Adão com uma nova criação redimida e exaltada nEle. São observáveis distinções vitais entre os dois cabeças e seus representados. A verdade revelada a respeito de Adão pode ser dividida nas coisas que encontramos no Antigo e no Novo Testamento.

1. DE ACORDO COM O ANTIGO TESTAMENTO. A contribuição do Antigo Testamento para esta doutrina da qual importantes fatos e aspectos podem ser retirados, é quase totalmente histórica. Adão aparece como alguém diretamente criado por Deus e como o progenitor da raça humana. É feito registro de seu estado como criado, de seu relacionamento com Deus, de sua tentação, e de sua queda. Assim, ele é apresentado como uma pessoa viva e capacitada com as mesmas habilidades como todos os outros homens que aparecem no Texto Sagrado. Não somente Gênesis registra o estado e a origem de Adão, mas toda a Escritura subseqüente constrói o seu ensino sobre a realidade e veracidade da narrativa de Gênesis. Nisto a Bíblia é consistente consigo mesma. Por ter declarado a origem da raça conforme a maneira apresentada em Gênesis, ela considera esses registros como verdadeiros.

Não há sombra alguma de suspeição de que qualquer outra teoria relativa à origem do homem existe. Assim, aquele que rejeita a narrativa de Gênesis rejeita a totalidade da Bíblia na medida em que ela trata da origem, desenvolvimento, história, redenção e destino da raça humana. No esquema doutrinário da Bíblia, Adão e Cristo estão tão entrelaçados e interdependentes que deve ser concluído que se a narrativa de Gênesis a respeito de Adão é errônea – nessa teoria ele foi um personagem que nunca existiu – o registro a respeito de Cristo também está sujeito a questionamento.

Está evidente que Adão foi criado um homem já adulto com a capacidade que pertence à maturidade. É dito que ele deu nome a todas as criaturas que estavam diante dele. Ele andava e falava com Deus, e dele Deus poderia dizer que Sua criação era muito boa. Haveria muito pouco significado para a tentação e queda de Adão como o cabeça da raça se, como tem sido afirmado, ele era imaturo em sua mente e personalidade.

2. DE ACORDO COM O NOVO TESTAMENTO. O ensino do Novo Testamento a respeito de Adão e Cristo é equivalente ao do tipo e do antítipo; mas em cada aspecto, exceto um, ou seja, que cada um é o cabeça de uma criação de seres, a tipologia é de contraste. Duas passagens importantes devem ser estudadas e também outras passagens secundárias.

A. Romanos 5.12-21. Ao observar apenas dois representantes, Deus vê igualmente apenas duas obras – uma de desobediência e outra de obediência – e dois resultados – um de morte e o outro de vida. A raça está assim dividida em duas classificações principais: os que estão em Adão, perdidos e arruinados, e os que em Cristo estão salvos e seguros para sempre. Esta passagem muito importante que trata da relação entre Adão e Cristo – teológica em alto grau – esboça as distinções que existem entre Adão e Cristo.

Exatamente como foi advertido por Deus, Adão morreu tanto espiritual (que aconteceu imediatamente) quanto fisicamente (que ocorreu eventualmente) como um resultado de seu primeiro pecado, e a raça que estava incluída nele compartilhou no mesmo duplo julgamento da morte. Duas linhas de efeito são resultantes do primeiro pecado de Adão, e que atingem igualmente a vida de cada membro da raça de Adão. Um é o da natureza pecaminosa, que resulta na morte espiritual e é transmitido *mediatamente* de pai para filho; o outro é o pecado imputado com sua penalidade de morte física, que é transmitido *imediatamente* de Adão a cada membro individual da sua raça. Uma pessoa morre fisicamente não porque Adão somente pecou, nem por causa dos pecados pessoais, e não por causa da natureza pecaminosa; ele morreu porque compartilha – no sentido seminal – do pecado original que retardou o julgamento da morte.

Por ser cabeça natural na criação, Adão é visto como representante da totalidade da raça. Nessa posição de cabeça, ele incluía a raça e sua queda, ou pecado, e à raça, que é a sua posteridade, recebe a imputação da morte física como uma *real* imputação; por causa do que é antecedentemente o próprio pecado deles, então, a morte física como um julgamento cai sobre todos igualmente, mesmo sobre aqueles, como os infantes, que não pecaram – à semelhança de Adão – intencionalmente (Rm 5.14). Este princípio divino de colocar uma pesada responsabilidade sobre a posteridade ainda não nascida é vista novamente em Hebreus 7.9, 10 onde Levi, o bisneto de Abraão, é declarado ter pago dízimos a Melquisedeque, por estar ele ainda nos lombos de seu bisavô Abraão (cf. Gn 14.20). Romanos 5.12 declara que toda sua raça pecou em Adão, quando este pecou. Nenhuma outra interpretação além desta consegue resolver as dificuldades dos versículos restantes deste contexto.

B. 1 Coríntios 15.22. Este texto diz: "Pois como em Adão todos morrem, do mesmo modo em Cristo todos serão vivificados". Esta é uma declaração muito importante. Não há dificuldade alguma com relação à primeira cláusula de que "em Adão todos morrem"; mas quanto ao restante do versículo, os inclusos no mesmo numérico todos – πάντες – que sofrem a penalidade da morte não estão necessariamente em Cristo, embora todos – πάντες – serão tornados vivos; como Cristo disse, porque "vem a hora em que todos os que estão nos sepulcros ouvirão a sua voz e sairão: os que tiverem feito o bem, para a ressurreição da vida, e os que tiverem praticado o mal, para a ressurreição do juízo" (Jo 5.28, 29). Está mais plenamente de acordo com o contexto que se segue (1 Co 15.23, 24) se a passagem é entendida com o propósito de que todos os homens morrem por causa de Adão e todos os homens – o mesmo numérico todos – serão ressuscitados por Cristo ou por causa dele.

Porque o contexto afirma que todo homem será ressuscitado em sua própria classificação; todo homem será ressuscitado – essa revelação evita uma restrição do contexto àqueles somente que estão em Cristo por posição. Tal tipo limitado de ressurreição, não obstante, é mais tarde declarado pelas palavras "os que são de Cristo na sua vinda" (v. 23). O assunto em vista é claramente a morte universal através de Adão e a ressurreição universal através de Cristo. Romanos 5.18 apresenta um caso similar com um duplo uso de πάντες.

C. PASSAGENS SECUNDÁRIAS. Em 1 Coríntios 15.45 está asseverado, em contraste novamente, que Adão foi feito alma vivente enquanto que Cristo é espírito vivificante. De igual modo (v. 47), Adão era "da terra, terreno"; o segundo Adão não é outro senão o Senhor do céu. Embora o crente tenha portado a imagem da terra, ele é apontado como aquele que porta a imagem do que é celestial. Ele será "conformado à imagem" de Cristo (Rm 8.29). Novamente em 1 Timóteo 2.13,14 é dito que Adão, totalmente em contraste com Eva, não foi enganado em sua transgressão. Adão pecou consciente e propositalmente. Em Romanos 5.14 é feita referência àqueles que, por causa da imaturidade e incompetência, não pecaram "à semelhança da transgressão de Adão" (isto é, consciente e propositalmente).

Assim também em Judas 14 Enoque é declarado ser "o sétimo depois de Adão", como por toda a Bíblia Adão é reconhecido como um homem vivo, o começo da raça humana. Na genealogia de Cristo fornecida por Lucas, Cristo remonta a Adão que era conhecido como o *filho de Deus* (Lc 3.38). O próprio Cristo dá suporte ao registro de Gênesis a respeito de Adão e Eva (cf. Mt 19.4-6; Mc 10.6-8).

Adoção

1. O SIGNIFICADO USUAL. A Bíblia reconhece o significado usual da palavra adoção, que é a colocação legítima de uma pessoa que não possui o sangue na posição de um filho legal (não um filho natural) na família. Embora não conhecida a princípio entre os judeus, a adoção foi praticada pelos egípcios. Êxodo 2.10 registra a adoção de Moisés pela filha de Faraó (cf. 1 Rs 11.20). A adoção de Ester (cf. Et 2.7,15) demonstra que o costume era praticado pelos judeus na Babilônia. Grécia e Roma foram evidentemente inclusas entre aqueles que seguiram este costume. O apóstolo Paulo, na verdade, usa este termo somente quando escreve aos gentios. Ele escreve sobre a colocação nacional de Israel acima de outros povos – "a quem pertence a adoção" (Rm 9.4,5) – como uma adoção, mas este caso trata intimamente do uso espiritual que o Novo Testamento faz da palavra.

Contudo, está evidente de Êxodo 4.22, Deuteronômio 32.6, Isaías 64.8, Jeremias 31.9 e Oséias 11.1 que Israel, embora chamado filho de Jeová, é um filho somente em virtude do decreto ou da colocação soberana e não em virtude de laços naturais ou espirituais na relação deles com Jeová como um filho.

2. O Significado do Novo Testamento.

O uso espiritual da palavra adoção significa a colocação de uma criança recém-nascida – com referência à maturidade – na posição de privilégio e responsabilidade dada a um filho adulto. Uma distinção importante aparece aqui entre duas palavras gregas, τεκνίον – usada para denotar crianças pequenas que estão sob a autoridade dos pais, tutores e governadores (cf. Jo 13.33) – e υἱός – usada para denotar um filho adulto. Cristo adequadamente falou de Si mesmo como *Filho do homem*, e ao empregar esta última palavra quis dizer que Ele é um filho plenamente maduro. Pode surgir uma espécie de perplexidade sobre por que uma criança nascida, portanto natural, deveria ser adotada; porque a adoção, como normalmente é concebido, nada poderia acrescentar aos direitos que são ganhos pelo nascimento natural. Contudo, é assim que o verdadeiro significado espiritual de *adoção* aparece.

A criança naturalmente nascida é por adoção desenvolvida posicionalmente para sua maioridade e é dada imediatamente a ela a posição de um filho adulto. Visto que a adoção espiritual ocorre na hora em que a pessoa é salva e, assim, se torna um filho de Deus, não há um período de infância reconhecido na experiência cristã. A referência em 1 Coríntios 3.1 a "crianças em Cristo" não tem relação alguma com uma imaturidade que é devida à curta experiência com a vida cristã; é uma referência às limitações que pertencem a um estado carnal ou não-espiritual. O crente que é carnal pode ter sido salvo por muitos anos.

Em sua importância distintiva, a adoção espiritual significa que assim colocada recebe imediatamente todo privilégio – que é o da independência de tutores e governadores – e a liberdade de um homem adulto. O cristão é ordenado a "permanecer firme" na liberdade pela qual Cristo o tornou livre e não se "dobrar novamente a um jugo de escravidão", que é evidentemente uma referência ao sistema legal ou sistema de mérito (Gl 5.1). A adoção espiritual também impõe as responsabilidades pertencentes à plena maturidade. Isto está claro do fato de que, onde quer que Deus se dirija a qualquer crente, Ele se dirige a todos os que crêem. Nenhuma porção exortativa das Escrituras pretendida para os cristãos é restrita aos iniciantes na vida cristã. O mesmo andar santo e o exercício dos dons é esperado de todos os filhos de Deus igualmente.

Visto que a vida cristã deve ser vivida no poder do Espírito Santo que neles habita, esta exigência é razoável; pois o poder capacitador do Espírito está tão disponível para um quanto para o outro. Praticamente, longos anos de experiência na vida cristã, sem dúvida, tenderão a uma adaptação experimentada para essa nova maneira de vida; mas aqueles anos não acrescentam mais recursos do que os dados pelo Espírito desde o começo para aqueles que são salvos. O campo total da responsabilidade cristã está muito relacionado a esta doutrina da adoção.

A adoção supõe um significado prático como o apresentado nas cartas aos Gálatas e Romanos. Na primeira, ela se torna uma libertação da escravidão, dos guardiões e da menoridade; na última, ela significa uma libertação da carne (cf. Rm 8.14-17). Tudo isto é diretamente devido à completa e nova responsabilidade que a plena maturidade impõe e ao plano divino de que a vida do crente deve ser vivida desde o princípio no poder do Espírito Santo.

A colocação final como filhos maduros exaltados aguarda a redenção do corpo, que ocorrerá no retorno de Cristo (Rm 8.23). Isto também está relacionado à "liberdade gloriosa dos filhos [não, filhinhos] de Deus (Rm 8.21).

O Dr. C. I. Scofield apresenta esta mesma definição de adoção nas notas de sua *Scofield Reference Bible:* "Adoção (*huiothesia,* 'colocação como um filho') não é tanto uma palavra de relacionamento quanto o é de posição. A relação do crente com Deus como um filho resulta do novo nascimento (Jo 1.12,13), enquanto que a adoção é um ato de Deus pelo qual alguém já é filho, através da redenção da lei, colocado na posição de um filho adulto (Gl 4.1-5). A habitação do Espírito dá a percepção disto na presente experiência do crente (Gl 4.6); mas a plena manifestação da filiação do crente aguarda a ressurreição, mudança e transformação dos santos, que é chamada de 'a redenção do corpo' (Rm 8.23; Ef 1.14; 1 Ts 4.14-17; 1 Jo 3.2)".[1]

Advogado

Em seu significado usual ou geral, um advogado é aquele que empreende na causa de outra pessoa. A palavra original usada no Novo Testamento é παράκλητος e sua tradição em João 14.16, 26; 15.26; 16.7 – *confortador* – é insatisfatória. Sem dúvida é obra do Espírito Santo trazer conforto àqueles a quem Ele ministra, mas Sua obra como Advogado em favor deles é muito mais extensa, e inclui toda a obra do Espírito no crente e através dele. Em seu significado bíblico e espiritual, a advocacia representa uma capacitação divina. Duas Pessoas da Trindade são reconhecidas como advogadas.

1. Cristo. Em Seu ministério terreno de três anos, Cristo foi o Advogado dos Seus no mundo, e antes de deixar o mundo Ele prometeu outro advogado para continuar este serviço. Pelo uso da palavra *outro*, Cristo sugere que o Seu próprio ministério foi o de um advogado (Jo 14.16).

Como um representante legal na corte do céu, Cristo agora funciona como o advogado ou defensor do cristão (1 Jo 2.1), mas nunca Ele assume a tarefa de promotor. Acusações são proferidas no céu contra o crente e perante o Pai que está no trono e isto está certificado em Apocalipse 12.10, que diz: "...porque já foi lançado fora o acusador de nossos irmãos, o qual diante do nosso Deus os acusava dia e noite". O ministério celestial de advocacia é duplo, ou seja, advocacia e intercessão. No último serviço Ele está preocupado com a fraqueza, ignorância e imaturidade do cristão, enquanto que no primeiro serviço Ele empreende em favor do cristão que pecou. A declaração é: "Se alguém pecar, temos um Advogado para com o Pai, Jesus Cristo, o justo" (1 Jo 2.1). Em 1 João 1, o efeito do pecado do crente sobre si mesmo é apresentado; mas

1 João 2 começa com uma contemplação de um problema muito mais sério do efeito do pecado do cristão sobre Deus.

Quando reconhece este problema do mal, o arminiano supõe que não há cura específica por meio da obra advocatícia de Cristo para o pecado do cristão e que o salvo que pecou deve ser dispensado do seu estado de salvo por causa do delito. Na verdade, isso seria necessário não pela presente obra advocatícia de Cristo em que Ele apela para o valor de Sua morte pelo próprio pecado que está em questão. Como Advogado no céu, Cristo apela para o fato de que Ele suportou esse pecado. A base justa de Sua morte pelo pecado assegura a libertação do crente – na medida em que diz respeito à condenação divina. Deus aceita sempre a morte de Seu Filho como a base de Sua libertação daqueles que pecaram. A obra advocatícia de Cristo no céu a respeito do pecado do crente é tão completa e perfeita que por ela Ele recebe um título que não ganha em nenhum outro lugar, ou seja, *Jesus Cristo o justo*.

A presente obra advocatícia de Cristo no céu é autodesignada. Ela está inclusa em Sua obra como Salvador. Ela é operada em favor de cada crente em todos os tempos sem levar em conta o próprio entendimento que o crente tem dela ou qualquer suposta cooperação com ela. Portanto, não é um assunto de petição; é, antes, um assunto de louvor e de ação de graças.

2. O Espírito Santo. Quando estava para deixar o mundo, Cristo prometeu outro advogado (Jo 14.16), e assim apontou para o Espírito Santo com instruções claras a respeito da obra que o Espírito empreenderia. A obra advocatícia do Espírito é também uma questão de intercessão e de favorecimento direto. É feita referência a Sua intercessão em Romanos 8.26, 27. Está declarado que "ele faz intercessão pelos santos de acordo com a vontade de Deus". Em Seu ministério capacitador, o Espírito capacita para toda boa obra e para vencer todo inimigo. Mui grandes são as provisões para o filho de Deus nesta presente era!

O Espírito não é um mero substituto de Cristo ou sucessor dele; Ele tem o seu próprio ministério incomparável, que é peculiar e específico. Ele é Aquele todo-suficiente que foi enviado ao mundo, tanto pelo Pai quanto pelo Filho.

3. Três Usos Gerais da Palavra *Advogado*. Do que foi dito antes será visto que três são os significados gerais para a palavra *advogado* – um advogado legal, que Cristo é agora no céu; um intercessor, que Cristo e o Espírito Santo são agora; e um ajudador geral, que Cristo enquanto na terra foi e que o Espírito Santo é durante toda esta era.

Alma e Espírito

A verdade a respeito da parte imaterial do homem tem a ver com alma e espírito.

1. Origem. Três teorias podem ser consideradas aqui:

A. Preexistencialismo. Transmigração de almas está na base desta teoria.

B. CRIACIONISMO. Alma e espírito do homem são criados no nascimento de acordo com esta teoria.

C. TRADUCIANISMO. Alma e espírito são gerados com o corpo, é o que mantém esta teoria.

2. DISTINÇÕES. A *alma* conota a parte imaterial do homem que está relacionada à vida, ação e emoção. O *Espírito* é aquela parte interior relacionada à adoração, comunhão e influência divina.

A. Freqüentemente intercambiáveis, como no caso de σῶμα e σάρξ, também πνεῦμα e ψυχή podem ser usados assim.

(1) A mesma função pode ser atribuída a qualquer uma delas (cf. Mc 8.12; Jo 11.33 e 13.21 com Mt 26.38 e Jo 12.27; 1 Co 16.18 e 2 Co 7.13 com Mt 11.29; 2 Co 7.1 com 1 Pe 2.11; 1 Ts 5.23 com Hb 10.39; Tg 5.20 com 1 Co 5.5 e 1 Pe 4.5).

(2) Os que partiram são algumas vezes mencionados como *alma* e algumas vezes como espírito (Gn 35.18; 1 Rs 17.21; Jo 10.17; At 2.27, 31; 20.10; Ap 6.9; Ap 20.4 com Mt 27.50; Jo 19.30; At 5.5, 10; Hb 12.23; 1 Pe 3.18).

(3) Deus é dito ser alma (Is 42.1; Jr 9.9; Am 6.8; Mt 12.18; Hb 10.38) e *espírito* (Jo 4.24).

B. *Alma* e *espírito* como termos sinônimos não são sempre intercambiáveis. A alma é dita estar perdida, por exemplo, mas não o espírito. "O Espírito testifica com o nosso espírito", não a "alma". Observe igualmente *psuichikos* em 1 Coríntios 2.14, e *pneumatikos* em 1 Coríntios 2.15 (cf. 15.44; também Jd 19 onde "sensual" é ψυχικός, definido como "não tendo o Espírito" ou πνεῦμα).

C. Quando nenhuma distinção técnica está em vista a Bíblia é dicotômica, mas de outra forma ela é tricotômica (cf. Mt 10.28; At 2.31; Rm 8.10; 1 Co 5.3; 6.20; 7.34; Ef 4.4; Tg 2.26; 1 Pe 2.11).

Amor

O amor deve ser o que o Dr. Henry Drummond resolveu chamar de "a maior coisa no mundo" (o título de suas palestras sobre 1 Coríntios 13). O amor de Deus é infinito. Perceber esse amor de Deus pessoal e imutável, é a experiência suprema.

Há em toda parte um amor humano muito real; mas todo amor cristão, de acordo com as Escrituras, é distintamente uma manifestação do amor divino que opera através do coração humano. Uma afirmação da diferença é encontrada em Romanos 5.5: "Porquanto o amor de Deus está derramado em nossos corações pelo Espírito Santo que nos foi dado". Esta atividade, então, não é a operação da afeição humana; é antes a manifestação direta do "amor de Deus" que passa pelo coração do crente procedente do Espírito Santo. É a concretização da última petição da oração sacerdotal de Cristo: "...para que haja neles aquele amor com que me amaste, e também eu neles esteja" (Jo 17.26). É simplesmente o amor de Deus que opera interiormente e por meio do crente.

Tal sentimento não poderia ser humanamente produzido ou mesmo imitado com sucesso, porque ele, necessariamente, vai para os objetos da afeição e graça divinas antes do que para os objetos do desejo humano. Um coração humano não pode *produzir* o amor divino, mas pode *experimentá-lo*. Ter um coração que sente a compaixão de Deus é beber do vinho do céu. Ao considerar este amor comunicado de Deus, deveria ser observado:

1. O amor de Deus, ao ser comunicado, não é experimentado pelos não-salvos: "mas bem vos conheço, que não tendes em vós o amor de Deus" (Jo 5.42).

2. O amor de Deus atinge o mundo todo: "Porque Deus amou ao mundo..." (Jo 3.16); "...para que, pela graça de Deus, provasse a morte por todos" (Hb 2.9); "E ele é a propiciação pelos nossos pecados, e não somente pelos nossos, mas também pelos de todo o mundo" (1 Jo 2.2). Este é um amor divino pelo mundo dos homens perdidos. Ele indica como a afeição de Deus não conhece limites. O que é algumas vezes chamado de "espírito missionário" nada é além da compaixão que trouxe o Filho de Deus do céu e inundou e fluiu do coração humano. O interesse nos homens perdidos não é assegurado por qualquer tentativa de desenvolvimento das afeições humanas; contudo, ele será imediatamente realizado no coração do cristão quando há um relacionamento correto com o Espírito de Deus. Um desejo de salvação de outros se torna o primeiro pensamento de muitos após eles terem nascido de novo.

3. O amor de Deus aborrece o presente sistema do mundo: "Não ameis o mundo, nem o que há no mundo. Se alguém ama o mundo, o amor do Pai não está nele. Porque tudo o que há no mundo, a concupiscência dos olhos e a soberba da vida, não vem do Pai, mas sim do mundo" (1 Jo 2.15,16). Tal sentimento purificado será a experiência daquele a quem o amor de Deus é comunicado.

4. O amor de Deus é dirigido especialmente aos filhos nascidos do Espírito: "Logo muito mais, sendo agora justificados pelo seu sangue, seremos por ele salvos da ira. Porque se nós, quando éramos inimigos, fomos reconciliados com Deus pela morte de seu Filho, muito mais, estando já reconciliados, seremos salvos pela sua vida" (Rm 5.9,10); "...Cristo amou a igreja, e deu-se a si mesmo por ela" (Ef 5.25). Ele ama os Seus ainda que estejam afastados, porque isto está revelado no retorno do "filho pródigo" (Lc 15.11-32). Além do mais, "se nos amamos uns aos outros, Deus permanece em nós, e o seu amor é em nós aperfeiçoado" (1 Jo 4.12). Pela compaixão divina, então, o cristão prova sua realidade perante o mundo. Como está escrito em outro lugar: "Um novo mandamento vos dou: que vos ameis uns aos outros; assim como eu vos amei a vós, que também vós vos ameis uns aos outros. Nisto conhecerão todos que sois meus discípulos, se tiverdes amor uns aos outros" (Jo 13.34,35).

Esse amor divino é também o teste de nossa irmandade em Cristo: "Nisto conhecemos o amor: que Cristo deu sua vida por nós; e nós devemos dar a vida pelos irmãos. Quem, pois, tiver bens do mundo, e, vendo o seu irmão necessitado, lhe fechar o seu coração, como permanece nele o amor de Deus?'

(1 Jo 3.16,17); "Nós sabemos que já passamos da morte para a vida, porque amamos os irmãos. Quem não ama permanece na morte" (1 Jo 3.14).

5. O amor de Deus continua até o fim: "...tendo amado os seus que estavam no mundo, amou-os até o fim" (daí, eternamente, Jo 13.1). Do amor de Deus operativo no crente é dito que ele "tudo sofre" e então que ele é "benigno" (1 Co 13.4).

6. O amor de Deus é exercido para com Israel: "...pois que com amor eterno te amei" (Jr 31.3). Assim o crente cheio do Espírito aprenderá a se regozijar nas grandes profecias e nos propósitos de Deus com esse povo com quem Ele tem pactos eternos e por quem tem correspondentemente um amor eterno.

7. O amor de Deus é sacrificial: "...pois conheceis a graça de nosso Senhor Jesus Cristo, que, sendo rico, por amor de vós se fez pobre, para que pela sua pobreza fôsseis enriquecidos" (2 Co 8.9). Essa atitude da parte do Filho de Deus para com as riquezas eternas, se reproduzidas no cristão, deve basicamente afetar sua atitude para com a riqueza da terra.

Não somente o amor de Deus é sacrificial a respeito de todas as riquezas; ele é sacrificial a respeito da vida em si mesma: "Nisto conhecemos o amor: que Cristo deu a sua vida por nós". Segue-se, portanto, que "nós devemos dar a vida pelos irmãos" (1 Jo 3.16,17). O apóstolo Paulo testificou: "Digo a verdade em Cristo, não minto, dando testemunho comigo a minha consciência no Espírito Santo, que tenho grande tristeza e incessante dor no meu coração. Porque eu mesmo desejaria ser separado de Cristo, por amor de meus irmãos, que são meus parentes segundo a carne" (Rm 9.1-3). O apóstolo sabia muito bem que não havia oportunidade alguma para ele ser amaldiçoado, visto que o Senhor havia sido feito maldição por todos; mas o fato permanece de que ele estava *disposto* a ser maldito.

Esta espécie de experiência é a realização direta na vida humana do amor divino que deu Jesus para morrer sob a maldição ou julgamento de todo o pecado do mundo. Quando esta compaixão divina pelos homens perdidos é reproduzida no crente, isto se torna a verdadeira e suficiente obra dinâmica de salvar almas.

Assim, o poderoso coração de Deus pode ser manifesto numa vida humana, e a única palavra, "amor", com as outras oito palavras que indicam o fruto do Espírito, é a representação do verdadeiro caráter cristão (Gl 5.22,23). As outras oito palavras, quando analisadas nas Escrituras, também provarão ser as graças divinas que podem ser percebidas no coração humano somente quando elas são *comunicadas*; por exemplo: "...para que minha alegria permaneça em vós", "...a minha paz vos dou" (Jo 15.11; 14.27). Estas graças divinas não são produzidas no coração de todo cristão. Elas serão realizadas somente dentro daqueles que estão "andando pelo Espírito" (cf. Gl 5.16).

Anjos

De acordo com Colossenses 1.16, a criação incluiu "coisas" invisíveis, assim como coisas visíveis e os anjos estão entre as coisas que são invisíveis.

Eles abrangem um grande exército de seres espirituais a respeito de quem as Escrituras dão um testemunho abundante, mas cuja existência e ministrações têm sido estranhamente negligenciadas nas obras de teologia. Os anjos são mencionados cerca de 108 vezes no Antigo Testamento. Da palavra grega para esses seres, ἄγγελος, é derivado o termo *anjo* em nossa língua. Em qualquer caso, a palavra significa simplesmente *mensageiro* e em raros exemplos é usado a respeito de homens (cf. Lc 7.24; Tg 2.25; Ap 1.20). Cristo usou o tempo quando se referiu a espíritos humanos que partiram (Mt 18.10; cf. At 12.15). A posição que os anjos ocupam na criação é superior a dos homens (Sl 8.4,5; Hb 2.6, 7; 2 Pe 2.11). O registro da origem dos anjos na criação é dado no Salmo 148.2-5 e em Colossenses 1.16.

Os anjos são classificados da seguinte maneira:

(1) o Anjo de Jeová, cuja terminologia se refere ao aparecimento pré-encarnado do Filho de Deus e, portanto, não é legitimamente classificado como referência a um anjo; todavia, o termo é usado a respeito dEle. Seus aparecimentos nesta forma são registrados como dez teofanias. Como o Revelador de Deus e Aquele a quem Jeová envia, Ele é um verdadeiro Mensageiro (Êx 23.20; cf. 32.34; 33.2).

(2) Gabriel, que significa "o poderoso" (Dn 8.16; 9.21; Lc 1.19, 26-38).

(3) Miguel, o arcanjo, um nome que significa "quem é igual a Deus?" e ele é o cabeça dos exércitos do céu (1 Ts 4.16; Jd 9; Ap 12.7), e o príncipe de Israel (Dn 10.21; 12.1).

(4) Querubins, os defensores da santidade de Deus (Gn 3.22-24; Êx 25.17-22; Is 37.16; Ez 1.5; 28.14).

(5) Serafins (Is 6.2).

(6) Principados e Potestades – algumas vezes são termos usados a respeito de anjos bons e outras vezes de anjos maus (Rm 8.38; Ef 1.21; 3.10; 6.12; Cl 1.16; cf. Lc 21.26; Cl 2.10, 15; Tt 3.1; 1 Pe 3.22).

(7) "Anjos eleitos" (1 Tm 5.21).

(8) Anjos conhecidos por seus ministérios – anjo das águas (Ap 16.5), anjo do abismo (Ap 9.1), anjo com poder sobre o fogo (Ap 14.18), sete anjos com trombetas (Ap 8.2), "os vigias" (Dn 4.13, 17, 23).

(9) Satanás e os demônios.

(10) Jeremiel ou Uriel, Rafael etc., mencionados somente nos escritos apócrifos.

Os fatos gerais a respeito dos anjos são:

(1) Eles são legião (Sl 68.17; Dn 7.10; Mt 26.53; Hb 12.22; Ap 5.11); eles formam as hostes do céu (Lc 2.13. Observe a expressão *Senhor dos Exércitos*). Numericamente, os anjos não crescem nem diminuem.

(2) Se eles possuem qualquer espécie de corpo, não pode ser determinado. Eles aparecem como homens quando exigido (Mt 28.3; Ap 15.6; 18.1). É dito que eles voam (Is 6.2; Ez 1.6; Dn 9.21; Ap 4.8; 14.6).

(3) A habitação deles é evidentemente no céu; mas a referência feita é a do segundo céu, os espaços estelares (Mt 24.29). Cristo passou pela esfera angelical, quando veio para a terra ou saiu dela (Ef 1.21; Hb 2.7; 4.14).

(4) Os ministérios dos anjos são variados e estão todos descritos no Texto Sagrado (Sl 34.7; 91.11; 103.20; 104.4; Dn 4.13,17, 23; 6.22; Mt 4.11; Lc 16.22; At 5.19; 8.26; 10.3; 12.7; 27.23; 1 Co 11.10; Cl 2.18; Ap 22.8, 9).

(5) Os grandes impérios dos anjos são, sem dúvida, ocupados com muitas empreitadas e com a execução dos seus domínios. Eles observam as coisas da terra (Lc 12.8, 9; 15.10; 1 Co 11.10; 1 Tm 3.16; Ap 14.10).

(6) A presença deles é registrada na criação (Jó 38.7), quando a lei foi dada (At 7.53; Gl 3.19; Hb 2.2; cf. Ap 22.16), no nascimento de Cristo (Lc 2.13), na cena da tentação de Cristo (Mt 4.11; cf. Lc 22.43), na ressurreição (Mt 28.2), na ascensão (At 1.10), e da mesma forma eles estarão na segunda vinda (Mt 13.37-39; 24.31; 25.31; 2 Ts 1.7).

Os anjos são geralmente classificados como não-caídos ou anjos santos (Mc 8.38) e caídos (Mt 25.41). Todavia, haverá guerra no céu entre as duas classes de anjos (Ap 12.7-10). Os anjos caídos são livres (cf. os demônios) ou presos (2 Pe 2.4; Jd 6).

Anticristo

Se a doutrina do anticristo for construída sobre a etimologia da palavra, o campo será na verdade ampliado, pois tudo o que se opõe a Cristo é anticristo. Assim, quando João diz: "já muitos anticristos se têm levantado" no mundo (1 Jo 2.18) – e esta referência inclui o espírito do anticristo (1 Jo 4.3) – a fim de aludir a qualquer espírito ou pessoa que se opõe a Cristo.

De outro lado, se a doutrina for limitada a uma pessoa futura, há ocasião para alguma discussão a respeito de quem essa pessoa é e do que as Escrituras dizem a respeito dela. Se a pessoa predita é identificada por sua pretensão ambiciosa de ser Cristo, ela é corretamente chamada de *anticristo* e é facilmente representada pela primeira besta de Apocalipse (13.1-10). Se ele é identificado como aquele que se declara ser Deus, como em Ezequiel 28.1-10, ele é imediatamente assemelhado ao homem do pecado sobre quem Paulo escreve em 2 Tessalonicenses 2.3-10. Igualmente, Daniel vê um pequeno chifre ou rei que conquista outros reis e assume um lugar de autoridade sobre os outros reinos.

Embora os títulos difiram, a besta de Apocalipse 13.1-10, o homem do pecado de 2 Tessalonicenses 2, o pequeno chifre de Daniel 7 e o príncipe iníquo de Daniel 9 parecem ser unicamente aquele que pactuará os reinos, mas que será destruído na vinda de Cristo. Seu trajeto evidentemente está sendo preparado por aqueles que ensinam a doutrina anticristã e negam o fato da encarnação do Verbo. Provavelmente estes agora se preparam para a vinda do anticristo. Cristo referiu-se àquele que viria em seu próprio nome (Jo 5.43) a quem os judeus receberiam. Sua nacionalidade é crida ser judaica visto que Ezequiel prediz dele que ele "morrerá a morte dos incircuncisos" (Ez 28.10). Um verdadeiro filho de Deus é justificado em observar a direção dos eventos que acontecem no cumprimento da profecia.

Antropologia

Como na Angelologia, a Antropologia é uma das grandes divisões da Teologia Sistemática e tem tido o seu verdadeiro tratamento desde as porções mais anteriores desta obra (Vol. II). Como uma revisão de alguns aspectos salientes do assunto, certas verdades podem ser reafirmadas.

1. COMO UMA CIÊNCIA MODERNA na educação secular, a Antropologia é tratada totalmente à parte da revelação bíblica, tendo em vista somente o desenvolvimento e as realizações do homem. Qualquer coisa que seja dita a respeito da origem do homem, é a partir de um ponto de vista evolucionista e nada está incluído a respeito dos valores espirituais ou do destino do homem. A Antropologia bíblica entra num campo muito mais amplo, e leva em conta importantes considerações.

2. A ORIGEM DO HOMEM, de acordo com a posição assumida pela Antropologia intrabíblica, é aceita como afirmada em Gênesis e como incorporada nas demais Escrituras, ou seja, que o homem é uma criação direta de Deus. Negar a narrativa do Gênesis não é somente uma negação daquela porção da revelação de Deus, mas torna-se um fomento e a manutenção da incredulidade a respeito de toda palavra que Deus falou.

3. O HOMEM FEITO À IMAGEM E SEMELHANÇA DE DEUS. Esta é uma declaração absoluta da Bíblia. Portanto, segue-se que Deus pode ser conhecido de alguma forma com respeito ao caráter de Seu Ser pelo que o homem é, à parte daquilo no homem que a queda gerou. As comparações assim feitas devem ser restritas às características divinas e espirituais antes que as supostamente físicas.

4. A PARTE MATERIAL DO HOMEM foi uma criação direta de substâncias já existentes.

5. A PARTE IMATERIAL DO HOMEM foi soprada nele como o próprio sopro de Deus e, assim, ele se tornou alma vivente.

6. A QUEDA DO HOMEM foi realizada por intermédio do desígnio e influência de Satanás. O pecado que causou a queda do homem não foi somente sugerida por Satanás, mas foi a forma idêntica daquela que Satanás tinha seguido para si mesmo e pela qual ele caiu do estado elevado em que foi colocado na criação, ou seja, agiu independentemente de Deus pela desobediência e, assim, repudiou todo o direito e autoridade divinos sobre si mesmo (cf. Gn 3.5; Is 14.12-14).

7. A QUEDA E SUA PENALIDADE vieram para a totalidade da raça humana. Essa penalidade da morte espiritual é transmitida *mediatamente* dos pais aos

filhos, enquanto que a penalidade da morte física é imputada *imediatamente* a partir de Adão a cada membro individual de sua raça, por ser a avaliação divina que cada membro da raça estava seminalmente em Adão quando o primeiro homem pecou e, portanto, cada membro da raça compartilhou daquele pecado. Esta avaliação do pecado de Adão para sua raça é uma imputação *real*, antes do que uma imputação *judicial*. Este princípio divino de considerar as coisas está claramente indicado em Hebreus 7.9,10, onde Levi, que como um sacerdote foi sustentado pelos dízimos do povo, não obstante, pagou dízimos quando Abraão pagou dízimos a Mequisedeque, visto que ele era um bisneto nos lombos do pai Abraão.

8. Deus Havia Se Movido em direção de uma cura para o estado de perdido do homem. Os termos sobre os quais esta cura pode ser recebida são tão definidos quanto qualquer um pode ser. Aquele que no princípio desobedeceu a Deus e pecou, é chamado para obedecer ao Evangelho da graça de Deus. Na presente era, a salvação que Deus oferece é para um lugar na mais alta glória e de modo algum deve ser comparado com aquele estado de inocência do qual Adão caiu.

Apostasia

Duas palavras de significado totalmente diferentes são freqüentemente confundidas, ou seja, *apostasia* e *heresia*. A primeira descreve aquele que primeiro abraçou algum credo ou doutrina e, posteriormente, a abandonou. A apostasia é bem descrita como "o abandono total da fé ou da religião de uma pessoa; abandono do credo e renúncia das obrigações religiosas".[2] De outro lado, heresia se refere a uma crença que é sustentada em variação a outros padrões ou aspectos aceitos da doutrina. O termo *herético* não implica ter abraçado uma doutrina da qual alguém finalmente se apartou. Aquilo que é estigmatizado como herético pode ter sido uma afirmação ou argumentação inalterada. A história da Igreja em seu tratamento dos heréticos é deplorável.

Desta história o mesmo dicionário registra: "Heresia foi anteriormente um crime na maioria dos países europeus, e como tal, punível por lei. Ela consistia geralmente numa recusa em aceitar um artigo de fé prescrito, embora a lei canônica enumere 82 variedades diferentes. A punição por heresia era comum nos tempos medievais por parte de todas as seitas religiosas dominantes e foi praticada pelos primeiros colonizadores nos Estados Unidos. O escrito '*de heretico comburendo*', pelo qual os hereges podiam ser queimados, foi elaborado originalmente contra os lolardos em 1401, e foi repelido por Charles II, na Inglaterra, e diversos atos de tolerância impediram punições civis por heresia. As penalidades eclesiásticas estão ainda em vigor contra os membros heréticos tanto entre igrejas protestantes quanto a católica".

Nada poderia ser mais estranho do que a perseguição baseada numa suposição de que a crença a respeito da doutrina é alguma coisa sujeita ao controle da vontade do indivíduo. Uma mente esclarecida pode mudar a atitude de algum herege, mas nada mais poderia ser lucrativo. Esse fato chega muito longe no campo do esforço prático, em favor dos salvos de que eles podem ser mais espirituais, e dos não-salvos de que podem vir a um conhecimento salvador de Cristo. Mestres de doutrina e evangelistas fariam bem em analisar os seus métodos e apelos para que estes possam ser feitos em conformidade com o fato inalterável a respeito da capacidade ou incapacidade da mente humana. Que cada verdade da Escritura é uma revelação de Deus significa mais do que o fato de que Deus tornou cada uma delas registrada como Escritura; ela alcança o indivíduo, a quem ela deve vir como uma descoberta pessoal para a mente pelo poder do Espírito Santo.

Deve ser uma intuição profunda a respeito da verdade dada, à qual a mente sem auxílio – por causa das limitações inerentes – não pode alcançar. Com relação ao progresso que os salvos podem fazer no conhecimento da verdade de Deus, seria bom dar atenção a duas passagens importantes – João 16.12-15 e 1 Coríntios 2.9–3.3.

A experiência da apostasia, é para a mente humana um dos grandes mistérios. Na verdade, por que deveria o mal ser sempre encontrado no Seu universo, que no princípio foi tão livre quanto seu criador? Sem hesitação, a Escritura registra várias apostasias. Estas são:

1. A DOS ANJOS. Dos anjos caídos é dito que eles "não guardaram o seu estado original" (Jd 6), e de Satanás é dito que "ele não permanece na verdade" (Jo 8.44) e que nele "foi achada iniqüidade" (Is 14.13,14; Ez 28.15). Para a apostasia dos anjos não há remédio; ao contrário, está predito em palavras que não podem ser revogadas que todos os anjos caídos vão viver eternamente no lago de fogo (Mt 25.41), que é a resposta de Deus à apostasia dos anjos.

2. A DE ADÃO. Deste aspecto da verdade muita coisa foi escrita anteriormente; mas deveria ser observado que Adão se tornou um apóstata por seu único pecado e que como ele caiu, poderia propagar e propagaria somente segundo a sua natureza caída. O primeiro a ser nascido no mundo pelo nascimento natural provou ser um assassino.

3. A DE ISRAEL. A apostasia com algum grau de restauração foi a experiência constante da nação de Israel, e tudo foi predito, predição essa que revela o fato de que o pecado nunca é uma surpresa para Deus. Ele pode sempre prevê-lo, como ele o fez. Israel está agora em sua última apostasia. Não haverá outra depois de ser restaurado do presente estado de separação das bênçãos do pacto (cf. Dt 28.15-68; 30.1-8; Is 1.5,6; 5.5-7).

4. A DA CRISTANDADE. A Igreja de Roma representa o grau de apostasia a que todos os homens podem ir, se levar em conta o fato de que ela foi totalmente pura e escriturística no seu começo. O abandono final está predito para os dias da tribulação (2 Ts 2.3) e o período dos "últimos dias" da Igreja na terra é marcado por apostasia (cf. 1 Tm 4.1-3; 2 Tm 3.1-5).

Alguns têm declarado que não há esperança para um apóstata. Tal declaração não leva em conta o poder e a graça de Deus. Alguns apóstatas, como os que são mencionados no Novo Testamento e os que viveram em todas as gerações, nunca serão restaurados; mas isto não quer dizer que eles não possam ter sido restaurados. Um herege que tem sustentado idéias heréticas desde o começo de sua vida madura pode ser instruído e assim ser conduzido à verdade. Aqueles em erro estão sempre sujeitos à correção em amor. Assim, a incredulidade pode ser vencida por uma revelação da verdade.

Arrependimento

Totalmente contrária à impressão que a teologia comum tem espalhado é a definição correta de arrependimento; a idéia usual é a de que ela significa tristeza ou agonia do coração a respeito do pecado e do erro. O verdadeiro significado da palavra mostra que ela é uma mudança de mente; e embora não possa haver algo para evitar que essa mudança seja acompanhada de tristeza, todavia, a tristeza em si não é arrependimento. Ao contrário, ela é a reversão da mente.

Outro erro sério arminiano a respeito desta doutrina ocorre quando o arrependimento é acrescentado à fé como uma condição de salvação. É verdade que o arrependimento pode muito bem ser exigido como uma condição de salvação, mas quando somente por causa da mudança de mente que esteve envolvida, quando se voltou de outra confiança para uma confiança necessária em Cristo. Tal volta, naturalmente, não pode ser realizada sem uma mudança de mente. Esta novidade vital de mente é uma parte da fé, afinal de contas, e, portanto, pode ser e é usada como um sinônimo de *crer,* às vezes (cf. At 17.30; 20.21; 26.20; Rm 2.4; 2 Tm 2.25; 2 Pe 3.9). Contudo, o arrependimento não pode ser acrescentado à fé como uma condição de salvação, porque mais de 150 passagens da Escritura condicionam a salvação à fé somente (cf. Jo 3.16; At 16.31).

Semelhantemente, o Evangelho de João, que foi escrito para que os homens pudessem crer e pudessem ter vida através do nome de Cristo (Jo 20.31), não usa uma só vez a palavra *arrependimento*. De igual modo, a epístola aos Romanos, escrita para formular a afirmação completa da salvação pela graça somente, não usa o termo arrependimento em relação à salvação.

Além disso, a confusão sobre esta doutrina surge quando não é tornado claro que o povo do pacto como Israel ou os cristãos podem se arrepender como um ato separado. Através de todo o tempo, quando o Evangelho do reino era pregado por João Batista, Cristo, e os discípulos do Senhor, fizeram uma chamada ao arrependimento que era unicamente ao arrependimento predito para toda nação judaica, que Mateus 3.2 indicou: "Arrependei-vos porque o reino dos céus está próximo". Esta não é uma chamada do evangelho, mas visa a restauração do povo do pacto ao seu relacionamento correto e original com

Deus (cf. Mt 4.12-17). De igual modo, um cristão, ao pecar, pode arrepender-se como um ato separado, que é alguma coisa muito distante de ser salvo novamente (cf. 2 Co 7.8-11).

O arrependimento em si é um ato somente e não dois. Esta observação é bem ilustrada por 1 Tessalonicenses 1.9-10, "...vos convertestes dos ídolos".

Ascensão

Muita coisa está envolvida dentro do campo da tipologia neste aspecto específico da Cristologia, que há ocasião para uma consideração doutrinária individual de seu caráter. Conquanto possa ser verdadeiro que durante os quarenta dias de seu ministério pós-ressurreição Cristo viveu entre o céu e a terra, indo e voltando várias vezes, é de importância doutrinária e dentro dos limites daquilo que está escrito reconhecer duas ascensões – uma diretamente seguindo a ressurreição e a outra quando Ele visivelmente subiu entre nuvens no final dos quarenta dias. Embora nenhum texto descreva diretamente a primeira ascensão, ela está implícita no registro do que Cristo disse a Maria na madrugada na tumba: "Não me toques; porque ainda não subi para meu Pai, e vosso Pai; meu Deus, e vosso Deus" (Jo 20.17). Que Ele ascendeu no mesmo dia subseqüente ao da ressurreição está evidente, pois Ele disse aos Seus discípulos na noite daquele dia: "Olhai minhas mãos e os meus pés, que sou eu mesmo: apalpai-me e vede" (Lc 24.39).

Nesta primeira ascensão que aconteceu diretamente após sua ressurreição, dois tipos importantes são cumpridos. Não teria sido razoável para este duplo cumprimento ter sido retardado até o final dos quarenta dias sobre a terra – especialmente com relação a um dos tipos, o do "molho que se move", que representa Cristo na ressurreição. De todos os molhos de grãos sobre as colinas da Palestina, apenas um de cada domicílio era movido cerimonialmente perante Jeová, e isso no dia seguinte ao sábado (cf. Lv 23.11) e como uma representação de todos os molhos da colheita. Assim Cristo, quando saiu da tumba apareceu como um penhor da colheita poderosa de almas a quem Ele havia redimido, que saíram com Ele da tumba e que compartilham de Sua vida de ressurreição e glória. Ele foi assim as "primícias dos que dormem", uma representação daquela ressurreição de crentes que ainda vai acontecer. (cf. 1 Co 15.20-23).

O outro tipo que Cristo cumpriu em conexão com Sua primeira ascensão foi a do sumo sacerdote apresentando o sangue no lugar santíssimo no dia da Expiação. Assim Cristo, o verdadeiro sumo sacerdote, apresentou o seu próprio sangue e a aceitação desse sacrifício por pecadores satisfaz toda necessidade do pecador para sempre. A importância da apresentação no céu do emblema de sua obra terminada na redenção, reconciliação e propiciação não pode ser avaliada nem deveria ser desprezada.

Na sua segunda ascensão, que ocorreu no final de seu ministério de quarenta dias pós-ressurreição, Cristo foi visto retornando ao céu em nuvens. Ele então empreendeu Sua presente intercessão à direita do Pai, e com ela os ministérios mais abrangentes com continuação por toda esta era e que proporciona toda segurança para aqueles que são salvos. Foi então que Ele se tornou "cabeça sobre todas as coisas para a igreja" (Ef 1.21, 22), o Doador dos dons (Ef 4.7-11). Ele assumiu o duplo ministério sacerdotal de intercessão (Rm 8.34; Hb 7.25) e de advocacia (Rm 8.34; Hb 9.24; 1 Jo 2.1).

Autoridade

Embora reconheça Deus como supremo, o tema geral da *autoridade* pode ser estendido desde esse ponto em diante a pontos ilimitados. Todo material está sujeito a uma divisão dupla, ou seja, (1) autoridade que é externa ao homem, e (2) que é interna.

1. EXTERNA. Esta concepção inclui a autoridade de Deus, das pessoas separadas da Trindade, dos anjos, dos governos humanos, dos apóstolos, da Bíblia e da Igreja. O assunto inclui toda situação onde uma ou mais inteligências determinam as ações de outros. É próprio aqui um comentário sobre cada uma dessas diversas divisões.

A. O DEUS TRIÚNO. Por direito de criação – a mais absoluta de todas as prerrogativas – vem a base da autoridade divina. Ser o Originador, o Projetista e o Executor de tudo que existe torna-se imediatamente a base para a sua autoridade transcendente, inigualável e incomparável. Quaisquer autoridades menores que possa haver devem ser predicados das mencionadas acima, e estas autoridades menores são somente relativas e, como tal, permitidas por Aquele que é autoridade suprema. O fato e a extensão de outras autoridades além da de Deus não deveriam ser estudadas à parte do reconhecimento da autoridade suprema de Deus. A autoridade nas mãos daqueles que são indignos dela é algo muito perigoso, e assim a causa de ação de graças é o fato de Deus ser o que é; de Deus são a fidedignidade perfeita, a sabedoria perfeita, o propósito perfeito, poder infinito e o amor infinito.

B. O PAI. No presente relacionamento que existe dentro da Trindade, o Pai é revelado como quem concede autoridade ao Filho e dirige o Espírito Santo. Aprouve ao Pai que Cristo sempre se voltasse em oração e expectativa, e que o crente fosse direcionado a orar ao Pai (Jo 16.23) com o mesmo reconhecimento de Sua autoridade suprema e poder.

C. O FILHO. Embora Cristo pudesse dizer: "...todo poder me é dado no céu e na terra" (Mt 28.18; cf. 1 Co 15.25-28), não obstante, Ele reconhece que o poder lhe é concedido pelo Pai. Ele disse adequadamente: "Pois assim como o Pai tem vida em si mesmo, assim também deu ao Filho ter vida em si mesmo; e deu-lhe autoridade para julgar, porque é o Filho do homem" (Jo 5.26,27). Muita coisa está implícita quando Ele reivindicou "toda autoridade" e "julgamento". Estas são prerrogativas de Deus. Não há sugestão alguma aqui de que em Sua adorável

Pessoa o Filho seja inferior ao Pai. Na realização da criação e da redenção, contudo, agradou as Pessoas da Trindade serem relacionadas entre si como elas realmente estão. Cristo, como conseqüência, fez as Suas obras poderosas por meio do poder e autoridade do Espírito Santo. Toda apresentação do Filho é melhor entendida quando nos lembramos de que Cristo vivia na esfera humana e se adaptava àquela limitação. A respeito da autoridade de Cristo, observe Mateus 7.29; 9.6, 8; 21.23-27; Marcos 1.22, 27; 11.28, 29, 33; João 5.27.

D. O Espírito Santo. O Espírito Santo é enviado tanto pelo Pai quanto pelo Filho, fato que indica que Ele recebe autoridade daqueles que O enviam; Ele de fato exerce grande autoridade no mundo. Ele é quem restringe o mal, que convence o mundo, e que orienta e capacita o crente (cf. At 13.2).

E. Os anjos. Quando a criação angelical é descrita em Colossenses 1.16, há menção de "tronos, domínios, principados" e "potestades". Por meio desses termos é feita referência à autoridade que os anjos exercem dentro de sua própria ordem e esfera. É verdade, como no caso de Satanás, que alguma autoridade é concedida a eles em suas relações designadas com os homens (cf. Lc 4.6; 12.5; 22.53; At 26.18; Ef 2.2; Cl 1.13; Ap 6.8; 9.3,10,19; 13.4,5,7,12; 20.6).

F. Governantes civis. A Palavra de Deus não somente exige sujeição à autoridade terrena, mas declara que os governantes são designados por Deus. Na verdade, esta é a autoridade de Deus sobre todas as outras coisas, mesmo os governos (cf. Pv 24.21; Rm 13.1-7; 1 Pe 2.13-17).

G. Os apóstolos. Uma autoridade muito especial foi estendida aos apóstolos e por ela Paulo argumentava em todo o seu ministério; não por autodesenvolvimento, naturalmente, mas que seu direito concedido por Deus pudesse ser exercido de pleno acordo com o plano e vontade de Deus (Lc 9.1; 2 Co 10.8).

H. A Bíblia. Refletindo a suprema autoridade de Deus como realmente Sua vontade revelada, a Palavra da Verdade deve ser obedecida por todos que estão debaixo do governo divino.

I. A Igreja. Esta espécie de governo pode ser pervertida, como no caso de Roma, mas a Palavra de Deus orienta para que essa sujeição seja prestada por todos dentro da Igreja aos que foram colocados em autoridade. O desenvolvimento prático da autoridade eclesiástica tem sido a causa de luta sem fim por toda a história da Igreja.

2. Interna. Sem talvez o mesmo grau de exatidão, deve ser reconhecida a autoridade que surge através do apelo espiritual e moral, através da consciência, dos costumes e do sentimento. Tudo isto e semelhante a isso pode dominar a mente e o coração a ponto de tornar-se uma influência motivadora.

Babilônia

O Antigo Testamento traça a origem, história e destino da antiga capital do Sinar (Gn 10.10; 14.1). Não está dentro do escopo deste esboço de estudo traçar a história e desenvolvimento da antiga cidade em si. *The International Standard*

BABILÔNIA

Bible Encyclopaedia apresenta esta história total e plenamente e ainda do ponto de vista bíblico. O nome *babilônia* significa 'confusão', e está ligado a desordem desde o dia da confusão da linguagem humana, registrada em Gênesis até o final da grande Babilônia, mencionado no Apocalipse. Da teoria de que a antiga cidade será ainda reconstruída para ela ser destruída como cumprimento da predição, pouca coisa pode ser dita em seu favor. Ao contrário, tal realização contradiz diretamente as Escrituras (cf. Is 13.19-22; Jr 51.61-64); contudo, confusão ou babel continua até que a ordem seja restaurada na terra por Cristo, na sua volta.

Nenhuma afirmação mais exata ou completa a respeito do local e do significado mais amplo de Babilônia foi encontrada além daquela preparada pelo Dr. C. I. Scofield, nas notas de sua *Reference Bible*, no estudo de Isaías 13.1 e 19:

A *cidade*, Babilônia, não está em vista aqui, como o contexto imediato mostra. É importante observar a importância do nome quando usado simbolicamente. "Babilônia" é a forma grega: invariavelmente no hebraico do Antigo Testamento a palavra é simplesmente Babel, o significado de que é *confusão*, e neste sentido a palavra é usada simbolicamente. (1) Nos profetas, quando a real cidade não está em vista, a referência é à "confusão" em que toda a ordem social do mundo caiu sob a dominação mundial dos gentios... Isaías 13.4 dá a visão divina da confusão dos poderes gentílicos antagônicos. A ordem *divina* é dada em Isaías 11. Israel em sua própria terra, o centro do governo divino do mundo e o canal da bênção divina; e os gentios abençoados em associação com Israel. Qualquer outra coisa é politicamente mera "Babel". (2) Em Apocalipse 14.8-11; 16.19 o sistema mundial gentílico está em vista em conexão com o Armagedom (Ap 16.14; 19.21), enquanto que em Apocalipse 17 é feita referência ao cristianismo apóstata, destruído pelas nações (At 17.16) lideradas pela Besta (Dn 7.8; Ap 19.20) e pelo Falso Profeta. Em Isaías a Babilônia política está em vista, literalmente, como a cidade existente então, e simbolicamente com relação aos tempos dos gentios. Em Apocalipse, tanto a Babilônia simbólica e política quanto a Babilônia simbólica e religiosa estão em vista, pois ali ambas estão igualmente sob a tirania da Besta. A Babilônia religiosa é destruída pela Babilônia política (Ap 17.16); a Babilônia política é destruída no aparecimento do Senhor (Ap 19.19-21). Que Babilônia, a *cidade*, não será reconstruída, está claro de Isaías 13.19-22; Jeremias 51.24-26,62-64. A Babilônia política significa o sistema mundial gentílico... Pode ser acrescentado que, no simbolismo da Escritura, o Egito significa o mundo como tal; a Babilônia significa o mundo do poder corrupto e da religião corrompida; Nínive significa o orgulho, a glória arrogante do mundo.

Os versículos 12-16 olham em direção aos julgamentos apocalípticos (Ap 6–13). Os versículos 17-22 têm uma perspectiva próxima e remota. Eles predizem a destruição da Babilônia literal então existente; com a afirmação posterior que, uma vez destruída, Babilônia nunca mais seria reconstruída (cf. Jr 51.61-64). Tudo isto tem sido literalmente cumprido. Mas o lugar desta predição num grande esforço profético que aguarda com interesse a destruição tanto da Babilônia política quanto da Babilônia eclesiástica no tempo da Besta mostra que a destruição da atual Babilônia tipifica a destruição maior ainda a vir sobre as babilônias místicas.[3]

O final da Babilônia simbólica ou confusão está descrito em Apocalipse sob três aspectos – o eclesiástico, o comercial e o político. O capítulo 17 registra a destruição final do eclesiasticismo. Esta destruição é a do grande sistema conhecido como Roma. A identificação é tão exata que a Igreja de Roma reconhece-a em alguma medida. Ela incorpora todos os mistérios da antiga Babilônia com os de sua própria formação. Centrada na cidade de Roma, ela se assenta sobre sete colinas (Ap 17.9); atinge sua ambição duradoura de governar os reis da terra (Ap 17.18); estava ali no dia em que João escreveu sobre o centro do comércio mundial (Ap 18.3,11-13); é a corruptora das nações (Ap 17.2; 18.3; 19.2); e é a perseguidora dos santos (Ap 17.6).

Após a remoção da verdadeira Igreja da terra, esta Igreja apóstata ajuntará em seu rebanho tudo o que resta de uma cristandade professante (protestantismo) e a ela será permitido realizar sua ambição impura de governar a terra, quando cavalgará sobre a besta pintada de vermelho.

Desse lugar de autoridade, ela é atirada para baixo e destruída pela Babilônia política encabeçada pela Besta. Essa Igreja apóstata é por inspiração chamada "A MÃE DAS PROSTITUTAS". No capítulo 18, o comercialismo com sua confusão é trazido à destruição. Ele cai sob a mão de Deus num julgamento que os reis executam como Deus quer (cf. Ap 17.17,20). A destruição do comercialismo registrada por João está dividida em três partes – (a) o fato da destruição (Ap 18.1-8); (b) o ponto de vista humano dela (vv. 9-19); e (c) o ponto de vista angelical (vv. 20-24). Um sistema mundial que é construído sobre ganância e desejo de riquezas pode não ter nenhum entendimento de um estado futuro da sociedade onde esse elemento estará totalmente ausente.

Em nome do lucro, nações virão a guerras devastadoras e destruirão as vidas de seus jovens e desperdiçarão os seus recursos. Um mundo descontrolado pela ganância está em prospecto, mas muito além da imaginação humana. Finalmente, a estrutura toda do governo humano, a autoridade gentílica em sua última forma sob o governo da Besta e tudo que pertence a esta vasta estrutura política, cede lugar ao poder esmagador do Rei dos reis que retorna (Ap 19.11-21). Assim, o caminho fica limpo para "o Deus do céu" "estabelecer um reino que nunca será destruído" (Dn 2.44, 45; cf. Sl 2.7-9; Is 63.1-6; 2 Ts 2.8-12).

A confusão deverá reinar em cada parte da existência humana sobre a terra quando a ordem e a harmonia divinas forem perturbadas, coisas que providenciam para Israel, que é o centro de todas as realidades terrestres, a fim de que esteja em sua terra em bênção sob o governo do Messias com as nações que compartilham dessa bênção. Esse é o futuro glorioso predito, mas não pode ser realizado à parte da destruição de toda forma de babel que agora infesta a terra.

Batismo Real

Os escritores primitivos que escreveram sobre o tema geral do batismo distinguiram entre o batismo *real*, que é operado pelo Espírito Santo, e o batismo ritual, que é administrado com água. Estes termos servem bem para distinguir entre as duas formas de batismo que são tão claramente identificadas no Novo Testamento. Grande importância deveria ser dada ao fato de que o mesmo termo, βαπτίζω, seja usado na definição de cada um desses batismos, e segue-se que qualquer definição desta grande palavra do Novo Testamento, se verdadeira, deve ser tão aplicável a uma forma de batismo assim quanto à outra. A raiz, βάπτω, que é usada apenas três vezes pelo Novo Testamento – cf. Lucas 16.24; João 13.26; Apocalipse 19.13 – ocorre nas primeiras duas passagens com seu significado primário, que é *mergulhar*, enquanto que o uso da palavra na terceira passagem – Apocalipse 19.13 – ilustra o seu significado secundário, que é *tingir* ou *manchar* (cf. Is 63.1-6).

Esta evolução da palavra desde o seu significado primário ao significado secundário é razoável. Aquilo que é tingido ou manchado pelo mergulho – βάπτω – persiste como βάπτω quando tingido ou manchado por qualquer outro método. De igual modo, a palavra βαπτίζω em sua importância primária significa *imergir* ou *submergir*; mas em seu significado secundário, que é um desenvolvimento da importância primária, se refere a uma influência que uma coisa pode exercer sobre outra, ou como o Dr. J. W. Dale a define: "Trazer a uma sujeição completa a uma influência ou imbuir com virtudes". Como uma imersão serve para trazer a coisa imersa sob a influência do elemento na qual ela está submersa, assim na evolução da presente palavra uma coisa se torna batizada por outra quando, mesmo sem qualquer intusposição física ou envolvimento, uma coisa exerce uma influência positiva sobre outra.

À parte do reconhecimento desta distinção, pouco entendimento de muitos usos para esta palavra serão obtidos. Um batismo completo é reconhecido no Novo Testamento, por exemplo, quando sem uma intusposição ou envolvimento físico um indivíduo é batizado para remissão de pecados, para arrependimento, em nome do Pai, e do Filho e do Espírito Santo, batizado pelo beber do cálice do sofrimento, ou como Israel foi batizado em Moisés na nuvem e no mar, ou quando alguém é trazido sob o poder do Espírito Santo, ou quando pelo Espírito todos os crentes são batizados no corpo de Cristo. O termo *secundário* relacionado ao sentido último ou ao uso de βαπτίζω não implica em inferioridade; é secundário somente na medida em que um significado é derivado de outro. A importância secundária desta palavra é empregada em todas as passagens que se referem ao batismo real (o do Espírito) e a importância relativa deste batismo sobre o outro é imensurável.

Nada menos que a autoridade do Dr. J. W. Dale, que com grande erudição e sinceridade utilizou muito de seu tempo devido no preparo de quatro grandes volumes sobre o assunto do batismo, tem afirmado que, em sua opinião, βαπτίζω é usado somente em seu significado secundário no Novo Testamento.

Uma negligência perniciosa da doutrina do batismo do Espírito é refletida nos dicionários e nas obras teológicas sobre o batismo. Definições são dadas e afirmações são feitas que parecem não reconhecer o uso especial de βαπτίζω em relação ao Espírito Santo ou o Corpo de Cristo. Homens podem diferir, como o fazem, sobre o significado desta palavra no batismo ritual, mas não há lugar para uma diferença de opinião sobre o uso da palavra ou seu significado e implicações quando empregada para indicar o batismo que o Espírito Santo realiza. Alguns escritores, na verdade, têm suposto discutir essa palavra sem referência ao seu uso em relação ao batismo real.

Muita coisa foi escrita anteriormente nesta obra (Vol. VI mais especificamente) sobre o batismo real ou aquele batismo que o Espírito Santo realiza, e foi assinalado que, de acordo com a definição atribuída ao significado secundário desta palavra, o dom do Espírito por Cristo é um batismo (cf. Mt 3.11; Mc 1.8; Lc 3.16; João 1.33; At 1.4, 5), e visto que o Espírito Santo é recebido por todo crente no momento em que é salvo, ele é assim batizado pelo Espírito, por ter sido trazido sob a influência do Espírito. Contudo, tão verdadeira quanto esta interpretação seja, ela deveria ser distinguida do ensino errôneo que argumenta que o Espírito é recebido como uma segunda obra da graça, cujo ensino confunde o enchimento do Espírito – aquele que é para uma vida capacitada – com o batismo do Espírito no corpo de Cristo, que é uma posição perante Deus.

O que é chamado de *o batismo pelo Espírito* – não, *no* ou *para o Espírito* – é o Seu poderoso empreendimento pelo qual Ele une o crente individualmente ao Corpo de Cristo e, assim, ao próprio Cristo como o Cabeça do Corpo. Por causa desta grande realização da parte do Espírito, o crente a partir daquele momento está em Cristo e, assim, é trazido sob a influência de seu Senhorio. Nenhuma influência poderia ser mais transformadora, mais purificadora em relação à posição, ou mais vital em seu desenvolvimento do que a que é gerada por uma remoção do senhorio caído de Adão para o Senhorio exaltado de Cristo. Nenhuma outra transformação é comparável a esta. Embora não haja uma intusposição física quando uma pessoa é trazida sob a influência que o dom do Espírito proporciona e embora não haja uma intusposição física quando uma pessoa é trazida pelo Espírito para o Senhorio do Cristo ressurrecto, o Novo Testamento designa estas influências como batismos e as apresenta como vitais e reais acima de todos os outros batismos.

A união com Cristo é especialmente vista como distintiva nas suas transformações de grandes conseqüências. Ele é assim propriamente designado de batismo real. Este vasto tema recebeu sua devida consideração no estudo de Pneumatologia (Vol. VI).

Batismo Ritual

Na abordagem do tema do batismo ritual, é reconhecido que sobre este assunto as divisões mais amargas surgiram na Igreja – divisões e exclusões que são difíceis de ser contadas à luz de dois fatos: (1) a grande maioria daqueles que são afeitos a separações confessa que não há um valor salvador na ordenança e (2) todos que olham para ela com isenção de preconceito reconhecem que cristãos frutíferos e espirituais estão em ambos os lados da controvérsia. Numa obra de Teologia Sistemática que se propõe a ser fiel na declaração de todos os aspectos da doutrina bíblica, a consideração do batismo ritual não pode ser eliminada, embora se fizesse assim seria mais fácil e evitaria contrariar bons homens, o que seria muito desejável.

Se a história da controvérsia, como esta que tem sido empreendida nas poucas gerações passadas, é uma base justa pela qual podemos avaliar a era presente e a futura, uma obra extensa sobre teologia em si – a despeito do modo que ela atinge em todos os vastos campos de temas inexauríveis – iguais as amizades, unidade cristã e comunhão, pode ser desacreditada e evitada por nenhuma outra razão além desta ordenança, que é apresentada de um modo que seja contrário às idéias que outro sustenta.

No assunto do modo batismo ritual e o que ele representa, não é possível uma concordância com todos os bons homens, quando alguns deles estão em cada lado da controvérsia. É razoável, contudo, que aqueles que estão totalmente livres para publicar suas próprias convicções deveriam concordar com a mesma liberdade para aqueles que discordam. Certamente não é o objetivo da discussão a seguir assegurar aos convertidos de uma idéia. Aquilo que é sinceramente crido de cada lado da controvérsia deve ser afirmado como o melhor que se pode fazer à parte de preconceito pessoal. O valor de tal afirmação para o estudante pode não ser questionado, porque, independentemente de suas próprias convicções e, não obstante, elas foram formadas, ele deveria conhecer exatamente o que outros crêem em suas diferentes posições.

Do contrário, como ele estaria assegurado de que ele é justificado na posição que defende? Um homem está numa base instável quando ele fala veemente e dogmaticamente a respeito de sua própria crença e, todavia, não conhece ou não entende, em termos exatos, o que o seu oponente crê. Esse indivíduo após muitos anos de investigação deveria chegar ao ponto de ter convicções pessoais sobre tal tema decisivo ao ponto de não precisar de qualquer apologia.

Esta infeliz discussão tem normalmente se centrado sobre a questão do modo pelo qual o batismo ritual deveria ser administrado. O imersionista (esta designação embora inexata, como será demonstrado posteriormente, é usada aqui como acomodação) é aquele que exige uma intusposição do corpo todo na água. O efusionista é aquele que derrama ou asperge a água batismal. Com respeito à proporção de filiação, a primeira classe de cristãos pode reivindicar talvez um terço e esta última dois terços da Igreja protestante. Contudo, a questão não é do modo de expressar uma idéia ou ensino; ela diz respeito à real idéia a ser expressa. No caso do imersionista, o objeto crido como se estivesse por detrás da ordenança, é ordenação da co-morte, do co-sepultamento e da co-ressurreição com Cristo, e com isto em vista, o modo que ele emprega é apropriado para ele.

No caso do efusionista, o objeto por detrás da ordenança é representar a vinda do Espírito Santo na vida do crente com todos os valores variados dessa presença. Com isto em vista, o modo que ele emprega é apropriado para ele. O imersionista rejeita todas as formas de efusão simplesmente porque não expressam o seu entendimento do significado da ordenança. A discordância, quando centrada sobre o modo sem referência ao significado, tem sido conduzida para um resultado incerto e sem esperança. Uma determinação humana menos agressiva a respeito do modo e uma consideração mais humilde e graciosa sobre o significado do batismo ritual devem ser grandemente almejadas.

O efusionista instruído reconhece muita importância nos fatos que as maiores operações do Espírito Santo estão nos chamados batismos do Novo Testamento – a mesma palavra é usada quando se refere ao batismo ritual – e que o apóstolo escreve a respeito de "um só batismo" (Ef 4.5), não um modo de batismo. Para o efusionista esta referência a "um batismo" é explicada com base naquele batismo ritual que é o sinal externo ou símbolo de uma realidade interna, cuja realidade é operada pelo Espírito Santo, e que o batismo real e o batismo ritual são combinados para formar *um batismo* como substância e sombra correspondente (cf. 1 Co 12.13; Gl 3.27). O efusionista também crê que, como há uma ordenança inquestionável – a Ceia do Senhor – que representa a morte de Cristo, é razoável esperar que haja, não uma segunda ordenança que represente essa morte, mas uma ordenança que represente a obra do Espírito Santo.

Quando o batismo ritual é crido ser uma purificação da impureza (cf. At 22.16), o imersionista argumenta que, na medida em que é uma purificação, a água simboliza o sangue purificador de Cristo e que a água, quando aplicada, deve cobrir o corpo todo. Por outro lado, o efusionista, ciente que é o sangue de Cristo que purifica de todo pecado e que Seu sangue deve ser aplicado pelo Espírito Santo, entende que o batismo ritual é relacionado assim à obra do Espírito Santo. O efusionista observa que todas as purificações cerimoniais prescritas no Antigo Testamento foram realizadas por aspersão, derramamento, ou lavagem, mas não por intusposição.

O imersionista relaciona o batismo ritual à morte, sepultamento e ressurreição e, com base no fato de que o crente é dito ter sido batizado na morte, sepultamento e ressurreição, de acordo com Romanos 6.1-10 e Colossenses 2.11-13. É crido pelo imersionista que, na força destas passagens, o candidato para o batismo ritual deveria representar a morte, sepultamento e ressurreição de Cristo como um reconhecimento da relação que estas coisas têm com a salvação, perdão e justificação, enquanto que o efusionista crê que estes textos citados acima estão relacionados à base da santificação, a respeito da qual nenhuma ordenança foi prescrita.

O efusionista, se instruído na verdade, crê que a co-morte, o co-sepultamento e a co-ressurreição referidas nestas duas passagens têm somente a ver com o julgamento da natureza pecaminosa, e que nenhuma instrução é dada para ordenar o que Cristo fez, mas antes, o crente é ordenado a "considerar" aquilo a ser concluído o que Cristo operou e a ser encorajado a crer que a libertação do poder do pecado é, dessa forma, tornada possível, e o Santo Espírito ser livre para agir pelos filhos de Deus.

A reivindicação do efusionista é que, embora a imersão possa ter sido praticada desde os tempos antigos, não foi até os últimos três ou quatro séculos que ao batismo ritual foi dado outro significado além do relacionado à obra do Espírito Santo no crente. Com base nisto, é crido que através da interpretação errônea de ambos, Romanos 6.1-10 e Colossenses 2.11-13, o batismo ritual veio a ser considerado por aqueles que praticam a imersão, um batismo independente, não-relacionado e suficiente em si mesmo, propondo dois batismos distintos. Os efusionistas, pode ser dito, são freqüentemente mal-entendidos porque eles não enfatizam o modo do batismo ritual. Eles crêem que o batismo ritual não consiste no *modo* que é feito, mas na *coisa* que é feita.

Assim, também, aqueles dentre os imersionistas que praticam a imersão tríplice exigem que o candidato seja mergulhado com a face para baixo (visto que Cristo inclinou sua cabeça na morte) três vezes, uma vez em nome do Pai, uma vez em nome do Filho, e uma vez em nome do Espírito Santo. A maioria dos imersionistas rejeita a tríplice imersão como não possuindo uma autorização direta do Novo Testamento, e porque eles vêem nela uma promulgação de três vezes daquilo que Cristo fez apenas uma vez.

Visto ser verdadeiro que o significado do batismo ritual é expresso em alguma medida pelo modo de sua administração, é importante observar aquilo que pode ser sugerido nas Escrituras a respeito do modo. A grande maioria dos aderentes da Igreja supõe que o modo praticado por sua denominação, e ao que eles se acostumaram desde a infância, seja o modo único e o correto. Alguns, contudo, lendo a Authorized Version, que reflete as convicções pessoais de alguns de seus tradutores, crêem que o modo está ali indicado no texto e isto sem um entendimento do que o original declara. Embora isto esteja além do campo de investigação da parte daqueles que consideram somente o texto no vernáculo, a verdade aqui, como em toda questão doutrinária, é determinada pelo texto original.

Neste contexto, é de interesse observar que, conquanto em cada geração da história recente tem havido homens eruditos que creram e praticaram a imersão, têm havido, como assinalado pelo Dr. A. T. Robertson, o erudito em grego da Igreja Batista do Sul dos Estados Unidos, apenas dezoito respeitáveis lexicógrafos do Novo Testamento e cada um deles, ministros ordenados, praticaram a efusão em seus ministérios.

O Dr. Robertson também declara que nenhum imersionista jamais escreveu um léxico do Novo Testamento; mas ele deixa de dar uma razão pela qual estes dezoito homens, em seus léxicos, mencionam a *imersão* como o significado primário de $\beta\alpha\pi\tau\acute{\iota}\zeta\omega$, tendo eles praticado a efusão como ele assevera que fizeram. Ao se procurar uma resposta, antes do que presumir que estes bons homens foram inverossímeis em suas convicções, seria bom olhar mais cuidadosamente no texto grego que eles interpretam e dão espaço, como estes homens evidentemente fizeram, ao significado mais vital e secundário da palavra $\beta\alpha\pi\tau\acute{\iota}\zeta\omega$. Esta linha de investigação deveria considerar (1) o significado da palavra, (2) os textos envolvidos, (3) as preposições empregadas e (4) os incidentes de batismos registrados.

1. O Significado da Palavra. Continuando a discussão, como começamos, sob o batismo real, a respeito dos significados primário e secundário das duas palavras βάπτω e βαπτίζω, deve ser enfatizado agora que o significado secundário de βαπτίζω se obtém em todos os casos onde há um batismo à parte de uma intusposição ou envolvimento físico. Para ilustrar isto, Cristo chamou os seus sofrimentos antecipados de um batismo (Mt 20.22, 23). Isto não poderia se referir a um batismo com o Espírito em que Ele como Filho não poderia ter parte. Esta passagem significa nada menos que o sofrimento em si mesmo seja um batismo verdadeiro. Conseqüentemente, o efusionista em sua crença crê que mesmo o batismo ritual, que para ele representa a obra do Espírito Santo, não exige um envoltório físico.

Além disso, a mesma distinção técnica no significado se obtém entre as duas palavras gregas βάπτω e βαπτίζω em seu sentido primário, como é visto entre *mergulhar* e *imergir*, que são os equivalentes em nossa língua. Um mergulho envolve duas ações – *introduzir* e *retirar*, enquanto que imergir envolve apenas uma ação – *introduzir* e no caso do batismo em Cristo com suas vantagens ilimitadas (cf. 1 Co 12.13; Gl 3.27) ser retirado é uma coisa não desejada. À luz disto fica claro que dizer, como comumente tem sido dito, que "βαπτίζω significa *imergir* e somente *imergir* em toda literatura grega" é errôneo e um engano, quando a palavra não significa *imergir* em nenhuma literatura grega. Tudo isto indica a inexatidão no uso da palavra *imersão* para representar um batismo ritual por mergulhar.

Neste mesmo contexto, é tanto sugestivo quanto instrutivo considerar o uso de βαπτίζω na Septuaginta, uma versão grega do Antigo Testamento, que se crê ter sido feita por setenta eruditos dois séculos antes de Cristo. O significado aceito desta palavra é revelado ali. Será visto que βαπτίζω traduz cinco palavras hebraicas – *assustar* (uma vez), *vir* (uma vez), *perfurar* (uma vez), *tingir* (três vezes) e *purificar* (dezesseis vezes). Algumas dessas ações não poderiam incluir uma intusposição e nenhuma delas requer isso. A verdade, então, deve ser estabelecida por mais do que afirmações humanas errôneas, dogmáticas e insignificantes. O efusionista alega que não pode ser provado que o modo do batismo ritual esteja indicado no significado da palavra βαπτίζω.

2. Os Textos Envolvidos. Três textos desenvolvem a importância doutrinária da morte, sepultamento e ressurreição de Cristo como a única realização de Sua parte e como uma substituição por outros, ou seja, Romanos 6.1-10; 1 Coríntios 15.3,4; e Colossenses 2.11-13. 1 Coríntios 15.3,4 claramente declara a morte, sepultamento e ressurreição de Cristo como uma substituição de pecadores para que possam ser salvos; é para o perdão e justificação deles. Contudo, nas outras passagens – Romanos 6.1-10 e Colossenses 2.11-13 – a morte, sepultamento e ressurreição de Cristo são referidos (em Colossenses Sua morte é chamada de circuncisão) como um julgamento da velha natureza.

Por não apreenderem a estupenda importância e o significado da morte de Cristo pela natureza pecaminosa do crente e não perceberem que esta realização de Cristo não exige o restabelecimento de uma ordenança, alguns, por ficarem impressionados com as palavras significativas nestes textos (batismo, sepultamento e ressurreição), têm concluído que o modo do batismo ritual seja indicado por estas duas passagens.

Em oposição a isto os efusionistas, se cônscios da verdade, argumentam que estes textos, semelhantemente ao de 1 Coríntios 15.3, 4, ensinam aquilo que Cristo fez – uma coisa a ser crida – não uma coisa a ser feita. A co-crucifixão, co-morte e co-ressurreição, por serem operadas e realizadas em favor do crente, se tornam um batismo, uma influência dominante sobre o crente, que é tão imensurável em sua extensão e valor quanto a infinidade em si mesma. Quando se considera ademais o texto envolvido, pode ser observado que muita coisa tem sido feita da afirmação em João 3.23, que diz: "Ora, João também estava batizando em Enom, perto de Salim, porque havia ali muitas águas; e o povo ia e se batizava".

Quando as impressionantes palavras *muitas águas* são devidamente entendidas como *muitas nascentes* – tal como seria exigido para as necessidades físicas das multidões de pessoas e seus animais – a passagem nada contribui em relação a um modo ideal para o batismo ritual. Enom deve ser identificado como uma ladeira de onde escorria água das nascentes, mas não um grande volume de água disponível.

Assim, além disso, o efusionista argumenta que não pode ser provado a partir de textos importantes da Escritura envolvidos que o batismo ritual seja designado como imersão.

3. As Preposições Empregadas. A impressão usual com respeito ao modo do batismo ritual que uma pessoa poderia obter, quando lê somente o texto do Novo Testamento no vernáculo, é moldada mais pelas preposições que são usadas no vernáculo do que por qualquer outro fator no caso. Quatro preposições surgem imediatamente para serem consideradas. O ponto a ser desenvolvido que preocupa todos de mente séria é que a tradução particular dessas preposições encontradas no vernáculo não é o único significado que o mesmo texto no vernáculo atribui a estas palavras em outras ocasiões semelhantes. Todos os que estão familiarizados com o texto grego reconhecem que uma grande amplitude de significados é dada às preposições, e que usualmente o sentido correto será determinado pelo significado mais ou menos óbvio pertencente ao texto no qual a palavra é encontrada. Dificilmente seria necessário afirmar, porque em determinada tradução aparece no texto do vernáculo, que seja a melhor tradução. As preposições a serem consideradas são:

A) 'Eν, que tem 36 significados possíveis e que em Mateus 3.6 tem sido traduzida como "no Jordão" é também traduzida nas bíblias vernáculas pelas palavras *em*, *sobre* e *com* 330 vezes, e poderia ser assim traduzida no texto citado. O sentido é um tanto mudado quando é traduzida "junto ao Jordão", ao invés de "no Jordão".

B) 'Aπό tem vinte significados, e é usada assim em Mateus 3.16: "Batizado que foi Jesus, saiu logo da água". Esta preposição, aqui traduzida como "saiu [fora] da água", é traduzida pela palavra *de* [idéia de procedência] 374 vezes no Novo Testamento e poderia propriamente ser assim traduzida em Mateus 3.16, caso em que a declaração seria que Jesus saía da água.

C) Eiς tem 26 significados e é usada em Atos 8.38 pois a declaração de que "desceram ambos à água, tanto Filipe como o eunuco, e Filipe o batizou". Esta preposição é traduzida no Novo Testamento 538 vezes pela palavra *para a* e poderia ser exatamente como está em nossa versão portuguesa. Será observado que descer à água ou descer para dentro da água não constitui o batismo, pois Filipe também desceu à água com o eunuco.

D) 'Εκ tem 24 significados e é traduzida em Atos 8.39 assim: "Quando saíram *da* água, o Espírito do Senhor...". Esta mesma palavra é traduzida como *de* [indicando procedência] 168 vezes no Novo Testamento e poderia corretamente ter sido traduzida assim aqui, como acontece em nossa versão. Assim, o texto deveria dizer que Filipe e o eunuco desceram à água e saíram da água.

Embora o imersionista dependa muito do modo como estas preposições são traduzidas, a fim de estabelecer o modo do batismo ritual, o efusionista argumenta que o modo de batismo não pode ser determinado pelas preposições usadas.

4. Os Incidentes Registrados. Primeiro, nesta espécie de lista, seria o batismo de Cristo, evento que foi tratado extensivamente na divisão de Cristologia (Vol. V) e não precisa ser reafirmado aqui. É freqüentemente declarado por aqueles que praticam a imersão que o crente deve "seguir a Cristo no batismo", e presume que Cristo foi batizado por imersão; mas, qualquer que tenha sido o modo empregado, o crente deve seguir a Cristo nas questões morais somente – não em Seus atos oficiais – e Seu batismo, por ser totalmente singular e totalmente sem relação com qualquer aspecto do ritual cristão, é oficial e, portanto, nunca apresentado no Novo Testamento como um exemplo. Cristo foi batizado pelas mãos de João, mas não pelo batismo de João como tal, que era um batismo para arrependimento e remissão de pecados.

Semelhantemente, o que é chamado de *o batismo de João*, visto que não foi aceito pelo apóstolo Paulo – ele batizou doze homens que tinham se submetido ao batismo de João (cf. At 19.1-7) – não constitui o batismo cristão.

É assinalado pelo efusionista que o batismo de todos os três mil convertidos do dia de Pentecostes por imersão é uma impossibilidade devido ao despreparo da vasta multidão e daqueles que oficiaram, e devido também à falta de condições adequadas para um empreendimento tão estupendo. Mas o caso dos três mil serem batizados poderia facilmente ser uma referência ao batismo do Espírito. Assim, também, é observado pelos efusionistas que o apóstolo Paulo permaneceu onde estava na chegada de Ananias (At 9.18) e foi batizado. O caso de Filipe batizar o eunuco, como já foi indicado, é muito variado pela interpretação dada às preposições que são usadas.

O efusionista alega que nenhum modo de batismo ritual está diretamente ensinado no Novo Testamento, mas que a aspersão, o derramamento e a lavagem foram prescritas no Antigo Testamento para a consagração e purificação e como os judeus do tempo de Cristo estavam acostumados somente a tais modos, é mais provável que estes modos fossem introduzidos na nova ordem. Tivesse havido uma mudança da exigência do Antigo Testamento para um novo modo para a Igreja, isso teria sido indicado claramente. Pode ser concluído, então, que o modo do batismo ritual não é determinado pelo significado da palavra βαπτίζω ou pelos textos envolvidos, as preposições ou os incidentes registrados. Se esses fatos óbvios tivessem sido reconhecidos, muita coisa da presente contenda inútil e separação poderia ter sido evitada.

PEDOBATISMO. Qualquer consideração do tema geral do batismo ritual não é completa a menos que alguma atenção seja dada ao batismo infantil ou pedobatismo. Aqui novamente há diferença de opinião e prática, mas a mesma demarcação que determina sobre o modo de batismo não é encontrada neste ponto. Embora a grande maioria dos efusionistas pratique o pedobatismo, alguns o praticam e têm os seus infantes batizados por mergulho em água. O problema do pedobatismo não é muito a respeito do modo, mas o de batizar infantes. Aqueles que rejeitam o batismo infantil o fazem com ênfase sobre a idéia de que o batismo ritual deve ser restrito a crentes, portanto, não pode ser aplicado a crianças. O mesmo grupo declara que eles não possuem garantia no Novo Testamento para essa prática. De outro lado, uma proporção muito grande da Igreja professante realmente batiza crianças e por várias razões.

(1) É suposto por alguns que praticam o pedobatismo que há mérito salvador no batismo ritual, aspecto esse da doutrina que é rejeitado pela grande maioria dos protestantes que administram o batismo infantil.

(2) É crido por uma grande porcentagem que há alguma conexão entre o rito da circuncisão exigido da criança judaica, de acordo com o Antigo Testamento e o batismo de crianças, de acordo com o Novo Testamento. Na tentativa de estabelecer e de magnificar sua idéia de um só pacto, a teologia do pacto tem argumentado por este suposto relacionamento entre as duas dispensações. Os israelitas, entretanto, não foram participantes de seus pactos com base na circuncisão; eles foram nascidos num relacionamento de pacto com Deus. Portanto, não está demonstrado que os filhos pelo batismo se tornaram "filhos do pacto". Para serem consistentes, aqueles que batizam os infantes por causa de um suposto relacionamento de pacto deveriam batizar somente os meninos e somente no oitavo dia.

(3) Outros crêem que visto que a família estava incluída em cinco dos sete batismos mencionados em Atos, que os infantes estavam incluídos. Aqueles que se opõem ao pedobatismo alegam que não pode ser demonstrado que havia infantes ou filhos pequenos nessas famílias mencionadas. Mas os defensores do pedobatismo crêem que é altamente provável que algumas crianças estivessem incluídas e que o termo *família* não é pretendido para representar lares sem crianças, mas a família normal com crianças.

(4) Pais instruídos em apresentar seus filhos para o batismo magnificam as promessas à família apresentadas no Novo Testamento (cf. 1 Co 7.12-14), cientes

que as promessas de bênção, embora não de salvação, se estende às famílias dos filhos de Deus. É argumentado que é direito dos pais cristãos asseverar a fé deles a respeito da salvação futura de seus filhos pelo batismo dessas crianças. A energia com que o pedobatismo é rejeitado freqüentemente apenas sugere que aquele que assim resiste talvez pense inconscientemente que o batismo ritual é uma ordenança salvadora. Tenha ou não sido incluído nos registros apresentados em Atos, o batismo de famílias era ordenado e praticado.

Na conclusão desta discussão sobre o batismo ritual, pode ser afirmado que todos que alegam o direito de julgamento privado em assunto do modo de seu batismo, deveria acordar o mesmo direito a outros. Deveria haver amplitude suficiente em qualquer assembléia de crentes para estas variações. O pecado – se é que o há – de administrar esta ordenança de um modo não-escriturístico nunca poderia se comparar com o pecado maior da exclusão, separação e o rompimento das manifestações exteriores da unidade do Espírito. Que os crentes permanecem nos laços inquebrantáveis da comunhão e da afeição, de acordo com o Novo Testamento, é muito mais importante do que é o modo do batismo ritual. O mundo deve ficar impressionado com o amor dos cristãos entre si (cf. Jo 13.34,35; 17.21-23). Não é necessário assinalar que as separações e convenções sobre um modo de batismo tenham pouco valor aos olhos dos não-salvos.

Bibliologia

Por ter sido considerada detalhadamente no volume I desta obra, esta, a divisão principal de Teologia Sistemática, não precisa ser apresentada muito mais do que uma breve reafirmação aqui. Nada poderia ser mais fundamental na esfera do conhecimento humano do que aquilo que Deus fez com Sua Palavra, para que fosse escrita numa forma que o homem pudesse compreender e preservou essa Palavra através das eras da história humana, para o benefício de todos os homens. A extensão do campo de conhecimento, assim, acrescentou à própria observação restrita do homem que está além do cômputo humano. Visto que este grande desvendamento da verdade acrescida veio aos homens e foi posse deles por mais de três milênios e que foram todas incorporadas naquilo que o homem agora entende, torna-se não mais do que uma especulação falar daquilo que o homem poderia ter conhecido, se tivesse sido entregue a si mesmo, ou a ponderar sobre o que, em seu efeito de longo alcance, lhe foi revelado através das eras.

O homem começou debaixo da tutela direta de Deus no Jardim do Éden e sempre foi devedor a Deus pelas muitas e variadas revelações. Por excluir Deus de toda consideração e assim ignorar a fonte de praticamente tudo que eles sabem, os homens incrédulos se enchem de vanglória em relação ao que supostamente sejam obtenções do próprio homem. Alguns fatos são descobertos a respeito das estrelas e da harmonia sistemática que elas têm; todavia, com

BIBLIOLOGIA

pouca disposição ou mesmo sem qualquer disposição de reconhecer Aquele que criou as estrelas e que sustenta todas as coisas. Assim na Astronomia, como em outros ramos da ciência, a incapacidade dos homens caídos de ver além do alcance dos seus próprios poderes limitados, é evidente.

Nenhum sentido de apreciação parece existir de que ao homem caído foi dado olho para ver ou braço para realizar. Tudo isto é muitíssimo natural, como igualmente é a rejeição da revelação de Deus, que fala de uma humanidade caída sob a dominação do grande inimigo de Deus.

Por outro lado, para a mente que pela graça salvadora foi resgatada da insanidade do pecado e é iluminada pelo Espírito de Deus, a Bíblia se torna o que ela realmente é, a própria Palavra de Deus ao homem e que comunica tesouros de conhecimento tão maravilhosos quanto as esferas da luz de onde procedem. Nenhuma declaração é mais reveladora nem poderia haver uma análise mais exata da quantia de seres humanos não-regenerados em sua atitude para com as Escrituras do que aquela que afirma: "Ora, o homem natural não aceita as coisas do Espírito de Deus, porque para ele são loucura; e não pode entendê-las, porque elas se discernem espiritualmente" (1 Co 2.14). E como a esfera das limitações humanas é revelada por Cristo quando Ele disse: "Se alguém não nascer de novo, não pode ver o reino de Deus" (Jo 3.3)! Assim, também, está declarado, "pela fé entendemos" (Hb 11.3).

Como a ciência nada cria, mas, antes, procura descobrir o caráter das realidades que Deus fez existir, assim o teólogo luta para compreender, analisar e sistematizar aquilo que Deus revelou. O teólogo nada cria; sua esfera de empenho, estritamente falando, não é nem mesmo a de demonstrar que os materiais que ele manuseia são reais ou dignos de confiança. Se por ele a Palavra de Deus é mantida em dúvida, ele está muito desqualificado até para entrar na investigação do campo do teólogo. Ao aceitar tudo o que a Bíblia alega de si mesma, contudo, o teólogo se preocupa com a mensagem da Bíblia.

A evidência de que a Bíblia é a Palavra de Deus escrita aparece numa forma tanto *externa* quanto *interna*. Aquilo que é externo repousa no campo da história singular da Bíblia, seu caráter essencial e seus efeitos. Aquilo que é interno diz respeito às suas próprias alegações em favor de si mesma, reivindicações essas que são plenamente sustentadas.

Várias divisões principais da estrutura da Bíblia e a consideração de sua mensagem doutrinária já foram apresentadas e ampliadas por toda esta obra. Os fatos mais vitais a respeito do caráter da Bíblia são:

1. UMA REVELAÇÃO DE DEUS. Por esta declaração, é asseverado que a Bíblia apresenta material e fatos que não poderiam de outra forma ser conhecidos pelo homem. Tornar-se cônscio destas verdades e mencioná-las pode ocupar o estudante pelo período de sua vida. Embora haja muitos assuntos apresentados na Bíblia a respeito daquilo que os homens naturalmente teriam alguma informação à parte da revelação, está claro

45

que nas esferas maiores da verdade ele está totalmente restrito ao que Deus revelou, e o verdadeiro valor daquilo que ele poderia conhecer naturalmente, é completamente qualificado quando visto em sua relação ao que está revelado.

2. Inspirada por Deus. Isto significa que toda Escritura procede de Deus como o Seu próprio sopro (cf. 2 Tm 3.16). Porções da verdade revelada podem ter algum reconhecimento da parte de homens, à parte da revelação. Sua declaração no Texto Sagrado da elocução divina, não obstante, ser dita por Deus e do próprio modo de Deus, é, portanto, infinitamente correta. Tal afirmação se refere somente aos escritos originais e não às traduções da Escritura, embora sem dúvida Deus tenha exercido direção competente e proteção nas traduções; certamente não há afirmação alguma direta de Deus de que as traduções seriam feitas sem erro. A respeito do texto original, é dito que homens santos "da parte de Deus falaram movidos pelo Espírito Santo" (2 Pe 1.21).

3. Entendida Somente pela Iluminação Divina. Mesmo as coisas da Escritura que de outra maneira são lugar-comum são conhecidas em seu verdadeiro valor somente pela iluminação do Espírito. Três atitudes humanas para com a Bíblia estão declaradas em 1 Coríntios 2.14–3.1. O não-salvo ou "homem natural" não pode "receber" a verdade revelada; o homem espiritual "discerne todas as coisas"; e o cristão carnal pode receber somente o leite e não o alimento sólido da Palavra de Deus. Cristo prometeu que o Espírito Santo guiaria a toda verdade (Jo 16.13-15), e o apóstolo afirma que o Espírito é dado para o crente, para que ele possa conhecer as coisas de Deus (1 Co 2.12).

4. Deve Ser Corretamente Interpretada. O campo total da hermenêutica, que é uma disciplina teológica em si, é introduzido aqui. Sem dúvida, a chave para o entendimento da Bíblia é o reconhecimento do propósito específico de Deus em cada uma das eras em sucessão da história humana. As distinções das dispensações têm sempre gerado verdadeira pregação expositiva, enquanto que a teologia do pacto tem tendido em direção ao fechamento e ao desprezo da Palavra de Deus.

5. Uma Mensagem Vivificadora. A Palavra de Deus é ativa e dinâmica. Isaías declara que ela "cumprirá" todos os propósitos para ela realizar (Is 55.11); Jeremias assemelha a Palavra de Deus ao fogo e a um martelo que parte a rocha em pedaços (Jr 23.29), e em Hebreus 4.12 está dito que ela é "viva e eficaz" – a saber, viva e ativa. Feliz é aquele que pelo conhecimento das Escrituras é capaz de manejar este poder vivo.

6. Sua Canonicidade é Determinada por Deus. Isto quer dizer que a escolha de toda literatura existente de livros que estavam para formar os dois Testamentos esteve debaixo do cuidado de Deus. Por ter dotado certos documentos a serem escritos com uma visão de seus lugares no Volume Sagrado, é certo que Ele os faria tomar o lugar que Ele havia designado para eles. É verdade que homens agiram na formação do cânon, e incluíram nele os livros que tinham a estampa de Deus sobre eles; mas ainda Deus os guiava na seleção, exatamente como Ele guiou os homens que escreveram o texto em si.

Blasfêmia

7. Fala com a Autoridade de Deus. O caráter primário da Bíblia é o de emprestar a ela autoridade. Ela fala como a voz de Deus que criou todas as coisas e a quem todas as coisas pertencem. Para aqueles que crêem na Bíblia e prestam atenção aos seus preceitos, ela se torna a lâmpada inerrante para os pés e a luz para o caminho (Sl 119.105). A Palavra de Deus não falha.

Blasfêmia

Nenhum pecado do homem é mais obviamente um repúdio de Deus e um insulto à Sua santa Pessoa do que o da blasfêmia, que em sua forma usual consiste em tomar um nome da Trindade nos lábios de uma maneira vazia, em vão e frívola. Há esse pecado como o de nos dirigirmos ao próprio Deus com blasfêmia. No dia da sua vinda a Besta, ou o homem do pecado, atacará Deus e o Seu nome (Ap 13.6), e assim na hora dos juízos de Deus sobre os homens, estes blasfemarão contra Deus e amaldiçoarão Seu nome (Ap 16.9, 11, 21). Entretanto, a blasfêmia em geral não é dirigida a Deus e consiste num uso mais ou menos irreverente do Seu nome em juramentos e maldições dirigidas a outras pessoas ou coisas. Em oposição a isto pode ser citada reverência formal da parte de Israel quando por séculos eles, com consideração mais ou menos real, recusaram pronunciar o nome de Jeová, por considerarem esse nome particular sagrado demais para a elocução humana.

1. A Doutrina no Antigo Testamento. Esta doutrina é apresentada nos seguintes textos: Êxodo 20.7; Levítico 24.10-16; 1 Reis 21.10-23; 2 Reis 19.6, 22; Isaías 37.6, 23; 65.7. A punição pela blasfêmia, era o apedrejamento até a morte. Está afirmado que o pecado de Davi fez os inimigos de Jeová blasfemarem (cf. 2 Sm 12.14).

2. A Doutrina no Novo Testamento. Um raio muito mais amplo de possibilidades do mal através da blasfêmia é apresentado no Novo Testamento. Uma quíntupla divisão pode ser sugerida.

A. Blasfêmia dos Judeus contra Cristo. Esta ocorreu de acordo com Atos 13.45 e 18.6: "Mas os judeus, vendo as multidões, encheram-se de inveja e, blasfemando, contradiziam o que Paulo falava"; "Como estes, porém, se opusessem e proferissem injúrias, sacudiu ele as vestes e disse-lhes: O vosso sangue seja sobre a vossa cabeça; eu estou limpo, e desde agora vou para os gentios". À luz da penalidade pelo apedrejamento a que eles se arriscaram, fica evidente que o ódio pela verdade e a resistência a ela, por parte dos judeus em relação a Cristo, eram tão violentos quanto poderiam ser. A forma exata da blasfêmia deles não é revelada. Provavelmente era uma maldição direta de Cristo, a quem o apóstolo proclamava como Deus manifesto em carne.

B. Blasfêmia contra os Ídolos. Em Atos 19.37 é dada sugestão de que era um tanto comum para os homens antipáticos a um ídolo blasfemar aquele objeto venerado.

C. BLASFÊMIA CONTRA A PESSOA DE DEUS. Isto é muito sério por sua própria natureza. A referência aqui não é a de tomar o nome de Deus em vão; é antes a blasfêmia diretamente dirigida a Deus e contra Ele próprio. As passagens, já citadas acima, são Apocalipse 13.6 e 16.9,11, 21.

D. CRISTO ACUSADO DE BLASFÊMIA. Foi alegado pelos judeus em sua incredulidade em Cristo que Ele blasfemou quando disse que tinha poder sobre a terra para perdoar pecados e quando realmente perdoou o pecado. Eles disseram: "Por que fala assim este homem? Ele blasfema. Quem pode perdoar pecados senão um só, que é Deus?" (Mc 2.7; cf. Mt 9.3; Lc 5.21).

E. BLASFÊMIA EM RELAÇÃO AO ESPÍRITO SANTO. Esta forma especial de ataque tem sido chamada de *o pecado imperdoável*. Essa blasfêmia contra o Espírito Santo numa certa forma dela foi mencionado por Cristo como imperdoável, e isto é certo. Após os judeus terem atribuído a Satanás as obras que Cristo operou pelo Espírito Santo, está escrito que Cristo disse a eles: "Portanto vos digo: Todo pecado e blasfêmia se perdoará aos homens; mas a blasfêmia contra o Espírito Santo não será perdoada. Se alguém disser alguma palavra contra o Filho do homem, isso lhe será perdoado; mas se alguém falar contra o Espírito Santo, não lhe será perdoado, nem neste mundo, nem no vindouro" (Mt 12.31, 32); "Em verdade vos digo: todos os pecados serão perdoados aos filhos dos homens, bem como todas as blasfêmias que proferirem; mas aquele que blasfemar contra o Espírito Santo, nunca mais terá perdão, mas será réu de pecado eterno. Porque eles diziam: Está possesso de um espírito imundo" (Mc 3.28-30).

Por falta de atenção para com tudo que está envolvido nestes e em outros textos relacionados, tem havido a aplicação mais injuriosa da parte de pregadores, especialmente evangelistas, destes textos à era presente. Primeiramente, deveria ser observado que este pecado contra o Espírito Santo consistia em asseverar que as obras de Cristo, que foram operadas pelo Espírito Santo, foram realizadas de modo contrário, por Satanás. Tal descrição não poderia ser encontrada agora, visto que Cristo não está mais neste mundo como estava então, nem Ele empreende no mesmo modo para fazer as obras pelo Espírito Santo. Portanto, é impossível para este pecado específico ser cometido hoje. Dizer que atribuir obras que homens possam fazer no poder do Espírito a Satanás é a mesma ofensa que ir totalmente além do que está escrito. A possibilidade deste pecado específico cometido cessou com a remoção de Cristo na terra.

Porém, mesmo mais enfaticamente deve ser declarado que o chamado pecado imperdoável não pode estar presente onde há uma chamada do Evangelho para "quem quiser vir", a menos que deva ser feita reserva no sentido de que no convite para "quem quiser vir" deva se excetuar àqueles que cometeram o pecado imperdoável. As promessas e convites seriam então dirigidos àqueles somente que não cometeram esse pecado. Deve ser argumentado que essa condição jamais é imposta a qualquer relacionamento da graça da presente necessidade. Na tentativa de projetar um pecado imperdoável nesta era, os homens têm se aproveitado de quase qualquer mal sério como o pecado imperdoável, mas sempre sem suporte bíblico. Freqüentemente

Hebreus 6.4-9; 10.26-29 e 1 João 5.16 têm sido mencionados como textos que ensinam sobre um pecado supostamente imperdoável.

Esses textos, contudo, embora profundamente sérios em sua importância, não possuem relação alguma com o pecado imperdoável. Quando se considera o assunto da blasfêmia contra o Espírito Santo, pode bem ser observado que, totalmente além da explicação humana, os homens não juram em nome da Terceira Pessoa da Trindade. Deste fato pode ser concluído que há agora e sempre houve uma santidade peculiar ao Espírito Santo. Seu próprio nome e título sugerem isso.

3. BLASFÊMIA EM GERAL. O tomar o nome de Deus em vão, proibido por Êxodo 20.7, consiste no uso de um nome da Trindade com um juramento, seja isso feito conscientemente ou sem qualquer cuidado. Usualmente, os pensamentos de uma pessoa que profana o nome não são dirigidos a Deus em sentido algum.

Carnalidade

Com duas outras doutrinas – a do *homem natural* e a do *homem espiritual* – a doutrina do homem carnal completa a tríplice divisão da família humana em relação com a Palavra de Deus ou em sua atitude para com ela. As designações no texto original são: ψυχικός, que indica o homem não-mudado, não-regenerado; πνευματικός, que designa o homem espiritual ou aquele que é caracterizado pela presença e poder manifesto do Espírito Santo; e σαρκικός, que denota a carnalidade no crente (cf. 1 Co 2.14–3.4).

A carnalidade é causada não por coisas não-espirituais que alguém possa fazer, mas fundamentalmente pela ausência da rendição à mente e vontade de Deus. O cristão carnal faz coisas não-espirituais porque ele é carnal. A passagem que declara diretamente que são carnais é encontrada em 1 Coríntios 3.1-4: "E eu, irmãos, não vos pude falar como a espirituais, mas como a carnais, como a criancinhas em Cristo. Leite vos dei por alimento, e não comida sólida, porque não a podíeis suportar; nem ainda agora podeis; porquanto ainda sois carnais; pois, havendo entre vós inveja e contendas, não sois porventura carnais, e não estais andando segundo os homens? Porque, dizendo um: Eu sou de Paulo; e outro: Eu de Apolo; não sois apenas homens?"

Neste contexto está revelado que a pessoa carnal é um verdadeiro crente e, portanto, salvo. Esses são chamados de *irmãos* – uma saudação que nunca inclui pessoas não-regeneradas, e são chamadas também de *crianças em Cristo*.

Enquanto, por causa de sua carnalidade, são chamados de *crianças em Cristo*, nada pode dar maior certeza de sua segurança no tempo e na eternidade do que o fato deles estarem "em Cristo". Esta passagem reveladora não somente indica as limitações do crente carnal, mas revela o estado de coisas que, no caso dos Coríntios, surgiu por sua carnalidade. Por não serem frutíferos em a Deus, eles não poderiam receber a "comida sólida" da Palavra de Deus; eles poderiam receber somente o "leite". As suas muitas limitações espirituais são reveladas. A carnalidade deles era manifesta nas divisões entre eles, com a tendência de seguir líderes humanos. Tal conduta significava uma desconsideração violenta à unidade do Espírito – o único Corpo de crentes – uma unidade que o apóstolo declara que deveria ser preservada (Ef 4.3).

Visto que este pecado de divisões sectárias é o primeiro na lista de males pelos quais o apóstolo condena os crentes de Corinto – há até menção desse pecado antes dele assinalar as imoralidades deles – sua muitíssima pecaminosidade à vista de Deus se torna clara; todavia, divisões similares estão evidentes onde quer que a lealdade do sectarismo e da denominação seja enfatizada acima da doutrina de um só Corpo de crentes.

O termo *carnal* é uma tradução da palavra σαρκικός, termo esse que significa que uma pessoa é influenciada pela σάρξ – agora não uma referência ao corpo físico, mas à natureza caída que todo crente retém enquanto está neste corpo sem redenção. A carne é sempre oposta ao Espírito de Deus (Gl 5.17) e nunca é removida nesta vida, mas pode ser mantida em sujeição pelo Espírito quando e à medida que o crente depende dEle e se rende a Ele. O apóstolo testifica que "em mim (isto é, na minha carne) não habita bem nenhum" (Rm 7.18), e que quando exercia a sua própria força, ele nada experimentava além de fracasso em seu conflito com a carne. Foi pelo poder do Espírito de vida em Cristo Jesus que ele se tornou livre do poder do pecado e da morte – essa morte espiritual que se manifesta através da carne (Rm 8.2).

Ele também não se esquece de indicar que sua vitória pelo Espírito depende, do lado divino, daquele aspecto da morte de Cristo em que Ele trouxe a julgamento a natureza pecaminosa (Rm 8.3). O resultado é tal que o crente pode experimentar toda a vontade de Deus operada nele e através dele – mas isto nunca será operado *por* ele (Rm 8.4). A responsabilidade do cristão é "andar segundo o Espírito". Isto não sugere viver conforme algum código ou regra de vida, mas, antes, uma sujeição à orientação e propósito do Espírito que nele habita. Quando assim rendido, torna-se tarefa do Espírito "operar no" crente "tanto o querer como o realizar" segundo a boa vontade de Deus (Fp 2.13).

Embora muita coisa seja revelada pelo apóstolo a respeito da carnalidade e a carne, o seu ensino mais importante sobre o assunto é encontrado em 1 Coríntios 3.1-4, já considerado, Gálatas 5.16-21 e Romanos, capítulos 7 e 8. Por Ter declarado em Romanos 8.4 que a responsabilidade do crente é andar por meio do Espírito, o apóstolo escreve livremente sobre a distinção entre estar na carne, que é o estado da pessoa não-regenerada, e ter a carne dentro de si, que é a condição que caracteriza todos que são salvos. Aqueles crentes que são dominados pela carne respondem à carne e aqueles que são dominados pelo Espírito respondem ao Espírito (Rm 8.5). De qualquer modo a mente carnal funciona na esfera da morte espiritual e a mente espiritual na esfera da vida e paz (Rm 8.6). A razão para a mente carnal enfrentar o caminho da morte espiritual é que ela significa inimizade contra Deus, por não ser sujeita à vontade de Deus, nem pode ser (Rm 8.7; cf. Gl 5.17).

O não-salvo, por estar na carne, não pode agradar a Deus (Rm 8.8). Contudo, o crente não está na carne como seu estado embora a carne esteja nele. Se alguém é regenerado, ele dará evidência da presença do Espírito que nele habita (Rm 8.9). Muita ênfase dificilmente pode ser dada ao fato de que o cristão pode funcionar em sua vida tanto dentro da esfera da morte espiritual – separação de Deus – quanto na esfera das coisas relacionadas ao Espírito Santo, Aquele que é o Originador e Diretor da vida espiritual. Portanto, o apóstolo declara: "...porque, se viverdes segundo a carne, haveis de morrer; [no reino da morte espiritual – separação de Deus]; mas, se pelo Espírito mortificardes as obras do corpo, vivereis. Pois todos os que são guiados pelo Espírito de Deus, esses são filhos de Deus" (Rm 8.13, 14). A carnalidade significa, então, uma manifestação da carne que, por sua vez, é uma demonstração daquilo que pertence à morte espiritual.

Não há sugestão alguma nesta extensa declaração a respeito da carne e da carnalidade para a qual o crente pode se voltar e se tornar uma pessoa não-salva. Esta apresentação pelo apóstolo, contudo, está totalmente dentro da esfera do andar do crente como aquele que pode ser tanto energizado pela carne como pelo Espírito. O cristão está salvo e seguro em Cristo, todavia, em sua maneira de vida ele pode provar a σαρκικός ou a πνευματικός.

Carne

Tem sido geralmente reconhecido que o cristão está num conflito incessante com três inimigos principais, ou seja, o mundo, a carne e o diabo. Os combates contra o mundo e o diabo são travados numa esfera exterior, mas a luta em oposição à carne é interna. Um estudo mais extenso da doutrina da carne é apresentado no volume VI. Pode ser reafirmado, contudo, que a palavra grega σάρξ com suas várias formas aparece no Novo Testamento com dois significados gerais. Ela, igual ao seu sinônimo σῶμα, pode se referir a não mais do que o corpo físico. Cristo adequadamente declarou "que todo aquele que é nascido da carne é carne", e este nascimento Ele mencionou em distinção daquele que é operado pelo Espírito (Jo 3.6; cf. 6.51; 1 Co 15.39; Ef 5.31). O segundo e mais vital significado deste termo carrega consigo um significado ético. Quando assim usada, a palavra pode incluir tudo – espírito, alma e corpo – ou aquilo que é a totalidade do ser do homem não-regenerado.

Ele inclui por meio disso a natureza adâmica caída. O apóstolo escreveu a respeito da natureza pecaminosa que é encontrada na carne (Rm 8.3). As Escrituras são muitíssimo claras no ensino de que a carne com sua natureza pecaminosa é ainda uma parte viva e vital de todo crente e que ele continuará em posse dessa carne e de sua natureza pecaminosa, até que o corpo seja redimido na vinda de Cristo ou até que ele deixe esta estrutura terrestre para trás, na morte. Noções são nutridas de que a natureza pecaminosa que está na carne pode ser erradicada agora por alguma suposta realização divina. Mas a

SUMÁRIO DOUTRINÁRIO

verdade obviamente permanece de que o mundo, a carne e o diabo nunca são removidos; eles são vencidos somente pelo poder superior do Espírito Santo em resposta a uma atitude de fé.

Assim, pode ser visto que mesmo que a natureza pecaminosa fosse erradicada dos três maiores conflitos que permanecem no crente, é não somente revelação, mas a razão que o método divino de vencê-los deve ser aquele que tem sucesso no trato com a natureza pecaminosa – que é uma parte integral da carne; portanto, esta natureza, ao invés de ser erradicada, ela é governada pelo poder de Deus.

O caráter maligno e essencial da carne é visto pelas afirmações diretas do Novo Testamento de que é "inimizade contra Deus" (Rm 8.7-8), que é "contrário" ao Espírito (Gl 5.17); dele o apóstolo testificou: "Em mim, isto é, na minha carne, não habita bem nenhum" (Rm 7.18). Deus fielmente declara que este poderoso fato de oposição está presente em todo crente, e que Ele não retirou a revelação de que ela pode ser mantida em sujeição pelo poder do Espírito Santo, que habita no crente até o final. Esta natureza má que é chamada de "pecado na carne" (Rm 8.3) e "pecado que habita em mim" (cf. Rm 7.17, 20, 21, 23) já foi julgada por Cristo em Sua morte. O julgamento é apresentado em Romanos 6.1-10, cujo contexto não trata do grande fato da salvação da penalidade do pecado ou da justificação do crente perante Deus (cf. Cl 2.11, 12). Neste contexto o apóstolo declara: "E aqueles que são de Cristo crucificaram a carne com suas paixões e concupiscências" (Gl 5.24).

A afirmação assim apresentada não é somente verdadeira, mas se torna fundamental para qualquer entendimento correto deste grande tema. O julgamento da carne com suas paixões foi realizado perfeitamente por Cristo em Sua morte para a natureza pecaminosa. Este julgamento está mencionado em Romanos 8.3, onde o apóstolo diz que Cristo "condenou [ou, julgou] o pecado na carne". Paulo não sugere que a carne e suas paixões tornaram-se inativas ou destruídas, como a tradução de Romanos 6.6 da Authorized Version sugere. Ao contrário, um julgamento é feito contra a carne e suas paixões por Cristo e assim o poder "do velho homem" pode ser anulado pelo Espírito por certo tempo enquanto que a vitória é reivindicada por meio do Espírito. O objetivo é que o pecado (a natureza) não deva ser alimentado. Este julgamento particular torna absolutamente possível para o Espírito colocar em xeque a natureza pecaminosa.

Se não fosse por esse julgamento da cruz, o Espírito não poderia tratar com essa natureza, e é igualmente evidente que Ele não poderia habitar onde uma natureza pecaminosa não julgada reina. A libertação da carne e suas paixões, então, é feita pelo Espírito com base na morte de Cristo. Esta libertação é assegurada no cumprimento das três condições dependentes dos verbos: (1) "considerar", que significa contar com o plano e com as provisões de Deus para ser suficiente, conseqüentemente (Rm 6.11) (2) "não deixe", que ordena apontar para um conflito e sugere que o poder da carne será anulado se este inimigo é combatido no modo e com os recursos que Deus providenciou (Rm 6.12), e (3) "apresentai-vos", cuja palavra dirige a vontade em como andar no caminho dos modos santos de Deus (Rm 6.13). Fosse verdadeira a teoria da erradicação da natureza pecaminosa, todos esses textos com sua extensa análise da vida sob o poder capacitador do Espírito seriam considerados sem propósito ou inúteis.

A palavra grega σαρκικός (ou σάρκινος) usada onze vezes no Novo Testamento é uma referência àquilo que pode ser caracterizado pela carne, usualmente com uma significação descortês. O apóstolo declara-se um σαρκικός (Rm 7.14). Aqui o caráter maligno da carne que reside interiormente é visto, como também em 1 Coríntios 3.1-4, em cujo contexto esta palavra foi usada quatro vezes. *Coisas* podem ser carnais (1 Co 9.11), *sabedoria* (2 Co 1.12), *armas* do cristão (2 Co 10.4), *mandamentos* (Hb 7.16) e *concuspiscências* também (1 Pe 2.11).

A palavra σάρκινος, estritamente falando, indica algo de que é feito uma coisa. Em 2 Coríntios 3.3 é feita uma referência adequada às "tábuas de carne do coração".

Psychē e *psuchikos* são mantidos distintos de σαρκικόσ. A primeira se refere à pessoa natural não-regenerada como tal ou ao que é não-físico em sua natureza. O presente corpo, em contraste com o futuro "corpo espiritual", é uma entidade natural ou *psuchikos* (1 Co 15.44,46). Suas limitações, tanto naturais quanto espirituais, estão indicadas (cf. 1 Co 2.14; Tg 3.15; Jd 19).

Pneuma e *pneumatikos* completam a tríade das palavras relacionadas à espiritualidade no Novo Testamento. Sob estes termos especiais está em vista a vida cheia do Espírito. É feita referência por meio disto a uma vida dominada e dirigida pelo Espírito Santo.

Na tríplice divisão que o apóstolo faz da humanidade com respeito a atitude dela para com a Palavra de Deus – "o homem natural", "o que é espiritual", e o "carnal" – as pessoas não-regeneradas são *naturais* no sentido em que não foram mudadas espiritualmente (1 Co 2.14), os salvos que andam no Espírito e são por isso chamados de *espirituais* (1 Co 2.15), enquanto que os crentes, que são influenciados pela carne e suas concupiscências, são considerados *carnais* (1 Co 3.1-4).

Portanto, dois modos diferentes de "andar" são possíveis para o crente: um "segundo a carne" e o outro "segundo o Espírito". A pessoa salva nunca é considerada como não estando dentro da esfera da carne, embora ela possa ser carnal na conduta (Rm 8.9).

Casamento

O casamento é uma das mais antigas instituições no mundo. Ele foi estabelecido por Deus no Jardim do Éden (Gn 2.21-25), foi abençoado pela presença de Cristo nas bodas de Caná da Galiléia (Jo 2.1-11), e é declarado pelo apóstolo que deve ser honrado por todos os homens (Hb 13.4).

Os registros do Antigo Testamento falam de casamentos com mais de uma pessoa, e mesmo com os mais proeminentes dos santos. Contudo, de acordo com o registro no primitivo Jardim do Éden, foi sem dúvida intenção de Deus que um homem tivesse uma esposa e que uma esposa tivesse apenas um marido. Foi claramente ensinado no Novo Testamento que, por causa de um desenvolvimento no relacionamento entre Deus e Seus santos, deveria haver o mais cuidadoso reconhecimento do mais alto ideal de uma esposa e de um marido (Ef 5.22-33).

De acordo com o Novo Testamento, então, o marido deve ser o cabeça da esposa, amá-la e cuidar dela como Cristo amou sua Igreja. Assim, também, a esposa deve reverenciar seu marido e ser obediente a ele. Haverá pouca dificuldade para a esposa ajustar-se ao seu próprio marido, se o mesmo obedece às instruções para ele de amor por ela como Cristo amou a Igreja.

Certas questões surgem e que não são facilmente respondidas. É o casamento um rito que abrange as pessoas não-regeneradas? Podem as pessoas divorciadas se casar novamente? Se assim, então sob quais condições? Assim, também, há um problema que aparece nos campos missionários: Deveria qualquer homem que é o marido de várias mulheres abandonar todas elas exceto uma se ele se tornasse um cristão? É esta exigência totalmente necessária? Uma coisa é certa: um crente nunca deveria se casar com uma pessoa não-crente. Todas essas práticas deveriam ser desencorajadas. A razão, também, é óbvia: Deus não pode abençoar uma pessoa numa família sem abençoar todas as outras, mas a benção que Ele designa para um crente não pode legitimamente ser estendida a um incrédulo. Se uma pessoa salva se propõe a se casar com uma pessoa não-salva, deixe-as primeiro considerar se elas se agradam em viver em tais bênçãos limitadas que Deus poderia estender à pessoa não salva do casal.

Castigo

O castigo e o açoite – aqui devem ser distinguidos do tema mais amplo do sofrimento – porque são a correção que o Pai aplica à sua descendência (Hb 12.6), são em caráter muito diferentes da condenação. Está escrito que "agora nenhuma condenação há para os que estão em Cristo Jesus" (Rm 8.1) e "quem nele crê não será condenado" (Jo 3.18), e daquele que crê é dito que ele "não entra em juízo" (Jo 5.24). Aquele que tem imputado o mérito de Cristo sobre si, como é o caso de toda pessoa salva, não pode sofrer condenação; não obstante, por causa do pecado no qual o cristão deliberadamente persiste, deve haver castigo do Pai, que é em Si mesmo um perfeito disciplinador.

O curso a ser seguido sempre por um filho de Deus que tem pecado, e quando ele peca, esse curso está esboçado em 1 Coríntios 11.31, 32, que diz: "Mas, se nós nos julgássemos a nós mesmos, não seríamos julgados; quando, porém, somos julgados pelo Senhor, somos corrigidos, para não sermos condenados com o mundo".

Esta ordem está clara. Primeiro, o crente que pecou pode e deve fazer uma plena confissão a Deus, que é um autojulgamento e é uma expressão exterior de um arrependimento interior do coração. Se o autojulgamento é realizado, aquele perdão divino que restaura o crente à comunhão com Deus é concedido e as relações corretas com Deus são restauradas novamente. Por outro lado, se o crente, por ter pecado, se recusa a confessar seu pecado em arrependimento genuíno ou começa a justificar seu pecado, ele deve no tempo e no modo de Deus ser trazido à correção do Pai. Este julgamento ou correção pelo Pai assume a forma de castigo com a finalidade de que o filho de Deus não precise ser condenado com o mundo.

O tema total do sofrimento – um tema ainda a ser considerado – se estende muito além, mas ainda inclui a doutrina do castigo dos crentes. Ela abarca aquilo que Cristo sofreu do Pai de que ninguém pode compartilhar, aquilo que Cristo sofreu dos homens de que os crentes podem compartilhar, aquilo que o crente sofre como um castigo de Deus, o Pai, de que Cristo não compartilha, aquilo que os crentes sofrem dos homens de que Cristo também compartilha, e aquilo que constitui o fardo do cristão por um mundo perdido, de que todos os cristãos podem compartilhar.

O castigo, ou disciplina, pode ser estudado sob quatro divisões gerais, ou seja:

1. Preventivo. Um único exemplo do castigo preventivo foi registrado no Texto Sagrado, mas ele não poderia ser facilmente a experiência de qualquer filho de Deus, se as circunstâncias exigissem. Por ter sido arrebatado até o terceiro céu, o apóstolo Paulo foi ordenado que não dissesse aqui na terra o que havia visto e ouvido, e conseqüentemente, para que ele não transgredisse, um espinho lhe foi dado na carne. Embora três vezes ele tenha suplicado ao Senhor para a remoção do espinho, a situação não foi aliviada (2 Co 12.7-9). Assim, este foi um castigo preventivo.

2. Corretivo. O castigo que tem como motivo a correção foi esboçado no começo desta discussão. É a correção que o Pai aplica ao filho que peca. Ambos, o castigo e o açoite, são indicados em Hebreus 12.6: "Pois o Senhor corrige ao que ama, e açoita a todo o que recebe por filho". A universalidade de ambos, o castigo e o açoite, pode ser explicada com base na indisposição do Pai de permitir quaisquer exceções entre aqueles que merecem ser disciplinados. É certo que o Pai não castiga ou açoita crentes, se eles exigem ou não. Tal interpretação não somente contradiz 1 Coríntios 11.31, que declara que "se nós nos julgássemos a nós mesmos, não seríamos julgados", mas causa a subversão de todo propósito da disciplina. Uma diferença deve evidentemente ser encontrada entre o castigo e o açoite.

O primeiro é aquela maneira de correção que pode ser repetida; a segunda representa a quebra da vontade humana que, uma vez conseguida, dificilmente precisa ser quebrada novamente. Nenhuma anarquia ou rebelião pode ser tolerada na família do Pai. A rendição da vida a Deus é tanto razoável como exigida (Rm 12.1,2). A entrega a Deus pode ser realizada facilmente, se toda a resistência é evitada, ou pode ser tornada difícil e dolorosa, quando um longo conflito é mantido.

3. Produtor de Frutos. O objetivo do castigo é dito ser "para a santidade". Assim, também, o "fruto de justiça" se torna a porção daqueles que são exercitados por ele. A palavra de Cristo registrada em João 15.2 indica quanto a disciplina pode ser aplicada por Deus com o fim de que o crente pode ser mais frutífero. Ele declara de Deus: "Toda vara em mim que não dá fruto, ele a corta; e toda vara que dá fruto, ele a limpa, para que dê mais fruto". Isto não sugere a correção do mal deliberado; é tudo feito para que mais fruto possa ser gerado para a glória de Deus. É assim designado para que um bom homem se torne um homem melhor.

4. VINDICATIVO. Novamente, apenas uma ilustração é encontrada na Bíblia desta forma específica de castigo. A Jó foi permitido demonstrar contra o desafio de Satanás que ele amava Deus à parte de todos os benefícios pessoais ou vantagens que Ele tinha concedido. Nenhum mal havia sido registrado contra Jó até então. Na verdade, Jeová três vezes descreve Jó como "homem íntegro e reto, que temia a Deus e se desviava do mal" (Jó 1.1, 8; 2.3). Mas Satanás em conversa com Jeová declarou que Jó servia Jeová somente por motivos egoístas e que Jeová não era realmente amado por Sua própria dignidade. Embora Jó nada conhecesse da questão que havia sido levantada no céu sobre ele próprio, ele não obstante vindicou Jeová em três testes sucessivos. O primeiro foi na perda da propriedade e da família. Sua réplica debaixo deste teste foi dita nestas palavras: "Nu saí do ventre de minha mãe, e nu tornarei para lá. O Senhor deu, e o Senhor tirou; bendito seja o nome do Senhor. Em tudo isso Jó não pecou, nem atribuiu a Deus falta alguma" (Jó 1.21, 22).

O segundo teste envolveu a perda da saúde e o conforto da esposa. A esta altura ele disse: "Como fala qualquer doida, assim falas tu; receberemos de Deus o bem, e não receberemos o mal? Em tudo isso não pecou Jó com os seus lábios" (2.10). Semelhantemente, Jó prevaleceu no terceiro teste que envolveu a fé quando, e assim se registra, ele asseverou a respeito de Deus: "Eis que ele me matará; não tenho esperança; contudo defenderei os meus caminhos diante dele" (13.15).

Cegueira

Em geral, a verdade a respeito da cegueira é apresentada pela Escritura com referência ao que é físico, ao que é judicial, e ao que é espiritual. O tema é extenso e vital. Estes três aspectos da cegueira, embora de alguma forma relacionados, deveriam ser considerados separadamente.

1. CEGUEIRA FÍSICA. No tempo em que a cegueira física devido à doença que não tinha controle, ser cego fisicamente era uma experiência muito comum, sem dúvida, que Cristo em Seu tempo curou muitos deles que eram cegos, deve ser explicado pelo fato de que a cegueira física e sua cura são simbólicas da cegueira judicial como da cegueira espiritual e a cura delas. A cura da cegueira física era em si mesma uma realidade espantosa; não poderia haver dúvida alguma a respeito de sua real realização por Cristo. Mas o que deve ser sempre guardado na mente é a verdade de que

Aquele operou tais maravilhas na cura dos fisicamente cegos era capaz de curar outras formas de cegueira também. Esse foi o testemunho de um que Ele curou: "Eu era cego, e agora vejo" (Jo 9.25). A partir deste incidente, uma longa discussão surgiu entre Cristo e os fariseus. A cura do homem cego resultou em sua própria salvação, porque mais tarde ele disse: "Senhor, eu creio".

É neste contexto que Cristo conectou a incapacidade física com a cegueira judicial de Israel. Por um momento ao menos, também, os fariseus pareciam perceber a possibilidade deles próprios serem cegos. Esta passagem diz: "Prosseguiu então Jesus: Eu vim a este mundo para juízo, a fim de que os que não vêem vejam, e os que vêem se tornem cegos. Alguns fariseus que ali estavam com ele, ouvindo isso, perguntaram-lhe: Porventura somos nós também cegos? Respondeu-lhes Jesus: Se fosseis cegos, não teríeis pecado; mas como agora dizeis: Nós vemos, permanece o vosso pecado" (Jo 9.39-41). Aqui é deixado claro que a cegueira física e sua cura simbolizam a cegueira judicial e sua cura. Mesmo os fariseus cegos eram capazes de ver este relacionamento.

2. CEGUEIRA JUDICIAL. Somente os judeus são vistos nesta fase da doutrina da cegueira, e um problema difícil surge quando é lembrado que esta falha de visão lhes vêm como um juízo de Deus. A responsabilidade racial está em vista aqui, e de outra forma nenhuma responsabilidade pode ser dada a eles pelo fato de que as últimas gerações devem sofrer pelos pecados de seus pais. Tal situação seria mais difícil de entender se não fosse pelo propósito revelado de Jeová de trazer eventualmente esse povo à bênção eterna. O princípio do pecado racial e do sofrimento assim como a justiça racial e a bênção são anunciadas no segundo mandamento, que declara: "...porque eu, o Senhor teu Deus, sou Deus zeloso, que visito a iniqüidade dos pais nos filhos até a terceira e quarta geração daqueles que me odeiam, e uso de misericórdia com milhares dos que me amam e guardam os meus mandamentos" (Êx 20.5, 6).

Os judeus desta dispensação sofrem, em parte, pelos pecados de seus pais muitos séculos atrás. Ainda, o pecado deles em seu caráter nacional eventualmente não mais será lembrado. Esta esperança está declarada na Escritura com grande segurança. Está escrito: "Assim diz o Senhor, que dá o sol para a luz do dia, e a ordem estabelecida da lua e das estrelas para luz da noite, que agita o mar, de modo que bramem as suas ondas; o Senhor dos exércitos é o seu nome; Se esta ordem estabelecida falhar diante de mim, diz o Senhor, deixará também a linhagem de Israel de ser uma nação diante de mim para sempre. Assim diz o Senhor: Se puderem ser medidos os céus lá em cima, e sondados os fundamentos da terra cá em baixo, também eu rejeitarei toda a linhagem de Israel, por tudo quanto eles têm feito, diz o Senhor" (Jr 31.35-37).

Isaías predisse a cegueira que viria sobre Israel, quando escreveu a mensagem: "Disse, pois, ele: Vai, e dize a este povo: Ouvis, de fato, e não entendeis, e vedes, em verdade, mas não percebeis. Engorda o coração deste povo, e endurece-lhe os ouvidos, e fecha-lhe os olhos; para que ele não veja com os olhos, e ouça com os ouvidos, e entenda com o coração, e se converta, e seja sarado" (Is 6.9, 10).

Esta predição assume uma importância vital quando é observado que várias passagens do Novo Testamento o citam e o relacionam à presente e imprevista era. Isaías saiu a dizer que um remanescente de Israel que ele descreveu como "a décima parte" (Is 6.13) será iluminada. Esta mesma cegueira o apóstolo declara ser "em parte" (Rm 11.25), para assim permitir novamente que um remanescente de Israel venha a ser salvo nesta era. O próprio Cristo toma a predição de Isaías registrada em Mateus 13.14,15: "E neles se cumpre a profecia de Isaías, que diz: Ouvindo, ouvireis, e de maneira alguma entendereis; e, vendo, vereis, e de maneira alguma percebereis. Porque o coração deste povo se endureceu, e com os ouvidos ouviram tardiamente, e fecharam os olhos, para que não vejam com os olhos, nem ouçam com os ouvidos, nem entendam com o coração, nem se convertam, e eu os cure" (cf. Mc 4.12; Lc 8.10; At 28.26, 27).

A rejeição de Cristo, na verdade, foi totalmente dentro dos conselhos de Deus. Quando os judeus falharam em crer, o apóstolo João afirma: "E embora tivesse operado tantos sinais diante deles, não criam nele; para que se cumprisse a palavra do profeta Isaías: Senhor, quem creu em nossa pregação? E a quem foi revelado o braço do Senhor? Por isso não podiam crer, porque, como disse ainda Isaías: cegou-lhes os olhos e endureceu-lhes o coração, para que não vejam com os olhos e entendam com o coração, e se convertam, e eu os cure. Estas coisas disse Isaías, porque viu a sua glória, e dele falou" (Jo 12.37-41). Os ramos naturais tinham de ser cortados por um tempo, com o fim de que um dia de graça do gentio e do chamamento da Igreja pudesse ser realizado (cf. Rm 11.17-27).

Igualmente, o apóstolo afirma que um véu está sobre os corações de Israel na presente era. Ele declara: "...mas o entendimento lhes ficou endurecido. Pois até o dia de hoje, à leitura do velho pacto, permanece o mesmo véu, não lhes sendo revelado que em Cristo é ele abolido; sim, até o dia de hoje, sempre que Moisés é lido, um véu está posto sobre o coração deles. Contudo, convertendo-se um deles ao Senhor, é-lhe tirado o véu" (2 Co 3.14-16).

Não importa quão difícil o problema possa parecer em si mesmo, as Escrituras asseveram que por causa dos seus próprios pecados nacionais Israel está nacionalmente cego, mas nem todos os israelitas, e ainda somente pelo período do chamamento da Igreja. Deste ângulo está escrito: "Porque não quero, irmãos, que ignoreis este mistério (para que não presumais de vós mesmos): que o endurecimento veio em parte sobre Israel, até que a plenitude dos gentios haja entrado; e assim todo o Israel será salvo, como está escrito: Virá de Sião o Libertador, e desviará de Jacó as impiedades; e este será o meu pacto com eles, quando eu tirar os seus pecados" (Rm 11.25-27).

3. Cegueira Espiritual. O tema da cegueira espiritual tem duas divisões gerais, ou seja, a dos não-salvos e a do cristão carnal.

A. Seguindo diretamente para a referência à cegueira judicial de Israel declarada em 2 Coríntios 3.14-16, está a revelação a respeito da cegueira que Satanás causa nas mentes dos não-salvos relativa ao Evangelho pelo qual eles podem ser salvos. Está escrito: "Mas, se ainda o nosso evangelho está encoberto, é naqueles que se perdem que está encoberto, nos quais o deus deste século cegou os entendimentos dos incrédulos, para que lhes não resplandeça a luz do evangelho da glória de Cristo, o qual é a imagem de Deus" (2 Co 4.3, 4). Adicionados a esta importante declaração estão outros textos que apresentam a verdade a respeito do fato que os não-salvos estão debaixo do poderoso domínio de Satanás (cf. Jo 8.44; Ef 2.1-2; Cl 1.13; 1 Jo 5.19). Qualquer esforço que alcance os não-salvos, se é para libertá-los, deve ser suficiente para retirar esse véu que Satanás impôs (cf. Jo 16.7-11).

B. A cegueira e a limitação do cristão carnal quando tentam entender as Escrituras estão descritas em 1 Coríntios 3.1: "E eu, irmãos, não vos pude falar como a espirituais, mas como a carnais, como a criancinhas em Cristo". A cura, como tem sido visto, para a cegueira do não-salvo é a iluminação que vem por meio da salvação, enquanto que a cura para a cegueira do crente carnal é uma entrega mais completa ao Espírito que nele habita.

Ceia do Senhor

A ordenança da Ceia do Senhor é um testemunho divinamente designado do coração do crente a Deus a respeito de sua confiança na morte eficaz de Cristo. Como tal, entretanto, ele tem sido grandemente pervertido, pois a Igreja de Roma desenvolveu a infundada doutrina da transubstanciação. A doutrina luterana é no sentido de que Cristo deve estar presente pelo poder onipotente nos elementos – uma bênção aos crentes e uma condenação para os outros.

As palavras, "todas as vezes que comerdes deste pão e beberdes do cálice" (1 Co 11.26), indicam a liberdade sob a graça em todos os tempos e estações, isto é, relativo à freqüência na participação da Ceia do Senhor. Aqui, então, está o testemunho do coração para Deus pelo qual a morte do Senhor é apresentada, e para que assim continue "até que ele venha" novamente (1 Co 11.26), como o altar judeu apresentava a morte de Cristo até que Ele viesse pela primeira vez.

Como a ressurreição é celebrada por adaptar a observância do dia do Senhor a cada semana, assim parece provável que é bom celebrar a morte de Cristo de modo freqüente (como alguns cristãos o praticam freqüentemente hoje).

Céu

As Escrituras parecem indicar que há três céus. O primeiro e o segundo não são especificamente mencionados como tais, mas "o terceiro céu" é declarado como existente (2 Co 12.2). Fica evidente que não pode ser falado de um terceiro céu, sem o primeiro e o segundo.

A. O primeiro céu deve ser a atmosfera que circunda a terra. Certamente uma referência é feita às aves dos céus (Os 2.18) e às nuvens do céu (Dn 7.13). Ali é a habitação nativa dos seres humanos e de toda a vida criada sobre a terra.

B. O segundo céu pode ser os espaços estelares (cf. Gn 1.14-18 para as estrelas do céu) e assim é o lugar de morada de todas as criaturas angelicais.

C. O terceiro céu (sua localidade contudo totalmente não-revelada) é a moradia de Deus – o Pai, o Filho e o Espírito Santo, e este nunca foi penetrado por um ser humano. O propósito divino presente é povoar o terceiro céu. Ele é chamado *glória* (Hb 2.10) e representa antes um lugar do que um estado de mente ou de existência (Jo 14.1-3). Aqueles que entrarem lá tornar-se-ão "idôneos" (Cl 1.12). Mais especificamente, eles se tornarão efetivos filhos de Deus (Jo 1.12; 3.3). Eles serão aperfeiçoados para sempre (Hb 10.14), justificados (Rm 5.1) e tornar-se-ão participantes do πλήρωμα de Cristo (Jo 1.16), que é toda sua plenitude (Cl 1.19), a própria natureza da divindade corporalmente (Cl 2.9).

Semelhantemente, as Escrituras empregam a palavra *céu* num uso tríplice:

A. *O reino do céu* é uma frase peculiar do evangelho de Mateus (3.2 etc.) e indica o reino messiânico terreno de Cristo. Qualquer governo de Deus sobre a terra é uma forma de reino do céu (cf. Dn 2.44).

B. *Regiões celestes*, uma frase peculiar à epístola aos Efésios (1.3 etc.), é uma referência à esfera da presente associação entre os crentes e Cristo, uma co-parceria em vários aspectos. Ela significa, portanto, que não algum lugar favorecido sobre a terra, mas qualquer lugar que esta comunhão com Cristo possa existir.

C. *Céu* pode representar a habitação da Trindade e do redimido para sempre.

Como em muitos casos, o conhecimento a respeito deste lugar é totalmente uma questão do testemunho da Bíblia inspirada. Tem sido dito que os homens realmente nada conhecem do céu como uma experiência, visto que ninguém veio de lá para nos instruir. Há, contudo, três testemunhos de experiências:

A. Cristo. O céu foi Sua habitação desde toda eternidade. Ele revela mais a respeito dele do que qualquer outra pessoa na Escritura.

B. O apóstolo Paulo, provavelmente, ao ser apedrejado e levado à morte em Listra, foi levado ao terceiro céu (At 14.19-22; 2 Co 12.1-9). Ele foi proibido, contudo, de revelar o que viu e ouviu. Um espinho na carne lhe foi dado para se lembrar de guardar esse poderoso segredo.

C. João, o apóstolo, que foi chamado ao céu (Ap 4.1), e então recebeu instrução para escrever um livro (Ap 1.11), registra tudo o que viu e ouviu. Se for perguntado por que Paulo não pôde relatar, mas a João foi dito para dar o relato, pode ser observado que a experiência de Paulo foi típica de um crente na presente partida pela morte enquanto que a experiência de João foi mais igual ao que será comum a todos os crentes no arrebatamento ainda futuro. Após sua experiência e a despeito da proibição, o apóstolo Paulo escreveu: "Mas de ambos os lados estou em aperto, tendo o desejo de partir e estar com Cristo, porque isto é ainda muito melhor" (Fp 1.23).

Alguém disse: "O céu é um lugar preparado para um povo preparado". Uma preparação muito definida é exigida daqueles que vão entrar nessa esfera celestial (cf. Cl 1.12). Eles devem ser iguais a Cristo tanto na posição quanto no estado (Rm 8.29; 1 Jo 3.2).

Resta observar que o céu é um lugar de beleza (Ap 21.1–22.7) com habitantes variados (Hb 12.22-24), de vida (1 Tm 4.8), de santidade (Ap 21.27), de serviço (Ap 22.3), de adoração (Ap 19.1-3), de comunhão com Deus (2 Tm 4.8), de glória (2 Co 4.17; cf. Ap 21.4, 5).

Chamamento

Em seu significado doutrinário principal, a palavra *chamado* sugere um convite de Deus ao homem. Este significado é estendido para formar uma base sobre a qual os convidados sejam designados como *chamados*. A chamada eficaz de Deus é equivalente à Sua escolha soberana. Visto que há dois grupos de eleitos agora no mundo – Israel e a Igreja – estes são igualmente vistos como chamados de Deus. Contudo, a chamada de Israel é nacional enquanto que a da Igreja é individualmente com relação aos seus membros. A certeza da chamada de Israel é declarada nas palavras: "...porque os dons e a vocação de Deus são irrevogáveis" (Rm 11.29). Assim, a bênção de Israel, que alcança a eternidade vindoura, é garantida. A palavra *chamar* está intimamente relacionada em significado à palavra *atrair*. Cristo disse: "Ninguém pode vir a mim, se o Pai que me enviou não o trouxer; e eu o ressuscitarei no último dia" (Jo 6.44).

A declaração que esta passagem traz é decisiva. Não somente está afirmado que ninguém pode vir a Deus à parte desta atração, mas que tudo o que é atraído certamente responderá, porque Cristo disse: "...e eu o ressuscitarei no último dia". As palavras *atrair* e *chamar* indicam o método divino de escolha, embora esta última possa ser usada com referência específica ao estado daqueles assim abençoados. Eles, portanto, são *os chamados*. A esta altura pode ser observado que o nome *crente* está em contraste com o termo *chamados*. O primeiro indica a responsabilidade humana, enquanto que o último indica uma responsabilidade divina.

Como há uma atração que é geral, por meio da pregação do Evangelho, assim há uma chamada geral. Cristo certa vez disse: "E eu, quando for levantado da terra, todos atrairei a mim" (Jo 12.32). Igualmente, como há uma atração divina que não é resistida (cf. Jo 6.44), assim há uma chamada pelo Espírito que não é resistida e é legitimamente chamada de *vocação eficaz*. Está totalmente dentro dos limites deste tipo de chamamento que os crentes são denominados de *os chamados*, ou *vocacionados*. Eles são assim diferenciados da massa que, embora sujeitos a um chamamento geral e uma atração geral, não são eficazmente chamados. Uma verdade a ser observada é a de que Deus indica e separa Seus eleitos que compõem a Igreja, não por qualquer esforço geral, tal como a morte de Cristo pelo mundo todo ou a proclamação do Evangelho através do que essa morte é apresentada como uma base de salvação para aqueles que estão perdidos, mas Ele os seleciona antes por uma influência poderosa sobre cada pessoa eleita, cuja influência assegura a recepção de Cristo como Salvador.

Tão definida e certa, a chamada prova que ela é equivalente à realização da própria eleição divina. O apóstolo devidamente escreve a respeito da "operação eficaz" do poder de Deus que determinava o seu ministério (Ef 3.7). Era um chamamento em direção ao alto (Fp 3.14); é uma vocação celestial (Hb 3.1). Ela exige um andar santo (Ef 4.1; 2 Ts 1.11); ela gera esperança (Ef 4.4); e por uma demonstração exterior, o crente é designado para certificar, dar prova dela pelo modo como ele vive (2 Pe 1.10).

Há um uso peculiar da palavra *chamamento* quando por ela é feita referência ao estado daqueles que são chamados e no tempo em que eles são chamados. A isto o apóstolo testifica quando escreve: "Somente ande cada um como o Senhor lhe repartiu, cada um como Deus o chamou. E é isso o que ordeno em todas as igrejas. Foi chamado alguém, estando circuncidado? Permaneça assim. Foi alguém chamado na incircuncisão? Não se circuncide. A circuncisão nada é, e também a incircuncisão nada é, mas sim a observância dos mandamentos de Deus. Cada um fique no estado em que foi chamado. Foste chamado sendo escravo? Não te dê cuidado; mas se ainda podes tornar-te livre, aproveita a oportunidade. Pois aquele que foi chamado no Senhor, mesmo sendo escravo, é um liberto do Senhor; e assim também o que foi chamado sendo livre, escravo é de Cristo. Por preço fostes comprados; não vos façais escravos de homens. Irmãos, cada um fique diante de Deus no estado em que foi chamado" (1 Co 7.17-24).

A vocação divina e eficaz é aquela de cinco obras poderosas de Deus em favor de toda pessoa eleita debaixo da graça. Por ter se referido a elas como "os chamados segundo o seu propósito", o apóstolo a partir de Romanos 8.28 em diante declara que "aqueles a quem Deus conheceu de antemão, Ele predestinou; e aos que predestinou, Ele chamou; e aos que chamou, Ele justificou; e aos que justificou, glorificou" (Rm 8.29,30). Neste contexto, a palavra *conhecer de antemão* (ou pré-conhecer) não significa uma mera presciência ou conhecimento do que estava para acontecer; aqui, indica o exercício ativo do amor eterno pelos indivíduos que compõem o grupo dos eleitos de Deus nesta era. Porque o destino deles ele também predestinou. Observe o funcionamento da predestinação. Ela inclui exatamente o mesmo grupo numericamente e até o último indivíduo a quem Ele chama com uma vocação eficaz, é o mesmo grupo de eleitos que, sem perda de um só deles, Ele tanto justifica quanto glorifica.

Nesta seqüência de cinco realizações divinas, quatro representam a ação soberana de Deus. É o *chamamento* somente que incorpora alguma responsabilidade humana em sua realização, e, todavia, sem a mais leve violação daquela certeza infinita de que todos os que são chamados serão justificados e glorificados. Uma chamada sugere alguma cooperação na forma de uma resposta humana à chamada. Neste aspecto, a chamada divina é totalmente diferente dos outros quatro empreendimentos soberanos – pré-conhecimento, predestinação, justificação e glorificação – que não admitem a ação humana ou qualquer outra responsabilidade. A questão que surge imediatamente é se, quando um elo nesta corrente é restrito ao ponto em que depende tudo da cooperação humana, a totalidade do grande empreendimento descrito por estas cinco palavras não é prejudicada com relação à sua certeza de realização.

Caso Deus coagisse a vontade do indivíduo, o caráter essencial de uma chamada seria totalmente obliterado, e a ação da escolha humana, que é tão evidente na declaração bíblica do modo da salvação, seria invalidada. Assim, a questão diz respeito sobre se Deus é capaz de persuadir, de induzir, de prevalecer sobre o entendimento e a vontade humanos, ao respeitar a escolha de Cristo como Salvador e tudo o que a escolha assegura de que o chamado, sem uma possível exceção, responderá com o exercício da fé salvadora em Cristo – ao ser a própria fé comunicada (cf. Ef 2.8). A segurança é de que Deus pode e realmente influencia os homens pela iluminação que o Espírito concede para que eles, com uma certeza que não permite a possibilidade de que haja falha na resposta ao chamado divino, cada um será justificado e redimido em resposta à fé salvadora e pessoal em Cristo, isto é o que constitui uma chamada eficaz.

De grande importância neste programa total de salvação é o fato que, quando o chamado é iluminado e persuadido pelo Espírito, antes que coagido, sua própria vontade age numa volição desimpedida e intacta. Permanece verdadeira a máxima "quem quiser pode vir". Contudo, nos conselhos de Deus, que propriamente podem ser revelados somente para aqueles que são salvos, mas que não constitui uma mensagem para o não-salvo, também permanece verdadeiro que nenhuma vontade humana age na aceitação de Cristo pela fé que não tenha sido trazida ao entendimento aquilo que as mentes cegas por Satanás nunca entendem, ou seja, que toda graça divina é a porção deles e a bênção infinita em Cristo Jesus a serem recebidas sobre a base da fé.

Então, a vocação é aquela escolha da parte de Deus de um indivíduo por meio de uma obra eficaz na mente e no coração pelo Espírito Santo, com o fim de que a vontade de uma pessoa que é chamada possa ser movida por sua própria visão e determinação no exercício da fé salvadora. Duas grandes necessidades são preservadas e igualmente satisfeitas, ou seja, somente aqueles que são chamados a quem Deus predeterminou para serem justificados e glorificados, e aqueles que são assim eleitos por seus próprios corações e mentes iluminadas para receber Cristo como Salvador.

Chifre

O termo chifre é um símbolo de poder e de autoridade. É feita referência a ele na Escritura nos seguintes textos:

1. "O chifre de Davi" (Sl 132.17 [força de Davi]; cf. 92.10).

2. "O chifre da casa de Israel" (Ez 29.21).

3. "Um pequeno chifre" – o homem do pecado ainda por aparecer com todos os seus sinais e maravilhas (Dn 7.8, 11, 20, 21; 8.5, 8, 9, 21; Mq 4.13; Zc 1.21; 2 Ts 2.9).

Confissão

A confissão é uma expressão exterior de uma convicção interior. Ela assume três formas distintas na Bíblia.

1. DE CRISTO. A confissão individual que se faz de Cristo deve ser vista em dois particulares:

A. COMO SALVADOR. Desta confissão particular de Cristo, as Escrituras declaram: "Porque, se com a tua boca confessares a Jesus como Senhor, e em teu coração creres que Deus o ressuscitou dentre os mortos, serás salvo; pois é com o coração que se crê para a justiça, e com a boca se faz confissão para a salvação" (Rm 10.9,10); "Nisto conheceis o Espírito de Deus; todo espírito que confessa que Jesus Cristo veio em carne é de Deus; e todo espírito que não confessa a Jesus não é de Deus; mas é o espírito do anticristo, a respeito do qual tendes ouvido que havia de vir; e agora já está no mundo... Qualquer que confessar que Jesus é o Filho de Deus, Deus permanece nele, e ele em Deus" (1 Jo 4.2,3,15); "Porque já muitos enganadores saíram pelo mundo, os quais não confessam que Jesus Cristo veio em carne. Tal é o enganador e o anticristo" (2 Jo 1.7). Muito freqüentemente destes textos – especialmente Romanos 10.9,10 – se pensa que se referem a uma confissão de Cristo que um indivíduo podia fazer em público.

Homens sinceros têm tomado este texto dando a entender que um indivíduo deve fazer uma confissão pública de Cristo como um pré-requisito para a salvação, reconhecendo pouco o fato de que a maioria daqueles que são crentes foi salva sob circunstâncias em que nenhuma confissão pública era possível. A confissão aqui ordenada é dirigida a Deus e não aos homens. Ela é a resposta do coração a Deus pela qual a aceitação de Cristo como Salvador é selada. Quando confrontado com a promessa de Jeová a respeito de um filho, Abraão creu – literalmente, concordou – com Deus (Gn 15.6). Assim toda alma nascida de Deus volta para Ele com um reconhecimento sincero de Cristo como Salvador. É a resposta da alma e do espírito dizendo no ser mais interior: "Abba, Pai".

Deveria ser observado que, visto que em mais de 150 textos do Novo Testamento a salvação é condicionada à fé, e à fé somente, não pode ser verdade que qualquer outra exigência seja colocada sobre o não-salvo para a salvação, ou estas muitas e centrais passagens são incompletas e num certo grau estão enganadas. Todos os que ouvem a chamada de Deus respondem em seus corações a essa chamada, se são salvos.

B. NO REINO. De acordo com Mateus 10.32,33, a confissão de Cristo feita pelos Seus no reino futuro dependerá da confissão dEle feita por eles aqui na terra. Evidentemente esta será a consideração mais vital na era do reino. O texto declara: "Portanto, todo aquele que me confessar diante dos homens, também eu o confessarei diante de meu Pai, que está nos céus. Mas qualquer que me negar diante dos homens, também eu o negarei diante de meu Pai, que está nos céus".

2. DO PECADO. O segundo aspecto desta doutrina divide-se, igualmente, em duas divisões principais, que são:

A. A Exigência do Antigo Testamento. Visto que qualquer pessoa do pacto (ou pessoas) pode ser restaurada às bênçãos experienciais de sua relação com Deus pela confissão – embora em nenhum caso é um pacto incondicional em si mesmo ou a posição perante Deus que ela assegura em perigo de ser sacrificada – as pessoas de Israel eram assim restauradas, e esta provisão se tornou um aspecto vital da doutrina do Antigo Testamento (cf. Lv 5.5; 16.21; 26.40; Nm 5.7; 1 Rs 8.33, 35; 2 Cr 6.24, 26; 30.22; Ed 10.11; Ne 1.6; Sl 32.5; 51.1-19; Pv 28.13; Dn 9.4). Como no caso do cristão na presente era e como afirmado, a posição pactual e a posição de Israel não poderiam ser perdidas, mas a comunhão com Deus se perdida por causa do pecado poderia ser restaurada pela confissão. Dois exemplos específicos de confissão individual dentro da velha ordem deveriam ser observados com atenção.

O pecado notável de Davi, mesmo que envolvesse um mal imensurável, e o sacrifício de suas bênçãos pessoais, não destruíram a sua salvação, porque ele disse: "Restitui-me a alegria da tua salvação". Ele também reconheceu que o seu pecado, embora um dano para muitos, foi primariamente contra Deus. Isto ele deixou claro com estas palavras: "Contra ti, contra ti somente, pequei, e fiz o que é mau diante dos teus olhos" (Sl 51.4). Igualmente o filho pródigo de Lucas 15.11-21, que também pertencia à velha ordem, não sacrificou sua filiação em razão do pecado, mas foi restaurado à comunhão com seu pai através da confissão, em cuja confissão ele disse: "Pai, pequei contra o céu, e diante de ti, não sou mais digno de ser chamado teu filho" (Lc 15.21). Deve ser observado como essas duas confissões reconhecem que o pecado é primariamente contra Deus. Visto que há aqui como em toda parte um progresso da doutrina, o tema geral da confissão será mais claramente apresentado em conexão com os relacionamentos que são conseguidos deste lado da morte de Cristo.

B. A Exigência do Novo Testamento. A confissão, por ser a expressão exterior de uma convicção interior, está intimamente relacionada ao arrependimento. O problema diante do crente que pecou não é a restauração para o estado de salvo, estado esse que depende totalmente da pessoa imutável de Cristo e de seu mérito e, portanto, continua o que é, enquanto a base permanece sobre a qual ela repousa; torna-se antes um assunto de comunhão com o Pai e o Filho. Duas pessoas não podem andar juntas, exceto se houver entre elas acordo e Deus não pode ter comunhão com o mal; contudo, quando o cristão pecador se volta para Deus em reconhecimento total do pecado, e aceita a avaliação que Deus faz dele, a concordância está estabelecida novamente e a restauração à comunhão é imediatamente experimentada. Do lado divino, há tanto a purificação quanto o perdão requeridos e também proporcionados, e estes são operados pela fidelidade de Deus à Sua promessa e propósito, e em justiça, visto que Cristo suportou o pecado em questão (1 Jo 1.9).

Naturalmente, tais provisões são pretendidas somente para aqueles que são realmente filhos de Deus e, assim, entram em união com Deus que não pode ser quebrada. A confissão deveria sempre ser a Deus e a ninguém mais, a menos que, porventura, alguma outra pessoa tenha sido prejudicada pelo pecado.

Deveria ser reconhecido também que a verdadeira confissão é uma admissão completa do mal praticado. Pedir que Deus perdoe está totalmente fora de questão. Ele disse que perdoará e purificará o salvo que *confessa* seu pecado. Esta promessa deveria ser tomada exatamente como foi dada, e a fé deveria considerar que quando uma confissão sincera foi feita, a promessa é mantida, independentemente das emoções a respeito do pecado que pode continuar.

Dois textos importantes tratam da confissão do pecado pelo cristão: "Mas, se nós nos julgássemos a nós mesmos, não seríamos julgados; quando, porém, somos julgados pelo Senhor, somos corrigidos, para não sermos condenados com o mundo" (1 Co 11.31,32); "Mas, se andarmos na luz, como ele na luz está, temos comunhão uns com os outros e o sangue de Jesus seu Filho nos purifica de todo pecado. Se dissermos que não temos pecado nenhum, enganamo-nos a nós mesmos, e a verdade não está em nós. Se confessarmos os nossos pecados, ele é fiel e justo para nos perdoar os pecados e nos purificar de toda injustiça" (1 Jo 1.7-9; cf. Tg 5.16).

3. DE HOMENS. Como foi observado, é um aspecto importante dos relacionamentos do reino futuro que Cristo vai confessar diante do Pai e dos anjos aqueles que O confessam diante dos homens. Este texto diz: "Portanto, todo aquele que me confessar diante dos homens, também eu o confessarei diante de meu Pai, que está nos céus. Mas qualquer que me negar diante dos homens, também eu o negarei diante de meu Pai, que está nos céus" (Mt 10.32, 33). Este texto está totalmente dentro da revelação do reino e, portanto, não poderia se aplicar ao cristão na presente era. Um aspecto similar para a Igreja é visto, contudo, em Apocalipse 3.5.

Consciência

Como uma faculdade nativa de cada ser humano, a consciência é a de mais difícil entendimento e tem sido freqüentemente negligenciada em obras de Antropologia e Psicologia. Quando Emanuel Kant apresentou o que veio a ser a honorável tríplice divisão da parte imaterial do homem como intelecto, sensibilidade e vontade, ele falhou em incluir a consciência, o aspecto vital da existência humana que ela é. O assunto, na melhor das hipóteses, está envolto em mistério. A personalidade parece expressar o seu pleno escopo e a sua abrangência quando ela deseja e executa o seu propósito guiada pelo intelecto e pelas sensibilidades; não obstante, acima desta manifestação da personalidade, a consciência assenta-se para julgar se a ação é boa ou má. A pretensão da consciência quando não tem parte naquilo que, de outra forma, compromete o ser total e ainda intuitivamente cônscia de cada ação ao grau de estabelecer juízo sobre o ato, sugere o caráter peculiar e enganoso dessa faculdade.

Uma ampla esfera de opinião existe a respeito da consciência. Num extremo está a argumentação de que a consciência é uma atitude de mente adquirida, um mero hábito formado pela disciplina de treinamento desde a infância, treinamento esse que acentuou os valores do bem e do mal. O teste final desta opinião é algo trazido à luz por povos não-civilizados que não tiveram quaisquer ideais morais sustentados, perante eles. Visto que a consciência é capaz de ser enfraquecida e cauterizada, pode ser esperado que, qualquer que possa ter sido sua força nativa na primeira infância dos povos pagãos, ela seria inteiramente destruída à medida que avançam os anos. No outro extremo está uma convicção de que a consciência é a voz de Deus que fala diretamente na alma humana. Um teste para esta teoria ser vencida seria o fato evidente de que a consciência é capaz de ser enfraquecida e totalmente derrotada – tendências que não são facilmente associadas com a real voz de Deus.

A Bíblia assume a presença da consciência no homem como um fator nativo de seu ser e atribuí tais limitações dela ao torná-la uma característica humana falível. Embora sujeita ao enfraquecimento através do mau uso, a consciência é apresentada nas Escrituras como um monitor das ações humanas. Parece ser algo inerente e universal, antes do que uma faculdade adquirida, e parece ser uma voz de origem humana, antes que a voz de Deus. Quando for estabelecida uma indução de todos os textos que tratam da consciência, os fatos confiáveis que apresentam esta capacidade humana serão revelados. A palavra ocorre trinta vezes no Novo Testamento.

As seguintes divisões gerais do assunto são sugeridas: (1) A consciência age judicialmente, acusando ou desculpando (Rm 2.15). (2) A consciência age punitivamente, infligindo remorso e autopunição. (3) A consciência antecipa os julgamentos futuros e então age por meio de predição. (4) A consciência age socialmente no julgamento de outros (Rm 14.4; 1 Co 8.13).

A verdade a respeito da consciência humana é mesmo mais complexa no caso de um crente. Por ser habitado pelo Espírito Santo e, portanto, sujeito à mente e à voz do Espírito, a questão pode ser levantada sobre se um cristão realmente vive pelas impressões restritas que uma consciência desamparada gera. O Espírito Santo se torna o novo Monitor, e o filho de Deus entristece ou não entristece o Espírito Santo. Está, portanto, escrito: "E não entristeçais o Espírito de Deus no qual fostes selados para o dia da redenção" (Ef 4.30). É possível que o Espírito Santo opere na consciência humana e através dela quando registra Suas reações ao pensamento e à conduta do crente. O apóstolo Paulo assim testificou de si mesmo: "Digo a verdade em Cristo, não minto, dando testemunho comigo a minha consciência no Espírito Santo" (Rm 9.1).

Conversão

A conversão, que aparece quarenta vezes no original ($\dot{\epsilon}\pi\iota\sigma\tau\rho\dot{\epsilon}\phi\omega$), significa não mais do que um retorno, mudança de rumo, e exige um tratamento duplo, a saber:

SUMÁRIO DOUTRINÁRIO

1. IMPLICAÇÕES FÍSICAS. Neste primeiro uso da terminologia *converter* ou *conversão*, o significado a ser comunicado não é mais do que um retorno de um corpo físico. Várias vezes está declarado de Cristo que Ele "voltou-se", "fez um retorno" (cf. Mt 16.23, στρέφω), que sugere simplesmente que Ele virou o seu corpo. Ele, assim, foi "convertido". Cristo advertiu os discípulos contra lançar pérolas aos porcos, para que os porcos, ao se *voltarem* ("ao se converterem"), não os despedaçassem (Mt 7.6, στρέφω).

2. IMPLICAÇÕES ESPIRITUAIS. Como um ato moral ou espiritual também, o indivíduo pode se voltar. O apóstolo Paulo escreve: "Porque eles mesmos anunciam de nós qual a entrada que tivemos entre vós, e como vos convertestes dos ídolos a Deus, para servirdes ao Deus vivo e verdadeiro, esperardes dos céus a seu Filho, a quem ele ressuscitou dentre os mortos, a saber, Jesus, que nos livra da ira vindoura" (1 Ts 1.9-10). Contudo, por ser somente a ação humana da mente e vontade, a conversão no sentido moral ou espiritual não é equivalente à salvação, que em todas as suas transformações poderosas é sempre e unicamente uma obra de Deus para o indivíduo que exerce fé salvadora em Cristo. Este, o segundo e mais importante aspecto do termo *conversão*, pode indicar não mais do que uma reforma. É a falsificação mais proeminente da verdadeira salvação.

Quando se faz a obra de um evangelista, é possível assegurar conversões que são auto-operadas, mudanças morais totalmente à parte da genuína salvação com seu perdão, novo nascimento, e a justiça imputada. O estudante faria bem em evitar o uso da palavra *conversão* quando a salvação está em vista. Os homens não são salvos, exceto que sejam espiritualmente convertidos. Eles então se voltarão da confiança em outras coisas a respeito da salvação para a confiança em Cristo somente (cf. 1 Ts 1.9). De Israel também poderia ser dito que se converte (cf. Sl 19.7; Is 6.10; Mt 13.15; 18.3; Mc 4.12; Lc 22.32; Jo 12.40; At 3.19; 15.3; 28.27; Tg 5.19).

Convicção

A palavra grega original ἐλέγχω que pode ser traduzida como *convencer* – usada dezessete vezes no Novo Testamento – apresenta em geral o processo pelo qual uma pessoa chega a certas conclusões ou impressões em sua mente. Muito freqüentemente é suposto que esta abordagem é através de emoções que a convicção consiste de uma depressão espiritual e tristeza pelo pecado. Deve antes ser observado que a emoção, que pode surgir no coração, é em si mesma devida à convicção, um estado de convencimento da mente, e não o estado convencido da própria mente. Freqüentemente esse equívoco é suposto que uma tristeza suficiente pelo pecado amaciará o coração de Deus, para que Ele possa perdoar, ou que a tristeza pelo pecado resultará num completo abandono da prática do pecado. Em nenhuma dessas suposições a verdade vai ser encontrada.

A atitude de Deus para com o pecado do indivíduo foi totalmente mudada e isto por causa do fato de que Cristo suportou o seu pecado. Por intermédio da morte de Cristo pelo pecado, Deus é agora propício. Não resta ocasião alguma para Ele ser aplacado ou propiciado pelas lágrimas humanas ou pela tristeza. Igualmente, chegar a um ponto de convicção onde algumas reformas são asseguradas é muitíssimo diferente da salvação do indivíduo. Se pela da iluminação que a convicção comunica, contudo, o indivíduo é conduzido a se lançar completamente sobre Deus para Sua graça salvadora, o resultado desejado de uma transformação espiritual será obtido.

Com este significado mais específico de *convicção* em mente, pode ser dada atenção à passagem central que trata sobre este tema, a saber, João 16.7-11, que diz: "Todavia, digo-vos a verdade, convém-vos que eu vá; pois se eu não for, o Ajudador não virá a vós; mas, se eu for, vo-lo enviarei. E quando ele vier, convencerá o mundo do pecado, da justiça e do juízo; do pecado, porque não crêem em mim; da justiça, porque vou para meu Pai, e não me vereis mais, e do juízo, porque o príncipe deste mundo já está julgado". Este tríplice ministério do Espírito para os não-salvos pelo qual eles são iluminados ou convencidos, cuja iluminação evidentemente vence a cegueira que Satanás impôs com relação ao Evangelho, é muito essencial se qualquer aceitação inteligente de Cristo deve ser conseguida.

Esta cegueira satânica é descrita pelo apóstolo: "Mas, se ainda o nosso evangelho está encoberto, é naqueles que se perdem que está encoberto, nos quais o deus deste século cegou os entendimentos dos incrédulos, para que lhes não resplandeça a luz do evangelho da glória de Cristo, o qual é a imagem de Deus" (2 Co 4.3, 4).

Ninguém além do Espírito Santo pode levantar esse véu. O Espírito faz isso, quando leva o indivíduo a compreender três verdades cardeais e indivisíveis. Elas são cardeais visto que abrangem a própria estrutura do Evangelho da graça de Deus. Elas são indivisíveis visto que nenhuma porção delas jamais é operada à parte do todo. Como os três temas são tomados separadamente, é de grande importância reconhecer que estes assuntos são mencionados no texto como constituintes da substância da revelação do Espírito aos não-salvos. A mesma revelação completa destas verdades é tão definitivamente exigida em todo não-regenerado como a universalidade da cegueira deles exige. De si mesmo e à parte da cegueira produzida por Satanás, o Evangelho não é difícil de ser entendido e ele parece mais atraente para aqueles a quem ele vem por meio da iluminação do Espírito.

À parte de um entendimento do Evangelho e disposição gerada pelo Espírito para recebê-lo, ninguém é salvo. Hebreus 6.4-9 sugere que muita iluminação pode vir para os não-salvos que eles têm poder para resistir e que, enquanto eles continuam a resistir a graça de Deus, a única esperança para a salvação deles é colocada de lado por eles próprios. A passagem, contudo, não ensina que os cristãos podem se perder. O versículo 9 determina o fato de que os não-salvos são referidos naquilo que foi dito nos versículos 4-8. Voltemos agora para a passagem central:

1. Convicção do Pecado. A referência aqui é a um pecado: deles "não crerem em mim". Muito freqüentemente é suposto que é obra do Espírito tornar as pessoas cônscias do pecado e tristes por causa dele; ao contrário, Ele revela ao não-salvo simplesmente o único pecado de rejeitar Cristo. Esta ênfase do Espírito é razoável à luz da verdade de que Cristo suportou todo pecado em Sua morte. Permanece apenas uma questão – a de crer ou receber o que Cristo fez e a Ele próprio como o Salvador glorificado.

2. Convicção da Justiça. Assim, novamente, o Espírito revela o que é impossível para o não-iluminado, impossível para a pessoa não-regenerada compreender, a saber, que no Cristo invisível agora à destra de Deus foi proporcionado todo mérito e qualidade que alguém poderia precisar no tempo ou na eternidade. Embora os não-salvos não possam entrar profundamente na doutrina complexa da justiça imputada, é essencial que eles conheçam como a salvação depende do abandono deles da confiança em si mesmos ou em qualquer outra esperança e da colocação da esperança deles totalmente e somente em Cristo. Isto certamente prova um importante aspecto da obra do Espírito, se uma aceitação inteligente de Cristo como Salvador pessoal venha a ser assegurada.

3. Convicção do Juízo. No uso da palavra *juízo* a esta altura é feita uma alusão à cruz de Cristo pela qual Satanás, "o príncipe deste mundo", foi julgado (cf. Cl 2.14,15). O fato total tem a ver com a forte influência de Satanás sobre a humanidade com base de que os homens são contrários a Deus através do pecado. Por levar o pecado do mundo eficazmente (Jo 1.29), o Filho de Deus impôs um julgamento sobre Satanás que deveria ser reconhecido como o maior de todos os julgamentos. Dos não-salvos se espera que eles reconheçam, como criminosos, que foram presos, trazidos a juízo, achados culpados, e levados para a execução, somente para ter outra pessoa, por Sua própria escolha, que intervém e sofre a execução no lugar do pecador. Assim, acontece que o pecador é colocado como um criminoso julgado, que não recebe a sua própria execução. Certamente, esta não é uma coisa a ser empreendida pelo pecador, mas é algo para ele *crer*.

Quando o campo total da verdade que o Espírito revela aos não-salvos, por qualquer agência que Ele possa escolher, é revelado, torna-se evidente que a questão diante dos não-salvos como Deus a apresenta é a de crer naquilo que agora foi cumprido por Deus e de descansar confiadamente na capacidade salvadora de Cristo. Está claro que aquele que tenta pregar a mensagem divina deveria fazer assim com toda esta verdade em mente. Em outras palavras, o Evangelho que o Espírito Santo pode exprimir é o que foi apresentado pelas três frases: convicção "do pecado, da justiça, e do juízo".

Coração

Igual a *alma* e *espírito*, o *coração* é um termo bíblico que pode representar o indivíduo (Gn 18.5; Lv 19.17; Sl 104.15; cf. Mt 13.15 com 1 Co 2.10).

O significado do termo nunca foi plenamente definido. Isto pode ser feito somente por uma indução completa de todos os textos que tratam do assunto.

Ao se referir ao coração como um órgão do corpo físico, deve ser dada atenção às emoções humanas – coragem, ira, temor, alegria, tristeza, devoção e ódio (Dt 19.6; 1 Sm 25.37; Sl 4.7; 12.2; 27.14). Um homem pode amar a Deus com todo seu coração.

Corpo

A verdade bíblica geral a respeito do corpo permite uma tríplice divisão, ou seja: (1) o organismo humano, (2) o organismo físico de Cristo e (3) o Corpo místico de Cristo.

1. O Organismo Humano. No Novo Testamento uma distinção marcante deve ser feita entre σῶμα e σάρξ. A primeira palavra é geralmente usada para indicar a carne física, enquanto que a última é mais ampla em sua importância, e refere-se algumas vezes ao corpo físico (cf. Hb 5.7) e em outras vezes incorpora aquilo que é imaterial e ético em seu significado, com referência específica à natureza caída do homem. O apóstolo Paulo escreveu: "Porque eu sei que em mim, isto é, na minha carne, não habita bem algum", e no mesmo contexto também disse: "...o pecado que habita em mim", "o pecado que está nos meus membros", e "quem me livrará do corpo desta morte?" (Rm 7.15-25). Estas declarações demonstram a verdade de que o apóstolo incluiu na palavra *carne* tudo o que constitui o homem não-regenerado. O presente corpo não é redimido ainda que a redenção tenha sido aplicada à alma e ao espírito.

Esta verdade essencial a respeito do corpo do crente – que permanece sem redenção – está declarada em Romanos 8.23, onde é mencionado que o salvo espera a redenção do corpo, redenção essa que ocorrerá no retorno de Cristo. Com relação ao futuro do corpo do crente, é dito que ele vai se tornar, quando redimido e mudado, igual ao corpo glorioso de Cristo (Fp 3.21), e será conformado ao Seu corpo instantaneamente no arrebatamento (cf. 1 Co 15.42-44, 51, 52). Visto que o corpo humano é o meio de expressão para a parte imaterial do homem, a carne é também concebida como a expressão do "velho homem", ou o pecado que está nos membros do corpo. Neste contexto, o apóstolo se refere ao "corpo do pecado" (Rm 6.6). De igual modo, ele compara a carne com a sua natureza pecaminosa a um corpo de morte (Rm 7.24), ou a um corpo morto que ele carrega consigo para onde ele vai.

Este, além disso, é o mesmo "corpo dos pecados da carne" que Cristo julgou quando ele morreu para a natureza pecaminosa do crente (Rm 8.3;

Gl 5.24; Cl 2.11). Ao distinguir entre o corpo e a vida espiritual que há nele que Deus concede com base na fé, o apóstolo sugere que a vida que vem dEle é um "tesouro" que está em vaso de barro (2 Co 4.7). Este corpo que em seu presente estado de vivo é mortal – sujeito à morte – se a morte não acontece, se revestirá de imortalidade; se a morte acontecer, o corpo que por causa da morte entra em corrupção, na ressurreição dos salvos, ele será revestido de incorrupção.

O corpo que deve ser do crente para sempre em glória é adaptado ao espírito do homem, enquanto que o mesmo corpo em seu presente estado é adaptado à alma do homem (1 Co 15.44-46); e se o cristão passa pela morte e ressurreição e, assim, através da corrupção e incorrupção ou pela transformação em imortalidade, por ser instantaneamente mudado do mortal para o imortal, o fim é uma realidade padronizada. Será um corpo igual ao corpo glorioso de Cristo (Fp 3.21). Há tanta promessa para o futuro do corpo do crente quanto há para o futuro de sua alma e de seu espírito.

Parece evidente para alguns, a partir de 2 Coríntios 5.1-8, que um corpo intermediário está preparado no céu para os crentes que, pela morte, são separados do presente organismo, que experimenta corrupção até o tempo da ressurreição. O corpo intermediário seria ocupado até a vinda de Cristo e o presente corpo seria vindicado em toda sua glória de ressurreição. O corpo mencionado em 2 Coríntios 5.1-8 é dito ser "nossa casa que está no céu", um corpo que em natureza pertence à esfera das coisas eternas e serve para evitar mesmo um momento sequer de desincorporação do crente.

2. O Organismo Físico de Cristo. Aquilo que é essencial para uma verdadeira humanidade e exigido, se um sacrifício suficiente e com derramamento de sangue fosse exigido, ou seja, um corpo humano, foi adquirido por Cristo pelo Seu nascimento físico. Por esse corpo Ele deu graças quando estava para vir ao mundo, e tudo isso por causa da incapacidade dos sacrifícios de animais para tratar de um modo definitivo com o problema do pecado (Hb 10.4-7). É importante que tenha sido feito um registro da avaliação de Cristo de Seu corpo físico e que o Seu pensamento fundamental tenha sido para um sacrifício que satisfizesse. Com referência à Sua realeza e igualmente à morte de um Rei rejeitado, Ele disse: "Por esta causa em vim ao mundo" (Jo 18.37). Em vão os artistas tentam descrever os retratos imaginários de Cristo em Sua humilhação. Aquela aparência se foi para sempre (cf. 2 Co 5.16).

Assim, também, o corpo humano de Cristo serviu como um véu para esconder a Sua glória essencial. Somente uma vez Sua glória penetrou esse véu (2 Pe 1.16-18). É provável que Sua glória estivesse ainda um tanto escondida durante o Seu ministério de quarenta dias após a ressurreição e até a Sua ascensão final. João, que viu Cristo em toda sua glória, quando Ele apareceu na ilha de Patmos, caiu a Seus pés como morto (Ap 1.17). Nesse corpo em que Ele viveu e morreu, Cristo ressuscitou, e nesse mesmo corpo, Ele está glorificado. Assim glorificado, em breve voltará.

3. O Corpo Místico de Cristo. A figura mais empregada para representar o relacionamento que existe entre Cristo e a Igreja é a do corpo humano com seus muitos membros e sua cabeça. A realidade imensurável dada ao crente quando ele entra nessa nova posição em Cristo pelo batismo do Espírito, é ilustrada pela idéia da junção de um membro a um corpo humano; e, como as funções dos membros em tal corpo diferem, assim o serviço dos crentes varia de acordo com a vontade da Cabeça viva. A união vital com Cristo é a verdade gloriosa que a figura apresenta. Nenhum relacionamento como esse é obtido na ordem do Antigo Testamento, nem mesmo aparecerá no reino vindouro.

Credos

Primariamente, o conhecimento da doutrina bíblica é uma realização individual. Neste campo, portanto, grandes obras de teologia foram escritas; mas, para a unificação geral, os homens têm formulado credos e neles têm tentado encontrar um comum acordo. Os credos estão intimamente ligados em seu caráter às obras de Teologia Sistemática. Ambos igualmente, contudo, e pela mesma razão, são rejeitados pelos líderes religiosos modernos. Visto que o Novo Testamento apresenta muito mais doutrina do que o Antigo Testamento, os credos usualmente são baseados na revelação do Novo Testamento. Sem dúvida, Deuteronômio 6.4 é a passagem mais teológica no Antigo Testamento. Os credos possuem um valor especial como refletores da teologia de seus tempos. Nenhum deles é inspirado, naturalmente, e nenhum deles é infalível. Vastas esferas da verdade essencial foram desenvolvidas pelos expositores e teólogos, na verdade, desde que a grande maioria dos credos foi formada.

Um grave perigo existe na falha em reconhecer o campo mais amplo de verdade quando e onde esses credos são adotados e defendidos como uma expressão suficiente daquilo que a Palavra de Deus apresenta. Semelhantemente, uma subscrição pessoal de alguns credos pode ser um meio pelo qual uma pessoa pode ser classificada como ortodoxa, e ainda essa pessoa pode ser destituída de um estudo direto das Escrituras. Qualquer instrumento que permite aos homens passar como ministros treinados, mas que tende a tornar os árduos e contínuos estudos do Texto Sagrado como não-essenciais, deveria ser exposto e fielmente evitado. No presente momento, muitas afirmações doutrinárias muito restritas são redigidas por um número sempre crescente de formas independentes de trabalho cristão que, por não terem relação alguma com grandes denominações nem possuírem qualquer padrão doutrinário conseqüentemente sobre que repousar, por causa disso, devem declarar a sua crença ao público.

Os principais credos do passado se classificam em dois grupos gerais: (1) os formulados antes da Reforma e (2) os formulados após a Reforma.

1. CREDOS DA PRÉ-REFORMA.

A. O CREDO DOS APÓSTOLOS. Este é algumas vezes chamado de *Credo Romano*, e é melhor conhecido e mais geralmente usado do que os outros. Por ser altamente condensado, é apropriado para a recitação pública. Como acontece com todos os credos, o alvo dos escritores era declarar o que eles criam ser a verdade cardeal; mas este credo, igual aos outros, é caracterizado pelo que ele tem omitido, assim como pelo que ele tem apresentado. Poucas pessoas, contudo, estão sempre conscientes daquilo que está omitido nos credos ou nos escritos teológicos.

B. CREDO NICENO, ou credo dos 318 – é assim chamado por causa do número de bispos que colaboraram em sua formação – foi adotado em Nicéia, 325 d.C., e foi reafirmado em Constantinopla em 381 d.C. Seu alvo principal era contradizer o arianismo, em sua própria defesa do trinitarianismo.

C. CREDO ATANASIANO, foi a afirmação de Atanásio, bispo de Alexandria, o principal combatente de Ário.

2. CREDOS DA PÓS-REFORMA.

A. ARTIGOS DE SCHWABACH, DATADOS DE 1529.
B. CONFISSÃO DE AUGSBURGO, 1530.
C. ARTIGOS DE SCHMALKALD, 1537.
D. FÓRMULA DE CONCÓRDIA, 1577.
E. CONSENSO DE GENEBRA, 1551, COM 26 ARTIGOS.
F. CATECISMO DE HEIDELBERG, 1562.
G. CÂNONES DO SÍNODO DE DORT, 1618-1619.
H. TRINTA E NOVE ARTIGOS DA IGREJA DA INGLATERRA, 1563.
I. CONFISSÃO DE FÉ DE WESTMINSTER, FORMADA PELOS LÍDERES DA IGREJA REFORMADA, 1648.

Criação
(veja Evolução)

O poder da razão que pertence em algum grau a todo ser humano assevera por inquirir a respeito da origem de todas as coisas. A consciência do eu e de todo o ambiente identifica realidades que geram a dupla convicção de que, independentemente do distanciamento do tempo, o que parece ter tido um começo e – visto que toda criação é tão maravilhosamente desenhada e harmonizada – que deve haver uma mente de competência infinita e cheia de onipotência para criar ou fazer vir à existência todas as coisas que existem. Meramente conduzir a idéia da origem de volta para o esquecimento, como faz o evolucionista, serve somente para confundir a mente e aumentar a esfera das incertezas; porque o problema central permanecerá – o problema de uma primeira causa não é a solução mais próxima.

Independentemente de um suposto processo de desenvolvimento, o gérmen do qual poderia ser alegado que a criação com seus aspectos sobrenaturais incontáveis têm desenvolvido, de acordo com os métodos naturais ou acidentais, há ainda a exigência de uma explicação da necessidade espantosa que o dito gérmen envolvia o universo em si mesmo.

CRIAÇÃO

Aí surgiram, portanto, apenas duas idéias básicas a respeito da origem: (1) a do desenvolvimento natural e (2) a da criação divina. Ao repousar entre estas proposições totalmente irreconciliáveis estão várias tonalidades de evolucionismo teísta – uma tentativa da parte de homens para explicar a forma não-desenvolvida da vida e da matéria com que o Universo supostamente começou, ao atribuir ambas as coisas à divindade. A incredulidade e a rejeição crassas de Deus, revelado em Sua Palavra, as quais na realidade caracterizam toda forma de evolucionismo, não são aliviadas por digressões nas esferas da ficção como o evolucionismo teísta traz Deus em cena, porque ele não somente rejeita a revelação divina em sua forma literal, mas minimiza em todo aspecto os elementos divinos que podem se tornar incorporados em seu esquema de interpretação. A doutrina geral da criação pode, então, ser dividida (1) entre o que aceita a revelação divina e (2) o que rejeita a revelação.

1. A ACEITAÇÃO DA REVELAÇÃO. A criação de um universo que veio do nada é uma realização que vai além da esfera do entendimento humano que ela pode ser recebida como verdade somente através de uma confiança suficiente nAquele que cria e no reconhecimento dEle. Está escrito: "Pela fé entendemos que os mundos foram criados pela palavra de Deus; de modo que o visível não foi feito daquilo que se vê" (Hb 11.3). A fé é a exigência básica; mas para o não-regenerado o Deus Todo-Poderoso não é suficientemente real para servir como uma causa para nada. O apóstolo declara: "Ora, o homem natural não aceita as coisas do Espírito de Deus, porque para ele são loucura; e não pode entendê-las, porque elas se discernem espiritualmente" (1 Co 2.14). Portanto, dizer para o não-salvo o que Deus fez, está fazendo ou fará qualquer coisa não causará explicação alguma satisfatória para a maneira em que é feito.

Sem um reconhecimento suficiente de Deus, que somente pessoas regeneradas podem possuir, os não-regenerados estão trancados nas forças naturais quando tentam descobrir a origem da vida e da matéria. Os cientistas ímpios, naturalmente, se jactam de nada aceitarem que não seja demonstrável por fatos provados; mas quando abordam o problema das origens, eles caminham em direção ao que não pode ser provado, ao grotesco e às especulações absurdas ou se retiram para um estranho silêncio para o qual os homens razoáveis mergulham quando percebem que eles não podem conhecer. A ciência pode asseverar que o cristão não sabe como a criação foi realizada, e isto é verdade ao grau em que ele não conhece o método de Deus; mas ele conhece Deus como seu Criador. A satisfação do cristão a respeito da origem de todas as coisas não é devida à credulidade ignorante e fantástica; ao contrário, ele encontrou Aquele que pode fazer tudo o que Ele diz que Ele fez ou que mesmo fará, e assim termina sua busca de uma Causa suficiente.

Deveria ser observado a esta altura novamente que os não-salvos não podem reconhecer Deus. Eles são igualmente incapazes de entender a base da fé sobre a qual a pessoa iluminada e regenerada permanece. O argumento não serve para nada. As duas escolas de pensamento sobre o assunto não são somente separadas no ponto de vista, mas permanecem irremediavelmente separadas até que os regenerados venham a conhecer Deus. A revelação da criação divina não argumenta, como falsamente a acusam, a qual nada produziu. Esta afirmação feita pelos espiritualmente ignorantes somente demonstra novamente a incapacidade que eles têm de reconhecer Deus. Para eles, Deus, em razão de ser nada no conceito deles, só poderia produzir nada.

Por outro lado, dizer que Deus, o Infinito, produziu alguma coisa do nada, pode desafiar a compreensão humana, mas não exaure os recursos da infinidade. A revelação a respeito da criação divina, incidentalmente, não é restrita aos primeiros capítulos de Gênesis, no começo da Escritura. A Bíblia toda está construída sobre a verdade da criação divina. O Texto Sagrado não somente assevera a criação divina desde o princípio, mas a sustenta e procede no seu firme fundamento em cada passo sucessivo onde há revelação dessa verdade.

2. A Rejeição da Revelação. Acusações muitíssimo danosas devem ser feitas contra toda forma de crença evolucionista. Ela contradiz o que Deus diz. O efeito deste pecado é muitíssimo abrangente. Na medida em que pode ser cometido pelo homem, esse pecado dispensa Deus do universo. Pela harmonia divina, a presença imediata de Deus é a norma assim como a razão o é para todo padrão moral no universo. Um homem que não reconhece Deus, à parte dos fracos ideais sociais que refletem algum conhecimento de Deus, se torna lei para si mesmo; o naufrágio moral no mundo da educação remonta diretamente às teorias "científicas" abraçadas pelos líderes educacionais que repudiam Deus. Há apenas uma cura para o fracasso total da raça, e esta é que o indivíduo seja nascido espiritualmente de cima, para vir a conhecer Deus, conhecer o Seu poder, Seu caráter e a Sua fidelidade.

Cristão

Como um título que pertence àqueles que são salvos, embora seja agora mais empregado do que qualquer outro, o termo *cristão* aparece no Texto Sagrado apenas três vezes: "...e em Antioquia os discípulos pela primeira vez foram chamados cristãos" (At 11.26); "Disse Agripa a Paulo: Por pouco me persuades a fazer-me cristão" (At 26.28); "...mas, se padece como cristão, não se envergonhe, antes glorifique a Deus neste nome" (1 Pe 4.16). O termo *cristão* é evidentemente uma designação gentílica para os crentes, visto que a palavra *Cristo* sobre a qual este título foi construído sugere reconhecimento do Messias ungido e nenhum judeu incrédulo estava preparado para reconhecer as reivindicações messiânicas de Cristo. Este reconhecimento, na verdade, se tornou a verdadeira cruz do problema da relação de um judeu com a nova fé. É significativo que Saulo de Tarso, quando salvo, "logo nas sinagogas pregava a Jesus, que este era o filho de Deus" (At 9.20).

O messianismo foi sempre o tema daqueles que pregavam aos judeus que Jesus é o Cristo. Todos poderiam ser capazes de identificar a pessoa que tinha sido conhecida como *Jesus de Nazaré,* mas o teste determinante era Ele ser reconhecido como o Cristo ou o Messias, e assim o Filho de Deus. Os judeus falavam dos crentes como *nazarenos.* Isto não tinha uma implicação lisonjeira. Muito cedo, nos dias do ministério de Cristo sobre a terra, contudo, sobre Natanael expressou a idéia aceita quando ele perguntou: "Pode alguma coisa boa vir de Nazaré?" Também, o orador Tértulo, quando argumentando perante Félix, pensou bem em rotular Paulo como "o chefe da seita dos nazarenos" (At 24.5). Assim, será observado que os crentes não atribuíram a si mesmos o nome *cristão,* embora Pedro o tenha empregado em referência ao que tinha se tornado uma prática reconhecida (1 Pe 4.16).

Parece provável que este costume de designar crentes não era a expressão de uma convicção de que Jesus é o Messias; ele foi antes baseado no nome familiar de Cristo como um líder religioso. As designações *irmãos,* usada cerca de 200 vezes no Novo Testamento; *santos,* usada cerca de 60 vezes; *discípulos* (começa com o seu aparecimento nos Atos dos Apóstolos) usada cerca de 30 vezes, e *crentes,* que significa aqueles que crêem, usada cerca de 80 vezes, assim mantêm uma preferência de acordo com Atos e as epístolas do Novo Testamento.

Além do problema do que pode ser um título apropriado, está o fato em si de ser identificado de um modo ou de outro. O que, de acordo com o Novo Testamento e assim sobre a autoridade de Deus, faz com que alguém seja um crente ou um cristão? Respostas a esta pergunta são variadas, algumas vezes tão esvaziadas que o título *cristão* é considerado de alguém que meramente porta uma cidadania num país chamado cristão. Em oposição a isto, a realidade que o salvo representa atinge muito além de toda compreensão humana. Sob o estudo de Soteriologia (Vol. III) 33 empreendimentos e transformações divinos, simultâneos e instantâneos, que juntos constituem a salvação de uma alma foram listados. Todos estes são operados no momento em que a fé salvadora em Cristo é exercida. Três dessas grandes realidades somente podem ser citadas aqui, ou seja:

1. UMA NOVA PURIFICAÇÃO. Esse perdão divino que foi alcançado como uma parte da salvação é completo e se estende a todos os pecados – passados, presentes e futuros – na medida em que diz respeito à condenação. Romanos 8.1, entretanto, declara: "Portanto, agora, nenhuma condenação há para os que estão em Cristo Jesus". Ainda permanece verdadeiro que o pecado do crente pode, como foi visto em outro lugar, conduzir ao castigo. O perdão, entretanto, é para a purificação e é operado através do sangue de Cristo. Isto prova de maneira completa que nenhuma sombra ou mácula será vista sobre o salvo – mesmo pelos olhos da santidade infinita – por toda a eternidade.

O perdão divino não está baseado na leniência de Deus, mas, antes, no fato de que o poder condenatório de todo pecado exauriu-se sobre o Substituto divinamente providenciado. O perdão de Deus é um reconhecimento legal da verdade de que Outro suportou o julgamento por aquele que é perdoado. A purificação é, assim, tão completa e perfeita como a base sobre a qual ela é operada.

2. Uma Nova Criação. Uma relação de filiação real e totalmente legítima para com Deus é divinamente gerada quando uma alma é salva. Aquele que é salvo se torna a descendência de Deus. Ele se torna, portanto, um *herdeiro de Deus* e um *co-herdeiro* com Cristo. O apóstolo João testifica de Cristo que "a todos quantos o receberam, deu-lhes o poder" de se tornarem filhos (Jo 1.12) – não uma mera opção ou escolha na direção da regeneração, porque Ele os faz tornar-se no mais absoluto sentido filhos de Deus. Como tal eles são adaptados e destinados a tomar o lugar de honra na família do Pai no céu. Deus está agora "trazendo muitos filhos à glória" (Hb 2.10).

3. Uma Nova Posição. Por causa da identidade perfeita e da união do crente com Cristo, que é criada pelo Espírito Santo, pode ser dito do salvo que ele se tornou "aceito" (Ef 1.6). Esta posição não é uma ficção ou fantasia, mas por ela o crente se torna imediatamente não somente vestido com a justiça de Deus, mas ele próprio se torna a própria justiça de Deus. Esta realidade imensurável depende totalmente do fato que o filho de Deus, por ser abençoado, está em Cristo. Tal posição sem limites perante Deus torna-se legalmente possível através do suave cheiro da morte de Cristo quando como Substituto Ele "ofereceu-se a si mesmo sem mancha a Deus" (Hb 9.14), para liberar assim tudo que Ele é em Si mesmo, a fim de ser a porção daqueles a quem Ele salva. Esta provisão por meio de Sua morte é realizada e selada para a realidade eterna por uma união vital com Cristo.

Um cristão, então, não é aquele que faz certas coisas para Deus, mas, ao contrário, é alguém por quem Deus fez certas coisas; ele não é tanto aquele que se conforma a certa maneira de vida quanto é aquele que recebeu o dom da vida eterna; ele não é aquele que depende desesperadamente do estado imperfeito, mas, antes, aquele que alcançou uma posição perfeita perante Deus, por estar em Cristo.

Cristianismo

Esse conjunto de verdade, que é agora conhecido como *cristianismo*, foi identificado pela Igreja Primitiva como a *Fé* e o *Caminho* (At 9.2). De acordo com Atos 6.7, um grande grupo de sacerdotes "obedeceu a fé" e Judas (v. 3) argumentou em favor "da fé que uma vez por todas foi entregue aos santos". Foi somente no tempo de Inácio de Antioquia († 107?) é que o termo *cristianismo* foi introduzido. Igual à palavra cristão, ela tem aparecido num uso geral hoje como uma representação daquilo que os apóstolos revelaram no Novo Testamento, e foi trazido à existência por virtude da morte, ressurreição e do presente ministério de Cristo no céu, assim como pelo advento do Espírito Santo ao mundo. De todos os sistemas religiosos que foram cultivados no mundo, apenas dois têm a distinção de serem designados, originados e (eventualmente, mas não ainda) consumados de acordo com o propósito específico de Deus.

CRISTIANISMO

Estes são o judaísmo e o cristianismo. Embora a teologia do pacto, com a sua extensa influência doutrinária, tenha confundido e ignorado as distinções que se deve ter entre os dois sistemas divinamente cultivados, um reconhecimento da diferença entre eles é o fundamento essencial de qualquer início ou progresso no entendimento correto das Escrituras. Para demonstrar a veracidade desta afirmação, deveria ser acrescentado que, enquanto ambos os sistemas incorporam instruções para a vida diária aqui na terra, pode ser averiguado por causa da evidência de que qualquer pessoa sem preconceito pode verificar que esse judaísmo é um sistema pertencente a uma nação – Israel, que é terrestre em seu escopo, propósito, e o destino que ela proporciona, enquanto que o cristianismo é celestial em seu escopo, propósito, e o destino que ele proporciona.

Será visto, também, embora inclua muita coisa que é comum a ambas as religiões, que elas são igualmente a realização de princípios opostos, e que elas não são nem poderiam estar em vigor ao mesmo tempo. O judaísmo sozinho estava em ação desde o chamamento de Abraão até a morte e ressurreição de Jesus Cristo e novamente voltará a ser a realização do propósito divino na terra após o arrebatamento da Igreja, mas o cristianismo é o único objetivo divino na presente era, era que é limitada pelos dois adventos de Cristo. Muito freqüentemente é suposto que o judaísmo terminou ou se amalgamou no cristianismo. Uma expressão favorita desta noção é no sentido de que o judaísmo foi o botão e o cristianismo a flor desabrochada. Em oposição a este engano está a verdade de que ambos, o judaísmo e o cristianismo, seguem os seus cursos prescritos intactos e sem mistura desde o começo de ambos e assim pela eternidade vindoura.

De longe, a maior porção da profecia bíblica diz respeito a Israel com sua terra, isto é, a nação, o trono davídico, o Messias-rei e Seu reino. Isto e muito mais formam a escatologia do judaísmo. Aqui pode ser visto novamente que é muitíssimo impróprio falar da Teologia Sistemática como teologia cristã, visto que a primeira incorpora os vastos horizontes da verdade que são totalmente estranhos em sua aplicação principal àquela que pertence ao cristianismo. Porque muito ensino teológico é confuso nestes campos da verdade, é essencial que uma ênfase especial seja acrescentada aqui.

Embora tenha sido dado ao apóstolo formular e registrar as realidades que juntamente constituem o cristianismo, ele mesmo não fez o seu anúncio inicial. Cristo, no discurso do Cenáculo (Jo 13.1–17.26), declarou os aspectos novos e vitais do cristianismo. Isto ocorreu bem no fim de Seu ministério terreno e foi apresentado como uma antecipação do que estava para ser inaugurado. O ministério terreno de Cristo estava restrito, na maior parte, a Israel e continuou totalmente dentro do escopo de seus pactos com promessa. No discurso do Cenáculo são encontrados os fatores importantes de relacionamento com o Pai, o Filho e o Espírito Santo que são peculiares ao cristianismo. Contudo, como foi divinamente planejado, o grande apóstolo foi levantado para receber e formular o novo sistema, baseado como é sobre a morte e ressurreição de Cristo e sobre os valores obtidos no Pentecostes.

A esta altura certos termos com referência às nuanças de significado podem ser introduzidos:

1. Teologia do Novo Testamento. Esta abarca aquilo que é distintivamente cristão no Novo Testamento. Novos capítulos são acrescentados ao judaísmo em conexão com o desvendamento daquilo que constitui o cristianismo.

2. Teologia Paulina. É a doutrina restrita aos escritos de Paulo, mas que revela muita coisa com respeito ao judaísmo, especialmente em seu contraste com o cristianismo (cf. a porção maior da epístola aos Hebreus).

3. Meu Evangelho (Rm 2.16). Esta designação é usada pelo apóstolo quando se refere a toda revelação que lhe foi dada, ou seja, o Evangelho da graça salvadora que lhe foi revelado na Arábia (cf. Gl 1.11,12) e também a revelação a respeito da Igreja como um Corpo de Cristo composto, como é, de crentes judeus e gentios. A tudo isto deveria ser acrescentado o alcance da verdade que demonstra a responsabilidade peculiar do cristão na vida diária, com provisões novas e incomparáveis para uma vida santa através do poder do Espírito que habita nos crentes. A designação que o apóstolo usa, "meu evangelho", é equivalente ao cristianismo quando um estudo direto, construtivo e sem relação com o judaísmo, está em vista.

Como um sumário, pode ser reafirmado que o cristianismo incorpora o Evangelho da graça divina que está baseado na morte e ressurreição de Cristo, o fato de um Corpo com todos os seus relacionamentos e destino, e o novo e vital modo de vida através da capacitação do Espírito Santo.

Cristologia

Ao reconhecer que um volume inteiro desta obra foi designado para o estudo de Cristologia (Vol. V), o assunto pode ser novamente abordado naquilo que pretende ser uma recapitulação altamente condensada. O tema (tem sido e) é bem dividido em sete posições em que Cristo foi apresentado pela Bíblia, ou seja:

1. O Filho de Deus Pré-encarnado. O fato de Sua existência pré-encarnada é estabelecido não somente por afirmações diretas da Escritura, mas por conclusão. Algumas dessas linhas de prova são:

A. Cristo é Deus. Segue-se que se Cristo é Deus, então Ele existe desde toda eternidade. A evidência de que Ele é Deus pode ser vista em Seus títulos – Logos, Unigênito, Imagem Exata, Primogênito, Elohim e Jeová; em Seus atributos divinos – eternidade (Mq 5.2), imutabilidade (Hb 1.11,12; 13.8), onipotência (1 Co 15.28; Fp 3.21), onisciência, e onipresença; em Suas obras poderosas – criação, preservação, perdão de pecado, levantar mortos e execução de todo julgamento.

B. Cristo como Criador. Neste aspecto, as Escrituras são explícitas (Rm 11.36; Cl 1.15-19; Hb 1.2-12). Se Ele é Criador, Ele existe desde antes da criação.

CRISTOLOGIA

C. CRISTO É CONSIDERADO COMO IGUAL AOS OUTROS NA TRINDADE. Em todas as referências às pessoas da Trindade, Cristo, o Filho, compartilha igualmente. Em todos os propósitos de Deus, conquanto revelados, Ele assume aquelas partes que somente Deus pode assumir. Ele é, assim, antes de todas as coisas.

D. O MESSIAS DO ANTIGO TESTAMENTO É DEUS. Visto que Cristo é o Messias do Antigo Testamento, Ele é necessariamente Deus e isto desde toda a eternidade.

E. O ANJO DE JEOVÁ É CRISTO. Isto está claramente provado em páginas anteriores desta presente obra teológica e, na verdade, é uma evidência infalível da preexistência de Cristo.

F. AFIRMAÇÕES BÍBLICAS DIRETAS SUGEREM A PREEXISTÊNCIA DE CRISTO. Tais afirmações são numerosas e conclusivas.

G. O TESTEMUNHO DIRETO DA ESCRITURA É QUE CRISTO EXISTE DESDE SEMPRE (cf. Jo 1.1-2; Fp 2.5-11; Hb 1.1-3).

2. O FILHO DE DEUS ENCARNADO. O tema a respeito do Verbo encarnado ocupa cerca de dois quintos do Novo Testamento. O esboço geral deste aspecto da Cristologia pode ser afirmado sob sete divisões:

A. PREDIÇÕES DO ANTIGO TESTAMENTO. Estas são típicas e proféticas em sua natureza.

B. NASCIMENTO E INFÂNCIA. Muita coisa que é fundamental em doutrina está devidamente baseada no nascimento de Cristo. Aqui devem ser introduzidas as Suas várias filiações – o título Filho de Deus sugere a filiação divina; Filho do homem, a racial; Filho de Maria, a humana; Filho de Davi, a messiânica e judaica; Filho de Abraão, a redentora. Aqui também será revelado o tema total da união hipostática das Suas duas naturezas; o aspecto mediatorial da Pessoa de Cristo e Sua morte; Seu ministério terrestre a Israel como Messias, Emanuel e Rei; Seu ministério à Igreja como Cabeça, Senhor e Noivo. Aqui também se vê o objeto duplo de Seu ministério terreno, primeiro para Israel a respeito de seu reino de pacto e mais tarde aos judeus e gentios a respeito da Igreja que é Seu Corpo. Além disso, ainda de importância maior a ser vista, são os três ofícios de Cristo; o de Profeta, que incorpora todo o Seu ministério de ensino; o de Sacerdote, que incorpora o sacrifício de Si mesmo pelo mundo; o de Rei, que incorpora o pacto davídico total com as predições e seu cumprimento em Seu reinado futuro.

C. BATISMO. O batismo de Cristo foi o principal evento em Sua vida terrena e o de importância maior visto que pelo batismo Ele foi consagrado ao ofício de Sacerdote, cujo ofício, igual ao de Rei, dura para sempre.

D. TENTAÇÃO. Julgando a partir da descrição extensa dada a este fato, a tentação é de grande importância. Ela se tornou o ataque crucial de Satanás contra a humanidade de Cristo, a questão sobre se Ele permaneceria ou não na perfeita vontade de Seu Pai. De que Ele permaneceria, era assegurado por Sua própria natureza como Deus e foi determinado desde toda a eternidade; todavia, o teste foi permitido para que as mentes finitas pudessem ficar satisfeitas sobre a impecabilidade do Salvador.

SUMÁRIO DOUTRINÁRIO

E. Transfiguração. A transfiguração, assim se declara, foi a demonstração do poder e da vinda de Cristo em Seu reino (Mt 16.28; Mc 9.1; Lc 9.27), isto é, o evento descreve a glória do reino vindouro. Quando transfigurado, Cristo estava para voltar-se do ministério do reino que tinha envolvido João, os discípulos, e Ele próprio para o novo propósito celestial que dizia respeito a um povo qualificado para a glória por meio de Sua morte e ressurreição. Portanto, era essencial que o reino não somente fosse prometido, mas mostrado, para que seu futuro certamente não fosse perdido de vista com o esmagador desapontamento que Sua morte, como o rei rejeitado, gerou.

F. Ensino. Provavelmente, nenhuma evidência mais clara a respeito do escopo e do propósito do primeiro advento de Cristo pode ser descoberta além do que está indicado em Seu ensino, especialmente o dos dois principais discursos. Os Seus ministérios a Israel e à Igreja são nesse sentido completamente distintos – para aqueles que não estão cegos pelo preconceito teológico.

G. Obras Poderosas. Quando Cristo disse: "Se eu entre eles não tivesse feito tais obras, quais nenhum outro fez, não teriam pecado; mas agora, não somente viram, mas também odiaram tanto a mim como a meu Pai" (Jo 15.24). Ele revelou em algum grau a razão pela qual operou milagres. Suas obras poderosas atestaram Sua alegação de ser o Messias e assim Sua rejeição foi sem desculpa por causa dessa evidência.

3. Os Sofrimentos Eficazes, Morte e Sepultamento do Filho de Deus. Consideremos estes três eventos separadamente:

A. Seus Sofrimentos. A evidência apresentada em João 19.28 sugere que as cargas reais dos julgamentos do pecado caíram sobre Cristo nas horas de Seu sofrimento que culminaram na morte. Foi exatamente antes que Ele disse "Está consumado" que João declara dele, "sabendo Jesus que todas as coisas já estavam consumadas, para que se cumprisse a Escritura, disse: Tenho sede". O que foi realmente experimentado por Cristo naquelas seis horas sobre a cruz não pode ser conhecido neste mundo por homem algum; todavia, o valor disso é recebido por aqueles que crêem.

B. Sua Morte. Era exigido de qualquer sacrifício eficaz que fosse liberado para a morte e com derramamento de sangue. A morte de Cristo é o antítipo de todo sacrifício típico e determinou a natureza daquele tipo específico. As mortes sacrificiais típicas pelo derramamento de sangue foram assim como Deus exigiu por causa da verdade de que Cristo seria sacrificado dessa maneira. A extensão do testemunho bíblico a respeito da morte de Cristo pode ser examinada em sete divisões, a saber: (1) tipos, (2) profecias, (3) declarações históricas dos evangelhos sinóticos, (4) declarações do apóstolo João em Seu Evangelho, epístolas e no Apocalipse, (5) declarações do apóstolo Paulo, (6) do apóstolo Pedro e (7) a carta aos Hebreus.

Se é perguntado, como acontece freqüentemente: "Quem fez Cristo morrer?" pode ser assinalado que Ele foi oferecido pelo Pai (Sl 22.15; Jo 3.16; Rm 3.25), por Sua própria vontade (Jo 10.17; Hb 7.27; 9.14; 10.12), pelo Espírito (Hb 9.14), e por homens – Herodes, Pilatos, os gentios e o povo de Israel

(At 2.23; 4.27). A isto pode ser acrescentado que em parte Sua morte foi uma contribuição de Satanás (cf. Gn 3.15).

A morte de Cristo alcançou um grande número de objetivos. Ao menos catorze deles estão indicados nesta obra no estudo da Soteriologia (Vol. III).

C. SEU SEPULTAMENTO. Como o tipo do bode expiatório predisse, Cristo levou o fardo do pecado para o esquecimento. Ele foi para a sepultura como um portador do pecado e saiu dela como o Senhor da glória.

4. A RESSURREIÇÃO DO FILHO DE DEUS. Novamente, o testemunho do Antigo Testamento no que diz respeito a Cristo é visto em tipos e profecias. No Novo Testamento este tema está declarado (1) pelas predições de Cristo e (2) pelo fato histórico de que Ele ressurgiu dos mortos – um evento mais plenamente provado do que talvez qualquer outro da história. Cristo foi ressuscitado pelo Pai (Sl 16.10; At 2.27, 31, 32; Rm 6.4; Ef 1.19, 20), pelo próprio Filho (Jo 2.19; 10.17,18), e pelo Espírito (1 Pe 3.18).

Na revelação dos fatores que compõem o cristianismo, o apóstolo a quem esta revelação foi dada coloca a ressurreição de Cristo numa posição central e muito importante. A morte de Cristo provê, mas a ressurreição constrói. Pela morte de Cristo, o demérito é cancelado e o mérito de Cristo é tornado disponível, mas pela ressurreição de Cristo o novo Senhorio sobre uma nova criação aperfeiçoada é estabelecido para sempre. A importância de Sua ressurreição pode ser vista a partir dos seguintes fatos que, por sua vez, declaram as razões para a ressurreição.

Cristo ressurgiu (a) por causa daquilo que Ele é (At 2.24). Ou seja, é impossível que Ele, o Filho de Deus, fosse mantido no lugar de morte. (b) Ele ressuscitou por causa de quem Ele é (Rm 1.3, 4). A ressurreição serviu para provar Sua posição como "Filho de Deus com poder, de acordo com o espírito de santidade". (c) Ele ressuscitou para ser o Cabeça sobre todas as coisas, à Igreja (Ef 1.22, 23). (d) Ele ressuscitou para conceder a vida da ressurreição sobre todos os que crêem (Jo 12.24). (e) Ele ressuscitou para ser a fonte do poder da ressurreição nas vidas dos Seus que estão no mundo (Mt 28.18; Rm 6.4; Ef 1.19, 20). (f) Ele ressuscitou porque Sua obra que proporcionou a base para a justificação foi completada (Rm 4.25). (g) Ele ressuscitou como o padrão ou as primícias de todos que são salvos (1 Co 15.20-23; Fp 3.20-21; 1 Tm 6.16). (h) Ele ressuscitou, para assentar-se no trono de Davi e, assim, cumprir todas as promessas de pacto a Israel (At 2.30).

À vista diante da avaliação de Deus, a ressurreição de Cristo é de importância suficiente para ser celebrada uma vez por semana e, assim, o primeiro dia da semana sobre o qual ele é celebrado suplanta, na presente era, o sábado da velha ordem.

5. A ASCENSÃO E INTERCESSÃO DO FILHO DE DEUS.

A. SUA ASCENSÃO. A partida de Cristo para o céu já foi considerada no estudo da doutrina da ascensão neste volume. Ela é mencionada novamente aqui somente para completar a estrutura da doutrina que pertence à Cristologia.

Duas ascensões foram indicadas – uma imediatamente após a ressurreição, quando o retorno de Cristo ao céu como as Primícias e como Sacerdote que apresentou o Seu sangue ocorreu. A segunda ascensão foi a Sua partida final da terra, quando Ele levou o Seu presente ministério para o céu.

B. SUA INTERCESSÃO. A totalidade do presente ministério de Cristo no céu tem sido praticamente ignorada pelos teólogos e especialmente pelos arminianos, para quem este ministério é repulsivo, visto que Ele garante a segurança eterna de todos os que são salvos. Sete aspectos de Seu presente ministério devem ser reconhecidos, ou seja: (1) o exercício da autoridade universal. Ele disse de Si próprio: "Todo poder me é dado no céu e na terra" (Mt 28.18); (2) Senhorio sobre todas as coisas à Igreja (Ef 1.22, 23); (3) concessão e direção do exercício dos dons (Rm 12.3-8; 1 Co 12.4-31; Ef 4.7-11); (4) intercessão, em cujo ministério Cristo contempla a fraqueza e imaturidade dos Seus que estão no mundo (Sl 23.1; Rm 8.34; Hb 7.25); (5) advocacia, ministério pelo qual Ele aparece em defesa dos Seus diante do trono do Pai, quando eles pecam (Rm 8.34; Hb 9.24; 1 Jo 2.1); (6) preparação do lugar que Ele foi ornamentar (Jo 14.1-3); e (7) "aguardando" ou esperando até o momento quando, pelo decreto do Pai, os reinos deste mundo se tornarão do Messias – não por agências humanas, mas pelo poder esmagador e irresistível do Rei que vai retornar (Hb 10.13).

6. A SEGUNDA VINDA E REINO DO FILHO DE DEUS.

A. A SEGUNDA VINDA. O evento estupendo da segunda vinda de Cristo com todos os seus resultados transformadores deve ser distinguido de Sua vinda nos ares, para juntar a Igreja consigo tanto pela ressurreição quanto pela transformação. O Seu segundo advento diz respeito aos judeus, gentios e hostes angelicais, inclusive Satanás e seus anjos, e está relacionado à Igreja somente quando ela é vista em Seu retorno, para reinar com Ele.

B. O REINO. Embora o reino davídico e terrestre de Cristo, que foi prometido desde há muito, foi oferecido a Israel em Seu primeiro advento, e foi imediatamente rejeitado e posposto nos conselhos de Deus, até que Ele venha novamente. Um dos erros teológicos básicos é a tentativa de relacionar o reino de Cristo sobre a terra simplesmente a Seu primeiro advento. Visto que nenhum reino terreno ficou visível então, é alegado pelos teólogos que Seu reino deve ser espiritual e que toda expectativa baseada nos pactos e promessas do Antigo Testamento foi entendida erroneamente pelos apóstolos e profetas na medida em que isso tenha sido interpretado literalmente. Não obstante, de acordo com cada palavra da Escritura, um escopo que se estende à maior de todas as expectativas proféticas, o Messias virá novamente e fará literalmente o que foi predito que Ele deveria fazer para o reino.

7. A CONCLUSÃO DA MEDIAÇÃO E DO REINO ETERNO DO FILHO DE DEUS.

Seguindo a conclusão do reino milenar, que é em si mesma a última forma da mediação de Cristo, certos eventos imensuráveis ocorrem com todos os seus resultados transformadores, a saber: (a) Satanás será solto do abismo (Ap 20.3); (b) os exércitos serão formados e uma revolta contra Deus ocorrerá novamente (Ap 20.7-9); (c) o passamento do velho céu e da velha terra (Ap 20.11); (d) o

CRÍTICA

julgamento do grande trono branco (Ap 20.12-15); (e) a criação do novo céu e da nova terra (2 Pe 3.10-14; Ap 21.1); (f) a descida do céu da cidade-noiva (Ap 3.12; 21.2, 9, 10); (g) o abandono real da mediação, mas não do trono davídico. Da leitura de 1 Coríntios 15.25-28, uma crença tem sido gerada de que Cristo entrega Seu reino no final da era do reino. Por ter declarado que Cristo recebe o reino e sua autoridade do Pai (1 Co 15.27), contudo, a passagem realmente continua a dizer que, após o reino mediatorial de mil anos, Cristo continuará a reinar para sempre com a mesma autoridade do Pai. É o testemunho do pacto davídico que Ele reinará no trono de Davi para sempre (2 Sm 7.16; Sl 89.20-37; Is 9.6,7; Lc 1.31-33; Ap 11.15).

Crítica

De acordo com o seu uso amplo, a palavra *crítica* indica mais do que um ataque insensível sobre o que está escrito nas Escrituras; ela almeja incorporar a análise e a evidência em geral, e prova ser vantajosa no estabelecimento do que é verdade como o faz quando detecta erros onde a falha humana existe. Desatenção às vezes se vê no uso dos termos que classificam a crítica. O estudante é ordenado a prestar atenção às definições corretas e a se conformar às distinções apresentadas.

O Dr. James Orr escreveu de modo muito esclarecedor sobre este tema na *International Standard Bible Encyclopaedia*. A citação a seguir é de sua afirmação:

Tanto tem sido dito e escrito nos últimos anos sobre "crítica" que é desejável que o leitor tenha uma idéia exata do que é a crítica, dos métodos que ela emprega, e dos resultados a que ela chega, ou crê ter alcançado, em sua aplicação à Escritura. Tal panorama mostrará a legitimidade e o caráter indispensável de uma crítica verdadeiramente científica, ao mesmo tempo em que ela adverte contra a aceitação precipitada de construções especulativas e hipotéticas. A crítica é mais do que uma descrição dos fenômenos; ela sugere um processo de análise cuidadosa, de testes, de prova, algumas vezes com o resultado de estabelecer, freqüentemente com algo que modifica ou reverte, as opiniões tradicionais. A crítica erra quando usada temerariamente, ou debaixo da influência de alguma teoria ou pré-possessão dominante. Uma causa principal de erro em sua aplicação ao registro de uma revelação sobrenatural, é a suposição de que nada de sobrenatural pode acontecer. Este é o elemento quanto como do Novo Testamento.

A crítica da Escritura ("crítica bíblica") é usualmente dividida naquilo que é conhecido como "baixa crítica" e "alta crítica" – esta última adquire associações confusas. A "baixa crítica" trata estritamente do *texto* da Escritura, esforça-se em apurar qual era o texto real de cada livro quando ele veio das mãos de seu autor; a "alta crítica" diz respeito ao problema resultante da era, autoria, fontes, caráter simples ou composto, valor histórico, relação ao período de origem etc. A primeira – "a crítica textual" – tem um campo bem definido no qual é possível aplicar cânones exatos de julgamento; a última – "alta crítica" – conquanto inestimável como uma ajuda no domínio da introdução bíblica (data, autoria, genuinidade, conteúdo, destino etc.), claramente tende a ampliar-se ilimitadamente a regiões onde a ciência exata não pode segui-la, onde, freqüentemente, a imaginação do crítico é sua única lei.

Foi somente gradualmente que estes dois ramos da crítica se tornaram diferenciados. "A crítica textual" por longo tempo tornou a liderança, associada à forma moderada da "introdução" bíblica. As relações agora tendem a ser reversas. A "alta crítica", por ter basicamente absorvido para si mesma a "introdução", estende suas operações ao campo textual, esforça-se por ficar por detrás do texto das fontes existentes, e mostra como este "cresceu" dos começos mais simples para o que é agora. Aqui, também, há uma grande abertura para a arbitrariedade. Seria errado, contudo, negar o lugar legítimo da "alta crítica", ou depreciar os grandes serviços que ela é capaz de prestar, por causa dos abusos aos quais ela freqüentemente está sujeita.[4]

A ser acrescentada a esta consideração está a terminologia *crítica destrutiva*, que se refere ao esforço feito por homens insensíveis que objetivam uma ruptura do testemunho do Texto Sagrado. Muito freqüentemente toda "crítica" bíblica é crida ser deste tipo, antes destrutiva do que construtiva. Contudo, ela pode ser uma ou outra.

Cruz

Em seu uso mais importante no Novo Testamento, o termo *cruz* se refere à estrutura de madeira sobre a qual Cristo foi crucificado. Ela se torna imediatamente não somente num símbolo de Sua morte por crucificação, mas também como um sinônimo das palavras *sacrifício, sofrimento* e *morte*. A maneira singular em que a maneira inanimada sobre a qual Cristo foi crucificado está ligada à própria pessoa do crucificado, que é vista em Gálatas 6.14, onde a terminologia *cruz* se torna, pelo uso das palavras "pela qual", identificada com o que Cristo se tornou em Sua morte. A passagem diz: "Mas longe esteja de mim gloriar-me, a não ser na cruz de nosso Senhor Jesus Cristo, pela qual o mundo está crucificado para mim e eu para o mundo".

Em sua importância doutrinária, a palavra *cruz* está sujeita a um uso duplo, ou seja, (1) aquilo que relaciona os sofrimentos e morte de Cristo e (2) aquilo que relaciona ao sofrimento e sacrifício do crente.

1. Os Sofrimentos e Morte de Cristo. Uma passagem pode ser citada sobre este cabeçalho, a saber, 1 Coríntios 1.18, que diz: "Porque a palavra da cruz é deveras loucura para os que perecem; mas para nós, que somos salvos, é o poder de Deus". Aqui o valor total dos sofrimentos e morte de Cristo está em vista. Para os não-salvos, à parte da iluminação do Espírito, a mensagem da redenção é "loucura". Assim, o apóstolo declara em 1 Coríntios 2.14 também: "O homem natural não aceita as coisas do Espírito de Deus, porque para ele são loucura; e não pode entendê-las, porque elas se discernem espiritualmente". Igualmente, ele afirma: "Nós pregamos a Cristo crucificado, que é escândalo para os judeus, e loucura para os gregos, mas para os que são chamados, tanto judeus como gregos, Cristo, poder de Deus, e sabedoria de Deus" (1 Co 1.23, 24).

Nesta revelação da Escritura, a atitude dos não-salvos, aqui chamada de *loucura*, não deve ser considerada uma insinuação de que eles fazem pouco da cruz pela zombaria dela; ao contrário, isso é a melhor explicação da morte de Cristo que eles são capazes de conceber, e ela está muito abaixo da verdade que mostra ser loucura, isto é, teria sido loucura para Cristo morrer, se impulsionado somente pelos objetivos que essas pessoas não-regeneradas atribuem à Sua morte.

O fato histórico da morte de Cristo, evento singular que foi (o único santo homem que já pisou nesta terra foi abandonado de Deus e crucificado como um malfeitor), exige uma explicação da parte de toda pessoa ponderada. Reivindicar, como alguns têm feito, que a morte de Cristo foi com a finalidade de que a simpatia divina pudesse ser mostrada por aqueles que estão perdidos, é uma injustiça completa com a verdade. Embora Ele possa mostrar a simpatia de Deus, em assim fazendo não haveria alívio algum provido para aquele por quem Cristo sofreu, seja com respeito à causa de sua aflição ou com respeito à própria aflição.

Declarar que a morte de Cristo é de valor ao grau em que ela revela o caráter mau do pecado e com a intenção de que os pecadores possam se voltar do pecado, uma vez que isso está exposto, é perder de vista a verdade essencial novamente; porque se todas as pessoas pudessem ser persuadidas a abandonar as práticas pecaminosas e mesmo fossem capacitadas a não mais pecar, ainda não haveria uma só pessoa salva por essa façanha.

Os esforços para reformar o perdido à parte da regeneração – o verdadeiro objetivo da morte de Cristo – são bem chamados de loucura dos séculos. Supor que Cristo morreu como um mártir, a vítima involuntária da multidão, e que para morrer pelas convicções de uma pessoa deve ser glorioso, é igualmente estar enganado a respeito do significado real de Sua morte. Porque Cristo não era uma vítima involuntária, porque Ele disse de Si mesmo que deu a sua vida para que pudesse reavê-la (Jo 10.17). Em segundo lugar, a morte de um herói, não importa quão gloriosa, não proporciona reconciliação alguma entre Deus e o homem com respeito ao pecado. Há apenas uma resposta à pergunta de por que Cristo morreu.

Esta foi afirmada no Antigo Testamento, assim: "Mas ele foi ferido por causa das nossas transgressões, e esmagado por causa das nossas iniqüidades; o castigo que nos traz a paz estava sobre ele, e pelas suas pisaduras fomos sarados. Todos nós andávamos desgarrados como ovelhas, cada um se desviava pelo seu caminho; mas o Senhor fez cair sobre ele a iniqüidade de todos nós" (Is 53.5, 6), e no Novo Testamento pelas palavras: "Eis o Cordeiro de Deus que tira o pecado do mundo" (Jo 1.29). Para cada indivíduo a morte de Cristo deveria significar o que significou para o grande apóstolo quando disse: "O Filho de Deus... que me amou, e a si mesmo se entregou por mim" (Gl 2.20).

2. O SOFRIMENTO E O SACRIFÍCIO DO CRENTE. Aqui, todo pensamento de fazer satisfação pelo pecado, como na morte de Cristo, deve ser excluído. É somente como a cruz de Cristo representa Seu sacrifício e sofrimento pessoais, assim, ela se torna o símbolo do sacrifício e sofrimento do crente. A negação do eu de que a vida pode ser vivida para Deus, é que está em vista. Cristo disse: "Se alguém quer vir após mim, negue-se a si mesmo, tome a sua cruz, e siga-me" (Mt 16.24). Uma verdadeira definição do crente que leva a sua cruz foi dada em 2 Coríntios 4.10,11: onde está dito: "Trazendo sempre no corpo o morrer de Jesus, para que também a vida de Jesus se manifeste em nossos corpos; pois nós, que vivemos, estamos sempre entregues à morte por amor de Jesus, para que também a vida de Jesus se manifeste em nossa carne mortal".

Pelo auto-ajustamento à vontade de Deus, estando prontos mesmo para a morte de um mártir, a atitude do próprio Cristo foi reproduzida no apóstolo que ministrava aos crentes de Corinto (cf. Rm 9.1-3; 12.1, 2; Fp 2.5-8; 3.7-9; Hb 10.4-7).

Culpa

A eliminação divina da culpa prova ser um dos grandes triunfos obtidos pela graça. Porque o pecado, do qual todos os indivíduos são acusados, é a própria rebelião contra Deus e Sua autoridade. Há dois aspectos de culpa: (1) Culpa pessoal, que não é nada além do fato histórico de cometer pecado. Esse será um fato que permanece para sempre, embora a culpa possa ser retirada através do perdão. A culpa pessoal não é transferível. (2) Culpa como uma obrigação à justiça. Na medida em que outro pode pagar a penalidade, este tipo de culpa se torna transferível. Portanto, a substituição da parte de Cristo gera uma obrigação universal de reconhecer e permanecer perante Deus debaixo dessa graciosa provisão. Para qualquer um que assim reconhecer sua obrigação será um ato de fé – "pela graça sois salvos mediante a fé" (Ef 2.8).

Cura

Os crentes espirituais em todas as gerações passadas experimentaram o favor divino, inclusive a cura. As alegações daqueles que se julgam com poder divino de curar, contudo, presumem e implicam que para assegurar tal cura é necessário ir até eles. Ao menos sete erros podem ser encontrados neste ensino, e estes deveriam ser estudados separadamente.

1. Esses "proponentes da cura" somente controlam a cura divina do corpo. Mas qualquer grupo de crentes espirituais, quando solicitados a fazer isso, vai testificar da cura divina muito além das alegações dos proponentes profissionais da cura.

2. A cura foi proporcionada na expiação. Está ensinado que Cristo suportou enfermidades assim como suportou os pecados na cruz e, portanto, a cura pode ser reivindicada absolutamente pela fé e sem a possibilidade de falha. Tal erro desencaminhará uns poucos que são preparados para refutar estas alegações muito estranhas. Tão grande questão deveria ser plenamente apoiada pela Escritura, sem dúvida, mas não o é. Antes, deveria ser reconhecido que o corpo não é ainda redimido. O crente aguarda um corpo redimido. Romanos 8.23 claramente afirma isto: "E não só ela, mas até nós, que temos as primícias do Espírito, também gememos em nós mesmos, aguardando a nossa adoção, a saber, a redenção do nosso corpo".

O físico humano será redimido no retorno de Cristo, como prediz a Escritura: "Ele enxugará de seus olhos toda lágrima, e não haverá mais morte, nem haverá mais pranto, nem lamento, nem dor; porque já as primeiras coisas são passadas" (Ap 21.4). Os extremistas não se atrevem a reivindicar corpos redimidos para si próprios, quando eles todos envelhecem e têm aumentadas as suas limitações.

Se Cristo levou sobre Si toda doença, a cura em resposta à verdadeira fé na verdade nunca deveria falhar, mas falha. Isaías 53.5 neste contexto diz: "Mas ele foi ferido por causa das nossas transgressões, e esmagado por causa das nossas iniqüidades; o castigo que nos traz a paz estava sobre ele, e pelas suas pisaduras fomos sarados". A referência aqui pode bem ser à cura espiritual. O Antigo Testamento, na verdade, ensina tanto a cura espiritual quanto a cura física (cf. Sl 103.3). Em Mateus 8.16,17, é feita referência a Isaías 53.4, pois Cristo curou, porque Ele carregou todos os aflitos no Seu coração de compaixão.

Os proponentes da cura divina baseiam sua autoridade de curar o doente em Mateus 10.8, que diz: "Curai os enfermos, ressuscitai os mortos, limpai os leprosos, expulsai os demônios; de graça recebestes, de graça dai", mas aqui a ordem é dada também para ressuscitar mortos, curar leprosos e expulsar demônios. O Evangelho do reino deve ser acompanhado de maravilhas e milagres iguais a este, mas tal ordem para o sobrenatural jamais acompanha o Evangelho da graça.

SUMÁRIO DOUTRINÁRIO

Resta ser observado que o espinho na carne de Paulo não foi repreendido a despeito de toda sua fé (2 Co 12.1-9), e que ele com tristeza deixou Trófimo doente em Mileto (2 Tm 4.20). Epafrôdito, contudo, foi curado como uma misericórdia direta de Deus (Fp 2.26-30; cf. Sl 41.3; Gl 4.13).

3. A doença é de Satanás e nunca é parte da vontade de Deus (cf. Dt 32.39; Jó 1–2 ; Os 6.1). Ao tomar esta posição, todo o campo da disciplina divina é rejeitado. Mas um homem era cego de nascença para que a glória de Deus pudesse ser vista nele, e Paulo teve um espinho na carne que foi enviado diretamente de Deus. Não pode ser provado que Satanás é a única causa de doença ou que a incapacidade possa não ser a vontade de Deus em alguns casos.

4. A unção do proponente da cura é tão essencial quanto a fé. Em todas as suas curas, entretanto, Cristo ungiu apenas uma vez conforme o registro de Marcos 6.13, e a unção não é mencionada novamente para propósitos de cura no Novo Testamento, exceto em Tiago 5.14. O rito judaico de impor as mãos parecia ser observado às vezes. Por intermédio da sombra de Pedro alguns foram curados, mas ele nunca entrou no negócio de lançar sombras. Multidões são curadas hoje porque isto está diretamente na vontade de Deus para Seus filhos à parte de unção, imposição de mãos ou a sombra semelhante a de Pedro.

5. Os remédios são contra a vontade de Deus. Esta asseveração deveria mudar todas as missões médicas e a obra de médicos cristãos e de hospitais. Para ser exato, o remédio é usualmente o suprimento de elementos necessários no organismo para a sua recuperação. Conseqüentemente, usar remédios para cura não é diferente, em princípio, de alimentar o corpo com comida ou de vestir para o seu aquecimento.

A cura para o crente está dentro do cuidado do Pai por Seus filhos como também todo suporte financeiro, e, na verdade, todo dom bom e perfeito.

Dois tipos no Antigo Testamento são evidência da cura divina. Cada um deles assegurou cura física e por uma razão: (1) Lepra (Lv 14.1-57) e (2) a mordida da serpente (Nm 21.5-9). A cura em ambos os casos foi absoluta e se torna claramente um tipo de remédio para o pecado, cuja cura está na morte de Cristo e nunca falha na resposta à fé.

6. Cristo deve curar porque Ele é o mesmo ontem, hoje e eternamente. Ele pode ser a mesma pessoa, sem dúvida, mas nem sempre tem o mesmo propósito. O apóstolo, se o seu exemplo significa alguma coisa, prescreveu vinho para Timóteo (1 Tm 5.23).

7. A fé pessoal é exigida. Esta exigência proporciona a saída que o proponente da cura tem na hora difícil quando a cura não acontece. Colocar a falta de fé como a causa da ausência de cura, entretanto, é cruel e sem base escriturística. Muitos que sofrem são tornados mais insanos por esse tipo de tratamento. Na Bíblia a fé é exigida igualmente da parte daquele que cura. Um exemplo é realmente registrado onde a cura não aconteceu por causa da incredulidade daquele que haveria de curar (cf. Mt 17.14-21).

Concluindo, pode ser afirmado que agrada a Deus curar Seus filhos de doenças físicas quando isto está no Seu propósito de Pai no Seu tratamento com eles. Foi dito por Davi: "Clamou este pobre, e o Senhor o ouviu, e o livrou de todas as suas angústias" (Sl 34.6). A morte de Cristo não proporciona a cura absoluta para as doenças físicas, embora Ele assim proveja para as doenças espirituais. Como também alguém poderia reivindicar prosperidade financeira advinda da morte de Cristo conforme 2 Coríntios 8.9, como reivindicam os proponentes da cura física hoje, quando usam as Escrituras, com base na morte de Cristo.

Demonologia

Ao considerar os demônios e o serviço que eles prestam a Satanás, é importante distinguir entre a possessão demoníaca ou controle e influência demoníaca. No caso do corpo ser penetrado e um controle dominante ser obtido, enquanto no outro caso uma batalha de fora é travada somente por sugestão, tentação e influência. A investigação das Escrituras com respeito à possessão demoníaca revela:

Primeiro, que esse exército é composto de espíritos somente. Os seguintes textos verificam tal afirmação: "Ora, havendo o espírito imundo saído do homem, anda por lugares áridos, buscando repouso, e não o encontra. Então diz: Voltarei para minha casa, donde saí. E, chegando, acha-a desocupada, varrida e adornada. Então vai e leva consigo outros sete espíritos piores do que ele e, entrando, habitam ali; e o último estado desse homem vem a ser pior do que o primeiro. Assim há de acontecer também a esta geração perversa" (Mt 12.43-45): "Rogaram-lhe, pois, os demônios, dizendo: Manda-nos para aqueles porcos, para que entremos neles" (Mc 5.12).

Segundo, que eles estão, além disso, não somente à procura de entrar nos corpos dos mortais ou dos animais, pois o poder deles parece ser em alguma medida dependente de tal incorporação, mas eles são constantemente vistos assim incorporados, de acordo com o Novo Testamento. Umas poucas destas passagens são dadas aqui:

"Caída a tarde, trouxeram-lhe muitos endemoninhados; e ele com a sua palavra expulsou os espíritos, e curou todos os enfermos" (Mt 8.16); "Enquanto esses se retiravam, eis que lhe trouxeram um homem mudo e endemoninhado. E, expulso o demônio, falou o mudo e as multidões se admiraram, dizendo: Nunca tal se viu em Israel" (Mt 9.32, 33); "Chegaram então ao outro lado do mar, à terra dos gerasenos. E, logo que Jesus saíra do barco, lhe veio ao encontro, dos sepulcros, um homem com espírito imundo, o qual tinha a sua morada nos sepulcros; e nem ainda com cadeias podia alguém prendê-lo; porque, tendo sido muitas vezes preso com grilhões e cadeias, as cadeias foram por ele feitas em pedaços, e os grilhões em migalhas; e ninguém o podia domar; e sempre, de dia e de noite, andava pelos sepulcros e pelos montes, gritando, e ferindo-se com pedras. Vendo, pois, de longe a Jesus, correu e adorou-o; e, clamando com grande voz, disse: Que tenho eu contigo, Jesus, Filho do Deus Altíssimo? Conjure-te por Deus que não me atormentes. Pois Jesus lhe dizia: Sai desse homem, espírito imundo. E perguntou-lhe: Qual é o teu nome? Respondeu-lhe ele: Legião é o meu nome, porque somos muitos. E rogava-lhe muito que não os enviasse para fora da região. Ora, andava ali pastando no monte uma grande manada de porcos. Rogaram-lhe, pois, os demônios, dizendo: Manda-nos para aqueles porcos, para que entremos neles. E ele lho permitiu. Saindo, então, os espíritos imundos, entraram nos porcos; e precipitou-se a manada, que era de uns dois mil, pelo despenhadeiro no mar, onde todos se afogaram. Nisso fugiram aqueles que os apascentavam, e o anunciaram na cidade e nos campos; e muitos foram ver o que era aquilo que tinha acontecido. Chegando-se a Jesus, viram o endemoninhado, o que tivera a legião, sentado, vestido, e em perfeito juízo; e temeram" (Mc 5.1-13); "As multidões escutavam, unânimes, as coisas que Filipe dizia, ouvindo-o e vendo os sinais que operava; pois saíam de muitos possessos os espíritos imundos, clamando em alta voz; e muitos paralíticos e coxos foram curados" (At 8.6,7); "Ora, aconteceu que quando íamos ao lugar de oração, saiu-nos ao encontro uma jovem que tinha um espírito adivinhador, e que, adivinhando, dava grande lucro a seus senhores" (At 16.16).

Terceiro, que eles eram ímpios, impuros e malévolos. Muitas passagens poderiam ser citadas em prova desta observação:

"Tendo ele chegado ao outro lado, à terra dos gadarenos, saíram-lhe ao encontro dois endemoninhados, vindos dos sepulcros; tão ferozes eram que ninguém podia passar por aquele caminho" (Mt 8.28); "E, chamando a si os seus doze discípulos, deu-lhes autoridade sobre os espíritos imundos, para os expulsarem, e para curarem toda sorte de doenças e enfermidades" (Mt 10.1); "E, logo que Jesus saíra do barco, lhe veio ao encontro, dos sepulcros, um homem com espírito imundo, o qual tinha a sua morada nos sepulcros; e nem ainda com cadeias podia alguém prendê-lo; porque, tendo sido muitas vezes preso com grilhões e cadeias, as cadeias foram por ele feitas em pedaços, e os grilhões em migalhas; e ninguém o podia domar; e sempre, de dia e de noite, andava pelos sepulcros e pelos montes, gritando, e ferindo-se com pedras" (Mc 5.2-5); "Então lhe trouxeram; e quando ele viu a Jesus, o espírito imediatamente o convulsionou; e o endemoninhado, caindo por terra, revolvia-se espumando" (Mc 9.20). Poderia ser acrescentado que parece haver graus de impiedade apresentados por esses espíritos, pois isso está afirmado em Mateus 12.43-45 que o demônio, retornando à sua casa, "toma consigo sete outros espíritos mais ímpios do que ele próprio".

A questão freqüentemente levantada é se a possessão demoníaca acontece no presente tempo. Embora os registros bíblicos de tal controle sejam quase totalmente limitados aos três anos do ministério público de Jesus, é incrível que a possessão demoníaca não tenha existido antes desse tempo ou que não tivesse sempre existido. Neste contexto deveria ser lembrado que estes seres não são somente inteligentes, mas são diretamente governados e ordenados por Satanás, cuja sabedoria e astúcia têm sido tão claramente apresentadas na Escritura. É razoável concluir que eles, iguais ao seu monarca, adaptam a maneira da atividade dele à iluminação da era e a localidade atacada. Parece evidente que eles não estão menos inclinados do que antes a entrar e a dominar um corpo.

A possessão demoníaca no presente tempo é provavelmente insuspeita por causa do fato geralmente não-reconhecido de que tais espíritos são capazes de inspirar uma vida moral e exemplar assim como de aparecer como o espírito dominante de um médium espírita ou como o poder por detrás de manifestações grosseiras que são registradas por missionários a respeito das condições que eles observam em terras pagãs. Esses demônios também, igual ao rei deles, podem aparecer como "anjos de luz" ou "leões que rugem" quando pela primeira personificação eles podem mais perfeitamente promover os empreendimentos estupendos de Satanás em sua batalha contra a obra de Deus. A influência demoníaca, igual a atividade de Satanás, é instigada por dois motivos: um é impedir o propósito de Deus para a humanidade e o outro é estender a autoridade do próprio Satanás.

Eles, portanto, ao comando de seu rei, voluntariamente cooperam em todos os empreendimentos que desonram Deus. A influência deles é exercida no confundir os não-salvos como no travar uma batalha incessante contra o crente (Ef 6.12). O motivo deles é sugerido naquilo que foi revelado pelo conhecimento deles da autoridade e da divindade de Cristo, assim como pelo que eles conhecem da eterna condenação deles próprios. As passagens a seguir são importantes neste contexto: "E eis que gritaram dizendo: Que temos nós contigo, Filho de Deus? Vieste aqui atormentar-nos antes do tempo?" (Mt 8.29); "Ora, estava na sinagoga um homem possesso dum espírito imundo, o qual gritou: Que temos nós contigo, Jesus, nazareno? Vieste destruir-nos? Bem sei quem és: o Santo de Deus. Mas Jesus o repreendeu, dizendo: Cala-te, e saí dele" (Mc 1.23-25); "Respondendo, porém, o espírito maligno, disse: A Jesus conheço, e sei quem é Paulo; mas vós, quem sois?" (At 19.15); "Crês tu que Deus é um só? Fazes bem; os demônios também o crêem, e estremecem" (Tg 2.19).

Satanás, embora proponha substituir o Todo-Poderoso, não é onipotente; mas ainda seu poder e o grau de sua atividade são imensuravelmente aumentados pela cooperação de um exército de demônios. Satanás não é onisciente; todavia, o seu conhecimento é amplamente estendido pela sabedoria e observação combinadas de muitos súditos leais. Satanás não é onipresente, mas ele é capaz de manter uma atividade incessante em toda localidade por uma obediência leal do exército satânico.

SUMÁRIO DOUTRINÁRIO

Depravação

A depravação é uma palavra teológica antes que bíblica, cuja distinção indica que o termo, embora não encontrado no Texto Sagrado, como as palavras *deidade* e *trindade*, apresenta uma verdade que está claramente ensinada nas Escrituras. Esta doutrina, além do mais, é entendida erroneamente e freqüentemente levada a mal por causa do fato de que a Escritura não tem sido tratada com cautela ou porque o termo *depravação* realmente se refere ao que Deus vê quando Ele olha para o homem caído e não para o que o vê quando se olha a si mesmo ou seus semelhantes. Estas duas causas de engano se unem em uma declaração geral quando é afirmado que a depravação é o que Deus declara que Ele vê, e exatamente o que Ele vê, quando Ele olha para os homens caídos.

O estudante, portanto, faria bem em dar uma consideração exaustiva e sem preconceito a tudo o que está registrado na Bíblia sobre este tema. Os teólogos empregam também a frase *depravação total*, que não significa que não haja algo de bom em qualquer pessoa não-regenerada visto por si mesma por outras pessoas; mas significa que não há algo no homem caído que Deus possa encontrar prazer ou que possa aceitar.

A descrição parece muito obscura, e seria muito mais obscura se não fosse pelo remédio divinamente providenciado que anuncia uma salvação plena e livre. Esta descrição da raça humana não permanece isolada. A uma grande porção de anjos que "não guardaram o seu estado original" não foi oferecida qualquer esperança; estão irrevogavelmente condenados ao lago de fogo preparado para eles (Mt 25.41). Igualmente, os gentios que viveram entre Adão e Cristo são descritos em Efésios 2.12 como almas condenadas: "Estáveis naquele tempo sem Cristo, separados da comunidade de Israel, e estranhos aos pactos da promessa, não tendo esperança, e sem Deus no mundo". O estado do homem após a queda e antes do dilúvio está declarado em Gênesis 6.5: "Viu o Senhor que era grande a maldade do homem na terra, e que toda a imaginação dos pensamentos de seu coração era má continuamente".

Davi testificou de si mesmo: "Eis que eu nasci na iniqüidade, e em pecado me concebeu minha mãe" (Sl 51.5; cf. Jó 14.4; Sl 58.3). Semelhantemente, três passagens importantes podem ser citadas do Novo Testamento que cobrem todos os homens desta e de outras eras, a saber:

"Não há justo, nem sequer um. Não há quem entenda; não há quem busque a Deus. Todos se extraviaram; juntamente se fizeram inúteis. Não há quem faça o bem, não há nem um só. A sua garganta é um sepulcro aberto; com as suas línguas tratam enganosamente; peçonha de áspides está debaixo dos seus lábios; a sua boca está cheia de maldição e amargura. Os seus pés são ligeiros para derramar sangue. Nos seus caminhos há destruição e miséria; e não conheceram o caminho da paz. Não há temor de Deus diante dos seus olhos" (Rm 3.10-18); "Ora, as obras da carne são manifestas, as quais são: a prostituição, a impureza, a lascívia, a idolatria, a feitiçaria, as inimizades, as contendas, os ciúmes, as iras, as facções, as dissensões, os partidos, as invejas, as bebedices, as orgias, e coisas semelhantes a estas, contra as quais vos previno, como já antes vos preveni, que os que tais coisas praticam não herdarão o reino de Deus" (Gl 5.19-21); "Ele vos vivificou, estando vós mortos nos vossos delitos e pecados, nos quais outrora andastes, segundo o curso deste mundo, segundo o príncipe das potestades do ar, do espírito que agora opera nos filhos da desobediência, entre os quais todos nós também antes andávamos nos desejos da nossa carne, fazendo a vontade da carne e dos pensamentos; e éramos por natureza filhos da ira, como também os demais" (Ef 2.1-3; cf. Jo 3.6; Rm 5.12).

Deveria ser feita distinção entre a depravação como tal, que é universal em toda a história humana desde a queda de Adão, e o estado dos homens hoje "debaixo do pecado", estado esse que é o resultado de um mandato divino declarado, a fim de que a graça de Deus possa ter o seu perfeito exercício e manifestação (Jo 3.18; Rm 3.9; 11.32; Gl 3.22), e é evidentemente uma condição que se alcança somente na presente era da graça quando pode ser dito que não existe diferença alguma entre judeu e gentio.

Deus

Como em qualquer composição usual a personalidade do autor é tomada como certa, assim um conhecimento de Deus é assegurado por indução de todas as sugestões passageiras a respeito do escritor a serem encontradas no Texto Sagrado que Ele escreveu.

Muitos esforços têm sido feitos para definir Deus, mas talvez nenhum mais satisfatório do que o feito pelo *Catecismo Maior de Westminster*, que diz: "Deus é espírito, em si e por si infinito em seu ser, glória, bem-aventurança e perfeição; todo-suficiente, eterno, imutável, insondável, onipresente, infinito em poder, sabedoria, santidade, justiça, misericórdia e clemência, longânimo e cheio de bondade e verdade" (resposta à pergunta 7).

Uma análise deste tema total, tão boa quanto poderia ser em qualquer parte, estaria assegurada se cada um dos termos descritivos na afirmação deste catecismo fosse tratado individualmente.

A doutrina de Deus no Antigo Testamento é apresentada em três nomes principais que Ele tem. Eles são:

1. El, que significa força e seus dois cognatos; Elah, que significa um Deus que guarda o pacto; e Elohim, um nome plural que é usado constantemente como se fosse uma forma gramatical singular. Parece evidente que a doutrina da Trindade está prefigurada neste nome plural. A única passagem – Deuteronômio 6.4 – é muitíssimo reveladora e poderia ser traduzida assim: "Jeová [uma forma singular] nosso Elohim [forma plural] é o único Jeová". A palavra *único* aqui pode significar uma integração de partes constituintes, por exemplo, quando é dito: "...e houve tarde e manhã... um dia", "E eles [dois] serão uma só carne" (Gn 1.5; 2.24).

Muitos estudiosos atuais asseveram que a forma plural de Elohim não sugere a Trindade. Oehler, um deles, assevera que ele é um caso do plural *majestático* – alguma espécie de tentativa de multiplicar a força do nome. Contudo, ele não fornece razão suficiente, nem os outros tiveram sucesso em provar que o pensamento trinitário não está presente. Parece, então, ser uma forma de incredulidade. O Antigo Testamento certamente não tem falta de ênfase sobre a majestade de Deus. (O modo triúno de existência já foi tratado anteriormente no Vol. I.)

2. JEOVÁ. O significado deste termo é 'o auto-existente'. Como um título elevado, ele foi tão sagrado para o judeu que o uso dele foi evitado pelas pessoas por muitas gerações. As implicações morais de Deus vistas neste nome são longamente tratadas por T. Rees em seu artigo "Deus", escrito para a *International Standard Bible Encyclopaedia*:

A característica mais distintiva de Jeová, que finalmente O tornou absolutamente singular e também a Sua religião, foi o fator moral. Dizer que Jeová era um Deus moral, era dizer que Ele agia por livre escolha, de conformidade com os fins que Ele estabeleceu para Si mesmo, e que Ele também impôs sobre Seus adoradores como lei de conduta para eles.

A condição mais essencial de uma natureza moral é encontrada em Sua personalidade vívida, que em todo estágio de Sua auto-revelação brilha com uma intensidade que poderia ser chamada agressiva. A personalidade e a espiritualidade divinas nunca são expressamente asseveradas ou definidas no Antigo Testamento; mas em nenhum lugar na história da religião elas são mais claramente afirmadas. Os modos da expressão delas são, contudo, qualificadas como antropomorfismos, por limitações, por zelo moral e físico de Jeová (Êx 20.5; Dt 5.9; 6.15), Sua ira e indignação (Êx 32.10-12; Dt 7.4) e Sua santidade inviolável (Êx 19.21, 22; 1 Sm 6.19; 2 Sm 6.7) parecem algumas vezes ser irracionais e imorais; mas elas são a afirmação de Sua natureza individual, de Sua autoconsciência quando Ele se distingue de tudo mais, na linguagem moral do tempo, e são as condições dEle ter qualquer que seja a natureza moral. Igualmente, Ele habita num lugar e se move dele (Jz 5.5); os homens podem vê-lo em forma visível (Êx 24.10; Nm 12.8); Ele é sempre representado como possuidor de órgãos como os do corpo humano, braços, mãos, pés, boca, olhos e ouvidos. Por meio de tal *linguagem figurativa* e sensória somente foi possível para um Deus pessoal fazer-se conhecido aos homens.[5]

3. ADONAI, que significa "Senhor"; usado a respeito de Deus e de homens. O Novo Testamento apresenta Deus como Pai de todos os que crêem e como aquele que deve ser conhecido através de Suas inter-relações pessoais. O nome de Deus no Novo Testamento é novamente uma revelação tríplice: Pai, Filho e Espírito Santo. Não apenas um desses três, mas todos são exigidos para apresentar um único Deus.

Embora Deus exista num tríplice modo de existência, Ele é apresentado no Novo Testamento como um Deus, e assim o cristão está debaixo da obrigação de defender a doutrina do único Deus como fazem os unitarianos, os judeus e os maometanos.

Dia do Senhor

O Dia do Senhor não representa meramente uma mudança do sábado, mas um novo dia pertencente a uma nova ordem. Ele celebra a nova criação com o próprio Cristo ressurrecto como seu Cabeça, enquanto que o sábado estava relacionado à velha criação (Êx 20.8-11; 31.12-17; Hb 4.4). O novo dia, para ser exato, foi predito em profecia (cf. Lv 23.11; Sl 118.22-24; Mt 28.1; At 4.11,12). É o primeiro dia ou, como o que segue os sete dias anteriores, o oitavo dia após a semana concluída (cf. Cl 2.12).

O dia começou com uma apreciação normal da ressurreição de Cristo e Sua obra. Ele foi distintivamente abençoado por Deus por toda esta presente era. Verdadeiro ao seu caráter como um dia de descanso, contudo, o sábado veio no final de uma semana de trabalho. Esta foi a ordem no tempo da lei. Debaixo da graça a semana começa com seu dia de privilégio, que é o dia devidamente suficiente para a graça.

O dia do Senhor pertence somente aos cristãos; não é para todos os homens, nem para a criação como um todo. Daí o dia não deve ser legislado sobre um público indisposto; na verdade, não há regras para a sua observância, que se adapta suficientemente à ordem e ao caráter da graça. Os homens não são justificados ao retornar às normas proporcionadas para o Sábado, a fim de assegurar orientações para a observância do dia do Senhor. Quando Cristo saiu da sepultura, Ele disse aos Seus amigos: "Alegrai-vos" (Sl 118.24) e "digam..." (Mt 28.9, 10). Estas palavras podem bem ser tomadas como uma orientação sábia a respeito da observância do dia. O dia do Senhor, além disso, pode ser estendido a todos os dias, ao passo que isso não podia acontecer com o sábado (cf. Rm 14.5,6).

Dias

Um número considerável de dias específicos é mencionado na Bíblia e estes são, na sua maior parte, temas de profecia. Todos eles podem ser considerados separadamente.

1. CRIAÇÃO. Gênesis declara claramente que houve seis dias sucessivos em que Deus criou os céus e a terra de hoje. Os melhores dos eruditos têm discordado sobre se esses dias são períodos literais de 24 horas ou vastos períodos de tempo. A partir do ponto de vista da capacidade de Deus, não

há dúvida a ser levantada, visto que Ele deve ser capaz de criar todas as coisas no tempo mais curto. Um período literal de 24 horas parece estar implícito quando cada um deles é medido pelas seguintes palavras: "e tarde e manhã foi o primeiro dia" etc. Por outro lado, está refletido na natureza que muito tempo se passou desde a formação das coisas materiais, e a Bíblia usa a palavra *dia* simbolicamente quando se refere a um período de tempo. O reino vindouro de mil anos é chamado de *o Dia de Jeová*. Qualquer ponto de tempo na presente era é conhecido como *o dia da salvação*.

Pedro declara: "Mas vós, amados, não ignoreis uma coisa: que um dia para o Senhor é como mil anos, e mil anos como um dia" (2 Pe 3.8). Assim, também, Cristo apresentou a presente era como a hora que viria "e agora é" (cf. João 5.25-28).

2. SÁBADO. Aprouve a Deus, após seis dias de criação, e descansar no sétimo, exigir de Israel como uma parte integral da lei deles, que eles cessariam o trabalho e a atividade em cada sétimo dia. Outros sábados extras foram algumas vezes acrescentados e cada sétimo ano para ser um período sabático quando seria requerido que a terra descansasse naquele ano. O sétimo dia, o sábado, por ser um aspecto do sistema mosaico, continuou enquanto estava em vigor a lei de Moisés. De acordo com Oséias 2.11, um tempo eventualmente viria quando a observância do sábado cessaria e quando os juízos de Deus viriam sobre Israel. O mesmo sábado, contudo, será resumido na tribulação e igualmente no reino que irá se seguir. Não é acidental que o sábado tenha sido mencionado em conexão com a tribulação, em Mateus 24.20.

3. O DIA DO SENHOR. "O primeiro dia da semana" (cf. Mt 28.1; Jo 20.1) é chamado nesta era da Igreja de o dia do Senhor, e com base no fato de que neste dia Cristo ressuscitou da tumba e se tornou Cabeça sobre toda a nova criação de Deus. Tal observância do dia da nova criação foi predita no salmo 118.22-24 (cf. At 4.10-11). A Escritura declara que João foi "arrebatado em espírito no dia do Senhor" (Ap 1.10), mas isto não é necessariamente uma referência ao primeiro dia da semana. O texto original diz literalmente, *dia do Senhor*, ou "dia que é caracterizado pelo Senhor". Pode significar, portanto, dia do Senhor (domingo) ou dia do Senhor (que pertence ao Senhor). Visto que a visão de João apresentada em todo Apocalipse era o de um período extenso designado como o dia do Senhor, parece evidente que este deve ser o dia do qual João fala.

O dia do Senhor é somente designado para a Igreja e assim ele cessa quando esse grupo de pessoas for removido da terra. Com a sua cessação, Israel é restaurado ao seu lugar de favor terrestre e o seu sábado é restabelecido.

4. DIA DO SENHOR. A maior expectativa do Antigo Testamento era a expectação do Dia do Senhor, que ainda não havia chegado quando o Antigo Testamento já havia sido escrito e não tinha vindo ao tempo presente. Ele é ainda futuro (cf. 1Ts 5.1-2). Ele está relacionado ao segundo advento de Cristo e não ao primeiro. Este período se estende desde a vinda de Cristo "como o ladrão da noite" (Mt 24.43; Lc 12.39-40; 1 Ts 5.2; 2 Pe 3.10; Ap 16.15) ao passamento dos céus e da terra que agora existem e o derretimento dos elementos pelo calor.

DIAS

Parece altamente significativo que, no mesmo contexto e sob o mesmo tema em que esses limites mais afastados do Dia do Senhor são dados (2 Pe 3.8-12), seja declarado que um dia para o Senhor é como mil anos e que mil anos sejam como um dia. É essencial que todo estudante faça uma indução completa de todas as coisas na Bíblia que pertencem ao Dia do Senhor e, assim, obtenha um conhecimento de primeira mão de tudo o que foi divinamente determinado para esse extenso período. Então, pode ser visto que este dia inclui os juízos de Deus sobre as nações e sobre Israel, e que esses juízos ocorrem no retorno de Cristo. Ele inclui tanto o retorno de Cristo quanto o reino de mil anos que se segue. Ele se estende, na verdade, até à dissolução final com a qual o reino se finda (2 Pe 3.8-13; Ap 20.1-15).

5. DIA DE CRISTO. Por este termo – na medida em que ele se relaciona à terra – é feita referência a um momento distinto de tempo em que os mortos em Cristo serão ressuscitados e os santos vivos serão transformados, cujo momento é legitimamente estendido em outras cenas onde grandes mudanças serão operadas que são a porção dos santos em glória. O apóstolo João como vidente ou precursor descreve estas glórias para a Igreja no céu como também as agonias sobre a terra que pertencem à tribulação e que ocorrem ao mesmo tempo. O dia de Cristo é o término da jornada peregrina da Igreja sobre a terra (cf. 1 Co 1.8; 5.5; 2 Co 1.14; 5.10; Fp 1.6,10; 2.16), e inclui o evento quando os santos são julgados diante do Tribunal de Cristo (2 Co 5.10) e o casamento do Cordeiro (Ap 19.7,8).

Uma correção notável é exigida na Authorized Version em 2 Tessalonicenses 2.2, onde a expressão *dia de Cristo* ocorre, porque no original aparece a expressão *o dia do Senhor*, de acordo com a crítica textual. Nada é predito como tendo de acontecer antes do dia de Cristo, mas, como no contexto de 2 Tessalonicenses, há eventos estupendos que devem preceder o dia do Senhor.

6. ÚLTIMO DIA. Visto que é o tempo em que Cristo ressuscitará aqueles que são salvos (cf. Jo 6.40, 44, 54), a expressão o *último dia* é evidentemente uma referência ao último dia da Igreja sobre a terra e deve, portanto, ser um aspecto importante do dia de Cristo.

7. ÚLTIMOS DIAS PARA ISRAEL. Uma passagem dentre muitas servirá para declarar o caráter distintivo dos últimos dias de Israel sobre a terra – os dias da glória do seu reino: "Acontecerá nos últimos dias que se firmará o monte da casa do Senhor, será estabelecido como o mais alto dos montes e se elevará por cima dos outeiros; e concorrerão a ele todas as nações. Irão muitos povos, e dirão: Vinde, e subamos ao monte do Senhor, à casa do Deus de Jacó, para que nos ensine os seus caminhos, e andemos nas suas veredas; porque de Sião sairá a lei, e de Jerusalém a palavra do Senhor. E ele julgará entre as nações, e repreenderá a muitos povos; e estes converterão as suas espadas em relhas de arado, e as suas lanças em foices; uma nação não levantará contra outra nação, nem aprenderão mais a guerra. Vinde, ó casa de Jacó, e andemos na luz do Senhor" (Is 2.2-5).

8. ÚLTIMOS DIAS PARA A IGREJA. Uma quantidade muito incomum de textos do Novo Testamento, inclusive todas as segundas epístolas, exceto

2 Coríntios, assim como outras porções do Novo Testamento, trata deste período importante. Em contraste com os últimos dias de Israel, os últimos dias para a Igreja são maus em caráter. Uma passagem, além disso, pode ser citada: "Sabe, porém, isto, que nos últimos dias sobrevirão tempos penosos; pois os homens serão amantes de si mesmos, gananciosos, presunçosos, soberbos, desobedientes a seus pais, ingratos, ímpios, sem afeição natural, implacáveis, caluniadores, incontinentes, cruéis, inimigos do bem, traidores, atrevidos, orgulhosos, mais amigos dos deleites do que amigos de Deus, tendo aparência de piedade, mas negando-lhe o poder. Afasta-te também desses" (2 Tm 3.1-5; cf. 1 Tm 4.1-5; Tg 5.3; 2 Pe 3.3; 1 Jo 4.17).

Um uso excepcional deste termo deve ser encontrado em Hebreus 1.2 onde a era da Igreja é vista como parte dos "últimos dias" no tratamento de Deus com os homens.

9. Dia do Juízo. Pela frase "dia do Juízo" a referência é evidentemente feita à provação final dos ímpios que serão ressuscitados para permanecer perante o grande Trono Branco, que se segue à era do reino e que precede o estado eterno (Ap 20.5,11-15). Textos adicionais a serem considerados são Mateus 10.15; João 12.48; 2 Pedro 2.9; 3.7; Judas 6.

10. Dia do Homem. Este tema, obscurecido às vezes pelos tradutores, é referido apenas uma vez no Novo Testamento, a saber, em 1 Coríntios 4.3, que diz: "Todavia, a mim mui pouco se me dá de ser julgado por vós, ou por qualquer tribunal humano; nem eu tampouco a mim mesmo me julgo". Nesta passagem a frase *tribunal humano* é realmente uma referência à opinião humana corrente nesta era, que pode propriamente (e literalmente) ser traduzida como *dia do homem*.

11. Dia da Salvação. O apóstolo declara que *agora* é o dia da salvação (2 Co 6.2), e por isso ele se refere a qualquer momento dentro da era da Igreja, quando Cristo pode ser recebido como Salvador. Sua afirmação está baseada em uma profecia do Antigo Testamento.

12. Dia de Deus. A única referência ao dia de Deus (2 Pe 3.12) é evidentemente uma identificação da eternidade ainda futura, quando o novo céu e a nova terra terão sido criados.

Discípulos

Nesta doutrina a respeito dos discípulos, como em todos os outros casos, o estudante faria bem em empregar os termos bíblicos de um modo preciso como as Escrituras os empregam. A palavra *discípulo* significa não mais do que um aluno, um aprendiz, ou um seguidor, e não é equivalente ao termo *crente* ou *cristão*. Observe que quando Paulo veio a Éfeso, de acordo com Atos 19.1, encontrou "certos discípulos", mas estes provaram ser somente discípulos de João Batista e não eram cristãos. Eles não possuíam conhecimento algum do

Espírito Santo (cf. Rm 8.9), e assim, ao conhecerem Cristo, foram batizados pelo apóstolo em nome de Jesus Cristo.

Conquanto esse termo *discípulo* seja usado indistintamente às vezes com o título *apóstolo*, quando se refere aos doze a quem Cristo escolheu para estarem com Ele, os termos não devem ser considerados equivalentes. Um apóstolo é uma testemunha qualificada, selecionada a dedo. Portanto, nenhum deles se tornou um apóstolo que não tivesse sido diretamente escolhido por Deus, e foi exigido para a filiação com os doze que eles tivessem tido associação com Cristo sobre a terra. Uma suposição estranha, sem dúvida derivada de Roma, está em uso da parte daqueles que alegam para si mesmos uma sucessão apostólica ininterrupta desde os primeiros apóstolos. Esta alegação deve repousar sobre alguma coisa estranha à Palavra de Deus, quando nenhuma provisão é feita ali para a continuação do ofício apostólico, nem ali foi sugerida essa continuidade sequer como uma possibilidade.

É pura suposição alegar que alguma ordenação imposta por homens se constitua numa paridade com os apóstolos antigos. Se tal ordem existisse, seria bom para ela depender do sucesso apostólico antes do que de uma suposta sucessão apostólica.

Todos os crentes são discípulos no sentido em que eles são ensinados por Deus através da habitação do Espírito ou qualquer outra instrumentalidade que o Espírito possa empregar. O fato importante é que a verdade da Escritura chega ao entendimento e ao coração do crente como uma revelação de Deus (cf. Jo 16.12-15; 1 Co 2.9-12). O termo *discípulo* sugere não mais de uma relação com Deus do que de aprendiz. Uma revelação pode vir por meio do Espírito mesmo para o não-salvo, e esse caminho de salvação é revelado por meio do Evangelho. Nenhum outro além daqueles chamados de Deus, contudo, recebe o Evangelho.

Dispensações

Duas palavras freqüentemente usadas como sinônimos quando se trata do dispensacionalismo são, não obstante, totalmente diferentes em seu significado específico. Estas deveriam ser consideradas separadamente.

1. ERA (αἰών). Este termo, que é traduzido como *mundo* 31 vezes na Authorized Version do Novo Testamento, significa um bloco ou período de tempo. Dificilmente precisa ser dito que não há relação alguma observável entre o substantivo *mundo* e um período de tempo. Em razão desta confusão nos termos, a revelação total a respeito de eras sucessivas foi logo perdida de vista por causa da tradução. Uma ilustração clara de como os tradutores trabalhavam é apresentada em Hebreus 1.1, 2, que em nossas traduções diz: "Havendo Deus antigamente falado muitas vezes, e de muitas maneiras, aos pais, pelos profetas, nestes últimos dias a nós nos falou pelo Filho, a quem constituiu herdeiro de

todas as coisas, e por quem fez também o mundo". Aqui a tradução *mundo* vem de αἰών e por este termo está aqui declarado que Cristo arranjou ou programou as eras sucessivas de tempo.

A revelação não é a mesma do versículo 10 do mesmo capítulo que afirma que Cristo criou todas as coisas materiais. Nenhuma avaliação jamais poderia ser feita dos enganos que se seguiram a este erro de tradução. O mesmo é verdadeiro dos 31 casos onde a tradução *mundo* é usada em vez de *era*. Uma passagem notável sobre este ponto é Mateus 13.38-40: "O campo é o mundo; a boa semente são os filhos do reino; o joio são os filhos do maligno; o inimigo que o semeou é o Diabo; a ceifa é o fim do mundo; e os ceifeiros são os anjos. Pois assim como o joio é colhido e queimado no fogo, assim será no fim do mundo" (cf. Mt 13.49; 24.3; 28.20; Mc 4.19; 10.30; Rm 12.2; 1 Co 2.6; 2 Co 4.4; Gl 1.4; Ef 2.2; 2 Tm 4.10; Hb 11.3). Aqui, no primeiro caso, o campo é dito ser o *mundo* (cosmos), enquanto que no segundo e terceiro casos a colheita é a consumação da era, e não o fim do mundo material, como a tradução sugere.

Numa outra passagem notável – Mateus 24.3 – não é feita referência à presente era, mas à era judaica que tem ainda sete anos por vir após esta era ter sido completada. Os discípulos sabiam muito pouco desta presente e imprevista era no tempo a que Cristo se referia. O sinal do fim para a era judaica, contudo, está declarado em Mateus 24.15 e em resposta à pergunta a respeito desta era como vista no versículo 3. O mal a que Cristo se refere como o sinal está descrito em 2 Tessalonicenses 2.3-10 e ali é dito que ele não aparecerá até a remoção da Igreja. A era mosaica, que se estendeu desde a doação da lei ao fim da lei na morte de Cristo, foi interrompida pela era intercalada conhecida como "tempo dos gentios", cujo período de intercalação começou com os cativeiros e termina com o reaparecimento glorioso de Cristo.

Ao representar uma porção desta era gentílica, Deus mediu 490 anos relativos a Israel, cujo tempo com os "tempos dos gentios" não obstante foi fracionado pela presente e imprevista era da Igreja. O período da tribulação final é medido no tempo pelos anos definitivamente preditos para Israel, enquanto que o caráter desse período é delineado pelos pés e artelhos da imagem colossal que registra o fim dos tempos gentílicos.

2. DISPENSAÇÃO. Traduzida da palavra grega οἰκονομία, e significa primariamente *mordomia*, uma dispensação é uma economia divina específica, um comprometimento de Deus com o homem de uma responsabilidade de desincumbir-se daquilo que Deus lhe designou. O apóstolo declara de si mesmo: "Por esta razão eu, Paulo, o prisioneiro de Cristo Jesus por amor de vós gentios... Se é que tendes ouvido a dispensação da graça de Deus, que para convosco me foi dada" (Ef 3.1, 2). Uma mordomia foi entregue ao apóstolo para ele receber, formular e proclamar o segredo sagrado a respeito de um fato e provisões até então não revelados da graça salvadora como eles estão demonstrados na Igreja. Em exemplos incontáveis a teologia do pacto fica perturbada pelo reconhecimento das distinções dispensacionais; mesmo a nova manifestação da graça divina se torna um dos aspectos perturbadores da verdade.

DISPERSÕES DE ISRAEL

Se há, como afirmam os teólogos do pacto, apenas um pacto da graça e que esse pacto opera uniformemente em toda era, na verdade, ao que o apóstolo se refere quando ele assevera que uma dispensação a respeito de uma economia da graça divina até então não revelada é entregue a ele? Sem levar em conta uma noção não-provada e não-escriturística que pode estar abarcada por um grande número de homens que nada fizeram além de receber sem investigação o que é ensinado nas escolas deles, na presente era Deus faz uma demonstração distinta e peculiar de Sua graça por meio da Igreja, que é o Corpo de Cristo. "A mim, o menor de todos os santos, me foi dada esta graça de anunciar aos gentios as riquezas inescrutáveis de Cristo, e demonstrar a todos qual seja a dispensação do mistério que desde os séculos esteve oculto em Deus, que tudo criou, para que agora a multiforme sabedoria de Deus seja manifestada, por meio da igreja, aos principados e potestades nas regiões celestes" (Ef 3.8-10).

Assim, acontece por meio deste grupo de redimidos de judeus e gentios } (Ef 3.6), cujo grupo não existiu como tal em outra era, que o mistério ou segredo sagrado, escondido desde as eras passadas, torna-se conhecido e esta revelação atinge as hostes angelicais. Porque as eras passada, presente e futura (cf. Ef 1.10; 3.1-6) estão tão claramente definidas nas Escrituras, os teólogos do pacto reconhecem diferentes eras ou períodos de tempo; mas então eles os tratam meramente como modos diferentes de administrar um único propósito divino. A despeito de todo aspecto conhecido das eras anteriores, será visto que a Palavra de Deus constrói toda a sua estrutura doutrinária numa era passada, presente e futura. Negar estas várias divisões, contudo, unidas como são a respeito de diferentes propósitos revelados de Deus, é cessar de ser influenciado devidamente pela Escritura exata que Deus falou.

Dispersões de Israel

À luz de seus pactos imutáveis, um dos quais é a posse da Terra Prometida (cf. Dt 30.1-8), é essencial que os despojamentos de Israel da terra sejam reconhecidos. Estes despojamentos, então, envolvem reajuntamentos também. Houve uma predição clara de três dispersões e três reajuntamentos. Três dispersões ocorreram como preditas, e dois reajuntamentos. Israel está agora espalhado em sua terceira e final dispersão, e espera mais ou menos conscientemente o último reajuntamento. Uma das impressões mais comuns a respeito de Israel é que eles sempre têm sido e sempre serão espalhados entre as nações, como são neste tempo. Uma devida atenção à Palavra de Deus corrigirá tal engano. Deveria ser observado que, a menos que Israel permaneça um povo separado sob um propósito específico e um pacto de Deus, de modo algum relacionado com a Igreja ou parte dela, não haverá significado algum para as dispersões ou reajuntamentos de Israel.

103

As três dispersões e reajuntamentos podem bem ser considerados separadamente. Como uma introdução a esta consideração, pode ser observado que, visto que na Escritura Israel é a chave para todos os prospectos e bênçãos terrestres, nada jamais será normal na terra quando esta nação está fora de sua possessão. Toda paz e tranqüilidade para a terra aguardam a colocação final de Israel em sua própria terra prometida.

1. Dispersão para o Egito. A história de Israel na escravidão egípcia, a maneira deles irem para ali e o milagre de sua libertação são todos conhecidos dos leitores da Bíblia, mas não tão geralmente conhecido que a escravidão egípcia foi predita séculos antes. Quando um profundo sono veio sobre Abraão, e Jeová ratificou Seu pacto incondicional com ele a respeito da posse perene da terra, Deus disse-lhe: "Então disse o Senhor a Abrão: Sabe com certeza que a tua descendência será peregrina em terra alheia, e será reduzida à escravidão, e será afligida por quatrocentos anos; sabe também que eu julgarei a nação à qual ela tem de servir; e depois sairá com muitos bens. Tu, porém, irás em paz para teus pais; em boa velhice serás sepultado. Na quarta geração, porém, voltarão para cá; porque a medida da iniqüidade dos amorreus não está ainda cheia" (Gn 15.13-16). O retorno da nação à terra sob a liderança de Moisés e Josué marca o fim da primeira dispersão. Ela começou, continuou, e terminou exatamente como Jeová predisse que aconteceria a Abraão.

2. Os Cativeiros. Por causa dos pecados dos israelitas, tanto do reino do Norte quanto do reino do Sul, foram designados ir para o cativeiro. O cativeiro terminou setenta anos depois do reino do Sul ter se tornado cativo, mas ainda nem todos que estavam lá retornaram. O fato importante é que uma representação da totalidade da nação foi reunida na terra. Um período de cativeiro para o reino do Sul foi predito por Jeremias. Ele escreveu: "E toda esta terra virá a ser uma desolação e um espanto; e estas nações servirão ao rei de Babilônia setenta anos. Acontecerá, porém, que quando se cumprirem os setenta anos, castigarei o rei de Babilônia, e esta nação, diz o Senhor, castigando a sua iniqüidade, e a terra dos caldeus; farei dela uma desolação perpétua. E trarei sobre aquela terra todas as minhas palavras, que tenho proferido contra ela, tudo quanto está escrito neste livro, que profetizou Jeremias contra todas as nações" (Jr 25.11,12).

Daniel aprendeu desta passagem específica sobre quando o tempo da escravidão seria cumprido. Desta experiência Daniel registra: "No primeiro ano de Dario, filho de Assuero, da linhagem dos medos, o qual foi constituído rei sobre o reino dos caldeus, no ano primeiro do seu reinado, eu, Daniel, entendi pelos livros que o número de anos, de que falara o Senhor ao profeta Jeremias, que haviam de durar as desolações de Jerusalém, era de setenta anos" (Dn 9.1, 2).

3. Dispersão Presente. A presente dispersão excede as outras duas na questão da duração e na maneira em que Israel está agora espalhada entre todas as nações da terra. Ao começar com a destruição de Jerusalém no ano 70 d.C., a dispersão final continua até o tempo presente e é um aspecto importante da presente era, cuja característica deve continuar até que a Igreja seja removida

DISPERSÕES DE ISRAEL

do mundo. É então que Israel imediatamente estará sob as bênçãos renovadas e sob a orientação de Jeová e retornará à sua própria terra. Contudo, o retorno é acompanhado também por outros eventos poderosos, todos dos quais são sem precedentes e direta ou indiretamente relacionados à restauração de Israel. Neste aspecto da verdade profética, muitos textos estão envolvidos.

O retorno final à terra deles é um dos principais temas da profecia do Antigo Testamento a respeito dos judeus. Concernente ao presente cativeiro Moisés escreveu:

"Assim ficareis poucos em número, depois de haverdes sido em multidão como as estrelas do céu; porquanto não deste ouvidos à voz do Senhor teu Deus. E será que, assim como o Senhor se deleitava em vós, para fazer-vos bem e multiplicar-vos, assim o Senhor se deleitará em destruir-vos e consumir-vos; e sereis desarraigados da terra na qual estais entrando para a possuirdes. E o Senhor vos espalhará entre todos os povos, desde uma extremidade da terra até a outra; e ali servireis a outros deuses que não conhecestes, nem vós nem vossos pais, deuses de pau e de pedra. E nem ainda entre estas nações descansarás, nem a planta de teu pé terá repouso; mas o Senhor ali te dará coração tremente, e desfalecimento de olhos, e desmaio de alma. E a tua vida estará como em suspenso diante de ti; e estremecerás de noite e de dia, e não terás segurança da tua própria vida. Pela manhã dirás: Ah! Quem me dera ver a tarde! E à tarde dirás: Ah! Quem me dera ver a manhã! pelo pasmo que terás em teu coração, e pelo que verás com os teus olhos. E o Senhor te fará voltar ao Egito em navios, pelo caminho de que te disse: Nunca mais o verás. Ali vos poreis a venda como escravos e escravas aos vossos inimigos, mas não haverá quem vos compre" (Dt 28.62-68).

Aquilo que era para servir de atenção a esta dispersão está descrito em detalhes: "Lembra-te, pois, da palavra que ordenaste a teu servo Moisés, dizendo: Se vós transgredirdes, eu vos espalharei por entre os povos" (Ne 1.8); "Também os espalharei por entre nações que nem eles nem seus pais conheceram; e mandarei a espada após eles, até que venha a consumi-los" (Jr 9.16); "Contudo, o meu povo se tem esquecido de mim, queimando incenso a deuses falsos; fizeram-se tropeçar nos seus caminhos, e nas veredas antigas, para que andassem por atalhos não aplainados; para fazerem da sua terra objeto de espanto e de perpétuos assobios; todo aquele que passa por ela se espanta, e meneia a cabeça. Com vento oriental os espalharei diante do inimigo; mostrar-lhes-ei as costas e não o rosto, no dia da sua calamidade" (Jr 18.15-17); "E todos os que estiverem ao redor dele para seu socorro, e todas as suas tropas, espalhá-los-ei a todos os ventos: e desembainharei a espada atrás deles. Assim saberão que eu sou o Senhor, quando eu os dispersar entre as nações e os espalhar entre os países" (Ez 12.14,15); "Também levantei a minha mão para eles no deserto, jurando que os espalharia entre as nações, e os dispersaria entre os países" (Ez 20.23); "Espalhar-te-ei entre as nações e dispersar-te-ei pelas terras; e de ti consumirei a tua imundícia" (Ez 22.15).

Tiago deve, portanto, dirigir sua epístola "às doze tribos da dispersão". Que Israel retornará ainda à sua terra e experimentará grande bênção nacional, é uma das predições mais positivas da Bíblia – uma predição que não se entrega a noções fantasiosas para sua interpretação. Ela deve ser aceita em sua forma literal ou ignorada completamente. Muito freqüentemente esta última é feita. Naturalmente, os homens devem ignorar estes textos que negam qualquer distinção real entre Israel e a Igreja, porque, como foi declarado antes, a dispersão e o reajuntamento é totalmente estranho à Igreja. Mais de cinqüenta textos afirmativos declaram que Israel será reunido em sua própria terra desta terceira e final dispersão. Duas dessas passagens podem ser citadas:

"Quando te sobrevierem todas estas coisas, a bênção ou a maldição, que pus diante de ti, e te recordares delas entre todas as nações para onde o Senhor teu Deus te houver lançado, e te converteres ao Senhor teu Deus, e obedeceres à sua voz conforme tudo o que eu te ordeno hoje, tu e teus filhos, de todo o teu coração e de toda a tua alma, o Senhor teu Deus te fará voltar do teu cativeiro, e se compadecerá de ti, e tornará a ajuntar-te dentre todos os povos entre os quais te houver espalhado o Senhor teu Deus" (Dt 30.1-3); "Dize-lhes pois: Assim diz o Senhor Deus: Eis que eu tomarei os filhos de Israel dentre as nações para onde eles foram, e os congregarei de todos os lados, e os introduzirei na sua terra; e deles farei uma nação na terra, nos montes de Israel, e um rei será rei de todos eles; e nunca mais serão duas nações, nem de maneira alguma se dividirão para o futuro em dois reinos; nem se contaminarão mais com os seus ídolos, nem com as suas abominações, nem com qualquer uma das suas transgressões; mas eu os livrarei de todas as suas apostasias com que pecaram, e os purificarei. Assim eles serão o meu povo, e eu serei o seu Deus. Também meu servo Davi reinará sobre eles, e todos eles terão um pastor só; andarão nos meus juízos, e guardarão os meus estatutos, e os observarão. Ainda habitarão na terra que dei a meu servo Jacó, na qual habitaram vossos pais; nela habitarão, ele e seus filhos, e os filhos de seus filhos, para sempre; e Davi, meu servo, será seu príncipe eternamente. Farei com eles um pacto de paz, que será um pacto perpétuo. E os estabelecerei, e os multiplicarei, e porei o meu santuário no meio deles para sempre. Meu tabernáculo permanecerá com eles; e eu serei o seu Deus e ele serão o meu povo. E as nações saberão que eu sou o Senhor que santifico a Israel, quando estiver o meu santuário no meio deles para sempre" (Ez 37.21-28).

Dizimar
(veja Mordomia)

Dizimar é o mesmo que dar a Deus a décima parte; é uma prática que antedata a lei, e ainda até esta data é de uso comum.

1. ANTES DE MOISÉS (Gn 14.17-20; cf. Hb 7.1-10).

ECLESIOLOGIA

2. Na Lei. O dízimo se tornou, na sua maior parte, o método de Deus de dar suporte aos levitas e sacerdotes. A tradição acrescentou muito mais à lei de dizimar do que foi exigido originalmente (Mt 23.23; Lc 11.42).

3. Em Contraste com a Graça. Sob a graça, a benevolência funcionará "não por necessidade" ou por qualquer exigência da lei; antes, o cristão faz a sua contribuição "segundo tiver proposto no seu coração" (2 Co 9.7) e "conforme tiver prosperado" (1 Co 16.2). Nem toda contribuição que evita o mero dízimo, contudo, é um contribuinte segundo a graça.

Eclesiologia

O termo ἐκκλησία, traduzido como *igreja* ou *assembléia*, significa um grupo chamado. Sua contraparte no Antigo Testamento é a congregação; mas a congregação de Israel nunca foi a verdadeira Igreja do Novo Testamento. Não obstante, Israel se constituiu numa assembléia no deserto (At 7.38) como igualmente aconteceu com a multidão de Éfeso no teatro (At 19.32, 41). O uso espiritual mais profundo da palavra *igreja* se refere ao grupo de pessoas salvas que, por sua salvação, são chamados do mundo para uma união viva e orgânica com Cristo para formar o Seu Corpo místico, sobre o qual Ele é o Cabeça. Essa forma exterior da Igreja que é uma mera assembléia de pessoas deve ser restrita àqueles de uma geração, na verdade de uma localidade, e pode incluir os não-salvos assim como os salvos.

Em oposição a isto, a Igreja que é o Corpo e a Noiva de Cristo, é composta de pessoas de todas as gerações desde que a Igreja começou a existir, e não está confinada a uma localidade, e inclui somente aqueles que são realmente salvos. O significado espiritual é assim visto como muito distante do mero reconhecimento de um edifício que pode ser chamado de igreja, uma congregação organizada, ou qualquer forma de clientela sectária.

A doutrina paulina da Igreja espiritual ou verdadeira é acompanhada somente em importância pela doutrina da salvação pela graça. Essa salvação da qual ele escreveu provê e conduz a um material sobrenatural do que a verdadeira Igreja é formada. As duas tomadas juntas constituem o que o apóstolo chamou de "meu evangelho". Ambas as doutrinas que compuseram o seu evangelho foram uma revelação ao apóstolo diretamente de Deus (Gl 1.11,12; Ef 3.1-6). Cada revelação concernente até aqui não anunciada e, até o dia de Pentecostes, constitui concepções não-existentes. Uma exceção a esta afirmação geral pode ser encontrada nos padrões doutrinários apresentados por certos tipos do Antigo Testamento que prefiguram fases da verdade pertencentes à Igreja somente, e também pelos primeiros doze capítulos do Evangelho de João em que Cristo é sustentado como um Salvador dos perdidos, embora esta predição dessa qualificação como Salvador que foi posteriormente ganha através de Sua real morte e ressurreição.

Que a verdadeira Igreja era somente uma antecipação durante o ministério terreno de Cristo pode ser demonstrado de vários modos. O próprio Cristo declarou-o ser ainda futuro (Mt 16.18), um Salvador crucificado e ressuscitado não tinha ainda se tornado o objeto da fé salvadora (Gl 3.23-25), e ninguém poderia crer ou pregar a presente salvação pela graça num tempo quando ele não acreditava que Cristo morreria ou seria ressuscitado dentre os mortos (Lc 18.31-34). Não poderia haver a Igreja até que ela fosse comprada por Seu precioso sangue (Ef 5.25-27), até que Ele ressuscitou para dar a ela a vida da ressurreição (Cl 3.1-3), até que Ele ascendesse para ser o Cabeça sobre todas as coisas dadas à Igreja (Ef 1.20-23), ou até que o Espírito viesse no Pentecostes através de quem a Igreja poderia ser formada em um Corpo e por meio de quem a Igreja pudesse ser co-ordenada por Sua presença habitadora.

Deus tem quatro categorias de criaturas inteligentes em Seu universo – anjos, gentios, judeus e cristãos – e há mais diferença a ser observada entre cristãos e judeus ou gentios do que entre anjos e judeus ou gentios. Esta afirmação pareceria extrema, e deve ser assim porque o verdadeiro e exaltado caráter do cristão não é compreendido. Nenhum anjo é um filho de Deus pelo real nascimento regenerador que vem de cima, nem qualquer anjo permanece perante Deus na πλήρωμα – i.e., plenitude – de Cristo (Jo 1.16), plenitude essa que é πλήρωμα da divindade que nele habita corporalmente (Cl 2.9,10).

A história humana sobre a terra se estende ao menos a seis mil anos. Este longo tempo pode ser dividido em três períodos de aproximadamente dois mil anos cada: de Adão até Abraão dois mil anos, com apenas duas espécies de pessoas no mundo; de Abraão a Cristo outro período de dois mil anos, com duas espécies de pessoas no mundo – gentios e judeus, e desde o primeiro advento de Cristo ao tempo presente e, na verdade, até o Seu segundo advento, com três espécies de pessoas no mundo – gentios, judeus e cristãos.

Nenhum texto é endereçado aos anjos e muito pouco aos gentios. Cerca de 3/4 da Bíblia dizem respeito a Israel diretamente e cerca de 1/4 delas diz respeito à Igreja. A falha em discernir entre o judaísmo e o cristianismo, como acontece com muitos teólogos, prova o engano e eles são totalmente indesculpáveis. Nenhuma atitude de homens para com a verdade de Deus é mais reveladora a respeito da negligência habitual deles de um estudo pessoal e sem preconceitos da Bíblia do que as implicações e suposições que alguns desenvolvem com respeito ao propósito de Deus no mundo. Que Ele tem feito apenas uma coisa e segue apenas um propósito sobre a terra é um grande erro.

Há abundantes textos para indicar que o presente propósito divino deve ser o chamamento da Igreja tanto de judeus quanto de gentios.

Sete figuras são empregadas no Novo Testamento para apresentar a relação que existe entre Cristo e a Igreja. Todas as sete são necessárias, para que a revelação total a respeito deste relacionamento possa ser desvendada. Em conexão com cada figura e como seu paralelo há uma verdade semelhante a ser observada concernente a Israel.

ECLESIOLOGIA

(1) Cristo é o Pastor e os cristãos são as ovelhas. Israel, também, era o rebanho de Deus e as ovelhas do Seu pastoreio. Esta linguagem apresenta o cuidado pastoral de Cristo e a debilidade de suas ovelhas.

(2) Cristo é a Videira e os crentes de hoje são os ramos. Israel era a vinha de Jeová. Esta comparação fala da força e da vida de Cristo comunicada, sem a qual nada poderia ser feito para realçar Sua glória.

(3) Cristo é a Pedra Principal, de esquina, e os cristãos são a construção. Israel tinha um templo, mas a Igreja é o templo vivo para a habitação de Deus através do Espírito. Aqui a figura comunica o pensamento de interdependência e de habitação.

(4) Cristo é o Sumo Sacerdote e os crentes do Novo Testamento são um reino de sacerdotes. Israel tinha um sacerdócio; a Igreja em sua totalidade é um sacerdócio. Esta linguagem figurativa introduz a verdade a respeito da adoração e do serviço.

(5) Cristo é o Cabeça da Igreja que é o Corpo. Israel era uma comunidade, uma nação organizada; a Igreja é um organismo muito vivo em razão da participação da vida e de estar relacionada à Cabeça viva. Esta comparação fala do relacionamento vital e dos dons para o serviço.

(6) Cristo é o Cabeça de uma nova criação e os cristãos estão com Ele nessa criação como seus membros vitais. Israel era da antiga criação e ligada à terra; a Igreja é da nova criação e ligada ao céu. Esta figura enfatiza as maravilhas da posição e da permanência do crente, visto que ele está em Cristo.

(7) Cristo é o Noivo e a Igreja é a Noiva. Israel era a esposa repudiada de Jeová (mas será ainda restaurada); a Igreja é a noiva virgem esposada a Cristo. Este relacionamento para os cristãos, previsto em vários tipos, é totalmente de outra esfera e é futuro. Ele apresenta a glória de Cristo de que a Igreja como Sua Noiva compartilhará. Que coisas maravilhosas são operadas neste grupo de crentes de forma que eles deveriam estar prontos como uma noiva para a Segunda Pessoa da Trindade e uma noiva que encantará Seu coração por toda a eternidade!

A Eclesiologia de Paulo está dividida em três divisões principais de doutrina: (1) a Igreja, que é o Corpo de Cristo, Sua noiva, Sua plenitude (Jo 1.16; Cl 2.9,10), e Ele torna-se pleno neles (Ef 1.22,23); (2) a igreja local, que é uma assembléia composta daqueles que em qualquer localidade professam ser seguidores de Cristo; e (3) o alto chamamento para uma vida diária em conformidade com a posição que o crente mantém, por estar em Cristo. Com esta está a doutrina da capacitação do Espírito que neles habita, por quem unicamente este alto chamamento pode ser realizado. Está evidente na Bíblia que Deus tinha uma regra de vida para Israel, que era a lei de Moisés, e que Ele ainda terá uma exigência legal para eles no reino futuro.

É igualmente evidente que Ele indicou uma maneira de vida que pertence ao cristão, e que ela não repousa na base do mérito, mas exige uma vida a ser vivida em padrões elevados do próprio céu. Nenhum estudante deve imaginar que ele progrediu muito na sã doutrina se ele não compreende o ensino consistente do Novo Testamento que declara que o cristão não está debaixo da lei de Moisés ou de qualquer outra forma de obrigação que tem por alvo a segurança do mérito.

Nunca é ensinado nas Escrituras que Israel como uma nação aparecerá no céu, embora este destino esteja aberto no tempo presente aos crentes individualmente dentre os judeus. O destino da nação é terrestre, e estende-se para sempre na nova terra que ainda existirá. O destino da Igreja é celestial. Como Sua Noiva e Corpo, a Igreja estará com o Noivo e Cabeça onde quer que Ele esteja.

Eleição

Por ter reconhecido o direito soberano de Deus sobre a Sua criação e ter assim lhe atribuído um propósito racional em todo o Seu plano, a verdade contida na doutrina da eleição segue em seqüência natural como a função necessária daquele que é divino. Quando surgem a incredulidade e a resistência na mente humana contra o princípio da eleição divina, essas coisas são geradas somente porque essa concepção mais ampla da necessidade divina não tem sido considerada. Na verdade, é difícil para os homens que adotaram a idéia de que eles são independentes de Deus e, portanto, de modo algum relacionados a Ele – a visão de todos os que não são salvos – receber qualquer verdade relativa aos direitos soberanos de um Criador sobre Suas criaturas.

O princípio subjacente da eleição divina parece estar evidente em toda a criação de Deus, mas não é ofensivo usualmente quando ele opera fora do campo limitado de um destino para os seres humanos. Um princípio de seleção é visto em toda parte, princípio esse que não pode ser atribuído a um mero acidente, oportunidade ou destino cego. Que qualquer homem é nascido quando ele poderia ter sido não-existente deve ser um ato de seleção por parte da soberania divina. Que um homem é nascido em uma era de privilégios, em vez de nascer em outra menos privilegiada não pode ser um assunto de simples oportunidade. Que um homem tenha nascido de pais piedosos em vez de nascer num lar de trevas pagãs é determinação divina. Que um herde riquezas, cultura ou posição em lugar de limitações dolorosas, que um possua dons mentais e capacidade não deve ser um arranjo humano; todavia, estas reais condições, operadas por Deus, todas participam da natureza da seleção divina.

Os grandes pactos de Deus são promessas divinas de benefícios selecionados para grupos favorecidos de pessoas. Isto novamente é da natureza da eleição divina. É feito um registro dos "anjos eleitos" (1 Tm 5.21). Na verdade, isto seria o direito de Deus de fazer com Suas criaturas o que Ele pode decidir. É tanto verdadeiro quanto razoável que Deus nada tenha causado ou que qualquer ser tenha vindo à existência sem ter um propósito adequado para realizar através dessa criação. Que alguns de Sua criação servem para um propósito e outros para outro propósito é uma questão da escolha divina. O ressentimento humano surge somente quando está indicado que alguns são mais favorecidos do que outros com respeito ao destino. Se Deus fosse tido como um tirano descontrolado, poderia se permitir que Ele pudesse fazer o que lhe agradasse

ELEIÇÃO

com os Seus, fosse algo certo ou errado; mas quando está revelado que Ele é infinitamente justo e santo e que Ele é movido pelo amor infinito, a dificuldade surgirá na mente natural sobre como Deus pode ter um povo eleito por quem Ele realiza mais do que Ele o faz por outros ou como alguns podem ser abençoados enquanto que outros não o são.

Sem dúvida, qualquer que possa ser o ensino da Bíblia de que Deus escolheu pessoas; mas a contemplação de tudo o que está envolvido nesta verdade atinge as esferas da existência que podem ser conhecidas somente por Deus, coisas essas que estão muito distantes da esfera do entendimento humano. Por ser assim limitado, não fica bem aos moradores da terra se sentarem no tribunal para julgar Deus a respeito da eleição divina. O caráter essencial de Deus foi revelado e Ele pode ser digno de confiança quando os homens não podem entender. Ele é infinitamente sábio, infinitamente santo e infinitamente justo e bom. Quando exerce o Seu direito soberano na eleição, Ele não transgride o Seu caráter ou nega-se a Si mesmo. Visto que Ele não elege alguns para glórias e destinos especiais e visto que Ele prova ser infinitamente reto em tudo o que faz, segue-se que o Seu propósito eletivo eterno deve ser tão justo quanto Ele é justo.

Há duas principais eleições de Deus:

1. ELEIÇÃO DE ISRAEL. Por todo o discurso do monte das Oliveiras Cristo se refere a Israel como *os eleitos*. O estudo mais casual deste discurso (Mt 24.1–25.46) revelará a verdade de que somente Israel está em vista como o eleito de Deus. Semelhantemente, um texto revelador de Paulo (Rm 9.1–10.4) apresenta a verdade a respeito da eleição de Israel. Muito freqüentemente esta porção da Escritura tem sido aplicada aos crentes hoje que compõem a Igreja. Os fatos salientes no caso que torna isto impossível, contudo, são que na eleição de Israel há um objetivo nacional e que um judeu individual, embora pertencente à nação eleita, não teve qualquer eleição pessoal que lhe foi assegurada. Deus é assim soberano em Seus tratos com Israel. Ele desconsidera a inimizade e o ódio das nações quando elas se ressentem do fato da eleição de Israel.

A eleição torna-se um assunto público, na verdade, porque Jeová seleciona, preserva e defende este único povo dentre todas as nações da terra. Eles são Seu "povo escolhido" acima de todas as nações e especificamente escolhido para Sua glória. Em relação à eleição de Israel, então, Deus age com autoridade soberana. Todas as outras nações devem eventualmente assumir um lugar subordinado. Durante o reino de Israel sobre a terra, de um modo adequado, as nações ou povos que não servirem a Israel perecerão (Is 14.1,2; 60.12). Nenhuma interpretação verdadeira do Antigo Testamento é possível se o fato da eleição nacional, sacra e eterna de Israel for rejeitada.

2. ELEIÇÃO DA IGREJA. Tão certamente quanto a eleição de Israel foi pública e nacional, assim certamente a eleição da Igreja é privada – para eles somente apreciarem – e individual. Assim uma ampla diferença deve haver entre as questões envolvidas numa eleição pública e nacional e uma eleição privada e individual, que pouca coisa de comum existe entre elas. A respeito do caráter privado da eleição do indivíduo, pode ser indicado que não há prática mais perigosa ou danosa na

aplicação da Palavra de Deus do que a de mostrar a verdade da eleição pessoal perante o não-salvo. Ela não pertence a eles nem alude a eles. Sua apresentação a eles pode somente criar ressentimentos, como freqüentemente acontece, e cegar as suas mentes a respeito da única verdade que Deus agora lhes dirige, ou seja, a salvação pessoal pela graça somente através de Jesus Cristo.

A mensagem aos não-salvos, indiferentemente das profundas questões teológicas que estão latentes nela, é simplesmente "quem quiser vir". Quando eles vêm e são salvos, podem então se gloriar na revelação de que suas vidas foram escolhidas em Cristo desde antes da fundação do mundo (Ef 1.4). Todo pregador da Palavra de Deus deveria estar desperto para este perigo imensurável, de introduzir o tema da eleição pessoal e individual perante pessoas não-regeneradas.

Nesta era da graça há uma eleição que inclui todos os que são salvos. Este grupo perfaz a Igreja, o Corpo e a Noiva de Cristo, e com o Cristo ressurrecto constitui a nova criação com todo seu propósito e destino no céu. O Novo Testamento oferece um testemunho abundante a respeito do fato do propósito divino e do caráter deste povo celestial. Ele também revela que todo membro deste grupo seleto é escolhido pessoal e individualmente por Deus desde antes de todas as eras. No Novo Testamento o mesmo termo, os eleitos, é usado tanto para Israel (Mt 24.22) quanto para a Igreja (Rm 8.33).

Quando se dirigia ao Pai em Sua grande oração sacerdotal (Jo 17) e quando se referia aos crentes desta era da Igreja, Cristo empregou apenas um cognome que Ele usou sete vezes. O título que Cristo usou exclusivamente quando falava ao Pai dos crentes é muito significativo. Ele deve ser o título supremo no vocabulário usado na conversa entre o Pai e o Filho. A designação – "aqueles que me deste" – em si mesma assevera o propósito eletivo mais absoluto da parte do Pai e do Filho. A imaginação humana não teria se perdido se ela imaginasse uma situação na eternidade passada quando o Pai apresentou os crentes individuais separadamente ao Filho, cada um representando uma importância particular e um valor não abordado por outro. Igual a um tesouro de diamantes, coletados um a um e totalmente diversos, estes dons de amor podem ter aparecido diante dos olhos do Filho de Deus. Se um se perdesse, Ele, o Filho, ficaria inefavelmente pobre. As riquezas imensuráveis e desconhecidas da graça estão expressas nas maravilhosas palavras: *aqueles que tu me deste.*

Que toda humanidade não foi incluída nesta eleição é muitíssimo certo. Ela inclui somente aqueles específicos dados a Cristo. De acordo com o salmo 2.7-9, o Pai ainda dará ao Filho as nações para os Seus juízos dominadores virem sobre elas, para que possam ser Sua possessão; mas isto não tem relação alguma com a concessão de indivíduos na eternidade passada. Deles é esta verdade para uma sublime exaltação em glória.

Romanos 8.28. Nesta passagem é feita referência aos chamados "segundo o seu propósito". No contexto em que se segue a mais absoluta doutrina da predestinação, preservação e apresentação destes eleitos, ou chamados, um povo foi apresentado. Nem toda humanidade é chamada; mas aqueles que foram chamados são justificados e glorificados.

Efésios 1.4. De cada crente é mencionado que ele foi escolhido em Cristo antes da fundação do mundo e para um propósito celestial, a fim de que ele possa estar em glória perante Ele. Assim, novamente, torna-se claro que nem toda a humanidade é escolhida. Cristo declarou: "Ninguém pode vir a mim, se o Pai que me enviou não o trouxer; e eu o ressuscitarei no último dia" (Jo 6.44), a fim de sugerir uma seleção. Não obstante, há também uma chamada ou atração universal (cf. Jo 12.32), mas isto é muito diferente da atração pessoal do eleito a quem o Pai deu ao Filho.

3. Suposta Parcialidade. Argumentar como alguns têm argumentado que Deus, para ser imparcial, deve conceder Suas maiores riquezas de bênçãos sobre todos igualmente. Fazer isso é sentar-se no tribunal e julgar o Criador, julgamento esse que não fica bem para a criatura, é negar o direito soberano de Deus de ordenar Sua criação como Ele quer, e é privar Deus da liberdade de introduzir variedade em Seu universo. Deve cada criatura ser um arcanjo? Não tem Deus tanto o direito de exibir sua variedade imensurável em coisas pertencentes à relação do homem com Ele quanto em coisas conectadas com a relação do homem com seu semelhante sobre a terra? Esta é uma questão totalmente à parte do problema vergonhoso do pecado. Contudo, deve ser reconhecido também que ao pecado foi permitido que entrasse no universo com sua ruína de uma parte dos anjos e com a ruína total da raça humana.

Na verdade, tudo isto está nos conselhos eternos de Deus, porque ele determinou antes da fundação do mundo que Seu Cordeiro eficaz fosse morto (Ap 13.8). Como um ponto de partida, então, para um entendimento correto e uma avaliação dos problemas relativos à eleição divina, é essencial receber o testemunho bíblico de que todos os homens estão arruinados espiritualmente, por terem nascido numa raça caída. A reunião de um grupo eleito, a fim de aparecer no céu aperfeiçoado para sempre envolve não somente redenção, que satisfaz as exigências da santidade de Deus, mas trata da rejeição voluntária de Deus, rejeição essa que é tão universal quanto a queda por causa do fruto dessa queda. Deus somente pode proporcionar tal redenção, e não pode haver essa salvação à parte dessa redenção. É igualmente verdadeiro que Deus somente pode tratar com a vontade humana neste aspecto.

4. Vontade Humana. Primeiramente, é bom observar que Deus não criou a vontade humana como um instrumento para que este possa derrotá-lo; ela foi criada antes como um meio pelo qual Ele pudesse realizar Seus próprios propósitos elevados. Embora como Soberano Ele pudesse fazer assim, Deus não coage a vontade humana; Ele, ao contrário, opera dentro do indivíduo para que este queira e faça segundo a Sua boa vontade (cf. Fp 2.13). Uma vocação eficaz para a salvação, então, é uma chamada que ninguém resiste de um modo final (cf. Rm 8.30). Todo aquele que Deus predestina Ele chama, e aos que chama, Ele justifica e glorifica. Não poderia haver falha num só caso entre milhões que são chamados. A visão que Ele cria no coração e a persuasão ilimitada que Ele

exerce induzem uma reação favorável da parte de todos os que são chamados, reação essa que se torna infinitamente certa.

A verdade importante a ser observada em tudo isto é que, embora a persuasão divina seja ilimitada, ela ainda permanece persuasão, e assim quando uma decisão é assegurada por Cristo no indivíduo, ele exerce sua própria vontade sem qualquer sombra de coação. O convite divino ainda é verdadeiro para quem quiser vir. Contudo, é também verdadeiro que ninguém jamais virá à parte desta chamada divina, e esta é estendida somente aos Seus eleitos. Qual é a relação da justiça de Deus com aqueles a quem Ele não chama é outra doutrina totalmente diferente do ensino sobre a eleição.

5. Realizações Práticas. Como nos grandes pactos que Deus fez, assim em toda realização de Sua vontade o princípio da seleção divina é mostrado. As seguintes classificações demonstrarão isto:

A. Cinco Decretos Eletivos. Os teólogos podem ser classificados de acordo com a ordem em que eles colocam os cinco decretos eletivos de Deus. A seguinte tabulação desses decretos está numa ordem que pode ser defendida pelas Escrituras:

(1) Decreto de criar.
(2) Decreto de permitir a queda.
(3) Decreto de eleger alguns para a salvação.
(4) Decreto de providenciar um Salvador.
(5) Decreto de salvar os eleitos.

Como uma ilustração da importância desta ordem, pode ser visto que colocar o decreto de eleger alguns para serem salvos antes do decreto de criar colocaria Deus na posição de criar uma porção da humanidade com a visão deles sendo reprovados para sempre. Um estudo completo dos cinco decretos eletivos já foi empreendido no Volume III dedicado à Soteriologia.

B. Cinco Pontos do Calvinismo. Por causa da atitude calvinista em relação à eleição divina, seus cinco pontos geralmente reconhecidos são aqui listados:

(1) Incapacidade total do homem caído.
(2) Eleição incondicional.
(3) Redenção limitada.
(4) Graça divina eficaz.
(5) Perseverança dos santos.

C. Cinco Pontos do Arminianismo:

(1) Eleição condicional de acordo com a presciência de Deus de suposta dignidade humana.

(2) Uma redenção universal, mas somente aqueles que crêem são salvos.

(3) Salvação pela graça através da fé. (Por causa de uma suposta graça capacitadora divinamente concedida a todos no nascimento, todos podem cooperar em sua salvação se quiserem fazê-lo.)

(4) A graça não é irresistível.
(5) A queda da graça é possível.

D. CINCO PONTOS DO JUDAÍSMO. Como uma realização do propósito eletivo de Deus para Israel, cinco pontos do judaísmo podem ser indicados:

(1) Uma nação eterna.
(2) Uma posse eterna da terra.
(3) Um trono eterno.
(4) Um Rei eterno.
(5) Um reino eterno.

Encarnação

Por causa das verdades imensuráveis envolvidas, a encarnação – por meio da qual um membro da Trindade entra permanentemente na família humana e torna-se parte dela – prova ser um dos sete maiores eventos na história do universo, ou seja: (1) criação dos anjos, (2) criação das coisas materiais, inclusive toda a vida sobre a terra, (3) a encarnação, (4) a morte do Encarnado, (5) Sua ressurreição, (6) Sua vinda novamente para reinar sobre a terra e (7) Seu reino sobre a terra eternamente. Naturalmente, duas perguntas vão surgir: Quem é esta Pessoa encarnada? E o que será esse Seu modo de existência?

A. A identificação é completa. Ela deve ser a Segunda Pessoa ou o Filho que se tornou carne, não o Pai ou o Espírito. Permanece verdadeiro que Cristo era e é Deus no mistério da Trindade; mas Ele somente, um dos três, tornou-se carne e tomou sobre Si a forma de homem. Ele, portanto, é singular. Nunca houve e jamais haverá alguém igual a essa Pessoa teantrópica. Nem deveria haver surpresa no fato de Ele ser diferente de todos os outros seres humanos. As Escrituras estão sempre preocupadas em estabelecer em termos conhecíveis o caráter eterno dAquele que se tornou carne. No começo do Evangelho de João, está escrito: "No princípio era o Verbo, e o Verbo estava com Deus, e o Verbo era Deus. Ele estava no princípio com Deus. Todas as coisas foram feitas por intermédio dele, e sem ele nada do que foi feito se fez... E o Verbo se fez carne, e habitou entre nós, cheio de graça e de verdade; e vimos a sua glória, como a glória do unigênito do Pai" (Jo 1.1-3,14).

A tentativa feita por João através do Espírito de Deus nos versículos iniciais de seu Evangelho, é a de declarar o caráter eterno dAquele que se tornou carne e habitou entre nós. O termo *logos* (veja LOGOS) se refere ao Cristo pré-encarnado e incorpora uma verdade muito pouco usada pelos teólogos. O "princípio" de João deve remontar antes de toda criação ter vindo à existência e, portanto, antedata em muito o "princípio" de Gênesis 1.1. João fala do passado sem data em que a Pessoa que se tornou carne já *era* existente. Ele, então, já existia tão antigo e tão sábio quanto agora. Ele não começou a existir no tempo; Ele *existia* no princípio. O *Logos* é e sempre foi a expressão de Deus, por ser o manifestador dele. Aqueles que desejam saber como Deus é precisam somente contemplar o Filho de Deus na forma em que a Si mesmo se mostrou ao mundo. Sobre isto o apóstolo João escreve: "Ninguém jamais viu a Deus. O Deus unigênito, que está no seio do Pai, esse o deu a conhecer" (Jo 1.18).

Embora nenhum homem tenha falado como Ele falou, Ele não veio ao mundo meramente para manifestar a sabedoria de Deus. Embora nenhum homem possa fazer os milagres que Ele operou sem que Deus esteja com ele, Ele não veio para manifestar o poder de Deus. Ele veio, ao contrário, para manifestar o amor de Deus, e não na totalidade de sua vida de compaixão por nós, mas antes num único evento de Sua vida especialmente. Disto está escrito: "Mas Deus dá prova do seu amor para conosco, em que, quando éramos ainda pecadores, Cristo morreu por nós" (Rm 5.8); "Nisto conhecemos o amor: que Cristo deu a sua vida por nós; e nós devemos dar a vida pelos irmãos"(1 Jo 3.16).

B. Cristo entrou na família humana para que Ele pudesse ser um membro da mesma família e assim satisfizesse as exigências estabelecidas para ser um Redentor-parente. De acordo com o tipo visto no Antigo Testamento, especialmente em Rute (cf. Lv 25.49; Is 59.20), ninguém poderia redimir exceto se fosse um parente próximo não envolvido na condição da qual ele desejou resgatar. Ele também deve estar desejoso assim como ser capaz de redimir. Tudo isto Cristo cumpriu perfeitamente quando Ele se tornou um parente por ter nascido na família humana.

Através de sua encarnação Cristo combinou a natureza perfeita e divina de Deus com a natureza humana em uma só pessoa. Ele não era menos do que Deus por causa de Sua humanidade e não mais do que humano com respeito à sua humanidade por causa do ser divino que Ele era.

Se o *Logos* se tornou "carne" e como Emanuel se tornou um membro da família humana, havia apenas um modo disto ser feito. Ele teve de submeter-se a um nascimento humano. Tivesse Ele repentinamente aparecido na terra entre os homens como se fosse um deles ou mesmo havido descido do céu, a identidade de Sua Pessoa – sem um corpo, alma e espírito humano, tudo Seu – jamais poderia ter sido estabelecido tão satisfatoriamente.

É muito freqüentemente suposto que Cristo começou a existir no tempo do seu nascimento da virgem, ao mesmo tempo em que Ele existia desde toda a eternidade. Deste ponto de partida, então, a humanidade foi somente acrescida à divindade.

Era
(veja Dispensações)

Escatologia

A doutrina das coisas vindouras é extensa de fato. Pode ser seguro estimar que tem tanta coisa a ser experimentada pela frente quanto já transpirou no passado.

ESCATOLOGIA

A profecia bíblica é virtualmente a história escrita de antemão. Evidentemente Deus se deleita em revelar aquilo que Ele fará. Fazer isto é uma realização que a humanidade não pode abordar nem entender. Em sua capacidade Deus demonstra a verdade de que Ele é superior a todos os outros. A vantagem dos membros da raça humana em ser informada a respeito do futuro quando a capacidade de discerni-lo por si mesmos lhes tem sido negada, é muitíssimo grande; todavia, para a grande maioria das pessoas, inclusive os cristãos, as revelações de Deus a respeito do futuro são como se elas nunca tivessem sido escritas. Aqueles que habitualmente negligenciam o estudo da profecia devem necessariamente ficar desinformados a respeito do significado do passado, do presente e do futuro.

O que Deus resolve fazer é uma unidade sublime em si mesma. Quando a consumação dessa unidade não é considerada, não pode haver base restante para uma apreciação correta da direção, do valor e do significado do passado ou do presente. Deus não proveu em vão os homens com o material apresentado por Sua predição. Ele espera que o que ele disse seja bem recebido como todas as outras partes da Bíblia são recebidas, e além do mais Ele não deixou os homens em seu desamparo no entendimento de Sua revelação das coisas futuras. Entre as coisas que o Espírito Santo foi designado para realizar àqueles em quem Ele habita é mostrar "as coisas vindouras" (Jo 16.13). À luz desta provisão e sua realização prática somente uma admiração pode ser nutrida a respeito da real relação com o Espírito Santo daqueles que, ao professar ser salvos, não estão interessados na proclamação das "coisas vindouras" de Deus.

Visto que o conhecimento do futuro determina assim o entendimento correto do passado e do presente, nenhum homem que habitualmente ignora esta predição divina está preparado para "pregar a palavra". A alegação de que as Escrituras proféticas não podem ser entendidas nunca é feita por aqueles que dão a devida atenção a elas. Não tem havido mais dificuldade de interpretação dos textos que tratam de Escatologia do que com os textos que tratam da Soteriologia. O suposto problema a respeito da interpretação da Escatologia se origina no fato de que muitos teólogos têm se dado primeiramente ao estudo da Soteriologia quase que exclusivamente, à completa negligência da Escatologia.

Visto que a Escatologia é muito extensa no texto da Bíblia – 16 livros do Antigo Testamento universalmente classificados como proféticos e 1/4 a 1/5 de todo o Texto Sagrado apareceu como predição quando foi escrito – os expositores da Bíblia que são livres para se movimentar fora dos limites das opiniões teológicas estáticas têm descoberto imensos campos de revelação nas Escrituras proféticas, cuja doutrina necessariamente determina a direção da interpretação bíblica correta. Por causa desta descoberta, há uma escola sempre crescente de interpretação pré-milenista e uma divisão rapidamente maturativa entre homens ortodoxos.

A principal divisão em toda profecia está entre o que está agora cumprido e o que ainda não está cumprido. Esta divisão, obviamente, nunca foi firmada. A palavra indicativa de tempo, *agora*, nunca muda. As coisas que eram futuras ontem podem ser coisas cumpridas no amanhã. Nenhuma Escatologia é completa quando se preocupa somente com o que é futuro num determinado tempo. Visto que toda predição era futura no tempo em que veio a ser escrita, uma Escatologia completa deveria explicar tudo o que está cumprido e o não-cumprido.

É suficiente dizer que a profecia pode ser dividida novamente entre o que é encontrado no Antigo e no Novo Testamento. A esta altura, contudo, é essencial observar a divisão doutrinária antes que estrutural entre os testamentos. Essa divisão doutrinária ocorre entre os Evangelhos de Lucas e João. Em outras palavras, os evangelhos sinóticos continuam e consomem as porções não-cumpridas do Antigo Testamento. Malaquias havia terminado com a expectativa do Rei de Israel e de Seu reino. Os sinóticos relatam a vinda do Rei e oferecem o Seu reino àquela nação, cujo reino foi, de acordo mesmo com o propósito divino, rejeitado pela nação e sua realização posposta para o segundo advento. Um grande erro dos teólogos geralmente é relacionar o reino prometido – na medida em que eles o apreendem – ao primeiro advento, enquanto que ele está sempre ligado ao segundo advento, exceto quando ele foi oferecido e rejeitado nos dias da primeira vinda. O desenvolvimento de qualquer reino terreno nesta era e em virtude de forças liberadas no primeiro advento é uma ficção teológica.

Torna-se imperativo, se qualquer entendimento correto da Escritura deve ser obtido, traçar a ordem distintiva dos eventos apresentada no judaísmo para a sua conclusão divinamente designada. Isto os evangelhos sinóticos fazem. Ao começar com João e continuar até o fim de Apocalipse, um novo povo composto de judeus e gentios, um novo propósito divino numa era até então não revelada, com novas predições que tratam duma glória celestial, são introduzidos, embora – usualmente via contraste – muita coisa seja acrescentada a respeito do propósito divino para Israel.

Sob a Escatologia em seu estudo mais amplo apresentado no volume IV, os principais temas proféticos do Antigo e do Novo Testamento foram esboçados. Pode ser reafirmado aqui que, em geral, a profecia pode ser classificada como pertencente a Israel, aos gentios e à Igreja. A esta ampla tríplice divisão podem ser acrescentadas predições a respeito de anjos, céu e da nova terra. Israel, desde o seu começo em Abraão, continua como um povo divinamente preservado através desta era da Igreja em direção ao seu reino, e finalmente aparece com a sua glória eterna na nova terra que haverá. Essa nação nunca perde a sua identidade, e no cumprimento dos pactos eternos e predições, é abençoada aqui na terra. Essa nação, como tal, nunca é vista no céu.

Os gentios desde Adão, através da história do Antigo Testamento, "dos tempos dos gentios", da presente era de privilégio dos gentios no chamamento da Igreja, e mesmo através da era vindoura do reino messiânico como co-participantes nesse reino, são finalmente vistos em relação à nova terra e a cidade que vem de Deus, do céu (cf. Ap 21.24, 26). Porções muito grandes da Escritura têm predições a respeito dos gentios. É feita referência aqui somente aos gentios como um grupo de pessoas que continua totalmente separado daqueles indivíduos dentre os que são salvos na presente era. Os gentios como tal permanecem gentios na eternidade vindoura. Finalmente, a Igreja desde o seu começo no Pentecostes é vista como um povo peregrino na terra, e, posteriormente, como participante da glória celestial.

Esperança

A esperança é a expectativa direcionada para com aquilo que é bom. Algumas vezes na Escritura a palavra é traduzida como *confiança*. Cristo nunca usou o termo como tal. Havia, naturalmente, certeza em tudo o que Ele disse. Dois aspectos da doutrina podem ser observados:

A. A esperança de Israel (Lc 1.54,67-79; 2.38; At 26.6,7; 28.20; Ef 2.12) é do Messias vindouro deles e de Seu reino sobre a terra.

B. A esperança do cristão é centrada no retorno de Cristo (Tt 2.13-15; 1 Jo 3.2,3).

O bispo H. C. G. Moule menciona sete elementos quando discute a esperança cristã em geral, da seguinte maneira:

A. O retorno de Cristo.

B. A ressurreição do corpo.

C. Apresentação sem mácula perante Cristo.

D. Recompensas.

E. Libertação de Satanás, do pecado e da morte.

F. Comunhão com os santos.

G. Vida interminável com Deus.

A esperança do crente, que opera como uma âncora da alma, é que ele um dia se unirá ao nosso grande Sumo Sacerdote dentro do véu (Hb 6.10-20).

Espírito Santo

O Espírito Santo é uma designação aplicada à terceira Pessoa co-igual na Trindade. Quatro divisões gerais para a doutrina do Espírito variam de acordo com períodos de tempo:

(1) O Antigo Testamento. Caracterizado pela soberania, o primeiro período começa com o início de Gênesis. Uma esfera muito ampla de atividade é indicada por esta caracterização.

(2) Os dias de ministério de Cristo. Caracterizadas como progressivas, as operações do Espírito neste período podem propriamente ser assim descritas porque Ele operava com Cristo e através dele.

(3) A presente era. Agora, Ele habita e ministra à Igreja em vários modos. Ele se tornou residente no mundo no dia de Pentecostes. Ele começou a formar a Igreja no mesmo tempo e encheu subseqüentemente todos os que foram preparados para essa bênção climática. Sete diferentes ministérios do Espírito na presente

dispensação devem ser observados: restringência (2 Ts 2.7), convencimento (Jo 16.8), regeneração (Jo 3.5), habitação ou unção (1 Jo 2.27); batismo (1 Co 12.13), selamento (Ef 1.13) e a plenitude (Ef 5.18). Diversos detalhes podem ser lembrados a respeito do enchimento do Espírito ensinado na Pneumatologia:

A. as sete manifestações que constituem o encher do Espírito;

B. as três condições sobre as quais cada uma pode ser cheia;

C. o tipo do Antigo Testamento a ser visto no servo de Abraão (Gn 24.1-67).

(4) A era do reino (At 2.16-21; cf. Jl 2.28-32), onde Seu ministério será caracterizado pelo testemunho difundido.

Espiritualidade

A palavra grega para "aquele que é espiritual" – πνευματικός – é encontrada 25 vezes no Novo Testamento. Quando relacionada ao homem, a espiritualidade representa aquela maneira de vida que é operada *no* (não, *pelo*) crente pelo Espírito Santo, que desimpedidamente habita nele.

Πνευματικός deve ser contrastado com ψυχικός (seis vezes este termo foi usado), que significa o natural, o não-regenerado (i.e., "sensual", Tg 3.15 ou o homem "não tendo o Espírito" – Jd 19); e com σαρκικός (usado 11 vezes), que significa aquele cuja vida é caracterizada pela ênfase na σάρξ.

Um cristão pode ser σαρκικός ou πνευματικός, mas não mais ψυχικός. Do estado de ψυχικός ele foi salvo por Cristo; do estado de σαρκικός ele pode ser liberto por depender do Espírito e de ter uma relação correta com Ele (cf. 1 Co 2.14, ψυχικός; 2.15-16, πνευματικός; 3.1-4, σαρκικός).

Uma ilustração destas verdades espirituais pode ser encontrada em 1 Coríntios 1.10–15.57; 1.10–11.34 tem a ver com o σαρκικός, enquanto que 12.1–15.57 trata do πνευματικός (cf. 12.1). No capítulo 12, o termo πνευματικός diz respeito a coisas iguais a (1) batismo (vv. 12,13) e (2) a dons comunicados pelo Espírito (v. 4), dons esses que são concedidos em graça soberana, e igualmente honráveis, porque são dados por Deus e energizados por Ele.

Estado Intermediário

A doutrina de um estado intermediário diz respeito ao estado do redimido entre a morte e a ressurreição do corpo. Algum ensino sobre este tema geralmente é incorporado nas obras de Teologia Sistemática como uma fase da Escatologia.

Há pouco ou mesmo nenhum ensino direto sobre esta doutrina no Antigo Testamento; todavia, quando os evangelhos sinóticos são estudados como uma continuação da revelação do Antigo Testamento, como de fato eles devem ser considerados, muita luz é lançada sobre as escrituras hebraicas a respeito do estado intermediário. Duas passagens importantes podem ser citadas para ilustração: "No Hades, ergueu os olhos, estando em tormentos, e viu ao longe a Abraão, e a Lázaro no seu seio" (Lc 16.23); "Respondeu-lhe Jesus: Em verdade te digo que hoje estarás comigo no paraíso" (Lc 23.43). Estes versículos revelam a respeito do estado dos santos do Antigo Testamento. O próprio Cristo, no primeiro texto, descreve um homem rico que sofre tormento e o mendigo que desfruta o seio de Abraão. Para um judeu, o seio de Abraão é o lugar sublime de descanso e paz; mas naturalmente isto está longe de ser o lugar do crente nesta era, porque o apóstolo Paulo diz que "melhor é partir e estar com Cristo" do que qualquer outra coisa que o mundo possa proporcionar.

O corpo repousa na sepultura, portanto, e deve experimentar a corrupção. Não há um texto que justifique a noção de que a alma e espírito durmam em inconsciência durante o intervalo entre a morte e a ressurreição. O ladrão moribundo, como observado acima, foi assegurado de um lugar no paraíso no dia em que morreu. É provável que o paraíso – agora o lugar de espera para os mortos abençoados antes da ressurreição – foi na ressurreição de Cristo levado para o céu; porque Paulo, provavelmente quando apedrejado até a morte em Listra (2 Co 12.1-10), foi levado a um paraíso localizado no terceiro céu. Deus nada revela adicional ao estado daqueles que estão com Cristo no paraíso.

2 Coríntios 5.1-8 pode prometer um corpo intermediário àqueles crentes que morrem, aos que são encontrados desincorporados. É um corpo "do céu", não de fato o corpo da ressurreição que vem da sepultura.

Em resposta à pergunta se aqueles agora com Cristo conhecem as condições sobre a terra e se eles se conhecem mutuamente, nenhuma revelação é dada; e aqui, como sempre, o silêncio de Deus deveria ser respeitado.

Eternidade

Sob este tema geral é dada uma consideração devida à eternidade em si, eternidade em relação a Deus, ao tempo e ao "dom de Deus [que] é a vida eterna".

1. DEFINIÇÃO. Nenhum pensamento confronta tanto a mente finita que é menos inteligível do que o da eternidade, e é provável a idéia de que a eternidade nunca terminará seja mais compreensível do que a idéia de que ela nunca teve um começo. Na verdade, a mente humana não pode assimilar a idéia do que é eterno. Os filósofos e teólogos igualmente têm se deparado com a derrota quando tentam descrever a eternidade. Um ligeiro aumento de apreensão pode ser assegurado quando ela é estudada em sua relação com o Deus eterno.

2. EM RELAÇÃO A DEUS. Pouco se obterá na tentativa de estudar a eternidade como uma mera idéia negativa, isto é, a ausência do tempo. Ela é melhor considerada como o modo de existência do Deus eterno. Um abundante testemunho foi dado nas Escrituras a respeito do caráter eterno de Deus. Ele

SUMÁRIO DOUTRINÁRIO

nunca é apresentado na Bíblia como circunscrito pelo tempo. Ele pode se conformar ao tempo com seu caráter de sucessões, mas Seu próprio modo de existência é de eternidade a eternidade. Ele é o Arquiteto e o Governador de todas as eras de tempo. Ao referir-se a Cristo como o próprio Deus e Criador de todas as coisas, o escritor aos Hebreus 1.2 declara que Ele também "fez o mundo". Não há referência alguma aqui a Cristo como Criador das coisas materiais, como no versículo 10, mas, antes, ao fato de que Ele originou e ordenou a progressão de todos os períodos de tempo.

O modo de existência que pertence a Deus é fundamental e básico, comparado ao qual qualquer outra maneira de existência que se relaciona ao tempo pode ser considerada algo incomum e excepcional. Para a criatura finita, contudo, que vive no tempo, não há outro modo de vida além do seu próprio, que lhe é compreensível. Tais limitações naturais não deveriam cegar a mente para a revelação divina ou para aquelas conclusões que podem ser alcançadas no mínimo com a ajuda da razão. Deveria ser reconhecido que há outros modos de existência além daquele que está relacionado ao tempo, ainda que estes não possam ser compreendidos em seus aspectos essenciais. Uma existência eterna pertence ao Criador; conseqüentemente a esse modo de vida somente pertence a ascendência e a supremacia. Assim, a ocorrência de um período de tempo com suas criaturas finitas e suas sucessões deve propriamente ser classificado como excepcional ou inferior.

3. Em Relação ao Tempo. A noção dominante de que o tempo representa uma intercalação que interrompeu o fluxo da eternidade, que é "uma faixa estreita de terra entre os dois mares sem litoral da eternidade", parece muito errado. Tal concepção envolve o absurdo de que a eternidade também pode ter um fim e um começo. Qualquer que possa ser o tempo e qualquer que seja sua relação com a eternidade deve ser sustentado que nenhuma cessação da eternidade ocorreu ou ocorrerá. O modo de existência de Deus permanece imutável. Pode se pensar no tempo como alguma coisa superposta à eternidade, não fosse o fato de haver base para a questão sobre se a eternidade consiste de uma sucessão de eventos, como é verdade do tempo. A consciência de Deus é melhor concebida como uma compreensão imediata que inclui tudo, e cobre tudo o que aconteceu e o que haverá de acontecer. A tentativa de trazer o tempo com as suas sucessões em um paralelo com a eternidade ou dar ao tempo o caráter de um segmento no curso da eternidade, é ter uma idéia errônea da característica mais essencial das coisas eternas.

4. Vida Eterna. Uma distinção muito clara deve ser feita entre a existência humana que por sua natureza continua para sempre e o dom de Deus que é a vida eterna. Na análise final, a humanidade não é totalmente conformada ao tempo. Todo ser humano viverá para sempre, mesmo após a não existência do tempo. Assim, a humanidade se introduz na eternidade e deve, no final, conformar-se ao modo eterno de existência. Todo ser humano tem um começo. Nisto ele é diferente de Deus. Cada ser humano, contudo, não tem fim em sua existência. Nesta questão ele é, em algum grau, semelhante a Deus. Que os seres humanos não têm fim, é um pensamento solene; mas para aqueles que recebem o dom da vida eterna que vem de Deus, a verdadeira vida de Deus é concedida. Essa vida é uma participação da natureza divina. Ela não é nada menos do que "Cristo em vós, a esperança da glória".

Assim, pela regeneração, todos os que crêem se tornam possuidores das coisas que em si mesmas são eternas em Deus. Em 1 Coríntios 13.12 está declarado de forma adequada que o crente um dia conhecerá como agora é conhecido de Deus, isto é, a mente finita será substituída pela mente de Deus. Mesmo agora é dito que ele tem a mente de Cristo (1 Co 2.16). Na verdade, pouca coisa pode ser predita a respeito da experiência transcendente e vindoura daqueles que agora possuem a vida eterna, quando eles entrarem plenamente na experiência da vida eterna.

Evangelho

A palavra $\epsilon \dot{v} \alpha \gamma \gamma \dot{\epsilon} \lambda \iota o \nu$ significa 'boas novas' e foi plenamente apreciada num tempo quando todas as novas do dia tinham de ser levadas pelos mensageiros. Levar boas novas era uma elevada honra. Quatro diferentes mensagens de boas novas foram corretamente identificadas pelo Dr. C. I. Scofield:

(1) O Evangelho do rei. Estas são as boas novas que Deus propõe estabelecer sobre a terra, em cumprimento ao pacto davídico (2 Sm 7.16), um reino político, espiritual, israelita e universal sobre o qual o Filho de Deus, herdeiro de Davi, será Rei, e que será, por mil anos, a manifestação da justiça de Deus nos afazeres humanos...

Duas *pregações* deste Evangelho são mencionadas, uma no passado, que começa com o ministério de João Batista, continua através de nosso Senhor e Seus discípulos e termina com a rejeição do Rei pelos judeus. A outra é ainda futura (Mt 24.14), durante a Grande Tribulação, e imediatamente precede a vinda do Rei em glória.

(2) O Evangelho da graça de Deus. Este é o das boas novas de que Jesus Cristo, o Rei rejeitado, tinha morrido na cruz pelos pecados do mundo, que Ele foi ressuscitado dentre os mortos para a nossa justificação, e que por Ele todos os que crêem são justificados de todas as coisas. Esta forma de Evangelho é descrita de muitos modos. É o Evangelho "de Deus" (Rm 1.1) porque ele se origina em Seu amor; "de Cristo" (2 Co 10.14) porque ele flui de Seu sacrifício, e porque Ele é o único objeto da fé do Evangelho; "da graça de Deus" (At 20.24) porque ele salva todos aqueles a quem a lei amaldiçoa; "da glória" (1 Tm 1.11; 2 Co 4.4) porque diz respeito a Ele que está na glória, e que traz muitos filhos à glória (Hb 2.10); da "nossa salvação" (Ef 1.13), porque ele é o "poder de Deus para a salvação de todo aquele que crê" (Rm 1.16); da "circuncisão" (Gl 2.7) porque ele salva totalmente à parte das formas e ordenanças; "da paz"

(Ef 6.15) porque por intermédio de Cristo ele estabelece a paz entre o pecador e Deus, e comunica paz interior.

(3) O Evangelho eterno (Ap 14.6). Este deve ser pregado aos moradores da terra bem no final da Grande Tribulação e imediatamente antes do julgamento das nações (Mt 25.31). Esse não é o Evangelho do reino, nem o da graça. Embora o seu fardo seja julgamento, não salvação, é boas novas para Israel e para aqueles que, durante a tribulação, foram salvos (Lc 21.28; Ap 7.9-14; Sl 96.11-13; Is 35.4-10).

(4) Aquele que Paulo chama de "meu evangelho" (Rm 2.16). Este é o Evangelho da graça de Deus em seu desenvolvimento mais pleno, mas inclui a revelação do resultado de que é o Evangelho no chamamento da Igreja, seus relacionamentos, posição, privilégios e responsabilidade. É a verdade *distintiva* de Efésios e Colossenses, mas interpenetra todos os escritos de Paulo.

...Há "outro evangelho" (2 Co 11.4; Gl 1.6) "que não é outro" senão uma perversão do Evangelho da graça de Deus, contra o qual somos advertidos. Ele tem tido muitas formas sedutoras, mas o teste é um – ele invariavelmente nega a suficiência da graça somente para salvar, manter e aperfeiçoar, e mistura com a graça alguma coisa de mérito humano. Na Galácia era a lei, em Colossos o fanatismo (Cl 2.18). Em qualquer forma seus mestres repousam sob o terrível anátema de Deus.[6]

Forte objeção é feita pelos teólogos do pacto a uma distinção entre o evangelho do reino pregado por João Batista, Cristo, e os outros discípulos e o Evangelho da graça de Deus. Um deles afirma que fazer tal distinção é "infeliz" e "perigoso". Ele, com outros, argumenta que o evangelho do reino é idêntico ao Evangelho da graça divina. Não obstante, aqui surgirá um absurdo que não atemoriza este tipo de teólogo, ou seja, que homens podem pregar o Evangelho da graça baseados na morte e ressurreição de Cristo, quando eles não creram que Cristo morreria e seria ressuscitado novamente (cf. Lc 18.31-34).

Evangelização

A evangelização e os evangelistas são peculiares ao Novo Testamento. Eles pertencem ao grande plano de Deus para o chamamento dos eleitos que são o Seu povo celestial. Israel teve os seus profetas que eram patriotas e reformadores, mas nenhum deles empreendeu um ministério comparável ao do evangelista do Novo Testamento. Ao mesmo tempo, não havia mensagem alguma do Evangelho enviada por Deus aos gentios (cf. Ef 2.12).

1. DEFINIÇÃO. A evangelização é o ato de apresentar aos não-salvos o Evangelho ou as boas-novas da graça salvadora de Deus através de Jesus Cristo. Ela pode ser feita com os indivíduos ou com grupos e congregações. De qualquer forma, um ideal único prevalece. Provavelmente o fato mais

impressionante relacionado a este ministério é que ele tem sido entregue a todo indivíduo que pode ser salvo. O apóstolo Paulo escreve que "Deus... nos deu o ministério da reconciliação... e nos encarregou da palavra da reconciliação. De sorte que somos embaixadores por Cristo, como se Deus por nós vos exortasse. Rogamo-vos, pois, por Cristo que vos reconcilieis com Deus" (2 Co 5.18-20). Esta comissão vem igualmente sobre todos os que crêem. De acordo com esta comissão universal está a revelação apresentada por Efésios 4.12. Seguindo a enumeração dos ministérios ou dos dons de liderança – apóstolos, profetas, evangelistas, pastores e mestres – a verdade tem sido afirmada de que a responsabilidade do pastor e mestre é aperfeiçoar os santos em seu próprio trabalho do ministério, com a edificação do Corpo de Cristo.

Assim, está reafirmado o pensamento de que a todo crente foi entregue o ministério da evangelização. Cada crente é, após ser salvo, constituído uma testemunha aos não-salvos; mas todos os crentes estão em necessidade de tal instrução, conselho e orientação que um pastor e mestre designado por Deus e bem treinado deve comunicar. Está pressuposto que o pastor deve ser bem treinado plenamente para este serviço de liderança. Cursos que levam em consideração tal ministério estão ausentes nos seminários teológicos em geral e, portanto, os graduados que assumem os pastorados não promovem a evangelização por meio da agência pretendida por Deus, que é o grupo de todos os crentes.

O ideal da evangelização do Novo Testamento está muito falho. A instrução, não obstante, deveria incluir a disciplina sobre o plano da salvação, os termos do Evangelho, o uso das Escrituras e a maneira e o método da obra eficaz. Aqui, os cristãos podem bem estudar para mostrar-se a si mesmos "aprovados por Deus", obreiros que "não sejam envergonhados, mas que manejam bem a Palavra da verdade" (2 Tm 2.15). Assim, pode ser demonstrado que a evangelização pessoal da parte de todos os que são salvos é o plano de evangelização do Novo Testamento.

Este propósito do Novo Testamento, em que é levado em conta o fato de todo crente, após devida instrução, tem o alto privilégio de levar almas a Cristo. Isto está intimamente relacionado à vida espiritual do crente; e visto que nenhum serviço efetivo para Deus jamais pode ser prestado à parte de um ajustamento correto da vida à santa vontade de Deus, a instrução oferecida a respeito da vida espiritual deve ser incorporada como uma parte do ensino empreendido no treinamento dos crentes. A obra de ganhar almas, igual a todo serviço cristão, depende do poder comunicado e da direção do Espírito Santo. O próprio desejo de salvação do perdido não é um traço característico do homem, mas a manifestação do amor divino que opera no crente. É o amor de Deus derramado no coração pelo Espírito, a quem o crente recebeu. O crente deve ser guiado a respeito daqueles a quem ele fala e dirigido no modo de sua abordagem ao não-salvo.

Um cuidado especial deve ser exercido pelos pregadores que são chamados para pregar o Evangelho a grupos e congregações. O Evangelho deve ser apresentado em sua pureza e nenhuma exigência deve ser posta sobre o não-salvo a respeito de obras que eles possam apresentar. Os métodos públicos freqüentemente sugerem que há um valor salvador em alguma coisa que é pedido para o não-salvo fazer. Deus não somente chama o Seu povo eleito através da pregação do Evangelho, mas Ele sempre cuida daqueles a quem salva. Se os métodos de evangelização não contradizem estas grandes verdades, haverá menos resultados infelizes.

Dois programas amplamente diferentes de ganhar almas foram empreendidos no século XIX, a saber, o ajustado às crenças arminianas e aquele de acordo com as idéias calvinistas. As práticas arminianas, agressivas e visíveis, infelizmente podem ser consideradas mais fiéis e zelosas em seu caráter. Deveria ser reconhecido, contudo, que há extremos tanto na direção do zelo quanto na cautela excessiva. A questão considerada aqui diz respeito às práticas seguidas por homens sinceros e honestos que deploram todo método extremo. A teologia arminiana forma a base para um método de evangelização; assim igualmente a teologia calvinista forma a base para outro. Os teólogos arminianos declaram que embora os homens sejam nascidos em depravação, uma capacidade lhes é dada no nascimento pela qual eles podem cooperar em sua salvação, se eles quiserem.

Esta noção, sem o suporte da Escritura, encoraja o evangelista a pressionar as pessoas às decisões e presume que todos os indivíduos possam aceitar Cristo, se eles apenas resolverem fazer isso. Segue-se que, se pressionados com bastante força, qualquer pessoa não-regenerada pode ser salva. Que essa maior parte da evangelização tem se conformado, em algum grau, à teoria arminiana, está evidente. Em oposição a isto, os teólogos calvinistas argumentam com a autoridade das Escrituras que todos os homens são nascidos depravados e que eles permanecem assim, incapazes de aceitar Cristo à parte da iluminação, da atração e da chamada do Espírito Santo. Os seguintes textos, dentre muitos, sustentam essa idéia:

"Ninguém pode vir a mim, se o Pai que me enviou não o trouxer; e eu o ressuscitarei no último dia... E continuou: Por isso vos disse que ninguém pode vir a mim, se pelo Pai lhe não for concedido" (Jo 6.44,65); "Ora, o homem natural não aceita as coisas do Espírito de Deus, porque para ele são loucura; e não pode entendê-las, porque elas se discernem espiritualmente" (1 Co 2.14); "Mas, se ainda o nosso evangelho está encoberto, é naqueles que se perdem que está encoberto, nos quais o deus deste século cegou os entendimentos dos incrédulos, para que não resplandeça a luz do evangelho da glória de Cristo, o qual é a imagem de Deus" (2 Co 4.3, 4); "Porque pela graça sois salvos, por meio da fé; e isto não vem de vós, é dom de Deus" (Ef 2.8).

A linguagem não pode ser mais explícita; e, na verdade, se não fosse pela obra iluminadora do Espírito pela qual Ele convence do pecado, da justiça e do juízo (Jo 16.7-11), nenhuma pessoa não-regenerada jamais se voltaria para Cristo e sua salvação. O ponto em questão é que, quando o Espírito empreende

Sua obra de trazer homens a Cristo, há pouca necessidade de métodos persuasivos. O Espírito Santo usa a Palavra de Deus nos lábios de um servo de Deus dedicado ou uma página impressa, e os homens, ao ouvirem a verdade e crerem, serão salvos. Daquele tempo em diante todos os que são salvos ocupam a posição de cristão e têm uma responsabilidade definida de testemunhar, não para que sejam salvos, mas porque são salvos.

2. EVANGELISTAS. Das três vezes em que a palavra *evangelista* ocorre dentro do Novo Testamento, a posição dela em Efésios 4.11 é a mais significativa. O uso do termo nesta passagem é com referência ao missionário pioneiro que leva a mensagem de salvação a regiões distantes, onde ninguém foi antes. O reavivalista trabalha entre as igrejas e campos evangelizados que estão mais ou menos dormentes espiritualmente, e não possuem reconhecimento algum na Bíblia, embora não haja um texto contra esse tipo de ministério. Uma quimera peculiar deve se vista em qualquer reavivamento espasmódico quando é certo que a igreja assim estimulada, por ausência de uma direção certa e de uma conseqüente disciplina, retornará imediatamente ao seu estado de falta de espiritualidade. A mensagem do evangelista por sua própria natureza deveria ser dirigida aos não-salvos e restrita ao tema da salvação.

Temas relacionados à vida cristã deveriam ser introduzidos, a atenção dos não-salvos é imediatamente removida da única questão que lhes diz respeito para outra proposição totalmente irrelevante, ou seja, se eles vão adotar alguma maneira de vida que eles, em razão de serem não-salvos, estão totalmente desqualificados para considerar. Nenhum ministro precisa mais possuir o pleno conhecimento da verdade de Deus do que o evangelista ou aquele que tenta pregar o Evangelho da graça salvadora.

Evolução

A teoria da evolução é tramada pelos homens sem qualquer base verdadeiramente científica ou evidência sobre a qual pode repousar, mas é crido por todas as faculdades e professores universitários e em geral pela classe intelectual. Nenhuma pessoa ponderada pode evitar o problema da origem de todas as coisas, e a teoria evolucionista é talvez o melhor ensino que os não-regenerados podem conceber. Os não-salvos não podem aceitar Deus e Sua revelação em seus pensamentos. Ele certamente não está em nenhum dos pensamentos deles (Sl 10.4). O semblante divino é tão irreal para eles, o conceito de divindade não providenciou uma base suficientemente razoável para as mentes deles quando é declarado que Deus fez todas as coisas. Portanto, por serem incapazes de crer na narrativa da criação do Gênesis e não possuírem qualquer capacidade de crer que há um Deus que criou todas as coisas, eles inventaram a melhor teoria que eles puderam, mas ainda assim com grande inconsistência.

Como homens declaradamente científicos, eles não devem aceitar qualquer coisa que não seja provada; todavia, nesta teoria da evolução eles aceitam cada palavra de testemunho sem levar em conta a ausência de prova, e naturalmente nenhuma linha efetiva de prova foi construída ou descoberta. De tais homens em suas limitações próprias de não-regenerados deve-se ter compaixão. Nenhuma pessoa ensinada pelo Espírito terá problema com a narrativa da criação em Gênesis. Por não ter algo para colocar no lugar dela, contudo, o evolucionista deve inventar a melhor teoria que pode, com a qual satisfaz a mente sobre o debatido problema das origens. Uma boa discussão deste problema particular pode ser encontrada nos volumes anteriores desta obra, especialmente o volume II.

Expiação

Surgem complexidades em algumas mentes a respeito do uso da palavra expiação e isto é devido a determinados fatos.

1. NO ANTIGO TESTAMENTO. No que diz respeito às nossas versões, o uso do termo expiação está restrito ao Antigo Testamento. Embora haja uma tradução de duas palavras hebraicas, apenas uma delas, *kāphar*, está geralmente em vista e ela é usada cerca de setenta vezes. O seu significado é "cobrir". Este significado distinto e limitado da palavra hebraica não deveria ser investido de idéias do Novo Testamento, que contemplam uma obra concluída. Sob a provisão do Antigo Testamento, aquele que pecava era em si mesmo plenamente perdoado e liberto, mas a base sobre a qual ela poderia ser operada era, em si mesma, somente típica e não real. Deus perdoava e restaurava onde o pecado era somente *coberto* pelos sacrifícios de animais, mas a verdadeira base sobre a qual o perdão podia ser concedido era a intenção da parte de Deus tomar, mais tarde, o pecador que Ele havia perdoado e lidar com ele justa e efetivamente através da morte sacrificial de Seu Filho na cruz.

Essa morte eficaz era tipificada no sacrifício do animal exigido. De acordo com Romanos 3.25 – "ao qual Deus propôs como propiciação, pela fé, no seu sangue, para demonstração da sua justiça por ter ele na sua paciência, deixado de lado os delitos outrora cometidos" – o fato de que Cristo suportou os pecados que foram cometidos antes, pecados esses que já tinham sido perdoados sobre a base típica que os havia coberto, se posiciona como uma das maiores realizações de Sua morte. É como se fossem inumeráveis notas promissórias que haviam sido entregues a Cristo para que Ele as pagasse. Se as notas são pagas como foi prometido, Deus, por meio disso, prova ter sido justo em perdoar o pecado sem que outra exigência fosse feita ao pecador além daquela oferta ser trazida que, independente de quanto ela foi entendida por aquele pecador, era na visão de Deus uma antecipação e um reconhecimento de Sua satisfação final de cada santa exigência contra o pecado pelo sangue eficaz de Cristo.

Em outras palavras, Deus passou por cima dos pecados, nos os julgando de um modo final no tempo em que eles foram perdoados. Tal procedimento, é óbvio, seria um tratamento muito injusto se aqueles pecados não fossem no devido tempo trazidos a juízo. Todos os pecados da era mosaica foram mostrados como "cobertos" mas não "tirados". Em contraste com este procedimento temporário, todo pecado que Deus perdoa foi e é agora "tirado". Em duas passagens do Novo Testamento esse contraste vital aparece. Está escrito: "Porque é impossível que o sangue de touros e de bodes tire pecados... Ora, todo sacerdote se apresenta dia após dia, ministrando e oferecendo muitas vezes os mesmos sacrifícios, que nunca podem tirar pecados; mas este, havendo oferecido um único sacrifício pelos pecados, assentou-se para sempre à direita de Deus, daí por diante esperando, até que os seus inimigos sejam postos por escabelo de seus pés. Pois com uma só oferta tem aperfeiçoado para sempre os que estão sendo santificados" (Hb 10.4,11-14).

Acrescentado a isto está a afirmação direta de João 1.29: "Eis o Cordeiro de Deus, que tira o pecado do mundo". Esta grande declaração de João foi uma inovação doutrinária de proporções imensuráveis. O mesmo contraste entre os tratos divinos com o pecado na dispensação passada e na presente dispensação está indicado novamente em Atos 17.30.

2. No Novo Testamento. Embora apareça uma vez por uma tradução infeliz, em algumas versões americanas, no Novo Testamento (cf. Rm 5.11), a palavra *expiação* não é realmente encontrada no Novo Testamento. É como se o Espírito Santo enciumado da verdade não desse lugar para tal erro a respeito do plano divino de lidar com o pecado na presente era. O significado de expiação é trazer duas pessoas antes separadas para um estado de concordância. A palavra do Novo Testamento para esta grande verdade é *reconciliação*. Não haveria erro algum doutrinário cometido se a palavra *expiação* fosse substituída por *reconciliação*, mas o estudante atento deve ser muito influenciado pelo fato de que 'expiação' como tal fica confinada à velha ordem e não é usada pelo Espírito a respeito de qualquer aspecto da nova ordem no cristianismo.

3. Na Teologia. Pelo uso comum e ainda sem muita razão, os teólogos modernos têm se apoderado da palavra *expiação* como um termo que representa tudo o que Cristo fez na cruz. Em porções anteriores desta obra (vol. III) são indicadas mais de catorze realizações estupendas por Cristo em Sua morte. Elas abrangem além do tempo presente em direção a outras eras e das situações humanas passadas às esferas angelicais. Não é possível que o alcance ilimitado da morte de Cristo deva ser apresentado em uma simples palavra ou numa dúzia delas; e a partir do fato de que o termo em questão não pertence ao vocabulário do Novo Testamento e do fato de que ele é empregado no Antigo Testamento para representar uma idéia totalmente estranha e substituída no Novo Testamento, nenhuma palavra relacionada à morte de Cristo é mais inapta como uma referência àquilo que ele realmente operou pelos homens da presente era. À medida que o conteúdo da morte de Cristo é entendido, correspondentemente, assim, o uso do termo *expiação* cessará.

Esta discussão pode ser sumariada na citação de um extenso artigo sobre o tema que se encontra na *International Standard Bible Encyclopaedia*:

No Novo Testamento em inglês a palavra "expiação" é encontrada somente em Romanos 5.11 e a American Revised Version muda isto para "reconciliação". Enquanto na estrita etimologia a necessidade desta palavra significa somente o exercício ativo e consciente da unidade de vida ou harmonia de relações, a idéia causativa provavelmente pertença ao uso original do termo, como ele certamente está presente em todo uso cristão presente do termo. Como empregado na teologia cristã, ambos, em seu uso prático e técnico, o termo aparece com mais ou menos distintividade: (a) o fato da união com Deus, e esta sempre olha em direção de (b) uma união rompida a ser restaurada ou para uma união ideal a se realizada, (c) a causa alcançável da expiação, variadamente definida, (d) o ato crucial onde a união é efetivada, a obra de Deus e a resposta da alma na qual a união se torna real. Porquanto a reconciliação entre o homem e Deus é sempre concebida como efetuada através de Jesus Cristo (2 Co 5.18-21) a expressão "a expiação de Cristo" é uma das mais freqüentes na teologia cristã. Questões e controvérsias têm se tornado a principal causa alcançável da expiação, (e) acima, e a esta altura tem surgido as várias "teorias da expiação".[7]

Fé

De acordo com o conceito mais simples dela, a fé é uma confiança pessoal em Deus. Isto implica que o indivíduo veio a conhecer Deus em algum grau de real experiência. Nem todos os homens possuem fé, pois assim o apóstolo Paulo declara (2 Ts 3.2). Assim, por detrás está este fator determinante: *o conhecimento de Deus*. A respeito do conhecimento pessoal de Deus, Cristo disse: "Todas as coisas me foram entregues por meu Pai; e ninguém conhece plenamente o Filho, senão o Pai; e ninguém conhece plenamente o Pai, senão o Filho, e aquele a quem o Filho o quiser revelar" (Mt 11.27). Esta afirmação é decisiva. Ninguém conhece o Pai senão o Filho e aqueles unicamente a quem o Filho pode revelá-lo. Contudo, com esse conhecimento de Deus divinamente trazido em vista, o convite é imediatamente estendido por este contexto para todos os cansados e oprimidos para virem a Ele e ali, e ali somente, encontrar descanso para a alma.

Visto que Deus não é plenamente discernido pelos sentidos humanos, é fácil para o homem natural num dia da graça tratar a pessoa de Deus e todas as Suas reivindicações como se elas não existissem ou, ao menos, como se fossem uma ficção inocente. Adequadamente a fé é declarada ser, em um aspecto, "o dom de Deus" (Ef 2.8). A ausência total de fé é a condição dos homens não-regenerados (1 Co 2.14) até que Deus lhes seja revelado pelo Filho através do

Espírito. A seguinte citação da *International Standard Bible Encyclopaedia* afirma os simples fatos a respeito da fé que é uma confiança em Deus:

É importante observar que Hebreus 11.1 não é exceção à regra que "fé" normalmente significa "confiança", "certeza". Ali "fé é a convicção [ou possivelmente, à luz de recentes pesquisas no tipo de grego usado pelos escritores do Novo Testamento, 'a garantia'] das coisas que não se vêem". Isto é algumas vezes interpretado como se a fé, na visão do escritor, fosse, por assim dizer, uma faculdade de segunda visão, uma intuição misteriosa no mundo espiritual. Mas o capítulo mostra amplamente que a fé ilustrada por Abraão, Moisés e Raabe, era simplesmente *confiança* no Deus conhecido como digno de confiança. Tal confiança capacitava o crente a tratar o futuro como presente e o invisível como visto. Em resumo, a frase aqui, "fé *é* a certeza" etc., é paralela na forma ao nosso dito familiar, "conhecimento *é* poder". Umas poucas observações destacadas podem ser acrescentadas: (a) A história do uso da palavra grega *pistis* é instrutiva. Na LXX ela normalmente, quando não sempre, porta o sentido "passivo", "fidelidade", "boa fé", enquanto que no grego clássico não raramente ela porta o sentido ativo, "confiança". No *koinê*, o tipo de grego universalmente usado na era cristã, parece ter adotado o significado ativo como o princípio dominante *somente a tempo de*, por assim dizer, proporcioná-lo para a declaração dAquele cuja mensagem suprema era "dependência", e que passou essa mensagem aos Seus apóstolos. Através de seus lábios e pena, a "fé", nesse sentido, tornou-se a senha suprema do cristianismo... Como conclusão, sem transgredir pela razão outros artigos, chamamos a atenção do leitor para seus estudos escriturísticos, para o *lugar central da fé no cristianismo*, e sua importância. Por ser, em sua verdadeira idéia, uma dependência tão simples quanto possível da palavra, poder, amor, de outro, é exatamente aquilo que, do lado do homem, *o ajusta* à presença viva misericordiosa e à ação de um Deus em que se confia. Em sua natureza, não por qualquer mero arranjo arbitrário, ela é a sua única atitude receptiva possível, em que ele nada traz, de forma que ele pode receber tudo. Assim, "fé" é o nosso lado da união com Cristo. E assim ela é o nosso meio de possuir todos os Seus benefícios, perdão, justificação, purificação, vida, paz e glória.[8]

Em seu uso mais amplo, a palavra *fé* apresenta ao menos quatro idéias variadas:

(1) Como acima, ela pode ser uma confiança pessoal em Deus. Este é o aspecto mais comum de fé que pode ser subdividido em três aspectos: (a) Fé salvadora, que é a confiança entretecida nas promessas e nas provisões de Deus a respeito do Salvador que faz o eleito repousar e confiar no Único que pode salvar. (b) Fé que serve, que contempla como verdadeiro o fato dos dons divinamente concedidos e todos os detalhes a respeito da designação divina para o serviço. Esta fé é sempre uma questão pessoal, e assim um crente não deveria se tornar um padrão para outro. Esta fé com sua característica pessoal pode ser mantida inviolada, pois o apóstolo Paulo diz: "A fé que tens, guarda-a contigo mesmo diante de Deus" (Rm 14.22). Grande prejuízo pode vir se um cristão imita outro em questões de designação para o serviço. (c) A fé santificante ou mantenedora, que segura o poder de Deus para a vida diária de uma pessoa. É esta vida vivida na dependência de Deus, que opera um novo princípio de vida (Rm 6.4). O justificado, por ter se tornado o que é pela fé, deve continuar no mesmo princípio de total dependência de Deus.

(2) Ela pode também ser um anúncio doutrinário ou um credo que é algumas vezes conhecido como *a fé*. Cristo propôs esta questão: "Contudo, quando vier o Filho do homem, porventura achará fé na terra?" (Lc 18.8; cf. Rm 1.5; 1 Co 16.13; 2 Co 13.5; Cl 1.23; 2.7; Tt 1.13; Jd 3).

(3) Ela pode significar fidelidade, o que implica que o crente é fiel para com Deus. Aqui é uma característica divinamente implantada, porque ela aparece como uma das nove graças que juntamente compõem o fruto do Espírito (Gl 5.22,23).

(4) Ela pode provar um título pertencente a Cristo, como em Gálatas 3.23,25, onde Cristo é visto como o objeto da fé.

Embora a fé, basicamente considerada, deva ser divinamente implantada, ela é sempre crescente como o conhecimento de Deus e a experiência em Sua companhia também crescem. É natural para Deus não se agradar daqueles que não confiam nEle (Hb 11.6). A fé, na verdade, vindica o caráter de Deus e libera o Seu braço para agir a favor daqueles que nele confiam. Assim, por causa das riquezas celestiais que a dependência dele assegura, é chamada por Pedro uma vez de "fé preciosa" (2 Pe 1.1).

Filiação

1. Diversos fatores aparecem quando se considera a doutrina da filiação. A filiação envolve uma real geração da parte dos pais, o que resulta na filiação legítima e na paternidade legítima, se feita legalmente. Observe a amplitude do uso da palavra *filho* no Antigo Testamento.

2. A filiação representa aquilo em que uma pessoa entra quando salva e admitida na família de Deus (Jo 1.12,13; 3.5; Rm 8.16, 17, 29; Gl 3.26; 2 Pe 1.4). Esta é igualmente geração legítima e real.

3. A filiação pode se aplicar às vezes a não mais do que a criação (Êx 4.22; 2 Sm 7.14; Sl 103.13; Ml 2.10; Lc 3.38; At 17.29).

4. Observe, também, as cinco filiações de Cristo. Ele era Filho de Deus desde toda a eternidade, mas Ele se tornou Filho do homem pela encarnação (Jo 20.17).

A. Filho de Deus. Esta filiação declara-o como o unigênito que é o Filho singular de Deus, o primeiro gerado desde toda eternidade (Mt 16.16).

B. Filho de Adão, o Filho do homem. O aspecto humano da filiação de Cristo é revelado aqui (Mt 8.20).

C. Filho de Abraão. Esta filiação relaciona-o ao pacto abraâmico (Mt 1.1).

D. Filho de Davi. Assim é Cristo relacionado ao pacto davídico (Mt 21.9).

E. Filho de Maria. Este o relaciona à encarnação (Mt 1.25).

Genealogia

A *International Standard Bible Encyclopaedia* apresenta uma lista exaustiva de 41 genealogias e a maioria delas, exceto duas de Cristo, está no Antigo Testamento. Para o historiador assim como para o teólogo estas genealogias contribuem muito, especialmente em pesquisar a linhagem da descendência de Adão a Cristo. Nas palavras dessas genealogias a frase "filho de" deveria ser interpretada de acordo com o costume em vigor no tempo em que a genealogia foi escrita. Os judeus, por exemplo, na análise de uma genealogia contavam os netos e os bisnetos como se fossem *filhos*. Este fato é de real importância quando se estabelece o registro de uma linhagem.

Ao voltarmos para as importantes genealogias de Cristo – uma feita por Mateus (1.1-16) que traça a linhagem da semente messiânica desde Abraão até Cristo, e outra feita por Lucas (3.23-38) que traça a linha da semente de Cristo de volta a Adão – observamos que o ponto importante é que o nascimento virginal com seu caráter divino e o fato da linhagem de Cristo através de Davi são estabelecidos, quaisquer que possam ser as variações ou omissões nesses dois registros.

Na conclusão de um artigo sobre estas genealogias específicas para a *International Standard Bible Encyclopaedia*, o Dr. Louis M. Sweet apresenta o seguinte material, que é pertinente:

Está claro, portanto, da tendência geral assim como das afirmações específicas de ambos os evangelhos, que as genealogias e as narrativas do nascimento não eram tradições variáveis que acidentalmente tocaram e se amalgamaram no meio do rio, mas que elas foram pretendidas para juntar inseparavelmente as duas crenças de que Jesus foi miraculosamente concebido e que Ele era o herdeiro de Davi. Isto poderia ser feito somente com base na genealogia de José, porque qualquer que seja a linha de Maria, José era o cabeça da família, e a conexão davídica de Jesus poderia ser somente estabelecida pelo reconhecimento dEle como filho legal de José. Sobre esta base repousa a crença comum da era apostólica (veja Zahn, *ibid.*, 567, notas de referência), e de acordo com todas as afirmações (tais como as de Paulo, em Rm 1.3 e 2 Tm 2.8) deve ser interpretada.

Deve ser lembrado que, de volta ao problema de reconciliar o nascimento virginal e a origem davídica de Jesus, está um problema mais profundo – harmonizar a encarnação e a origem davídica. Este problema havia sido apresentado em sobra e em sugestão pelo próprio Jesus na pergunta: "Se Davi o chamou Senhor, como Davi é o seu filho?" Ademais deve ser observado que na anunciação (Lc 1.32) o Prometido é chamado imediatamente de Filho de Deus e Filho de Davi, e que Ele é o Filho de Deus em virtude de Sua concepção pelo Espírito – deixa evidente que Ele é Filho de Davi em virtude de seu nascimento de Maria. Com esta deveria ser comparada a afirmação de Paulo em Romanos 1.3,4: "Aquele que era Filho de Deus foi "nascido da descendência de Davi segundo a carne, e que com poder foi declarado Filho de Deus segundo o espírito de santidade, pela ressurreição dentre os mortos". Esta é ao menos mais sugestiva..., porque ela indica que como Paulo e Lucas tiveram uma estreita simpatia em relação à pessoa de Nosso Senhor, assim eles estão em igual simpatia com relação ao mistério de Sua origem. A unanimidade de convicção por parte da Igreja primitiva com relação à origem davídica de Jesus é intimamente partilhada por suas convicções igualmente firmes com respeito à Sua derivação sobrenatural. O ponto de encontro destas duas crenças e a resolução do mistério do relacionamento delas está nas genealogias em que duas linhas amplamente divergentes da ascendência humana, que representam o processo total da história, convergem neste ponto para onde a nova criação do céu é apresentada.[9]

Por causa do duplo fato de que Cristo em Seu lado humano era o Filho de Davi e do lado divino era o Messias, o Jeová encarnado, Emanuel, como o Senhor de Davi, o problema apresentado para as mentes finitas estava além da solução pelos governantes judaicos (Mt 22.41-46). Pode ser digno de nota também que o pronome *da qual* de Mateus 1.16 é feminino em gênero, e relaciona assim a criança como um filho de Maria.

O apóstolo Paulo adverte contra o uso desordenado de tempo com genealogias (1 Tm 1.4; Tt 3.9) como de pouco valor para as pessoas.

Gentios

A Bíblia apresenta a origem, o estado presente, e o destino de quatro classes de seres racionais criados neste universo: os anjos, os gentios, os judeus e os cristãos. Destes, os anjos e os cristãos foram já previamente considerados. Nada é mais apropriado à verdadeira interpretação bíblica do que a observância da verdade de que estas classes específicas continuam a ser o que elas são – exceto que na presente era os judeus individualmente e os gentios podem pela fé em Cristo se tornar cristãos – por toda a história deles, história essa que em cada caso se dirige para a eternidade.

Com relação ao grupo racial, os gentios tiveram a sua origem em Adão e conseqüentemente o seu senhorio natural está nele. Eles participaram da queda; e, embora sejam os objetos de profecia que prediz que alguns deles ainda

GENTIOS

vão partilhar, como um povo subordinado, com Israel no seu reino e glória (Is 2.4; 60.3, 5,12; 62.2; At 15.17), eles, com respeito ao seu estado no período de Adão a Cristo, ficaram sob uma quíntupla acusação: "sem Cristo, separados da comunidade de Israel, estranhos aos pactos da promessa, não tendo esperança, e sem Deus no mundo" (Ef 2.12). Com a morte, ressurreição e ascensão de Cristo com a descida do Espírito, contudo, a porta do privilégio do Evangelho foi aberta aos gentios (At 10.45; 11.17, 18; 13.47, 48), e do meio deles Deus agora chama um grupo de eleitos (At 15.14).

As novas bênçãos oferecidas para esta dispensação não consistem na permissão de compartilharem dos pactos terrestres com Israel, o que nem mesmo Israel desfruta agora, mas, antes, por meio das riquezas da graça em Cristo Jesus, de serem privilegiados na participação de uma cidadania celestial e de glória. Está revelado também que a grande massa de gentios na presente era não entrará pela fé nessas riquezas celestiais.

Portanto, o povo gentílico, designado como "as nações", continua até o fim de sua administração como governantes da terra, até o término dos "tempos dos gentios" (Lc 21.24; cf. Dn 2.36-44). Esses de uma geração específica, no final do período da tribulação (cf. Mt 24.8-31 com 25.31-46) serão convocados a comparecer perante o Messias-rei sentado no trono de Sua glória (Mt 25.31, 32) aqui na terra. Naquele tempo, os que estão assentados à esquerda e são designados como "bodes" serão lançados para "o fogo eterno, preparado para o diabo e seus anjos", mas outros os que estão colocados à Sua direita e são designados "ovelhas" serão introduzidos no "reino" preparado para eles desde a fundação do mundo (Mt 25.31-46). A base de tal julgamento e sua disposição de cada um desses grupos, que juntamente representam a soma total daquela geração dentre as nações gentílicas, perceberão o que é meritório no seu mais alto grau.

Porque as "ovelhas" entram no reino e os "bodes" definitivamente no lago de fogo com base unicamente no tratamento que esses grupos deram a um terceiro grupo a quem Cristo designa como "meus irmãos". O contexto não permite a interpretação usual de que esta é uma descrição do julgamento final quando todas as pessoas de todas as eras são introduzidas nesse julgamento ou no céu, porque os salvos, cada um, quando partirem deste mundo são trasladados para estarem imediatamente presentes com o Senhor no céu (At 7.55,56; 2 Co 5.8; Fp 1.23); e além do mais, quem, de acordo com tal exegese, corresponderia a esses "meus irmãos"? A cena se passa no final da grande tribulação (Mt 24.21), após a remoção da Igreja da terra, e num tempo quando as nações serão divididas sobre a questão semítica. A questão diz respeito sobre quais nações serão escolhidas para entrar no reino messiânico de Israel, aqui na terra.

O destino dos gentios foi posteriormente revelado quando é declarado a respeito da cidade que, após a criação do novo céu e da nova terra, desce do céu da parte de Deus (Ap 3.12; 21.2,10). "As nações andarão à sua luz; e os reis da terra trarão para ela a sua glória... e a ela trarão a glória e a honra das nações" (Ap 21.24-26). A terminologia *as nações que são salvas*[10] não pode se referir à Igreja quando o destino dela não é terrestre; nem é a Igreja chamada de *as nações*, nem ela inclui os reis da terra em seu número. Neste mesmo contexto, a própria cidade é dita ser "a noiva, a esposa do Cordeiro", o que significa a Igreja (Ap 21.2,9,10).

Assim está revelado como, a despeito do fato que uma dispensação do governo do mundo foi entregue a eles, que na presente era o Evangelho é pregado a eles com a sua oferta de glória celestial, que na era vindoura eles compartilham das bênçãos do reino com Israel, e que aparecem na glória eterna, permanecem gentios em contraste com a única nação Israel que se move para o fim da descrição; e assim não há uma base defensável para desviar ou aplicar erroneamente este grande conjunto de textos que trata dos gentios.

Os gentios em sua relação com Deus nunca são colocados por Ele sob a lei mosaica. Igualmente, a direção para a vida que tem sido endereçada aos cristãos nunca é aplicável aos gentios como tais. Quase nenhum texto é escrito aos gentios, embora muitos textos isoladamente tenham a ver com eles (cf. Sl 2.10-12).

Glória

Visto que a glória é um dos maiores temas relacionados a Deus e ao céu, é importante que o seu alcance seja entendido na medida em que as mentes humanas podem prosseguir para compreender. Seria natural o suficiente conceber da glória como alguma iluminação superna com um apelo ao alcance da visão humana, mas ela antes inclui o estado de êxtase da mente e um prazer físico que pertence às esferas celestiais.

No caso da glória ilimitada de Deus, é dito que ela é tanto essencial ou intrínseca quanto declarativa. Com respeito a essa glória, que é chamada intrínseca ou essencial, pode ser observado que, independentemente de qualquer reconhecimento dela da parte das criaturas, Deus é em Si mesmo um ser glorioso. A glória pertence a Ele como a luz e o calor pertencem ao sol. Portanto, torna-se um engano de proporções infinitas reter de Deus um reconhecimento digno de Sua glória. Uma injustiça é feita a Ele se todo o universo de seres criados não Lhe atribuir a glória essencial. Falhar em fazer isso é "mentir, e não dizer a verdade" (cf. 1 Jo 1.6). A glória declarativa de Deus, por outro lado, é aquela que as criaturas podem atribuir a Ele. Os anjos não-caídos e os redimidos no céu declaram Seus louvores para sempre. Somente os anjos caídos e os membros desta raça caída não atribuem glória a Deus. Por tal indignidade e insulto, a Ele somente serão prestadas contas. É esta rebelião dentro do universo de Deus que o Filho de Deus julgará no tempo vindouro.

Da glória essencial de Deus, além disso, pode ser dito que Sua glória é concentrada em Si próprio. É por causa daquilo que Ele é que a glória Lhe pertence e a Ele somente. A respeito de sua glória declarativa, ademais, pode ser afirmado que toda Sua criação, como todas as Suas obras, declara num certo grau essa glória – "os céus declaram a glória de Deus" (Sl 19.1). Contudo, o que diz respeito ao filho de Deus mais particularmente é a glória essencial em si, porque ela será aquilo que mais atribui a Cristo como legitimamente Sua, e isto não é difícil de fazer à luz do que ele é e tem revelado ser.

Além de tudo o que a glória de Salomão tipificou, a glória terrestre de Cristo será suprema, quando Ele estabelecer o reino aqui na terra.

Essencialmente, o uso que o Novo Testamento faz da palavra *glória* é de um lugar e não de um estado. Deus, por exemplo, está agora "trazendo muitos filhos à glória" (Hb 2.10). Quando Cristo aparecer em glória, então Sua Noiva aparecerá com Ele toda gloriosa (Cl 3.4). Sem dúvida, a glória está no mesmo local como aquela a que Cristo se referiu quando disse em João 14.1-3: "...vou preparar-vos lugar".

Governo

A autoridade do governo humano data do Dilúvio, quando Deus expressamente estabeleceu-o sobre a terra. Isto é bem indicado, novamente, pelo Dr. C. I. Scofield:

"A Terceira Dispensação: Governo Humano. Sob a [dispensação da] Consciência, como [da inocência] Inocência, o homem falhou totalmente, e o julgamento do Dilúvio marca o fim da segunda dispensação e o começo da terceira. A declaração do pacto noaico sujeita a humanidade a um novo teste. Seu aspecto distintivo é a instituição, porque da primeira vez, do governo humano – o governo do homem pelo homem. A mais elevada função do governo é a tomada judicial da vida. Todos os outros poderes governamentais são ampliados nesse. Segue-se que a terceira dispensação é distintivamente a do governo humano. O homem é responsabilizado a governar o mundo para Deus. Essa responsabilidade recaiu sobre a raça toda, judeus e gentios, até que a falha de Israel sob o pacto palestínico (Dt 28.1–30.10) trouxe o julgamento dos cativos, quando 'os tempos dos gentios' (veja Lc 21.24; Ap 16.14) começou, e o governo do mundo passou exclusivamente para as mãos dos gentios (Dn 2.36-45; Lc 21.24; At 15.14-17). Que ambos, Israel e os gentios, governaram para o eu, não para Deus, é tristemente evidente."[11]

O governo de Deus deve ser supremo, visto que Sua autoridade sobre o universo é a de Criador. Seus planos devem ser normalmente realizados por meio da providência. O cristão é convocado, então, para reconhecer o governo humano como de Deus (Rm 13.1-7; 1 Pe 2.13-17; cf. Mt 22.21). Um povo organizado deve ter alguma forma de governo, como aconteceu com Israel no Antigo Testamento e com a igreja local nos tempos do Novo Testamento.

Há três formas de governo na Igreja que correspondem a três formas conhecidas de administração civil: o governo estritamente democrático pela voz do povo como na forma congregacional de organização eclesiástica; o monárquico, governado por líderes escolhidos como acontece nas igrejas episcopais e metodistas; e o republicano, ou o governo por representação como acontece nas igrejas governadas por intermédio dos presbíteros e diáconos.

Em Lucas 4.5,6 está claramente indicado que os governos do sistema do mundo (cf. Mt 4.8,9) estão debaixo da autoridade de Satanás. Assim também em João 5.27 e em 1 Coríntios 15.27 está revelado que toda autoridade foi entregue a Cristo pelo Pai. Eventualmente, Cristo destruirá toda autoridade e governo finito (1 Co 15.25,28).

Graça

Graça – um aspecto mal-entendido do modo de Deus trabalhar com os perdidos – é em si mesma uma revelação e todos os corações humanos que não possuem esta verdade da Escritura revelada, serão incapazes de compreendê-la ou de se ajustarem às suas provisões.

Graça não é misericórdia ou amor. Em Efésios 2.4,5 estas três palavras doutrinárias aparecem em separado e em sua maneira individual e específica: "Mas Deus, sendo rico em misericórdia, pelo seu muito amor com que nos amou, estando nós ainda mortos em nossos delitos, nos vivificou juntamente com Cristo (pela graça sois salvos)". Ao falar primeiro da misericórdia, ela é definida como aquela compaixão em Deus que O moveu a proporcionar um Salvador para os perdidos. Se Ele tivesse sido capaz de salvar mesmo uma alma com base em Sua misericórdia soberana somente, poderia ter salvo cada pessoa com essa base e a morte de Cristo teria se tornado desnecessária. Com relação ao amor divino, ele é uma emoção de caráter infinito, o propósito motivador por detrás de tudo o que Deus concede na salvação de uma alma. Mas visto que Deus é santo e justo também e que os pecados do pecador são uma ofensa a Ele, Ele poderia perfeitamente desejar salvar uma alma e ainda ser totalmente fraco para fazer isso à luz das reivindicações que a justiça divina alega contra o pecador.

Até que essas reivindicações sejam satisfeitas o infinito amor de Deus não pode realizar o seu desejo. Portanto, para vir agora à terceira definição, a graça é que Deus pode ser livre para fazer e, na verdade, o que Ele faz adequadamente para os perdidos após Cristo ter morrido em favor deles. "Pela graça sois salvos" (Ef 2.8). Quando assim liberto de Suas santas exigências contra o pecador pela morte sacrificial de Cristo, e quando esse sacrifício é inteligentemente aceito, o amor de Deus nunca se satisfará até que tenha feito tudo que pode fazer para tal pessoa. A maior coisa que Deus pode fazer, reverentemente falando, é fazer alguém semelhante ao Seu Filho. Este, então, será o destino de todo aquele que crê (Rm 8.29; 1 Jo 3.2).

Visto que a graça somente apresenta o que Deus pode fazer e fará por aqueles que confiam no Salvador, ela precisa funcionar à parte de todas as obras ou cooperação humanas. Ela não exige mais do que a confiança no Único que pode salvar.

As Escrituras atribuem à operação da graça a única salvação agora oferecida aos pecadores. A graça de Deus também proporciona segurança para os salvos. Isto é feito pela continuação da obra graciosa de Deus com o indivíduo a despeito de suas imperfeições. A graça também empreende dirigir o salvo do mesmo modo em sua vida diária após ele ter sido salvo. Um novo motivo para isto é estabelecido pelo fato de que o salvo foi aperfeiçoado para sempre à vista de Deus como se estivesse em Cristo; portanto, participasse de Seu mérito e permanecesse para sempre. Nada de mérito precisa ser acrescentado ao que está aperfeiçoado para sempre (cf. Jo 1.16; Rm 5.1; 8.1; Hb 10.14).

Conseqüentemente, a obrigação de ganhar mérito é removida completamente, e o sistema total da lei com seu mérito cessa de ser aplicável aos salvos debaixo da graça. Eles não mais estão debaixo da lei, mas debaixo da graça (Rm 6.14). O novo problema se torna o de como uma pessoa aperfeiçoada deveria andar neste mundo. A graça ensina ao salvo a respeito de seu andar santo na vida diária. O padrão é tão elevado quanto o próprio céu. Deus exige, e com razão, que o salvo, em razão de ser um cidadão do céu, viva de acordo com os padrões do céu (cf. Jo 13.34; Ef 4.1, 30; 1 Ts 5.19).

Hades

Igual a todas as diferentes verdades desconhecidas, a doutrina de um estado futuro depende totalmente do que está declarado no Texto Sagrado. É usualmente asseverado que a palavra *Sheol* do Antigo Testamento tem o seu equivalente em *Hades*, mas o Dr. E. W. Bullinger faz objeção a tal conclusão na seguinte observação: "Esta [Gn 37.35] sendo a primeira ocorrência da palavra *Sheōl*, a Revised Version fornece uma nota marginal, 'Heb. *Sheol*, o nome da morada dos mortos, correspondendo ao grego Hades, Atos 2.27'. Esta observação está totalmente errada. (1) Ela é uma *interpretação* e não uma *tradução*. (2) Ela prejudica a palavra desde o princípio, e fixa nela a palavra 'morada', que tem um significado técnico aplicável somente aos vivos: assim, para prever a conclusão, que não pode ser atingida até que tenhamos obtido a evidência, e a temos diante de nós. (3) *Sheōl* nada tem nela que 'seja equivalente ao grego *Hadēs*'. *Hadēs* deve ter o mesmo significado de *Sheōl*; e deve corresponder a esse. Deve ter o significado que o Espírito Santo coloca nela, e não o significado que o pagão põe nela".[12] Um estudo destas palavras se exige imediatamente.

1. ENSINO DO ANTIGO TESTAMENTO. Por ter citado o uso de *Sheol* em 66 passagens e assinalado que ela é usualmente traduzida como *sepultura*, algumas vezes *abismo*, e outras vezes *inferno*, o Dr. Bullinger declara:

SUMÁRIO DOUTRINÁRIO

Num cuidadoso exame da lista acima, uns poucos fatos se sobressaem muito claramente. (i.) Será observado que na maioria dos casos *Sheōl* é traduzido como "sepultura". Para ser exato, 54%; enquanto "inferno" é 41%; e "abismo" 5%. *Sepultura*, portanto, salienta-se na lista acima como a tradução melhor e mais comum. (ii.) Com respeito à palavra "abismo", será observado que em cada um dos três casos onde ela ocorre (Nm 16.30,33; e Jó 17.16), *sepultura* é tão evidentemente o significado pretendido, para que nós possamos imediatamente substituir essa palavra, e banir "abismo" de nossa consideração como uma tradução de *Sheōl*. (iii.) Com relação à tradução "inferno", ela não representa *Sheōl*, porque tanto pela definição do dicionário quanto pelo uso coloquial "inferno" significa o lugar futuro de *punição*. *Sheōl* não possui tal significado, mas denota o *presente estado de morte*. "Sepultura" é, portanto, uma tradução muito mais apropriada, porque ela visivelmente sugere-nos o que é invisível à mente, ou seja, o estado de morte. Necessariamente, deve ser errado para o leitor contemporâneo ver a primeira colocada para representar a última. (iv.) O estudante verificará que "a sepultura", tomada literal assim como figurativamente, satisfará todas as exigências do *Sheōl* hebraico: não que *Sheōl* signifique muito especificamente sepultura, como genericamente significa a sepultura. A Santa Escritura é suficiente totalmente para nos explicar a palavra *Sheōl*. (v.) Se nós indagarmos dela na lista acima sobre as ocorrências da palavra *Sheōl*, ela ensinará (a) que com relação à *direção* ele é para baixo; (b) que com respeito ao *lugar* ele é na terra; (c) que com respeito à *natureza* ele é colocado para *o estado de morte*. Não o *ato* de morrer, por não termos no vernáculo uma palavra adequada, mas o *estado* ou duração da morte. Os alemães são mais felizes, por terem a palavra *sterbend* para o ato de morrer. *Sheōl*, portanto, significa *o estado de morte*; ou *o estado dos mortos*, do qual a *sepultura* é uma evidência tangível. Ele tem a ver somente com os mortos. Ele pode algumas vezes ser personificado e representado como falando, como outras coisas inanimadas são. Ele pode ser representado por uma palavra cunhada que venha indicar o domínio ou o poder da sepultura, [mas não a temos]. (d) Quando diz respeito à *relação* permanece em *contraste* com o estado de vida (veja Deuteronômio 30.15,19 e 1 Samuel 2.6-8). Em nenhuma vez ele é conectado com os vivos senão em contraste. (e) Com relação à *associação*, ele é usado em conexão com o lamento (Gn 37.34,35), tristeza (Gn 42.38; 2 Sm 22.6; Sl 18.5; 116.3), pavor e terror (Nm 16.27,34), pranto (Is 38.3,10,15,20), silêncio (Sl 31.17; 6.5; Ec 9.10), ausência de conhecimento (Ec 9.5,6,10), punição (Nm 16.27,34; 1 Rs 2.6,9; Jó 24.19; Sl 9.17). (f) E, finalmente, com relação à *duração*, o domínio de *Sheōl* ou da sepultura continuará até a ressurreição e termina somente com ela, que é o único modo de sair dele (veja Os 13.14; e compare Sl 16.10 com At 2.27,31; 13.35).[13]

2. Ensino do Novo Testamento. Aqui três palavras estão presentes: *Gehenna* usada oito vezes; *Hades* onze vezes; e *Tartaros* uma vez. (a) Gehenna é um lugar de punição futura. (b) Citando Bullinger novamente, desta vez sobre Hades:

"Se agora as onze ocorrências de Hadēs no Novo Testamento foram examinadas cuidadosamente, as seguintes conclusões podem ser tiradas: (a) *Hadēs* está invariavelmente conectado com *morte*; mas *nunca com a vida*: sempre com pessoas *mortas*; mas nunca com as *vivas*. Todos no Hades 'NÃO VIVERÃO NOVAMENTE' até que eles sejam ressuscitados dentre os mortos (Ap 20.5). Se eles não 'vivem novamente' até serem ressuscitados, está perfeitamente claro que eles não podem *estar vivos* agora. De outra forma, nós mandamos embora totalmente a doutrina da ressurreição. (b) Que a palavra 'inferno' de modo algum representa o grego *Hadēs*; como vimos que isto não dá uma idéia correta de seu equivalente hebraico, *Sheōl*. (c) Que *Hadēs* pode significar só e exatamente o que *Sheōl* significa, por exemplo, o lugar onde a 'corrupção' é vista (At 2.31; compare 13.34-37); e disto, a ressurreição é a única saída".[14]

Assim também sobre (c) Tártaros: "Ταρταρος não é Sheōl nem Hadēs..., para onde todos os homens vão na morte. Nem é onde os ímpios estão para serem consumidos e destruídos, que é *Gehenna*... Não é o lugar da habitação de *homens* em condição alguma. Ele é usado somente aqui, e aqui somente a respeito dos 'anjos que pecaram' (veja Judas 6). Ele denota os limites ou a divisa deste mundo material. A extremidade deste lugar inferior – do qual Satanás é 'o príncipe' (Ef 2.2) e do qual a Escritura fala como possuindo "os dominadores deste mundo tenebroso' e 'os espíritos ímpios nas regiões celestiais'. Ταρταρος não é somente os limites desta criação material, mas é assim chamado por causa de sua frieza".[15]

Herança

Como uma doutrina do Antigo Testamento, o tema da herança começa com a repartição que Jeová fez da Terra Prometida às tribos e famílias (Lv 25.23-28; Nm 26.52-56; 27.8-11). Quando não existia um herdeiro a propriedade passava a pertencer ao parente mais próximo. O modo de Deus preservar essas propriedades de acordo com as suas concessões originais era fazer com que todas as propriedades fossem restauradas no ano do jubileu ou a cada cinqüenta anos.

A doutrina do Novo testamento é a conseqüência que o crente tem como herança de Deus (Rm 8.16,17; Ef 1.14; 1 Pe 1.4) e Deus uma herança no crente (Ef 1.18; cf. Rm 5.8-10).

Homem do Pecado

Dois personagens importantes aparecem nas predições que profetizam a respeito dos lugares malignos para o estudante da Bíblia – o homem do pecado mencionado por Paulo em 2 Tessalonicenses e a primeira besta de Apocalipse 13. O homem do pecado é identificado por toda a Bíblia pela sua presunção blasfema de ser Deus. Ele aparece indistintamente como um governador político que ainda encabeçará as nações. Ele de fato é designado no Antigo Testamento como "o príncipe de Tiro" (Ez 28.1-10), o "pequeno chifre" (Dn 7.8), o desolador (Dn 9.27), o rei obstinado (Dn 11.36), e no Novo Testamento "a abominação da desolação" (Mt 24.15), "o homem do pecado" (2 Ts 2.3-10), o que monta "o cavalo branco" (Ap 6.2), e provavelmente também a chamada primeira besta (Ap 13.1-10). Está indicado também que ele ajuntará os dez reinos divididos do mundo romano e os dominará durante a Grande Tribulação.

Sua vinda e governo serão "segundo a eficácia de Satanás com todo o poder e sinais e prodígios da mentira" (2 Ts 2.9,10). Ele se torna a personificação do poder de Satanás (Lc 4.5,6). Ele é a obra-prima de Satanás e o falsário de Cristo como Rei; na verdade, a imitação da Segunda Pessoa, na tentativa de Satanás de imitar a Trindade. Ele está incluso com o diabo naquelas revelações que remontam a criação de Satanás (Is 14.12-17; Ez 28.1-19). Ele compartilha do lago de fogo com Satanás (Ap 20.10). Seu governo na terra é encerrado na aparição gloriosa de Cristo (2 Ts 2.6-8). Ele deve aparecer, entretanto, antes do dia do Senhor (2 Ts 2.2-4). Esta ordem de eventos é mantida em todo texto importante que trata do tema (cf. Dn 7.8,9; Mt 24.15-31; 2 Ts 2.1-10; Ap 13 e 19). Ele continua por mais "quarenta e dois meses" (Ap 13.5).

Cristo indica que o homem do pecado, quando permanece no santo lugar, é o sinal para os judeus do fim da era deles (Mt 24.14-19). Ele é conhecido especialmente por sua presunção blasfema de ser Deus (Ez 28.1-10; Jo 5.43; 2 Ts 2.4; Ap 13.5,6). Seu caráter é avaliado na Escritura do ponto de vista divino da santidade e do propósito de Deus.

Homem Natural

A palavra grega – ψυχικός – para *homem natural* é usada seis vezes no Novo Testamento. Em 1 Coríntios 15.44,46 é feita referência ao corpo *psuchikos*, um organismo adaptado à alma, em contraste com um corpo *pneumatikos*, um organismo adaptado ao espírito. Em 1 Coríntios 2.14, Tiago 3.15 e Judas 19, o eu total está em vista ou as limitações do homem natural são indicadas por meio desta terminologia. Uma das designações usadas por Paulo para o não-regenerado na verdade deve ser encontrada neste termo (1 Co 2.14). Eles são descritos adequadamente como inalterados de sua queda original e de seu estado de depravação. Devem ser feitas distinções entre o homem natural e o espiritual assim como entre o natural e o carnal. (veja CARNE).

Humildade

A humildade é uma característica divina a ser encontrada nos corações humanos somente com a operação interior do Espírito Santo. Ela está muito longe de ser uma auto depreciação ou um complexo de inferioridade. Talvez nenhuma palavra melhor tenha sido escrita sobre este assunto do que a que foi dita pelo arcebispo Fènelon (1651-1715), escrita por ele mesmo, um homem muito santo e espiritual:

"Aquele que não procura o seu próprio interesse, mas somente o interesse de Deus no tempo e na eternidade, esse é humilde... Muitos estudam a humildade exterior, mas a humildade que não flui do amor é espúria. Quanto mais este exterior se curva, mais elevado ele se sente interiormente; mas aquele que está consciente de sua elevação não sente realmente a si mesmo como sendo tão pequeno que não possa ir adiante. As pessoas que pensam muito elevadamente de sua humildade são muito orgulhosas."[16] O arcebispo Fènelon assim declara que a humildade é o efeito da entrega à vontade de Deus.

No Antigo Testamento esta palavra aparece como um substantivo três vezes e em todas as suas formas cerca de 40 vezes. Ela é encontrada no Novo Testamento cerca de 15 vezes. Ela sempre tem o significado de verdadeira piedade (cf. Dt 8.2-3; 1 Rs 21.29; 2 Cr 7.14). Tal virtude foi predita debaixo da lei (Mq 6.8). A humildade como uma virtude ocupa um amplo lugar no reino vindouro (Is 57.15; Mt 5.3; 11.25; 18.4; 23.12; Lc 10.21; 14.11; 18.14). Como um fruto do Espírito, ela é operada no crente hoje (Gl 5.22, 23; cf. 1 Co 13.4; 1 Pe 5.5, 6).

Visto que o homem não tem mérito algum perante Deus, mas recebe tudo o que tem, a humildade é somente a atitude correta e natural. Cristo foi humilde, não porque ele era um pecador ou alguém sem mérito. Tornar-se consciente da humildade é sua ruína total.

Igreja
(veja Eclesiologia)

Imortalidade

Três afirmações importantes servirão para clarear esta doutrina, a da vida futura. (1) A imortalidade não é uma existência infindável ou uma mera existência após a morte (porque a morte não põe um fim na vida humana). Os não-salvos continuam a viver após a morte como os salvos também. (2) A importante, igualmente, não é a mesma coisa que o dom da vida eterna, que é concedida a todos os que crêem em Cristo. (3) A imortalidade é alguma coisa relacionada à parte material do homem antes do que com a imaterial. A frase comumente usada, *imortalidade da alma*, é sem base escriturística. A alma nunca é considerada mortal pela Escritura.

A imortalidade e incorrupção, contudo, são termos associados. Como há dois modos de se deixar a terra para ir ao céu – pela morte e ressurreição ou pela transformação diretamente do estado de vivos, na vinda de Cristo – muitos deixarão a corrupção e por meio da ressurreição se revestirão da incorrupção, enquanto que outros, porque estarão vivos na vinda de Cristo, se revestirão da imortalidade. No final, ambos os grupos alcançarão o mesmo estado, isto é, o de ter um "corpo semelhante ao corpo da sua glória" (Fp 3.21).

Resta ainda ser declarado que nenhum crente tem ainda um corpo imortal. Somente um corpo se encontra assim e está no céu. Cristo foi aquele que não viu corrupção (Sl 16.10; At 2.31). Ele, portanto, revestiu-se da imortalidade no seu corpo (mortal). Ele é agora o único que tem imortalidade, e mora na luz (cf. 1 Tm 6.16), e "que trouxe a vida e a imortalidade à luz através do evangelho" (2 Tm 1.10).

Imputação

A palavra *imputar* significa colocar na conta de outro, como o apóstolo escreveu a Filemom a respeito de uma possível dívida que Onésimo tinha com seu senhor; por isso, declarou: "E, se te fez algum dano, ou te deve alguma coisa, lança-o na minha conta" (v. 18). Por causa das várias fases envolvidas da doutrina, a imputação se torna imediatamente numa das doutrinas mais fundamentais do cristianismo. Grande cuidado é necessário no estudo dela, para que o estudante possa compreender o ensino perfeitamente. Há três imputações mais importantes apresentadas nas Escrituras, como veremos abaixo:

A imputação pode ser real ou judicial. Uma imputação real exige a consideração para alguém do que é antecedentemente seu, enquanto que uma imputação judicial à consideração para alguém do que não é antecedentemente seu.

1. IMPUTAÇÃO DO PECADO DE ADÃO PARA A RAÇA. A passagem central que trata desta imputação é encontrada em Romanos 5.12-21. No versículo 12 está declarado que a morte, como uma penalidade, veio sobre todos os homens no sentido em que todos pecaram, mas não se refere ao fato de que todos os homens pecaram em sua experiência diária, mas como o verbo *pecaram* está no tempo *aoristo*, ele se refere a uma ação passada completa. Isto significa que todos os homens pecaram quando Adão pecou, e por meio disso trouxe

a penalidade da morte física sobre eles próprios. Que este mal pode não ser considerado como pecado pessoal, o apóstolo assinala como todos morreram no período entre Adão e Moisés, ou antes da lei mosaica ter sido dada (cuja lei transmitiu ao pecado o seu caráter hediondo de transgressão), e igualmente como todas as pessoas que não podem responder por si mesmas, como os infantes e dementes, morreram embora nunca tenham pecado voluntariamente, como no caso da transgressão de Adão.

Visto que Deus conta cada membro da raça como transgressor em Adão, este se torna o único caso de imputação real, isto é, uma atribuição à pessoa daquilo que antecedentemente lhe pertence. Uma ilustração de uma ação seminal igual pode ser vista no registro de que Levi, que foi sustentado pelos dízimos, pagou dízimos mesmo ainda nos lombos de seu bisavô Abraão (Hb 7.9,10), a fim de dar a entender o tempo em que Abraão deu dízimos a Melquisedeque.

2. Imputação do Pecado da Raça a Cristo. Neste campo específico da verdade reside a totalidade do Evangelho. Embora a palavra *imputar* não seja usada, são encontrados termos semelhantes, tais como "o fez pecado", "sobre ele", "suportou nossos pecados" (Is 53.5, 6, 11; 2 Co 5.21; 1 Pe 2.24). Aqui é uma imputação judicial visto que o pecado nunca pertenceu antecedentemente a Cristo, mas quando foi colocado sobre Ele tornou-se Seu num sentido terrível.

3. Imputação da Justiça de Deus ao Crente. Esta terceira imputação constitui-se na aceitação do cristão e na sua posição perante Deus. Ela é a única justiça que Deus aceita para a salvação e por ela somente alguém pode entrar no céu. O livro todo de Romanos está mais ou menos preocupado com a demonstração dessa doutrina a respeito da justiça imputada de Deus, e como o propósito da epístola aos Romanos revela a verdade a respeito da salvação, segue-se que a justiça de Deus imputada deve ser um fato muito importante nesse ponto. A frase apostólica *a justiça de Deus* (Rm 1.17; 3.22; 10.3), então, significa uma justiça de Deus antes do que o mero fato de que o próprio Deus é justo.

Em Romanos 3.10 está declarado que nenhum dos homens é justo à vista de Deus; portanto, uma justiça imputada é a única esperança para os homens neste mundo. A respeito da esperança da justiça imputada, o apóstolo escreve: "...não tendo como minha justiça a que vem da lei, mas a que vem pela fé em Cristo, a saber, a justiça que vem de Deus pela fé" (Fp 3.9). Ser preparado para a presença de Deus é de importância imensurável (Cl 1.12). Isto exige uma justiça que é transferida para o crente quando Cristo tornou-se pecado por todos os homens (2 Co 5.21). Obviamente, aqui deve ser uma imputação judicial em vista desta justiça não ser antecedentemente do crente. Não obstante, quando imputada a ele por Deus, a possuirá para sempre.

Esta imputação que provê para o crente tudo o que ele precisa diante de Deus para sempre é tão importante que sua base está revelada nas Escrituras, e ela é muito essencial para todo crente entender a revelação. Torna-se para ele uma concessão legal através da morte de Cristo e é aplicada pelo Espírito Santo através do batismo do crente em Cristo.

A. Essa imputação é constituída legal perante Deus visto que Cristo ofereceu-se a Si mesmo sem mancha a Deus (Hb 9.14). Isto quer dizer que Cristo não somente tornou-se uma oferta pelo pecado por Sua morte, pela qual a remissão do pecado é legalmente possível com base na verdade de que Ele substituiu aqueles que crêem, mas também Ele apresentou-se a Si mesmo sem mancha como uma oferta agradável a Deus, a fim de proporcionar assim uma liberação de tudo o que Ele é em mérito infinito e tornar-se o Seu mérito disponível para aqueles que não tinham mérito. Como Deus vai para a cruz por uma base legal para remir o pecado, assim ele vai para a mesma cruz por uma base legal para imputar a justiça. Tudo isto está tipicamente apresentado nas cinco ofertas de Levítico, capítulos 1 a 5, onde a morte de Cristo pode ser vista tanto como um suave quanto como um fétido cheiro na avaliação do Pai.

Há alguma coisa em Sua morte que não é um suave cheiro para Deus, como é visto nas palavras de Cristo: "Deus meu, Deus meu, por que me desamparaste?" (Mt 27.46; cf. Sl 22.1). Semelhantemente, como foi citado acima, Hebreus 9.14 sugere uma oferta de suave cheiro a Deus. Ele se ofereceu a Si mesmo sem mancha a Deus não meramente para informar ao Pai sobre Si mesmo, mas em favor de outros. Aqui Ele também serviu como um Substituto. Quando outros não tinham e não podiam assegurar uma posição ou mérito diante de Deus, Ele liberou Seu próprio eu e todas suas perfeições para eles. Nada poderia ser mais necessário da parte daqueles pecadores desprovidos de mérito.

B. A justiça imputada é aplicada diretamente com base no fato essencial de que o crente está em Cristo. Pelo batismo do Espírito, por ser unido a Cristo, uma pessoa está em Cristo como uma nova posição de Cabeça. Como até agora essa pessoa estava no primeiro Adão, caído e arruinado, agora no Cristo ressurrecto, ela participa de tudo o que Cristo representa, mesmo a justiça de Deus que Cristo é. Cristo, assim, torna-se justiça para o crente (1 Co 1.30), e por estar nEle, o crente "torna-se" justiça de Deus (2 Co 5.21). O apóstolo aspirou a esta posição maravilhosa, quando escreveu: "...e seja achado nele, não tendo como minha justiça a que vem da lei, mas a que vem pela fé em Cristo; a saber, a justiça que vem de Deus pela fé" (Fp 3.9).

O grau desta posição em Cristo não pode ser avaliado ou entendido. Em Hebreus 10.14, contudo, está declarado: "Pois com uma só oferta tem aperfeiçoado para sempre os que estão sendo santificados", e em João 1.16 é feita referência ao πλήρωμα ou plenitude de Cristo que o crente recebeu. Essa plenitude está descrita em Colossenses 1.19: "Porque aprouve a Deus que nele habitasse toda a plenitude", e novamente em 2.9: "...porque nele habita corporalmente toda a plenitude da divindade", enquanto que o versículo 10 repete a mensagem de João 1.16, a saber, que o crente é cheio do seu πλήρωμα (ou, está completo nele).

A base legal para a imputação da justiça de Deus ao crente é encontrada, então, nas ofertas de suave cheiro e a aplicação é realizada pela colocação do crente em união com Cristo através da operação do Espírito Santo.

As três imputações mencionadas acima provam ser fundamentais para tudo o que faz parte do cristianismo. Elas são totalmente estranhas ao sistema mosaico e nunca são mencionadas em quaisquer textos relacionados ao reino vindouro. Este ensino, com outras doutrinas fundamentais, tais como a propiciação, deveria ser adequadamente compreendido por todo estudante a qualquer custo.

Infinidade

A doutrina da infinidade, tal como ela é, estará contida na palavra *infinito*. Ela apresenta somente aquilo que é de Deus, visto que o Seu poder e recursos e modo de ser são infinitos (Sl 147.5). Devido à pobreza da linguagem humana e muitas vezes uma indisposição de falar em superlativos, este termo específico, que em si mesmo é muito restrito, se tornou para muitos uma mera forma de exagero (cf. Jó 22.5; Na 3.9). O termo *infinito* ocorre três vezes na Escritura, como foi indicado.

Inocência

O termo inocência sugere unicamente a ausência do mal (Mt 27.4, 24). Ele é, portanto, no geral um termo negativo. Ele corresponde às palavras *não-culpado* ditas num processo criminal.

Uma criança é um exemplo de inocência (Mt 18.3). Adão quando criado era inocente; mas esse termo não descreve a vida do Último Adão aqui na terra. Ele, ao contrário, era santo e sem mácula, e separado dos pecadores (Hb 7.26). Aqui, então, está outro termo que deveria ser usado com cuidado e discernimento.

Inspiração

Quando aplicado à Escritura, o termo inspiração significa "soprado por Deus" (2 Tm 3.16,17) e mais particularmente que as palavras da Santa Escritura são derivadas de Deus. *Toda* Escritura é dita ser inspirada por Deus, e não como sugere a Revised Version: "Cada escritura [texto] é inspirada por Deus é também útil...". Com respeito às Escrituras terem uma inspiração plenária e verbal, pode ser dito que nenhuma outra explicação foi a crença da Igreja desde o seu início.

A palavra portuguesa *inspiração* vem da raiz latina *spiro*, que significa "soprar", que é tradução da palavra grega θεόπνευστος (usada apenas uma vez no Novo Testamento em 2 Timóteo 3.16) que significa "soprada por Deus". A

Escritura não se originou com homens, mas com Deus. Ela é uma das ações mais maravilhosas de Deus. 2 Pedro 1.21 tem a ver com a contraparte desta obra divina a respeito da recepção humana das palavras proferidas por Deus. Os autores da Bíblia foram movidos como um navio é movido pelo vento. Cada palavra da Bíblia é, portanto, num certo grau de autoria dual – o Espírito Santo e seus autores humanos.

Homens de mente séria têm procurado provar o caráter normativo das Escrituras, por declarar que somente algumas partes dela são inspiradas; mas esta abordagem deixa para o homem a responsabilidade de determinar quanto dela é inspirado, e o homem de fato pode também ser o único autor do texto, se ele pode fazer esse julgamento discriminatório.

Nenhum progresso jamais foi feito na formulação da doutrina da Bíblia, quando os homens duvidaram da inspiração das Escrituras em todas as suas partes. Esta obra sobre Teologia Sistemática, então, está baseada na confiança completa a respeito da inspiração plenária e verbal da Bíblia, a própria posição que foi defendida em páginas anteriores.

Intercessão

A intercessão é uma forma de oração suficientemente particular para justificar uma consideração separada além da doutrina geral sobre a oração (veja ORAÇÃO).

A intercessão contempla o ministério daquele que permanece entre Deus e alguma grande necessidade, como no caso de Abraão que intercede pelas cidades da planície do Jordão. Legitimamente é dito em Romanos a respeito de toda oração: "...porque não sabemos o que havemos de pedir como convém", quando tanta coisa está envolvida no propósito e no plano de Deus para cada vida humana. "Seja feita a tua vontade" (Mt 6.10) pode ser a única atitude final de todos os que intercedem. O cristão não conhece de si mesmo o escopo e a força da oração; contudo, neste assunto Deus faz provisão. A passagem central sobre a intercessão, portanto, afirma: "Do mesmo modo também o Espírito nos ajuda na fraqueza; porque não sabemos o que havemos de pedir como convém, mas o Espírito mesmo intercede por nós com gemidos inexprimíveis. E aquele que esquadrinha os corações sabe qual é a intenção do Espírito: que ele, segundo a vontade de Deus, intercede pelo santos" (Rm 8.26, 27).

O Espírito conhece oniscientemente (cf. 1 Co 2.10,11), e Deus que sonda o coração conhece a mente e a linguagem do Espírito. Esta porção de Romanos é uma passagem peculiar no sentido em que ela registra a comunicação entre o Pai e o Espírito. A oração em todas as suas formas tem uma capacitação adequada. Ela deve ser feita ao Pai (Mt 6.9), em nome do Filho (Jo 16.23, 24), e no poder da capacitação do Espírito (cf. Ef 6.18; Jd 20).

Interpretação

A doutrina da interpretação contempla a ciência da descoberta do sentido exato que o autor, o Espírito Santo, dá a determinado texto. Tal ciência pode ser descrita teologicamente como *hermenêutica*. Para sondar esta doutrina é necessário conhecer e seguir as normas reconhecidas da interpretação da Escritura. Em seu livro texto de sala de aula sobre a hermenêutica, o Dr. Rollin T. Chafer desenvolve as seguintes quatro normas importantes, às quais outras menos importantes podem ser acrescentadas:

1. "A primeira norma de interpretação bíblica é: Interpretar gramaticalmente; com a devida consideração ao significado das palavras, a forma de sentenças e às peculiaridades do idioma na linguagem empregada. O sentido do texto deve ser determinado pelas palavras; um verdadeiro conhecimento das palavras é o conhecimento do sentido... As palavras da Escritura devem ser tomadas em seu significado mais comum, a menos que tal significado seja mostrado ser inconsistente com outras palavras na sentença, com o argumento ou contexto, ou com outras partes do Texto... O verdadeiro significado de qualquer passagem da Escritura, então, não é todo sentido que as palavras podem portar, nem é cada sentido que é verdadeiro em si mesmo, mas aquele que é pretendido pelos autores inspirados, ou mesmo pelo Espírito Santo, embora imperfeitamente entendido pelos próprios escritores" (Angus-Green, *Cyclopedic Handbook of the Bible*, 180).

Do grande número de exemplos citados nos vários textos, um de Lockhart sobre Efésios 2.8, pode ser citado. "Pela graça sois salvos mediante a fé, e isto não vem de vós: é dom de Deus." Ele diz: "Podemos perguntar, qual é o dom de Deus? Muitos responderiam: 'graça'; muitos outros: 'fé'; alguns: 'salvação'. Mas o que a gramática exige?" Após eliminar "graça" e "fé" como os antecedentes do "isto", ele continua: "O único outro antecedente possível é a salvação expressa pelo verbo 'salvos'. Alguns têm objetado que o substantivo grego para salvação é feminino; mas devemos observar que a salvação é expressa aqui... pelo verbo, a gramática grega novamente requer que um pronome que se refere à ação de um verbo para seu antecedente deve ser neutro. Isto se adapta exatamente ao caso; e o significado é: sois salvos pela graça através da fé; mas a salvação não é de vós mesmos, ela é dom de Deus. Aqui a interpretação que concorda com a gramática é razoável e satisfatória" (*Principles of Interpretation*, 85, 86). Eu assinalei anteriormente, contudo, que a observância de todas as exigências gramaticais freqüentemente deixa uma pessoa carente de significado do conteúdo doutrinário do texto. Cellèrier tem isto em mente quando ele diz: "Suponha que ele [um intérprete] se proponha a explicar as palavras de Jesus ao paralítico: 'Meu filho, teus pecados te são perdoados' (Mc 2.5), a hermenêutica gramatical pode prontamente fazer o seu trabalho, mas ela não penetrará

SUMÁRIO DOUTRINÁRIO

a profundeza do significado que estas palavras contêm" (*Biblical Hermeneutics*, Elliott e Harsha, tradudores, 53).

2. A segunda norma de interpretação é: "Interpretar de acordo com o contexto". "O significado de uma palavra, além disso, freqüentemente será modificado pela conexão em que ela é usada... Esta norma é freqüentemente de grande importância teológica" (Angus-Green, *op. cit.*, 186, 87). (Exemplos: vários significados de *Fé, Carne, Salvação, Graça* etc.). "O estudo do contexto é o mais legítimo, eficaz, e recurso digno de confiança ao comando do intérprete. Nada pode ser mais conveniente, mais lógico do que explicar um autor por si mesmo, e ter recurso para a sucessão total de pensamento. É muito menos fácil para o sofista abusar deste modo de interpretação do que o de tratar com a etimologia, filologia, e exceções de sintaxe" (Cellèrier, *op. cit.*, 101). Embora estas últimas sejam freqüentemente ajudas valiosas, elas também podem ser conduzidas para efeitos danosos. (Exemplo: O estudo etimológico de algumas palavras indica que o significado delas se apartou totalmente do significado da raiz. Com a base da etimologia, portanto, seria enganoso para um intérprete sustentar o significado da raiz em tais casos.) Um dos resultados mais úteis do estudo contextual é fornecido pelas definições dos termos do próprio autor. (Exemplos: "...para que o homem de Deus seja perfeito, e perfeitamente preparado para toda boa obra" – 2 Tm 3.17. Por *perfeito* aqui se quer dizer: "perfeitamente preparado" para toda boa obra. Há um número de contextos em que a palavra *perfeito* precisa da luz do contexto para o seu significado exato. Em tais passagens o pensamento não é perfeição em seu sentido mais amplo, mas maturidade numa linha específica de experiência ou esforço.)

3. Algumas vezes o contexto não dá toda a luz necessária para determinar o significado de uma palavra ou uma frase. Em tais casos uma terceira norma é necessária, ou seja: "Considera o escopo ou o desígnio do próprio livro, ou de alguma grande seção em que as palavras e expressões ocorrem" (Angus-Green, *op. cit.*, 192). O propósito, ao se escrever um livro, é freqüentemente mencionado de uma maneira clara, especialmente nas epístolas do Novo Testamento. Este propósito admitido freqüentemente lançará luz sobre as passagens que, de outra maneira, são obscuras. Terry fornece o seguinte exemplo: "Não pode haver dúvida, ... que, após sua palavra de saudação inicial e pessoal, o apóstolo [Paulo] anuncia seu grande tema [de Romanos] no vers´ículo 16 do primeiro capítulo. *É o Evangelho considerado como o poder de Deus para a salvação de todo aquele que crê, primeiro do judeu, e também do grego...* Ele manifestamente expressa, num modo pessoal muito feliz, o escopo de toda a epístola". Após uma análise de toda a epístola, ele diz: "Se verificará que uma devida atenção a este plano geral e escopo da epístola ajudará grandemente no entendimento de suas seções menores" (*Biblical Hermeneutics*, 111,12).

4. "A quarta e mais abrangente norma de interpretação bíblica é: Compare passagem com passagem... Uma verdade da passagem é realmente a explicação consistente de tudo o que a Escritura ensina em referência a uma questão examinada; e um dever do texto é a explicação consistente de todos os preceitos da Escritura sobre o dever" (Angus-Green, *op.cit.*, 195). Como já foi observado, este procedimento não foi empregado até a Reforma; e a hermenêutica sadia não foi desenvolvida até este método ter sido adotado. Ele resulta na "analogia da fé que regula a interpretação de cada passagem de conformidade com o teor total da verdade revelada". Sob este tema geral Cellèrier também diz: "Admitir uma revelação positiva e rejeitar coisas positivamente reveladas é uma grande inconsistência" (*Op. cit.*, 19). Esta inconsistência não é incomum. Alguns intérpretes, que alegam aceitar a Bíblia como a Palavra de Deus revelada, rejeitam revelações específicas nela porque estas não se encaixam na estrutura da teologia preconcebida deles.[17]

Visto que todo estudante da Escritura, especialmente aquele que tenta expor a Palavra de Deus, é confrontado com o problema de dar ao Texto Sagrado o seu significado exato, a necessidade de seguir estas normas é imperativa.

Israel

Uma nação eleita, sagrada e eterna é o plano ou propósito de Deus para Israel. Este povo veio à existência miraculosamente como a semente de Abraão através de Isaque e Jacó. Eles são o objeto dos pactos e promessas imensuráveis e isto se torna a identificação ou o destino principal deles, porque os pactos são assegurados ou selados pelo ato de Jeová. Israel permanece sozinho, em distinção de todas as outras nações combinadas. Essas muitas nações são conhecidas como gentios, e os israelitas como judeus. Os judeus individualmente são considerados assim por causa do fato de que eles foram nascidos nas relações de pacto com Deus pelo nascimento físico. Aqui repousa um grande contraste, visto que os cristãos são tais porque eles foram nascidos por um nascimento espiritual nas suas relações corretas com Deus. Porque Israel mantém um relacionamento de pacto com Deus, Ele deu-lhes uma norma específica de vida por intermédio de Moisés.

Ao guardar essa norma de vida, contudo, isso não lhes podia nem os tornaria filhos do pacto de Jeová. Eles deveriam observar a norma de vida porque eles já estavam no pacto. O crente tem uma norma de vida assegurada por sua posição sob a graça hoje e, quando assim observa isto ou qualquer norma, não vai torná-lo um filho de Deus, embora, por ser filho do Pai, ele deva andar de acordo com Sua vontade revelada.

O relacionamento de Israel com Jeová permaneceu inalterável até a presente era, tempo em que Deus ordenou que não haveria diferença entre judeu e gentio (Rm 10.12). Todos igualmente estão debaixo do pecado (Rm 3.9; Gl 3.22), e o judeu individualmente é igual ao gentio, e só pode ser salvo somente pela fé em Cristo. De modo semelhante, todos os judeus estão agora sujeitos ao julgamento divino, que é algo eterno se eles continuam como rejeitadores de Cristo. Quando a presente era for concluída, Israel retornará ao propósito supremo de Jeová para ele e entrará, devidamente purificado, no reino de glória desde há muito prometido e predito. Deus deve ainda tratar especificamente com Israel em julgamento (Ez 20.33,34). Assim também todas as nações permanecerão perante o trono da glória de Cristo, para serem julgadas a respeito do tratamento que elas deram a Israel como um povo (cf. Mt 25.31-46).

Em um modo e num grau totalmente impossível de compreensão pela mente finita, Israel é designado para glorificar a Deus. Esta verdade não deve ser desprezada. Deus fala da nação eleita como "Israel minha glória" (Is 46.13), e na verdade Ele escolheu essa nação acima de todas as nações para a Sua glória (Gn 12.1-3). Ele a ama com um amor eterno (Jr 31.3). Quando o cristão ama com uma compaixão divina, ele reconhecerá o que Deus ama. Portanto, ele também deve amar Israel.

Jeová

Como uma introdução ao nome *Jeová* – um dos três nomes principais para Deus no Antigo Testamento – e sua importância, dois parágrafos do artigo escrito pelo Dr. T. Rees sobre "Deus" podem ser citados:

Jeová (*Yahweh*) – Este é o nome próprio e pessoal *por excelência* do Deus de Israel, assim como Chemosh era o do deus de Moabe, e Dagon o do deus dos filisteus. O significado original e a derivação da palavra são desconhecidos. A variedade das teorias modernas mostra que, etimologicamente, diversas derivações são possíveis, mas que os significados atribuídos a cada uma delas têm de ser introduzidos e impostos sobre a palavra. Nada acrescentam ao nosso conhecimento. Os próprios hebreus conectaram a palavra com *hāyāh*, "ser". Em Êxodo 3.14, Jeová é explicado como equivalente a *'ehyeh*, que é uma forma abreviada de *'ehyeh 'ăsher 'ehyeh*, traduzido na Revised Version como "Eu sou o que sou". Isto tem sido crido como o significado de "auto-existência", e para representar Deus como o Absoluto. Tal idéia, contudo, seria uma abstração metafísica, não somente impossível para o tempo em que o nome se originou, mas estranho à mente hebraica em qualquer tempo. E o imperfeito *'ehyeh* é mais exatamente traduzido "Eu serei o que eu serei", uma expressão semítica que significa: "Eu serei tudo o que é necessário quando a ocasião surgir", uma idéia familiar do Antigo Testamento (cf. Is 7.4,9; Sl 23).

Este nome estava em uso a partir dos tempos históricos mais antigos até após o exílio. Ele é encontrado na literatura mais antiga. De acordo com Êxodo 3.13 e seguintes, e especialmente 6.2, 3, ele foi primeiramente introduzido por Moisés, e foi o meio de uma nova revelação do Deus de seus pais aos filhos de Israel. Mas nas partes de Gênesis ele é apresentado como o que está em uso desde os tempos mais antigos. Teorias que o fazem derivar do Egito ou Assíria, ou que o conectaria etimologicamente com Jove ou Zeus, não possuem evidência alguma. Temos de ficar contentes em dizer que Jeová era o Deus tribal de Israel desde tempos imemoriais, ou aceitar uma teoria que é praticamente idêntica com a de Êxodo – que foi adotada através de Moisés, da tribo midianita, em que ele se casou. Os queneus, da tribo dos midianitas relacionados a Moisés, habitavam nas vizinhanças do Sinai, e ligaram-se a Israel (Jz 1.16; 4.11). Umas poucas passagens sugerem que o Sinai foi o lar original de Jeová (Dt 33.2; Jz 5.4,5). Mas não há evidência alguma direta que trate da origem da adoração de Jeová: para nós Ele é conhecido somente como o Deus de Israel.[18]

Os vários nomes compostos com *Jeová* usados no Antigo Testamento são:

Jeová-jireh – Jeová vê (Gn 22.13,14).

Jeová-nissi – Jeová é minha bandeira (Êx 17.15).

Jeová-shalom – Jeová é paz (Jz 6.24).

Jeová-shammah – Jeová está aqui (Ez 48.35).

Jeová-tsidkenu – Jeová nossa justiça (Jr 23.6).

Jeová-ra-ah – Jeová meu pastor (Sl 23.1).

Jeová-rapha – Jeová que cura (Êx 15.26).

À luz da forma plural de *Elohim*, Deuteronômio 6.4 é significativo, também o uso coletivo da palavra *único*. O texto diz: "Ouve, ó Israel: o Senhor nosso Deus é o único Senhor". Uma tradução bem aceitável poderia ser: "Jeová [observe o nome no singular] nosso Elohim [agora é plural] é o único [diversas entidades unidas num único] Jeová". Portanto, qual deve ser a importância da referência de Cristo a Si mesmo como Jeová ou o "Eu sou" (Jo 8.58)?

Jerusalém

The International Standard Bible Encyclopaedia declara: "A menção mais antiga de Jerusalém está nas cartas do Tell el-Amarna (1450 a.C.), onde aparece na forma de Uru-sa-lim...". A Jerusalém terrestre, algumas vezes chamada Sião, porque esse era o nome para a antiga fortaleza, que é referida como a cidade de Davi (cf. 2 Sm 5.6-12) e a cidade do grande rei (Mt 5.35). É de fato uma cidade de uma história incomparável e de um destino maravilhoso. Ela será, todavia, a capital de toda a terra. Da lei do Messias e do governo se dirá, porque Isaías 2.1-4 declara: "A visão que teve Isaías, filho de Amoz, a respeito de Judá e de Jerusalém. Acontecerá nos últimos dias que se firmará o monte da casa do Senhor; será estabelecido como o mais alto dos montes e se elevará por cima dos outeiros; e concorrerão a ele todas as nações. Irão muitos povos, e dirão: Vinde, e subamos ao monte do Senhor, à casa do Deus de Jacó, para que nos ensine os seus caminhos, e andemos nas suas veredas; porque de Sião sairá a lei, e de Jerusalém a palavra do Senhor. E ele julgará entre as nações, e repreenderá a muitos povos; e estes converterão as suas espadas em relhas de arado, e as suas lanças em foices; uma nação não levantará espada contra outra nação, nem aprenderão mais a guerra".

Durante o tempo da ausência do Messias agora, Jerusalém é um sinal; porque enquanto ela estiver debaixo da liderança de poderes estrangeiros, como hoje, os tempos gentílicos não estão cumpridos, embora devam ser cumpridos imediatamente quando a cidade retornar à posse ou à autoridade de Israel: "E cairão ao fio da espada, e para todas as nações serão levados cativos; e Jerusalém será pisada pelos gentios, até que os tempos destes se completem" (Lc 21.24). A cidade do futuro terá um caráter religioso específico: "Assim diz o Senhor dos exércitos: Ainda sucederá que virão povos, e os habitantes de muitas cidades; e os habitantes de uma cidade irão à outra, dizendo: Vamos depressa suplicar o favor do Senhor, e buscar o Senhor dos exércitos; eu também irei. Assim virão muitos povos, e poderosas nações, buscar em Jerusalém o Senhor dos exércitos, e suplicar a bênção do Senhor. Assim diz o Senhor dos exércitos: Naquele dia sucederá que dez homens, de nações de todas as línguas, pegarão na orla das vestes de um judeu, dizendo: Iremos convosco, porque temos ouvido que Deus está convosco" (Zc 8.20-23).

Além disso, Isaías declarou com respeito à imundície da cidade: "E será que aquele que ficar em Sião e permanecer em Jerusalém, será chamado santo, isto é, todo aquele que estiver inscrito entre os vivos em Jerusalém; quando o Senhor tiver lavado a imundície das filhas de Sião, e tiver limpado o sangue de Jerusalém, do meio dela, com o espírito de justiça, e com o espírito de ardor. E criará o Senhor sobre toda a extensão do monte Sião, e sobre as assembléias dela, uma nuvem de dia, e uma fumaça, e um resplendor de fogo flamejante de noite; porque sobre toda a glória se estenderá um dossel. Também haverá de dia um pavilhão para sombra contra o calor, e para refúgio e esconderijo contra a tempestade e a chuva" (Is 4.3-6; cf. Jr 31.6-14; Mq 4.6, 7).

Enquanto o nome *Jerusalém* possa igualmente significar 'cidade da paz', ela tem sido em sua história o palco de muitas guerras mais do que qualquer outra localidade no mundo. Isto prova na verdade o símbolo de Israel de habitar na terra, de forma que Israel enquanto Israel vive fora da terra e está espalhado entre as nações não haverá paz no mundo, como não há hoje.

A presente situação, com muitas nações levantadas para agir como acontece nas Nações Unidas, não foi reproduzida antes, visto que Jerusalém foi destruída por Tito em 70 d.C. Deve ser observado, certamente, que providência poderia ser tomada a qualquer hora para restaurar a terra prometida a Israel. Certamente, ela é uma terra da promessa e o pacto de Jeová a respeito dela não pode ser quebrado.

A nova Jerusalém é uma cidade celestial (Ap 21.1, 2). Ela era a esperança dos santos do Antigo Testamento (cf. Hb 11.10). De acordo com o presente plano da cidadania espiritualizada, ela está descrita em Hebreus 12.22-24. Esta descrição se adapta completamente à que é dada em Apocalipse 21.2–22.5. De acordo com Apocalipse 22.5, a cidade celestial permanece para sempre. Esta cidade não é o novo céu, porque ela vem do céu (cf. Ap 21.10). Veja SIÃO.

Jesus

Jesus, o nome humano para o Filho de Deus, é realmente a forma grega do nome hebraico *Josué* (cf. At 7.45; Hb 4.8). O Encarnado foi nomeado por Deus, por ser o Seu nome pleno *Senhor Jesus Cristo. Senhor* relaciona-o à Sua eterna divindade e *Cristo* ao seu tríplice ofício em relação a Israel: o de profeta, sacerdote e rei, como o Messias.

O nome *Jesus*, concedido de acordo com a ordem divina, significa "Ele salvará o seu povo dos pecados deles" (Mt 1.21), como Josué significava "Jeová é salvação". Esta significação tem dado um significado muito importante e de grande abrangência ao cognome *Jesus*.

Em Apocalipse 19.11-16 é dada a descrição final e última do segundo advento. Nesta passagem Ele aparece sob quatro nomes. Três são revelados e um é retido. Ele é Fiel e Verdadeiro (v. 11), cuja caracterização O relaciona em linguagem escolhida pelo Espírito ao evangelho de Marcos. Ele é a Palavra de Deus (v. 13), que O relaciona ao evangelho de João. Ele é o Rei dos reis e Senhor dos senhores (v. 16) que O relaciona ao evangelho de Mateus. O nome "que ninguém conhece" (v. 12) é igualmente um relacionado ao evangelho de Lucas, quando fala de Sua humanidade. *Jesus* é o nome humano, com certeza, e o que está envolvido, por meio desse nome, ao fato de Seu povo estar apartado de seus muitos pecados, não é conhecido. O tempo, entretanto, virá quando, de acordo com Filipenses 2.9, 10, "ao nome de Jesus" todo joelho será forçado a se dobrar.

Judaísmo

Não há revelação alguma de qualquer relacionamento distintivo estabelecido, seja entre Deus e os anjos ou entre Deus e os gentios que compartilhe do caráter de uma verdadeira religião, mas Deus entrou em contacto com o judeu que resultou no judaísmo, ou no que o apóstolo identifica como a religião dos judeus (At 26.5; Gl 1.13; cf. Tg 1.26, 27), e com o cristão o que resultou no cristianismo, ou no que os escritores do Novo Testamento designam como "a fé" (Jd 3) e "o Caminho" (At 9.2; 22.4; cf. 18.26; 2 Pe 2.2). O judaísmo e o cristianismo têm muita coisa em comum; cada um deles é ordenado por Deus para cumprir um propósito específico. Eles incorporam aspectos semelhantes na esfera da religião – Deus, homem, justiça, pecado, redenção, salvação, responsabilidade humana e destino humano; mas estas semelhanças não estabelecem identidade visto que as diferenças superam em número as semelhanças. Há também pontos notáveis de semelhança entre as leis da Inglaterra e a constituição dos Estados Unidos, mas este fato não constitui as duas nações numa só.

Um sistema religioso completo proporciona ao menos sete aspectos distintivos, todos eles estão adequadamente presentes tanto no judaísmo quanto cristianismo. Estes elementos são: (1) uma posição aceitável da parte do homem perante Deus; (2) um modo de vida consistente com essa posição; (3) um serviço devidamente designado; (4) uma base justa pela qual Deus pode graciosamente perdoar e purificar do erro; (5) uma revelação clara da responsabilidade do lado humano sobre o qual o perdão divino e a purificação podem ser assegurados; (6) uma base efetiva sobre a qual Deus pode ser adorado e buscado em oração; e (7) uma esperança futura.

Deveria tornar-se enfático que observar a distinção entre o judaísmo e o cristianismo é o começo da sabedoria no entendimento da Bíblia. Os teólogos das gerações passadas têm cometido o erro de supor, a despeito de toda evidência em contrário, que o judaísmo e o cristianismo são uma e a mesma coisa, ou como alguns têm dito: "Um é o botão e o outro é a flor". O judaísmo não se fundiu no cristianismo. Este é um grande erro da teologia do pacto perpetuado no tempo presente. Visto que a Bíblia contém ambos os sistemas e qualquer teologia abrangente que é sistemática distinguirá entre os dois sistemas, e deve ser considerado como incidental que ambos os sistemas sejam encontrados na única revelação divina ou no único volume divino. Não obstante, reconhecidamente, eles têm muita coisa em comum.

Sem dúvida, estes sistemas estabelecem princípios conflitantes ou opostos, mas visto que essas dificuldades aparecem somente quando é feita uma tentativa de amalgamar os sistemas, os elementos, e princípios que Deus separou, os conflitos realmente não existem fora dos esforços unificadores, mas desautorizados dos teólogos; na verdade, eles antes demonstram a *necessidade* de um reconhecimento devido de todas as administrações diferentes e distintas de Deus. A verdadeira unidade das Escrituras não é descoberta quando alguém cegamente procura fundir estes princípios opostos num só sistema, mas antes quando as diferenciações claras de Deus são observadas. O dispensacionalista não cria as grandes diferenças, como algumas vezes é acusado de fazê-lo. Os princípios conflitantes, como podem ser encontrados no Texto Sagrado, são observáveis por todos os que penetram fundo o suficiente para reconhecer os aspectos essenciais da administração divina.

Ao invés de criar os problemas, o dispensacionalista é realmente aquele que tem uma solução para eles. Se os ideais de um povo terreno de vida longa na terra que Deus lhes deu (Êx 20.12; Sl 37.3, 11, 34; Mt 5.5) não se articulam com os ideais de um povo celestial que, enquanto sobre a terra, é apenas composto de "estrangeiros e peregrinos" que são ordenados a procurar e amar o aparecimento iminente de Cristo (2 Tm 4.8; Tt 2.13; 1 Pe 2.11), o problema é facilmente resolvido por aquele cujo sistema de interpretação será provado, ao invés de ser afligido por tais distinções. Um plano de interpretação que, na defesa de uma unidade ideal da Bíblia, argumenta por um único propósito divino, ignora as contradições drásticas, e é sustentado somente por similaridades ocasionais e acidentais, deve ser condenado à confusão quando confrontado com os muitos problemas que tal sistema impõe sobre o texto da Escritura, problemas esses que são reconhecidos pelo dispensacionalista somente quando ele os observa em tal sistema que os cria.

Toda Escritura "é útil para o ensino, para a repreensão, para a correção, para a educação na justiça" (2 Tm 3.16), mas toda Escritura não é de aplicação primária para uma pessoa particular ou uma classe de pessoas que a Bíblia designa como tal. Toda Escritura não diz respeito aos anjos nem a respeito dos gentios. De igual modo, toda Escritura não é dirigida ao judeu nem ao cristão. Estas são verdades óbvias, e o plano de interpretação do dispensacionalista não é outro senão uma tentativa de ser consistente em seguir estas distinções na aplicação primária da Escritura até onde (e não além) a Bíblia as leva. Contudo, toda Escritura é proveitosa exatamente para a mesma aplicação moral, espiritual e secundária.

Para ilustrar: Muita verdade valiosa pode ser obtida do grande conjunto de textos que tratam do sábado judaico; mas se esse conjunto de textos tem uma aplicação primária à Igreja, então a Igreja não tem base bíblica para a observância do primeiro dia da semana (que ela certamente tem) e ela não poderia oferecer uma desculpa para a sua desobediência a respeito do sábado, e seus membros individuais, iguais a todos os violadores do sábado, deveriam ser apedrejados até a morte (Nm 15.32-36). De igual modo, se toda Escritura é de aplicação primária aos crentes desta era, então eles estão em perigo de inferno de fogo (Mt 5.29, 30), de pragas indizíveis e doenças, e em razão destes se tornarem em pequeno número (Dt 28.58-62), e de ter o sangue das almas perdidas requerido de suas mãos (Ez 3.17,18). As lições morais e espirituais devem ser retiradas do tratamento de Deus com os israelitas totalmente à parte da necessidade de serem impostas aos cristãos para se sujeitarem a tudo o que uma aplicação primária das Escrituras, que são especificamente dirigidas a Israel, poderia exigir.

Do crente desta era está dito: "Ele não entrará em juízo" (Jo 5.24); "Portanto, agora nenhuma condenação há" (Rm 8.1). Estas promessas preciosas tornam-se nulas por declarações diametralmente opostas, se toda Escritura for aplicada primariamente ao cristão. O arminianismo é a expressão legítima de toda esta confusão, para ser exato, e o pretenso calvinista que ignora as distinções claras da Bíblia não tem defesa contra as alegações arminianas.

Ambos, o cristianismo e o judaísmo, têm suas histórias separadas e estão em existência no tempo presente. Assim, igualmente, eles têm as suas escatologias separadas, todas que o estudante deveria reconhecer e estudar.

Julgamento

Além disso, muitos teólogos têm errado muito em argumentar que há um julgamento e na procura de amalgamar diversos outros julgamentos neste particular. Por exemplo, eles estão convencidos de que o julgamento das nações (Mt 25.31-46) é o mesmo que o julgamento do grande trono branco (Ap 20.11-15). Um jovem cristão quando perguntado a respeito do julgamento das nações, e sobre quem eram as ovelhas, respondeu: "As pessoas salvas, naturalmente". À pergunta seguinte – "E quem são os bodes?" – ele replicou: "Aquelas pessoas que não são salvas". Quando perguntado sobre quem são os chamados "meus irmãos", ele ficou sem resposta. Este problema levou-o ao estudo da Escritura e o tornou um cristão excepcional e útil. A desatenção para com os detalhes da Escritura é indesculpável à luz da revelação de que há ao menos oito julgamentos bem definidos apresentados na Palavra de Deus. Estes são:

1. JULGAMENTO DA CRUZ. O pecado foi julgado por Cristo como o substituto de todos aqueles em favor de quem Ele morreu. O crente esteve na corte, foi condenado, sentenciado e executado na pessoa do seu substituto (Jo 5.24; Rm 5.9; 8.1; 2 Co 5.21; Gl 3.13; Hb 9.26-28; 10.10, 14-17; 1 Pe 2.24). Neste contexto, pode ser dito que Satanás foi julgado na cruz (Jo 16.11; Cl 2.14,15), julgamento esse que evidentemente consiste em tomar dele muita coisa da autoridade que ele tinha sobre os não-salvos, ao impedi-los de conhecer o Evangelho da graça (cf. Is 14.17 com 61.1). A cruz concluiu este julgamento sobre o pecado quando é dito "Está consumado" (Jo 19.30). Portanto, ele é algo para se crer em prol da salvação.

2. JULGAMENTO DO EU. A advertência de julgar o eu é dirigida diretamente àqueles que são salvos: "Mas, se nós nos julgássemos a nós mesmos, não seríamos julgados; quando, porém, somos julgados pelo Senhor, somos corrigidos, para não sermos condenados com o mundo" (1 Co 11.31, 32). Aqui o castigo do crente é visto como um julgamento de Deus que não acontecerá, se o crente for fiel em julgar-se a si mesmo perante Deus. Conseqüentemente, a promessa de 1 João 1.9 deve ser incluída com o pensamento desta advertência. O perdão e a purificação são assegurados, uma vez que o crente fez a confissão a Deus, visto que isto realmente significa um autojulgamento.

3. JULGAMENTO DOS CRENTES. Como foi afirmado, esta espécie de julgamento é experimentada por crentes e somente quando a confissão ou o autojulgamento está ausente. É a coisa mais real e prática na experiência diária e subjaz a toda espiritualidade cristã. As relações corretas com Deus podem ser mantidas somente quando uma pessoa está atenta e fiel na questão da confissão a Deus, a qual cobre todo pecado conhecido. A forma extrema de castigo é a remoção do crente desta vida pela morte (Jo 15.2; 1 Co 11.30-32; 1 Jo 5.16). A passagem central sobre o castigo é encontrada em Hebreus 12.3-15.

4. JULGAMENTO DAS OBRAS DO CRENTE. De acordo com 2 Coríntios 5.10: "Porque é necessário que todos nós sejamos manifestos diante do tribunal de Cristo, para que cada um receba o que fez por meio do corpo, segundo o que praticou, o bem ou o mal" – todos os que são salvos devem comparecer perante o βῆμα ou tribunal de Cristo. Esta experiência ocorre a despeito da segurança dada por João 5.24, que diz que o filho de Deus não entra em juízo. Embora os seus pecados tenham sido julgados na cruz e não serão trazidos de volta contra ele novamente, no tribunal de Cristo suas obras ou serviço deverão ser julgados. Esta distinção é tornada clara em 1 Coríntios 3.9-15. "Se a obra de alguém se queimar, sofrerá ele prejuízo; mas o tal será salvo, todavia como que pelo fogo" (v. 15). Veja Romanos 14.10; 1 Coríntios 4.5; Efésios 6.8; 2 Timóteo 4.8; Apocalipse 22.12.

5. JULGAMENTO DE ISRAEL. Que Israel deve entrar em julgamento está muito claramente ensinado, e de fato antes deles entrarem no reino ou mais especificamente no fim da Grande Tribulação. A passagem central é Ezequiel 20.33,34, com uma confirmação acrescida da parábola das dez virgens (veja igualmente tudo de Mateus 24.9–25.30; cf. Joel 3.11-15).

Poderia parecer provável que haverá uma ressurreição de todo Israel da dispensação passada em conexão com este julgamento especial e que a nação se levantará para a sua importância nacional e para a sua grandeza passada, então. Aqueles que viveram com o reino em vista ressurgirão e entrarão na glória terrestre (cf. Ez 37.1-14; Dn 12.1-3).

6. JULGAMENTO DAS NAÇÕES. No final da Grande Tribulação e no tempo quando as nações terão tomado as suas posições (e elas devem fazer isso durante a tribulação) do lado de Israel ou contra ele, a questão semítica será o problema daqueles dias. Todas as nações então vivas e imediatamente envolvidas em sua relação com Israel serão julgadas. Esse julgamento levará em conta cada nação sobre a terra naquele tempo: alguns povos serão lançados no lago de fogo para o qual eles foram destinados por causa de suas ações, enquanto que outros entram no reino com Israel. Estes últimos são as nações-ovelhas e os primeiros – aqueles colocados à esquerda – são as nações-bodes (cf. Mt 25.31-46). A questão é a espécie de tratamento concedido a Israel durante o período da tribulação. A profecia indicou que certas nações gentílicas compartilharão do reino vindouro com Israel (cf. Is 60.3; 61.6; 62.2). Estas nações servirão a Israel (cf. Is 14.1,2; 60.12). As nações gentílicas são declaradas presentes na terra quando a nova cidade descer do céu da parte de Deus (cf. Ap 21.24, 26).

A coisa espantosa é que, quando o Messias diz às nações-ovelhas de sua fidelidade a Ele através do tratamento amável para com Israel (Mt 25.35, 36), eles não reconhecem que fizeram essas coisas (vv. 37-39). Igualmente, quando as nações-bodes são informadas a respeito da sua falha para com Cristo através do tratamento descortês para com Israel (Mt 25.41-43), eles também estarão inconscientes de terem feito qualquer coisa errada e devem, como as nações-ovelhas, perguntar: "Quando foi Senhor...?"

A questão pode, portanto, ser levantada: "Há no mundo uma questão tão grande que determina o destino das nações, todavia as nações não sabem disso?" Sim, há, e esta questão deve ser Israel, o povo eleito, a nação santa. Na verdade, as nações da terra não podem entender como Deus tem um povo eleito em Israel, uma raça escolhida. Mas a frase "eu vos escolhi dentre todas as nações da terra para minha glória" (cf. Dt 7.6; Is 46.13) não é dita de nenhum outro povo, nem pode ser facilmente entendida pelas nações da terra.

No começo da história deles como um povo, Deus deu a Abraão uma advertência em que Ele disse: "E abençoarei aqueles que te abençoarem, e amaldiçoarei os que te amaldiçoarem" (Gn 12.3). Não é acidental que a palavra "amaldiçoar" apareça em ambas as passagens, de Gênesis e Mateus. No tempo em que Deus prediz o período da vida de Israel entre as nações, Ele disse: "Eu abençoarei os que abençoarem", enquanto que no final deste período, Ele, na Pessoa de Seu Filho, também disse: "Vinde, benditos de meu Pai". Igualmente, no princípio: "Eu amaldiçoarei os que te amaldiçoarem", enquanto que no fim deve ser dito: "Apartai-vos de mim, malditos, para o fogo eterno, preparado para o diabo e seus anjos". E todo este julgamento vem por causa dos "irmãos" de Cristo – Israel.

7. Julgamento dos Anjos. A passagem central aqui (1 Co 15.24-26) indica que durante o reino de Cristo os poderes angelicais devem ser julgados, e entre eles como o último inimigo, a morte, deveria ser destruída. Há também anjos caídos a serem julgados (cf. 1 Co 6.3; 2 Pe 2.4; Jd 6; Ap 20.10).

8. Julgamento do Grande Trono Branco. A principal passagem para este último julgamento é Apocalipse 20.11-15, que diz: "E vi um grande trono branco e o que estava assentado sobre ele, de cuja presença fugiram a terra e o céu; e não foi achado lugar para eles. E vi os mortos, grandes e pequenos, em pé diante do trono; e abriram-se uns livros; e abriu-se outro livro, que é o da vida; e os mortos foram julgados pelas coisas que estavam escritas nos livros, segundo as suas obras. E a morte e o hades foram lançados no lago de fogo. Esta é a segunda morte, o lago de fogo. E todo aquele que não foi achado inscrito no livro da vida, foi lançado no lago de fogo". Este é o procedimento final de Deus com todos os ímpios mortos. Que toda a humanidade não-salva deve ser ressuscitada para juízo é ensinado por Cristo em João 5.28,29. Ninguém tem qualquer autoridade de modificar a terrível revelação que Deus fez em conexão com a avaliação final. A Palavra de Deus deve permanecer como ela é. Mas a comparação presente entre os eventos enumerados em relação ao juízo das nações (Mt 25.31-46) quando contrastados com aqueles do grande trono branco (Ap 20.11-15) devem mostrar que eles são totalmente incomparáveis.

Justiça

Justiça refere-se a uma virtude que sem dúvida tem sua única manifestação perfeita em Deus, embora Ele purifique o pecador e o perdoe. O Evangelho da graça de Deus é a solução para o problema de como Deus pode permanecer Justo e ainda perdoa pecadores (Rm 3.25,26). Veja as doutrinas do Evangelho, Governo, Graça, Culpa, Santidade, Julgamento, Punição e Retidão.

Justificação

Aqueles que discernem os fatos importantes e a força da doutrina cristã fazem bem em distinguir entre as coisas que Deus faz pelo cristão e as coisas que o cristão pode fazer por Deus. A ampla diferença nas atividades é óbvia. O que Deus faz é usualmente o que lhe pertence necessariamente, visto que nenhum outro poderia fazer, e o que o cristão pode fazer pode ser supra-humano e, assim, dependente de um poder capacitador do Espírito de Deus que nele habita.

As coisas que são operadas por Deus em favor do cristão em sua salvação devem ser, novamente, agrupadas em duas classes: aquelas que são feitas quando alguém crê e é salvo e aquelas que são feitas quando Cristo vem tomar os Seus para Si mesmo. Tanta coisa é realizada no primeiro empreendimento que ele pode bem dizer nas palavras do apóstolo: "Dando graças ao Pai que vos fez idôneos para participar da herança dos santos na luz" (Cl 1.12). No segundo empreendimento o corpo será mudado (cf. 1 Co 15.51-54; Fp 3.21), e o salvo ultrapassará todas as limitações de conhecimento no imensurável conhecimento de Deus. Isto está indicado em 1 Coríntios 13.12: "Porque agora vemos como por espelho, em enigma, mas então veremos face a face; agora conheço em parte, mas então conhecerei plenamente, como também sou plenamente conhecido".

Manifestamente, ser justificado perante Deus é Seu empreendimento próprio. Ela aparece como o complemento de Deus na obra da salvação – contudo, não cronológica, mas logicamente. Isto é, ela não ocorre depois de alguns outros aspectos de Sua obra salvadora, mas somente por causa desses aspectos. O apóstolo indicou certas realizações de Deus na ordem lógica. Está escrito, então: "Porque os que dantes conheceu, também os predestinou para serem conformes à imagem de seu Filho, a fim de que ele seja o primogênito entre muitos irmãos; e aos que predestinou, a estes também chamou; e aos que chamou, a estes também justificou; e aos que justificou, a estes também glorificou" (Rm 8.29,30). Nesta passagem, a justificação é mencionada como a última e consumadora obra para o crente enquanto ainda está neste mundo. Ao justificar Deus não legaliza uma ficção ou um faz-de-conta.

Ele deve ter uma base justa (e realmente a tem) sobre a qual justifica o ímpio (cf. Rm 4.5). Uma distinção deve ser observada entre homens justos do Antigo Testamento e aqueles justificados de acordo com o Novo Testamento. De acordo com o Antigo Testamento homens foram justificados porque eles eram verdadeiros e fiéis na observância da Lei de Moisés. Miquéias define essa espécie de vida, da seguinte maneira: "Ele te declarou, ó homem, o que é bom; e que é o que o Senhor requer de ti, senão que pratiques a justiça, e ames a benevolência, e andes humildemente com o teu Deus?" (Mq 6.8). Os homens, portanto, eram justos por causa de suas próprias obras para Deus, enquanto que a justificação do Novo Testamento é a obra de Deus pelo homem em resposta à fé (Rm 5.1).

Por todas as gerações passadas os teólogos se empenharam para formular definições de justificação, mas talvez com falhas inacabadas de uma maneira uniforme. O grande e valioso tratado teológico, o *Catecismo Menor de Westminster*, apresenta o seguinte esforço: "A justificação é um ato da livre graça de Deus, pela qual Ele perdoa todos os nossos pecados, e nos aceita como justos à sua vista, somente pela justiça de Cristo, imputada a nós, e recebida pela fé somente" (Pergunta 33). Todavia, não há base bíblica qualquer que seja para este ato uma referência ao perdão divino do pecado em conexão com a justificação, porque a justificação nada tem a ver com o perdão, embora seja verdade que ninguém é perdoado que não seja justificado e ninguém é justificado que não seja perdoado. Perdoar significa subtrair enquanto que justificar significa adicionar. A justificação é uma declaração de Deus a respeito do cristão de que ele foi feito para sempre justo e aceitável a Deus.

Para que algo assim seja declarado deve haver uma realidade inalterável sobre a qual possa repousar. Esta base é a posição à qual o cristão foi trazido pela graça de Deus. Todos a quem Deus predeterminou são chamados, e todos os que são chamados são justificados, e todos os que são justificados o são agora (logicamente falando), e serão (cronologicamente falando), glorificados (Rm 8.29, 30). Deus não pode subseqüentemente condenar aquele que Ele antes justificou (Rm 8.33). Na verdade, quatro grandes realidades que dão suporte devem ser mencionadas a essa altura. "Quem os condenará? Cristo Jesus é quem morreu, ou antes, quem ressurgiu dentre os mortos, o qual está à direita de Deus, e também intercede por nós" (Rm 8.34). Assim, o estado de justificado deve ser imutável visto que a base sobre a qual ele repousa é assim segura para sempre. Não há justificação proporcionada para o homem que não seja eterna em caráter. Porque a real posição do cristão perante Deus é tão pouco entendida, e a justificação é também entendida erroneamente. Do cristão, contudo, é revelado que:

1. ELE É UMA NOVA CRIAÇÃO. "Pelo que, se alguém está em Cristo, nova criatura é; as coisas velhas já passaram; eis que tudo se fez novo. Mas todas as coisas provêm de Deus, que nos reconciliou consigo mesmo por Cristo, e nos confiou o ministério da reconciliação" (2 Co 5.17,18). As coisas antigas que passaram não são hábitos ou falhas na vida diária, mas posições, posições essas com a quais Deus se preocupou – ao serem reconciliadas por Deus por meio de Jesus Cristo.

2. ELE É TORNADO JUSTIÇA DE DEUS ATRAVÉS DO ESTAR EM CRISTO. "Mas vós sois dele, em Cristo Jesus, o qual para nós foi feito por Deus sabedoria, e justiça, e santificação, e redenção" (1 Co 1.30); "Àquele que não conheceu pecado, Deus o fez pecado por nós; para que nele fôssemos feitos justiça de Deus" (2 Co 5.21). Observe adequadamente a ambição do grande apóstolo no tempo em que ele foi salvo e havia abandonado todas as suas confianças anteriores por amor de Cristo: "Mas o que para mim era lucro passei a considerá-lo como perda por amor de Cristo; sim, na verdade, tenho também como perda todas as coisas pela excelência do conhecimento de Cristo Jesus, meu Senhor; pelo qual sofri a perda de todas estas coisas, e as considero como refugo, para que possa ganhar a Cristo, e seja achado nele, não tendo como minha justiça a que vem da lei, mas a que vem pela fé em Cristo, a saber, a justiça que vem de Deus pela fé" (Fp 3.7-9).

3. ELE É APERFEIÇOADO PARA SEMPRE. De acordo com Hebreus 10.14, o cristão é aperfeiçoado para sempre na posição embora não ainda na vida diária. Nesta passagem à palavra *santificar* deve ser dado o seu verdadeiro significado, 'separar ou classificar' como todos são agrupados por eles próprios, os que estão em Cristo. Portanto, ela diz respeito a todo cristão. A passagem diz: "Pois com uma só oferta tem aperfeiçoado para sempre os que estão sendo santificados" (Hb 10.14).

4. ELE TEM A PLENITUDE DE CRISTO. Além do mais, estar em Cristo, como todas as pessoas salvas estão pelo batismo do Espírito, significa que a plenitude ou *pleroma* de Cristo se torna a posição inalterável deles. Considere com cuidado especial as espantosas declarações que tratam disto: "Pois todos nós recebemos da sua plenitude, e graça sobre graça" (Jo 1.16); "porque aprouve a Deus que nele habitasse toda a plenitude" (Cl 1.19); "porque nele habita corporalmente toda a plenitude da divindade, e tendes a vossa plenitude nele, que é a cabeça de todo principado e potestade" (Cl 2.9,10). Estar "completo nele" é apenas uma reafirmação de João 1.16. As palavras *tende a vossa plenitude* são traduzidas da mesma raiz da forma πλήρωμα, visto que tudo o que Cristo é – o πλήρωμα da divindade corporalmente – se torna a posse do cristão por causa do fato do cristão viver nEle. Uma pessoa não pode assim estar perfeitamente em Cristo (1 Co 12.13) e não participar de tudo o que Cristo é.

É esta posição completa que pertence a todo cristão, posição essa que Deus reconhece quer alguém a reconheça na terra ou não. E é a esse que Deus justifica. Na verdade, Ele defende essa justificação tão fielmente e de um modo tão definitivo quanto uma vez Ele condenou o homem como ímpio.

A conclusão da matéria toda é que Deus empreende por Seu Espírito e através do Seu Filho a tarefa de tornar todos a quem Ele salva participantes da herança dos santos em luz, e por causa da perfeição ou qualidade do mérito imputado do Filho de Deus, Ele os aceita e é livre para justificá-los para sempre. Se Deus pode ser justo, Ele mesmo justifica Seu próprio Filho que é a personificação da justiça divina, e Ele será justo igualmente quando justifica o ímpio que, através de poderosas mudanças realizadas pela salvação, comparece perante Ele no mérito imputado de Seu Filho. Esta não é uma legalização de uma mera ficção nem é qualquer forma de perdão unicamente.

Uma passagem notável deve ser propriamente considerada aqui, a saber: "Isto é, a justiça de Deus pela fé em Jesus Cristo para todos os que crêem; pois não há distinção. Porque todos pecaram e destituídos estão da glória de Deus; sendo justificados gratuitamente pela sua graça, mediante a redenção que há em Cristo Jesus" (Rm 3.22-24). Uma justiça de Deus é dita ser recebida e possuída com base no princípio da fé e em resposta à fé em Cristo Jesus, e ela alcança os que crêem e vem sobre todos eles – que deve significar "sendo livremente justificados", mas não esperando ser justificados por causa de uma boa maneira de vida. A palavra traduzida *livremente* apresenta um significado e uma revelação peculiar aqui. Ela não significa sem hesitação da parte de Deus ou de quaisquer despesas da parte daquele que é justificado.

Ela significa aqui *sem uma causa*, nada diferente do que faz a mesma palavra em João 15.25 onde está relatado que Cristo disse: "Eles me odiaram sem causa". Não havia uma base nEle para o ódio deles. Assim, o pensamento em Romanos é: "Sendo justificados sem uma causa para a justificação naquele que é justificado". Ninguém poderia encontrar uma causa em Cristo para se ter qualquer ódio contra Ele, assim ninguém poderia encontrar uma causa para a justificação naqueles que estão destituídos da glória de Deus por meio do pecado.

Se for perguntado como Deus pode justificar o ímpio e o pecador, a resposta será encontrada na última parte de Romanos 3.24. Tudo é por Sua graça. Mas como pode Deus exercer tal graça incomparável e realizar tanto pelo ímpio pela graça? O versículo 24 responde esta pergunta assim: "através da redenção que está em Cristo Jesus". Então o grande versículo de Paulo pode bem ser lido numa ordem reversa: Por causa da redenção que está assegurada em Cristo Jesus, Deus é livre para exercer Sua graça para com o ímpio, pecador, mesmo justificando-o eternamente, embora não encontre uma causa para a justificação no pecador com exceção do fato de que a justiça de Deus foi concedida a todos os que crêem. No versículo 26 está declarado também que Deus é em Si mesmo justo, quando Ele justifica aquele que nada faz além de crer em Jesus. O versículo diz: "para demonstração da sua justiça neste tempo presente, para que ele seja justo e também justificador daquele que tem fé em Jesus". Portanto, que ninguém acrescente ou tire nada do único fato de que pecadores ímpios são salvos – para a justificação eterna – que unicamente crêem.

A justificação repousa sobre a morte redentora de Cristo e não, como algumas vezes se supõe, na Sua ressurreição. Quando é crido que ela depende da ressurreição, é usualmente por causa de algum entendimento errôneo de Romanos 4.25, que diz: "o qual foi entregue por causa das nossas transgressões, e ressuscitado para a nossa justificação". Ele ressuscitou, contudo, não com a finalidade de que nossa justificação pudesse ser possível, mas porque a livre doação dela tinha sido assegurada por Sua morte. Quando a coisa que completa a base total da justificação foi realizada, Cristo saiu das esferas da morte. Sua grande obra de redenção foi assim mostrada como algo perfeitamente realizado.

A justificação não torna alguém justo. Ela não é a outorga de tal justiça. Ela antes proclama alguém justo, aquele a quem Deus vê como aperfeiçoado em Seu Filho. Portanto, isto pode ser afirmado como a fórmula correta da justificação: O pecador se torna justo à vista de Deus quando ele está em Cristo; ele é justificado por Deus livremente, ou sem uma causa, porque por meio disso ele é justo à Sua vista.

Justo

O justo é uma frase distintiva peculiar ao Antigo Testamento onde os homens são classificados como ímpios ou justos. No Salmo 37.12, por exemplo, está escrito: "O ímpio maquina contra o justo, e contra ele range os dentes". Este termo *justo* é aplicado a homens individuais como Noé (Gn 6.9). A terminologia se refere às qualidades numa pessoa de justiça, moderação e retidão na vida e submissão à lei de Deus. Bildade fez a seguinte pergunta: "Como, pois, pode o homem ser justo diante de Deus?" (Jó 25.4). Miquéias esteve mais próximo do que qualquer outro de responder a esta pergunta conforme o Antigo Testamento, quando disse: "Ele te declarou, ó homem, o que é bom; e que é o que o Senhor requer de ti, senão que pratiques a justiça, e ames a benevolência, e andes humildemente com o teu Deus?" (Mq 6.8).

O estudante deveria distinguir entre o homem justo do Antigo Testamento que manifestamente foi constituído como tal por suas boas obras, de um lado, e o homem justificado do Novo Testamento que é assim constituído pela fé em Cristo (Rm 5.1), de outro lado.

Lei

Lei é um termo usado cerca de 200 vezes na Bíblia, e significa uma norma que regula a conduta humana. Seis subdivisões da doutrina bíblica da lei vêm a seguir.

1. Lei Natural, Inerente ou Intrínseca. É a que Deus requer de toda criatura por causa de Seu próprio caráter, como está escrito: "Sede santos, porque eu sou santo" (Lv 11.44; 1 Pe 1.16). Esta lei envolve a todos, desde Adão até Moisés (cf. Gn 26.5; Rm 2.14,15; 5.12-14).

2. Lei Prescrita pelo Homem (Gn 9.6; Mt 20.15; Lc 20.22; At 19.38; 1 Tm 1.8-10; 2 Tm 2.5). É a que o governo humano exige de seus súditos.

3. Lei de Moisés. Uma norma dada divinamente por intermédio de Moisés para governar Israel na Terra Prometida. Ela foi ordenada porque ele era o povo do pacto. Assim, ela definia a maneira da vida diária dele. Ela era em si mesma um pacto de obras (Êx 19.5,6). Este pacto eles logo violaram. Ela, todavia, será substituída pelo novo pacto (Jr 31.31-34; Hb 8.8-13). Este acordo incluirá a anterior Lei de Moisés (Dt 30.8).

A Lei de Moisés é registrada em três partes:

A. Mandamentos. Abrangem o governo moral de Israel (Êx 20.1-17). Eles estão condensados e sumariados em Mateus 22.36-40; cumpridos pelo amor (Rm 13.10; Gl 5.14; Tg 2.8); provados serem lei em sua natureza (Rm 7.7-14).

B. Juízos. Abrangem as exigências sociais (Êx 21.1–23.33).

C. Ordenanças. Regulam a adoração (Êx 25.1–31.18).

Estas três formas de lei satisfizeram todas as exigências de Israel perante Deus. Mas o sistema total, inclusive os mandamentos como uma norma de vida, cessou com a morte de Cristo (Jo 1.17; Rm 10.4). A lei de Moisés, para ser exato, foi um tratamento temporário em vigor somente até Cristo vir. Nesse tempo, ela deu ao pecado o caráter de transgressão (Rm 5.13; Gl 3.19). Ela foi precedida pela graça (Êx 19.4) e seguida dela (Jo 1.17).

4. Vontade Revelada de Deus em Toda Forma. É a que foi revelada em adição aos códigos da lei. Observe o artigo definido com *lei* em Romanos 7.15-25 porque assim Paulo pôde se referir a alguma coisa além da lei de Moisés. A lei como a vontade de Deus inclui todas Suas ordens reveladas para qualquer povo em qualquer tempo. A palavra *lei* em Romanos, então, é usada nove vezes sem o artigo e muito mais vezes com o artigo (cf. Rm 8.4), nem sempre se refere a Moisés.

5. Lei Messiânica de Vida para o Reino. É a que governa o milênio (Mt 5.1–7.29). A prova de que a norma messiânica é pura lei pode ser obtida nos seguintes testes: (1) qualquer ação é legal quando objetiva assegurar mérito (Mt 6.14,15); (2) qualquer ação é legal quando operada em confiança na carne (Rm 6.14).

6. Lei de Cristo. É a que agora governa o cristão (1 Co 9.20, 21; Gl 6.2). Observe a expressão "meus mandamentos" que foi usada por Cristo somente no cenáculo (Jo 14.15). Esta forma diretiva de vida inclui todos os ensinos da graça dirigidos ao cristão, que em si mesmo não está debaixo da lei visto que a graça providenciou todo o mérito que poderia ser exigido (Jo 1.16; Rm 5.1; 8.1; Cl 2.10). O salvo está debaixo da lei de Cristo (1 Co 9.20, 21). O crente não está sem lei para governar sua conduta quando debaixo da lei de Cristo.

Línguas

A doutrina das línguas tem diversas divisões, da seguinte maneira:

1. Babel. A primeira língua universal do homem foi confundida em Babel, da qual as eventuais línguas humanas surgiram (Gn 11.1-9). Como outra demonstração miraculosa de Sua presença e poder bem mais tarde, Deus concedeu o dom de línguas, que apareceu na Igreja Primitiva, registrado no Novo Testamento. O dom de línguas, entretanto, foi predito que cessaria segundo o grande apóstolo (1 Co 13.8; cf. Mc 16.17; At 10.44-46; 11.15; 19.6; 1 Co 12–14).

2. Normas para a Glossolália. As orientações divinas dadas para o uso de línguas são sete:

A. As línguas devem ser dirigidas a Deus (1 Co 14.2, 28).

B. A elocução deve ser uma oração (1 Co 14.14).

C. O elemento de ação de graças deve estar presente (1 Co 14.15-17).

D. As línguas podem ser entendidas somente pela interpretação (1 Co 14.2, 5, 6).

E. Alguém deve interpretar – um dom complementar – se há qualquer uso do dom de línguas (1 Co 14.28).

F. Somente dois no máximo num culto podem exercer o dom (1 Co 14.27).

G. As mulheres devem se manter caladas na igreja (1 Co 14.34).

Durante a história da Igreja, tem havido irrompimentos esporádicos de um tipo de movimento que se propõe a falar em línguas. Esta forma de fenômeno sobrenatural tem algumas vezes sido empregada, a fim de estabelecer sérios erros ou falsa doutrina. Ela é muito usada por alguns, sem dúvida, no presente tempo.

3. PENTECOSTES. No Pentecostes, Deus tinha reunido judeus de todos os países sob o céu, para eles ouvirem o Evangelho em sua própria língua materna. A sugestão é que eles retornassem a seus países, com a mensagem ouvida, e assim evitassem o longo atraso que a experiência de um missionário no aprendizado da língua do povo a quem ele vai, teria causado. Estava no poder de Deus reverter a experiência de Babel, que Ele evidentemente fez por determinado tempo na Jerusalém daqueles dias. O dom de línguas apareceu em conexão com a entrega do Evangelho aos judeus no Pentecostes em Jerusalém (At 2.1-21), mais tarde em Samaria (At 8.14-17), e finalmente na entrega da mensagem aos gentios na casa de Cornélio (At 10.44-48).

4. DOS ANJOS. O apóstolo fala das línguas dos anjos, das quais, naturalmente, nada pode ser conhecido (1 Co 13.1).

Logos

Logos é um termo que João, pelo Espírito Santo, aplica a Cristo como um cognome por seis vezes (Jo 1.1, etc.). A mesma palavra foi especialmente empregada por Filo (c. 40 d.C) para significar alguma coisa de Deus correspondente à *razão* no homem, assim como alguma coisa que emana de Deus e corresponde à *linguagem* no homem. Embora usada pelo Espírito Santo para designar Cristo em seu estado pré-encarnado, não há registro algum de que Cristo tenha aplicado a Si mesmo este termo. É provável que o nome deva ter um uso mais geral mesmo dentro dos limites do estado pré-encarnado de Cristo.

Na bendita Trindade de pessoas, Cristo sempre foi o revelador; conseqüentemente, o Anjo de Jeová é Cristo. Ele veio ao mundo, o Encarnado, a fim de revelar Deus tão perfeitamente quanto possível. Isto está declarado em João 1.18, onde está escrito: "Ninguém jamais viu a Deus. O Deus unigênito, que está no seio do Pai, esse o deu a conhecer".

Embora Cristo tenha manifestado tanto a sabedoria quanto o poder de Deus, Ele veio principalmente para revelar o seio do Pai, isto é, Seu amor. Cristo como Logos é para o Pai o que a linguagem é para a razão. Ele declara o amor de Deus. Não foi em toda sua vida nem mesmo em todas as Suas curas, mas particularmente no único evento de Sua primeira vinda foi que ele declarou o amor divino. Está escrito de modo adequado: "Mas Deus dá prova do seu amor para conosco, em que, quando éramos ainda pecadores, Cristo morreu por nós"

(Rm 5.8); "Nisto conhecemos o amor: que Cristo deu a sua vida por nós; e nós devemos dar a vida pelos irmãos" (1 Jo 3.16).

Como a Palavra escrita declara Deus ao homem, assim Cristo, a Palavra viva, declara perfeitamente Deus ao homem. De ambas é dito serem a verdade (Jo 14.6; 17.17), a eternidade (Sl 119.89; Jo 8.58), a doação da vida (Jo 14.6; Tg 1.18), a salvação (At 16.31; 1 Co 15.1,2), a purificação (Tt 2.14; 1 Pe 1.22); a santificação (Jo 17.17; Hb 10.14), a glorificação de Deus (At 13.48; Rm 15.9), o julgamento (Jo 5.27; 12.48) e a vida (Jo 11.25; 1 Pe 1.23).

Louvor

O *louvor* é uma palavra usada no Antigo Testamento cerca de 300 vezes e no Novo Testamento cerca de 34 vezes. Este termo na verdade tem a mesma raiz de preço, e significa o *valor* e a *importância* para o outro. Ela excede em muito a mera gratidão por quaisquer bênçãos recebidas (e.g., Ap 4.11; 5.12).

O louvor é um grande tema do Antigo Testamento, especialmente nos Salmos. A louvação de Deus é encontrada também em passagens do Novo Testamento: João 9.24; 12.43; Efésios 1.6,12,14; Filipenses 1.11; 4.8; Hebreus 2.12 (cf. Sl 22.22); 1 Pedro 4.11; O louvor é algumas vezes aplicado a homens (Mt 6.1-4; Jo 12.43; 1 Co 4.5; Gl 1.10).

A Bíblia é o único livro de louvor inspirado. O louvor adequado é feito nesse sentido como um dever (Sl 50.23).

Há uma ordem progressiva ascendente a partir da (a) ação de graças, (b) a adoração e finalmente ao (c) culto, e este último é expresso não somente de forma verbal como apreciação, mas também corporalmente como dedicação (Rm 12.1).

Mandamentos

O termo *mandamentos* é encontrado na parte integral dos sistemas mosaico e cristão e assim como os representa, mas com importância amplamente diferente. Na verdade, a variação entre os dois sistemas é claramente representada pelos diferentes usos da palavra. Três classificações mais importantes dos mandamentos da humanidade são endereçados nas Escrituras aos judeus e aos cristãos, mas não aos gentios, ou no que diz respeito ao assunto de qualquer pessoa não-salva – seja judeu ou gentio – nesta era, por ser a razão que os mandamentos divinos servem somente para direcionar a vida diária daqueles que estão em relação correta com Deus. Para o judeu na antiga ordem esta associação foi produzida por um nascimento físico que o trouxe à relação de pacto com Deus, e para o cristão isto é realizado por um nascimento espiritual que o traz em relação de filiação com Deus.

Dos gentios, contudo, deve ser dito: "...estáveis naquele tempo sem Cristo, separados da comunidade de Israel, e estranhos aos pactos da promessa, não tendo esperança, e sem Deus no mundo" (Ef 2.12), e com relação ao estado de perdido não há agora "nenhuma diferença" entre judeu e gentio (Rm 3.9; 10.12). Segue-se, então, que nenhum mandamento é agora dirigido ao judeu. Na presente era a primeira questão entre Deus e uma pessoa não-salva – judeu ou gentio – não é sobre correção ou direção da vida diária, mas de salvação pessoal através da fé em Cristo. Portanto, as orientações para a vida diária não são dirigidas aos não-salvos, nesta era.

1. No Antigo Testamento. Os conselhos divinos para Israel que vieram por Moisés e que permaneceram em vigor até a morte e ressurreição de Cristo podem ser colocados em três divisões importantes, a saber, os mandamentos (Êx 20.1-17) que dirigiam as ações morais de Israel, os juízos (Êx 21.1–24.11) que governavam as atividades sociais de Israel, e os estatutos ou ordenanças (Êx 24.12–31.18) que guiavam as atividades religiosas de Israel. Estas três formas de exigências divinas foram inter-relacionadas e interdependentes; uma não poderia funcionar plenamente à parte das outras duas. A noção moderna de que os mandamentos mosaicos estão ainda em vigor, mas que os juízos e ordenanças foram abolidos, pode ser nutrida somente quando existe desatenção a respeito da forma e da natureza dos mandamentos mosaicos. A grande graça de Deus para os judeus antigos é observável no fato de que à parte de qualquer mérito deles, eles pela soberana escolha – cada um deles – foram nascidos fisicamente numa relação de pacto com Deus.

Semelhantemente, a grande graça veio sobre eles de forma que, quando pecaram, a restauração foi providenciada para terem autênticas comunhões com Deus através do sacrifício de sangue. Tal restauração foi concedida a todo israelita. A nação toda foi restaurada a um relacionamento correto com Deus no dia da Expiação. Contudo, sempre havia um remanescente de todos aqueles na nação que manifestaram uma renovação particular ou uma realidade espiritual. Alguns destes são mencionados no capítulo 11 de Hebreus, e muitos mais estão registrados por todo o Antigo Testamento e nas primeiras porções do Novo Testamento.

A partir de um exame (Nm 15.32-36), será descoberto que a penalidade da morte foi divinamente imposta por causa da quebra dos Dez Mandamentos. Concernente a esta severidade na penalidade por infração da lei de Moisés, está escrito: "Havendo alguém rejeitado a lei de Moisés, morre sem misericórdia, pela palavra de duas ou três testemunhas" (Hb 10.28). Que o sistema mosaico não está em vigor agora, está evidente no fato de que nem todas as suas condições são aplicáveis. O sábado ordenado pela lei de Moisés é substituído na presente era pelo dia do Senhor, e a promessa de vida longa na Terra Prometida que Deus tinha concedido não tem relação alguma com a Igreja. Para a Igreja, não havia uma terra dada, porque dela é definitivamente dito ser um povo de "estrangeiros e peregrinos". De igual modo, uma vida longa aqui contradiz a verdade de que o cristão espera pelo retorno de Cristo para recebê-lo em glória (1 Ts 1.9,10).

Os mandamentos de Moisés são declarados diretamente pelas Escrituras como abolidos e nulos na presente era (cf. Jo 1.17; Rm 6.14; 7.1, 3, 4; 2 Co 3.6-11; Gl 3.23-25). 2 Coríntios 3.7 determina o fato de que não só são os Dez Mandamentos anulados, mas também os juízos e as ordenanças. Se se teme que a anulação dos mandamentos de Moisés como tal envolve a perda de seus grandes princípios de justiça, pode ser observado que toda verdade contida no sistema mosaico de moral – exceto o relacionado ao dia de sábado – foi restaurada sob a graça, mas adaptado à graça e não à lei. O primeiro dos Dez Mandamentos aparece cerca de cinqüenta vezes nos novos relacionamentos da graça e adaptados a ela. Os mandamentos de Moisés participam da natureza das instruções elementares adaptadas aos menores que estão "sob tutores e governadores"; no entanto, para aqueles que estavam nessa relação com Deus pelo pacto, de modo a estarem de acordo com Sua vontade e propósito para eles.

Este relacionamento que a nação de Israel manteve com Jeová não deveria ser confundido com o elevado e santo relacionamento que os cristãos agora mantêm com Deus, em razão de estarem em Cristo. É por causa do fato que Israel estava em relação de pacto com Deus, que o modo de vida apresentado no sistema mosaico pode ser dirigido a eles. Observar para fazer tudo que Moisés requeria não lhes trazia aos pactos judaicos; eles foram ordenados a guardar a lei porque Deus em graça, à parte de todo mérito deles, os havia colocado em relação de pacto a Si mesmo. Os estudantes que reconhecem e ensinam estes fatos muito fundamentais são algumas vezes acusados pelos teólogos do pacto de sustentar que as pessoas da antiga ordem foram salvas e constituíram o que eles são pela observância da Lei de Moisés, o que é um grande engano.

O judeu piedoso estava sujeito à bênção por sua fidelidade naquilo que Jeová requeria dele. Mas a lei mosaica somente mantém a distinção de ser a regra de vida de Jeová para Seu povo na era que é passada. Estes são os mandamentos que eles "quebraram" (Jr 31.32) e que ainda devem ser incorporados (Dt 30.8) na nova aliança, embora como um pacto a ser substituído por essa aliança que ainda está por vir (Jr 31.31-34; Hb 8.8-13).

2. DE CRISTO. O segundo uso da palavra *mandamentos*, quando é feita referência por ela a um sistema ou a princípios que governam a ação humana, ocorre quando ela expressa os mandamentos de Cristo. Quando apresenta os princípios que são obtidos na era vindoura do reino (Mt 5.1–7.29), Cristo esboça certos contrastes entre o que faz parte do sistema mosaico e o que se obterá no reino (Mt 5.17-48). A fórmula freqüentemente repetida é: "Ouvistes o que foi dito [por Moisés] aos antigos... Eu, porém, vos digo". Em nenhum desses contrastes, contudo, Cristo usou a expressão *meus mandamentos*. Esta designação não foi usada senão no Cenáculo, na noite anterior à Sua crucificação, ocasião em que Ele introduziu o conjunto de verdades especialmente pertencentes à Igreja na presente era da graça. Nada há acidental aqui. Esta frase nos lábios de Cristo designa, e por ela Ele distingue, o alcance da verdade que pertence à presente era.

Assim, no final do seu ministério sobre a terra, e após os quarenta dias de instrução que se seguiram à sua ressurreição, Ele direcionou Seus discípulos a ensinar todas as coisas que lhes havia ordenado (Mt 28.20), mas não incluiu o sistema mosaico. Deve ser observado que a primeira prescrição era "um novo mandamento" (Jo 13.34), e esse amor é ordenado aqui como a evidência exigida para indicar aquela maravilhosa unidade que todos os crentes formam (cf. Jo 17.21-23) – uma unidade operada pelo Espírito Santo e para ser guardada ou manifestada no amor uns pelos outros. Nenhuma unidade jamais existiu antes. Aquilo que está incluído sob as palavras "meus mandamentos" foi tomado e expandido pelo apóstolo Paulo em suas epístolas. As referências aos mandamentos de Cristo são muitas – João 13.34,35; 14.15,21; 15.10; 1 João 2.3; 3.22-24; 4.21; 5.2,3; 2 João 1.4,5; Cf. Mateus 28.20; Lucas 24.46-48; Atos 1.3; 1 Coríntios 14.37; Gálatas 6.2; 1 Tessalonicenses 4.2.

Mediação

Um aspecto importante da Cristologia, a doutrina da mediação é mencionada somente uma vez no Antigo Testamento (Jó 9.33) e seis vezes no Novo Testamento – Gálatas 3.19,2 0; 1 Timóteo 2.5; Hebreus 8.6; 9.15 e 12.24. A mediação é a obra daquele que reconcilia pessoas que estão em desacordo entre si. O pecado colocou o homem em desacordo com Deus. Uma expiação baseada na satisfação divina foi, portanto, exigida. Adequadamente, há "um só mediador entre Deus e os homens, Jesus Cristo, homem" (1 Tm 2.5). O fato de Suas duas naturezas é exigido para tal responsabilidade. NEle, ambas, a divindade e a humanidade, se encontram e, naturalmente, nEle a plena representação de cada uma dessas naturezas é assegurada ou aperfeiçoada. Ele deve ser um homem sem pecado contra quem não há acusação alguma, primeiramente.

De outra forma Ele precisa um mediador para si mesmo. Ele deve ser realmente igual a Deus, não um mero agente de representação. O "árbitro" de Jó então é o pensamento exato – aquele que tem o direito de impor Sua mão sobre Deus em favor do homem e impor Sua mão sobre o homem em favor de Deus. Este de fato foi o clamor de apelo de Jó perante Deus, de acordo com Jó 9.33.

A mediação de Cristo deve ser observada em três aspectos. (1) Como um profeta (Hb 1.1 seguintes.). Aqui Ele representa Deus diante do homem. (2) Como um sacerdote. Aqui Ele especialmente representa o homem perante Deus (Hb 9.15). (3) Como um Rei (Sl 2). Neste particular, Ele reina como a escolha de Deus do rei sobre a terra. Seu reino será mediatorial, em cujo tempo todo inimigo deve ser destruído, inclusive a morte. Esse reino dura para sempre (1 Co 15.24-28). Cristo é o Intérprete de Deus para o homem e a Porta de acesso para o homem a Deus (Jo 1.18; 10.7).

SUMÁRIO DOUTRINÁRIO

Messias

A palavra *Messias* contempla Cristo como o Profeta final ou maior, o Sacerdote final, e o Rei final. No salmo 2.2 na verdade duas Pessoas da Trindade são distinguidas – Jeová e Seu Messias. A tradução da palavra *Messias* no Novo Testamento, usada duas vezes (Jo 1.41; 4.25), não menos do que a sua palavra predecessora no Antigo Testamento significa 'ungido'. O equivalente grego comum e real do Novo Testamento é o título traduzido *Cristo*. O campo todo da predição relativa à vinda de Jeová a quem Ele enviaria para redimir o homem está envolvido neste tema messiânico. O Messias é a única esperança de Israel. Como o Ungido ou o Enviado, é dito de Cristo que Deus deu sem medida o Espírito a Ele (Jo 3.34). Nele, para ser exato, toda a plenitude da divindade habita corporalmente (Cl 2.9). Os aspectos tanto sacerdotal quanto real do Messias, continuam para sempre, se não o profético.

Milagres

No universo de Deus, Ele é tanto imanente quanto transcendente. Os poderes da natureza são limitados, mas Deus é capaz de introduzir ao infinito nesse sentido qualquer coisa que Ele queira fazer. Suas próprias obras manifestas na criação e na providência dificilmente são classificadas como milagres. Elas são antes as obras normais de Deus em Sua própria esfera particular de ação. O que é natural para Deus pode ser sobrenatural para o homem.

A teologia propriamente distingue os milagres do Antigo Testamento das maravilhas do Novo Testamento. Estas últimas são caracterizadas pelo fato de que elas foram operadas por Cristo pessoalmente ou por outros cujos empreendimentos foram realizados em nome de Cristo.

A evidência que dá suporte aos milagres como uma realidade é a mesma para qualquer aspecto sobrenatural da revelação divina.

Deveria ser dada consideração para o poder sobrenatural de Satanás (Ap 13.13-15; cf. Is 14.12,16,17). Que Satanás tem poder para realizar coisas sobrenaturais, está claramente indicado na Escritura (2 Ts 2.9).

Milênio
(veja Reino)

O termo *milênio* é usado para indicar o período do reinado de Cristo na presente terra, que está predito em Apocalipse 20. É muito mais exato e satisfatório falar deste período como o reino, contudo, do que indicar meramente o tempo durante o qual ele continua.

MILÊNIO

A Igreja Primitiva estava preocupada com a doutrina do *quiliasma* (que é o termo retirado da palavra grega para mil, assim como *millennium* vem do latim). O fato de um milênio na verdade foi sustentado por todos os mestres evangélicos até recentes séculos, quando os ensinos do pós-milenismo e do amilenismo vieram a ser recebidos por alguns.

Há agora, como conseqüência, três teorias sobre o milênio, geralmente falando: (1) O pós-milenismo começou a tomar forma teológica com o ensino de Daniel Whitby na Inglaterra, que viveu no século XVII (1638-1726). Embora cresse com a Igreja Primitiva que o reino viria no segundo advento de Cristo, Whitby veio a afirmar que pelas presentes agências do Evangelho todo mal no mundo seria corrigido até que Cristo tivesse um reino espiritual sobre a terra e continuasse esse reino por mil anos, tempo em que o Seu segundo advento ocorreria e Ele voltaria para estabelecer o juízo e finalizar a presente ordem. Contudo, o suposto progresso da justiça no mundo tem sido impedido tanto que esta teoria tem se mostrado morta por mais de 25 anos. Os homens que sustentaram esta opinião têm basicamente se dirigido para (2) o amilenismo ou não-milenismo, teoria que ensina que não haverá um milênio além daquele que supostamente está em andamento no presente tempo.

Seus defensores crêem que, visto que o período de mil anos é mencionado somente em Apocalipse 20, e este capítulo parece obscuro, e o cumprimento da predição a respeito do período de mil anos encontrado no capítulo pode ser colocado no passado como algo já cumprido, não resta um reino terrestre para Cristo aqui. Tal teoria é nascida da teologia de Roma que ensina que a Igreja é o reino e, portanto, reina ou deveria reinar agora. Os homens que sustentam este ponto de vista são obrigados a argumentar que Satanás está preso no presente, ou ao menos que ele está preso com relação aos crentes se não com respeito aos não-salvos. Esta posição foi esposada por B. B. Warfield de Princeton e é sustentada sem dúvida por muitos mestres de teologia nos seminários, hoje.

3. O pré-milenismo ensina que a presente era cresce com o mal e termina no julgamento, no segundo advento de Cristo, quando Ele estabelecerá o Seu reino e reinará com justiça por mil anos. A duração do reino não é uma coisa importante, mas sim o fato de que a Igreja reinará com Ele como Sua Noiva. Quando é argumentado que há somente uma referência ao reino que dura mil anos, deveria ser lembrado que no contexto do dia do Senhor, que é a terminologia equivalente à era do reino, Pedro disse que um dia para o Senhor é como mil anos e mil anos como um dia (2 Pe 3.8). Esse Dia começa com a vinda de Cristo como um ladrão da noite e termina com o fogo que desce do céu (2 Pe 3.10).

Deveria ser lembrado que o milênio não é o céu. Ao contrário, deve ser caracterizado por uma quantia limitada de mal que Cristo, o Rei, julgará perfeita e imediatamente (Is 11.1-16). Nem é ele a nova terra que ainda Deus vai criar (Is 65.17; 66.22; 2 Pe 3.13; Ap 21.1) porque ali habita justiça, que não é algo verdadeiro do milênio.

Ministério

Nos tempos do Antigo Testamento o ministério espiritual era na sua maior parte limitado aos profetas e sacerdotes, e era basicamente um ritual no templo. O ministério de Cristo é um perfeito exemplo do que essa obra se assemelharia, porque Ele disse: "Eu, porém, estou entre vós como quem serve" (Lc 22.27; cf. Jo 13.15). Os ministérios na Igreja dependem de uma liderança dotada (Ef 4.11) que existe para o serviço e edificação do Corpo de Cristo (Ef 4.12-16). "A obra do ministério", será visto, está entregue ao grupo todo dos crentes (Ef 4.12). Aqueles que servem com responsabilidade definida na igreja são conhecidos como diáconos e presbíteros. Os diáconos são usualmente responsáveis pelas coisas temporais enquanto que os presbíteros são responsáveis pelas coisas espirituais. As recompensas são prometidas aos ministros que provam ser fiéis no serviço. Isto não acarreta qualquer mérito para a salvação, mas simplesmente o reconhecimento da fidelidade do homem por parte de Deus (veja RECOMPENSA).

Misericórdia

Três palavras precisam especialmente ser distinguidas, ou seja, *amor*, *misericórdia* e *graça* (Ef 2.4 seguintes.). O amor é o que em Deus existiu antes que Ele se preocupasse em exercer misericórdia ou graça. Misericórdia, por outro lado, é o que Deus devidamente providenciou para as necessidades do pecador, enquanto que a graça é o que em Deus age livremente para salvar porque todas as exigências da santidade foram satisfeitas. A salvação é aquilo que se ajusta à justiça (Rm 3.26), então, como o amor (Jo 3.16). Os pecadores não são realmente salvos pela misericórdia, mas pela graça. A misericórdia somente provê um Salvador e atrai o pecador a Ele. A misericórdia de Deus somente vem para toda criatura viva, não, contudo, sua graça ativa.

A *misericórdia* é o equivalente do Antigo Testamento à palavra *graça* do Novo Testamento. Os homens, além do mais, são especialmente ordenados a ser misericordiosos (Dt 25.4; Sl 37.21; 109.16; Pv 12.10; Dn 4.27; Mq 6.8; Mt 5.7; Tg 3.17).

Mistério

O significado antigo da palavra *mistério* é relacionado aos cultos da Babilônia e de Roma, e a comunicação do conhecimento desses segredos como nas lojas maçônicas modernas ou nas ordens fraternas é considerada essencial. O uso popular da palavra se aplica ao que é misterioso ou desconhecido.

O uso que o Novo Testamento faz do termo relaciona-o a alguma obra ou propósito de Deus até então não revelado. Ele pode estar relacionado a algo que precisa ser entendido, mas que deve ter uma chave (Ap 1.20). A palavra é empregada no Novo Testamento 27 vezes, com exceção de 1 Coríntios 2.1. O próprio Paulo a usou 21 vezes. Os "mistérios" abrangem praticamente toda a verdade acrescentada encontrada no Novo Testamento que suplementou a do Antigo Testamento, à parte de sua história (Dt 29.29).

Os mistérios do Novo Testamento não são de fato segredos a serem retidos, mas a serem publicados (1 Co 4.1). "Ai de mim se eu não pregar o evangelho" (1 Co 9.16), disse Paulo, em contraste com o anátema que vem sobre o membro de uma loja maçônica ou um culto que divulga os seus segredos.

Mordomia

A mordomia é uma doutrina do Novo Testamento que governa a benevolência e que permanece em grande contraste com o plano de dízimos do Antigo Testamento, ao passo em que igualmente diferenciava da mera contribuição casual. A doutrina da mordomia dirige um cristão em matéria de receber, ganhar e gastar. É um desenvolvimento essencial dos princípios da graça, em contraste com os da lei. A graça gera um relacionamento de família em que tudo o que é feito por Deus para Seu filho ou pelo filho a Deus será motivado somente pelo amor. Os elementos de barganha e negócio, ganhos e salários, ou supostas obrigações em troca de serviço, são excluídos quando o amor se constitui no único motivo. O assunto pode ser dividido da seguinte maneira:

1. TRÊS PALAVRAS GREGAS. Os escravos num lar grego poderiam ser honrados com elevadas responsabilidades, mas eles nunca eram livres da escravidão, nem eles jamais possuíram qualquer coisa que realmente lhes pertencia. As três palavras para a responsabilidade do escravo são:

A. παιδαγωγός (Gl 3.24, 25). Este era um escravo encarregado, não da educação, mas do treino e da disciplina dos filhos do seu senhor.

B. ἐπίτροπος (Mt 20.8; Lc 8.3; Gl 4.2); compare ε)πισκοπό (At 20.28), um escravo encarregado da supervisão de toda a propriedade de seu senhor.

C. οἰκονομία (Lc 16.2-4; cf. *dispensação*, em 1 Co 9.17; Ef 1.10; 3.2; Cl 1.25). Compare também οἰκόνομος (Lc 12.42; 16.1, 3, 8; Rm 16.23; 1 Co 4.1,2; Tt 1.7; 1 Pe 4.10), um escravo encarregado das coisas pecuniárias de seu senhor.

Havia mordomos no Antigo Testamento (Gn 15.2), mas estes não representavam o ideal da benevolência do Antigo Testamento (Gn 24.2; 39.4). O que dizimava no Antigo Testamento, por ter pagado o seu dízimo, ficava com a plena autoridade sobre os remanescentes nove décimos. O filho de Deus sob a graça é um escravo que administra os bens do Senhor – "Vós não sois de vós mesmos" e "o que tens tu que não tenhas recebido?" (1 Co 4.7; 6.19,20; 1 Pe 1.18).

2. O Exemplo Divino.
A. O Pai (Jo 3.16; Rm 6.23; 8.32).

B. O Filho (Jo 6.32, 33; 10.28; 15.13; At 20.35; 2 Co 8.2). Nunca o doar divino é um exemplo de dizimar ou de doação parcial.

3. A Contribuição no Novo Testamento.
Cristo ofertou generosamente (2 Co 8.9). O crente deveria ser generoso do mesmo modo (2 Co 9.8). Tal contribuição deveria ser operada pelo Espírito, não legalmente ou por causa da necessidade – "porque Deus ama ao que dá com alegria" (v. 7). Isto não é difícil de fazer quando é aceito e percebido que todo dinheiro é dEle e que o mordomo apenas administra as coisas financeiras de seu Mestre. Observe os motivos implícitos em Efésios 4.28 e 1 João 3.17.

4. Aspectos Pessoais.
A. Adquirindo dinheiro. (1) A consideração humana – "o trabalhador é digno do seu salário" (Lc 10.7; 1 Tm 5.18); "não sejais vagarosos no cuidado" (Rm 12.11). (2) A consideração divina – "Portanto, quer comais quer bebais, ou façais qualquer outra coisa, fazei tudo para a glória de Deus" (1 Co 10.31). Independentemente dos canais ou agências através das quais o dinheiro é recebido, todo benefício vem diretamente dEle (1 Sm 2.7; 1 Rs 3.11-13; Fp 4.13-19; 1 Tm 6.6-8; Hb 13.5).

B. Administrando o dinheiro. O Espírito dirige tudo, até o uso do dinheiro para as necessidades pessoais de alguém ou guardando-o para alguma necessidade futura. Sejam, então, conduzidos pelo Espírito. Não mais é uma questão igual a esta: "O que eu posso poupar?" mas: "Qual é a Sua vontade?" O mordomo deve decidir por si mesmo, quando conduzido pelo Espírito, e não pela razão do apelo ou influência externa. Ser um "alegre" contribuinte é, na verdade, totalmente possível (2 Co 9.7).

5. Problemas nas Finanças.
A. Assegurando fundos. Alguns conselhos devem ser dados: (1) O princípio adotado pode ser o de solicitação ou de "fé silenciosa". (2) Se pessoas que pedem são usadas, tenha a devida consideração pelos direitos que o doador individual tem ou suspenda o donativo quando levado pelo Espírito. (3) No método que decide receber ofertas, o perigo não estará ausente. (4) Como Deus o fez prosperar, ao crente deveria ser dito para repartir (1 Co 16.2).

B. Dispondo dos fundos. Uma grande responsabilidade é entregue aos crentes que dispõem de fundos.

6. Perigo das Riquezas.
Aqueles que anelam ser ricos, cobiçam posses (Lc 12.16-21; 16.19-31; 18.18-30; 1 Tm 6.6-10; Tg 5.1-6), correm sérios perigos. Compare outros motivos pela busca do dinheiro, tal como providenciar para outros ou prover para si mesmo quando sob pressão de grandes responsabilidades.

7. Verdadeiras Riquezas.
Observe os seguintes textos sobre este ponto: Lucas 12.21; 2 Coríntios 8.9; Efésios 1.7; 3.16; 1 Timóteo 6.18; Tiago 2.5; Apocalipse 3.18. A passagem central sobre a mordomia do Novo Testamento é 2 Coríntios, capítulos 8 e 9.

Morte

Por ser, como é, uma penalidade pelo pecado, a morte em suas variadas formas é estranha à criação original que veio da mão de Deus. Por ser uma penalidade, tal porção dela em relação a poder ser removida será esquecida para sempre; outras porções dela, por serem eternas, não podem ser removidas. O tema todo pode ser dividido em três aspectos de morte – a física, a espiritual e a "segunda morte". A morte física é a separação da alma e do espírito do corpo, a morte espiritual é a separação da alma e do espírito de Deus, e a segunda morte é a forma de morte espiritual de modo final e permanente, se o indivíduo não foi salvo dela. Para Adão, Deus havia dito como uma penalidade de ameaça pelo pecado da desobediência: "certamente morrerás" (Gn 2.17). Este julgamento, que mais tarde veio sobre Adão, teria incluído todas as formas de morte, mesmo a segunda morte, se não tivesse sido salvo pela graça divina.

Como Deus tinha advertido, Adão morreu espiritualmente no dia em que partilhou do fruto proibido, e, assim, tornou-se sujeito à segunda morte. Naquele dia, também, ele começou a morrer fisicamente, e, embora muitos séculos possam ter passado, ele finalmente pereceu fisicamente.

Conquanto isto seja verdadeiro de Adão pessoalmente, deve ser observado que a posição de Adão como cabeça natural da raça era tal que a totalidade da raça humana é diretamente afetada por seu pecado, e assim "a morte passou a todos os homens" (Rm 5.12). O ato inicial e único de Adão é a causa, ou a ocasião, para a penalidade da morte em todas as suas formas, que caíram universalmente sobre todos os membros da raça humana. O fato de que a morte em suas variadas formas recai sobre a raça exige um estudo separado da relação que cada morte mantém com a raça, originada do pecado inicial de Adão.

1. MORTE FÍSICA. Este grande aspecto da experiência humana – morte física – está descrito, com relação à sua causa, em Romanos 5.12-14: "Portanto, assim como por um só homem entrou o pecado no mundo, e pelo pecado a morte, assim também a morte passou a todos os homens, porquanto todos pecaram. Porque antes da lei já estava o pecado no mundo, mas onde não há lei o pecado não é levado em conta. No entanto a morte reina desde Adão até Moisés, mesmo sobre aqueles que não pecaram à semelhança da transgressão de Adão, o qual é figura daquele que havia de vir". Neste texto será visto que o pecado não se originou com Adão no Éden, mas como uma coisa trágica que já havia acontecido na queda de Satanás e de muitos anjos e veio a acontecer no mundo através de um homem, Adão, e de Adão para a raça em seus descendentes.

No caso da morte física todos os homens participaram da penalidade, por causa do fato de que na avaliação divina todos os homens estiveram como participantes no primeiro pecado de Adão por estarem, como estiveram, representados em sua função de cabeça natural. A frase, "porquanto todos pecaram", freqüentemente tem sido crida como uma referência aos pecados pessoais de todos os homens durante o tempo de vida deles. Na passagem citada acima, contudo, pode ser visto que o apóstolo faz um esforço especial para resistir à idéia de que esta forma de morte é devida a pecados pessoais. A morte física, ele assinala, não é devida à quebra da lei, porque os homens morreram antes da lei ser dada; nem é devida à desobediência voluntária como aconteceu com o pecado de Adão, visto que aqueles – infantes e pessoas incontáveis – morrem e que não pecam voluntariamente como Adão.

Resta somente, portanto, que a morte física seja devida à participação no pecado de Adão. A verdade a respeito do cabeça seminal ser tão pouco entendida, não é facilmente estudada ou aceita por mentes ignorantes. Como uma floresta ilimitada de carvalhos pode estar abrangida numa bolota, assim uma raça estava contida em Adão. O princípio bíblico que procede com base em que as gerações futuras agem em seus pais, ou compartilham na responsabilidade que seus pais tiveram, está declarado em Hebreus 7.9,10. Aqui Levi, que viveu pelos dízimos pagos a ele e que foi o bisneto de Abraão, pagou dízimos, embora estivesse apenas nos lombos de seu bisavô, Abraão. O texto diz: "E, por assim dizer, por meio de Abraão, até Levi, que recebe dízimos, pagou dízimos, porquanto ele estava ainda nos lombos de seu pai quando Melquisedeque saiu ao encontro deste".

Na medida em que a Escritura revela, pode haver apenas uma causa para a morte física; ela é devida à participação pessoal do indivíduo no único pecado inicial de Adão. A participação foi universal, posto que a penalidade – morte física – é universal. É a morte física que mais tarde será destruída (cf. 1 Co 15.26; Ap 21.4). Este, "o último inimigo", será anulado por uma reversão dela; a saber, todos os que morreram serão ressuscitados para nunca mais morrer (cf. Jo 5.25-28; 1 Co 15.22). A cura divina para a morte física é a ressurreição.

2. Morte Espiritual. Embora a morte espiritual tenha começado com o mesmo pecado inicial de Adão, ela se torna efetiva sobre a humanidade de uma maneira diferente do que acontece com a morte física. O primeiro pecado de Adão causou-lhe a transformação para ele ser uma espécie diferente de ser daquele que ele foi quando Deus o criou. Além do mais, ele pode propagar somente segundo a sua espécie, e assim a raça foi nascida em morte espiritual recebida por hereditariedade do primeiro homem, Adão. Cada pessoa da raça é nascida espiritualmente morta – separada de Deus – e recebe aquela espécie caída de natureza diretamente dos pais. Assim, a morte espiritual vem *mediatamente* através da linhagem de posteridade. Em oposição a isto, a morte física é recebida de Adão *imediatamente*, quando cada pessoa morre no corpo por causa de sua própria participação no primeiro pecado de Adão. A cura para a morte espiritual é a regeneração ou a passagem da morte para a vida.

3. Segunda Morte. Como não há cessação de consciência na morte física ou espiritual, não pode haver evidentemente cessação alguma de consciência na segunda morte. Ela é antes a eterna perpetuação da morte espiritual – uma separação infindável da alma e do espírito de Deus. O apóstolo João escreve da segunda morte e assevera que ela é ligada com "o lago de fogo". O significado parece ser que aqueles que entram na segunda morte também entram no "lago de fogo" (Ap 20.12-15). Um aspecto muito importante desta doutrina deprimente é o ensino de Apocalipse 20.6 que afirma: "Bem-aventurado e santo é aquele que tem parte na primeira ressurreição; sobre estes não tem poder a segunda morte; mas serão sacerdotes de Deus e de Cristo, e reinarão com ele durante os mil anos".

Sobre o tema geral desta segunda morte, o Dr. C. I. Scofield faz o seguinte comentário: "A 'segunda morte' e o 'lago de fogo' são termos idênticos (Ap 20.14) e são usados a respeito do estado eterno do ímpio. É 'segunda' relativamente à morte física precedente do ímpio em incredulidade e em rejeição de Deus; o estado eterno deles é de 'morte' eterna (i.e., separação de Deus) em pecados (Jo 8.21, 24). Que a segunda morte não é uma aniquilação, é mostrado por uma comparação de Apocalipse 19.20 com Apocalipse 20.10. Após mil anos no lago de fogo, o anticristo e o Falso Profeta ainda estão ali, sem serem destruídos. As palavras 'para sempre e sempre' são usadas em Hebreus 1.8 porque a duração do trono de Deus é eterna no sentido de ser infindável".[19]

A morte de Cristo se torna uma exceção a todos os aspectos da morte humana. Conquanto Ele tenha morrido fisicamente, ela não foi, como as outras, uma penalidade por um compartilhamento que tinha tido no pecado de Adão; porque com ela, por não haver caído em Sua humanidade, Ele não teve parte alguma. Com respeito à morte espiritual, não há declaração alguma tão clara de quanto Cristo entrou nessa esfera. Ele naturalmente disse: "Deus meu, Deus meu, por que me desamparaste" (Mt 27.46). Onde Deus fica em silêncio, a mente devota deveria hesitar intrometer-se.

Mulher

A origem da mulher é mencionada em Gênesis 1.27 e 2.21, 22, e a razão da criação dela, em Gênesis 2.18.

1. Relação com o Homem. A mulher está inclusa na doutrina do homem no sentido genérico, e, além do mais, ambos pecaram na queda de Adão. Ela não deve ser considerada como menos importante do que o homem, mas somente como uma forma diferente da criação humana dele.

2. No Antigo Testamento. As mulheres de Israel eram honradas acima das mulheres de outras nações, como pode ser visto do mandamento: "Honra teu pai e tua mãe". Uma importância considerável é vista nas personalidades e nomes de mulheres do Antigo Testamento como Sara, Rebeca, Raquel, Miriam, Débora, Ana, Éster, Rute etc.

3. No Novo Testamento. De acordo com o Novo Testamento, o lugar da mulher em relação ao homem exige um ajustamento e um reconhecimento preciso. A mulher, com sua posição definida pelas Escrituras, está em grande perigo quando sai fora de sua esfera, que nunca é a esfera da liderança. Algumas mulheres notáveis no Novo Testamento são: Isabel, Maria, a mãe de Jesus, as outras Marias, Lídia, Priscila etc.

Mundo

A palavra portuguesa *mundo* é uma tradução de quatro idéias amplamente diferentes no grego original:

1. Κόσμος, que significa a ordem e a harmonia em contraste ao caos (cf. como a criação era perfeita antes de se tornar caótica, Is 24.1; Jr 4.23). Embora a LXX use κόσμος para cada uma das palavras gerais, nada há estritamente equivalente ao termo grego. Parece ser uma nova concepção para mundo na palavra apostólica, empregada com nova força. Ela é concebida agora como separada de Deus, embora em ordem em vez de arranjo.

A. Uso em Pedro. O apóstolo Pedro refere-se ao mundo no seu passado, presente e futuro, quando usa esta terminologia: (1) "o mundo antigo" (2 Pe 3.5,6) antes do dilúvio; (2) "os céus e a terra que agora existem" (2 Pe 3.7); (3) "novos céus e a nova terra" (2 Pe 3.13; cf. Is 64.22; 65.17; Ap 21.1).

B. Significado Geral. Ao menos três sentidos gerais se ligam a esta expressão. (1) A terra material como uma criação de Deus (At 17.24). (2) Os habitantes do mundo. Estes são os que Deus amou e por quem Cristo morreu (Jo 3.16). (3) As instituições dos homens estabelecidas independentes de Deus e encabeçadas por Satanás, ou seja, o sistema satânico organizado sobre princípios do eu, da avareza, do equipamento bélico e do comercialismo. Este é o mundo que Deus não ama e o crente é advertido para não amar (1 Jo 2.15-17). *Cosmos* é usado 176 vezes.

2. Οἰκουμένη, que significa o mundo habitado, em contraste com aquela parte do globo que é bárbara ou desabitada. Portanto, aqui está o campo do significado profético e da pregação do reino (Mt 24.14). A palavra é usada 15 vezes.

3. Αἰών (Mt 12.32; 13.22, 39, 40, 49; 21.19; 24.3; 28.20), que significa uma era ou período de tempo. Este termo originalmente indicava o espaço de tempo da vida de um homem sobre a terra; mais tarde qualquer período de tempo, e mesmo um tempo ilimitado, seja passado ou futuro. Sua primeira conotação no Novo Testamento é a de um período definido designado, ajustado e executado por Deus, i.e., uma dispensação (Hb 11.3). Deus formou as eras (cf. Hb 1.2). Observe também αἰωνίοις usado nas frases "desde os tempos eternos" (Rm 16.25) e "antes dos tempos eternos" (2 Tm 1.9; Tt 1.2). A terceira expressão para *mundo* é usada cerca de 100 vezes.

4. Γῆ, significando terra (Mt 6.10; 9.6; Mc 2.10; Lc 2.14), deveria também ser considerada. Este termo é usado muitas vezes.

Noiva

Ao menos sete figuras com suas contribuições variadas à verdade são necessárias para demonstrar a relação que Cristo mantém com a Igreja – os salvos desta dispensação. Ele é a Videira e eles são os ramos; Ele é o Pastor e eles são as ovelhas; Ele é a Pedra Principal Angular e eles são as pedras do edifício; Ele é o Sumo Sacerdote e eles são um reino de sacerdotes; Ele é o Último Adão, o Cabeça de uma nova ordem de seres, e eles são essa nova criação; Ele é o Cabeça do Corpo e eles são os membros individuais; Ele é o Noivo e eles são a Noiva. No estudo de escatologia (Vol. IV), estas distinções foram desenvolvidas detalhadamente. Latente em todas essas ilustrações será descoberta a sugestão a respeito do campo imensurável total do relacionamento que existe entre Cristo e a Igreja. Das primeiras seis desta série de figuras, pode ser assinalado que elas representam a presente associação entre Cristo e a Igreja, enquanto que a sétima – a do Noivo e da Noiva – apresenta a relação entre Cristo e a Igreja, que é totalmente futura.

O grande grupo de crentes – alguns sobre a terra e uma grande multidão no céu – estão agora desposados com Cristo. Mas eles, como o próprio Senhor, aguardam o dia dessa união. Está revelado que essa união ocorre no céu após Cristo ter vindo novamente para os receber para Si mesmo. Os textos que descrevem o casamento do Cordeiro e da ceia de casamento no céu declaram: "Regozijemo-nos, e exultemos, e demos-lhe glória; porque são chegadas as bodas do Cordeiro, e já a sua noiva se preparou, e foi-lhe permitido vestir-se de linho fino, resplandecente e puro; pois o linho fino são as obras justas dos santos. E disse-me: Escreve: Bem-aventurados aqueles que são chamados à ceia das bodas do Cordeiro. Disse-me ainda: Estas são as verdadeiras palavras de Deus" (Ap 19.7-9). A "ceia" celebrada em conexão com o casamento no céu deveria ser distinguida da "festa" de casamento (cf. Mt 25.10), que é celebrada na terra quando o Rei retornar com a Sua Noiva e começar o Seu reino beneficente.

O tempo e as circunstâncias sob os quais a festa de casamento deve ser realizada estão apresentados em Mateus 25.1-13. Neste contexto as virgens são vistas como as que se encontram com o Noivo *e a Noiva* (cf. Mt 25.1). O fato de que a Noiva acompanha o Rei em Seu retorno à terra é ensinado em vários textos – notadamente em Apocalipse 19.11-16, cuja porção apresenta não somente a última descrição do retorno de Cristo à terra, mas também a única descrição de Seu advento a acontecer neste livro profético final. A ordem dos eventos neste contexto deve ser observada, por meio da qual a ceia e o casamento no céu imediatamente precedem o retorno de Cristo à terra com Sua Noiva. Lucas 12.35-37 apresenta uma descrição do mesmo apelo e advertência a Israel à luz do retorno do Rei, que é encontrada em Mateus 25.1-13.

O texto de Lucas diz: "Estejam cingidos os vossos lombos e acesas as vossas candeias; e sede semelhantes a homens que esperam o seu senhor, quando houver de voltar das bodas, para que, quando vier e bater, logo possam abrir-lhe. Bem-aventurados aqueles servos, aos quais o senhor, quando vier, achar vigiando! Em verdade vos digo que se cingirá, e os fará reclinar-se à mesa e, chegando-se, os servirá".

Esta passagem se dirige a Israel e é a respeito do retorno de seu Messias com poder e grande glória. É este evento pelo qual os judeus serão ensinados a vigiar após a Igreja se removida da terra. O Senhor afirma que quando eles vissem que essas coisas começassem a acontecer, eles deveriam saber que Ele estaria próximo, às portas.

A verdade a respeito da Noiva está consumada em algum grau na descrição profética do reino vindouro de Cristo sobre a terra como o que está apresentado no salmo 45.8-15. Nesta descrição o Rei aparece com a rainha a Sua direita adornada com ouro de Ofir. Ela é chamada de *filha do rei*. As virgens que a acompanham não são a rainha, mas são trazidas a ela com alegria e regozijo. Delas é dito que "entrarão no palácio do rei". Assim, as virgens de Mateus 25.1-13 são identificadas em seu relacionamento com a noiva. Por que não deveria Israel pagar tributo de honra à rainha, a noiva de seu Rei? As virgens são as companheiras da rainha e aquelas dentre elas que estão prontas para entrar com ela nos "palácios de marfim" (v. 8), que é o palácio do Rei (v. 15).

Nenhum pequeno erro tem sido proposto quando é alegado que Israel é a noiva de Cristo. É verdade que Israel é apresentado como a esposa apóstata e repudiada de Jeová ainda a ser restaurada. Isto, contudo, está muito longe da "virgem casta" (cf. 2 Co 11.2) que a Igreja é, não sendo ainda casada com Cristo. É Israel que prevalecerá no reino vindouro. Mas há uma promessa à Noiva de que ela reinará com Cristo. Tal promessa não poderia ser dirigida àqueles sobre quem Cristo reinará. O Dr. C. I. Scofield apresenta a seguinte nota, ao comentar Oséias 2.2: "Que Israel é a esposa de Jeová (veja vv.16- 23), agora repudiada a ser restaurada, é o ensino claro das passagens. Este relacionamento não deve ser confundido com o da Igreja em relação a Cristo (Jo 3.29). No mistério da triunidade divina ambos são verdadeiros.

O Novo Testamento fala da Igreja como uma virgem esposada com um marido (2 Co 11.1, 2); o que nunca poderia ser dito de uma esposa adúltera, restaurada em graça. Então, Israel deverá ser restaurada e perdoada a esposa de Jeová, a Igreja a esposa virgem do Cordeiro (Jo 3.29; Ap 19.6-8); Israel, a esposa terrestre de Jeová (Os 2.23); a Igreja a noiva celestial do Cordeiro (Ap 19.7).[20]

Os tipos do Antigo Testamento prefiguram muitos aspectos importantes da verdade a respeito da Noiva. Pode ser dito a respeito da verdade de que quando um homem é um tipo de Cristo, sua esposa será um tipo da Igreja, sendo casos notáveis o de Adão e Eva, Isaque e Rebeca, José e Asenate, Moisés e Zípora, Boaz e Rute, Davi e Abigail, Salomão e o seu verdadeiro amor de Cantares.

Nenhuma imaginação humana pode medir a mudança que será operada pelo poder de Deus naqueles que compõem a Noiva do Cordeiro. Ele, o Infinito, será cativo com a amabilidade adorável de Sua Noiva, e assim por toda a eternidade. Àquela altura, ela terá sido aperfeiçoada a este grau imensurável e infinito.

Nome

Os nomes bíblicos geralmente possuem uma importância significativa e freqüentemente representam o caráter preciso da pessoa nomeada, como é o caso de Jacó (Gn 27.36).

Os nomes de Deus declaram o Seu caráter: *El* ou *Elohim* significa 'o forte e o que guarda o pacto'; *Jeová*, 'o auto-existente ou o Deus da redenção'; *Adonai*, 'senhor'. Há cerca de quatrocentos nomes ou títulos diferentes da divindade no Antigo Testamento. *Senhor*, quando se refere a Cristo, sugere Sua divindade ou o seu ser eterno. O nome *Jesus* aponta para a Sua humanidade. *Cristo* se refere ao ungido que era esperado por todo o Antigo Testamento. Não são dados nomes para o Espírito Santo. Há, contudo, cerca de 44 títulos descritivos para Ele.

O nome pode mesmo representar a pessoa (Mt 10.22; 19.29; Jo 20.31; At 5.41). Crer no nome de Cristo significa crer nEle e ser salvo através de Seu nome. As obras feitas em Seu nome são feitas por Seu poder imediato (At 16.18; 19.11-17; cf. Lc 24.47). A oração em Seu nome é como se o próprio Cristo a fizesse através do crente (Jo 14.14; 16.23; cf. Rm 10.13).

Números

De todas as indicações, certos números são significativos quando usados ocasionalmente nas Escrituras. O número *um* denota unidade (Ef 4.3-6). O dois denota diversidade ou diferença um do outro – "duas testemunhas", "língua dobre" (1 Tm 3.8; Ap 11.3), etc. O *três* relaciona-se às coisas sagradas e coisas do céu, por exemplo, três céus e três pessoas na divindade (Mt 28.19; 2 Co 12.2). É um dos números que sugere perfeição. O *quatro* fala da terra e das obras da criação; por exemplo, os quatro pontos da bússola, as quatro fases da lua, as quatro estações e os quatro cantos da terra (Ap 7.1; 20.8). O *cinco* parece ser da graça divina (cinco ofertas de Levítico 1–7). O *seis* é um número humano, como pode ser visto dos dias da criação, da semana de seis dias de trabalho do homem, ou o 666 em Apocalipse 13.18. O *sete* é o segundo número a sugerir plenitude ou totalidade (não perfeição). Veja Apocalipse 1.4.

Seus múltiplos (também suas metades) são 7x2 ou 14, que sugere genealogia (Mt 1.17); 70 (Lc 10.1); 70x7 (Mt 18.22); 77 (Gn 4.24); 7x7 ou 49, que conduz ao ano do jubileu (Lv 25.8 seguintes.), que é também expresso pela fraseologia "um tempo, e tempos, e metade de um tempo" (Ap 11.9; 12.14). O sete aparece em todas as partes da revelação divina – com especial significação em Gênesis 36 vezes, em Êxodo 17 vezes, em Levítico 20 vezes, em Números 23 vezes, em Deuteronômio 14 vezes, em João 7 vezes, em Efésios 9 vezes, e em Apocalipse 29 vezes. O *oito* pode ser o número da ressurreição, do despojar da carne pela circuncisão (Gn 17.12; Mt 28.1). O *nove* parece ser o número que sugere a finalidade de juízo ou 3x3 (Gn 17.1). O *dez* é o terceiro número

SUMÁRIO DOUTRINÁRIO

a sugerir totalidade e, na verdade, é o começo de uma nova série de números (Mt 25.1). O *onze* significa desordem, porque ele é equivalente a 12 menos 1 (At 1.26). O *doze* é o quarto e o último número de totalidade.

Ele indica eleição, exemplo, 12 tribos, 12 apóstolos, 12x2 ou 24, que fala do número de anciãos assentados ao redor do trono (Gn 49.28; Mt 10.2; Ap 4.4). O *treze* é talvez o número da calamidade (Gn 14.4). O número 2.520 é o mais notável de todos que estão em consideração. Ele é o produto de quatro números com a idéia de totalidade (3,7,10,12) quando tomados juntos, e o mínimo denominador comum para todos os dez dígitos, que pode ser dividido por todos ou por qualquer um deles. Ele, na verdade, é o número cronológico mais completo, sendo 7x360 (Dn 9.25).

Obediência

A obediência do Antigo Testamento era dirigida, doutrinariamente e em geral, a Deus (cf. Abraão, Gn 22.18; Saul, 1 Sm 15.22; 28.18). Foi uma questão nacional com Israel (Is 1.19; Zc 6.15).

Certas distinções ocorrem na afirmação do Novo Testamento sobre a doutrina. Primeira, há uma obediência pessoal de Cristo ao Pai (Fp 2.8) – um grande tema bíblico – que serviu como um teste de Sua verdadeira humanidade (Hb 5.8). Na realização da salvação, a obediência de Cristo é também proeminente (Rm 5.12-21). "Filhos da obediência" (1 Pe 1.14) são assim porque eles permanecem na obediência do "Último Adão; "filhos da desobediência" (Ef 2.2) são assim porque eles têm a ver com a desobediência do primeiro Adão. É necessário para os não-salvos serem obedientes ao Evangelho (At 5.32; 2 Ts 1.8), se eles vão ser redimidos. Os cristãos devem ser obedientes tanto a Deus quanto ao homem (At 5.29; 1 Pe 1.22). Os filhos devem ser submissos aos pais (Ef 6.1; Cl 3.20). Os servos devem obedecer aos seus senhores (Cl 3.22) e as esposas devem ser submissas a seus maridos (Ef 5.22). Nenhuma palavra é dirigida aos não-regenerados com respeito à obediência a Deus, à parte do Evangelho. A obediência para o cristão é equivalente a permanecer em Cristo (Jo 15.10).

Onipotência

A onipotência é um atributo pertencente a Deus somente. Ela fala de Seu poder ilimitado (Gn 18.14; Sl 115.3; 135.6; Is 43.13; Jr 32.17; Mt 19.26; Mc 10.27; Lc 1.37; 18.27).

O termo grego παντοκράτωρ, usado dez vezes, é traduzido como *onipotente* somente uma vez (Ap 19.6; cf. 2 Co 6.18; Ap 1.8; 4.8; 11.17; 15.3; 16.7,14; 19.15;

21.22, onde a tradução é *Todo-poderoso*). No Antigo Testamento a expressão *El Shaddai* significa "o Deus Todo-Poderoso", e é usada 47 vezes (Gn 17.1). O poder ilimitado de Deus é exercido sob o controle de Sua santa vontade. Espera-se que Ele faça, e por razões morais fará, somente aquilo que está em harmonia com Seu caráter. Ele nada fará errado nem agirá tolamente (Gn 1.1-3; 17.1; 18.14; Is 44.24; Mt 3.9; 19.26; Rm 4.17; 2 Co 4.6; Ef 1.11,19-21; 3.20; Hb 1.3). Observe todas as passagens onde a palavra *poderoso* aparece, por exemplo: "Deus é poderoso" (2 Co 9.8). Deus pode fazer tudo o que quer fazer, mas Ele pode querer não fazer tudo o que é capaz de fazer.

Onipresença

Embora não seja uma palavra bíblica, *onipresença* sugere muito bem como Deus enche plenamente toda parte, não meramente com Seu poder ou autoridade (1 Rs 8.27; 2 Cr 2.6; Sl 139.12; Is 66.1; At 17.28). Esta doutrina específica indica que a totalidade de Deus está em todo lugar, que não pode ser panteísmo e sua negação da personalidade de Deus. Há também uma concepção da mera localização da divindade – por exemplo "Pai Nosso que estás nos céus", "e está assentado à destra do trono de Deus", "uma habitação de Deus no Espírito" (Mt 6.9; Ef 2.22; Cl 3.1; Hb 12.2; cf. Sl 113.5; 123.1; Rm 10.6,7). Deus estava especialmente em Cristo (2 Co 5.19). O Filho habita no crente (Jo 14.20; Cl 1.27); o Espírito habita dentro do crente (1 Co 6.19); o Pai, o Filho, e o Espírito estão todos, num sentido não-diminuído e duma forma não-dividida, no crente (Rm 8.9; Gl 2.20; Ef 4.6).

Onisciência

A *onisciência*, outra vez, não é uma palavra da Bíblia, embora ela costumeiramente se refira ao fato de que Deus conhece num grau infinito e eternamente tudo o que é conhecível, seja real ou possível. O conhecimento real de Deus pode ser especificado nas seguintes passagens da Escritura: Salmo 33.13-15; 139.2; 147.4; Isaías 44.28; 46.9-10; Malaquias 3.16; Mateus 6.8; 10.29,30; Atos 2.23; 15.8; Hebreus 4.3. O conhecimento que Deus tem das coisas idealmente possíveis pode ser visto em Isaías 48.18 e Mateus 11.21. Seu conhecimento é eterno (At 15.18), incompreensível (Sl 139.6), e todo-sábio (Sl 104.24; Ef 3.10).

Há três aspectos do conhecimento divino: (a) autoconhecimento, que inclui todas as coisas, inclusive Ele próprio; (b) onisciência, que inclui todas as coisas na criação, sejam idealmente possíveis ou reais; e (c) presciência, que se relaciona somente às coisas divinamente determinadas ou previstas.

SUMÁRIO DOUTRINÁRIO

O conhecimento de Deus não está sujeito a aumentar ou a diminuir, nem sujeito à razão; não é afetado pelo sentimento de tristeza, pela memória ou pelo pressentimento. Como um antropomorfismo, Deus é apresentado como o que atinge o conhecimento e como o que se arrepende (Gn 6.6; 11.5).

A onisciência é a cognição ligada à onipresença. O valor prático disso é importante: (a) para aqueles sob teste e provação; (b) para aqueles que são tentados a pecar em secreto, porque tudo é conhecido por Deus; e (c) a partir dos recursos infinitos de Deus, para suprir a ausência de sabedoria no caso do homem (Sl 19.12; 51.6; 139.23-24; Tg 1.5).

Oração

Seis aspectos da oração devem ser considerados aqui:

1. NO ANTIGO TESTAMENTO. A oração no Antigo Testamento estava baseada nos pactos divinos e no caráter de Deus; daí a expressão "de acordo com tua palavra" ou "por causa do teu grande nome" (Gn 18.23-32; Êx 32.11-14; 1 Rs 8.22-53; Ne 9.4-38; Dn 9.4-19). A oração seguia usualmente o sacrifício de sangue (Hb 9.7).

2. PARA O REINO E NO REINO. Este aspecto da oração está baseado no cuidado de Deus o Pai, embora ainda muito basicamente condicionado sobre o mérito humano (Sl 72.15; Mt 6.5-15; 7.7-11).

3. DEBAIXO DA GRAÇA. A base agora é a da posição e do privilégio do crente em Cristo. Ela é feita em nome (i.e., como vitalmente ligado à Pessoa) de Cristo (Jo 14.14; 16.23, 24). A oração sob a graça prova ser um ministério do crente em seu ofício sacerdotal. O crente é visto assim como se estivesse em parceria com Cristo (cf. 1 Co 1.9). As "maiores obras", João 14.12-14, são realizadas pela nova parceria de Cristo com o crente. Cristo, em cumprimento deste pacto, realiza as "maiores obras", como o crente no cumprimento de sua responsabilidade realmente ora (Jo 14.14). O objetivo supremo de tal obra e oração é para "que o Pai seja glorificado no Filho" (Jo 14.13). Aqui a única condição para a oração ser respondida é orar em "meu nome". Esta é a nova base da graça para a oração. Ela significa orar do ponto de vantagem da posição do crente em Cristo. Naturalmente, o crente pode fazer uma oração tola e indigna a partir dessa base, mas ele nunca se aparta dessa base.

As palavras *em meu nome* podem significar que nesta parceria Cristo se identifica com aquele que pede. É como se Ele assinasse a petição com o crente. João 15.7 declara que como a Palavra de Cristo permanece no crente, e como o crente é obediente a essa Palavra, que resolve permanecer em Cristo (Jo 15.10), ele pode "pedir o que quiser" (cf. duas razões para a oração não-respondida dadas em Tiago 4.2, 3). O "tudo quanto pedirdes" (Jo 14.13) deveria ser considerado em sua relação com o nome através do qual a oração é feita, a saber, deve designar que isso possa ser agradável e apropriado a Cristo.

Há uma ordem divina prescrita para a oração debaixo da graça. Isto está demonstrado nas seguintes palavras: "Naquele dia nada me perguntareis. Em verdade, em verdade vos digo que tudo quanto pedirdes ao Pai, ele vo-lo concederá em meu nome" (Jo 16.23). Também observe de outro texto que a oração deve ser feita no Espírito Santo (Jd 20). Pelo uso da frase "naquele dia", é feita referência então ao tempo imediatamente após a ressurreição de Cristo e do dia de Pentecostes, ou a aurora da nova era da graça. Em outras palavras, este é o arranjo sobre a oração prescrito para o dia em que os cristãos vivem e está distintamente declarado que no tempo presente eles não devem orar diretamente a Cristo, mas ao Pai no nome poderoso de Cristo com a certeza de que o Pai responderá as orações deles. Orar ao Pai em nome do Filho e no poder do Espírito Santo é uma ordem que não tem sido arbitrariamente imposta.

A razão para esta ordem é totalmente óbvia. Orar a Cristo significaria abandonar Sua mediação; seria não orar *através* dEle, mas, antes, *a* Ele, e por meio disso sacrificar o aspecto vital da oração sob a graça – oração *em Seu nome*. É igualmente fora de uso orar ao Espírito Santo, porque se assim fizerem os cristãos sugerem que eles não mais precisam de Sua ajuda; ao invés de caminhar com Sua ajuda, eles ignorariam a necessidade dEle.

Não é difícil ajustar o eu de alguém para estas exigências e ser inteligente na ordem da oração. Que seja reafirmado que a oração na presente dispensação é ao Pai e em nome do Filho e no poder do Espírito Santo.

4. POR CRISTO. Cristo orou, e o fez adequadamente (Hb 5.7), ao Pai sem mediação ou dependência do Espírito Santo, ao menos não há qualquer revelação a respeito.

5. PELO ESPÍRITO. Em Romanos 8.26,27, e a respeito da ajuda do Espírito na intercessão, deve ser observado como quando se ora (mesmo por outros) ninguém pode saber tudo o que está envolvido: "...porque não sabemos o que havemos de pedir como convém; mas o Espírito mesmo intercede por nós com gemidos inexprimíveis". É provavelmente verdadeiro que Ele "faz intercessão" não somente diretamente ao Pai, mas também por meio do crente por inspirá-lo e iluminá-lo a respeito daquilo pelo que ele ora.

6. POR MOISÉS E PAULO. As orações de Moisés por Israel e de Paulo (exemplo, Ef 3.14-21) pelos santos desta era deveriam ser estudadas cuidadosamente.

Ordenança

'Ordenança' é a tradução de cinco palavras do grego do Novo Testamento:
διαταγή – *uma disposição em ordem* (Rm 13.2; cf. At 7.53).
δικαίωμα – *estatutos legais* (Lc 1.6; Hb 9.1; cf. Rm 1.32; 2.26; 5.16-18; 8.4; Hb 9.10; Ap 15.4; 19.8).
δόγμα – *uma opinião* (Ef 2.15; Cl 2.14; cf. Lc 2.1; At 16.4; 17.7).

SUMÁRIO DOUTRINÁRIO

κτίσις – *um fundador* (1 Pe 2.13; cf. Mc 10.6). Dezesseis vezes é usada para significar criatura ou criação, inclusive Hebreus 9.11.

παράδοσις – *entrega, instrução* (1 Co 11.2; cf. Mt 15.2). A palavra é traduzida treze vezes como *tradição*.

Há certas ações ordenadas e mandadas por Deus, assim como há tradições de homens que foram impostas como obrigação. O termo *ordenança*, ou *ordenanças*, contudo, é limitado pelo uso eclesiástico a casamento, batismo e à Ceia do Senhor (veja cada uma dessas doutrinas no lugar próprio).

Ordenar

'Ordenar' é a tradução portuguesa de dez palavras gregas: διατάσσω (1 Co 7.17), *arranjar, por plenamente em ordem*; καθίστημι (Tt 1.5; Hb 5.1; 8.3), *estabelecer, constituir*; κατασκευάζω (Hb 9.6), *preparar plenamente*; κρίνω (At 16.4), *separar, chegar a uma decisão*; ὁρίζω (At 10.42; 17.31), determinar; ποιέω (Mc 3.14), *fazer*; προορίζω (1 Co 2.7), *predeterminar, marcar de antemão*; τάσσω (At 13.48; Rm 13.1), *apontar*; τίθημι (Jo 15.16; 1 Tm 2.7), *constituir, colocar*; χειροτονέω (At 14.23), *segurar a mão quando em votação*.

No uso eclesiástico se refere a separar homens para um serviço particular (Mc 3.14; Jo 15.16; At 6.1-6; 13.2, 4; Gl 1.1; 1 Tm 4.14; Tt 1.5).

A Bíblia não ensina que a ordenação por homens seja uma provisão indispensável para se obter a graça divina. A autoridade de ordenar homens parece conferida ao grupo que está encarregado do ministério (At 1.15-26; 6.1-6). Há sempre o grande perigo de os homens assumirem mais nesse ponto do que a Escritura permite. Essas ordenanças estão aos cuidados dos ordenados e é uma tentativa de salvaguardar essas ordenanças, naturalmente, mas não há uma autoridade para isso no Novo Testamento (1 Co 14.26).

Pactos

Desde os dias de Johannes Cocceius (1603-1669) que, mais do que qualquer outro, introduziu a idéia de um pacto da graça, muitos teólogos têm promovido a noção de que Deus empreende apenas um objetivo em toda a história humana. A Escritura deve ser ignorada ou mal-interpretada para que tal idealismo possa ser desenvolvido. A idéia de um só pacto não poderia evitar de ser um meio de fechar as Escrituras para o entendimento humano. Não se segue necessariamente – como alguns argumentam – que porque há apenas uma base justa sobre a qual Deus pode tratar graciosamente com os pecadores, a saber, pelo sangue de Cristo derramado por eles, que deve haver apenas um relacionamento de pacto entre Deus e o homem. Que Deus tem propósitos terrestres, assim como celestiais e, além disso, bênçãos transformadoras adaptadas a cada grupo e esfera a que eles pertençam será visto por qualquer estudante do Texto Sagrado livre de preconceito.

Em relação ao Seu povo terrestre, Israel, e suas bênçãos, Deus fez vários pactos. Alguns desses são condicionais e outros incondicionais, termos que sugerem que em alguns pactos Deus fez depender da fidelidade deles, enquanto que em outros Ele meramente declara o que Ele fará totalmente à parte da questão da dignidade ou da fidelidade humana.

Sem muitos textos sobre os quais baseá-la, os teólogos do pacto têm suposto a existência de um pacto entre as Pessoas da Trindade em relação a parte que cada uma delas assume no programa divino total das eras, especialmente na redenção. O máximo que pode ser dito desta argumentação é que ela é razoável; todavia, ainda assim, dificuldades são geradas. Pois se assume que houve um começo no plano e no propósito de Deus e que as Pessoas isoladas da Trindade mantinham interesses individuais.

Não obstante, Deus entrou em nove pactos com o homem na terra. A Escritura está relacionada com estes nove acordos. Portanto, é muito essencial que se dê atenção as provisões feitas para eles. É verdade que os relacionamentos anteriores entre Deus e o homem, incluídos aqui, não são chamados pactos, mas ainda eles partilham da natureza dos pactos.

Os primeiros três pactos – edênico, adâmico e noaico – definiram a vida humana bem no seu início. O pacto edênico governou a vida do homem não-caído no Éden e possui sete partes. O pacto adâmico governou o homem caído em seu estado ausente do Éden e divide-se em sete partes. O pacto noaico proveu para o homem após o Dilúvio e está dividido, igualmente, em sete partes. Estes, com todos os pacto restantes, tiveram um tratamento mais completo anteriormente, no estudo de Bibliologia (Vol. I).

O quarto pacto na ordem é o abraâmico, que também tem sete divisões – (1) "Farei de ti uma grande nação"; (2) "Eu te abençoarei"; (3) "E farei grande o teu nome"; (4) "E tu serás uma bênção"; (5) "E abençoarei os que te abençoarem"; (6) "E amaldiçoarei os que te amaldiçoarem"; (7) "Em ti serão benditas todas as famílias da terra" (Gn 12.1-3).

O quinto pacto, que tem sido chamado de mosaico (Êx 19.5), é um pacto feito com Israel como uma nação somente e duma maneira condicional. Um pacto incondicional não pode ser quebrado pelo homem visto que nada depende dele. Um pacto condicional pode ser rompido, e o pacto mosaico na verdade, que é mais familiarmente conhecido como lei, foi quebrado. Deus declara isto em Jeremias 31.32 (cf. Hb 8.9). Este pacto tinha governado a conduta de Israel como um povo redimido. Ele foi dado para eles, contudo, não como um meio de redenção ou de obtenção de uma relação de pacto com Deus, mas porque eles estavam numa relação correta com Deus como uma nação redimida sob o pacto de Deus com esse povo que descendia de Abraão. Não deveria exigir esforço algum para reconhecer que o pacto mosaico nunca foi dirigido aos cristãos; todavia, certos círculos da Igreja professante têm falhado em ver por que os santos de Deus da presente era não podem estar debaixo da lei (Jo 1.17; Rm 6.14; 7.4, 6; 2 Co 3.6-13; Gl 3.23-25).

O sexto pacto, que é o palestínico (cf. Dt 30.1-10), apresenta as condições sobre as quais Israel entrou na Terra Prometida, a Palestina. Ele também é expresso em sete partes, que estão claramente apresentadas na única passagem que trata dele. A terra será para eles uma posse eterna e para ela eles vão retornar, porque os pactos de Jeová com Israel não podem ser violados.

O sétimo pacto é o davídico, que foi feito com Davi (cf. 2 Sm 7.14,15) e se divide em cinco partes. A posteridade de Davi não falha; seu trono é estabelecido para sempre; um reino ou esfera de governo continua para sempre; e Jeová reservou a si o direito de castigar os filhos de Davi, mas o pacto não pode ser violado. Ele é incondicional (cf. 2 Sm 7.12-16; Sl 89.1-37). A Davi, entretanto, nunca faltará um filho para assentar-se no seu trono (Jr 33.17); e como o Filho eterno de Deus, que em Sua humanidade é um filho de Davi, sentará sobre esse trono para sempre (Lc 1.31-33), nunca faltou em todas as gerações antes de Cristo ser nascido da linhagem de Davi, desde então, para assentar-se no trono (cf. Sl 2.6-9; Mt 25.31).

O oitavo pacto é com Israel e condiciona a vida deles no reino (cf. Jr 31.31-34). Ele substitui e, além disso, inclui os mandamentos mosaicos (cf. Dt 30.8), embora de uma forma mais elevada. Ele também é um pacto incondicional e se divide em quatro partes.

Resta ainda ser reconhecido um pacto celestial para o povo celestial, que é também chamado como o precedente para Israel, um "novo pacto". É feito no sangue de Cristo (cf. Mc 14.24) e continua em vigor por toda esta era, enquanto que o novo pacto feito com Israel é futuro em sua aplicação. Supor que esses dois pactos – um para Israel e um para a Igreja – são o mesmo, é supor que há uma amplitude de interesse comum entre o propósito de Deus para Israel e Seu propósito para a Igreja. O pacto de Israel, entretanto, é novo somente porque ele substitui o de Moisés, mas o pacto da Igreja é novo, porque ele introduz aquilo que é o mistério de Deus e é algo sem nenhuma relação com o passado. O novo pacto de Israel repousa especificamente nos soberanos "Eu farei" de Jeová, enquanto que o novo pacto para a Igreja é feito no sangue de Cristo. Todavia, tudo o que Israel terá, para prover outro contraste, é a presente posse da Igreja – e infinitamente mais.

Pão

Como o sustento da vida, o mais universal e o mais completo artigo da comida humana, o pão imediatamente se torna o símbolo do suprimento divino para as necessidades humanas. Assim, e por essa linha de raciocínio, o pão tem sido considerado um elemento sagrado, e é especialmente considerado pelos egípcios. Na economia judaica, o pão mantinha uma significação típica enquanto que para o cristão ele é simbólico. Estas divisões gerais do assunto devem ser observadas mais especificamente.

1. O SUSTENTO DA VIDA. Pão é o termo usado pela Bíblia para indicar a nutrição física em geral. Bem cedo na história humana, em Gênesis 3.19, está registrado que Deus disse a Adão: "Do suor do teu rosto comerás o teu pão". A palavra *pão* ocorre 24 vezes em Gênesis e mais de cem vezes no Pentateuco. O maná foi chamado pão – aquilo que Deus fez cair do céu para Israel (Êx 16.4). Na maior parte, parece que o pão era, nos tempos mais antigos, freqüentemente o único item de comida. Por causa destes fatos, nada poderia ser melhor do que o pão como um símbolo do cuidado de Deus.

2. A IMPORTÂNCIA TÍPICA. Neste aspecto da doutrina, o mais importante é o mover dos pães, que durante a festa de Pentecostes eram apresentados perante Jeová (cf. Lv 23.17-20). O antítipo é a Igreja vista por Deus desde que ela começou a existir no dia de Pentecostes. A festa que imediatamente precedia o Pentecostes no calendário de Israel era a das Primícias, que antecipava Cristo na ressurreição. Ele se tornou na verdade as Primícias daqueles que dormem (1 Co 15.20). É profundamente impressionante e sugestivo que a perfeita ordem de Deus para a festa de Pentecostes acontece exatamente cinqüenta dias após a festa das Primícias. Esta medida cuidadosa está indicada pelas palavras de Atos 2.1: "Ao cumprir-se o dia de Pentecostes, estavam todos reunidos no mesmo lugar".

Nesta sucessão de festas e do significado dos pães movidos, o Dr. C. I. Scofield escreve em suas notas sobre Levítico 23.16,17: "A festa de Pentecostes, versículos 15-22. O antítipo é a descida do Espírito Santo para formar a Igreja. Por esta razão o fermento está presente, porque há mal na Igreja (Mt 13.33; At 5.1,10; 15.1). Observe, agora são *pães*; não um feixe de pequenos ramos separados e soltamente ajuntados, mas uma real união de partículas que formam um *corpo* homogêneo. A descida do Espírito Santo no Pentecostes uniu os discípulos separados em um só organismo (1 Co 10.16,17; 12.12, 13, 20). Os pães movidos eram oferecidos cinqüenta dias após os feixes apresentados. Este é precisamente o período entre a ressurreição de Cristo e a formação da Igreja no Pentecostes pelo batismo do Espírito Santo (At 2.1-4; 1 Co 12.12,13)... Com o feixe movido nenhum fermento era oferecido, porque não havia mal algum em Cristo; mas os pães movidos, tipificando a igreja, são 'assados com fermento', porque na Igreja ainda está o mal".[21]

3. O SIGNIFICADO SIMBÓLICO. Por ter declarado ser o Pão que desceu do céu (cf. Jo 6.41), e asseverado que Sua carne deve ser comida e Seu sangue bebido, e que a comida e a bebida são necessários para se receber vida eterna (Jo 6.48-58), Cristo assinala: "as palavras que eu vos tenho dito são espírito e são vida" (Jo 6.63). À parte da explicação de Cristo de que Ele se refere às realidades espirituais antes que físicas, resta pouco para fazer além de se juntar a muitos que, então, disseram: "Duro é este discurso; quem o pode ouvir?" (Jo 6.60).

Contudo, no contexto, Cristo declarou de modo definitivo que este mesmo dom da vida eterna está condicionado à sua recepção pela fé nele (Jo 6.47), e, ainda: "A obra de Deus é esta: que creiais naquele que ele enviou" (Jo 6.29). Igualmente, "e o que vem a mim de maneira nenhuma o lançarei fora" (Jo 6.37). Portanto, segue-se que a exigência de Sua carne ser comida e de Seu sangue ser bebido é uma figura intensificada e realista que aponta para uma recepção mais real de Cristo como Salvador.

Esta figura de linguagem ou de intensificação da verdade se torna imediatamente numa correção do erro tão dominante, ou seja, que crer em Cristo significa não mais do que um reconhecimento do fato histórico de Cristo, inclusive um propósito digno de sua vida e morte. Que tal fé é insuficiente, deve ser sempre advertido. É somente quando há uma visão e o entendimento operados pelo Espírito e quando o indivíduo se torna comprometido com Ele como um Salvador vivo, que a fé salvadora pode ser exercida. Então se segue um repouso na fé salvadora; pois esta é a única coisa a ser crida, que Cristo representa tudo o que Ele alega ser, mas uma coisa totalmente diferente é depender dele completamente para se ter uma salvação pessoal. Uma pessoa assim comprometida com Cristo pode dizer como Pedro: "Senhor, para quem iremos nós? Tu tens as palavras de vida eterna" (Jo 6.68). Tal testemunho se torna uma evidência clara da espécie de confiança que repousa em Cristo somente. Como a comida e a bebida são tomadas e assimiladas, de igual modo, Cristo deve ser recebido e assimilado.

Não se deve estranhar, portanto, quando Cristo escolhe o pão como símbolo de Sua carne como se alguma coisa tivesse de ser comida e o vinho – "o sangue de uvas" – como símbolo de Seu sangue. Está na profecia de Jacó a respeito de Judá e seu futuro com sua prefiguração de Cristo que esta notável passagem a respeito do "sangue de uvas" ocorre. A passagem diz: "Atando ele o seu jumentinho à vide, e o filho da sua jumenta à videira seleta, lava as suas roupas em vinho e a sua vestidura em sangue de uvas" (Gn 49.11). Igualmente significativo é o incidente que ocorreu quando Melquisedeque encontrou-se com Abraão e "trouxe pão e vinho" (Gn 14.18) – certamente símbolos de uma redenção completa. O que isto significava para Abraão não está totalmente revelado; contudo de Abraão, Jesus Cristo disse: "Abraão, vosso pai, exultou por ver o meu dia; viu-o, e alegrou-se" (Jo 8.56).

O quanto e especificamente o que Cristo incluiu nas palavras "meu dia" permanece desconhecido. É provável, contudo, em vista do fato de Abraão ser o único exemplo da operação da graça como foi demonstrado no Novo Testamento, esse Abraão, como o único "nascido fora do tempo devido", viu a obra completa de Cristo e foi salvo na mesma medida em que são salvos os que agora entram no valor de Sua obra redentora. A recepção dos elementos, pão e vinho, não somente fala da redenção, mas também de uma apropriação constante de Cristo como o ramo se apropria da videira. O partir do pão, além do mais, é um testemunho diretamente para Cristo a respeito desta dependência vital dEle.

Paracleto

Paracleto é uma palavra grega não-traduzida que no Novo Testamento é peculiar a João. Ela se refere à obra do Espírito (Jo 14.16,26; 15.26; 16.7), quando se traduz *Consolador*, e assim à obra pessoal de Cristo no céu (veja 1 Jo 2.1, onde é traduzida como *Advogado*). O sentido literal da raiz é "chamar alguém de lado". Uma vez é usada na Septuaginta, quando Jó fala de "confortadores miseráveis" (Jó 16.2).

Há três significados importantes na palavra: (1) advogado legal; (2) intercessor; e (3) ajudador em geral. A primeira e a segunda são encontradas na obra de Cristo, o Advogado, enquanto que a última é discernível na obra do Espírito Santo. (veja ADVOGADO).

Paraíso

No grego o significado do termo *paraíso* é 'jardim' ou 'parque', e assim pode ser usado a respeito do Éden na LXX (cf. Gn 13.10; Is 51.3; Ez 28.13; 31.8, 9). A palavra é encontrada três vezes no Novo Testamento (Lc 23.43; 2 Co 12.4; Ap 2.7).

O ensino judaico tornou o paraíso uma parte do *Hades* que estava reservada para os benditos. Uma ilustração desta crença é dada por Cristo na narrativa do rico e de Lázaro (Lc 16.19-31).

O paraíso é agora, desde a ressurreição de Cristo (Ef 4.8-10), removido do *hades* e localizado onde Cristo se encontra entronizado (2 Co 12.4), o terceiro céu. Apocalipse 2.7 promete, em oposição à teoria que nega plena consciência no presente aos que já partiram: "Ao que vencer, dar-lhe-ei a comer da árvore da vida, que está no paraíso de Deus". A deturpação da Escritura feita pelos advogados do sono da alma é bem ilustrada no tratamento que eles dão à doutrina do paraíso (e.g., um versículo como Lucas 23.43).

Para a presente habitação dos espíritos dos crentes que se foram, veja 2 Coríntios 5.8 e Filipenses 1.23. Para a presente habitação dos corpos dos crentes que se foram, veja Romanos 8.23; 1 Coríntios 15.35-57; Filipenses 3.20,21. O *sheol* declarado na linguagem do Antigo Testamento e *Hades* na do Novo Testamento representam a habitação dos espíritos da raça não-regenerada.

Quando apedrejado à morte em Listra, embora o elemento tempo não possa ser finalmente estabelecido, Paulo foi levado ao paraíso – o terceiro céu, mas subseqüentemente não lhe foi permitido contar o que havia visto e ouvido. Não obstante, ele escreveu acerca da matéria: "Partir e estar com Cristo... é muito melhor" (Fp 1.23).

Parousia

Parousia é uma palavra grega para 'vinda' de alguma coisa ou 'estar presente em razão da vinda' (cf. 2 Co 7.6,7; Fp 2.12). Não é restrita à forma do aparecimento de Cristo, mas é usada tanto de Seu retorno para os seus santos e com os seus santos (cf. Mt 24.3 com 1 Co 15.23). Ela é usada 24 vezes no Novo Testamento. Outros termos a serem distintos dela são: *apokalupsis* – 'manifestação' ou 'revelação' (usada oito vezes no Novo Testamento, onde cinco se referem ao retorno de Cristo, e.g., 1 Co 1.7; 2 Ts 1.7; 1 Pe 1.7); *epiphania* – 'aparição' (usada seis vezes e sempre da primeira ou da segunda vinda de Cristo – 2 Ts 2.8; 1 Tm 6.14; 2 Tm 1.10; 4.1, 8; Tt 2.13); *Dia do Senhor* – que significa o tempo dos Seus julgamentos na segunda vinda (2 Ts 2.2).

Paternidade de Deus

Enquanto não é permitido à mente finita compreender plenamente o Deus infinito, pode ser observado que algum conhecimento dEle está disponível e penetrar nele se torna um privilégio e um dever. Ele é revelado por meio da natureza como seu Projetista e Criador. Deus é revelado também nas Escrituras, que diretamente testificam dEle, e através da Pessoa do Senhor Jesus Cristo, que veio para revelá-lo (Jo 1.18) e para trazê-lo aos homens (Mt 11.27). Deus deve ser reconhecido de ambas as formas, como Criador e Pai. A mente humana parece compreender Deus como Criador mais prontamente do que o faz como Pai. É mais comum as investigações das atividades criadoras de Deus, portanto, do que considerá-lo em Sua paternidade. A despeito desta tendência, há um extenso conjunto de verdades que tratam da paternidade de Deus. Ele tem sido apresentado pelo Texto Sagrado como Pai em quatro aspectos:

1. PAI DO SENHOR JESUS CRISTO. A esta altura a frase: "o Deus e Pai de nosso Senhor Jesus Cristo", usada três vezes (cf. Jo 20.17; 2 Co 11.31; Ef 1.3; 1 Pe 1.3), deveria ser considerada. Ela é totalmente diferente da frase mais comum com a qual o apóstolo Paulo inicia quase todas as suas cartas, ou seja: "Bendito seja o Deus e Pai de nosso Senhor Jesus Cristo" (2 Co 1.3). Na última passagem, somente a paternidade com respeito a Cristo é asseverada, enquanto que na declaração anterior há a sustentação de um duplo relacionamento, que é primeiro com Deus e em segundo com o Pai. Estes relacionamentos distintos não são a mesma coisa. Do lado de sua humanidade, a Primeira Pessoa é dita ser o Seu Deus. Do lado de Sua divindade, a Primeira Pessoa é apresentada como Seu Pai. A conexão em que a Primeira Pessoa é apresentada como Seu Deus começou com a encarnação, e continua por causa de Sua humanidade.

A conexão em que a Primeira Pessoa é mencionada como Seu Pai existe desde toda a eternidade e sempre permanecerá como tem sido. A Primeira Pessoa nunca é Deus da Segunda Pessoa, mas Seu Pai num sentido peculiar que pertence mais a outras esferas de existência do que com esta esfera terrena. O pensamento de inferioridade ou sucessão não deve ser incluído no relacionamento divino do Pai com o Filho. Isto está mais próximo do pensamento de manifestação. Parece haver na associação singular e eterna entre a Primeira e a Segunda Pessoas da divindade algo que pode ser melhor comunicado à mente humana pelo padrão dos títulos usados por um pai terreno e seu filho. Onde quer que Cristo tenha se dirigido à Primeira Pessoa como *Deus*, está claramente indicado que Ele falava do ponto de vista de Sua própria humanidade (cf. Mt 27.46; Hb 10.7).

O ariano desonra Cristo, ao levantar a argumentação de que Cristo, embora singular, era inferior ao Pai. Esta concepção errônea é agora perpetuada pela teologia dos unitarianos e, sem dúvida, é a convicção dos chamados teólogos modernistas, hoje. A rejeição deve ser também acordada com as quatro crenças: (a) a de que Cristo se tornou um Filho por Sua encarnação (Lc 1.35); (b) a de que Ele se tornou Filho pela ressurreição (Rm 1.4); (c) a de que Ele é o único em virtude do Seu ofício; e (d) a de que Ele é o único por título. Ao contrário, foi um Filho a quem Deus enviou ao mundo, foi Aquele que Ele "deu" (cf. Is 9.6; Jo 3.16). A Segunda Pessoa realmente se tornou um filho humano, por assumir a forma humana e Ele foi gerado em Sua humanidade pelo Espírito Santo, mas isto está muito distante do fato de que Ele foi desde sempre o Filho do Pai. Ele era o Filho eterno antes que Ele viesse ao mundo. Outros títulos – *Unigênito* e *Primogênito* – falam de Sua divindade e são também eternos em sua referência. Cristo, por ser Deus, é enviado como Filho que era e é, não, contudo, a fim de ser tornar um Filho.

2. PAI DE TODOS OS QUE CRÊEM. Um fato infinitamente verdadeiro, todavia difícil de se crer, é que todos os que recebem Cristo (cf. Jo 6.53), ou crêem no Seu nome (cf. Jo 1.12,13), tornam-se descendência legítima de Deus; eles se tornam conformados eventualmente à imagem do Filho de Deus – Cristo, cuja verdade exige que eles tenham se tornado reais filhos de Deus; do contrário, Cristo não seria capaz de chamá-los de *irmãos* (cf. Rm 8.29), nem poderiam eles ser herdeiros de Deus e co-herdeiros com Cristo, a menos que sejam tornados *reais* filhos de Deus (Rm 8.17). Para um filho assim recriado, o valor imensurável de seu estado não aparece no presente mundo. Esse valor será a mais importante distinção que haverá de ser característico por toda a eternidade de todos os que são filhos de Deus. Como Seu propósito supremo no presente, Deus está agora "trazendo muitos filhos à glória" (Hb 2.10).

3. PAI DE ISRAEL. Diversas vezes Deus se dirige à nação de Israel como seu pai (cf. Êx 4.22; Dt 32.6; Is 63.16; 64.8). Esta última designação, quando aplicada a Israel, não sugere que os israelitas individualmente tenham sido filhos regenerados de Deus. O termo parece conotar uma solicitude ou paternidade nacional em razão do cuidado paternal por todos, assim como Jeová declarou-se a Si mesmo ser um marido para Israel (cf. Jr 31.32).

SUMÁRIO DOUTRINÁRIO

4. Pai de Todos os Homens. Ao observar a genealogia de Cristo até Adão, Lucas explica a existência do primeiro homem e declara-o ser um filho ou criação de Deus (Lc 3.38). De um modo muito evidente, esta é uma filiação por direito de criação – a única concepção da paternidade divina que uma pessoa não-regenerada pode cogitar. O apóstolo semelhantemente cita o poeta pagão como o que assevera que todos os homens são, assim, geração de Deus (cf. At 17.28). Todos os homens podem, na verdade, ser considerados filhos de Deus, visto que eles devem sua existência a Ele. Esta idéia restrita tem sido tomada por alguns homens modernos, contudo, como base para uma suposta filiação universal e uma paternidade universal de Deus em termos íntimos. Deveria ser lembrado, contrário a tal suposição, que Cristo disse às próprias autoridades da nação judaica que eles eram filhos do maligno (cf. Jo 8.44). Conseqüentemente, a filiação, que está baseada na mera existência, mas que liga o homem a Deus como Criador, deve estar muito distante da idéia de uma filiação que é o estado de todo crente – regenerado, nascido de Deus e membro da família de Deus como cada um deles é.

Paz

A paz é o oposto da ansiedade no coração ou da discórdia ou inimizade entre indivíduos e nações. Quatro aspectos da paz deveriam ser considerados:

1. Com Deus (Rm 5.1). Isto significa que o crente está agora e para sempre em sua relação com Deus, porque ele foi justificado. Este aspecto da paz nunca é uma experiência. É totalmente posicional.

2. De Deus (Fp 4.7; Cl 3.15; cf. Hb 13.20). Esta se refere não à posição, mas a uma experiência. Sobre ela Cristo disse: "A minha paz vos dou" (Jo 14.27). Aqui é paz interiorizada, parte do fruto do Espírito (Gl 5.22).

3. No Reino Vindouro (Is 9.6,7). As duas grandes palavras do reino para Israel são *justiça* e *paz*. Observe a prova desta afirmação na totalidade do Sermão do Monte (Mt 5.1–7.27).

4. Em um só Corpo. A antiga inimizade entre judeus e gentios é assemelhada a um muro de separação é derrubada quando judeus e gentios são unidos agora um ao outro, num só Corpo, a Igreja (Ef 2.14-18; Cl 1.20).

5. Em Geral. Observe os seguintes pontos: (a) Não pode haver paz neste mundo que rejeita Cristo (Is 57.20,21). (b) 1 Tessalonicenses 5.3 indica que as nações atingirão um tempo de paz temporária antes da volta de Cristo. (c) Nenhuma luta deve caracterizar o reinado do Príncipe da Paz, porque a tranqüilidade cobrirá a terra como as águas cobrem o mar (Is 11.9). Àquela altura uma bênção deve ser pronunciada sobre todos os que são pacificadores (Mt 5.9).

Pecado

1. Definição. O pecado é aquilo que prova dessemelhança do caráter de Deus. Três teorias deveriam ser observadas como inadequadas porque elas definem o mal como não mais do que: (a) uma violação da lei divina; (b) finitude ou (c) egoísmo.

2. Origem. Por ser o oposto da virtude, a impiedade sempre foi idealmente existente onde quer que a virtude possa ser encontrada. Naturalmente, ela não podia ter expressão até que seres capazes de pecar fossem criados; daí, o devido curso do pecado dos anjos e, posteriormente, dos homens.

3. Permissão Divina. As seguintes afirmações deveriam ser consideradas primeiro quando se pondera a questão sobre por que Deus permitiu o pecado ser expresso:

A. Não há uma revelação em resposta à pergunta no que diz respeito aos anjos.

B. Há, na verdade, apenas pouca coisa revelada sobre o assunto relativo aos homens. As várias sugestões mencionadas abaixo, contudo, podem ser estudadas:

(1) O pecado foi permitido entrar para assegurar uma raça possuída daquela virtude que é devida à decisão do livre-arbítrio para o bem, antes que para o mal. Deus conhece perfeitamente todas as coisas, mas o homem deve aprender por meio da experiência ou revelação (Gn 3.22). Portanto, é dito de Cristo, do lado humano, que Ele aprendeu pela experiência (Hb 2.10; 5.8). Como, então, pode o homem vir à posse do conhecimento que vê uma diferença entre o bem e o mal? Ele evidentemente deve aprender o que Deus conhece, a fim de apreender. Como pode conhecer o que Deus reconhece a respeito do pecado e seu caráter sem o aparecimento do pecado? Não é esta manifestação do mal uma necessidade, se o ideal divino que o homem representa deve ser realizado? A que ponto do pecado e de suas conseqüências deve a humanidade ir, contudo, para que este fim seja realizado? Deve o mal ainda ser condenado por Deus e julgado? Deveria ele ser desculpado com base no fato de Deus permitir sua existência para um propósito Seu? Por isso, ele não mais demonstra o caráter infinito de mal? Conseqüentemente, a plena expressão do pecado é exigida e a sua punição eterna também.

(2) Os santos anjos podem beneficiar-se da tragédia do pecado observada na terra (Ef 3.10,11; Hb 12.1; 1 Pe 1.12).

(3) As alegações dos princípios do mal exigem um teste experimental antes do que a mera denúncia de Deus, a fim de que toda boca se cale (cf. Rm 3.19).

(4) O ódio divino ao pecado deve ser revelado (Rm 9.22).

(5) Para mostrar as riquezas da graça divina em todas as eras vindouras (Ef 2.7,8; cf. Lc 7.47 como uma ilustração), o pecado teve de ter a sua manifestação.

C. Qual, então, é a relação moral que Deus manteve com a permissão do pecado? Evidentemente, Ele deve permitir o pecado ser expresso para que o homem, Sua criação singular, possa se tornar o que Deus pretendeu que ele fosse.

D. Qual, conseqüentemente, é a relação moral do homem ao mal que Deus permitiu? Deve ser para ele tão ímpio quanto a revelação e a experiência o revelam ser.

SUMÁRIO DOUTRINÁRIO

4. Fatos Importantes.

A. O próprio caráter de Deus é santo e cada um dos Seus caminhos é perfeito (1 Jo 1.5).

B. O pecado é muitíssimo pecaminoso. Ele prova ser infinito em seu caráter mal, visto que ele é cometido contra o Deus infinito. Observe aqui como prova: (1) O primeiro pecado de Satanás e seus efeitos; (2) o primeiro pecado de Adão e seus efeitos; e (3) o sacrifício infinito de Cristo como exigência para curar o pecado.

C. O propósito de Deus não é evitar o pecado, mas assegurar pecadores purificados pelo sangue em glória.

5. O Julgamento Divino. A condenação de Deus do mal cobre quatro aspectos universais:

A. O pecado imputado com sua penalidade de morte, que vem diretamente a todo indivíduo que procede da parte de Deus por causa da participação no pecado de Adão (Rm 5.12-21). Este tipo de pecado vem imediatamente a todo indivíduo e é a única causa da universalidade da morte física.

B. A natureza pecaminosa. O pecado transmitido e seus efeitos manifestos na natureza caída, na morte espiritual, na depravação, são recebidos mediatamente desde Adão através da geração física.

C. O estado sob o pecado. Aqui Deus, com propósito de pura graça, recusa-se a receber qualquer mérito do homem como uma contribuição para sua salvação (Rm 3.9; 11.32; Gl 3.22). Este aspecto do pecado é limitado somente à presente era.

D. O pecado pessoal. Esta espécie de mal é curada pelo sacrifício de sangue unicamente. Três divisões gerais do tema podem ser observadas: (1) Pecados cometidos *anteriormente* ou antes da cruz e *neste tempo* (Rm 3.25, 26); (2) pecados dos não-salvos e dos salvos; (3) a morte de Cristo *pelos* pecados e Sua morte *para* o pecado (Rm 6.10; 1 Pe 3.18).

Sete modos de Deus tratar com a culpa do pecado pessoal devem ser observados: (1) ele é removido do condenado quanto o oriente está distante do ocidente (Sl 103.12); (2) lançado para trás de Suas costas (Is 38.17); (3) procurado e não encontrado (Jr 50.20); (4) lançado nas profundezas do mar (Mq 7.19); (5) perdoado, incluído toda conduta passada, presente e futura (Cl 2.13); (6) não mais lembrado no céu (Hb 10.17); (7) removido pela purificação (1 Jo 1.7).

Pedra

A pedra é um símbolo usado a respeito de Cristo. Este símbolo pode ser aplicado a Ele de três modos:

1. Relacionado aos gentios no julgamento final (Dn 2.34).

2. Relacionado à Igreja em razão de ser (a) o Fundamento dela (1 Co 3.11) e (b) a Pedra Angular (Ef 2.20-22; 1 Pe 2.4, 5).

3. Relacionado a Israel (Is 8.14,15; Mt 21.44; Rm 9.32, 33; 1 Co 1.23; 1 Pe 2.8). Observe, então, em geral: Visto que Cristo não veio primeiramente com aparência externa de um rei terreno, Ele se tornou uma pedra de tropeço para Israel; a Igreja está edificada sobre Cristo, o fundamento e a pedra principal dela; os gentios serão derrotados por Cristo no julgamento. Os aspectos passados, presentes e futuros do simbolismo se tornaram evidentes aqui.

Perdão

O entendimento correto do ensino da Escritura sobre o perdão vai longe no sentido de clarear outras doutrinas da Bíblia. Por causa do fato deste tema ser muito constantemente mal-entendido, deve ser dada uma atenção especial a ele. O perdão da parte de uma pessoa para com outra é o mais simples de todos os deveres, enquanto que o perdão da parte de Deus para com os homens prova ser um dos empreendimentos mais complicados e custosos. Como visto na Bíblia, há uma analogia entre o perdão e o débito e, no caso do perdão que Deus exercita, o débito deve ser pago – embora seja pago por Ele mesmo – antes que o perdão possa ser estendido. Assim, aprende-se que enquanto o perdão humano somente cancela uma penalidade ou a acusação, o perdão divino primeiramente deve exigir uma satisfação completa por causa das exigências da santidade ultrajada de Deus. Esta doutrina pode ser dividida em sete características importantes.

1. No Antigo Testamento. Este aspecto do perdão divino, embora rico em significação típica, não obstante é um perdão completo em si mesmo. O aspecto importante que faz parte de toda remissão divina, ou seja, o pagamento de toda obrigação à santidade ofendida como preliminar ao perdão, está incluído na oferenda de sacrifícios de animais. Primeiro, o sacrifício em si era considerado por aquele que o oferecia como um substituto no sentido de que vinha sobre ele a justa penalidade da morte. Era somente quando um sacrifício tinha sido apresentado que o ofensor podia ser perdoado. Adequadamente, está declarado em Levítico 4.20, como sempre no Antigo Testamento: "o sacerdote fará expiação por eles, e eles serão perdoados". Mas, visto que o sacrifício servia somente como um tipo e como uma cobertura pelo pecado até o tempo designado, quando Deus deveria tratar final e justamente com o pecado na morte de Cristo, a transação estava incompleta do lado divino, e o pecado necessariamente era preterido.

Contudo, o perdão divino como tal era estendido perfeitamente para o ofensor. Duas passagens do Novo Testamento lançam luz sobre a natureza e o fato desse tratamento temporário de Deus com o pecado. Em Romanos 3.25, é feita referência à palavra πάρεσις, para a preterição ou ao passar por alto os

SUMÁRIO DOUTRINÁRIO

pecados cometidos anteriormente, isto é, antes da cruz; igualmente, em Atos 17.30, pela palavra ὑπερεῖδον – traduzida como "não levar em conta" ("fechar os olhos a") – é feita referência ao fato de que nos tempos passados Deus não fez um julgamento pleno do pecado. Deveria ser lembrado, contudo, que o grande número de promessas divinas para um tratamento pleno e perfeito de todo pecado foi passado por cima, mas posteriormente Cristo prestou contas dele na cruz.

2. PARA OS NÃO-SALVOS. Neste aspecto da doutrina geral do perdão há necessidade de se enfatizar a verdade de que o perdão do pecado é estendido para os não-salvos somente como uma parte integral do empreendimento divino total chamado salvação. Das muitas transformações operadas por Deus em resposta à simples fé em Cristo, a remissão do pecado é apenas uma delas. Conseqüentemente, deveria ser observado que o perdão do pecado nunca pode ser reivindicado por si mesmo por parte daqueles que não são regenerados. O perdão é proporcionado para eles numa perfeição infinita, mas pode ser assegurado somente como uma fase da obra total de Deus na salvação. Embora muito freqüentemente seja acreditado como verdade, a remissão do pecado para o não-salvo não é equivalente à salvação. O perdão conota subtração, na verdade, enquanto que tudo mais na salvação é uma adição gloriosa. Portanto, está escrito que "Eu lhes dou vida eterna" (Jo 10.28), e em Romanos 5.17 é feita referência, por exemplo, ao "dom da justiça".

3. PARA OS CRISTÃOS QUE PECAM. A verdade fundamental a respeito do crente em relação aos seus pecados é o fato de que quando ele foi salvo de todas as suas transgressões (passadas, presentes e futuras) – no que diz respeito à condenação – foram perdoadas. Este deve ser o significado da palavra do apóstolo Paulo em Colossenses 2.13: "...tendo perdoado todas as transgressões". É tão completo este tratamento divino com todo pecado que dele pode ser dito: "Portanto, agora nenhuma condenação há para os que estão em Cristo Jesus" (Rm 8.1). O crente não é condenado (Jo 3.18), e, portanto, não entrará em juízo ("condenação", Jo 5.24). Precisa somente ser lembrado que, visto que Cristo suportou todo pecado e visto que a permanência do crente é completa no Cristo ressuscitado, ele é aperfeiçoado para sempre em razão de estar em Cristo. Como um membro da família de Deus, o cristão – no caso dele pecar – naturalmente é, como qualquer filho, sujeito ao castigo do Pai, mas nunca será condenado com o mundo (1 Co 11.31, 32).

A cura para o efeito de seu pecado sobre si mesmo é a confissão dele a Deus. Por ela, ele retorna à harmonia com Deus a respeito do caráter mau de todo pecado. Está escrito: "Se confessarmos os nossos pecados, ele é fiel e justo para nos perdoar os pecados e nos purificar de toda injustiça" (1 Jo 1.9). O simples ato da confissão penitente resulta com absoluta certeza no perdão e na purificação do pecado. O crente assim acostumado a respeito da conduta má não deveria esperar até que alguma mudança de sentimento a respeito do pecado seja experimentada; é seu privilégio aceitar pela fé essa restauração que Deus certamente promete como algo que vem imediatamente. Pode ser acrescentado aqui que, embora a confissão seja sempre dirigida a Deus (cf. Sl 51.4; Lc 15.18, 19), há vezes e situações em que tal admissão deveria ser estendida às pessoas também. Isto será especialmente verdadeiro quando aqueles que erraram estão cônscios do mal. Contudo, deve ser enfatizado que a confissão é primariamente feita a Deus e, na grande maioria das experiências, não passa disso.

Com relação ao efeito do pecado do crente sobre Deus, pode ser observado, não fosse pelo que Cristo operou e pelo que Ele empreende quando o cristão peca, o menor pecado teria o poder de lançar aquele que peca para longe da presença de Deus e para a ruína eterna. Em 1 João 2.1 está asseverado que Cristo advoga perante Deus pelo crente sem demora, no tempo exato do pecado cometido. Está revelado que Ele apela perante Deus, o Pai, na corte do céu, a fim de dizer que Ele suportou o próprio pecado em Seu corpo na cruz. Esta é uma resposta tão completa à exigência divina que, de outra forma, deve cair sobre o crente, e por tal trabalho advocatício Ele ganha o elevado título: "Jesus Cristo, o Justo". Houve um procedimento específico e separado feito por Cristo na cruz para com aqueles pecados que o crente cometeria.

Está escrito, conseqüentemente, que "Ele é a propiciação pelos nossos pecados" (1 Jo 2.2). É verdade, também, que Cristo se tornou propiciação "pelos pecados do mundo inteiro". Contudo, em qualquer entendimento correto da doutrina do perdão divino, uma ampla diferença será observada entre a propiciação que Cristo se tornou pelos cristãos e aquilo que Ele se tornou para o mundo dos não-salvos.

4. No Reino Vindouro. Por ser ele mesmo o manifesto do Rei a respeito dos termos de admissão no reino messiânico, assim como das condições que devem ser obtidas nesse reino, o Sermão do Monte (M 5.1–7.27) proporciona uma indicação específica dos termos sobre os quais o perdão divino pode ser assegurado durante o período estendido. Esta indicação é encontrada na oração (Mt 6.9-13) que Cristo ensinou aos Seus discípulos a fazer durante o período de pregação de Seu reino a Israel – um tempo quando o Seu ministério estava totalmente confinado à proclamação desse reino. Portanto, é imperativo, se qualquer semelhança de uma interpretação correta deva ser preservada, que esta oração, inclusive a revelação a respeito do perdão, seja confinada em sua doutrina e aplicação à era a qual ela pertence. Nessa era muita coisa é feita a respeito do relacionamento do homem com seu semelhante.

É então que o sermão se torna conhecido como a Regra Dourada (Mt 7.12) que tem o seu lugar devido. A frase específica na oração que revela os termos do perdão divino, diz: "Perdoa-nos as nossas dívidas, assim como nós perdoamos aos nossos devedores". Nenhuma interpretação errônea deveria ser permitida aqui independentemente do sentimento ou costume pertencente a esta oração modelo. A passagem condiciona o perdão divino à boa vontade humana de perdoar. Isto não pode se aplicar a quem, como o crente, foi já perdoado em todas as suas transgressões – passadas, presentes e futuras; nem poderia se aplicar ao cristão que pecou e que está sujeito conseqüentemente ao castigo, visto que dele está escrito que se ele apenas confessar seu pecado, será perdoado e purificado. Os atos de confissão e de perdoar outros não têm relação um com o outro, de forma alguma.

Esta é uma petição na oração que Cristo fez subseqüentemente um comentário especial e uma interpretação. É como se ele predissesse o uso desautorizado da oração nesta era e procurasse tornar o seu caráter ainda mais claro. O comentário de Cristo foi: "Porque se perdoardes aos homens as vossas ofensas, também vosso Pai celestial vos perdoará a vós; se, porém, não perdoardes aos homens, tampouco vosso Pai perdoará vossas ofensas" (Mt 6.14,15). Nenhum estudo sem preconceito desta petição ou da interpretação que Cristo fez desta, de estar em completa discordância do fato do perdão divino na era da graça. Está escrito, por exemplo, em Efésios 4.32: "Antes sede bondosos uns para com os outros, compassivos, perdoando-vos uns aos outros, como também Deus vos perdoou em Cristo".

Aqui está estabelecido novamente um contraste entre a lei e a graça. Perdoar por que alguém já foi perdoado por Deus em Cristo é muitíssimo diferente da condição onde alguém será perdoado somente na medida em que ele próprio perdoa. Este último caso pertence ao sistema de mérito como o que se obterá no reino; o primeiro caso está em harmonia com as presentes riquezas da graça divina.

5. A Obrigação Entre os Homens. Como foi afirmado, embora os termos sobre os quais o perdão divino pode ser assegurado no reino estão relacionados ao ter perdoado outros, o motivo para perdoar outros no reino prova ser semelhante ao daquele que está debaixo da graça, a saber, o fato de ter sido perdoado. Este princípio de ação relacionado às exigências do reino está declarado por Cristo em Mateus 18.21-35. Certo rei perdoou um débito de dez mil talentos – uma enorme soma em dinheiro, a respeito da qual alguém perdoado se recusou a cancelar o débito de uma quantia desprezível de cem denários. Este incidente não poderia acontecer na vida de todos os que são aperfeiçoados em Cristo e, portanto, e de modo seguro para sempre aprendemos destes versículos finais destes trecho, o seguinte: "E, indignado, o seu senhor o entregou aos verdugos, ate que pagasse tudo o que lhe devia. Assim vos fará meu Pai celestial, se de coração não perdoardes, cada um a seu irmão" (Mt 18.34,35). O crente que pertence a esta era é ordenado a ser amável para outros crentes, terno e perdoar um ao outro do mesmo modo como Deus "em Cristo vos perdoou".

6. O Pecado Imperdoável. Quando Cristo estava na terra e ministrava no poder do Espírito Santo, um pecado peculiar era possível e poderia ser cometido, ou seja, atribuir a Satanás o poder do Espírito assim manifestado. Para este pecado não poderia haver perdão nesta presente era nem na era imediatamente seguinte (Mt 12.22-32). É evidente que tal situação não existe no mundo agora. É totalmente sem qualquer autorização supor que qualquer atitude humana para com o Espírito Santo é uma multiplicação deste mal e, daí ele ser tão imperdoável quanto o pecado contra o qual Cristo advertiu. Um pecado imperdoável e um evangelho que convida a todos os que querem vir não

PERFEIÇÃO

podem coexistir. Se houvesse a possibilidade de um pecado imperdoável hoje, todo convite do Evangelho no Novo Testamento teria de excluir especificamente aqueles que cometeram esse pecado.

7. Um Pecado para a Morte. O apóstolo João escreve a respeito de um pecado que resulta na morte física que os crentes podem cometer. A passagem diz: "Se alguém vir seu irmão cometer um pecado que não é para morte, pedirá, e Deus lhe dará a vida para aqueles que não pecam para morte. Há pecado para morte, e por esse não digo que ore" (1 Jo 5.16). Será lembrado que, de acordo com João 15.2 e 1 Coríntios 11.30, Deus reserva-se ao direito de tirar um crente desta vida que cessou de ser uma testemunha digna no mundo. Tal remoção não sugere que essa pessoa removida esteja perdida; somente significa uma forma drástica de castigo e para que ela não seja condenada com o mundo (1 Co 11.31, 32).

Perfeição

Este assunto deveria ser considerado sob sete aspectos.

1. No Antigo Testamento (Gn 6.9; Jó 1.1, 8). De Israel como uma nação poderia ser requerida a perfeição (Dt 18.13). Igualmente aos homens foi ordenado serem relativamente perfeitos (Sl 37.37). (Veja as doutrinas do Justo e Justificação.) Os santos do Antigo Testamento são vistos no céu como "espíritos dos justos aperfeiçoados" (Hb 12.22-24). Paulo era irrepreensível perante a lei (Fp 3.6).

2. Progressiva. Os santos do Novo Testamento podem progredir em relação à maturidade espiritual, que se refere ao ser mais ou menos crescido e não à perfeição sem pecado (1 Co 2.6; cf. 13.11; 14.20; Fp 3.15; 2 Tm 3.17).

3. E a Carne. "Sois vós insensatos? Tendo começado pelo Espírito, é pela carne que agora acabareis?" (Gl 3.3).

4. Em Algum Particular. (a) na obediência a Deus (Cl 4.12). (b) Na imitação de Deus (Mt 5.48). (c) No serviço (Hb 13.21). (d) Na paciência (Tg 1.4).

5. Posicional. A perfeição posicional é devida à permanência do crente em Cristo (Hb 10.14). Neste aspecto o crente é visto ser absoluta e infinitamente perfeito, na verdade tão perfeito quanto o próprio Cristo, mas é totalmente devido ao fato de que ele está em Cristo e de participar do que Cristo é, não a qualquer perfeição de si próprio.

6. Definitiva (Individual). A Escritura diz que em algum tempo no futuro o crente será conformado à imagem de Cristo (Cl 1.28; cf. v. 22; Fp 3.12; 1 Ts 3.13; 1 Pe 5.10).

7. Definitiva (Corporativa). A totalidade do conjunto dos crentes será aperfeiçoada como tal (Jo 17.23; Ef 4.12, 13; 5.27; Jd 24; Ap 14.5).

A Escritura não fornece base alguma para as doutrinas extremas da santidade pessoal ou da perfeição sem pecado defendida por alguns cristãos.

Permanência

A palavra grega μένω, que é traduzida como permanecer, é usada cerca de 120 vezes no Novo Testamento. Outros termos em nossa língua usados para traduzir esta palavra são igualmente significativos – "restar, ficar, continuar, tardar, durar (Mt 10.11; Lc 19.5; At 9.43; 27.31; 1 Co 13.13; 2 Tm 2.13). O apóstolo João emprega este verbo 64 vezes e em seus escritos os tradutores da Authorized Version o têm traduzido como *permanecer* 21 vezes. O significado desse termo grego é assim, e claramente indica aquilo que permanece, fica, continua, tarda ou dura; é o que permanece na posição em que é colocado. Em referência à realidade espiritual, a palavra *permanecer* indica uma constância em relação a Cristo. É também verdadeiro que Cristo se referiu à Sua própria permanência no crente (cf. Jo 15.5), relacionamento esse que nunca pode falhar, visto que ele depende somente de Sua fidelidade. Há pouca base, conseqüentemente, para o sentimento expresso em certos hinos onde se pede que Cristo permaneça com o crente.

O significado geral da palavra *permanecer* conduz a pelo menos duas idéias – uma que sugere uma continuação em união com Cristo e outra que sugere continuação em comunhão com Cristo. A passagem mais reveladora é João 15.1-17, onde o crente é ordenado a permanecer em Cristo como o ramo permanece na videira. Esta passagem não dará apoio para a noção de que permanecer em Cristo significa permanecer em *união* com Ele; quando esta tradução superficial é aceita, somente resulta numa falsa doutrina. Por outro lado, está claro que a palavra de exortação leva o crente a permanecer em *comunhão* com Cristo como Ele permanece em comunhão com Seu Pai. Como a seiva flui da videira para o ramo que permanece em contato com ela, assim a vitalidade espiritual flui de Cristo para o crente que permanece nele.

A comunhão depende do acordo e o acordo exige uma sujeição completa de alguém ao seu superior: assim é imperativo que os mandamentos de um sejam observados pelo outro. Cristo disse que por observar os mandamentos do Seu Pai Ele permanecia no Seu amor. Não houve, naturalmente, uma tentativa da parte de Cristo de preservar uma união com Seu Pai. Essa havia sido inquebrantável e sem possibilidade de rompimento desde toda a eternidade; mas, do lado humano, Ele manteve comunhão ao fazer a vontade do Pai.

Três versículos neste contexto (Jo 15.1-17) estabelecem a importância doutrinária de permanecer em Cristo, ou seja,

João 15.2: "Toda vara em mim que não dá fruto, ele a corta; e toda vara que dá fruto, ele a limpa, para que dê mais fruto".

Por ter asseverado que Ele é a Videira Verdadeira e Seu Pai é o Agricultor e, mais tarde, que os salvos são os ramos, Cristo declara que um *ramo nele* – terminologia que conota a união mais vital e imutável que jamais poderia existir – pode falhar em produzir fruto. É neste ponto que o significado da palavra *permanecer*, usada neste contexto, é determinado. O ramo não está em Cristo porque ele produz fruto, mas por estar em Cristo, o ramo pode ou não produzir fruto. Assim, fica demonstrado que permanecer em Cristo não é uma questão de manter união com Cristo, mas de manter comunhão com Ele. Quando a comunhão com Cristo é preservada da parte de alguém em Cristo, a seiva da vitalidade espiritual é comunicada, o que resulta em mais fruto produzido. Este versículo declara claramente que há aqueles em Cristo, portanto salvos e seguros para sempre, que num determinado tempo não produzem frutos. A respeito deles, Deus se reserva o direito de removê-los de seu lugar neste mundo (cf. 1 Co 11.30; 1 Jo 5.16), diretamente para a glória celestial.

Ninguém deveria supor que qualquer pessoa vai para o céu porque ela é frutífera, porque ela observa os mandamentos de Cristo, ou porque ela permanece em Cristo. A entrada no céu depende somente da união com Cristo. Um ramo que está nEle irá para o céu sem ser frutífero, embora pela infrutuosidade o crente deva ser responsabilizado e isto acontece na perda das recompensas antes do tribunal de Cristo no céu. Dos ramos em Cristo que são frutíferos não é dito que são salvos ou mantidos salvos por isso, mas são "purificados" ou inclinados para que eles produzam mais fruto.

João 15.6: "Quem não permanece em mim é lançado fora, como a vara, e seca; tais varas são recolhidas, lançadas no fogo e queimadas".

Deste versículo dependem aqueles que argumentam que a salvação do crente não é segura. Este versículo deve ser abordado, como todo este tema da permanência requer, com base na realização do poder divino naquele que é salvo. Aqueles crentes que não permanecem em comunhão com Cristo, embora salvos, são sem poder com respeito ao testemunho e a todo serviço. Por estar com a comunhão rompida, eles se enfraquecem no poder espiritual. O julgamento que vem imediatamente sobre eles não é de Deus, entretanto, mas dos homens (cf. 2 Sm 12.14). É o que Tiago se refere quando ele afirma que a justificação é pelas obras (Tg 2.14-26). A justificação deve ser na base de obras na esfera da relação do crente com os homens; porque eles julgam somente pelo que eles observam. Diante de Deus a justificação é pela fé, mas o mundo nada conhece sobre tal fé. Na verdade, é mais exigente requerer que aquele que professar ser um filho de Deus deva adornar a doutrina que ele segue.

O cristão é admoestado, não obstante, a andar circunspectamente perante os que são de fora. Por uma manifestação razoável da vida divina no crente, o mundo pode vir a "conhecer" e "crer" com relação a Cristo (cf. Jo 13.34,35; 17.21-23). Aos filhos do reino, Cristo disse que o mundo, ao contemplar as boas obras deles, glorificaria o Pai do céu por essa razão (Mt 5.16). Como foi usada nesta passagem, a figura que se assemelha aos julgamentos que os homens impõem ao "ajuntar" e "queimar" os ramos secos, é muitíssimo forte e deve ser interpretada à luz de fatos existentes. Os homens não juntam em queimam seus companheiros num sentido literal; mas eles impõem um julgamento muito drástico sobre aquele que professa ser salvo e, todavia, não manifesta os ideais que pertencem a essa vida. Esta advertência aos crentes feita por Cristo a respeito da atitude sem misericórdia do mundo é oportuna e importante.

É provavelmente o único caso em que Cristo introduz este tema quando contempla o cristão em sua relação com o mundo. A atitude impiedosa do mundo para com o crente está indicada pelas palavras de Cristo, nos versículos 1-17 – "Se o mundo vos odeia, sabei que, primeiro do que a vós, me odiou a mim. Se fôsseis do mundo, o mundo amaria o que era seu; mas, porque não sois do mundo, antes eu vos escolhi do mundo, por isso é que o mundo vos odeia" (Jo 15.18,19).

João 15.10: "Se guardardes os meus mandamentos, permanecereis no meu amor; do mesmo modo que eu tenho guardado os mandamentos de meu Pai, e permaneço no seu amor".

Este versículo específico, determina o que é realmente exigido do crente com o fim dele poder permanecer em comunhão com Cristo. A questão é afirmada de um modo simples: "Se guardardes os meus mandamentos". A guarda dos mandamentos de Cristo é facilmente reconhecida como a base da comunhão com Cristo que produz frutos; em nenhum sentido é a base da união com Cristo, que é obtida pela fé somente. Por guardar Sua perfeita vontade, a comunhão é mantida, comunhão essa que abre o caminho para o influxo do poder vital pelo qual o fruto será gerado. Nenhuma referência é feita por Cristo neste contexto aos mandamentos de Moisés. A frase *meus mandamentos* não é empregada por Cristo até Ele chegar ao Cenáculo e é uma antecipação do presente relacionamento celestial com Cristo que é verdadeiro de todos os que crêem.

Cristo menciona sua própria relação com o Pai como uma ilustração – "como tenho guardado os mandamentos do meu Pai, e permaneço no seu amor". Ele guardou os mandamentos do Seu Pai, não para criar ou preservar a união com o Pai, mas para preservar a comunhão com Ele.

Os resultados de permanecer são ambos, negativo e positivo. Do lado negativo, Cristo disse: "Sem mim [à parte de mim, ou separado da comunhão que dá vida] nada podeis fazer" (Jo 15.5). Do lado positivo, quatro efeitos são mencionados que fluem da vida permanente: a purificação que está pela poda (v. 2), oração eficaz (v. 7), alegria celestial (v. 11) e fruto que é perpétuo (v. 16).

Em conclusão, pode ser reafirmado que o contexto é dirigido àqueles que são salvos e não se preocupa com a salvação deles nem sua durabilidade; mas ele se preocupa com o contato vital ou comunhão com Cristo – uma permanência em Seu amor que resulta no influxo do fruto para a glória de Deus, a experiência da alegria celestial, e a eficácia imensurável na oração

Poder

As divisões naturais deste assunto são:

1. DE DEUS. (a) Sobre todos os seres espirituais e esferas como Criador, Preservador e Consumador. (b) Sobre as esferas físicas igualmente com respeito à criação, coesão e consumação (Cl 1.16, 17). O nome *El Shaddai* do Antigo Testamento que revela Deus como o "Poderoso" se torna o Doador da Força e o que Satisfaz o Seu povo (Gn 17.1); por este meio Ele incitaria a confiança do homem sobre Si próprio.

2. Das Hostes Angelicais. Os seres angelicais são mencionados na Escritura como principados e potestades. Ilustrações do poder de Satanás (que é superado somente pelo poder de Deus) podem ser observadas em Jó, capítulos 1 e 2, e em Isaías 14.12-17.

3. Da Natureza. O poder da natureza deve ser visto no vento, na maré, no sol, nos animais e na capacidade de todas as formas inferiores de vida crescerem para formar a vida ou reproduzi-la (Gn 1.22).

Duas palavras importantes no grego para *poder* são encontradas nas Escrituras. A primeira, δύναμις, é usada 130 vezes pelo Novo Testamento, e dela várias palavras em nossa língua se derivam: dinâmica, dinastia, dina, dinamômetro, dinamite, dínamo etc. Ela conota todo poder em operação (Ap 5.12). A segunda palavra, εξουσία, empregada 104 vezes pelos escritores apostólicos, tem referência ao poder de escolha ou liberdade de fazer de como alguém se agrada, seja no poder físico ou mental, a capacidade ou força com que alguém é revestido ou exerce, o poder de autoridade e direito, poder de governar (e.g., Mt 28.18).

4. Do Homem. A execução de poder para um crente pode ser observada em cinco aspectos diferentes, pertencentes à (1) vitória sobre o pecado inerente (Gl 5.16); (2) manifestação das virtudes de Cristo (Gl 5.22, 23); (3) ao serviço (Fp 2.13); (4) a Deus (Gn 32.28); e (5) às pessoas para a glória de Deus (Êx 3.10). Cf. 2 Coríntios 11.13-15; 2 Tessalonicenses 2.8-10.

Posição da Cabeça

Como a cabeça humana governa o corpo a que ela pertence, assim o mandatário é revestido da autoridade de cabeça onde quer que ela exista.

1. Cristo mantém ao menos cinco relacionamentos, a saber: (a) Pedra (cabeça) de esquina (At 4.11; 1 Pe 2.7). Veja Efésios 2.19-22, onde o grupo total de crentes é visto como um edifício de Deus, e Cristo é a pedra angular de esquina. (b) Cabeça de todo homem (1 Co 11.3; cf. Ef 5.23). Seja organizado ou admitido por homens, Cristo reina sobre todos eles. Para Cristo, eles devem prestar contas. (c) Cabeça sobre o corpo místico, a Igreja (Ef 4.15; Cl 1.18; 2.19). (d) Cabeça sobre a Noiva (Ef 5.23-33). Aqui novamente a Igreja está em vista com um relacionamento singular a ser realizado plenamente após o casamento do Cordeiro. (e) Cabeça de principados e potestades (Ef 1.21; Cl 2.10). Cristo tem autoridade universal sobre todas as hostes angelicais.

2. O Cabeça de Cristo é Deus (1 Co 11.3). A autoridade que Cristo exerce lhe foi dada pelo Pai (Jo 5.27; At 17.31; 1 Co 15.25-28).

3. Adão é o cabeça natural da raça, que caiu com ele (Rm 5.12).

4. Cristo posiciona-se como Cabeça sobre a nova criação, que está nele e participa de Sua vida ressurrecta (Ef 1.19-23).

5. O homem é a cabeça da mulher (1 Co 11.3; Ef 5.23). Exceções devidas à personalidades e situações incomuns tornam difícil esta parte da doutrina da posição de cabeça. Não obstante, por providência divina, o homem é colocado

sobre a mulher em autoridade e condições onde ambos não serão felizes quando essa ordem divina é ignorada. A mulher não é formada com a capacidade de exercer autoridade e freqüentemente se torna excêntrica ou com ausência de equilíbrio [quando tenta exercer a função de autoridade].

Posição e Estado

As duas doutrinas da posição cristã e da vida diária ou estado se misturam numa importante verdade, e daí poderem ser tratadas juntas aqui.

A *posição*, distinta do estado ou do contato diário com Cristo, é uma referência à relação do cristão à obra perfeita e imutável de Deus pelo crente, enquanto que o *estado* se refere à condição mutável e à condição imperfeita de sua alma de momento para momento. A fé assegura a posição, mas a aderência a todas as leis que governam a vida espiritual deve assegurar os benefícios diários para a alma.

Os textos relacionados à posição do crente são: João 1.12; Romanos 5.1,2; 8.17; 1 Coríntios 6.19; 12.13; Efésios 1.3, 6,11, 13; 2.4-6; 5.30; Colossenses 2.10; Hebreus 10.19; 1 Pedro 1.4, 5; 2.9; 1 João 3.2; 5.1, 13; Apocalipse 1.5, 6. Compare 1 Coríntios 1.2-9 como uma referência à posição com 1.11; 3.1-4; 4.18; e 5.2, onde o estado é revelado; 1 Coríntios 6.11 com 6.7; 1 Coríntios 6.15a com 6.15b; 1 Coríntios 16.23 com 16.17; Colossenses 1.12,13 com 3.8,9a.

Tudo o que faz parte da experiência do crente após ele ser salvo – o treinamento e o desenvolvimento divino – é com a finalidade de que ele possa ser mais conformado em seu estado ao que ele possui na posição, desde o momento em que ele é salvo.

Predestinação

Em sua importância doutrinária, a predestinação é quase idêntica à preordenação (vê-la no seu próprio lugar). A predestinação, portanto, fala do propósito divino relacionado aos homens e anjos. Os decretos de Deus, contudo, se relacionam a todas as coisas, materiais e imateriais. O pecado, então, é decretado, o destino do salvo é predestinado. A palavra *predestinar* significa "marcar", mas a doutrina se relaciona somente a certas funções do propósito divino. A salvação está de acordo com a eleição. Certas coisas que pertencem aos que possam ser salvos são predestinadas (Rm 8.29,30; Ef 1.4, 5, 9; 3.11; cf. At 4.28). Observe a ausência de todos os aspectos condicionais aqui. A predestinação é mais de pessoas do que de suas ações, e não meramente de pessoas como tal, mas o destino delas.

A predestinação testemunha da certeza divina, mas não da compulsão. Há, obviamente, diferentes modos de tornar essas coisas certas. Elas podem ser

PREGAÇÃO

feitas por influência moral ou pelo controle da vontade humana. Deus resolve realizar o Seu propósito por guiar e inclinar a vontade dos homens. Esta verdade deveria evitar as apresentações errôneas da predestinação. Duas palavras gregas são traduzidas como *predestinar*: προορίζω (cf. o derivativo *horizonte* – 'que está além ou diante', também a palavra *providenciar*; veja At 4.28; Rm 8.29,30; 1 Co 2.7; Ef 1.5,11) e προγίνωσκω, 'conhecer de antemão' (At 2.23; 26.5; Rm 8.29; 11.2; 1 Pe 1.2, 20; 2 Pe 3.17).

A predestinação está em harmonia com toda a Escritura, decretos, eleição, pactos e experiência humana. Ela é mais do que onipotência ou vontade divina irresistível. Deus pesa todo aspecto moral de cada problema. A predestinação como conseqüência é sempre concorde com a santa natureza de Deus.

Visto que a predestinação nunca é contra o destino do não-salvo, qualquer sugestão que suas provisões são para os não-salvos deve ser resistida.

Pregação

A pregação é referida cerca de 20 vezes no Antigo Testamento e 250 vezes no Novo Testamento. Ela pode ser definida como aquele serviço pelo qual um homem é incumbido da proclamação da mensagem de Deus aos homens. É o método do tempo presente, com suas ramificações, da conclusão daquilo que Jesus começou a fazer e a ensinar (At 1.1).

Efésios 4.11 contempla diversas formas distintas de pregação nesta era: *apóstolo* (ἀπόστολος, usado 80 vezes), *profeta* (προφήτης, usado 160 vezes), *evangelistas* (εὐαγγελιστής, usado 3 vezes), *pastor* (ποιμήν, usado 17 vezes), e *mestre* (διδάσκαλος, usado 60 vezes). *Pastor* e *mestre*, contudo, parecem designar o mesmo ministério.

Há vários evangelhos ou mensagens na Escritura, naturalmente: (1) o do reino (Mt 4.22 seguintes); (2) o de Deus (Rm 1.1,15); (3) o de Cristo (Rm 1.16; 15.19ss); (4) o da paz (Rm 10.15); (5) o da graça (At 20.24); (6) o da salvação (Ef 1.13); e (7) um chamado evangelho "eterno" (Ap 14.6).

Há seis palavras no Novo Testamento que significam falar, pregar ou proclamar: (1) διαγγέλλω (Lc 9.60); (2) διαλέγομαι (At 17.2; (3) εὐαγγελίζω (At 8.40); (4) καταγγέλλω (At 15.36); (5) κηρύσσω (Rm 10.8); (6) λαλέω (Mt 10.19; em todos, usados 210 vezes); são as mais usadas λαλέω, 'falar'; κηρύσσω, 'anunciar'; e εὐαγγελίζω, 'evangelizar'. Em contraste, de acordo com suas naturezas distintivas, o Evangelho do reino é anunciado (κηρύσσω); as boas novas da salvação pregadas (εὐαγγελίζω).

De acordo com Efésios 4.12, todos os crentes são chamados para "pregar" ou entregar de alguma forma as boas novas. É o "serviço do ministério", para ser exato, para o qual o pastor e o mesmo são destinados a equipá-los (Jo 17.18; 2 Co 5.18-20).

SUMÁRIO DOUTRINÁRIO

Preordenação

O campo total dos propósitos revelados de Deus será visto somente quando todas as várias abordagens ao Seu decreto tiverem sido observadas. Este tema inclui a doutrina dos decretos, da eleição, da predestinação, da preordenação ou escolha divina, da presciência, da vocação eficaz e do livre-arbítrio do homem. Em sua forma mais simples, a preordenação significa atribuir a Deus a capacidade e a inteligência perspicaz, para proporcionar com precisão infinita as coisas que formam o desenvolvimento do universo que Ele criou. É prontamente admitido que o tema se estende às esferas de outros mundos e que contempla em Deus as coisas que Suas criaturas podem não entender agora. Há provavelmente pouca dificuldade na mente de qualquer pessoa séria que tem Deus em alta conta a respeito dessa questão de Seu direito e da necessidade conseqüente de planejar o curso de Seu universo antes dEle trazer todas as coisas à existência.

Pode surgir dificuldade com respeito ao mal que está presente agora e sobre o que um Deus santo designou, criou e executa. As almas piedosas, contudo, não permitirão que o mal seja gerado por Deus, e uma pessoa razoável não alegará que o mal está presente, porque Deus não pode evitá-lo, nem homens ponderados e observadores concluem que o universo é um gigantesco acidente que se move desgovernado para a sua própria destruição. Deve ser reconhecido que de algum modo totalmente além da compreensão humana que a permissão e a presença do mal no universo de Deus sejam consistentes com o Seu santo caráter e não podem estar ligados a Ele e de forma alguma é responsável por ele. Este princípio deve ser visto na operação de outra forma mais atraente quando é observado que, embora todo serviço frutuoso seja operado pelo poder capacitador do Espírito Santo, Deus não retém ou reivindica para Si próprio qualquer recompensa por esse serviço, quando o crente permanece perante o tribunal de Cristo. O cristão é, então, recompensado como se ele tivesse por si mesmo realizado tudo que podia ter sido feito pelo poder vencedor do Espírito.

A doutrina da preordenação, então, é quase idêntica à da predestinação. O primeiro termo sem dúvida tem uma significação mais ampla no sentido em que ele pode incluir todas as coisas dentro do escopo do propósito de Deus, enquanto que o outro termo é usualmente empregado somente a respeito de pessoas e restrito ao destino predeterminado daqueles que são salvos, com exceção de Atos 4.27,28 que é uma referência ao que estava determinado a respeito dos sofrimentos de Cristo (cf. Rm 8.29, 30; 1 Co 2.7; Ef 1.5, 11).

Presbíteros

Visto que os presbíteros (ou bispos) são os governantes divinamente ordenados na Igreja visível e local, a doutrina geral da igreja local no que diz respeito ao seu governo pode legitimamente ser introduzida sob este título. O termo *presbítero* é comum a ambos os testamentos e em geral contempla aqueles de maturidade e de autoridade. Nenhum principiante na fé deveria se tornar um presbítero (cf. 1 Tm 3.6). A primeira referência a presbíteros no Antigo Testamento parece ter levado em conta a idade avançada deles. Os velhos em razão de sua experiência são naturalmente valiosos para o conselho (cf. 1 Rs 12.8; Ez 7.26). Mais tarde, na história bíblica, a designação *presbítero* adquiriu a idéia acrescentada de autoridade.

A palavra *presbítero* tem três significados no Novo Testamento. (1) Uma referência à idade ou maturidade (cf. Lc 15.25; 1 Tm 5.2). (2) Uma continuação do ofício presbiteral do Antigo Testamento sobre Israel (cf. Mt 16.21; 26.47, 57; At 4.5,23). (3) Um nome para um oficial da igreja local a quem é designado autoridade especialmente na direção de assuntos espirituais pertencentes à igreja que ele serve. É agora geralmente reconhecido que o título presbítero (πρεσβύτερος) diz respeito à mesma pessoa do bispo (ἐπίςκοπος). Parece provável que a palavra *presbítero* seja o reconhecimento da pessoa escolhida para portar o nome, enquanto que a palavra *bispo* seja descritiva do ofício ou posição que essa pessoa ocupa. O termo *presbítero* contempla o que o homem é em si mesmo, enquanto que o termo *bispo* contempla o que ele é designado para fazer.

Entre as igrejas modernas há três formas gerais de governo. (1) Há aquelas que empregam a palavra *episcopal* por sua maneira de governo, que indica a liderança mais ou menos absoluta nas mãos de homens conhecidos como bispos. (2) Há uma forma congregacional de organização que teoricamente traz todos os assuntos a toda filiação para decisão. (3) Entre esses dois extremos, repousa a forma representativa de governo em que a filiação ou congregação por seu voto entrega a responsabilidade de governo a homens escolhidos – presbíteros e diáconos. Ao presbítero é dado em geral o cuidado das coisas espirituais e ao diácono o cuidado das coisas temporais. Esta forma de governo de Igreja, que serviu de padrão para o governo dos Estados Unidos com seu Senado e Câmara de Deputados, permanece fundamentalmente um governo congregacional, visto que esses oficiais servem no mandato de uma igreja local.

Os presbíteros ou diáconos não devem ser os governantes que impõem a vontade deles sobre a congregação, como freqüentemente acontece. Eles são eleitos pela congregação antes que como uma comissão, e sobre eles são impostas as responsabilidades que são atribuídas a homens que governam. As igrejas que foram organizadas sob esta forma representativa de governo não deveriam jamais perder de vista o fato de que elas são, do princípio ao fim, congregacionais em seu tipo de governo. Esta verdade não é diminuída por causa do compromisso de responsabilidade dado aos presbíteros representantes e diáconos. Tais homens deveriam se desincumbir de tudo isso, mas não mais do que lhes é atribuído. Estes oficiais escolhidos deveriam procurar conhecer qual é o desejo de toda filiação e desempenhar isso somente. Nunca deveriam impor quaisquer convicções pessoais sobre a congregação contrárias à mente da filiação.

Por mera conveniência alguns presbíteros são classificados como *presbíteros docentes*, que são os pastores ordenados, e outros como *presbíteros regentes*, que são os oficiais da igreja. Aqui a terminologia *presbítero regente* nada sugere além de governar como representante da filiação. Os presbíteros podem ser eleitos para governar pela vida toda ou por um período restrito. Este último tem mais a seu favor.

Presciência

A presciência que Deus possui deve ser distinta da mera presciência ou conhecimento dos eventos futuros. A presciência pode depender da vontade das criaturas para a sua execução imediata ou a espera dela, mas a presciência de Deus é aquilo que Ele próprio propõe acontecer. Deste modo, então a ordem total dos eventos desde os mínimos detalhes até os maiores é operada sob o decreto determinante de Deus de forma que acontecem de acordo com o Seu propósito soberano. A presciência divina está muitíssimo relacionada à preordenação. Igualmente, a presciência de Deus deveria ser distinta da onisciência em que esta última é estendida suficientemente para abranger todas as coisas passadas, presentes e futuras, enquanto que a presciência prediz somente os eventos futuros. Além disso, o conhecimento de antemão de Deus deveria ser distinto do Seu conhecimento dos eventos que são meramente possíveis.

Este último está na esfera do entendimento divino de prever o que aconteceria sob certas circunstâncias, mas que em Sua providência nunca ocorre. Ao manifestar esta chamada presciência hipotética, Cristo declarou: "Ai de ti, Corazim! Ai de ti, Betsaida! Porque, se em Tiro e em Sidom se tivessem operado os milagres que em vós se operaram, há muito elas se teriam arrependido em cilício e em cinza" (Mt 11.21).

A doutrina da presciência divina, com respeito à evidência sobre a qual ela repousa, está confinada ao Texto Sagrado. Nesse texto será visto que Deus opera de acordo com o Seu eterno propósito, e que este propósito inclui tudo o que vem a acontecer; portanto, a presciência de Deus apresentada nas Escrituras deve ser estudada, não como uma mera previsão de eventos que o destino cego poderia gerar ou que supostamente vão surgir na vontade dos homens e dos anjos, mas como um programa incorporado no decreto de Deus a respeito de todas as coisas. Teorias e noções que apresentam questões hipotéticas estranhas a este conceito bíblico devem ser tratadas como sem relação com o escopo da doutrina. Esse lado deste tema está bem afirmado pelo Dr. Caspar Wistar Hodge na *International Standard Bible Encyclopaedia*:

Ora, conquanto os escritores do Antigo e do Novo Testamento não escrevam de uma maneira abstrata ou filosófica, nem entrem em explicações metafísicas da relação entre a presciência e a preordenação de Deus, é perfeitamente evidente que eles tinham um conceito claro sobre este assunto. Conquanto sejam usados antropomorfismos com respeito à maneira em que Deus conhece, Ele nunca é concebido como se Ele obtivesse o Seu conhecimento do futuro como um mero espectador que observa o curso dos eventos no tempo. A idéia de que o Criador onipotente e Governador soberano do universo deveria governar o mundo e formar Seu plano como contingente e dependente da uma mera previsão dos eventos fora de Seu propósito e controle não é somente contrária a toda idéia escriturística da soberania e da onipotência de Deus, mas é também contrária à idéia escriturística da presciência de Deus que é sempre concebida como dependente de Seu propósito soberano. De acordo com a concepção da Escritura, Deus conhece de antemão porque Ele preordenou todas as coisas, e porque em Sua providência Ele certamente fará com que aconteçam. Sua presciência não é dependente a ponto de aguardar os eventos, mas é simplesmente o conhecimento que Deus tem de Seu próprio eterno propósito. Dillmann chamou isto de "uma presciência produtiva" (*Handbuch d. alttest. Theol.*, 251). Isto não está exatamente correto. O Antigo Testamento não concebe a presciência de Deus como "produzindo" ou causando os eventos. Mas quando Dillmann diz que no Antigo Testamento não há sugestão alguma de uma "presciência inativa" da parte de Deus, ele dá expressão à verdade de que no Antigo Testamento a presciência de Deus está baseada na Sua preordenação e controle providencial de todas as coisas. A presciência divina, portanto, depende do propósito divino que determinou o plano do mundo (Am 3.7), e todos os seus detalhes (Jó 28.26,27). Antes de o homem nascer, Deus o conhece e o escolhe para sua obra (Jr 1.5; Jó 23.13,14), e através do conhecimento que Deus tem do homem no Salmo 139, descansa sobre o fato de que Deus determinou de antemão o destino do homem (Sl 139.14-16).

A mesma coisa é verdadeira no ensino do Novo Testamento sobre este assunto. A presciência divina é simplesmente o conhecimento que Deus tem de seu próprio propósito eterno. Isto está especialmente claro naqueles casos onde o eterno propósito da redenção de Deus através de Cristo é apresentado como um mistério que é conhecido por Deus e que pode ser conhecido pelo homem somente quando agrada a Deus revelá-lo (Ef 1.9; 3.4-9).[22]

Referindo-se à passagem sobre o conhecimento de antemão (Rm 8.28-29), o Dr. Hodge continua:

Em Romanos 8.29,30 a palavra "conhecer de antemão" ocorre em conexão imediata com a predestinação de Deus dos objetos da salvação. Aqueles a quem Deus conheceu de antemão, Ele também os predestinou para serem conformados à imagem de Seu Filho. Ora, a presciência neste caso não pode significar uma mera previsão da fé (como Meyer, Godet) ou amor (Weiss) nos objetos da salvação, cuja fé ou amor é suposta determinar a predestinação divina. Isto não somente contradiria a visão

SUMÁRIO DOUTRINÁRIO

de Paulo da soberania absoluta e do caráter gracioso da eleição, mas está também diametralmente oposto ao contexto desta passagem. Estes versículos formam uma parte do encorajamento que Paulo oferece aos seus leitores para os problemas deles, inclusive a sua própria fraqueza interior. O apóstolo lhes diz que podem estar certos de que todas as coisas cooperam juntamente para o bem daqueles que amam a Deus; e estes são definidos como aqueles que Deus chamou segundo o seu propósito. O amor deles para com Deus é evidentemente o seu amor como cristãos, e é o resultado de um chamamento que em si mesmo resulta de um propósito eterno, de modo que o amor cristão deles é simplesmente o meio pelo qual podem saber que foram objetos desse chamamento. Eles não estavam dentro da esfera do amor de Deus pela sua própria escolha, mas foram "chamados" a este relacionamento pelo próprio Deus, e isto de acordo com um propósito eterno da parte de Deus.

O que se segue, portanto, deve ter como seu motivo simplesmente descobrir e basear essa segurança da salvação por remontar tudo à "presciência" de Deus. Considerar essa presciência como contingente de qualquer coisa no homem seria estar em flagrante contradição com todo o contexto desta passagem assim como com seu motivo. A palavra "presciência" aqui evidentemente tem o sentido de amor como nós o encontramos em Pedro. Conseqüentemente, aqueles a quem Deus predestina, Ele chama, justifica e glorifica, são exatamente aqueles a quem Ele contemplou com Seu amor soberano. Atribuir qualquer outro significado à "presciência" aqui seria estar em desacordo com o uso do termo em outra parte do Novo Testamento, onde ele é colocado em conexão com predestinação, e contradiria o propósito para o qual Paulo apresenta esta passagem, ou seja, assegurar a seus leitores de que a salvação definitiva deles depende, não da fraqueza deles, mas do amor soberano e de sua graça e poder.[23]

Qualquer compreensão correta da presciência divina, então, deve vê-la como o reconhecimento bíblico e da razão da parte de Deus a respeito daquilo que Ele tornou certo pelo Seu decreto abrangente. No Antigo Testamento, essa presciência é indicada em Jó 23.13,14; Salmo 139.1-24; Jeremias 1.5; e no Novo Testamento, em Atos 2.23; 15.18; Romanos 8.28, 29; 11.2; 1 Pedro 1.2, textos todos a que devemos tratar com muito carinho.

Primícias

Uma das festividades de Israel designadas por Jeová, era a festa das primícias. A festa centrava-se no mover do feixe das primícias que era apresentado perante Jeová no tempo da colheita. Era um feixe representativo e contemplava todos os feixes da colheita total, visto que a Jeová deveriam ser dadas ações de graças pelo crescimento

PRIMÍCIAS

que a semeadura e a colheita asseguravam. O termo *primícias* é usado de várias formas na Bíblia e cada uma das diversas aplicações deveria ser considerada.

1. CRISTO. Duas vezes é dito que Cristo é as *primícias* e isto em sua ressurreição (1 Co 15.20, 23). Com o Seu corpo humano glorificado Cristo apareceu no céu imediatamente após a ressurreição. Seu aparecimento na esfera acima tornou-se uma representação da grande colheita daqueles que vão segui-lo com seus corpos glorificados igual ao Seu corpo glorioso da ressurreição (Fp 3.20, 21). Nenhum dos de Seu povo que morreu está em posse de seu corpo ressurrecto. A aquisição desse corpo aguarda a vinda de Cristo. Assim, é verdade que Ele "somente possui imortalidade, que habita em luz inacessível..." (1 Tm 6.16). Ele morreu e foi sepultado, e, por causa desta experiência, seria natural dizer que Ele se revestiu da incorruptibilidade como acontecerá com todos os ressuscitados (1 Co 15.51,52); mas Cristo não conheceu a corrupção (cf. Sl 16.10; At 2.25-28). Portanto, como ninguém, Ele se revestiu da imortalidade em Sua ressurreição. Cristo como glorificado em Seu corpo humano da ressurreição, é o antítipo do feixe movido no Antigo Testamento.

2. OS PRIMEIROS CRISTÃOS. Cristo somente é as primícias no céu. Tiago, contudo, declarou: "Segundo a sua própria vontade, ele nos gerou pela palavra da verdade, para que fôssemos como que primícias das suas criaturas" (Tg 1.18). Esta declaração reconhece tanto a eleição soberana de Deus – porque é por Sua própria vontade que Ele foi dirigido – quanto o fato do poder regenerador do Espírito Santo. Esta última declaração é realizada pela agência da palavra da verdade. Aqueles que são gerados tornam-se primícias e não podem ser pressionados além do que foram primeiro dentre os muitos dos remidos pertencentes à Igreja que nenhum homem pode contar. Aqueles que foram "como que primícias" evidentemente reconhecem a verdade de que Cristo somente é as *primícias*, estritamente falando.

3. BÊNÇÃOS. Como um penhor, um antegozo daquilo que aguarda o filho de Deus em glória, as bênçãos que agora são percebidas pelo crente por causa da presença do Espírito em seu coração constituem o que é chamado de primícias. O apóstolo disse: "E não só ela, mas até nós, que temos as primícias do Espírito, também gememos em nós mesmos, aguardando a nossa adoção, a saber, a redenção do nosso corpo" (Rm 8.23). Assim, um cômputo pode ser feito em algum grau da experiência em glória para todos que agora estão entre os salvos, se o Santo Espírito é as primícias.

4. PRIMEIROS CRENTES NUMA LOCALIDADE. Totalmente similar à classificação precedente está outra pela qual quando o Evangelho é primeiramente pregado numa localidade há aqueles que crêem e se tornam as primícias daquela localidade. Duas vezes o apóstolo se refere às primícias espirituais da Acaia em Romanos 16.5 e 1 Coríntios 16.15.

5. ISRAEL. Jeremias afirmou: "Então Israel era santo para o Senhor, primícias da sua novidade; todos os que o devoravam eram tidos por culpados; o mal vinha sobre eles, diz o Senhor" (Jr 2.3). Como Israel é o primeiro na ordem da revelação do propósito divino para este mundo, esse povo se tornou as primícias de uma escala extensa da totalidade do programa divino. Será observado como a advertência é dada aqui para todos os povos a respeito da dura punição que vem sobre aqueles que perseguem Israel.

6. Apocalipse 7 e 14. Duas vezes a referência é feita em Apocalipse a um grupo de 144.000. No primeiro caso (Ap 7.1-8), eles são identificados como pertencentes às tribos de Israel – cuja identificação deveria dirigir todas as tentativas de interpretação. Estes indivíduos são selados com o selo protetor e seletivo de Deus. Em Apocalipse 14.1-5 este mesmo grupo – por ser selado, seu número não pode ser aumentado ou diminuído – é visto como as primícias da era do reino vindouro onde o Rei reinará de Sião.

Profecia

A profecia é um aspecto distinto e singular da revelação totalmente estranha à capacidade humana. Ela atinge a história pré-escrita; portanto, deve provar ser um grande fenômeno. Seu cumprimento no passado é inquestionável, e permanece como uma evidência indiscutível para a inspiração.

1. Como Predição. A profecia preditiva deve ser distinta da pregação ou da proclamação; em si mesma é uma espécie de ministério profético.

2. Seu Conteúdo. A profecia preditiva ocupa quase um quarto do texto da Escritura. Ela atinge na verdade praticamente todos os aspectos da vida e da história humana. As principais classificações são: (a) a que é cumprida e não-cumprida; (b) a que é do Antigo e do Novo Testamento; (c) a que é concernente a Israel, gentios e Igreja; (d) a que concerne a Cristo e Seus primeiro e segundo adventos (a última se estende cerca de oito vezes mais textos do que a primeira); (e) a que é antes, durante, e após o exílio judaico; (f) mensagens para os reinos do Norte e do Sul.

3. No Ministério de Cristo. O ministério profético singular de Cristo é a consumação de toda profecia, porque Ele veio como o maior Profeta, Sacerdote e Rei. Ele finalmente cumpriu Deuteronômio 18.15 (o estudante é instado a comparar todas as referências do Novo Testamento a esta passagem).

4. O Estudo Dela. O estudo da profecia é especialmente predito nesta era; contudo, ela será entendida somente pelo poder capacitador do Espírito Santo (Jo 16.13).

Propiciação

As palavras gregas empregadas na doutrina da propiciação são: ἱλασμός, que significa o que Cristo se tornou pelo pecado (1 Jo 2.2; 4.10), ἱλαστήριον, o lugar da propiciação (Rm 3.25; Hb 9.5), ἵλεω (Mt 16.22; Hb 8.12) e ἱλάσκομαι (Lc 18.13; Hb 2.17).

Ἱλάσκομαι indica que Deus se tornou *gracioso, reconciliado*. No grego profano, a palavra significa "se tornar propício pela oração e sacrifício". Mas do ponto de vista bíblico, Deus de Si mesmo não é alienado do homem. Portanto, Seu sentimento não precisa ser mudado. Ainda, a fim de que Ele não possa em nome da justiça ser necessário comportar-se de modo diferente, uma expiação infinita é necessária que, para ser exato, Ele próprio em Seu amor institui e faz. O homem, todo exposto à ira, não poderia nem arriscar-se nem fazer expiação. Mas então Deus se antecipa e satisfaz as exigências de Sua própria justiça. Nada acontece para mudar Deus, como na visão pagã. Entretanto, em nenhum lugar é lido que Deus deve ser reconciliado. Antes, alguma coisa acontece no homem, que agora escapa da ira vindoura. Uma exigência de mera misericórdia requereria o uso do clamor Ἐλέησον. Quando a culpa e sua punição precisam ser reconhecidas, contudo, a palavra ἱλάσκομαι é usada (Lc 18.13; Hb 2.17).

Cristo se tornou o Propiciador e, assim, o Pai é propiciado. A terminologia em Hebreus 9.5 para *propiciatório* corresponde à tradução da palavra na LXX, ou seja, ἱλαστήριον.

1. No Antigo Testamento. O propiciatório é um trono de graça porque ali há propiciação. O sangue sacrificial espargido sobre a tampa da arca, onde a presença de Jeová devia ser encontrada, mudou o que diferentemente seria uma cena de terrível juízo para um ato de misericórdia, tornando-o em parte propiciatório. Contudo, o sangue animal era eficaz somente ao grau em que ele proporcionou uma base justa sobre o que Deus perdoou, até que Cristo viesse e derramasse o Seu próprio sangue por eles. Deus foi propiciado antigamente meramente ao grau de julgamento procrastinado. Por esta medida de graça, não obstante, era razoável orar (cf. Lc 18.13).

2. No Novo Testamento. Cristo por ter o Seu próprio sangue aspergido, como aconteceu, sobre Seu corpo no Gólgota, se torna na realidade o Propiciatório. Ele é o propiciador e fez propiciação por satisfazer as justas exigências da santidade de Deus contra o pecado. Este fato da propiciação deve ser crido. Certamente o ajustamento não deve ser pedido, se ele já foi cumprido. As portas da misericórdia divina estão abertas, e o fluxo vem somente através desse canal que Cristo é como Propiciador.

A propiciação da obra de Cristo na cruz é para Deus. A morte de Cristo pelo pecado do mundo mudou a posição total da raça em sua relação com Deus, porque Ele reconhece o que Cristo fez em favor do mundo, se um homem entra nela ou não. Nunca é dito de Deus ter se reconciliado, mas Sua atitude para com o mundo é alterada quando a relação do mundo com Ele se torna radicalmente mudada através da morte de Cristo.

Deus é propício para com os não-salvos e para com os santos que pecam: "E ele é a propiciação pelos nossos pecados, e não somente pelos nossos, mas também pelos de todo o mundo" (1 Jo 2.2). Deveria ser dada atenção ao fato de que Deus salva um pecador ou restaura um santo sem dar um golpe ou mesmo emitir uma palavra de crítica. É muito freqüentemente suposto que o arrependimento humano e a tristeza humana amaciam o coração de Deus e o tornam propício. Isto não pode ser verdadeiro. É o fato legal de que Cristo suportou todo pecado que torna Deus propício.

A verdade mais determinante à qual toda pregação do Evangelho deveria ser harmonizada, é a de que Cristo é propício; assim todo fardo humano é tirado do pecador ou do cristão, somente fazendo-o crer que pelo fato de Cristo ter suportado o pecado, Deus é propício.

O publicano foi ao templo para orar após ter apresentado o seu sacrifício, que era o costume (Lc 18.13). O texto relata que ele disse: "Sê propício a mim pecador". O que realmente ele pedia era: "Deus, sejas tu propiciado para mim, pecador". Ele não pedia misericórdia como se ele devesse persuadir Deus a ser propício, mas em plena harmonia com o relacionamento existente entre o povo do pacto do Antigo Testamento e Deus, e com base na sua oferta ou sacrifício, ele pediu a Deus para ser propício naquela base especial. Tal oração desde que Cristo morreu é totalmente errada. No presente tempo da era da graça ninguém precisa pedir a Deus meramente para ser misericordioso para com o pecado, porque Ele não pode ser, e, além do mais, visto que a morte de Cristo tornou Deus propício, não mais há ocasião nem sequer para pedir que Deus seja propiciado.

Na verdade, fazer isso se torna extrema incredulidade e a incredulidade não pode salvar alguém. O propiciatório no Antigo Testamento poderia ter se tornado um ἱλαστήριον pelo sacrifício (Hb 9.5), mas o sangue espargido do corpo de Cristo na cruz muito tempo atrás se tornou o propiciatório para o pecador de uma vez por todas. É ali que adequadamente Deus em justiça pode salvar o pecador e restaurar o santo à comunhão. O propiciatório se torna o trono perpétuo da graça. O que diferentemente seria um trono de julgamento terrível é mudado para um lugar de misericórdia infinita.

Propiciatório

A doutrina do propiciatório é dividida em duas partes: a que está relacionada ao Antigo Testamento e a que está relacionada ao Novo. No Antigo Testamento, a tampa da arca que se encontrava no lugar santíssimo que cobria a Lei [que havia sido violada] e que era protegida pelos querubins – protetores da santidade de Deus – era o propiciatório (Êx 25.17-22). Ela se tornava o propiciatório quando aspergida com o sangue típico. O sangue do animal era eficaz quando era olhado tipicamente como apontando para a morte de Cristo. O sumo sacerdote – um homem pecador que precisava oferecer sacrifício por si mesmo assim como pelos outros – entrava perante o propiciatório uma vez ao ano (Lv 16.2-15) em favor das pessoas e ali encontrava misericórdia de Deus para elas.

No Novo Testamento (Rm 3.25; Hb 9.5), o propiciatório é identificado com seu antítipo, o corpo de Cristo que foi pendurado na cruz, e foi aspergido com o Seu próprio sangue. Por meio disso ele se torna o lugar onde Deus pode se encontrar com o pecador em favor salvador. A graça justificante de Deus é somente possível através da redenção que está em Cristo (Rm 3.24). A importância deste tema não é vista no tipo da arca do Antigo Testamento e sua cobertura, mas, antes, no antítipo ou na doutrina da propiciação do Novo Testamento.

Providência

A palavra grega para providência é πρόνοια, traduzida assim mais de uma vez na Escritura (At 24.2) e proferida por um rei gentílico. O termo teológico sugere (cf. providenciar) o cuidado diretivo que Deus tem pelas coisas animadas e inanimadas – e abrange as coisas boas ou más – especialmente aquelas que são entregues à Sua vontade.

A providência é a concretização divina de todos os decretos, e é o objeto da manifestação final da glória de Deus. Ele dirige todas as coisas perfeitamente, sem dúvida; todavia, sem compelir a vontade humana. Ele opera no homem o desejo de fazer Sua vontade (Fp 2.13). A doutrina, portanto, é cheia de conforto. A providência deveria ser distinta, obviamente, da mera preservação.

Punição

1. FUTURA. A punição futura e eterna, portanto, deve ter uma causa adequada ou uma razão. A Bíblia é a única autoridade sobre este tema determinante. Ela declara que o pecado é infinito, porque é contra Deus. Seu caráter é ultrajado pelo pecado e Sua autoridade é resistida.

A doutrina da punição, então, argumenta que os homens existem para sempre e, por causa do julgamento divino inevitável contra eles pelo pecado (em todas suas formas), deve ser separado para sempre de Deus num estado que é de tormento consciente. Alguns têm especulado sobre que tipo de tormento vem sobre os homens. Tem sido afirmado que ele é (a) um remorso devido à falha em assegurar as bênçãos do céu quando lhes foram oferecidas; (b) sofrimento da alma que pode melhor ser descrito para a mente humana pelas figuras empregadas nas Escrituras – um lago de fogo, um abismo profundo, ou um verme que não morre; (c) um fogo literal, inferno, verme imortal.

A doutrina é mais enfatizada por Cristo do que por qualquer outra pessoa na Bíblia. Ele ensinou que, à parte de Seu próprio poder salvador, os homens morrem em seus pecados (Jo 8.24) e são ressuscitados novamente para o juízo (Jo 5.28, 29; cf. Mt 5.22, 29, 30; 10.28; 18.9; 23.15, 33; 25.41, 46; Lc 12.5).

No Antigo Testamento a palavra hebraica *sheol* (algumas vezes traduzida como "sepultura", "abismo" e "inferno"), igual à palavra grega *Hades* (traduzida como "inferno" e "sepultura"), refere-se ao lugar dos espíritos que se foram, e três significados são dados a ela: (1) a sepultura onde a atividade cessa (Sl 88.3); (2) o fim da vida até onde o conhecimento humano pode ir (Ec 9.5,10); (3) um lugar de tristeza consciente (2 Sm 22.6; Sl 9.17; 18.5; 116.3).

No Novo Testamento, as palavras gregas γέεννα, ἅιδης e τάρταρος (este termo em forma verbal) são traduzidos por "inferno". Γέεννα é um nome que fala do sacrifício e do sofrimento humano (Mt 5.29); ἅιδης indica o lugar dos espíritos que partiram (Lc 16.23), enquanto τάρταρό se refere aos abismos mais profundos, e para ali os espíritos dos ímpios são enviados (2 Pe 2.4).

Algumas palavras adicionais em nossa língua dizem respeito a este tema e são encontradas no Novo Testamento. Elas são: (1) "perdição", que significa perda e ruína total (1 Tm 6.9); (2) "reprovação", que é freqüentemente mais exatamente traduzida como *julgamento* ou *condenação* (Mt 23.14); (3) "tormento", que fala da dor física (Lc 16.28); "segunda morte', que é sinônimo de "lago de fogo" (Ap 20.14); "fogo eterno" (Mt 18.8) e "punição eterna" (Mt 25.46). A palavra grega para "eterna" é αἰώνιος; embora ela possa ser usada para indicar meras eras de tempo, a fim de sugerir um fim ou término, esta palavra é quase universalmente encontrada no Novo Testamento para expressar aquilo que é eterno. A nova vida que o crente recebeu é mencionada 40 vezes como "eterna". A menção é igualmente feita a respeito do "Espírito eterno", "Deus eterno", "salvação eterna", "redenção eterna", "eterna glória", "reino eterno" e "evangelho eterno". Sete vezes esta palavra é usada em conexão com o destino dos ímpios (Mt 18.8; 25.41,46; Mc 3.29; 2 Ts 1.9; Hb 6.2; Jd 7).

Alguns asseveram que αἰώνιος seja limitado em duração quando se refere ao sofrimento dos perdidos; mas, se isto fosse verdadeiro, toda promessa para o crente e a própria existência de Deus, sem dúvida, teriam de ser limitadas também. Veja HADES.

2. PRESENTE. (a) Deus pune nações (observe e.g., Egito, Êx 7–12) e (b) Ele pune indivíduos quando julga necessário (At 12.23). Os santos, por exemplo, são tanto castigados quanto açoitados (Hb 12.6).

Purificação

A possibilidade da purificação do crente da poluição espiritual e de uma maneira totalmente satisfatória a Deus, é confortadora e tranqüilizadora, além da medida. Visto que o pecado é a experiência de todos neste mundo, uma provisão pela qual a poluição pode ser purificada é de importância insuperável para todos.

A doutrina da purificação divina da corrupção humana está sujeita a uma tríplice divisão, a saber:

PURIFICAÇÃO

1. No Antigo Testamento. Várias purificações foram prescritas e providenciadas na ordem do Antigo Testamento, mas nenhuma delas era em si mesma eficaz. Estas foram aceitas por Deus pelo que elas tipificavam e, por conseguinte, no que diz respeito à realização divina na purificação, tudo estava completo; mas ainda a base sobre a qual a purificação tinha sido operada era uma antecipação do que Cristo faria com respeito à impureza quando Ele fosse à cruz. A base da purificação poderia somente ser contada como perfeita naquela morte predita de Cristo se fosse tão certa na avaliação de Deus como é neste tempo, visto que a morte já foi realizada historicamente. A água era usualmente o agente típico de purificação, aplicado por aspersão ou banho, e no caso da solução formada por cinzas do novilho vermelho tinha de ser misturada com o símbolo do sacrifício. Embora a purificação típica tenha sido extensiva no Antigo Testamento, não era mais imperativa, portanto, não mais vitalmente imperativa do que a purificação que o Novo Testamento provê.

2. Do Não-Salvo. A purificação feita de uma vez por todas é uma parte da graça salvadora de Deus para os perdidos quando eles crêem para a salvação. A eficácia do sacrifício de Cristo provê uma lavagem no sangue do Cordeiro (Ap 7.14) quando divinamente aplicado na estima de Deus. Que isto não indica uma lavagem física e literal, está óbvio; não obstante, os resultados com todos os seus valores supremos, são os mesmos.

3. Do Crente. O pecado é sempre pecado e a corrupção sempre corrupção, sejam eles relacionados ao salvo ou ao não-salvo, e como tal podem ser purificados somente pelo sangue de Cristo. Para o filho de Deus, tal purificação é apresentada em 1 João 1.7,9, e esse texto declara: "Mas, se andarmos na luz, como ele na luz está, temos comunhão uns com os outros, e o sangue de Jesus seu Filho nos purifica de todo pecado... Se confessarmos os nossos pecados, ele é fiel e justo para nos perdoar os pecados e nos purificar de toda injustiça". No versículo 7, a segurança é dada na medida em que o crente anda na luz, que significa um ajustamento constante e pleno a toda vontade revelada de Deus para ele, o sangue de Cristo o limpa de todo pecado. A mesma condição, afirmada em outras palavras, está presente no versículo 9, onde é dito que "se nós [os cristãos somente] confessarmos os nossos pecados" – isto é, se fizermos os ajustes necessários – Deus é tanto fiel quanto justo (fiel à Sua promessa e propósito, e justo naquilo que Ele faz pelo crente em vista do fato de que Cristo suportou o pecado) em perdoar e em purificar de toda injustiça.

Nada poderia ser mais eficaz ou vantajoso para o crente do que ele manter uma comunhão inquebrantável com o Pai e com o Filho (1 Jo 1.3, 7). A união com Cristo é estabelecida para sempre pelo exercício da fé, mas a comunhão com o Pai e com o Filho pode ser, e freqüentemente é, quebrada. Isto, contudo, pode ser restaurado pela confissão quando o pecado é perdoado e sua mancha lavada. Tal purificação foi tipificada pela aspersão com água na qual foi misturada a cinza do novilho vermelho (Nm 19.2-9).

Queda

Um lapsariano é aquele que crê que o homem caiu de seu primeiro estado de inocência pelo pecado. Esta posição é fiel ao registro que a Bíblia apresenta. Se os homens não recebem esse registro é porque eles não temem rejeitar o testemunho de Deus. Quando o homem natural, que não tem confiança alguma na Palavra de Deus, tenta explicar a origem das coisas no universo, se sua razão o impele a fazê-lo, ele se volta para a melhor solução do problema que a sua imaginação pode inventar, ou seja, a teoria evolucionista. Ele deveria saber bem que não há base sustentável para o fato sobre o qual esta teoria repousa. Ele rejeita a narrativa do Gênesis da qual toda Escritura subseqüente vai depender porque somente um homem não-regenerado que não pode conhecer Deus e sua mente não pode reconhecer que Deus tenha sido capaz de fazer alguma coisa. Não somente deveria a teoria evolucionista ser questionada por causa da total falta de fundamento sobre o qual ela repousa, mas a condição em que a humanidade é encontrada no mundo demonstra que o registro divino é verdadeiro. Ao escrever sobre o tema da queda do homem, Herman Bavinck afirma:

> Indiretamente, contudo, uma testemunha muito poderosa para a queda do homem é fornecida pela condição empírica total do mundo e da humanidade. Porque o mundo, tal como o conhecemos, cheio de injustiça e tristeza, não pode ser explicado sem a aceitação de tal fato. Aquele que se apega ao testemunho da Escritura e da consciência sobre o pecado como pecado (como ἀνομία, *anomia*) não pode deduzi-lo da criação, mas deve aceitar a conclusão de que ele começou com uma transgressão do mandamento de Deus e, assim, com um ato da vontade. Pitágoras, Platão, Kant, Schelling, Baader, todos entenderam e reconheceram isto com mais ou menos clareza. Aquele que nega a *queda* deve explicar o pecado como uma necessidade que tem sua origem na criação, na natureza das coisas, e, portanto, no próprio Deus; ele justifica o homem, mas acusa Deus, falseia o caráter do pecado e o torna eterno e irrevogável. Porque, se não houve uma queda em pecado, não há redenção alguma do pecado possível; o pecado, então, perde sua importância meramente ética, torna-se um traço da natureza do homem, e não é exterminável... Do ponto de vista da evolução, não há razão para se sustentar um "único sangue" (At 17.26), mas nunca houve um primeiro homem; a transição do animal para o homem foi tão lenta e sucessiva, que a distinção essencial não pode ser vista. E com o ocultamento dessa linha divisória, a unidade do ideal moral, da religião, das leis do pensamento e da verdade, também falha; a teoria da evolução expele o absoluto em toda parte e conduz necessariamente ao psicologismo, relativismo, pragmatismo e mesmo ao pluralismo, que é literalmente politeísta num sentido religioso. A unidade da raça humana, por outro lado, como é ensinada na Santa Escritura, não é uma

questão física indiferente, mas uma questão intelectual, moral e religiosa; ela é um "postulado" de toda a história da civilização, e é expressa ou silentemente aceita por quase todos os historiadores. E a consciência dá testemunho dela, na medida em que todos os homens mostram a obra da lei moral escrita nos corações deles, e os seus pensamentos mutuamente se acusam ou desculpam (Rm 2.15); isso nos leva de volta à *queda* como um "Urthatsache der Geschichte" ("Fato Original da História").[24]

A mensagem da Bíblia é a de redenção daquele estado de pecado que, de acordo com o Texto Sagrado, deve ser devido à queda. Assim, a totalidade da revelação bíblica vem a ser sem razão quando a queda do homem é negada. O registro da queda que as Escrituras apresentam é de grande simplicidade. Um homem e uma mulher são trazidos à existência como inocentes e como retos, como a criação que um Deus santo poderia fazer. Eles conheciam a mente de Deus, visto que comungavam com Ele. Uma ordem arbitrária é dada para que eles se abstenham de comer do fruto de determinada árvore. Desobedecer a Deus é repudiá-lo e adotar um curso independente de ação que deve ser totalmente estranho à devida relação que deveria existir entre a criatura e o Criador. A advertência tinha sido devidamente dada de forma que, como um resultado da desobediência ou da ação de independência, "certamente morreriam".

A referência é à morte, tanto física quanto espiritual, com sua consumação na segunda morte. Pela experiência imediata da morte espiritual, os primeiros pais foram transformados e tornados uma espécie de seres totalmente diferentes daqueles que haviam sido criados. Como acontece em toda a natureza, eles só poderiam se propagar segundo a sua espécie. A descendência não recebeu a natureza inocente com a qual seus pais haviam sido criados; eles receberam a natureza caída que seus pais haviam adquirido. Prova disto é encontrada no registro de que o primogênito dos primeiros pais foi um assassino, e com a sugestão de que Abel reconheceu o seu próprio pecado, quando apresentou um cordeiro morto como oferta a Jeová. Dessa queda dos primeiros pais todo membro da raça humana é arruinado e ele, e cada um por si mesmo, deve aceitar a graça redentora de Deus ou caminhar para a consumação da ruína espiritual, consumação essa que é conhecida como a segunda morte (cf. Ap 2.11; 20.14; 21.8).

Assim, o efeito da queda é universal. Os homens não têm necessidade da graça salvadora de Deus meramente por causa dos pecados que eles próprios cometeram como fruto da natureza caída; eles têm necessidade de uma regeneração completa e de uma eventual libertação de todo efeito da queda. Tal bênção, com muitas outras mais, é a porção de todos que são divinamente salvos.

Recompensa

Deus oferece recompensa ao crente como um reconhecimento de qualquer fidelidade que possa ter sido mostrada a Ele em serviço. Este é o contraste de toda a doutrina da graça. Por ter salvo uma alma com base na graça de forma que não há a obrigação de pagamentos posteriores ou de construir mérito, Deus reconhece um compromisso de Sua parte de recompensar os crentes pelo serviço deles a Si. Seria muito fácil para o homem dizer: "Ele fez muito por mim; por mais que eu faça algo em retorno seria muito pouco", mas o que Ele realizou sob a graça não cria a exigência ou obrigação de qualquer que seja o reembolso, o que não seria graça. O que o crente tem realizado por Deus, Ele reconhece em fidelidade com recompensa no tribunal de Cristo (Mt 16.27; Lc 14.14; Rm 14.10; 1 Co 4.5; 2 Co 5.10; Ef 6.8; 2 Tm 4.8; Ap 22.12).

Toda condenação em matéria de culpa é passada para sempre para o cristão. Ele não entrará em juízo com respeito ao seu pecado (Jo 3.18; 5.24; 6.37; Rm 5.1; 8.1; 1 Co 11.32); portanto, o tribunal de Cristo trata totalmente da matéria do serviço e não com a questão do pecado.

A seguinte nota do Dr. C. I. Scofield está claramente afirmada: "Deus, nas Escrituras do Novo Testamento, oferece ao *perdido* a salvação, e para o fiel serviço dos *salvos*, a recompensa. As passagens são facilmente distinguidas por lembrar que da salvação é dito ser um livre dom (e.g., Jo 4.10; Rm 6.23; Ef 2.8, 9); enquanto que da recompensa é dito ser ganha por obras (Mt 10.42; Lc 19.17; 1 Co 9.24, 25; 2 Tm 4.7,8; Ap 2.10; 22.12). Uma discussão adicional é que a salvação é uma posse presente (Lc 7.50; Jo 3.36; 5.24; 6.47), enquanto que as recompensas são uma obtenção futura, para ser dada na vinda do Senhor (Mt 16.27; 2 Tm 4.8; Ap 22.12)".[25]

As duas passagens longas da Escritura que tratam da doutrina das recompensas são 1 Coríntios 3.9-15 e 9.16-27 (cf. as passagens sobre as várias coroas: 1 Co 9.25; Fp 4.1; 1 Ts 2.19; 2 Tm 4.8; Tg 1.12; 1 Pe 5.4; Ap 2.10; 3.11).

Reconciliação

As principais palavras gregas a respeito da reconciliação são: καταλλαγή (Rm 5.11; 11.15; 2 Co 5.18,19); καταλλάσσω (Rm 5.10; 1 Co 7.11; 2 Co 5.18-20); e ἱλάσκομαι (Hb 2.17). Reconciliação significa que alguém ou alguma coisa está totalmente mudada e ajustada a algo que é um padrão, como um relógio pode ser ajustado a um cronômetro. A doutrina pode ser considerada em três aspectos:

1. Uso do Antigo Testamento. No Antigo Testamento, a reconciliação fala de expiação ou do cobrir do pecado (Lv 8.15).

2. Do Mundo Todo com Deus (2 Co 5.19). A necessidade desse ajustamento está expressa em Romanos 5.6-11, onde a doutrina aparece com seu escopo universal. Observe quatro expressões em uso aqui: *ímpios, fracos, pecadores* e *inimigos*.

Pela morte de Cristo em favor de si, o mundo todo está totalmente mudado em sua relação com Deus. Mas de Deus nunca é dito estar reconciliado com o homem. O mundo é tão alterado em sua posição a respeito dos santos juízos de Deus, através da cruz de Cristo, que Deus não imputa agora o pecado deles a eles próprios. O mundo assim torna-se passível de ser salvo.

3. De Cada Indivíduo (2 Co 5.20). Distinga três mudanças conectadas com a reconciliação em 2 Coríntios 5.17-20: (a) a que é posicional ou estrutural, pela qual uma alma é vista como estando em Cristo (v. 17); (b) a de um relacionamento geral, ou a base sobre a qual a salvação pode ser oferecida a toda espécie (v. 19); e (c) a que é uma atitude mental ou a confiança do coração do indivíduo quando ele vê e aceita o valor na morte de Cristo por ele (v. 20). Considere igualmente as passagens: Mateus 5.24; 1 Coríntios 7.11; Efésios 2.16; Colossenses 1.21.

Visto que a posição do mundo perante Deus é completamente mudada por meio da morte de Cristo, a própria atitude de Deus para com o homem não pode mais ser a mesma. Ele está preparado para tratar com as almas agora à luz do que Cristo realizou. Isto parece ser uma mudança em Deus, obviamente, mas não é uma reconciliação. Deus, ao contrário, crê completamente naquilo que Cristo fez e o aceita, como continuar justo, embora capaz, por isso, de justificar qualquer pecador que aceita o Salvador como sua reconciliação.

Redenção

A doutrina da redenção é apresentada pelo significado exato das palavras originais: (1) λυτρόω, λύτρον e λύτρωσις. Esta raiz em todas as suas três formas é usada oito vezes e somente a respeito daquele que *recebeu* redenção (cf. Lc 1.68 – "e remiu seu povo"). (2) ἀγοράζω, usado 31 vezes, que significa estar no 'agorá' [praça pública nos tempos gregos], o lugar da assembléia e mercado; daí a idéia de comprar de alguém por um preço bem pago (cf. Ap 5.9 – "com o teu sangue compraste para Deus homens de toda tribo, e língua, e povo e nação"). (3) ἐξαγοράζω, usado quatro vezes, que significa uma compra do mercado que não tinha retorno (cf. Gl 3.13 – "redimiu-nos da maldição da lei"). (4) ἀπολύτρωσις, usado oito vezes, que significa uma libertação πλενα da alma do pecado e do corpo da sepultura (Rm 3.24; 8.23; 1 Co 1.30; Ef 1.7, 14; 4.30; Cl 1.14).

1. No Antigo Testamento: (a) Israel é redimido do Egito como uma nação (Êx 6.6; cf. Is 63.4). (b) Um animal deveria ser redimido por outro (Êx 13.13). (c) Um terreno perdido poderia ser redimido por um parente (Lv 25.25). Esta prática se torna um tipo da redenção de Cristo. Havia quatro exigências no tipo como igualmente quatro com o antítipo: (1) Um redentor devia ser um parente próximo. Para cumprir isto Cristo tomou sobre si a forma humana, e entrou na raça. (2) Ele deve ser capaz de redimir. O preço da redenção precisa ser pago, cujo antítipo foi o sangue do Filho de Deus (At 20.28; 1 Pe 1.18,19). (3) Ele deve querer redimir (cf. Hb 10.4-10. (4) Ele deve ser livre da calamidade que ocasionou a necessidade da redenção, ou seja, Ele não poderia redimir-se a si mesmo. Isto foi verdadeiro de Cristo, porque Ele não precisava de redenção alguma. De acordo com o tipo do sumo sacerdote no dia da Expiação, então, Cristo ofereceu sacrifício, mas não por Si mesmo (Lc 1.35; Hb 4.15).

Do que foi dito acima, (1) e (2) estão relacionados mais especialmente à humanidade de Cristo e (3) e (4) à sua divindade.

2. No Novo Testamento:

A. A NECESSIDADE DE REDENÇÃO. Todos são escravos porque estão vendidos ao pecado (Rm 7.14; 1 Co 12.2; Ef 2.2) e, sem auxílio, condenados a morrer (Ez 18.4; Jo 3.18; Rm 3.19; Gl 3.10).

B. O MESMO PREÇO POR TODOS. Para redimir do pecado se exige a morte com derramamento de sangue. Um substituto, contudo, pode tomar o lugar do pecado (Hb 9.27,28).

C. SEM RETORNO. Conquanto espiritualmente redimido, revelado por ἐξαγοράζω, o emancipado nunca retorna como tal à sua anterior escravidão. O redentor não venderá um só escravo que ele comprou (Jo 10.28).

D. EMANCIPAÇÃO. Assim, também, os redimidos são libertos da escravidão – nem mesmo são ligados como escravos ao redentor. Eles se tornam livres. O redentor não possuirá um só escravo que não seja pela escolha (Jo 8.36; Rm 8.19-21; Gl 4.31; 5.13). O escravo pode se tornar um servo voluntário (Êx 21.5,6; Sl 40.6-8; 1 Co 9.18,19; 2 Co 5.14,15).

E. O APELO DO EVANGELHO. (1) Deus ocupou-se das necessidades dos perdidos. (2) Cristo tornou-se o redentor parente. (3) O estado de perdição do homem acaba numa aflição eterna ou segunda morte. (4) Cristo, contudo, pagou agora todas as demandas contra o pecado. (5) Ἀγοράζω – 'comprar no mercado' – pode se tornar algo experimental através de ἐξαγοράζω e ἀπολύτρωσις. Observe que alguém pode perceber o que é expresso por ἐξαγοράζω somente através da aplicação imediata da redenção, que se segue à fé pessoal visto que ela é *alguma coisa para se crer*.

Regeneração

A palavra grega para regeneração é παλιγγενεσία (πάλιν, 'novamente, uma vez mais', e γένεσις, 'nascimento, criação').

O uso geral da palavra (i.e., do substantivo como tal) é encontrado a respeito do reino somente em Mateus 19.28 e a respeito daqueles que são regenerados pelo Espírito somente em Tito 3.5 (cf. Ez 37.1-10; Mt 17.11; Jo 1.13; 3.6, 7; At 3.21; Rm 8.21; 1 Co 15.27; 1 Pe 1.3, 23; 1 Jo 2.29; 3.9; 4.7; 5.1, 4, 18; Ap 21.1).

A doutrina da regeneração individual é obscura no Antigo, mas no Novo Testamento ela se torna definida (Jo 3.1-6). A regeneração mostra-se ser a comunicação da natureza divina (cf. Tt 3.5; 1 Pe 1.23; 2.2). Todos os crentes, então, têm a filiação divina (Gl 3.26).

Cinco fatos concernentes à natureza da regeneração precisam ser vistos: (1) uma nova vida foi gerada, por meio disso, e é eterna; (2) essa vida é a natureza divina; (3) o crente é gerado pelo Espírito; (4) Deus, o Pai, se torna o seu Pai legítimo; (5) portanto, todos os crentes são herdeiros de Deus e co-herdeiros com Cristo. Do lado humano, a regeneração está condicionada simplesmente à fé (Jo 1.12,13; Gl 3.26).

Rei

O termo *rei* é usado a respeito daquele que governa sobre o povo e está de posse de um domínio. Ele primeiramente é um conceito aplicado a Deus (1 Sm 8.7), porque Ele é soberano sobre tudo. Em segundo lugar, o termo é aplicado a Cristo. Toda profecia do Antigo Testamento a respeito do reino prediz o Seu ofício real: (a) Cristo ainda se assentará no trono de Davi como herdeiro de Davi (2 Sm 7.16; Sl 89.20-37; Is 11.1-16; Jr 33.19-21). (b) Ele veio como um Rei (Lc 1.32,33). (c) Ele foi rejeitado como um Rei (Mc 15.12,13; Lc 19.14; cf. Gn 37.8; Êx 2.14). (d) Ele morreu como um Rei (Mt 27.37). (e) Quando Ele voltar novamente, será como um Rei (Ap 19.16; cf. Lc 1.32,33).

Uma introdução completa deveria ser feita aqui de todos os textos que tratam do trono de Davi e do Filho de Davi. Cristo combinou os ofícios de Rei e Sacerdote (este último ofício é encontrado em conexão com a Igreja assim como com Israel; cf. Hebreus 7 onde Cristo é um sacerdote segundo a ordem de Melquisedeque.). Seu reinado é mediatorial no sentido em que Deus reinará através de Cristo. O aspecto mediatorial que contempla a vitória sobre todos os inimigos, anjos e homens, cessará eventualmente (1 Co 15.25-28). Contudo, o Seu reinado é eterno (2 Sm 7.16; Sl 89.36,37; Is 9.6,7; Lc 1.33), porque Ele continua a reinar com a mesma autoridade do Pai (cf. 1 Co 15.28).

Reino

Duas esferas específicas estão em vista quando se estuda a doutrina do reino:

1. O REINO DE DEUS, que inclui todas as inteligências no céu ou sobre a terra que são voluntariamente sujeitas a Deus.

2. O Reino do Céu, que abrange qualquer espécie de império que Deus pode ter na terra num determinado tempo. O reino do céu aparece, então, em vários aspectos através dos séculos, como:

A. Teocrático. Primeiramente o governo foi exercido por líderes divinamente designados, pelos juízes e patriarcas.

B. Pactuado. Ele assim se tornou a esperança nacional de Israel (2 Sm 7).

C. Predito. Muitas profecias antecipam um reino glorioso para Israel sobre a terra.

D. Anunciado. O ministério de João Batista, de Cristo e dos apóstolos foi o de anunciar o reino para a nação como algo próximo. Essa oferta, contudo, foi rejeitada.

E. Posposto até o retorno de Cristo. Um dos maiores erros dos teólogos é uma tentativa, como ensaiada agora, de construir um reino no primeiro advento de Cristo como sua base, enquanto que, de acordo com as Escrituras, ele será realizado somente em conexão com o segundo advento. Todos os textos se conformam com este arranjo, não importa quão estranho ele possa parecer.

F. Mistério. De acordo com Mateus 13.11, as presentes condições na cristandade são uma forma de mistério do reino. Visto que o reino do céu não é outro além do governo de Deus sobre a terra, Ele deve agora governar até a importância da plena realização daquelas coisas que são chamadas de "os mistérios" no Novo Testamento e que realmente constituem a nova mensagem do Novo Testamento.

G. Realizado. Esse reino só terá a sua realização plena no estabelecimento do milênio.

Deve ser feita uma distinção entre o reino de Deus e o reino do céu. Deve ser observado que Mateus emprega a terminologia *reino do céu* e que Marcos e Lucas, quando apresentam o mesmo ensino, usam a fraseologia *reino de Deus*. Alguns têm suposto com esta base que os dois reinos são um e o mesmo. Contudo, as diferenças são mais importantes do que as similaridades. A entrada no reino de Deus é pelo nascimento do alto (Jo 3.3), por exemplo, enquanto que para o judeu, no dia de Cristo e na predição de Seu reino terrestre, a entrada no reino está baseada na justiça. Mateus 5.20 declara isto: "Pois eu vos digo que, se a vossa justiça não exceder a dos escribas e fariseus, de modo nenhum entrareis no reino dos céus".

Em relação a outra diferença impressionante, Mateus 8.12; 24.50, 51; 25.28-30 declaram que "os filhos do reino" podem ser lançados fora. Esta retribuição não pode ser aplicada ao reino de Deus e seus membros (Jo 3.18). As parábolas do trigo e do joio (Mt 13.24-30, 36-43) e a dos peixes bons e maus (Mt 13.47-50), de modo suficientemente significativo, são mencionadas unicamente a respeito do reino do céu. Contudo, a parábola do fermento (Mt 13.33; Lc 13.21) é atribuída a ambos os reinos. O fermento representa a má doutrina antes do que pessoas más, e a má doutrina pode corromper e realmente corrompe ambos os reinos.

RESSUREIÇÃO

Ressurreição

A palavra grega para ressurreição é ἀνάστασις, usada 43 vezes; observe também: ἐξαναστασις de Filipenses 3.11, que significa uma ressurreição dentre os mortos, ἐξεγείρω (1 Co 6.14) e ἔγερσις (Mt 27.53.).

A doutrina é dupla, e pertence à (1) ressurreição de Cristo e (2) à da humanidade, inclusive os salvos e os não-salvos.

1. DE CRISTO.

A. A DOUTRINA NO ANTIGO TESTAMENTO. (1) Ela pode ser encontrada na profecia (Sl 16.9,10; 22.22-31; 118.22-24; o conceito de Davi pode ser visto em Atos 2.25-31). (2) Pode ser também observada no tipo (os dois pássaros de Levítico 14.4-7; as "primícias" de Levítico 23.10,11). (3) A ressurreição de Cristo não está diretamente relacionada ao programa de Israel ou à terra, porque ela pertence somente à nova criação, doutrinariamente (Cl 2.9-15).

B. A DOUTRINA DO NOVO TESTAMENTO. (1) A ressurreição de Jesus foi predita por Ele próprio (Mt 16.21; 17.23; 20.19; Lc 18.33; 24.7). (2) Ela foi sujeita a uma prova absoluta (1 Co 15.4-8). (3) Ela foi uma ressurreição real e, portanto, não pode ser ilustrada por ovos, bulbos, crisálidas etc. (Lc 24.39). (4) Ela resultou em uma nova ordem de existência quase incomparável (1 Tm 6.16; 2 Tm 1.10), não numa mera reversão da morte. (5) Há sete razões dadas para a ressurreição de Cristo. Ele ressurgiu (a) por causa do que ou de quem Ele é (At 2.24); (b) para cumprir a profecia (At 2.25-31; Rm 1.4; cf. Jr 33.20, 21; Lc 1.31-33): Está morto o Filho de Davi? (c) para tornar-se o Doador da vida (Rm 7.4; 1 Co 15.45; cf. Jo 20.22); (d) para comunicar poder (Ef 1.19,20; cf. Mt 28.18-20; Rm 6.4); (e) para ser o Cabeça sobre todas as coisas, a Igreja (Ef 1.22, 23); (f) por causa de uma base de justificação realizada por sua morte (Rm 4.25); (g) para ser as primícias (Fp 3.21; cf. 1 Co 15.22-23). (6) A ressurreição de Cristo é o padrão do poder divino nesta era (Ef 1.19,20; cf. a libertação de Israel do Egito na era passada e da presente dispersão para o reino, Jr 23.7, 8). (7) O dia do Senhor é a comemoração da ressurreição de Cristo; assim é observado 52 vezes por ano no começo de cada semana.

2. DA HUMANIDADE.

A. A DOUTRINA DO ANTIGO TESTAMENTO. Os santos do Antigo Testamento predisseram uma ressurreição dos seus corpos (Jó 19.26; Jo 11.24; Hb 6.2).

B. A DOUTRINA DO NOVO TESTAMENTO EM GERAL. (1) Três ressurreições devem ocorrer sucessivamente na seguinte ordem (1 Co 15.20-24): a de Cristo (a Sua já foi cumprida), a dos santos e a ressurreição "final". Observe os relacionamentos de tempo aqui indicados. (2) Cristo ensinou a universalidade da ressurreição (Jo 5.25-29; cf. Dn 12.2; Mt 11.22, 24; 12.41, 42; Lc 10.14; 11.32; At 24.15; 1 Co 15.22). (3) Não se deve pensar na ressurreição como se fosse a mesma coisa que restauração; cf. todas as chamadas ressurreições que foram registradas nas Escrituras (2 Rs 4.32-35; 13.21; Mt 9.25; Lc 7.12-15; Jo 11.44;

At 9.36-41; 14.19, 20). (4) O corpo do crente é como uma semente que é semeada (1 Co 15.35-44). (5) Há uma grande exceção à universalidade da morte e ressurreição (1 Co 15.51, 52).

c. A PRESENTE PARTICIPAÇÃO. O crente já ressuscitou com respeito ao seu espírito (Cl 2.12; 3.1).

d. A PREGAÇÃO DE PAULO. A ressurreição de Cristo e a dos crentes formam uma parte do evangelho de Paulo (1 Co 15.1-4).

Retidão

A palavra grega para retidão é δικαιοσύνη. Ela se torna um termo absoluto quando aplicado a Deus. Quatro aspectos gerais de retidão devem ser observados:

1. RETIDÃO DE DEUS. Com respeito ao caráter, Deus é translucidamente santo e reto em todos os Seus atos. Quando combinada com amor, Sua retidão resulta em graça. A retidão de Deus é sempre absoluta e perfeita ao grau infinito: "Não há nele treva alguma". A retidão de Deus é vista de dois modos: (a) Ele é uma pessoa reta (Tg 1.17; 1 Jo 1.5) e (b) Ele é reto em todos os seus caminhos (Rm 3.25, 26).

2. RETIDÃO DO HOMEM. Esta espécie de retidão é reconhecida somente para mostrar sua insuficiência e para o fato dele estar pronto para a condenação (Is 64.6; Rm 3.10; 10.3; 2 Co 10.12).

3. RETIDÃO IMPUTADA. O tipo de retidão imputada não é atributo de Deus como se fosse concedido ao homem, nem bondade humana de qualquer forma. Ela é aquilo que o crente se torna em virtude dele estar em Cristo. Jesus Cristo representa a retidão de Deus, e o crente se torna o que Cristo é no momento em que ele crê (2 Co 5.21).A retidão foi imputada igualmente aos santos do Antigo Testamento (cf. Abraão, Gn 15.6; Rm 4.3; Gl 3.6; Tg 2.23).

4. RETIDÃO COMUNICADA. Romanos 8.4 apresenta uma conduta reta possível da parte de todo crente que não é o resultado de seu próprio esforço, mas, ao contrário, ela vem do Espírito. Esta retidão é produzida não pelo crente, mas "no" crente.

Revelação

A palavra grega para *revelação* é ἀποκάλυψις (cf. o verbo cognato, ἀποκαλύπτω, *revelar*). As palavras *revelação* e *revelar* implicam num desvendamento ou manifestação de coisas desconhecidas – elas são trazidas à mostra. É razoável supor que Deus falasse às Suas criaturas a quem Ele tornou capazes de tal comunhão. Ele falou de vários modos:

1. PELA CRIAÇÃO. Isto está declarado no Salmo 19.1-6 e em Romanos 1.19,20.

2. PELA PALAVRA ESCRITA. A Bíblia reivindica ser (2 Tm 3.16), e é, a Palavra escrita de Deus. Em cada particular ela tem provado ser Sua mensagem ao homem. Ela trata fiel e fidedignamente de coisas, sejam do céu ou da terra. Na verdade, ela revela coisas que de outra forma seriam desconhecidas.

3. PELA PALAVRA VIVA. Enquanto a Palavra escrita revela muitas coisas, a mensagem que vem proeminentemente é a do Filho (Hb 1.1,2) que vem revelar o pai. João 1.18 afirma que nenhuma revelação plena dEle havia sido dada até Cristo ter vindo (veja LOGOS). Cristo revelou a sabedoria de Deus (Jo 7.46; 1 Co 1.24) e o poder de Deus (Jo 3.2), mas a mensagem primordial revelada é o amor de Deus, e isso foi revelado não tanto em Sua vida e obra, quanto o foi na Sua morte (Rm 5.8; 1 Jo 3.16). Este é o significado essencial de Hebreus 1.1,2 (cf. Jo 3.16).

4. PELO LIVRO DE APOCALIPSE. O Apocalipse é assim chamado porque ele é a revelação do Senhor Jesus Cristo, uma revelação que o Pai deu ao Seu Filho (não primeiramente a João) para mostrar aos Seus servos (Ap 1.1).

Sábado

1. SIGNIFICADO. A palavra *sabbath* significa cessação ou descanso completo, sem qualquer sugestão relativa à adoração ou atividade espiritual. *Sabbath* é uma transliteração da palavra hebraica para 'repouso'.

2. FATOS GERAIS.

A. O sábado originou-se com o término da obra da criação (Gn 2.2, 3).

B. Não há a menção de uma semana de sete dias entre Gênesis 2 e a promulgação da Lei em Êxodo 20. Então, ele foi parte de um sistema de lei com sábados extras, um ano sabático e um ano de jubileu (Gn 7.4,10; 8.10-12; 29.27, 28, 30; Êx 16.1-30; Ne 9.13,14).

C. Os profetas deram à observância do sábado o primeiro lugar nos deveres de Israel (Is 58.13,14). Eles eram julgados pela falha em observar o sábado – até mesmo com a pena de morte (Nm 15.32-36). Como uma nação, Israel assim falhou em observar o Sábado, a ponto de serem tirados da terra para que ela pudesse ter o seu sábado de descanso (Lv 26.32-35; Ez 20.10-24).

D. O período intertestamentário desenvolveu a sinagoga cujo costume de se encontrarem juntos introduziu uma forma de adoração sabática sem qualquer autoridade do Antigo Testamento. As tradições, além disso, haviam sido multiplicadas livremente no tempo do primeiro advento, mas estas Cristo desconsiderava quando uma necessidade surgia (Mt 12.1-14; Mc 2.23–3.6; Lc 6.1-11; 13.1-17; 14.1-6; Jo 5.1-18).

E. Não há a observância registrada pelos cristãos de um sábado como tal após a ressurreição de Cristo e, além disso, ninguém é chamado de violador do sábado; antes, a observância do sábado foi condenada (Gl 4.5,10,11; Cl 2.16).

F. A profecia prediz o término da observância do sábado por um pouco de tempo (Os 2.11; 3.4, 5).

G. Paulo reconhecia as reuniões dos cristãos no primeiro dia da semana (At 20.7; cf. Rm 14.5, 6).

H. O sábado deverá ser restaurado na tribulação (Mt 24.20) e plenamente estabelecido no reino (Dt 30.8; Is 66.23; Ez 46.1).

I. O sábado, afinal de contas, era o pacto perpétuo de Jeová com Israel, exceto quando está sob o juízo divino (Êx 31.16).

J. Ele nunca foi dado aos gentios (Ef 2.12; cf. 6.2, 3).

Sacerdócio

O sacerdote é o representante do homem perante Deus como o profeta é representante de Deus enviado ao homem.

1. **No Antigo Testamento.** (a) O patriarca era sacerdote sobre sua família (Gn 8.20; 14.17-20; Jó 1.15). (b) Melquisedeque como um sacerdote tornou-se o tipo do sacerdócio de Cristo tanto na pessoa quanto na ordem (Gn 14.17-20; Sl 110.1-4; Hb 6.20–7.28). De modo algum Israel estava preparado para reconhecer o sacerdócio de um gentio como Melquisedeque. (c) Arão e seus filhos ofereceram tanto sacrifícios expiatórios quanto a intercessão. Arão é um tipo de Cristo e Seu sacerdócio no culto, como Deus ofereceu-se a Si mesmo a Deus (cf. Hb 8.3), e levou o Seu sangue para o santuário celestial nas alturas. Este é um ponto importante na mensagem da carta aos Hebreus.

2. **De Cristo.** Este aspecto da doutrina deve contemplar do serviço de Cristo aqui na terra tanto no oferecer sacrifício quanto no fazer intercessão e também o seu presente sacerdócio no céu. No batismo, Ele foi evidentemente separado por João sob uma provisão especial e divinamente proporcionada (Hb 5.1-2; 7.23-25; 9.24). Hebreus 5.1,2 declara as qualificações plenas de um sumo sacerdote. Observe como e em que aspectos Cristo os cumpriu. Nenhum sacerdote de Israel jamais viria da tribo de Judá e nenhum sumo sacerdote teria consagrado um sacerdote que não fosse da tribo de Levi. João Batista, naturalmente, era um sacerdote em seu próprio direito e foi divinamente designado para consagrar Cristo, embora Ele procedesse da tribo de Judá.

3. **No Novo Testamento** (1 Pe 2.5, 9; Ap 1.6). Como no Antigo Testamento o sumo sacerdote é um tipo de Cristo, assim o sacerdote do

Antigo Testamento é um tipo do crente. O sacerdote de ambos os testamentos é (1) nascido para o seu ofício, (2) devidamente introduzido no serviço por um banho pleno, (3) e serve sob uma designação divina. Israel tinha um sacerdócio em uma família somente; toda a Igreja é um sacerdócio.

O sacerdote do Novo Testamento não oferece sacrifício eficaz, mas é incessantemente responsável dos assuntos de adoração, sacrifício e intercessão (Rm 12.1,2). Uma distinção deve ser observada entre o ofício sacerdotal do crente de que todos igualmente partilham, de um lado, e de outro lado os dons para o serviço que diferem entre os cristãos embora a cada crente algum dom seja dado (1 Co 12.4).

Sacrifício

No Antigo Testamento os sacrifícios eram uma execução da sentença da lei divina sobre o substituto. O sacrifício antigo, então, é de origem divina. A fim de torná-lo eficaz foi necessário que o sangue fosse derramado (cf. Hb 9.22).

1. Escopo. Havia sacrifícios para a nação ou congregação judaica, para a família e o indivíduo (Lv 16).

2. Antes de Moisés. Os sacrifícios foram oferecidos antes do tempo de Moisés por Abel, Noé, Abraão, Isaque, Jacó e Jó (Gn 4.4; 8.20; 12.7; 26.25; 33.20; Êx 12. 3-11; Jó 1.5; 42.7-9).

3. No Sistema Mosaico. (Êxodo a Deuteronômio). Os sacrifícios dos judeus foram sempre típicos de Cristo. Observe, por exemplo, as cinco oferendas de Levítico 1.1–7.38.

4. De Cristo. O corpo de Cristo foi oferecido de uma vez por todas (Hb 10.1-12). O Pai fez o sacrifício (Jo 3.16; Rm 8.32). Cristo sofreu por ὑπέρ – (Rm 5.8), que significa 'em benefício de' – homens; também *no lugar de* – ἀντί (cf. ἀντίλυτρον, 1 Tm 2.6) homens. O sacrifício de Cristo é descrito como: a. Penal (2 Co 5.21; Gl 3.13). b. Substitutivo (Lv 1.4; Is 53.5, 6; 2 Co 5.21; 1 Pe 2.24). c. Voluntário (Gn 22.9; em tipo; Jo 10.18). d. Redentor (1 Co 6.20; Gl 3.13; Ef 1.7). e. Propiciatório (Rm 3.25; 1 Jo 2.2). f. Reconciliador (Rm 5.10; 2 Co 5.18, 19; Cl 1.21,22). g. Eficaz (Jo 12.32,33). h. Revelador (Jo 3.16; 1 Jo 4.9,10).

5. Dos Crentes. O sacrifício do cristão é apenas uma das três funções do sacerdote (veja Sacerdócio). a. Dedicação do eu como um sacrifício racional (Rm 12.1,2). Como Cristo foi ambos, o Sacrifício e o Sacrificador, assim o crente-sacerdote pode livremente oferecer-se a si mesmo a Deus. b. O sacrifícios dos lábios. Isto significa a voz de louvor que deve ser oferecida continuamente (Ef 5.20; Hb 13.15). c. O sacrifício de substância (Fp 4.18). Os cristãos certamente darão mais do que o dízimo judaico.

6. No Reino. A antecipação dos sacrifícios de animais no reino (Ez 43.19-27) é naturalmente perplexa, ainda evidentemente um memorial que olha para trás, para a cruz (como a Ceia do Senhor o faz agora) e sem dúvida uma prática suficientemente adaptada ao povo da terra. Nenhum sacrifício animal jamais tem poder para tirar pecados (Hb 10.4).

Salvação

A palavra grega para salvação, σωτηρία, é usada cerca de 50 vezes no Novo Testamento. Ela se refere ao estado de alguém que se *tornou completo*.

1. ESCOPO. A doutrina geral da salvação inclui os seguintes dogmas menores: substituição, redenção, reconciliação, propiciação, convicção, eleição, chamamento, predestinação, soberania, livre-arbítrio, graça, arrependimento, fé, regeneração, perdão, justificação, santificação, preservação e glorificação.

2. A OBRA DE DEUS. Duas passagens do Antigo Testamento indicam que "a salvação pertence ao Senhor" (Sl 3.8), que "a salvação é do Senhor" (Jn 2.9). Qualquer sistema que tende a combinar a responsabilidade humana com este empreendimento divino está errado. Efésios 2.8-10 relaciona as obras à salvação operada pela graça como um efeito dela, e não uma causa.

3. TRÊS TEMPOS. A salvação tem referência ao passado, presente e futuro do crente. (a) O tempo passado, que liberta da culpa e da penalidade do pecado, é totalmente realizado para todos os que aceitam no tempo em que crêem (Lc 7.50; 1 Co 1.18; 2 Co 2.15; 2 Tm 1.9). (b) O tempo presente, que liberta do poder do pecado, cumpre-se agora naqueles que exercem a fé (Jo 17.17; Rm 6.14; 8.2; Gl 5.16; Fp 2.12,13). (c) O tempo futuro liberta da presença do pecado (Rm 13.11; Ef 5.25-27; Fp 1.6; 1 Pe 1.3-5; 1 Jo 3.1, 2).

4. UMA CONDIÇÃO. Cerca de 115 passagens condicionam a salvação ao crer somente, e cerca de 35 simplesmente à fé. Há certas coisas, contudo, freqüentemente acrescentadas pelo homem à esta única condição, como se segue: crer e se arrepender, crer e ser batizado, crer e confessar pecado, crer e confessar Cristo publicamente, crer e prometer uma melhor maneira de vida, crer e orar por salvação.

5. ASPECTOS DISPENSACIONAIS. Um estudo desta divisão da matéria é melhor abordado por se considerar os propósitos revelados de Deus em cada uma das várias dispensações. O presente propósito da era manifestado no povo celestial, por exemplo, exige um empreendimento exaltado e divino não visto antes sobre a terra (Ef 3.1-6).

6. RELACIONAMENTOS, FATORES E FORÇAS. Observe em particular: (a) a obra do Pai na salvação; (b) a obra do Filho na salvação; (c) a obra do Espírito na salvação; (d) a salvação em sua relação com o pecado; (e) a oposição de Satanás à salvação; (f) a salvação ou a libertação do mundo; (g) a salvação da carne; e (h) a salvação em relação ao céu. Todas estas coisas são tratadas plenamente em Soteriologia (Vol. III).

SALVAÇÃO INFANTIL

7. DURAÇÃO. Não há uma salvação oferecida sob a graça que deixe de ser eterna em seu caráter. Isto é devido ao fato dela ser totalmente uma obra de Deus, e Seu propósito e poder nunca falham (Fp 1.6).

Salvação Infantil

Muitos e variados problemas são descobertos no estudo da doutrina da salvação das crianças. Iguais a todas as questões de salvação, as doutrinas aqui envolvidas devem sempre ser corretamente afirmadas e harmonizadas – eleição, antropologia, a queda da raça e Soteriologia, com a redenção. O campo todo da graça soberana para com o mundo perdido está em vista. Nenhuma teologia é estabelecida ou completa que não explique a salvação daqueles que morrem na infância. Este grupo é grande numericamente, e sem ele alguma representação de toda tribo e nação poderia não estar incluída entre os remidos. Por serem incapazes de responder à graça oferecida em Cristo, a criança, se for salva, deve ser salva nos mesmos termos impostos à porção dos adultos. A liberdade da graça de Deus em salvar os perdidos em justiça está evidentemente em jogo.

Será reconhecido que quando uma ênfase desproporcional sobre o estado de perdição dos homens está presente, poderá haver uma tendência de pensar a respeito de todas as crianças como se elas nascessem reprovadas. Que elas não estão regeneradas no nascimento, é certo; todavia, Deus igualmente tem em grande misericórdia providenciado alguma coisa para os não-salvos a quem Ele propôs salvar. Em tempos anteriores, os calvinistas extremados asseveraram que o inferno é um lugar cheio de crianças ainda muito pequeninas; por causa desta espécie de ensino e como uma herança de Roma deu-se a crença na regeneração batismal. Para esse tipo de ensino, naturalmente, a Palavra de Deus não fornece a sanção seja direta ou indiretamente.

No periódico *The Sunday School Times*[26] foi publicado um simpósio por mestres e teólogos bem conhecidos sobre o assunto da salvação infantil; e foi expressa a opinião de todos que escreveram artigos, a fim de dizer que os infantes são salvos na morte e através da morte de Cristo por eles, e que o sacrifício de Cristo proporcionou a justa liberdade da parte de Deus para Ele salvar a todos por quem Cristo morreu e que, visto que Ele morreu por toda a raça, Deus é livre para salvar a quem Ele quer e nos termos que pode resolver impor. Como os infantes não podem responder aos termos da fé imposta sobre a porção adulta da raça, Deus pode agir e age diretamente em favor daqueles que morrem na infância. Nenhuma injustiça pode ser encontrada nesta realização do propósito e da vontade soberanos de Deus.

O assunto todo das crianças sendo salvas, embora introduza muitos e variados problemas teológicos, é, antes de tudo, algo estabelecido pelo fato de que na Escritura os pequeninos são vistos no céu e são reconhecidos como estando ali (cf. 2Sm 12.23; Mt 18.3-5, 10; 19.14).

Em um artigo para a *Bibliotheca Sacra*, além do mais, no começo da discussão sobre a doutrina, o Dr. Alan H. Hamilton afirma:

Num artigo para a *Bibliotheca Sacra*, além disso, no começo de sua discussão sobre a doutrina, o Dr. Alan H. Hamilton afirma:

O programa total da educação religiosa cristã será construído sobre a resposta do educador a estas três perguntas: (1) Qual é o estado espiritual da criança quando ela vem ao mundo? A esta pergunta, duas respostas contrastantes têm sido dadas: uma é a que ela é nascida com uma vida espiritual que deve ser cuidadosamente cultivada e dirigida; a outra é que ela herda a maldição de uma raça caída e é nascida esvaziada do contato espiritual com Deus ou da capacidade dentro de si mesma de fazer esse contato. (2) Quais são as necessidades espirituais da criança? A escola de pensamento que segue o primeiro conceito dado acima responderá com um treino designado para melhorar e trazer à realização a essência da vida espiritual que a criança possui. Aqueles que estão convencidos do segundo conceito colocarão uma ênfase muito grande sobre a criança trazida, tão cedo quanto possível, a um relacionamento salvador com Deus por meio de Cristo. Como veremos, as denominações eclesiásticas diferem quanto à maneira em que este relacionamento deve ser efetuado; mas a concordância geral, entretanto, é que de algum modo uma vida espiritual deve ser comunicada. Isto vai lançar o fundamento sobre o qual o caráter cristão pode ser construído e do qual a virtude cristã fluirá. (3) Quais são as possibilidades espirituais de uma criança? Para o primeiro grupo, a criança, já de posse da vida espiritual, pode ser tão iluminada e guardada que ela pode reter a sua vida espiritual original e desenvolver desde o nascimento até a maturidade sem interrupção. Se ela se voltar para o pecado atual, naturalmente, que a vida está perdida e uma experiência subseqüente de conversão é necessária. Para o segundo grupo, não é considerado possível que a apreciação e a apropriação das coisas espirituais possa ser realizada antes do tempo da regeneração. Nenhuma ausência de ênfase sobre o treinamento moral deve ser observada neste grupo, nem há geralmente uma falha às presentes verdades da Escritura; mas tudo isto é feito com a percepção de que não há uma vida espiritual a ser desenvolvida até a ocorrência de um novo nascimento espiritual. Contudo, já que esta escola de pensamento crê na regeneração como um ato soberano de Deus, ela é capaz de esperar (onde este pensamento é consistente) que a salvação possa ocorrer bem cedo na vida de uma criança e não leva muito tempo para que um período de compreensão intelectual maior seja alcançado.

Ambas as escolas de pensamento têm se desenvolvido dentro do cristianismo evangélico. A primeira, como será prontamente reconhecido, tem crescido num racionalismo que tem tendido para o universalismo. Ela começou a ganhar proeminência na última metade do século 19 com os escritos de Horace Bushnell (*Christian Nurture*, 1847),

F. G. Hibbard (*The Religion of Childhood*, 1864), R. J. Cooke (*Christianity and Childhood*, 1891), e C. W. Rishell (*The Child as God´s Child*, 1904). O título de um panfleto escrito por J. T. McFarland desse período indica a tendência deste pensamento. Ele é chamado *Preservation versus the Rescue of the Child* (veja na *Encyclopaedia of Religion and Ethics*, editada por Hasting, no verbete "Childhood").

A segunda escola tem seguido mais de perto o sobrenaturalismo apresentado pelas Escrituras. Ela representa a opinião inorporada neste estudo, em que a autoridade da Bíblia é assumida e que, espera-se, mostra ser o único sistema de pensamento que pode passar pelos testes das Escrituras, de consistência, e pela aprovação da consciência cristã.

É de interesse observar que os achados do movimento do estudo da criança, que não seguem os ensinos da Escritura, mas, ao contrário, os princípios da psicologia, têm dado suporte à opinião tomada aqui por asseverar que a religião é alguma coisa externa à criança. Ela é usualmente considerada como comunicada a ela pelo seu ambiente.

Tem havido, também, durante os últimos vinte anos especialmente, uma crescente convicção nos corações do público cristão de que a criança pequenina é um objeto próprio para o simples ensino do Evangelho. Este movimento encontra suas raízes na opinião apresentada aqui: a depravação completa de todo membro da raça humana, e a absoluta possibilidade da regeneração, mesmo para as crianças bem novinhas, por causa da operação sobrenatural de Deus em graça salvadora.

Com estes três valores em vista, portanto, o estudo da doutrina da salvação infantil é empreendido: (1) Seu valor prático em trazer uma resposta certa e escriturística aos questionamentos daqueles cujas vidas são tocadas pela morte de um infante; (2) o valor teológico em prover um teste de sistemas teológicos em voga; e (3) a contribuição que ele pode fazer, de um modo fundamental, para a construção de um programa devido de evangelização e educação para a criança.[27]

O Dr. Hamilton continua a citar os Pais da Igreja e a demonstrar que esta doutrina não teve teologicamente, então, um lugar de importância que tem agora. Sua presente importância foi bem declarada pelo Dr. B. B. Warfield, quando ele disse: "Nenhum sistema de pensamento teológico pode sobreviver no qual ela [a doutrina da salvação infantil] não pode encontrar um lugar natural e lógico".[28]

Certos problemas exigem consideração:

A. Os infantes são salvos em razão de serem inocentes. Esta é uma crença universal, especialmente nutrida pelos pais de uma criança morta; mas a inocência não pode salvar alguém quando todos são nascidos depravados (veja DEPRAVAÇÃO).

B. O batismo devido salvará todos os que forem apresentados. Mas se o batismo pode salvar alguém, então a morte de Cristo é vã. Por que teve Ele de morrer?

SUMÁRIO DOUTRINÁRIO

C. Que na medida em que Cristo morreu por todos, todos então são salvos. Este é o ponto de vista que Richard Watson declara sobre a suposta autoridade de Romanos 5.17,18 [29], onde o dom da justiça se estende àqueles que "recebem a abundância da graça". Mas aqui Deus fala a pessoas adultas que raciocinam; ainda, Ele é, não obstante, livre para salvar como quer.

D. Os infantes pertencem à eleição. Estão os infantes que morrem na infância necessariamente entre os eleitos? Está evidente que sim, se são salvos. Então, uma criança que morre na infância é felizarda, porque está mais certa do céu do que se continuasse a viver e talvez ficasse não apta para ser salva mesmo nos anos posteriores? Disto ninguém pode falar. Deus orienta e opera o Seu próprio plano em cada vida que é vivida na terra. É provável que o grupo dos eleitos, a fim de ser de toda tribo, e povo, será formado em parte daqueles que morrem na infância.

Pode ser asseverado de forma definitiva, em conclusão, que os infantes que morrem na infância antes que a idade da razão comece, são salvos pela redenção que há em Cristo Jesus.

Sangue

A despeito do fato de que a circulação do sangue como a corrente através da qual toda vitalidade se movimenta e o resíduo eliminado, não ter sido estabelecido pela ciência até 1615 d.C., o sangue do corpo tem sido reconhecido em toda história humana, embora envolvido em mistério, como aquilo que contém a vida e é o símbolo dos relacionamentos. O derramamento de sangue sempre foi acompanhado de algum grau de temor. O derramamento de sangue significa a retirada da vida. Nenhuma pessoa que considera as Escrituras pode duvidar da verdade de que Deus relaciona o sangue à vida. No começo de Gênesis (9.4-6) Ele declarou: "A carne, porém, com sua vida, isto é, com seu sangue, não comereis. Certamente requererei o vosso sangue, o sangue das vossas vidas; de todo animal o requererei; como também do homem, sim, da mão do irmão de cada um requererei a vida do homem. Quem derramar sangue de homem, pelo homem terá o seu sangue derramado; porque Deus fez o homem à sua imagem".

O sangue tinha de ser eliminado da comida judaica; nem podia ele ser misturado com o sacrifício, além do seu derramamento. A afirmação direta de Levítico 17.11 dá uma declaração clara e final de Deus: "...porque a vida da carne está no sangue; pelo que vo-lo tenho dado sobre o altar, para fazer expiação pelas vossas almas; porquanto é o sangue que faz expiação, em virtude da vida". A doutrina bíblica adequadamente está sujeita a uma tríplice divisão – (1) sangue sacrifical, (2) sangue purificador e (3) sangue como o selo de um pacto.

SANGUE

1. SANGUE SACRIFICIAL. A declaração abrangente sobre este ponto que sumariza a ordem do Antigo e do Novo Testamento afirma que "sem derramamento de sangue não há remissão" (Hb 9.22). É o sangue *derramado* que foi sempre exigido para libertação, e assim foi no tipo e no antítipo, Cristo, em Sua crucificação. O mistério de tudo que faz parte do sacrifício de sangue exigido pelo pecado não pode ser investigado até o seu final. Ele percorre mais as esferas desconhecidas do que o faz nesta esfera. A verdade da exigência de Deus de um sacrifício de sangue como a base justa para a remissão de pecado foi estabelecida nos tempos do Antigo Testamento, e isto está além de qualquer questão. Embora as muitas oferendas não mantivessem eficácia alguma em si mesmas para tirar o pecado, elas falaram realmente da necessidade imutável de um resgate ou redenção pelo sangue como uma cura pelo pecado.

Desafiar este fato não é somente negligenciar o ensino apresentado nos tipos e na explicação direta do Novo Testamento sobre a morte de Cristo, mas é presumir que a avaliação humana do pecado pode ser equivalente à avaliação divina. Que autoridade, na verdade, tem um mortal – uma mera criatura – de arrogar para si mesmo o direito de sentar-se no tribunal sobre Deus e declarar desnecessário o princípio que Deus estabeleceu e ao qual Ele, a um custo infinito para Si mesmo, ajustou para todas as eras? A mensagem gloriosa é, na verdade, que o sangue eficaz foi derramado e que homens são convidados a receber o valor dele, que o sangue de Cristo foi derramado como um sacrifício que o próprio Deus providenciou para satisfazer Suas exigências contra o pecado, e que este modo de tratar com o pecado, desde o cordeiro de Abel até o dia da morte de Cristo, é a única interpretação que plena e legitimamente constrói tudo que a Bíblia apresenta sobre seu tema central de salvação.

2. SANGUE DE PURIFICAÇÃO. Ao menos dois principais textos do Novo Testamento proclamam o poder purificador do sangue de Cristo, e estes relacionam Sua obra de purificação aos tipos do Antigo Testamento, de forma que servem a ambos, como uma revelação a respeito da presente eficácia do sangue de Cristo, e como interpretações claras dos tipos, com respeito ao significado e ao valor deles. Estes textos são:

Hebreus 9.13, 14: "Porque, se a aspersão do sangue de bodes e de touros, e das cinzas duma novilha santifica os contaminados, quanto à purificação da carne, quanto mais o sangue de Cristo, que pelo Espírito eterno se ofereceu a si mesmo imaculado a Deus, purificará das obras mortas a vossa consciência, para servirdes ao Deus vivo?" Como a significação típica serviu para uma base sobre a qual o imundo podia ser purificado, assim, e "muito mais", o sangue de Cristo purifica a consciência (ao remover o senso de culpa pelo testemunho divino no coração de que um perdão perfeito foi realizado).

Hebreus 9.22, 23: "E quase todas as coisas, segundo a lei, se purificam com sangue; e sem derramamento de sangue não há remissão. Era necessário, portanto, que as figuras das coisas que estão no céu fossem purificadas com tais sacrifícios, mas as próprias coisas celestiais com sacrifícios melhores do que estes". Neste caso, a purificação é de coisas que eram cerimoniais, ou que estavam de conformidade com a lei, por serem purificadas pelo sangue sacrificial dos animais. Assim, o sangue de Cristo como um sacrifício muito melhor serve para purificar coisas celestiais. O que tal purificação envolve e o que ela realiza está novamente dentro da esfera mais elevada da realidade onde o conhecimento humano está ausente e onde a conjectura é inútil. "Não é possível", afirma o mesmo escritor, "que o sangue de touros e bodes tire pecados" (Hb 10.4); não obstante, o sacrifício que Cristo aperfeiçoa para sempre aqueles que em sua salvação são separados para Deus (Hb 10.14).

Igualmente dois textos dentre os muitos no Novo Testamento podem ser citados e que apresentam a doutrina da purificação através do sangue de Cristo.

Apocalipse 7.14: "Disse-me ele: Estes são os que vêm da grande tribulação, e lavaram as suas vestes e as branquearam no sangue do Cordeiro". Conquanto a referência seja à tribulação dos santos, como declara a passagem, a verdade – igualmente aplicável a todos os que são salvos nesta era – é a mesma em qualquer caso; os crentes são purificados perfeitamente pelo sangue purificador do Cordeiro.

1 João 1.7: "...o sangue de Jesus Cristo seu Filho nos purifica de todo pecado". Neste texto a purificação constante do crente está em – essa limpeza que está condicionada ao andar "na luz, como ele está na luz", andar esse que significa sempre uma confissão imediata de todo pecado conhecido. Em Números 19.1-22, esta purificação perpétua, como o antítipo, encontra seu tipo.

3. **SANGUE DO SELO DO PACTO.** Um volume interessante e iluminador foi escrito pelo Dr. Henry Clay Trumbull sobre *The Blood Covenant* em que ele traça a história dos pactos de sangue entre os vários povos da terra, mas de valor muito maior é a declaração de que está em vigor agora um pacto feito no sangue de Cristo (Mt 26.26-29; Mc 14.24; Lc 22.20; 1 Co 11.25). Os propósitos de Deus e Suas provisões são estabelecidos certamente em justiça, na redenção consumada pelo derramamento do sangue de Cristo.

SANGUE E ÁGUA. H. L. E. Luering, ao escrever no *International Standard Bible Encyclopaedia*, apresenta o seguinte texto, que tem ligação com o significado de João 19.34:

O aspecto fisiológico deste incidente da crucificação foi o primeiro discutido por Gruner (*Commentatio de morte Jesus Christi Vera*, Halle, 1805), que mostrou que o sangue vertido pelo golpe da lança do soldado deve ter sido extravasado antes da abertura do lado acontecer, porque somente assim poderia ter sido derramado da maneira descrita. Enquanto um número de estudiosos tenha se oposto a esta idéia como uma explicação fantasiosa, e tem preferido dar a afirmação do evangelista um significado simbólico no sentido das doutrinas do batismo e eucaristia (assim fez Baur, Strauss, Reuss e outros), alguns fisiologistas modernos estão convencidos de que nesta passagem um fenômeno maravilhoso nos é relatado, que, inexplicável para o historiador sagrado, contém para nós uma chave quase certa da real causa da morte do Salvador. O Dr. Stroud (*On the Physiological Cause of the Death of Christ*, London, 1847) baseando suas observações em muitas autópsias, pronunciou a opinião de que nós tínhamos uma prova da morte de Cristo como devida não aos efeitos da crucificação, mas à "laceração ou ruptura do coração" como uma conseqüência da suprema agonia mental e da tristeza. É bem atestado que usualmente o sofrimento sobre a cruz era muito prolongado. Ele freqüentemente durava dois ou três dias, quando então a morte sobrevinha da exaustão. Não há razões físicas pelas quais Cristo não teria vivido mais sobre a cruz do que viveu. Por outro lado, a morte causada pela laceração do coração em conseqüência do grande sofrimento mental seria quase instantânea. Em tal caso a frase "de coração partido", se torna literalmente verdadeira. O sangue da vida fluindo pelos orifícios ou laceração até o pericárdio ou membrana do coração, extravasado, coagulado, entre a cor vermelha (sangue) e o límpido líquido (água). Este acúmulo na cavidade do coração foi liberado pelo golpe da lança do soldado (que aqui providencialmente toma o lugar de uma autópsia sem o que teria sido impossível determinar a real causa da morte), e da ferida aberta houve o fluir das duas partes componentes do sangue distintamente visíveis".[30]

Santidade

Encontradas no hebraico do Antigo ou no grego do Novo Testamento, três palavras surgem da mesma raiz, a saber, santo, sagrado e santificar (veja SANTIFICAÇÃO). Nenhuma introdução sobre a verdade da santidade será completa, portanto, que não inclua todas as passagens onde estas três palavras apareçam.

Uma coisa pode ser santa por causa de sua relação com Deus – por exemplo, o santo lugar, o santo dos santos. Uma coisa pode ser santa por causa de sua efetiva associação com Deus ou com o propósito divino – por exemplo, uma nação santa, irmãos santos.

Aqueles que vão viver para Deus e em comunhão com Ele são ordenados a ser santos na vida. Visto que o Criador é Santo em Si mesmo, totalmente separado do mal (Sl 22.3; 1 Jo 1.6; Tg 1.17), a obrigação de ser santo – simplesmente em razão dEle ser santo – repousa igualmente sobre toda criação de Cristo. Para sumariar tudo:

A. Deus é santo (Sl 99.1-9; Is 6.2, 3; Hc 1.13; 1 Jo 1.5).

B. Sendo separados ou santificados, alguns homens são santos (Hb 3.1).

C. Os anjos fiéis são santos, por serem separados do mal (Mt 25.31).

Um texto incomum aparece nas palavras: "Sede santos, porque eu sou santo" (Lv 11.44; cf. 1 Pe 1.16). Da criatura humana é claramente requerido que ela seja igual ao seu Criador. Esta obrigação é incomum e se constitui numa lei inerente e intrínseca, que envolve todos os seres criados. Após ser salva e trazida em união vital com Cristo, uma nova responsabilidade é gerada para que uma pessoa ande de modo digno da salvação, e isto significa ser como Ele era neste mundo.

A santidade do homem é sujeita a uma tríplice consideração:

A. O que é conhecido como posicional (Lc 1.70; At 20.32; 1 Co 1.2; 6.11; Ef 4.24; Hb 3.1; 10.10, 14).

B. Experimental (Rm 6.1-23).

C. Supremo (Rm 8.29; Ef 5.27; 1 Jo 3.1-3).

Santificação

É especialmente verdadeiro que a doutrina bíblica não é devidamente afirmada nem devidamente compreendida nos fatos revelados a respeito da santificação. Visto que um aspecto desta doutrina trata da vida e da experiência do cristão, quanto mais ela é facilmente pervertida mais imperativa se torna a sua afirmação exata.

1. AS COISAS ESSENCIAIS PARA UM ENTENDIMENTO CORRETO. Três condições gerais governam um conceito correto deste assunto.

A. DEVE SER CORRETAMENTE RELACIONADA A OUTRAS DOUTRINAS BÍBLICAS. Uma ênfase desproporcional sobre qualquer doutrina, ou o hábito de ver toda verdade revelada à luz de uma linha de ensino bíblico, conduz a um erro sério. Nenhuma pessoa realmente entende uma doutrina ou está preparada para ensinar uma verdade da Bíblia até que ela seja capaz de ver essa verdade em sua posição e proporção corretas, e a sua relação com qualquer outra doutrina da Palavra. A santificação, igual a outras grandes doutrinas das Escrituras, apresenta e define um campo exato dentro do propósito de Deus. Visto que ela almeja fins definidos, ela pode passar por uma exposição exagerada ou por uma exposição incompleta. Esta doutrina deve ser considerada, então, em sua relação exata com todos os outros aspectos da verdade.

B. NÃO PODE SER INTERPRETADA PELA EXPERIÊNCIA. Algumas pessoas concluem que entendem a doutrina da santificação porque é através dela que eles próprios são santificados. Um único dos três aspectos da santificação, contudo, trata da complexidade da experiência humana na vida diária. Portanto, uma análise de alguma experiência pessoal não deve substituir todo o ensino da Palavra de Deus. Mesmo se a santificação fosse limitada ao campo da experiência humana, nunca haveria uma experiência que pudesse ser provada como o seu exemplo perfeito, nem qualquer afirmação humana dessa experiência exatamente descreveria a medida plena da realidade divina. É a função da Bíblia interpretar

SANTIFICAÇÃO

a experiência, ao invés da experiência funcionar como intérprete da Escritura. Toda experiência que é operada por Deus será vista como de conformidade com as Escrituras. Se não, deveria ser julgada como um instrumento de Satanás. Para algumas pessoas uma experiência incerta tem se tornado mais convincente do que os ensinos claros das Escrituras.

C. UM ENTENDIMENTO CORRETO DEPENDE DA CONSIDERAÇÃO DA TOTALIDADE DAS ESCRITURAS. O conjunto de textos que apresentam esta doutrina é muito mais extensivo do que parece para aquele que lê somente o texto em português, porque as mesmas palavras originais (hebraico e grego), que traduzem a palavra "santificar", com suas diversas formas, também traduzem a outra palavra em nossa língua, "santo", com todas as suas diversas formas. Portanto, para descobrir o escopo total desta doutrina das Escrituras, uma pessoa deve ir além das passagens em que a palavra "santificar" é usada e inclui, também, as porções onde o termo "santo" é empregado. Assim, muita coisa é acrescentada ao campo da investigação.

A observância destas três condições gerais mencionadas praticamente evitará todo erro conectado com a doutrina da santificação.

2. O SIGNIFICADO DAS PALAVRAS ENVOLVIDAS.

A. "SANTIFICAR", COM SUAS VÁRIAS FORMAS. Esta palavra, que é usada 106 vezes no Antigo e 31 vezes no Novo Testamento, significa "colocar à parte", e então, é o estado de ser separado. Ela indica a classificação em assunto de posição e relacionamento. A base da classificação é usualmente a de que a pessoa (ou coisa) santificada foi colocada à parte, ou separada, de outras em sua posição e relacionamento perante Deus, isto é, separada daquilo que não é santo. Este é o significado geral da palavra.

É também importante considerar que há três coisas que a palavra *santificação*, em seu uso geral, não sugere:

(1) O uso bíblico da palavra não sugere melhora acontecida em termos de santidade, porque de Deus é dito ser santificado, e Ele não experimentou alguma melhora em santidade.

(2) O uso bíblico da palavra não sugere necessariamente um estado de vida sem pecado. No Antigo Testamento, está afirmado que o povo lavava suas roupas e as separava de alguma impureza e, assim, eram santificadas perante Deus. Isto está longe de ser uma idéia delas estarem sem pecado. Mesmo dos cristãos de Corinto, que "estavam totalmente em falta", é dito terem sido santificados. Muitas coisas inanimadas eram santificadas, e estas não poderiam nem mesmo ser relacionadas à questão do pecado.

(3) O uso bíblico da palavra não sugere necessariamente finalidade. Por serem santificados uma vez, não livrou os israelitas de precisarem ser santificados novamente. Eles foram por determinado tempo separados para Deus. Daí três aspectos desta verdade, os quais serão vistos, que não implicam finalidade.

B. "SANTO", COM SUAS VÁRIAS FORMAS. Esta palavra, que é usada cerca de 400 vezes no Antigo Testamento e 12 vezes a respeito dos crentes no Novo

243

Testamento, se refere ao estado de ser separado, ou de ser colocado à parte, daquilo que não é santo. Cristo era "santo, inculpável, imaculado, separado dos pecadores". Assim, Ele era santificado. Semelhantemente, também, há certas coisas que a palavra *santo* em seu uso bíblico não sugere: (1) Nenhuma melhora passada necessariamente está implícita, porque o próprio Deus é santo. Em si é o estado que é indicado por esta palavra, e não o processo pelo qual ele foi alcançado.

(2) A perfeição sem pecado não está necessariamente implícita, porque pode ser dito algo da "nação santa", sacerdotes santos, "santos profetas", "santos apóstolos", "homens santos", "santas mulheres", "santos irmãos", "santo monte" e "santo templo". Nenhuma destas coisas era sem pecado perante Deus. Elas eram santas, contudo, de acordo com algum padrão específico ou questão que se constituiu na base da separação deles de outras coisas não santas.

(3) A palavra não implica necessariamente finalidade. Todas essas pessoas mencionadas foram repetidamente chamadas a um alto grau de santidade. Elas foram separadas para algum propósito santo; assim, elas foram santificadas. Levítico 21.8 ilustra a similaridade de significado entre as palavras "santificar" e "santo" usadas na Bíblia. Ao falar do sacerdote, Deus disse: "Portanto o santificarás; porquanto oferece o pão do teu Deus, santo te será; pois eu, o Senhor, que vos santifico, sou santo". Aqui a palavra original, empregada quatro vezes, é traduzida duas vezes como "santificar" e duas vezes como "santo".

C. "SANTO." O substantivo adjetivado "santo", usado a respeito de Israel cerca de 50 vezes e dos crentes 62 vezes, é aplicado somente a pessoas vivas e se relaciona somente à posição deles na avaliação de Deus. Ele nunca está associado com a qualidade da vida diária deles. Eles são santos em razão de serem particularmente classificados e separados no plano e propósito de Deus. Por serem santificados assim, eles são santos. Em três epístolas, os crentes são mencionados como aqueles que são "chamados para serem santos" (1 Co 1.2). Tal tradução é muito confusa. As palavras "para serem" deveriam ser omitidas; na verdade, no texto em grego de 1 Coríntios 1.2 não aparece a expressão "para serem", que foi acrescida pelos tradutores. Os cristãos *são* santos pelo presente chamamento de Deus. Os textos, então, não prevêem um tempo quando eles haverão de ser santos.

Eles são santificados, separados, classificados como "santos irmãos" que, portanto, podem ser "chamados santos" (como está no texto original). A santidade não está sujeita à progressão. Toda pessoa nascida de novo é tão santa no momento em que ela foi salva quanto será no tempo ou na eternidade. A totalidade da Igreja, que é o corpo de Cristo, mostra ser um povo chamado, separado. Eles são os santos desta dispensação. De acordo com certos usos dessas palavras, eles todos são santificados. Eles são todos santos.

O Espírito resolveu dar aos crentes o título de "santos" mais do que qualquer outra designação, exceto uma. Eles são chamados "irmãos", 184 vezes; "santos", 62 vezes; e "cristãos", 3 vezes. Não seria impróprio tentar resgatar esse título

SANTIFICAÇÃO

divinamente enfatizado (mas tão mal-entendido) de seu presente estado de desuso e ruína. Muitos cristãos não crêem que eles sejam santos porque não conhecem a sua posição em Cristo.

O entendimento correto da doutrina bíblica da santificação deve depender, então, da consideração de todas as passagens onde as palavras "santificar" e "santo" aparecem. É impossível uma referência a todas as passagens, obviamente, neste estudo limitado.

3. OS MEIOS.

A. DEUS É ETERNAMENTE SANTIFICADO. Por causa da santidade infinita, o próprio Deus – Pai, Filho e Espírito Santo – é eternamente santificado. Ele é classificado como distinto, separado, colocado à parte do pecado. Ele é totalmente santo. Ele é santificado em Si mesmo (Lv 21.8; Jo 17.19).

B. DEUS SANTIFICA PESSOAS. De Deus – Pai, Filho e Espírito Santo – é dito que Ele santifica pessoas.

(1) *O Pai santifica.* "E o Deus da paz vos santifique em tudo" (1 Ts 5.23).

(2) *O Filho santifica.* "...a fim de a santificar, tendo-a purificado com a lavagem da água, pela palavra" (Ef 5.26; cf. Hb 2.11; 9.13,14; 13.12).

(3) *O Espírito santifica.* "Sendo santificados pelo Espírito Santo" (Rm 15.16; cf. 2 Ts 2.13).

(4) *O Pai santifica o Filho.* "Àquele a quem o Pai santificou, e enviou ao mundo" (Jo 10.36).

(5) *Deus santificou Israel.* Deus santificou os sacerdotes e o povo de Israel (Êx 29.44; 31.13).

(6) *A santificação é a vontade de Deus.* "Porque esta é a vontade de Deus, a vossa santificação" (1 Ts 4.3).

(7) A santificação do crente vem de Deus. (a) *pela união com Cristo:* "Aos que são santificados em Cristo Jesus" (1 Co 1.2); Cristo tem sido para os crentes a santificação deles (1 Co 1.30). (b) *"Santifica-os na verdade:* a tua palavra é a verdade" (Jo 17.17; cf. 1 Tm 4.5). (c) *pelo sangue de Cristo:* "Por isso também Jesus, para santificar o povo pelo seu próprio sangue, sofreu fora da porta" (Hb 13.12; cf. 9.13,14); "... e o sangue de Jesus, seu Filho, nos purifica de todo pecado" (1 Jo 1.7). (d) *pelo corpo de Cristo:* "É nessa vontade dele que temos sido santificados pela oferta do corpo de Jesus Cristo, feita uma vez para sempre" (Hb 10.10). A cruz separou os crentes do mundo: "Mas longe esteja de mim gloriar-me a não ser na cruz de nosso Senhor Jesus Cristo, pela qual o mundo está crucificado para mim e eu para o mundo" (Gl 6.14). (e) *pelo Espírito Santo:* "Deus vos escolheu desde o princípio para a salvação, mediante a santificação do Espírito e fé na verdade" (2 Ts 2.13; cf. 1 Pe 1.2). (f) *pela escolha:* "Segui a paz com todos os homens, e a santidade, sem a qual ninguém verá o Senhor" (Hb 12.14; cf. 2 Tm 2.21, 22). (g) *pela fé:* "Aqueles que são santificados pela fé em mim" (At 26.18).

C. DEUS SANTIFICOU DIAS, LUGARES E COISAS (Gn 2.3; Êx 29.43).

D. O HOMEM PODE SANTIFICAR DEUS. Isto ele pode fazer por colocar Deus numa posição separada em seu próprio pensamento como santo: "Santificado seja o teu nome". "Mas santificai a Deus em vossos corações" (1 Pe 3.15).

E. O HOMEM PODE SANTIFICAR-SE A SI MESMO. Muitas vezes Deus chama Israel para santificar-se. Ele igualmente diz aos crentes desta era: "Sede santos, porque eu sou santo". Também: "Se, pois, alguém se purificar destas coisas, será vaso para honra, santificado e útil ao Senhor, preparado para toda boa obra" (2 Tm 2.21). A auto-santificação, contudo, só pode ser realizada por meios divinamente providenciados. Os cristãos são chamados a apresentar os seus corpos como um sacrifício vivo, santo e agradável a Deus (Rm 12.1). Eles são ordenados da seguinte forma: "...saí do meio deles e separai-vos, diz o Senhor; e não toqueis cousa imunda, e eu vos receberei" (2 Co 6.17). Por ter as promessas dos cristãos, eles devem se purificar a si mesmos "de toda imundícia da carne e do espírito, aperfeiçoando a santidade [i.e., SANTIFICAÇÃO] no temor de Deus" (2 Co 7.1). "Digo, porém: Andai pelo Espírito, e não haveis de cumprir a cobiça da carne" (Gl 5.16).

F. O HOMEM PODE SANTIFICAR PESSOAS E COISAS: "Porque o marido incrédulo é santificado pela mulher, e a mulher incrédula é santificada pelo marido crente; de outro modo, os vossos filhos seriam imundos; mas agora são santos" (1 Co 7.14); "E Moisés santificou o povo"; "Assim eles santificaram a casa do Senhor".

G. UMA COISA PODE SANTIFICAR OUTRA: "Insensatos e cegos! Pois qual é maior: o ouro, ou o santuário que santifica o ouro?... Cegos! Pois qual é maior: a oferta, ou o altar que santifica a oferta?" (Mt 23.17,19).

A partir de um estudo muito limitado das Escrituras sobre o assunto da santificação e santidade, é evidente que o significado fundamental da palavra é colocar, separar para um propósito santo. Algumas vezes a pessoa separada é limpa e outras vezes não. Algumas vezes esta pode partilhar do caráter da santidade e outras vezes, como no caso de uma coisa inanimada, não pode. Todavia, uma coisa que de si mesma pode não ser santa nem impura é santificada quando separada para Deus como a pessoa cujo caráter moral é sujeito à transformação. Deve também ficar evidente que onde estas qualidades morais existem, a limpeza e a purificação são algumas vezes exigidas na santificação, mas nem sempre.

4. TRÊS ASPECTOS. Embora o significado exato das palavras "santificar" e "santo" seja inalterável, há uma realidade muito mais profunda indicada pelo seu uso no Novo Testamento do que está indicado pelo emprego delas no Antigo Testamento. Afinal de contas, o Antigo Testamento é apenas "uma sombra de boas coisas vindouras". A revelação do Novo Testamento, então, pode ser considerada em três divisões.

A. POSICIONAL. Esta é uma santificação e uma santidade que vêm ao crente pela operação de Deus através da oferta do corpo e do sangue derramado do Senhor Jesus Cristo. Aqueles que foram redimidos e purificados em Seu precioso sangue, foram perdoados de todas as transgressões, tornados justos pelo novo senhorio nEle, justificados e purificados. Eles agora são filhos de Deus. Tudo isto indica uma classificação e uma separação distintas, profundas e eternas, realizadas pela graça salvadora de Cristo. Isto está baseado em fatos de posição que são verdadeiros a respeito de todo cristão. Conseqüentemente, de todo cristão é agora dito que eles são santificados posicionalmente, santos diante de Deus. Esta posição não tem a ver com algum relacionamento com a experiência diária do crente, mais do que deveria inspirá-lo a uma vida santa. Sua posição em Cristo, para ser exato, está de acordo com as Escrituras, o maior incentivo possível à santidade de vida.

As grandes epístolas doutrinárias observam esta ordem no ensino da verdade. Elas primeiro afirmam as maravilhas da graça salvadora e, então, concluem com um apelo para uma vida correspondente à posição divinamente operada (cf. Rm 12.1; Ef 4.1; Cl 3.1). Os cristãos não são agora aceitos em si mesmos; eles são aceitos no Amado. Eles não são agora justos em si mesmos; Ele foi feito justiça para eles. Eles não são redimidos em si mesmo; Ele se tornou para eles redenção. Eles não estão agora santificados posicionalmente pelo andar diário deles; Ele foi feito para eles uma santificação dessa natureza. A santificação posicional é tão perfeita quanto Ele é perfeito. Tanto quanto Ele é separado, visto que os crentes estão nEle, os salvos são separados. A santificação posicional é tão completa para o santo mais fraco quanto ela o é para o crente mais forte. Isto depende somente da união de uma pessoa com Cristo e de sua posição nEle. Todos os crentes são classificados como "os santos". Assim, também, eles são classificados como "santificados" (cf. At 20.32; 1 Co 1.2; 6.11; Hb 10.10,14: Jd 1). A prova de que os crentes imperfeitos são, não obstante, posicionalmente santificados e, portanto, santos, é vista em 1 Coríntios. Os crentes de Corinto eram impuros na vida (e.g., 1 Co 5.1,2; 6.1-8), mas duas vezes é dito que eles haviam sido santificados (1 Co 1.2; 6.11).

Pela posição deles, então, os cristãos são corretamente chamados de "santos irmãos" e "santos". Eles foram "santificados pela oferta do corpo de Jesus Cristo, feita uma vez para sempre" (Hb 10.10), e agora são homens novos em razão de agora serem "criados em justiça e verdadeira santidade" (Ef 4.24). A santificação posicional e a santidade posicional são "verdadeiras" santificação e santidade. Em sua posição em Cristo o cristão permanece justo e aceito perante Deus para sempre. Comparado a este, nenhum outro aspecto da presente verdade pode merecer um reconhecimento igual. Que nenhuma pessoa conclua disto que ela é santa, ou santificada, na vida porque dos cristãos é agora dito que eles são santos ou santificados posicionalmente.

B. EXPERIMENTAL. Conquanto seja dito de todos os crentes que são santificados posicionalmente, nunca há uma referência em qualquer dos textos da Escritura a respeito da vida diária deles. Tal aspecto da santificação e da santidade é encontrado num outro conjunto de verdades totalmente diferente que pode ser chamado de *santificação experimental*. Como a santificação posicional é absolutamente dissociada da vida diária, assim a santificação experimental absolutamente não tem uma relação com a posição em Cristo. A santificação experimental, ao contrário, pode depender (1) em algum grau da entrega a Deus; (2) e em algum grau da separação do pecado; ou (3) em algum grau do crescimento cristão ao qual o crente já alcançou.

(1). *Resultado da entrega a Deus*. A total auto-entrega a Deus é o serviço racional de uma pessoa: "Que apresenteis os vossos corpos como um sacrifício vivo, santo e agradável a Deus, que é o vosso culto racional" (Rm 12.1). Ao agir assim, o cristão é considerado e é separado para Deus através de sua própria escolha. Há um elemento de finalidade e plenitude possível nisto. Dentro da esfera de seu próprio conhecimento de si mesmo, o crente pode definitivamente escolher a mente e a vontade de Deus como a norma para a sua vida. Esta entrega à vontade de Deus pode ser, portanto, completa e final. Aqui está a autodeterminada separação para Deus, um importante aspecto da santificação experimental: "Mas agora, libertos do pecado, e feitos servos de Deus, tendo o vosso fruto para santificação, e por fim a vida eterna" (Rm 6.22).

A santificação não pode ser experimentada como uma questão de sentimento ou emoção mais do que podem a justificação ou a regeneração. Uma pessoa, não obstante, pode estar em paz e alegria porque ela *crê* que estas coisas são verdadeiras em sua vida. Assim, também, pela entrega a Deus um novo enchimento do Espírito pode ser possível, o que resultará em alguma bênção até aqui desconhecida. Esta felicidade poderia mesmo vir repentina ou gradualmente. De qualquer modo não é a santificação em si mesma que é experimentada: é antes a bênção do Espírito tornada possível por meio da santificação ou de uma vida mais profunda de separação para Deus. A santificação experimental opera de tal modo, que tem os seus efeitos sobre a vida diária, e age em contraste com as posições que não estão de modo algum relacionadas à vida diária.

(2) *Resultado da libertação do pecado*. A Bíblia leva em consideração os muitos pecados dos cristãos. Ela não ensina que somente pessoas sem pecado são salvas ou mantidas salvas; ao contrário, há uma consideração fiel dos pecados dos santos e da provisão feita para eles. Estas provisões são ambas, preventivas e curativas. A questão do pecado no crente é tratada exaustivamente em 1 João. Uma passagem (2.1, 2) pode se tomar como chave para a epístola. Ela diz: "Meus filhinhos, estas coisas vos escrevo, para que não pequeis". Isto diz respeito à prevenção do pecado no cristão. Mas o texto continua: "...mas, se alguém pecar, temos um Advogado para com o Pai, Jesus Cristo, o justo. E ele é a propiciação pelos nossos pecados". Isto se refere à cura do pecado nos cristãos. Muita coisa na Escritura, na verdade, está escrita "para que não pequeis", mas, além disso, aos crentes é dito que se eles caírem em pecado, têm uma provisão abundante de Deus para a sua cura. As coisas que estão escritas não o estão para encorajar algum crente a pecar; contudo, elas estão escritas "para que não pequeis" mais. "Continuaremos a pecar para que a graça possa ser abundante? De modo nenhum!". Ele somente pode proibir, e se requisitado Ele proibirá – tão grandes são as maravilhosas provisões em graça para a manutenção eterna do filho de Deus.

Pode ser concluído deste e de muitos outros textos que um filho de Deus não precisa pecar. Para esse fim foi que o Salvador morreu (Rm 6.1-14). Para esse fim que os cristãos têm uma mensagem que lhes foi escrita (1 Jo 2.1, 2). Para esse fim é que eles são habitados pelo Espírito Santo (Gl 5.16). É propósito do Pai que Seus filhos sejam livres do pecado a fim de que Ele possa ter comunhão com eles, porque "verdadeiramente a nossa comunhão é com o Pai e com seu Filho Jesus Cristo". A base sobre a qual os cristãos podem ter comunhão com o Pai e Seu Filho está especificada: Eles devem andar na luz como Deus está na luz (1 Jo 1.7), o que significa viver pelo poder do Espírito e instantaneamente confessar todo pecado conhecido. Por causa da defesa que o Advogado faz dele, e por causa da confissão que o crente faz do pecado, Deus é livre para perdoar e purificar de toda injustiça. Os cristãos, então, não devem dizer que eles não têm natureza pecaminosa (1.8). Isto seria enganar a eles próprios. Eles não podem nem mesmo dizer que não têm pecado (1.10). Isto seria tornar Deus e o Seu testemunho mentirosos. Isto não faz o cristão se gloriar em si mesmo, mas, ao contrário, toda verdadeira vitória deverá ser reconhecida para a glória do Senhor Jesus Cristo.

Qualquer filho de Deus já alcançou uma libertação completa do pecado? Esta pergunta nunca deveria ser confundida com os fatos a respeito da santificação posicional, nem com as verdades conectadas com a santificação através da entrega a Deus. A resposta a esta pergunta pode ser afirmada da seguinte maneira: Conquanto o crente esteja definitivamente confiando na suficiência do Espírito e no cumprimento de cada condição para capacitação, ele será divinamente guardado de pecar (Rm 6.14; 8.2; Gl 5.16). Esta afirmação não está baseada em qualquer experiência pessoal; ela repousa na Palavra de Deus. O cristão nunca alcança uma posição em que não peque. Por outro lado, as Escrituras ensinam claramente que, a despeito da natureza caída, há libertação para o crente da escravidão ao pecado através da união com Cristo em Sua morte e ressurreição (Rm 6.1-10) e através do poder do Espírito de capacitar (Rm 8.2; Gl 5.16). Esta vitória será conquistada exatamente quando ela é reivindicada pela fé. Este é o preventivo divinamente providenciado, para que não se peque.

A velha natureza, com sua disposição incurável para o pecado, permanece em cada crente enquanto ele está neste presente corpo. Ele está, portanto, disposto a pecar. Da natureza pecaminosa é dito que ela morreu. Ela foi crucificada, colocada à morte, e sepultada com Cristo, mas visto que esta morte foi realizada dois mil anos atrás, a referência deve ser a um julgamento divino contra a natureza que foi ganho por Cristo quando Ele "morreu para o pecado". Não há um ensino bíblico no sentido de que alguns cristãos morreram para o pecado e outros não. As passagens envolvidas devem incluir *todas* as pessoas salvas (Gl 5.24; Cl 3.3). Todos os crentes morreram para o pecado no sacrifício de Cristo, mas nem todos reivindicaram as riquezas que foram proporcionadas para eles por essa morte. Às pessoas salvas não é pedido que elas morram experimentalmente ou que tornem a pôr em vigor Sua morte; elas são instadas somente a "considerarem-se" a si mesmas como mortas para o pecado. Esta é a responsabilidade humana (Rm 6.1-14).

Se por meio da fraqueza, da disposição ou da ignorância, o cristão peca, há uma cura providenciada. Do lado humano deve haver uma confissão genuína e um arrependimento do coração (2 Co 7.8-11; 1 Jo 1.9). Do lado divino, há "um Advogado junto ao Pai", e o Pai "é fiel e justo para nos perdoar os pecados, e nos purificar de toda a injustiça". As experiências de fracasso e derrota deveriam crescer menos à medida que o crente descobre as maravilhas do poder e da graça de Deus e a total desesperança de sua própria força. Toda restauração, perdão e purificação são uma renovação da santificação experimental.

(3) *Resultado do crescimento cristão.* Os cristãos são imaturos em sabedoria, em conhecimento, em experiência e em graça. Em tais esferas eles são designados para crescer, e o crescimento deles deveria ser manifesto. Eles devem "crescer na graça e no conhecimento de nosso Senhor e Salvador Jesus Cristo". Contemplando a glória do Senhor como num espelho, eles são "transformados na mesma imagem de glória em glória, como pelo Senhor, o Espírito". Esta transformação terá o efeito de estabelecê-los mais e mais separados para Deus. Eles, nesse ponto, serão mais santificados.

Um cristão pode ser "inculpável", embora não possa ser dito verdadeiramente dele que ele não tem pecado. Uma criança laborando para escrever as suas primeiras letras pode bem ser inculpável na obra que faz, mas o seu trabalho certamente não é sem erro. Um crente pode andar na medida plena do seu entendimento hoje; todavia, ele deve saber que não vive agora na luz aumentada e na experiência em que ele estará amanhã através do crescimento. Há uma perfeição relativa, então, dentro dessa imperfeição. Os cristãos que estão relativamente incompletos, imaturos, que relativamente se dão ao pecado podem, entretanto, "permanecer" na Videira. Eles podem ter comunhão com o Pai e com Seu Filho. Há também imperfeição dentro da perfeição. Os salvos que realmente são incompletos, imaturos e dados ao pecado, estão mesmo posicionalmente agora santificados e completos "nEle" – o Senhor Jesus Cristo.

O crescimento do cristão e a santificação experimental não são a mesma coisa, pois um é a causa e o outro é o efeito. O cristão estará mais e mais separado à medida que ele cresce à imagem de Cristo pelo Espírito. Afirmar que ele será mais experimentalmente santificado enquanto cresce na graça e no conhecimento do Senhor e Salvador Jesus Cristo, não necessariamente questiona sua presente pureza ou vitória na vida diária; é somente declarar que ele será mais separado à medida que ele se desenvolve na semelhança de seu Senhor. Isto é considerar a santificação experimental no seu significado mais amplo e geral da palavra.

C. DEFINITIVO. O aspecto definitivo da santificação, que está relacionado à perfeição final do salvo, será seu na glória. Por Sua graça e poder transformador Deus terá mudado todo filho Seu – em espírito, alma e corpo – para que cada um deles seja "igual a ele" e "conformado à imagem do Seu Filho". Ele, então, o apresentará "sem mancha" perante a presença de Sua glória. A Noiva de seu

Filho será livre de toda "mancha ou ruga". Portanto, todos os cristãos devem se abster do mal. "E o próprio Deus da paz vos santifique completamente: e o vosso espírito, e alma e corpo sejam plenamente conservados irrepreensíveis para a vinda de nosso Senhor Jesus Cristo" (1 Ts 5.23).

5. TRÊS AGENTES. Três agentes de santificação são enfatizados nas Escrituras: (a) o Espírito Santo (1 Co 6.11; 2 Ts 2.13; 1 Pe 1.2). (b) o Filho (Hb 10.10), e (c) a Verdade de Deus (Jo 17.17; Ef 5.26).

Santo

Santo é uma palavra que vem da mesma raiz no original que *santificar*, e refere-se ao que o crente é em virtude de sua posição em Cristo. A palavra *santo* é usada 50 vezes no Antigo Testamento, para denotar Israel, e 62 vezes no Novo Testamento, para designar o crente.

Os filhos de Deus são chamados crentes cerca de 50 vezes e irmãos cerca de 180 vezes, enquanto que o nome mais comum de hoje, cristão, é usado apenas três vezes nos escritos apostólicos.

O termo nunca indica caráter ou dignidade pessoal. Por já serem separados para Deus em Cristo, todos os cristãos são agora santos desde o momento em que são salvos. O fato de eles serem santos, então, não é um aspecto futuro. Todos os crentes são *santos*, quando posicionalmente considerados (1 Co 1.2 etc.).

Satanás

1. SUA PERSONALIDADE. Como no caso de Cristo, o conhecimento de Satanás depende totalmente do que as Escrituras declaram. Nenhuma evidência maior, ou melhor, pode existir para a crença na personalidade de um do que de outro.

2. SEU PODER. (a) Como um ser criado, o seu poder vem após somente o poder de Deus (Ez 28.11-16). (b) Após sua queda moral (cf. Jó 2.7; Is 14.12-17; Lc 4.6; 22.31; 1 Co 5.5; Hb 2.14) e mesmo após seu julgamento na cruz (Jo 16.11; Cl 2.15) ele continua a reinar como um usurpador (2 Co 4.4). Considere aqui todas as passagens através de todas as Escrituras sobre as tentações e induções de Satanás para o mal.

3. SUA OBRA. (a) Em relação a Deus, suas obras más são ainda permitidas. (b) Em relação aos demônios, eles devem fazer sua vontade. (c) Em relação aos não-salvos, ele tem autoridade sobre eles (Is 14.17; 2 Co 4.3,4; Ef 2.2; Cl 1.13; 1 Jo 5.19). (d) Em relação aos salvos, ele vive em conflito com eles (Ef 6.11-18). (e) Em relação à verdade, ele é um mentiroso (Jo 8.44) e pai "da mentira".

4. Sua Carreira.

(a) *Passada*. (1) Satanás experimentou uma queda moral (Is 14.12-17; Ez 28.15; 1 Tm 3.6; Ap 2.13). (2) O julgamento de Satanás foi predito no Éden (Gn 3.15). (3) Seu julgamento foi realizado na cruz (Jo 12.31-33).

(b) *Presente*. (1) Ele reina como um usurpador hoje (2 Co 4.4; Ef 2.2; Ap 2.13). (2) Ele recebe o nome de *acusador dos irmãos* pelo que faz agora (Ap 12.10). (3) Ele é o pai num sentido espiritual de todos os que aceitam sua filosofia de independência de Deus (Jo 8.44; Ef 2.2).

(c) *Futura*. (1) Ele um dia deve ser expulso do céu (Ap 12.7-12; cf Is 14.12; Lc 10.18). (2) Ele deve ser confinado ao abismo por mil anos (Ap 20.1-3,7). (3) Quando for solto do abismo, ele liderará exércitos contra Deus (Ap 20.8, 9). (4) Sua condenação final é o lago de fogo (Ap 20.10).

Segurança

Na importância geral da doutrina, a segurança é uma confiança de que as relações corretas existem entre Deus e o *eu* de uma pessoa. Neste sentido ela não deve ser confundida com a doutrina da segurança eterna. O último é um fato devido à fidelidade de Deus seja realizada pelo crente ou não, enquanto que o primeiro é aquilo que alguém *crê* ser verdadeiro a respeito de si mesmo num determinado tempo. A segurança pode repousar sobre a justiça pessoal, que no passado era um reconhecimento do caráter justo próprio de alguém; mas na presente era é um reconhecimento daquela justiça de Deus que é imputado a todos os que crêem. Isaías declara que "a obra de justiça será paz; e o efeito da justiça será sossego e segurança para sempre" (Is 32.17). Assim, também, o apóstolo escreve sobre a confiança que é gerada pelo entendimento (Cl 2.2), e aqueles que entendem as provisões de Deus e que entraram inteligentemente neles têm justamente isso.

Igualmente em Hebreus 6.11 há referência à "plena certeza da esperança", e em 10.22 à "plena certeza de fé". Embora possa ser concluído que a segurança é totalmente experimental, e repousa na verdadeira fé, numa verdadeira esperança, num verdadeiro entendimento, e numa justiça imputada, tal sentimento pode conduzir alguém a dizer sem qualquer presunção: "Eu sei que sou salvo", ou, como o apóstolo testificou de si mesmo: "Porque eu sei em quem tenho crido, e estou certo de que ele é poderoso para guardar o meu depósito até aquele dia" (2 Tm 1.12). Na medida em que diz respeito ao texto citado acima, a segurança repousa não somente na Palavra de Deus, mas também na experiência cristã. Estas duas bases de confiança – a da experiência e a da Palavra da Verdade – deveriam ser consideradas especificamente.

1. Confiança Baseada na Experiência Cristã. O testemunho interno do Espírito Santo é uma experiência cristã definida. O apóstolo Paulo afirma: "O próprio Espírito testifica com o nosso espírito que somos filhos de Deus"

SEGURANÇA

(Rm 8.16), e o apóstolo João declara: "Se recebemos o testemunho dos homens, o testemunho de Deus é maior; porque o testemunho de Deus é este, que de seu Filho testificou – Quem crê no Filho de Deus, em si mesmo tem o testemunho. Aquele que não crê no Filho de Deus o faz mentiroso; porquanto não creu no testemunho que Deus de seu Filho deu" (1 Jo 5.9,10). Em Hebreus 10.2 está afirmado que aqueles "uma vez purificados" não mais deveriam ter tido consciência de pecado. Isto quer dizer que a remoção de toda condenação (cf. Rm 8.1) deveria criar uma experiência correspondente. Em 1 João 3.10, uma distinção experimental e real entre os "filhos de Deus" e os "filhos do diabo" é manifesta.

A diferença é mostrada na questão do pecado contra a lei. O contexto, que começa com o versículo 4, tem a ver totalmente com o pecado contra a lei, a saber, o pecado sem consciência alguma de sua seriedade. O cristão vive com o Espírito Santo entristecido ou não, e ele não pode pecar sem uma angústia interior (cf. Sl 32.3-5). 1 João 3.9,10 – "Aquele que é nascido de Deus não peca habitualmente; porque a semente de Deus permanece nele, e não pode continuar no pecado, porque é nascido de Deus. Nisto são manifestos os filhos de Deus, e os filhos do Diabo: quem não pratica a justiça não é de Deus, nem o que não ama a seu irmão" – não ensina que os cristãos não pecam (cf. 1 Jo 1.8, 10); antes, ensina que o crente, por ser habitado pelo Espírito de Deus, não pode pecar contra a lei. Deve também ser observado que a presença deste Cristo vivo no coração através do advento do Espírito deveria causar uma experiência apropriada, se as relações do crente com Deus são espirituais, antes que carnais.

Além disso, o apóstolo escreve a respeito da habitação de Cristo: "Examinai-vos a vós mesmos se permaneceis na fé; provai-vos a vós mesmos. Ou não sabeis quanto a vós mesmos, que Jesus Cristo está em vós? Se não é que já estais reprovados" (2 Co 13.5). É inconcebível que Cristo deva morar no coração sem alguma experiência correspondente. Portanto, o apóstolo orienta para que esse auto-exame seja empreendido sobre a questão da habitação de Cristo. Certos resultados dessa habitação são normais.

A. A PATERNIDADE DE DEUS COMO UMA REALIDADE. É uma coisa conhecer a respeito do Deus triúno e outra coisa totalmente diferente é *conhecer* Deus. O conhecimento de Deus como Pai é adquirido pelo coração humano pela obra do Filho, Cristo Jesus. Ele disse: "Todas as coisas me foram entregues por meu Pai; e ninguém conhece plenamente o Filho, senão o Pai; e ninguém conhece plenamente o Pai, senão o Filho, e aquele a quem o Filho o quiser revelar. Vinde a mim, todos os que estais cansados e oprimidos, e eu vos aliviarei" (Mt 11.27, 28). O alívio que é prometido para a alma é aquele que resulta do fato de Deus ser conhecido como Pai. Este conhecimento é assegurado a todos que crêem em Cristo como Salvador.

B. UMA REALIDADE NA ORAÇÃO. Sem dúvida, pessoas não-salvas tentam orar, embora sem a base de acesso a Deus que é Cristo; mas o indivíduo que vem realmente ao conhecimento de Deus encontra uma nova experiência na oração. É incrível que Aquele que viveu pela oração quando esteve aqui neste mundo não deveria impelir aquele em quem Ele vive ao exercício das potencialidades da oração.

c. A PALAVRA DE DEUS DESEJADA. Semelhantemente, se Cristo habita, deve haver um novo interesse criado no coração pela Palavra de Deus da parte daquele que está salvo. A nova vida espiritual que vem pelo segundo nascimento, igual ao nascimento físico, deve ser alimentada e, assim, para uns a Palavra de Deus se torna o "leite" e o "alimento sólido" para outros; assim todos os que são salvos têm um desejo normal pela verdade de Deus. Se não há apetite por comida espiritual, há alguma razão séria.

d. UMA NOVA PAIXÃO PELA SALVAÇÃO DE HOMENS. Se Cristo que morreu para que homens perdidos fossem salvos tem de viver num coração humano, deve haver necessária e normalmente uma nova paixão pelas almas perdidas, criada nesse coração. O amor divino, deve ser lembrado, é a primeira seção mencionada do fruto múltiplo do Espírito.

e. UM NOVO SENSO DE RELAÇÃO FAMILIAR. E, finalmente, ser nascido de Deus é entrar na família de Deus. É por causa da verdade que os salvos são realmente filhos de Deus, que Cristo agradou-se em chamá-los *irmãos* (Rm 8.29). Este relacionamento é tão genuíno que deve haver necessariamente um senso correspondente de parentesco que surge no coração. O apóstolo João, portanto, apresenta este teste de busca da realidade: "Sabemos que já passamos da morte para a vida, porque amamos os irmãos. Quem não ama permanece na morte" (1 Jo 3.14).

Em todas as linhas de evidência relativa à salvação pessoal a ser baseada na experiência cristã, deve ser considerado um aspecto qualificador, a saber, que é possível ser salvo e, ao mesmo tempo, viver uma vida carnal, e quando no estado de carnal nenhuma experiência do crente pode ser normal. A evidência citada, então, visto que é retirada da experiência cristã, se aplica somente àqueles que estão ajustados à mente e vontade de Deus. A conclusão a ser alcançada neste aspecto do presente tema não é que os crentes carnais não sejam salvos, mas, antes, que a experiência cristã, dependendo do que ela faz com o que é operado no coração pelo Espírito Santo, não será normal quando a obra do Espírito no coração é impedida pela carnalidade. Assim, para uma proporção muito grande de crentes a evidência da certeza baseada na experiência cristã é sem validade por causa da carnalidade.

2. BASEADA NA PALAVRA DE DEUS. Visto que os pactos e as promessas de Deus não podem falhar, a evidência a respeito da salvação de uma pessoa baseada na Palavra de Deus é prova absoluta. Em 1 João 5.13 está escrito: "Estas coisas vos escrevo, a vós que credes no nome do Filho de Deus, para que saibais que tendes a vida eterna". Assim Deus revelou seu propósito divino de que todo o que crê para a salvação de sua alma pode *saber* que é salvo, não neste caso pela experiência cristã incerta, mas com base naquilo que está registrado na Escritura. Embora a verdade afirmada na passagem citada sem dúvida se aplica a todas as promessas de Deus para aqueles que são salvos, o apóstolo evidentemente se refere àquilo que ele acabou de afirmar (v. 12), a saber, "quem tem o Filho tem a vida". Então, torna-se uma questão de autoconhecimento se alguém teve uma transação reconhecida com o Filho de Deus a respeito da sua salvação.

Quando tal fato ocorreu pode não ser conhecido, mas o salvo deve reconhecer que ele depende somente de Cristo como seu Salvador. Ele pode dizer com o apóstolo (2 Tm 1.12): "Eu sei em quem tenho crido". O Senhor disse: "...o que vem a mim de maneira nenhuma o lançarei fora" (Jo 6.37). Para aqueles que assim vieram a Cristo para Sua salvação não pode haver outra conclusão, se a palavra de Cristo deve ser honrada, além de que eles foram recebidos e salvos. A Palavra de Deus assim se torna a garantia para a vida eterna, e deveria ser tratada como um artigo de segurança, porque Deus não pode falhar em qualquer palavra que Ele falou.

A. DUVIDANDO DO PRÓPRIO COMPROMETIMENTO DE UMA PESSOA. Multidões de modo algum estão certas de que elas tiveram uma experiência pessoal com Cristo a respeito de sua própria salvação. Obviamente, a cura para qualquer incerteza a respeito da aceitação que alguém faz de Cristo é receber Cristo *agora*, considerando que nenhum automérito ou obras religiosas são de valor, exceto que Cristo somente pode salvar.

B. DUVIDANDO DA FIDELIDADE DE DEUS. Outros que têm carência de segurança de sua própria salvação são assim porque eles, embora tendo vindo a Cristo em fé, não estão certos de que Ele manteve Sua palavra e os recebeu. Este estado de mente é usualmente causado pela ânsia de uma mudança nos sentimentos de alguém antes que olhar somente para a fidelidade de Cristo. Sentimentos e experiências têm o seu lugar, mas, como foi afirmado antes, a evidência coroadora da salvação pessoal – que é inalterada por estas – é a veracidade de Deus. O que Ele disse fará, e não é pio ou recomendável desconfiar da salvação pessoal após ter definitivamente lançado o *eu* de alguém sobre Cristo.

Segurança Eterna

A segurança eterna como uma doutrina abrange somente a continuação da salvação para aqueles que são salvos. Ela deveria ser distinta adequadamente da doutrina da certeza. Também, ela não tem relação alguma com a pessoa não-regenerada ou com o mero professante da fé.

Enquanto os arminianos falam muito da experiência cristã como a prova da insegurança, eles usam poucos textos em adição a ela. Eles estão sujeitos à seguinte classificação: a. Textos dispensacionais aplicados erroneamente: Ezequiel 33.7, 8; Mateus 18.23-35; 24.13; b. Textos relacionados aos falsos mestres dos últimos dias da Igreja: 1 Timóteo 4.1-3; 2 Pedro 2.1-22; Judas 1.17-19; c. Textos relacionados a não mais do que uma reforma moral: Lucas 11.24-26, por exemplo; d. Textos relacionados à profissão que é provada ser assim pelos seus frutos: João 8.31; 15.6; 1 Coríntios 15.1,2; Hebreus 3.6,14; Tiago 2.14-26; 2 Pedro 1.10; 1 João 3.10; e. Textos que contêm admoestação de várias espécies: Mateus 25.1-13; Hebreus 6.4-9; 10.26-31; f. Textos relacionados à perda de recompensas, de andar nas trevas e castigo: João 15.2; 1 Coríntios 3.15; 9.27;

11.27-32; Colossenses 1.21-23; 1 João 1.5-9; 5.16; g. Textos relacionados à queda da graça: Gálatas 5.4, por exemplo.

A doutrina positiva da segurança eterna está baseada nos doze empreendimentos de Deus por Seu povo, quatro dos quais estão relacionados ao Pai, quatro ao Filho, e quatro ao Espírito.

1. Empreendimentos Relacionados ao Pai: (a) o propósito soberano ou pacto de Deus, que é incondicional (cf. Jo 3.16; 5.24; 6.37); (b) o poder infinito de Deus ser livre para salvar e guardar (cf. Jo 10.29; Rm 4.21; 8.31,38,39; 14.4; Ef 1.19-21; 3.20; Fp 3.21; 2 Tm 1.12; Hb 7.25; Jd 1.24); (c) o infinito amor de Deus (cf. Rm 5.7-10; Ef 1.4); (d) a influência da oração do Filho de Deus sobre o Pai (cf. João 17.9-12,15, 20).

2. Empreendimentos Relacionados ao Filho: (a) Sua morte substitutiva (cf. Rm 8.1; 1 Jo 2.2); (b) Sua ressurreição, a fim de assegurar aos crentes a ressurreição para a vida (Jo 3.16; 10.28; Ef 2.6); (c) Sua advocacia no céu (cf. Rm 8.34; Hb 9.24; 1 Jo 2.1,2); (d) Seu pastoreio e intercessão (cf. Jo 17.1-26; Rm 8.34; Hb 7.23-25).

3. Empreendimentos Relacionados ao Espírito: (a) regeneração (a participação na natureza divina é a entrada naquilo que não pode ser retirado; cf. Jo 1.13; 3.3-6; Tt 3.4-6; 1 Pe 1.23; 2 Pe 1.4; 1 Jo 3.9); (b) habitação (Ele é dado habitar para sempre e certamente por Sua presença o crente será preservado; cf. Jo 7.37-39; Rm 5.5; 8.9; 1 Co 2.12; 6.19; 1 Jo 2.27); (c) batismo (pelo qual o crente é unido a Cristo de modo a compartilhar eternamente na glória e na bênção da nova criação; cf. 1 Co 6.17; 12.13; Gl 3.27); (d) selo (Ef 1.13,14; 4.30).

Qualquer um dos doze empreendimentos é suficiente para garantir a segurança eterna do crente. Não há uma real distinção entre a salvação e a segurança, porque Deus não oferece a salvação no tempo presente que não seja eterna. Quando corretamente entendido, o efeito desta doutrina da segurança eterna será tal que promoverá uma vida santa (cf. 1 Jo 2.1).

Separação

A separação como uma doutrina, apresenta o lado humano da santificação. Compare o significado dos termos relacionados: *consagração* e *dedicação*. A separação é *de* alguma coisa *para* alguma coisa; conseqüentemente, na doutrina, ela significa sair do mal para Cristo (não, meramente, para uma conduta correta).

1. Ensino do Antigo Testamento. Dois exemplos vêm à mente aqui. Israel como uma nação foi separada do Egito pelo êxodo. Abraão como um indivíduo foi separado da sua terra natal.

2. Ensino do Novo Testamento. O estudo desta doutrina no Novo Testamento pode ser dividido da seguinte maneira:

A. Posicional (Jo 17.14, 16, 21-23; Rm 6.1-11; Gl 6.14, 15). O crente foi separado posicionalmente em virtude de estar em Cristo.

SEPULTADO

B. EXPERIMENTAL. (1) Do mal. (a) as coisas más (2 Co 6.14-18) devem ser abandonadas pelos cristãos. Eles não serão tirados das condições do *cosmos*, mas guardados seguros nele (Jo 17.15). (b) Igualmente o crente deve evitar parcerias impuras (2 Tm 2.20, 21; 2 Jo 1.9-11). Deus não pode abençoar ambas as partes numa parceria desigual. (2) Para Deus. Este passo deve ser tomado por todos os crentes por meio da autodedicação.

3. O LADO DIVINO. Do Seu lado, Deus encoraja a separação, ao prometer felicidade especial para o fiel (Sl 50.7-15; 2 Co 6.17,18; Hb 12.14-17).

Sepultado

Uma importância especial é legitimamente ligada ao fato de que, por três vezes, quando relacionado os eventos salvadores pelos quais Cristo passou, as Escrituras incluem o Seu sepultamento. Está escrito: "Porque primeiramente vos entreguei o que também recebi: que Cristo morreu por nossos pecados, segundo as Escrituras; que foi sepultado; que foi ressuscitado ao terceiro dia, segundo as Escrituras" (1 Co 15.3, 4); "Nós, que já morremos para o pecado, como viveremos ainda nele? Ou, porventura, ignorais que todos quantos fomos batizados em Cristo Jesus fomos batizados na sua morte? Fomos, pois, sepultados com ele pelo batismo na morte, para que, como Cristo foi ressuscitado dentre os mortos pela glória do Pai, assim andemos nós também em novidade de vida" (Rm 6.2-4); "No qual também fostes circuncidados com a circuncisão não feita por mãos no despojar do corpo da carne, a saber, a circuncisão de Cristo; tendo sido sepultados com ele no batismo, no qual também fostes ressuscitados pela fé no poder de Deus, que o ressuscitou dentre os mortos" (Cl 2.11,12).

Ao falar destas três passagens, pode ser indicado que a primeira se refere à morte, sepultamento e ressurreição de Cristo como uma base para a salvação dos perdidos. Este texto é a declaração reconhecida daquilo que faz parte do Evangelho da graça salvadora de Deus. As duas passagens restantes se referem à morte de Cristo como o julgamento da natureza pecaminosa daqueles que são salvos – aquele aspecto de Sua morte que proporciona liberdade ao Espírito Santo, para controlar a natureza pecaminosa, que é aquela pela qual Cristo pagou a penalidade. Ele é a base da santificação experimental do crente, o aspecto da santificação que é tornado possível e que é totalmente dependente do que Cristo realizou. A morte de Cristo está referida em Colossenses 2.11,12 como Sua circuncisão que foi uma substituição de outros, enquanto que a outra passagem – acrescenta a crucificação ao que Cristo operou como substituto de outros. Assim, os julgamentos da natureza pecaminosa do crente que exigiu crucificação, morte, e sepultamento com Cristo, com o fim de que ele pudesse compartilhar de Sua vida de ressurreição, vieram sobre Cristo como substituto. Cristo experimentou esses juízos em favor de outros.

A verdade agora sob estudo é a de que o sepultamento foi mencionado como um fator importante em cada uma destas três passagens citadas acima, e como possuidor de significado doutrinário. Independentemente da revelação, muito pouca ênfase tem sido dada a este assunto pelos teólogos. No assunto de Cristo levar os pecados dos não-salvos, o sepultamento de Cristo está prefigurado no "bode expiatório". Este tipo é pleno e claro. Dois bodes eram requeridos no dia da Expiação para representar tipicamente aquilo que Cristo fez. Um bode era morto e o seu sangue era aspergido como uma purificação e limpeza. Ao segundo bode eram transmitidos os pecados do povo e esse bode era levado para o deserto para não mais ser visto. Em Sua morte pelos não-salvos, adequadamente Cristo providenciou Seu sangue que é eficaz para a purificação e o julgamento do pecado, mas também Ele *tirou o pecado* (cf. Jo 1.29; Hb 9.26; 10.4,9,11).

Essa disposição final de pecado é realizada em seu sepultamento. Ele foi para a tumba como uma oferta pelo pecado, sacrificada até a morte. Ele saiu completamente sem relação com o fardo do pecado. Esta é a importância doutrinária das palavras: "e foi sepultado". Não pode haver resquício algum de disposição de pecado concluído na tumba como nunca mais houvesse vestígio algum de vida posterior e existência do bode expiatório após ser solto no deserto. No sepultamento que era um aspecto do empreendimento de Cristo em favor da natureza pecaminosa do crente, também, há evidentemente uma disposição daqueles julgamentos que devidamente vieram sobre Ele. Nisto, novamente, ninguém pode penetrar com um entendimento claro. Sua realidade imensurável é conhecida somente por Deus.

Deveria ser observado que o apóstolo emprega às vezes uma palavra técnica, ao invés do termo mais comum, *sepultar*. Ele declara que o corpo do crente é *semeado* quando colocado na sepultura (cf. 1 Co 15.42-44). Uma coisa pode ser sepultada para ser descartada ou com o fim de que ela possa ser esquecida, mas aquilo que é semeado é feito com a esperança de que algo venha a nascer da semente que ali foi colocada. O corpo do crente deve ser ressuscitado com Cristo, e finalmente será ressuscitado da morte na vinda de Cristo (cf. 1 Ts 4.13-18).

Sião

Sião era a antiga cidadela dos jebuseus em Jerusalém (veja JERUSALÉM). Ela tem uma tríplice importância na Bíblia, inclusive a importância original.

1. CIDADE DE DAVI. No Antigo Testamento, o uso do termo tem referência a Israel e Jerusalém, a cidade de Davi (1 Cr 11.5; Sl 2.6; Is 2.3).

2. CIDADE CELESTIAL. O uso que o Novo Testamento faz tem referência não somente a Israel (Rm 11.26,27), mas também à nova Jerusalém (Hb 12.22-24). Nesta última a Igreja será recebida.

SOFRIMENTO

3. CIDADE MILENIAL. A palavra usada nos textos a seguir tem referência à capital do reino da era futura: Isaías 1.27; 2.3; 4.1-6; Joel 3.16; Zacarias 1.16,17; 8.3-8; Romanos 11.26.

Sofrimento

A doutrina do sofrimento divide-se naturalmente em duas partes, uma para cada testamento. Na divisão do Antigo Testamento, aparecem dois pontos principais: os sofrimentos de Cristo vistos no tipo e na profecia, e os sofrimentos de homens piedosos vistos preeminentemente no livro de Jó.

O Livro de Jó, talvez o mais antigo de todos os livros da Bíblia a ser escrito, é dedicado ao problema complicado do sofrimento. Qualquer criança bem pequena, que tenha tido a vantagem da disciplina, pode dizer por que as pessoas más sofrem, mas dizer por que uma pessoa boa sofre é uma coisa muito diferente. Jó não sofreu porque era um pecador. Esta argumentação foi a interpretação errônea dada aos seus sofrimentos pelos seus três amigos, Elifaz, Bildade e Zofar, a afirmação de que ele era afligido como uma punição por sua má conduta. Quando os sofrimentos de Jó estavam completos, Jeová se recusou a ter qualquer coisa a ver com os três amigos, até que o patriarca amorosamente ofereceu sacrifício por eles. A declaração de Jeová deixou claro que eles não haviam dito a coisa correta (Jó 42.7). À luz do fato óbvio de que muita coisa da interpretação da aflição de Jó feita por comentadores tem sido apresentá-lo como uma pessoa má que precisava ser punida, uma pessoa se espanta sobre quem oferecerá sacrifício pelos comentadores.

Não deveria ser esquecido que, ao menos três vezes, Jeová testificou da maturidade espiritual ou da perfeição de Seu servo (1.1, 8; 2.3). A ele, portanto, foi dado o alto privilégio de defender a dignidade de Deus, à parte de todos os benefícios, contra as presunçosas alegações de Satanás serem contrárias. Ao começar com o capítulo 32, além disso, no desenvolvimento de toda discussão apresentada, um jovem chamado Eliú interrompe, para apresentar a sua teoria de que o sofrimento é educativo ou que é uma disciplina; por ela, um bom homem, disse ele, pode se tornar um homem melhor. Evidentemente, isto foi exatamente tudo que Jó sempre reconheceu no valor do seu sofrimento (Jó 42.56). Para ser exato, o patriarca chega bem perto das abordagens da doutrina do sofrimento do Novo Testamento, que pode ser dividida da seguinte maneira:

1. OS SOFRIMENTOS DE CRISTO FORAM INFINITOS. Eles vieram de duas fontes. a. O que Cristo sofreu do Pai, coisa que nenhum outro pode partilhar (2 Co 5.21). b. O que Cristo sofreu da parte dos homens, coisa que outros podem partilhar (Jo 15.18-20).

2. O CRENTE PODE SOFRER COM CRISTO (Mt 10.25; Jo 15.18,19; At 9.15,16; Rm 8.16-18; 9.1-3; Fp 2.5-11; Cl 1.24; 2 Tm 2.11,12; 1 Pe 4.12-16). Em Romanos 9.1-3, o sofrimento com Cristo é visto como o partilhar de Seu fardo por

SUMÁRIO DOUTRINÁRIO

homens perdidos. O sofrimento com Ele prova ser uma fase natural da vida e da experiência de um cristão, porque ele viaja numa terra inimiga, e é chamado para ser uma testemunha contra o pecado dela, e é convocado a trabalhar para que almas possam ser salvas de seu mal e de sua escuridão. "Se o mundo vos odeia, sabei que, primeiro do que a vós, me odiou a mim. Se fôsseis do mundo, o mundo amaria o que era seu; mas, porque não sois do mundo, antes eu vos escolhi do mundo, por isso é que o mundo vos odeia" (Jo 15.18,19).

Para aqueles que não creram nEle, por outro lado, foi dito: "O mundo não vos pode odiar; mas ele me odeia a mim, porquanto dele testifico que as suas obras são más" (Jo 7.7). "Basta ao discípulo ser como seu mestre, e ao servo como seu senhor. Se chamaram Belzebu ao dono da casa, quanto mais aos seus domésticos?" (Mt 10.25). "Assim como tu me enviaste ao mundo, também eu os enviei ao mundo" (Jo 17.18). "Amados, não estranheis a ardente provação que vem sobre vós para vos experimentar, como se coisa estranha vos acontecesse; mas regozijai-vos por serdes participantes das aflições de Cristo; para que também na revelação da sua glória vos regozijeis e exulteis" (1 Pe 4.12,13).

Assim, também, pode ser aprendido destes textos que o sofrimento com Cristo aqui é o único caminho possível com a recompensa de ser glorificado com Ele lá. Isto não significa trabalhar para ganhar a salvação, porque a salvação não pode ser ganha em qualquer grau pelo sofrimento humano. É, antes, um esforço pelo qual a gloriosa coroa e recompensa serão dadas ao fiel por causa de sua co-parceria com Cristo. Tal verdade é mostrada pelo seguinte texto: "Tende em vós aquele sentimento que houve também em Cristo Jesus, o qual, subsistindo em forma de Deus, não considerou o ser igual a Deus coisa a que se devia aferrar, mas esvaziou-se a si mesmo, tomando a forma de servo, tornando-se semelhante aos homens; e, achado na forma de homem, humilhou-se a si mesmo, tornando-se obediente até a morte, e morte de cruz. Pelo que também Deus o exaltou soberanamente, e lhe deu o nome que é sobre todo nome; para que ao nome de Jesus se dobre todo joelho dos que estão nos céus, e na terra, e debaixo da terra, e toda língua confesse que Jesus Cristo é Senhor, para glória de Deus Pai" (Fp 2.5-11).

Aqui está implícito, conforme a continuação do pensamento do apóstolo, que o crente deveria permitir que a mente de Cristo seja reproduzida nele pelo poder de Deus (Fp 2.13), porque os sete passos sucessivos no caminho de Cristo desde o seu lugar nativo em glória até a morte de criminoso sobre a cruz, foram sem dúvida revistos por Paulo, a fim de que tais passos possam ser admitidos na vida do cristão, como ele deve ser "como seu Senhor" até mesmo neste mundo. Está também implícito, simplesmente por causa da íntima relação a Jesus em sofrimento, que haverá uma identidade com Ele em toda Sua glória. "O Espírito mesmo testifica com o nosso espírito que somos filhos de Deus; e, se filhos, também herdeiros, herdeiros de Deus e co-herdeiros de Cristo; se é certo que com ele padecemos, para que também com ele sejamos glorificados" (Rm 8.16-18). "Fiel é esta palavra: Se, pois, já morremos com ele, também com ele viveremos; se perseveramos, com ele também reinaremos; se o negarmos, também ele nos negará" (2 Tm 2.11,12).

Sofrer foi o ministério ao qual Paulo foi designado pelo Senhor através do discípulo Ananias, quando o Senhor ordenou que ele visitasse Paulo: "Vai, porque este é para mim um vaso escolhido, para levar o meu nome perante os gentios, e os reis, e os filhos de Israel; pois eu lhe mostrarei quanto lhe cumpre padecer pelo meu nome" (At 9.15,16).

Daí, pode ser concluído que, conquanto todo mistério do sofrimento não é explicado e provavelmente não possa ser, ele é uma parte essencial da vida do crente e a união com Cristo neste mundo e igualmente de identificação com Ele na glória.

3. O CRENTE PODE SOFRER POR CAUSA DO CASTIGO PROCEDENTE DO PAI. Este sofrimento pode ser algo:

A. PREVENTIVO (2 Co 12.1-10; cf. Rm 8.34).

B. CORRETIVO (Hb 12.3-15), pois tem como resultados possíveis tanto a santidade quanto o fruto pacífico da justiça (cf. também Jo 15.2; 1 Co 11.29-32; 1 Jo 5.16).

C. EDUCATIVO. Os cristãos podem ser ampliados em sua vida espiritual pelo sofrimento (Jo 15.2). Ainda que Filho, Cristo aprendeu a obediência pelas coisas que Ele sofreu (Hb 5.8).

Substituição

A substituição não é um termo bíblico (cf. TRINDADE, ENCARNAÇÃO etc.), mas, não obstante, uma doutrina bíblica.

1. O TIPO NO ANTIGO TESTAMENTO.

A. Em geral, todo sacrifício animal oferecido durante os tempos do Antigo Testamento tinha a idéia de ser o substituto do ofensor. Tudo isto, portanto, era um tipo de Cristo que morreu no lugar do pecador.

B. As ofertas de suave cheiro e as que não possuíam suave cheiro mencionadas em Levítico, capítulos 1-5, indicam que duas realizações deveriam ser observadas na substituição de Cristo:

(1) As oblações que não possuíam suave cheiro eram, primeiramente, a oferta de pecado e, em segundo lugar, uma oferta pelas transgressões. Nestas, tinha de se insistir sobre a perfeição da oferta em si mesma, visto que Cristo, o antítipo, seria perfeito em Si mesmo, mas, naturalmente, ao mesmo tempo, a oferta é investida do pecado do ofertante. Elas são chamadas de ofertas sem suave cheiro visto que Deus não podia olhar para o pecado com indulgência. No cumprimento deste tipo de sacrifício, Cristo gritou: "Deus meu, Deus meu, por que me desamparaste?" (Mt 27.46).

(2) As ofertas de suave cheiro eram três em número: primeira, a oferta queimada; segunda, a oferta de comida; e terceira, a oferta pacífica. Nestas foi descrito um aspecto da morte de Cristo que era um deleite para o Seu Pai, como foi sugerido em Hebreus 9.14: Ele "se ofereceu a si mesmo imaculado a Deus".

Aqui é substituição no sentido em que Deus requer do crente, não meramente que *ele não tenha um pecado* (tipificado pelas ofertas sem suave cheiro), mas que ele, de fato, faça todas as coisas boas. Estas três oferendas, conseqüentemente, sugerem como a perfeição de Cristo pode ser aceita por Deus em favor do cristão. Elas são de suave cheiro a Deus, visto que somente as perfeições de Cristo estão em vista, e manifestamente elas poderiam se aplicar ao eleito somente.

2. A Doutrina no Novo Testamento. Novamente a mesma dupla concepção se obtém. As Escrituras afirmam a doutrina plenamente.

A. Oferta de suave cheiro (Fp 2.8; Hb 9.11-14; 10.5-7).

B. Oferta de não suave cheiro (Rm 3.23-26; 2 Co 5.21; 1 Pe 2.24; 3.18; cf. Sl 22.1; Mt 27.46).

3. Preposições Determinantes.

A. A preposição grega ὑπέρ freqüentemente tem um significado restrito, ou seja, *em favor de outro, para o benefício de outro* (cf. Lc 22.19, 20; Jo 10.15; Rm 5.8; Gl 3.13; 1 Tm 2.6; Tt 2.14; Hb 2.9; 1 Pe 2.21; 3.18; 4.1). A real substituição não está incluída na própria palavra, mas o seu uso veio a dar essa conotação pretendida de qualquer forma.

B. A preposição ἀντί. Aqui o pensamento da substituição é claro (Mt 20.28; Rm 12.17; 1 Ts 5.15; 1 Tm 6.2; Hb 12.2, 16; 1 Pe 3.9).

Tabernáculo e Templo

1. Tabernáculo. O tabernáculo de Moisés apresenta o item mais exaustivo da tipologia do Antigo Testamento. Portanto, ele se salienta basicamente na interpretação do Novo Testamento (cf. Hb 9–10) com especial referência a Cristo e cada aspecto importante dele. Na verdade, ele apresenta material inexaurível para estudo como um tipo.

2. Templo.

A. Nenhuma tipologia do templo é exposta no Novo Testamento além das seguintes sugestões ou usos:

(1) *Templo*, ou como alguns o traduzem – *santuário*, é usado a respeito do templo de Jerusalém (Mt 23.16).

(2) *Templo* é também uma expressão usada para o corpo do crente (1 Co 3.16,17; 6.19).

(3) A igreja local igualmente é construída como um templo de Deus (2 Co 6.16).

(4) A verdadeira Igreja também é assim avaliada (Ef 2.21).

B. *Hieron* é distinto de *naos* como uma palavra para "templo", como os alicerces são distintos da casa construída sobre eles (Jo 2.14,15; cf. vv.19-21).

c. Os seguintes dados devem também ser observados:

(1) O tabernáculo mosaico (traduzido como *templo*, 1 Sm 1.9; 3.3) durou cerca de 500 anos, exatamente o tempo do primeiro templo judaico que é substituído.

(2) O templo de Salomão (1 Rs 6.1-38) durou aproximadamente 400 anos e foi destruído finalmente por Nabucodonosor.

(3) O templo de Zorobabel (Ed 6.15-18) durou cerca de 500 anos e então foi destruído por Antíoco Epifânio.

(4) O templo de Herodes (Jo 2.19) levou 46 anos para ser construído e durou 85 anos. Foi destruído por Tito, de Roma.

(5) O templo de Deus (2 Ts 2.4) deve ser construído pelos judeus no fim dos tempos e será ocupado pelo 'homem do pecado'.

(6) O templo do milênio (Ez 40–44) deve ser estabelecido no tempo do retorno do Messias.

(7) O templo celestial (Ap 21.3,22) não é nada além da presença de Deus na nova Jerusalém.

(8) O corpo humano (Jo 2.19-21; 1 Co 3.16,17; 6.19) é contado como um templo verdadeiro.

(9) As pedras vivas (Ef 2.19-22) compostas dos crentes verdadeiros que formam um templo.

Tempos Gentílicos

Uma predição a Israel do longo período em que a posse de Jerusalém seria liberada aos gentios e esta cidade estaria nas mãos deles, como está agora, é a medida daquele período conhecido como os tempos dos gentios. Cristo chamou esta era de "os tempos dos gentios". O que Ele disse está registrado em Lucas 21.24: "E cairão ao fio da espada, e para todas as nações serão levados cativos; e Jerusalém será pisada pelos gentios, até que os tempos destes se completem". Assim, um dos períodos de tempo mais importantes da história humana é introduzido. Em oposição ao tempo dos gentios está a frase – os tempos e as estações – que se refere ao procedimento de Deus com Israel (cf. At 1.7; 1 Ts 5.1). Sob o que é contemplado por estas duas indicações proféticas, "os tempos dos gentios" e "os tempos e as estações", o prospecto profético total do Antigo assim como do Novo Testamento é basicamente explicado.

Os tempos dos gentios, que medem o domínio estrangeiro sobre Jerusalém, evidentemente começaram com o cativeiro da Babilônia, e continuam até o tempo presente, e será assim até que Israel retorne à posse total de sua terra. Contudo, outro período imprevisto na predição do Antigo Testamento se interpõe, enquanto isso, deixando "os tempos e as estações" de Israel e os tempos dos gentios também ainda a serem consumados.

Segue-se, então, que as medidas foram divinamente indicadas tanto para a duração dos tempos judaicos quanto dos tempos gentílicos. Não há chance alguma para mal-entendidos a respeito desses períodos. Para Daniel foi revelado que 490 anos, que é o assunto dos 70 setes, se estenderiam antes que o reino de Israel pudesse ser estabelecido em "justiça eterna": "Setenta semanas estão decretadas sobre o teu povo, e sobre a tua santa cidade, para fazer cessar a transgressão, para dar fim aos pecados, e para expiar a iniqüidade, e trazer a justiça eterna, e selar a visão e a profecia, e para ungir o santíssimo" (Dn 9.24). Até a morte do Messias seriam 483 anos, ou a soma total de 69 semanas. Somente uma semana de anos resta para ser cumprida, mas entre as 69 semanas e septuagésima há muita coisa a ser cumprida. O período intercalado é deixado indefinido em extensão, não obstante a septuagésima semana de anos estar ainda por ser realizada.

Daniel declara: "E depois de sessenta e duas semanas será cortado o ungido, e nada lhe subsistirá; e o povo do príncipe que há de vir destruirá a cidade e o santuário; e até o fim haverá guerra; estão determinadas assolações" (Dn 9.26). Assim, está sugerido a respeito dos tempos e as estações dos judeus que um período indefinido deve ser previsto para ocorrer entre a morte do Messias e a consumação do período dos 490 anos. Uma intercalação gentílica foi inserida no calendário judaico e neste tempo nenhum propósito ou predição judaica está sendo cumprido; ainda assim, um período de sete anos ainda resta se cumprir. De igual modo, os tempos gentílicos que começaram com o cativeiro da Babilônia cerca de 600 anos a.C. pode ser medido por dois períodos. Um destes é um tempo de setenta anos durante os quais Jerusalém permaneceu em desolação completa.

Sobre este período, Jeremias havia predito: "E toda esta terra virá a ser uma desolação e um espanto; e estas nações servirão ao rei de Babilônia setenta anos. Acontecerá, porém, que quando se cumprirem os setenta anos, castigarei o rei de Babilônia, e esta nação, diz o Senhor, castigando a sua iniqüidade, e a terra dos caldeus; farei dela uma desolação perpétua" (Jr 25.11,12). Deste tempo de ruína Daniel descobriu estar próximo o seu término, quando ele orava. Ele registra esta experiência: "No ano primeiro do seu [de Dario] reinado, eu, Daniel, entendi pelos livros que o número de anos, de que falara o Senhor ao profeta Jeremias, que haviam de durar as desolações de Jerusalém, era de setenta anos" (Dn 9.2).

A segunda subdivisão do período está indicada não por uma medida exata de anos, como com os dois tempos judaicos, mas pela sucessão de impérios mundiais. Estes impérios são indicados por uma imagem colossal – feita de ouro, prata, bronze e ferro – de Daniel 2. A história revelou o ouro como representante do império babilônico; a prata, o império medo-persa; o bronze, o império grego; e o ferro, o império romano. Os mesmos quatro impérios são preditos em Daniel 7, sob a forma de animais indefiníveis. Visto que o de Roma era o quarto, o período coberto por esse império é o de seu fim predito. A imagem metálica tinha pés de ferro e barro e estes aparentemente foram removidos das pernas de ferro, de forma que em Roma entre as pernas de ferro e os pés há novamente um período indefinido que apontava para a frente; mas o tempo dos pés e artelhos deve ainda acontecer para completar os tempos dos gentios. Essa hora evidentemente corresponde à septuagésima semana nos tempos judaicos. Ambos os tempos, os tempos judaicos e os tempos dos gentios preanunciam a era conhecida como a Grande Tribulação.

Os tempos dos gentios, portanto, iniciam-se cerca de 600 anos antes de Cristo, e terminarão quando esta era da graça for concluída. A presente era, no que concerne aos judeus e gentios na terra, não faz progredir os tempos dos judeus nem os tempos dos gentios. Ela não tem relação a nenhum outro tempo.

Tentação

A palavra grega πειράζω significa testar ou fazer prova, e é usada cerca de 50 vezes no Novo Testamento. Ela pode significar provar para se certificar do caráter e da virtude (Mt 6.13; Lc 4.2; Jo 6.6; 2 Co 13.5) ou para revelar a fraqueza e o mal (Gl 6.1). Deus não pode ser tentado no caminho do mal (note o composto negativo *apeirastos*, de Tiago 1.13). As classificações gerais de teste na Bíblia são:

1. TESTE DE HOMENS.

A. As tentações podem provar uma solicitação para o mal (1 Co 7.5; 10.13; Gl 6.1; 1 Ts 3.5; 1 Tm 6.9; Tg 1.14).

B. O teste também pode vir na direção da própria virtude (Gn 22.1; Mt 6.13; 26.41; Gl 4.14; Hb 11.37; Tg 1.2,12; 1 Pe 1.6; 2 Pe 2.9; Ap 3.10).

2. TESTE DE DEUS. A Escritura declarou 27 vezes que Deus foi colocado sob teste. Deus não é tentado para o mal (Tg 1.13), mas Ele pode ser provado como aconteceu em Atos 15.10 e como Cristo foi provado (que será mostrado que não se encontrou nenhum mal nEle, mas foi testado para provar Sua virtude).

A. Deus, o Pai (Mt 4.7; At 15.10).

B. Deus, o Filho (Lc 4.1-13; Hb 2.18; 4.15; cf. Jo 14.30).

C. Deus, o Espírito Santo (At 5.9).

3. TESTE DE CRISTO.

A. Aqui é necessário distinguir entre "podia não pecar" de "não podia pecar". A impecabilidade está contida na última. Cristo somente entre os homens foi capaz de não pecar.

B. Cristo era teantrópico, possuidor tanto da natureza divina quanto da humana. A natureza divina, para ser exato, não é pecável nem tentável (Tg 1.13). Portanto, alguns ensinam que a impecabilidade era devida à Sua onipotência e onisciência, ou por ter poder infinito e sabedoria infinita para manter a santidade. Em outras palavras, Ele não era passível de pecar por causa da sua natureza divina.

C. Sua outra natureza, em razão de ser humano, era tanto pecável quanto tentável, mesmo à parte da influência de uma natureza pecaminosa caída que Ele necessariamente não compartilhou com a raça (Hb 4.15); mas naturalmente o que Sua natureza humana poderia ter produzido teria sido unicamente sem o suporte da natureza divina. Isto é somente uma conjetura. O elemento humano em Cristo certamente nunca foi separado do divino; ainda, o divino provou sempre ser o fator dominante em Seu ser teantrópico. Ele não era um homem,

SUMÁRIO DOUTRINÁRIO

então, a quem a natureza divina havia sido acrescentada. Ele, antes, era Deus, que tomou sobre Si, pela encarnação, a forma de um homem. Ele se tornou daí por diante uma Pessoa indivisível. Qualquer coisa que uma das naturezas fazia, o Seu ser total realizava. Nenhuma outra pessoa assim já existiu nem existirá.

Por causa da presença de Sua natureza divina com a humanidade, então, Ele é incomparável. Ele não poderia ser considerado pecável pela presença de Sua natureza humana: ao invés disso, Ele foi uma Pessoa teantrópica impecável. Tivesse a sua humanidade cometido pecado, Deus teria pecado. Um arame pode ser dobrado, mas não quando soldado numa barra de aço indobrável. Sua humanidade não poderia contraditar ou desonrar a Sua divindade.

D. Se Ele, não obstante em virtude de ser divino e humano, era ao mesmo tempo onipotente e fraco, onisciente e ignorante, infinito e finito, ilimitado e limitado, não poderia ser verdadeiramente dito que Ele era tanto impecável quanto pecável? Como humano, pode ser respondido, Ele poderia ser fraco, ignorante, finito e limitado, sem comprometer a sua divindade na questão do pecado; mas Ele dificilmente poderia ser pecável sem fazer isso. E realmente Ele tinha fraqueza, dor, fome, sede, angústia e mesmo morte, mas sem comprometer a divindade em pecado.

E. Uma pessoa impecável pode ser tentada no mesmo sentido em que uma cidade inconquistável pode ser atacada. Cristo foi tentado, mas por meio disso somente ficou provada a todos a Sua impecabilidade. Por ser Deus, afinal de contas, Ele *não poderia pecar* (cf. Jo 14.30).

F. Se fosse pecável sobre a terra, Ele seria pecável também no céu (Hb 13.8). Quão bem estabelecidas, então, seriam a posição e a segurança do cristão?

Teologia Paulina

A teologia paulina é uma classificação moderna no estudo teológico, usualmente feita em contraste com a de Cristo, João ou Pedro.

Paulo foi o agente divinamente escolhido para desenvolver um sistema cristão para os leitores do Novo Testamento, visto que ele previamente havia aparecido somente em parte com os ensinos de Cristo. Ao apóstolo foram dadas duas revelações distintas: (1) a do caminho da salvação e da vida debaixo da graça[31] (cf. Gl 1.11,12) e (2) o da doutrina da Igreja, que é o Corpo de Cristo (Ef 3.1-6). Estes dois conjuntos de verdade incluem a grande mensagem do Novo Testamento que é o cristianismo, algo que Paulo chamou de "meu evangelho" (Rm 2.16). Por um tempo ele permaneceu só na defesa do novo sistema de cristianismo (Gl 2.11-14).

Tipos

A palavra *tipo* pode ser definida como "uma ilustração proposital de alguma verdade";[32] portanto, um ato profético, uma instituição, pessoa, coisa ou cerimonial. As palavras para *tipo* são:

1. Τύπος, que significa "um golpe ou a impressão feita que pode servir como um padrão". Observe as várias traduções desta palavra original:

A. *Amostra* (1 Co 10.11; Fp 3.17; 1 Ts 1.7; 2 Ts 3.9; 1 Pe 5.3 – obs.: em nossa versão portuguesa também aparece a palavra *exemplo*).

B. *Exemplo* (1 Co 10.6; 1 Tm 4.12; Hb 8.5).

C. *Figura* (At 7.43; Rm 5.14).

D. *Padrão* (Tt 2.7).

E. *Marca* (dos pregos, Jo 20.25).

2. ὑπόδειγμα. Esta palavra tem o mesmo significado resultante em geral como τύπος (Jo 13.15; Hb 4.11; 8.5; 9.23; Tg 5.10; 2 Pe 2.6).

3. IMPORTÂNCIA DOUTRINÁRIA. (a) O grande campo da verdade envolvida nos tipos é cheio de instrução. (b) Contudo, deve haver um reconhecimento cuidadoso do que torna alguma coisa um verdadeiro tipo. Somente aquilo tratado dessa forma na Bíblia pode ser recebido como típico, sem dúvida. Algumas coisas somente ilustram a verdade, mas não prefiguram ou servem como um tipo. Compare tudo que é mera coerência, analogia ou um paralelo de verdade.

4. VÁRIAS CLASSIFICAÇÕES. Um tipo pode ser:

A. Uma pessoa (Rm 5.14), como Adão, Melquisedeque, Abraão, Sara, Ismael, Isaque, Moisés, Josué, Davi, Salomão etc.

B. Um evento (1 Co 10.11), como a preservação de Noé e seus filhos, a redenção do Egito, o memorial da Páscoa, o êxodo, a passagem através do mar Vermelho, o achado do maná, a água retirada da rocha, a elevação da serpente de bronze e todos os sacrifícios benditos de Deus.

C. Uma coisa de alguma espécie (Hb 10.20, 21), como o tabernáculo, a pia, o cordeiro do sacrifício, o Jordão, uma cidade como Babilônia ou uma nação como o Egito.

D. Uma instituição (Hb 9.11), como o sábado, o sacrifício animal, o sacerdócio de Melquisedeque, o reino de Davi etc.

E. Um cerimonial (1 Co 5.7), como as designações do Antigo Testamento para o serviço de Deus.

5. DISTINÇÕES IMPORTANTES. Distinções cuidadosas devem ser feitas para evitar meras fantasias.

A. Tipos são encontrados no Antigo Testamento, e principalmente no Pentateuco; eles cobrem a grande esfera da verdade e assuntos mencionados acima.

B. Estritamente falando, um tipo é aquilo que tem sido tão indicado na Bíblia. 1 Coríntios 10.11, contudo, é de grande importância neste contexto.

C. Os tipos são um dos três fatores que ligam os dois testamentos: (1) Tipos, (2) profecias e (3) continuidade da verdade.

SUMÁRIO DOUTRINÁRIO

D. Os tipos são predições porque eles prefiguram o que era futuro no tempo do Antigo Testamento.

E. Os tipos são tão inspirados quanto qualquer texto das Escrituras e são pretendidos por Deus, seja para admoestação ou instrução.

F. Cristo é o antítipo notável em toda tipologia.

Transfiguração

A palavra *transfigurar* – μεταμορφόομαι – é empregada para Cristo e os cristãos.

1. DE CRISTO. A transfiguração de Cristo está registrada em cada evangelho sinótico (Mt 17.1-13; Mc 9.2-13; Lc 9.28-36). Relacionada ao ofício profético de Cristo como está, cada relato dessa transfiguração registra a ordem do céu: "a Ele ouvi".

2. SEU SIGNIFICADO. O registro da transfiguração de Cristo é precedido cada vez pelas palavras: "Em verdade vos digo, alguns dos que aqui estão de modo nenhum provarão a morte até que vejam vir o Filho do homem no seu reino" (Mt 16.28). Observe quão apropriada é a palavra de interpretação que Pedro dá do significado do episódio da transfiguração (2 Pe 1.16-18). Os elementos do reino messiânico estavam certamente presentes na transfiguração: (a) um Cristo glorificado; (b) santos glorificados como Moisés e Elias – um tendo deixado a terra pela morte e outro pelo processo de trasladação; (c) Os judeus ainda sobre a terra, mas desfrutando toda luz da glória – vista pelos três discípulos.

3. SEU PROPÓSITO. Como a pregação do reino viria para o seu final por causa da rejeição e da iminente morte do Rei, tornou-se necessário encorajar os discípulos na expectativa de que o reino messiânico ainda seria estabelecido de acordo com a promessa do pacto, mais tarde, quando não imediatamente. A transfiguração portava esta certeza.

4. DOS SANTOS. A palavra *transfigurar* é usada duas vezes como um apelo aos crentes (Rm 12.2; 2 Co 3.18). Como deve ser distinta da palavra "transformar"? Uma coisa pode ser transformada por uma luz que brilha sobre ela de fora, naturalmente, mas uma transfiguração é o brilho da luz procedente de dentro. O primeiro apelo aos crentes, então, é para que eles deixem a luz da natureza divina brilhar desimpedidamente (veja CRISTOLOGIA) procedente de dentro, agora que eles se tornaram participantes dela. Na passagem de 2 Coríntios está revelada a natureza da mudança divinamente operada sendo ordenada.

Trevas

O fato de que as trevas significam uma ausência de luz é usado pelas Escrituras para ilustrar a verdade em cinco aspectos diferentes. Nenhuma realidade física é mais impressionante – a menos que ela seja a vida e a morte

– do que o fenômeno das trevas e luz. Os vários usos do termo *trevas* na Bíblia estão conectados com:

1. OPOSIÇÃO AO CARÁTER DE DEUS. Ao escrever sobre a santidade de Deus, o apóstolo João disse: "...e nele não há trevas nenhuma" (1 Jo 1.5). Semelhantemente, Tiago disse: "...em quem não há sombra ou variação de mudança" (Tg 1.17). A luz se torna assim uma ilustração vívida da pureza translúcida de Deus. Sua glória é radiante como a luz do *Shekinah*. Alguma coisa da glória intrínseca de Cristo foi manifesta em Sua transfiguração. A perfeita santidade pode ser indicada somente pela luz celestial.

2. O ESTADO MORAL DO MUNDO NÃO-SALVO. Quando Cristo veio ao mundo, foi dito dele que Ele apareceu como luz que brilha nas trevas, e que as trevas não prevaleceram contra ela (Jo 1.5). A Luz perfeita que Deus é não pode ser compreendida pelas traves deste mundo. As trevas primeiro vieram a este mundo quando o pecado entrou nele. Sua realidade é fielmente descrita por Deus em sua Palavra, mas os homens não deram atenção a ela, ou não entenderam o seu testemunho divino. Eles "amaram mais as trevas do que a luz" (Jo 3.19). No começo havia luz suficiente, mas os homens se voltaram da luz. O apóstolo afirma: "Porquanto, tendo o conhecimento de Deus, contudo não o glorificaram como Deus, nem lhe deram graças, antes nas suas especulações se desvaneceram, e o seu coração insensato se obscureceu" (Rm 1.21).

A experiência do homem cego é simbólica: "Eu era cego, e agora vejo" (Jo 9.25). Para o mundo perdido ao redor de Si Cristo declarou: "Esta é a hora e o poder das trevas" (Lc 22.53). Quando alguém é salvo, ele é transportado do poder das trevas para o reino do Filho do Seu amor (Cl 1.13). A verdade é em si mesma como a luz e a ausência dela são as trevas. Do crente é registrado que ele é chamado "das trevas para a sua maravilhosa luz" (1 Pe 2.5).

3. O CRISTÃO CARNAL. Por ter declarado que "Deus é luz", o apóstolo João assevera posteriormente: "Se dissermos que temos comunhão com ele, e andarmos nas trevas, mentimos, e não praticamos a verdade" (1 Jo 1.6). A comunhão depende de acordo, e onde o pecado é praticado e defendido por um crente, não pode haver comunhão perfeita com Deus. Andar na luz é estar sujeito à luz, e isto quer dizer que quando Deus revela a alguém qualquer coisa que na vida anda contrário à luz que Deus é, deverá haver ajustamentos a essa nova revelação. Andar na luz não é viver perfeitamente, sem pecado; é ser ajustado a tudo que Deus revela para o coração a respeito de Sua vontade para a vida individual de uma pessoa. Para alguém dizer como uma pretensão ou suposição que anda na luz e ainda tolera o mal, é asseverar o que não é nem pode ser verdadeiro.

Se, contudo, o crente anda na luz de Deus por estar ajustado à Sua vontade, a comunhão com Deus é mantida sem esforço e a mancha de todo pecado é removida pelo sangue de Cristo, porque esta bendita provisão prossegue limpando (1 Jo 1.5-7). As trevas em que o crente pode andar devem ser distinguidas das trevas do estado de perdição; suas trevas são devidas à carnalidade, e suas limitações são vistas no fato de que o seu pecado não perturbou a união pessoal com Deus, mas somente sua comunhão com Ele. Há vários custos drásticos que o crente paga quando ele anda em trevas; a perda da comunhão com Deus é uma delas.

4. A TRIBULAÇÃO. Está especificamente revelado que quando Cristo retornar à terra, Ele virá a uma condição universal de "trevas crassas" que cobrirão os povos (Is 60.2). O período da tribulação que terminará com o advento de Cristo, vindo em poder e grande glória, será um tempo de "nuvens e negrume" (Jl 2.2). De acordo com todas as principais referências a respeito dela, a tribulação é a hora das trevas e da angústia extrema sobre todo o mundo.

5. ESTADO FINAL DO PERDIDO. Há um lugar chamado "trevas exteriores" (Mt 25.30) que se torna a última e infindável habitação daqueles que vão para ali. Que tal lugar existe desde o tempo da queda dos anjos, é evidente, visto que alguns dos anjos estão em "cadeias de trevas" por causa do abandono deles de Deus, na espera do dia do juízo (2 Pe 2.4). Eles não estão meramente em trevas físicas, mas num lugar e condição totalmente esvaziado da luz que Deus é.

Tribulação

A palavra grega para *tribulação* – θλίψις – é usada 42 vezes no Novo Testamento. Ela tem sido traduzida pelas palavras *tribulação* (21 vezes), *aflição* (17 vezes), *angústia* (uma vez), *fardo* (uma vez) e *sofrimento* (três vezes). Há dois significados comuns para o termo: (1) provação de qualquer espécie e (2) a [grande] tribulação. A tribulação, na verdade, é um dos maiores caminhos da profecia, que pode ser traçado por toda a Escritura, da seguinte maneira: Deuteronômio 4.29, 30; Jeremias 30.4-7; Daniel 12.1; Mateus 24.9-26; 2 Tessalonicenses 2.1-12; Apocalipse 3.10; 6.1–19.6. Veja também Salmo 2.5; Isaías 2.10-22; 13.9-16; 24.21-23; 26.20, 21; 34.1-17; 43.1-6; 49.15-24; Jeremias 25.29-38; Ezequiel 30.3; Amós 5.18-20; Obadias 1.15-21; Sofonias 1.7-18; Zacarias 12.1-14; 14.1-4; Malaquias 4.1-4.

A Grande Tribulação é o período conhecido como a septuagésima semana de Daniel (Dn 9.24-27), onde a ordem dos eventos é a mesma em Daniel como em Mateus 24 e 2 Tessalonicenses 2. A semana final tem sete anos de duração, que é provada pelo fato de que houve exatamente 69 x 7 anos entre a ordem para reconstruir Jerusalém e a morte do Messias. Esta semana de anos restante pertence à era de Israel e será caracterizada pelas mesmas condições gerais obtidas na era judaica passada. O tempo deve ser encurtado um pouco (Mt 24.22). Ele é conhecido como "o tempo das angústias de Jacó" (Jr 30.4-7), do qual Israel será salvo.

A Grande Tribulação é o tempo dos julgamentos inevitáveis sobre o mundo que rejeita Cristo (Sl 2.5). Ele é caracterizado por:

Trono

1. A remoção do Espírito Santo com a Igreja da terra (2 Ts 2.7).
2. Satanás é lançado à terra e restrito a ela (Ap 12.9-12).
3. O desenvolvimento do pecado que foi até então restrito (2 Ts 2.11).
4. O governo do homem do pecado (Jo 5.43).
5. O término de tudo pela segunda vinda de Cristo, a batalha do Armagedom e a pedra que esmiúça, de Daniel 2.

Trindade

A palavra *Trindade* não é um termo bíblico, embora inquestionavelmente uma verdade da Bíblia. Como uma doutrina, ela se divide assim:

1. No Antigo Testamento. A ênfase do Antigo Testamento está sobre a unidade divina. Mas mesmo ali pode ser vista uma pluralidade divina no significado de *Elohim* (cf. Dt 6.4), uma pluralidade de pessoas e unidade de essência.

2. No Novo Testamento. O Novo Testamento põe sua ênfase nas pessoas individuais da Trindade e as suas responsabilidades separadas para os propósitos de redenção. Todavia, aqui também há referências ocasionais à divina unidade de essência (cf. Mt 28.19).

Trono

A palavra trono vem de θρόνος (usada 50 vezes) e de βῆμα (aparece uma vez – At 12.21). Para outras passagens com βῆμα, ver Mateus 27.19; João 19.13; Atos 18.12,16,17; 15.6,10,17; Romanos 14.10; 2 Coríntios 5.10, todas as vezes traduzida como "tribunal". Compare κριτήριον em Tiago 2.6 – "tribunal de julgamento".

Os vários tronos da Escritura a serem distintos são os seguintes:

1. Trono de Deus (Mt 5.34; At 7.49; Ap 4.2). Seu governo é igualmente a uma eminente montanha (Is 2.2). Ali, Cristo está sentado no presente momento (Hb 8.1; Ap 3.21).

2. Trono de Davi (2 Sm 7.16; Sl 89.36; Lc 1.32). Este é o trono terrestre ao qual Cristo se tornou herdeiro e sobre o qual Ele ainda se assentará (Sl 2.6). Observe o seu caráter literal, terrestre e eterno na Escritura. Um trono de glória está reservado para Ele (Mt 19.28; 25.31). A Igreja estará sentada com Cristo sobre Seu trono (Ap 3.21).

3. Trono da Avaliação Cristã. Este tribunal de Cristo (Rm 14.10; 1 Co 3.9-15; 2 Co 5.10) é necessário para avaliar o serviço que os crentes têm feito.

4. Trono do Julgamento Final (Ap 20.11-15).

5. Trono de Satanás. (Ap 2.13 – a palavra "assento" traduzida do grego que significa trono; cf. Mt 12.26; Cl 1.16. Observe que Satanás tem um trono terreno.

SUMÁRIO DOUTRINÁRIO

6. TRONO DOS DOZE APÓSTOLOS (Lc 22.30).
7. TRONO DAS NAÇÕES (Lc 1.52)
8. TRONO DA GRAÇA (Hb 4.16).
9. TRONO DA IGREJA (Ap 4.4).

Unigênito

O termo grego para unigênito, μονογενής, é usado nove vezes ao todo no Novo Testamento (Lc 7.12; 8.42; 9.38), em cinco delas a respeito de Cristo (Jo 1.14,18; 3.16,18; 1 Jo 4.9) e uma a respeito de Isaque (Hb 11.17).

Quando usado a respeito de Cristo, duas idéias estão inerentes: (a) que Ele é o Filho do Pai e (b) que Ele tem uma posição singular como tal. Ele é o Filho de Deus como ninguém poderia ser porque o único gerado foi Ele, e já existia no estado perfeito que Ele desfruta eternamente. Os cristãos não são gerados no mesmo sentido (Hb 1.6). É singular no sentido em que Ele somente pode ser o pleno revelador do Pai aos homens (Jo 1.14-18) e o Mediador entre Deus e os homens (Jo 3.16,18; 1 Jo 4.9).

O unigênito Filho é essa associação na divindade que pode melhor ser ilustrada para o homem pelo relacionamento de pai com filho. Certas teorias devem ser rejeitadas, ou seja, que Cristo é um Filho gerado por causa da encarnação, que Cristo se tornou um Filho primogênito pela ressurreição, que Cristo é um Filho primogênito somente por título, ou que Ele pode ser o Filho primogênito pela posição oficial. Ele é o primeiro dos primogênitos criados por Deus e, portanto, preeminente ou que precede todos os outros que virão a ser primogênitos.

Vida

A vida apresenta alguma coisa misteriosa e indefinida; porém, mais especialmente o que é consciência, energia e existência. Ninguém sequer compreende o que vitaliza o menor inseto. Um homem poderia ser pesado uns poucos momentos antes dele morrer e o mesmo corpo também ser pesado imediatamente após a morte. O peso seria o mesmo, todavia, alguma coisa muito essencial – embora pouco entendida – evidentemente partiu. A vida é a que dá a sensação à totalidade do corpo pela qual todas funções do corpo continuam em sua orquestração. Com a morte, contudo, toda função do corpo natural cessa.

Do ponto de vista bíblico, a vida pode significar: (1) o que é natural e animal ou (2) o que é divino e eterno.

1. NATURAL. Esta forma de vida está sujeita à morte e é derivada da geração humana. Ela é, não obstante, infindável em todo ser humano, ou seja, uma continuação para sempre no futuro de cada coisa nascida neste mundo. A vida natural tem um começo, mas não um fim.

2. ETERNA. Este tesouro inestimável, que é o dom de Deus, não deveria ser confundido com a mera existência infindável que todos possuem. É uma vida acrescentada àquela que foi experimentada antes por si mesma. Cristo disse: "Eu vim para que tenham vida, e a tenham em abundância" (Jo 10.10). Esta vida nada é menos do que "Cristo em vós, a esperança da glória" (Cl 1.27). Ela vem livre porque é um dom de Seu amor. Ela imediatamente relaciona uma pessoa que a tem recebido a Deus e às coisas eternas. Cristo assemelhou-a ao nascimento do alto (Jo 3.3) "os quais não nasceram do sangue... mas de Deus" (Jo 1.13).

Assim, tudo depende de receber Cristo e ser salvo através dEle. João disse isso novamente: "Quem tem o Filho tem a vida; e quem não tem o Filho de Deus não tem a vida" (1 Jo 5.12).

Vontade

A vontade é aquela faculdade num ser racional e consciente pela qual ele tem o poder de escolher um curso de ação e continuar nele. Deveria ser dada consideração a duas divisões gerais da doutrina bíblica.

1. DE DEUS. A vontade de Deus é a que pode ser chamada de diretiva e permissiva.

A. Diretiva. Esta forma da vontade divina inclui dentro de seu escopo as doutrinas do decreto, eleição, predestinação e preordenação.

B. Permissiva. Na vontade permissiva de Deus, Ele é visto permitindo que os homens façam sua própria escolha daquilo que poderia ser uma coisa meramente boa ou mesmo dos caminhos maus.

A vontade de Deus é o padrão com que medimos tudo o que é avaliado corretamente em seus motivos, propósito e execução. O fim mais elevado do homem é realizado quando ele se conforma à vontade de Deus. Mesmo Cristo veio não para fazer Sua própria vontade, mas somente a vontade do Pai. Nada há mais elevado para o homem do que encontrar a vontade de Deus e realizá-la. O céu sempre tem um propósito específico em trazer cada pessoa ao mundo, e esse propósito abrange cada momento da vida.

SUMÁRIO DOUTRINÁRIO

2. Do Homem. A mais importante distinção entre os sistemas calvinista e arminiano de teologia aparece no entendimento diverso que eles têm da vontade do homem.

A. A vontade do homem é apenas um instrumento criado por Deus e designado por Ele para a execução de Seus próprios fins. A vontade humana, portanto, serve o propósito divino ao invés de impedi-lo.

B. A vontade, às vezes, é vista do lado humano, como soberana e totalmente responsável (Jo 7.17; cf. 6.44). Para o exercício da vontade humana em assuntos de salvação, observe Apocalipse 22.11; e para o uso da vontade na dedicação, observe Romanos 6.13. A vontade, então, está sujeita a várias influências.

C. Do lado divino, o poder de vontade do homem é visto como estando sob controle superior, com o salvo sob o controle soberano de Deus (Fp 2.13) e o não-salvo sob igual controle de Satanás (Ef 2.2).

3. Fatos Gerais. Três fatos de uma natureza geral devem ser observados.

A. Há pouca referência à vontade dos anjos além da de Satanás (cf. Jd 6,9).

B. O pecado inicial de Satanás está bem sumariado sob cinco promessas dele (Is 14.13,14).

C. Há sete promessas de Jeová no pacto abraâmico (Gn 17.1-8), como em outros lugares nos compromissos feitos por Deus.

TEOLOGIA SISTEMÁTICA
Lewis Sperry Chafer

Volume 8

Lewis Sperry Chafer
D.D., Litt.D., Th.D.
Ex-presidente e professor de Teologia Sistemática no
Seminário Teológico em Dallas.

Agradecimentos

Nossos agradecimentos se extendem pela autorização para usar citações dos livros cujos direitos pertencem às editoras e autores abaixo mencionados:

D. Appleton-Century Company, Inc. – *The New Century Dictionary*.

John W. Bradbury Pela contribuição ao escrever especialmente para este trabalho.

Encyclopaedia Britannica, Inc. – *Encyclopaedia Britannica*.

Dr. E. Schuyler English – *Studies in the Gospel according to Matthew*.

Wm. B. Eerdmans Publishing Co. – *International Standard Bible Encyclopaedia*.

Funk & Wagnalls Co. – *New Standard Dictionary*.

Dr. Norman B. Harrison, The Harrison Service – *His Love*.

Loizeaux Brothers, Inc. – *Notes on Genesis*, by C. H. Mackintosh; *Notes on Exodus*, by C. H. Mackintosh; *Notes on Leviticus*, by C. H. Mackintosh; *Synopsis of the Books of the Bible*, by J. N. Darby; *Lectures on Daniel*, By H. A. Ironside; *Notes on Proverbs*, by H. A. Ironside; *Notes of the Minor Prophets*, by H. A. Ironside.

Moody Press – *Isaac and Rebekah*, by George E. Guille; *Scofield* Curso por correspondência.

Dr. William R. Newell – *Romans Verse by Verse*.

Erling C. Olsen – *Mcditatins in the Psalms, Walks with Our Lord through John's Gospel*.

Our Hope – Angels of God, by A. C. Gaebelein; *Studies in Zechariah*, by A. C. Gaebelein; *Satan, His Person, His Work and His Destiny*, by F. C. Jennings; *Imperialism and Christ*, by Ford C. Ottman; *Unfolding the Ages*, by Ford C. Ottman.

Oxford University Press – *Biblical Doctrines*, by B. B. Warfield; *Christology and Criticism*, by B. B. Warfield; *Studies in Theology*, by B. B. Warfield.

Fleming H. Revell Co. – *Christian Worker's Commentary*, by James M. Gray.

Charles Scribner's Sons – *The Sermon on the Mount*, by Martin Dibelius.

The Sunday School Times Co. – *The Sunday School Times*.

Dr. Jonh F. Walvoord – *Outline of Christology; The Doctrine of the Holy Spirit*.

Zondervan Publishing House – *The Critical and Explanatory Comentary*, by Jamieson, Fausset & Brown.

ÍNDICE GERAL DA OBRA

ÍNDICE

VOLUME 1

PROLEGÔMENOS 47

CAPÍTULO I - PROLEGÔMENOS 47
I. A Palavra *Teologia* 47
II. Usos Gerais da Palavra 48
III. Várias Definições 49
IV. Estudantes de Teologia 50
V. Exigências Essenciais 50
VI. Atitudes Existentes para com as Escrituras 55
VII. Principais Divisões da Teologia Sistemática 58
Conclusão 58

BIBLIOLOGIA 63

CAPÍTULO II - INTRODUÇÃO À BIBLIOLOGIA 63
I. A Origem Sobrenatural da Bíblia 64
II. Divisões Gerais da Bíblia16 77

CAPÍTULO III - REVELAÇÃO 87
I. Três Doutrinas Distintas Importantes 87
II. Natureza da Revelação 90

CAPÍTULO IV - INSPIRAÇÃO 99
I. O Fato e a Importância da Inspiração 101
II. Teorias da Inspiração 105
III. Autoria Dual 109
IV. A Palavra de Deus a Respeito da Palavra de Deus 113
V. Objeções Gerais à Inspiração Verbal e Plenária 120
Conclusão 122

CAPÍTULO V - CANONICIDADE E AUTORIDADE 124
I. As Escrituras São Autoritativas, Porque São
Inspiradas por Deus 128
II. As Escrituras São Autoritativas, Escritas por Homens
Escolhidos por Deus, "Guiados" pelo Espírito Santo 129
III. As Escrituras São Autoritativas, Reconhecidas por
Aqueles Que as Receberam Primeiro 129
IV. As Escrituras São Autoritativas, Atestadas pelo
Senhor Jesus Cristo, a Segunda Pessoa da Trindade 130

35

ÍNDICE

V.	As Escrituras São Autoritativas, Recebidas, Entregues e Atestadas pelos Profetas	131
VI.'	As Escrituras São Autoritativas, Porque São a Palavra Empregada pelo Espírito Santo	134
VII.	A Autoridade da Bíblia É Vista no Fato de Que sem o Menor Desvio, Ela Vindica e Satisfaz cada Alegação Sua	135
Conclusão		136

CAPÍTULO VI - ILUMINAÇÃO — 138
I.	Formas Específicas de Trevas Espirituais	138
II.	A Obra Iluminadora do Espírito	141

CAPÍTULO VII - INTERPRETAÇÃO — 146
I.	O Propósito da Bíblia como um Todo	147
II.	O Caráter Distintivo e a Mensagem de Cada Livro da Bíblia	147
III.	A Quem Determinada Passagem Foi Dirigida?	148
IV.	Consideração do Contexto	149
V.	Consideração de Toda Escritura Sobre um Tema Específico	149
VI.	Descoberta do Sentido Exato de Determinadas Palavras da Escritura	150
VII.	Necessidade de se Evitar Preconceitos Pessoais	150

CAPÍTULO VIII - VIVIFICAÇÃO — 152
I.	O Poder da Palavra de Deus Sobre os Não-Salvos	153
II.	O Poder da Palavra de Deus Sobre os Salvos	154

CAPÍTULO IX - PRESERVAÇÃO — **155**

TEONTOLOGIA — 159

CAPÍTULO X - INTRODUÇÃO À TEONTOLOGIA — 159
I.	Intuição	160
II.	Tradição	162
III.	Razão	163
IV.	Revelação	165

TEÍSMO — 166

CAPÍTULO XI - ARGUMENTOS TEÍSTAS NATURALISTAS — 166
I.	Argumento Cosmológico	171
II.	Argumento Teleológico	177
III.	Argumento Antropológico	183
IV.	Argumento Ontológico	186
Conclusão		188

ÍNDICE

CAPÍTULO XII - TEORIAS ANTITEÍSTAS — 190
I. Ateísmo — 191
II. Agnosticismo — 193
III. Evolucionismo — 194
IV. Materialismo — 198
V. Politeísmo — 199
VI. Idealismo e Realismo — 200
VII. Panteísmo — 201
VIII. Deísmo — 203
IX. Positivismo — 204
X. Monismo — 204
XI. Dualismo — 204
XII. Pluralismo — 205
Conclusão — 205

CAPÍTULO XIII - A PERSONALIDADE DE DEUS — 206
I. A Personalidade de Deus — 207

CAPÍTULO XIV - OS ATRIBUTOS DE DEUS — 213
I. Personalidade — 217
II. Atributos Constitucionais — 236
Conclusão — 246

CAPÍTULO XV - OS DECRETOS DIVINOS — 248
O Decreto de Deus — 250
Conclusão — 277

CAPÍTULO XVI - OS NOMES DA DIVINDADE — 280
I. Os Nomes Principais da Divindade no Antigo Testamento — 282
II. Compostos — 288
III. Epítetos do Antigo Testamento — 289
IV. Nomes da Divindade no Novo Testamento — 289
Conclusão — 289

TRINITARIANISMO — 291

CAPÍTULO XVII - INTRODUÇÃO AO TRINITARIANISMO — 291
I. Considerações Preliminares — 294
II. Três Desonras — 296
III. Definição Geral — 301
IV. As Ênfases Verdadeiras — 305

CAPÍTULO XVIII - PROVA DA DOUTRINA TRINITÁRIA — 307
I. Razão — 307
II. Revelação — 314

ÍNDICE

CAPÍTULO XIX - DEUS O PAI — 326
I.   Paternidade Sobre a Criação — 327
II.   Paternidade por Relacionamento Íntimo — 328
III.   O Pai de Nosso Senhor Jesus Cristo — 328
IV.   Paternidade Sobre Todos os Que Crêem — 331

CAPÍTULO XX - DEUS O FILHO: SUA PREEXISTÊNCIA — 333
I.   Principais Passagens Sobre a Preexistência — 336
II.   O Anjo de Jeová — 342

CAPÍTULO XXI - DEUS O FILHO: SEUS NOMES — 346
I.   Jeová, Senhor — 346
II.   Elohim, Deus — 348
III.   Filho de Deus, Filho do Homem — 349
IV.   Senhor Jesus Cristo — 351

CAPÍTULO XXII - DEUS O FILHO: SUA DIVINDADE — 352
I.   Atributos Divinos Que Pertencem a Cristo — 353
II.   Prerrogativas da Divindade Que São Atribuídas a Cristo — 355
Objeções — 358

CAPÍTULO XXIII - DEUS O FILHO: SUA ENCARNAÇÃO — 360
I.   Quem se Encarnou? — 361
II.   Como o Filho se Encarnou? — 365
III.   Com Que Propósito Ele se Encarnou? — 366
Conclusão — 373

CAPÍTULO XXIV - DEUS O FILHO: SUA HUMANIDADE — 374
I.   A Humanidade de Cristo Prevista Antes da
Fundação do Mundo — 376
II.   A Expectativa do Antigo Testamento Era
a de um Messias Humano — 376
III.   Uma Profecia Específica do Novo Testamento — 377
IV.   A Vida de Cristo na Terra — 377
V.   A Morte e a Ressurreição de Cristo — 379
VI.   A Humanidade de Cristo é Vista em sua
Ascensão e Majestade — 379
VII.   A Humanidade de Cristo Está Evidente no seu
Segundo Advento e Reino — 379
Conclusão — 379

CAPÍTULO XXV - DEUS O FILHO: A KENOSIS — 382
I.   "A Forma de Deus" — 384
II.   A Condescendência — 386
III.   "A Forma de um Servo... à Semelhança de Homem" — 386
Conclusão — 389

ÍNDICE

CAPÍTULO XXVI - DEUS O FILHO: A UNIÃO HIPOSTÁTICA   390
 I.   A Estrutura da Doutrina   391
 II.   Os Relacionamentos   397
 Conclusão   402

CAPÍTULO XXVII - DEUS O ESPÍRITO SANTO   404
 I.   A Personalidade do Espírito Santo   404
 II.   A Divindade do Espírito Santo   406
 III.   O Testemunho do Antigo Testamento   409
 IV.   O Testemunho do Novo Testamento   416
 V.   Seus Títulos   417
 VI.   Seus Relacionamentos   417
 VII.   Seu Caráter Adorável   419
 Conclusão   419

VOLUME 2

ANGELOLOGIA   425

CAPÍTULO I - INTRODUÇÃO À ANGELOLOGIA   425

CAPÍTULO II - FATOS GERAIS A RESPEITO DOS ANJOS   428
 I.   Esferas Angelicais   428
 II.   A Realidade dos Anjos   430
 III.   A Relativa Importância de Anjos e Homens   431
 IV.   A Personalidade dos Anjos   432
 V.   A Criação e o Modo de Existência dos Anjos   432
 VI.   A Morada dos Anjos   435
 VII.   O Número dos Anjos   436
 VIII.   O Poder dos Anjos   437
 IX.   A Classificação dos Anjos   438
 X.   O Ministério dos Anjos   442
 XI.   A Disciplina Progressiva dos Anjos   446
 XII.   Os Anjos Como Espectadores   447
 Conclusão   448

CAPÍTULO III - PARTICIPAÇÃO ANGELICAL NO PROBLEMA MORAL 449

CAPÍTULO IV - SATANOLOGIA: INTRODUÇÃO   454

CAPÍTULO V - SATANOLOGIA: A CARREIRA DE SATANÁS   459
 I.   A Criação, o Estado Original e a Queda de Satanás 459
 II.   O Pecado de Satanás   464
 III.   Satanás Conforme o Antigo Testamento   468
 IV.   Satanás Conforme o Novo Testamento   469

39

ÍNDICE

V.   Satanás Julgado na Cruz   471
VI.   A Execução dos Juízos de Satanás   475

CAPÍTULO VI - SATANOLOGIA: O CARÁTER MALIGNO DE SATANÁS   479
I.   Impiedade Dupla   480
II.   A Pecaminosidade de Satanás   488

CAPÍTULO VII - SATANOLOGIA: O COSMOS SATÂNICO   492
I.   A Autoridade de Satanás Sobre o Cosmos   495
II.   O Cosmos é Totalmente Mau   499
III. Os Empreendimentos de Satanás no Cosmos   501
IV.   As Coisas do Cosmos   501
V.   Embora Vivendo Aqui, os Cristãos não São Deste Mundo   502
VI.   A Impotência do Cosmos   503
VII. O Fim do Cosmos   503

CAPÍTULO VIII - SATANOLOGIA: O MOTIVO DE SATANÁS   505

CAPÍTULO IX - SATANOLOGIA: O MÉTODO DE SATANÁS   512
Conclusão   523

CAPÍTULO X - DEMONOLOGIA   524

ANTROPOLOGIA   535

CAPÍTULO XI - INTRODUÇÃO À ANTROPOLOGIA   535

CAPÍTULO XII - A ORIGEM DO HOMEM   540
I.   A Teoria Evolucionista   540
II.   A Revelação   545
III. O Tempo da Origem do Homem   548

CAPÍTULO XIII - A PARTE MATERIAL DO HOMEM NA CRIAÇÃO   553
I.   O Caráter Estrutural do Corpo Humano   554
II.   O Futuro do Corpo Humano   558
III. Vários Usos da Palavra Corpo   565
IV.   O Corpo de Cristo   566
Conclusão   566

CAPÍTULO XIV - A PARTE IMATERIAL DO HOMEM NA CRIAÇÃO   567
I.   A Origem da Parte Imaterial do Primeiro Homem   567
II.   A Imagem de Deus   568
III. A Derivação e a Perpetuação da Parte Imaterial do Homem   580
IV.   Elementos Que Compreendem a Parte Imaterial do Homem   587
V.   As Capacidades e Faculdades da Parte Imaterial do Homem   599

CAPÍTULO XV - O ESTADO DE INOCÊNCIA   606
I.   O Ambiente do Primeiro Homem   606
II.   A Responsabilidade do Primeiro Homem   607

40

Índice

III.	As Qualidades Morais do Primeiro Homem	608
IV.	O Tentador do Primeiro Homem	609
V.	A Tentação do Primeiro Homem	615

Capítulo XVI - A Queda — 620
I.	Morte Espiritual e Depravação	622
II.	Morte Física	627
Conclusão		627

Capítulo XVII - Introdução à Hamartiologia — 628
I.	A Natureza Essencial do Pecado	631
II.	A Derivação do Pecado	632
III.	A Permissão Divina do Pecado	633
Observações Preliminares		636

Capítulo XVIII - O Pecado Pessoal — 638
I.	A Origem do Pecado	638
II.	A Natureza Pecaminosa do Pecado	653
III.	Três Provas Principais da Grande Malignidade do Pecado Pessoal	654
IV.	Definições Gerais	656
V.	Termos e Classificações Gerais	668
VI.	O Remédio Divino para o Pecado Pessoal	670
VII.	O Pecado Original	678
VIII.	A Culpa do Pecado	678
IX.	A Universalidade do Pecado	680

Capítulo XIX - A Natureza Pecaminosa Transmitida — 682
I.	O Fato da Natureza Pecaminosa	684
II.	O Remédio para a Natureza Pecaminosa	691

Capítulo XX - A Imputação do Pecado — 694
I.	O Escopo da Doutrina da Imputação	695
II.	As Teorias da Imputação	707
III.	O Remédio Divino para a Imputação do Pecado	710
Conclusão		712

Capítulo XXI - O Estado do Homem "Debaixo do Pecado" e a sua Relação com Satanás — 714
I.	O Fato	714
II.	O Remédio	717
III.	A Relação dos Não-salvos com Satanás	720

Capítulo XXII - O Pecado do Cristão e o seu Remédio — 722
I.	O Mundo	726
II.	A Carne	727
III.	O Diabo	728
IV.	Uma Provisão Tríplice	729

ÍNDICE

V.	O Efeito Duplo do Pecado do Cristão	730
VI.	A Natureza Pecaminosa do Cristão	740
VII.	A Relação do Cristão com a Imputação do Pecado	752
VIII.	A Relação do Cristão com o Estado do Homem Debaixo do Pecado	753

CAPÍTULO XXIII - PUNIÇÃO — 754
I.	Castigo	754
II.	Açoite	755
III.	Retribuição	755

CAPÍTULO XXIV - O TRIUNFO FINAL SOBRE TODO PECADO — 760

NOTAS — 768

ÍNDICE

VOLUME 3

SOTERIOLOGIA 19
CAPÍTULO I - INTRODUÇÃO À SOTERIOLOGIA 19

O SALVADOR 26
CAPÍTULO II - A PESSOA DO SALVADOR 26
I. Sete Posições de Cristo 27
II. Os Ofícios de Cristo 32
III. A Filiação de Cristo 43
IV. A União Hipostática 45
Conclusão 46
CAPÍTULO III - INTRODUÇÃO AO SOFRIMENTO DE CRISTO 47
I. Sofrimento nesta Vida 48
II. Sofrimento na Morte 54
CAPÍTULO IV - COISAS REALIZADAS POR CRISTO
EM SEU SOFRIMENTO E MORTE 65
I. A Substituição dos Pecadores 66
II. Cristo, o Fim do Princípio da Lei
em Favor Daqueles Que São Salvos 85
III. A Redenção em Relação ao Pecado 93
IV. A Reconciliação em Relação ao Homem 96
V. A Propiciação em Relação a Deus 99
VI. O Julgamento da Natureza Pecaminosa 102
VII. A Base do Perdão e da Purificação dos Crentes 106
VIII. A Base da Procrastinação dos Justos Juízos Divinos 107
IX. A Retirada dos Pecados antes da Cruz
Que Haviam Sido Cobertos pelo Sacrifício 107
X. A Salvação Nacional de Israel 109
XI. As Bênçãos Milenares e Eternas Sobre os Gentios 111
XII. O Despojamento dos Principados e Potestades 112
XIII. A Base da Paz 114
XIV. A Purificação das Coisas no Céu 116
CAPÍTULO V - O SOFRIMENTO E A MORTE DE CRISTO NOS TIPOS 118
I. Os Sacrifícios Gerais no Antigo Testamento 120
II. Os Sacrifícios Prescritos no Antigo Testamento 122
III. Vários Tipos da Morte de Cristo 125
IV. A Morte de Cristo de Acordo com
' Vários Textos das Escrituras 127
CAPÍTULO VI - A TERMINOLOGIA BÍBLICA RELACIONADA
AO SOFRIMENTO E MORTE DE CRISTO 128
I. Expiação 128
II. Perdão e Remissão 128

5

ÍNDICE

III.	Culpa	129
IV.	Justiça	129
V.	Justificação	129
VI.	Penalidade	129
VII.	Propiciação	130
VIII.	Reconciliação	130
IX.	Redenção e Resgate	130
X.	Sacrifício	130
XI.	Satisfação	131
XII.	Vicário e Substitutivo	131

CAPÍTULO VII - TEORIAS FALSAS E VERDADEIRAS DO VALOR DA MORTE DE CRISTO

I.	Considerações Preliminares	132
II.	Registro Histórico	136
III.	Teorias em Geral	140
	Conclusão	156

ELEIÇÃO DIVINA

166

CAPÍTULO VIII - O FATO DA ELEIÇÃO DIVINA

166

I.	Os Termos Usados	168
II.	Revelação Clara	169
III.	Verdades Essenciais Abraçadas	172
IV.	Objeções à Doutrina da Eleição	175

CAPÍTULO IX - A ORDEM DOS DECRETOS ELETIVOS

177

I.	A Ordem Apresentada pelos Supralapsarianos	178
II.	A Ordem Apresentada pelos Infralapsarianos	179
III.	A Ordem Apresentada pelos Sublapsarianos	180
IV.	A Ordem Apresentada pelos Arminianos	181
	Conclusão	181

CAPÍTULO X - POR QUEM CRISTO MORREU?

182

I.	Classificação das Opiniões	183
II.	Pontos de Concordância e Discordância Entre as Duas Escolas do Calvinismo Moderado	184
III.	Aspectos Dispensacionalistas do Problema	187
IV.	Três Palavras Doutrinárias	189
V.	A Cruz Não É o Único Instrumento de Salvação	191
VI.	A Pregação Universal do Evangelho	192
VII.	Será Deus Derrotado, se os Homens por quem Cristo Morreu Forem Condenados?	193
VIII.	A Natureza da Substituição	196
IX.	O Testemunho das Escrituras	198
	Conclusão	201

A OBRA SALVADORA DO DEUS TRIÚNO

203

CAPÍTULO XI - A OBRA CONSUMADA DE CRISTO

203

ÍNDICE

CAPÍTULO **XII** - **A** **OBRA** **CONVENCEDORA** **DO** **ESPÍRITO** **SANTO** 207
I.   A Necessidade da Obra do Espírito Santo   208
II.   O Fato da Obra do Espírito Santo   213
III.   Os Resultados da Obra do Espírito Santo   218
CAPÍTULO **XIII**   221
As Riquezas da Graça Divina   221
I.   O Estado dos Perdidos   225
II.   O Caráter Essencial dos Empreendimentos Divinos   227
III.   As Riquezas da Graça Divina   229
        Conclusão   255

A SEGURANÇA ETERNA DO CRENTE   256
CAPÍTULO **XIV** - **INTRODUÇÃO** **À** **DOUTRINA** **DA** **SEGURANÇA** 256
CAPÍTULO **XV** - **A** **IDÉIA** **ARMINIANA** **DA** **SEGURANÇA**   262
I.   A Idéia Arminiana das Principais Doutrinas Soteriológicas 264
II.   Ênfase Arminiana na Experiência e na Razão Humanas   273
III.   Apelo Arminiano às Escrituras   278
        Conclusão   297
CAPÍTULO **XVI** - **A** **DOUTRINA** **CALVINISTA** **DA** **SEGURANÇA**   298
I.   As Razões Que Dependem de Deus, o Pai   301
II.   As Razões Que Dependem de Deus, O Filho   308
III.   Responsabilidades Pertencentes a Deus, o Espírito Santo 316
CAPÍTULO **XVII** - **A** **ESCRITURA** **CONSUMADORA**   321
I.   Liberta da Lei   323
II.   O Fato da Presença da Natureza Divina   325
III.   O Cristão, um Filho e Herdeiro de Deus   326
IV.   O Propósito Divino   327
V.   A Execução do Propósito Divino   329
VI.   A Própria Realização de Cristo   330
VII.   A Incapacidade das Coisas Celestiais e Mundanas   331
        Conclusão   333
CAPÍTULO **XVIII** - **LIBERTAÇÃO** **DO** **PODER** **REINANTE**
DO **PECADO** **E** **AS** **LIMITAÇÕES** **HUMANAS**   334
I.   Libertação do Poder do Pecado   334
        Conclusão   338
II.   Libertação das Limitações Humanas   339
        Conclusão   341
CAPÍTULO **XIX** - **O** **CRENTE** **APRESENTADO** **SEM** **PECADO**   342
I.   Cidadania Celestial   343
II.   Uma Nova Fraternidade   343
III.   Uma Posição Aperfeiçoada para Sempre   343
IV.   Um Corpo Renovado   344
V.   Libertação da Natureza Pecaminosa   344
VI.   Ser Igual a Cristo   345
VII.   Compartilhar da Glória de Cristo   345
        Conclusão   346

7

ÍNDICE

Os Termos da Salvação — 349

CAPÍTULO XX - Os Termos da Salvação — 349
- I. Arrependimento e Fé — 350
  - Conclusão — 355
- II. Crer e Confessar Cristo — 356
  - Conclusão — 357
- III. Crer e Ser Batizado — 358
  - Conclusão — 361
- IV. Crer e Render-se a Deus — 361
  - Conclusão — 364
- V. Crer e Confessar o Pecado ou Fazer Restituição — 364
- VI. Crer e Implorar a Deus por Salvação — 365
  - Epílogo — 368

Eclesiologia — 375

CAPÍTULO I - Introdução à Eclesiologia — 375
- I. As Criaturas de Deus Vistas Dispensacionalmente — 376
- II. A Doutrina da Escritura Vista Dispensacionalmente — 384
- III. A Igreja Especificamente Considerada — 396

A Igreja Como um Organismo — 403

CAPÍTULO II - Aspectos Gerais da Doutrina
a Respeito da Igreja — 403
- I. O Significado da Palavra *Igreja* — 405
- II. O Fato de um Novo Empreendimento Divino — 406
- III. Vários Termos Empregados — 408
- IV. O Primeiro Uso da Palavra *Igreja* — 409
- V. O Presente Propósito Divino da Igreja — 410
- VI. Quatro Razões por que a Igreja Começou no Pentecostes — 411
- VII. A Igreja nos Tipos e nas Profecias — 412

CAPÍTULO III - Contrastes entre Israel e a Igreja — 413
- I. A Extensão da Revelação Bíblica — 413
- II. O Propósito Divino — 413
- III. A Semente de Abraão — 414
- IV. O Nascimento — 414
- V. Jesus Como Cabeça — 414
- VI. Os Pactos — 415
- VII. A Nacionalidade — 415
- VIII. O Trato de Deus — 415
- IX. As Dispensações — 415
- X. O Ministério — 416
- XI. A Morte de Cristo — 416
- XII. O Pai — 416
- XIII. Cristo — 416
- XIV. O Espírito Santo — 417
- XV. O Princípio Governante — 417
- XVI. A Capacitação Divina — 417

ÍNDICE

XVII.	Os Discursos de Despedida	417
XVIII.	A Promessa do Retorno de Cristo	418
XIX.	A Posição	418
XX.	O Reino Terreno de Cristo	418
XXI.	O Sacerdócio	418
XXII.	O Casamento	418
XXIII.	Os Juízos	419
XXIV.	A Posição na Eternidade	419
	Conclusão	419

CAPÍTULO IV - SETE FIGURAS USADAS SOBRE A IGREJA EM SUA RELAÇÃO COM CRISTO — 420

I.	O Pastor e as Ovelhas	422
II.	A Videira e os Ramos	425
III.	A Pedra Angular e as Pedras do Edifício	427
IV.	O Sumo Sacerdote e o Reino de Sacerdotes	429
V.	O Cabeça e o Corpo com seus Muitos Membros	432

CAPÍTULO V - SETE FIGURAS USADAS SOBRE A IGREJA EM SUA RELAÇÃO COM CRISTO: O ÚLTIMO ADÃO E A NOVA CRIAÇÃO — 442

I.	O Cristo Ressurrecto	442
II.	A Posição do Crente em Cristo	454
III.	Duas Criações Exigem Dois Dias de Comemoração	461
IV.	A Transformação Final	479
	Conclusão	483

CAPÍTULO VI - SETE FIGURAS USADAS SOBRE A IGREJA EM SUA RELAÇÃO COM CRISTO: O NOIVO E A NOIVA — 484

I.	Contrastada com Israel	484
II.	A Delineação do Conhecimento Insuperável e do Amor de Cristo	489
III.	Uma Segurança da Autoridade do Consorte	490
IV.	Uma Revelação da Posição da Noiva Acima de Todos os Seres Criados	491
V.	A Segurança da Glória Infinita	491
VI.	Os Tipos da Noiva	492
VII.	O Significado Desta Figura	497
	Conclusão	497

A IGREJA ORGANIZADA — 499

CAPÍTULO VII - A IGREJA ORGANIZADA — 499

I.	A Igreja, uma Assembléia Local	501
II.	Um Grupo de Igrejas Locais	507
III.	A Igreja Visível sem Referência à Localidade	507

A REGRA DE VIDA DO CRENTE — 508

CAPÍTULO VIII - REGRAS DE VIDA NO PERÍODO DO ANTIGO TESTAMENTO — 508

| I. | A Economia Pré-mosaica | 510 |
| II. | A Economia Mosaica | 512 |

ÍNDICE

Capítulo IX - A Economia do Reino Futuro — 519

Capítulo X - A Economia da Presente Graça — 530
I. Três Aspectos Específicos — 535
II. Os Relacionamentos da Graça — 542

Capítulo XI - Contrastes Entre a Lei e a Graça — 549
I. Sistemas Independentes, Suficientes e Completos da Regra Divina na Terra — 550
II. A Seqüência da Bênção Divina e a Obrigação Humana — 567
III. Diferentes Graus de Dificuldade e Graus Diferentes de Capacitação Divina — 574

Capítulo XII - Os Sistemas da Lei e o Judaísmo Abolido — 575
I. As Reais Instruções Escritas de Ambos os Ensinos da Lei de Moisés e do Reino São Abolidas — 575
II. A Lei do Pacto de Obras é Abolida — 585
III. O Princípio da Lei e Dependência da Energia da Carne é Abolido — 586
IV. O Judaísmo é Abolido — 586
Conclusão — 588

ESCATOLOGIA — 593

Capítulo XIII - Introdução à Escatologia — 593

ASPECTOS GERAIS DA ESCATOLOGIA — 601

Capítulo XIV - Um Breve Panorama da História do Milenismo — 601
I. O Período Representado pelo Antigo Testamento — 602
II. O Reino Messiânico Oferecido a Israel no Primeiro Advento — 602
III. O Reino Rejeitado e Posposto — 603
IV. As Crenças Milenistas Sustentadas pela Igreja Primitiva — 604
V. A Expectativa Milenista Continuada até a Apostasia da Igreja de Roma — 606
VI. O Milenismo Começou a Ser Restaurado na Reforma — 615
VII. O Milenismo desde a Reforma — 616

Capítulo XV - O Conceito Bíblico de Profecia — 621
I. O Profeta — 621
II. A Mensagem do Profeta — 622
III. O Poder dos Profetas — 623
IV. A Escolha dos Profetas — 623
V. O Cumprimento da Profecia — 624
VI. A História da Profecia — 624

OS PRINCIPAIS CAMINHOS DA PROFECIA — 631

Capítulo XVI - Profecias a Respeito doSenhor Jesus Cristo — 631
I. Profeta — 633
II. Sacerdote — 634
III. Rei — 635

10

ÍNDICE

IV.	Semente	636
V.	Os Dois Adventos	637

CAPÍTULO XVII - PROFECIAS A RESPEITO DOS PACTOS COM ISRAEL 644

I.	Os Quatro Principais Pactos	647
II.	Sete Aspectos	648

CAPÍTULO XVIII - PROFECIAS A RESPEITO DOS GENTIOS 660

CAPÍTULO XIX - PROFECIAS A RESPEITO DE SATANÁS, DO MAL E DO HOMEM DO PECADO 673

I.	S tanás	673
II.	O Mal	674
III.	O Homem do Pecado	674

CAPÍTULO XX - PROFECIAS A RESPEITO DO CURSO E DO FIM DA CRISTANDADE APÓSTATA 680

CAPÍTULO XXI - PROFECIAS A RESPEITO DA GRANDE TRIBULAÇÃO 688

I.	A Doutrina em Geral	688
II.	A Igreja e a Tribulação	691

CAPÍTULO XXII - PROFECIAS A RESPEITO DA IGREJA 700

I.	Os Últimos Dias para a Igreja	700
II.	A Ressurreição dos Corpos dos Santos	701
III.	A Transformação dos Santos Vivos	702
IV.	O Tribunal de Cristo	702
V.	O Casamento do Cordeiro	703
VI.	O Retorno da Igreja com Cristo	703
VII.	O Reinado da Igreja com Cristo	703
	Conclusão	704

CAPÍTULO XXIII - TEMAS PRINCIPAIS DAS PROFECIAS DO ANTIGO TESTAMENTO 705

I.	Profecias a Respeito dos Gentios	705
II.	Profecias a Respeito da História Primitiva de Israel	707
III.	Profecias a Respeito da Nação de Israel	707
IV.	Profecias a Respeito das Dispersões e dos Reajuntamentos de Israel	707
V.	Profecias a Respeito do Advento do Messias	708
VI.	Profecias a Respeito da Grande Tribulação	708
VII.	Profecias a Respeito do Dia de Jeováe do Reino Messiânico 709	
	Conclusão	709

CAPÍTULO XXIV - TEMAS PRINCIPAIS DA PROFECIA DO NOVO TESTAMENTO 710

I.	A Nov Dis pensação	710
II.	O Novo Propósito Divino	711
III.	A Nação de Israel	712
IV.	Os Gentios	712
V.	A Grande Tribulação	713
VI.	Satanás e as Forças do Mal	713
VII.	A Segunda Vinda de Cristo	713

ÍNDICE

VIII.	O Reino Messiânico	714
IX.	O Estado Eterno	714
	Conclusão	714

CAPÍTULO XXV - EVENTOS PREDITOS EM SUA ORDEM — 715

I.	A Predição de Noé a Respeito de seus Filhos	715
II.	A Escravidão de Israel no Egito	715
III.	O Futuro dos Filhos de Jacó	715
IV.	Israel na Terra	716
V.	Os Cativeiros de Israel	716
VI.	Os Julgamentos Sobre as Nações Vizinhas	716
VII.	Uma Restauração Parcial	716
VIII.	A Vinda e o Ministério de João Batista	717
IX.	O Nascimento de Cristo	717
X.	Os Ofícios de Cristo	717
XI.	Os Ministérios de Cristo	718
XII.	A Morte de Cristo	718
XIII.	O Sepultamento de Cristo	718
XIV.	A Ressurreição de Cristo	718
XV.	A Ascensão de Cristo	718
XVI.	A Presente Dispensação	719
XVII.	O Dia de Pentecostes	719
XVIII.	A Igreja	719
XIX.	A Destruição de Jerusalém	719
XX.	Os Últimos Dias para a Igreja	720
XXI.	A Primeira Ressurreição	720
XXII.	O Arrebatamento dos Santos Vivos	720
XXIII.	A Igreja no Céu	720
XXIV.	As Recompensas dos Crentes	721
XXV.	O Casamento do Cordeiro	721
XXVI.	A Grande Tribulação	722
XXVII.	O Aparecimento do Homem do Pecado	722
XXVIII.	Os Sofrimentos Finais de Israel	722
XXIX.	A Destruição da Babilônia Eclesiástica	723
XXX.	A Batalha do Armagedom	723
XXXI.	A Destruição da Babilônia Política e Comercial	723
XXXII.	O Dia do Senhor	723
XXXIII.	A Segunda Vinda de Cristo	724
XXXIV.	Satanás Preso e Confinado	724
XXXV.	O Reajuntamento e o Julgamento do Israel Afligido	724
XXXVI.	O Julgamento das Nações	725
XXXVII.	A Vida Humana no Reino Terrestre	725
XXXVIII.	A Soltura de Satanás e a Última Revolta	725
XXXIX.	A Condenação de Satanás	726
XL.	O Término do Presente Céu e da Presente Terra	726
XLI.	O Julgamento do Grande Trono Branco	726
XLII.	O Destino dos Ímpios	726
XLIII.	A Criação do Novo Céu e da Nova Terra	727

ÍNDICE

XLIV.	O Destino dos Salvos	727
XLV.	O Dia de Deus	727
	Conclusão	727

CAPÍTULO XXVI - OS JULGAMENTOS — 728

I.	Os Julgamentos Divinos Através da Cruz	728
II.	O Autojulgamento do Crente e os Castigos de Deus	729
III.	O Julgamento das Obras do Crente	730
IV.	O Julgamento de Israel	732
V.	O Julgamento das Nações	734
VI.	O Julgamento dos Anjos	735
VII.	O Julgamento do Grande Trono Branco	736
	Conclusão	736

CAPÍTULO XXVII - O ESTADO ETERNO — 737

I.	O Estado Intermediário	737
II.	As Criaturas de Deus Que Entram no Estado Eterno	739
III.	Várias Esferas de Existência	742
IV.	Teorias Relativas a um Estado Futuro	743
V.	A Nova Terra	750
VI.	A Doutrina do Inferno	750
VII.	A Doutrina do Céu	756
	Conclusão	760

NOTAS — 762

ÍNDICE

VOLUME 5

CRISTOLOGIA   13

CAPÍTULO I - O VERBO[1] PRÉ-ENCARNADO – O FILHO DE DEUS   13
Introdução   13
I.   A Divindade de Cristo   16
II.   Cristo e a Criação   31
III.   O Pacto Eterno   34
IV.   O Messias no Antigo Testamento   35
V.   O Anjo de Jeová   38
VI.   Implicações Bíblicas Indiretas   40
VII.   Afirmações Bíblicas Diretas   40
Conclusão   45

CAPÍTULO II - INTRODUÇÃO À DOUTRINA DO VERBO ENCARNADO   46
I.   A Doutrina Como um Todo   46
II.   As Predições do Antigo Testamento   50

CAPÍTULO III - O NASCIMENTO E A INFÂNCIA DO VERBO ENCARNADO   54
I.   O Nascimento   54
II.   A Infância   59

CAPÍTULO IV - O BATISMO DO VERBO ENCARNADO   62
I.   O Batizador   62
II.   A Necessidade   65
III.   O Modo   68
IV.   O Batismo de Cristo e o Batismo Cristão   74
V.   Outros Batismos   75

CAPÍTULO V - A TENTAÇÃO DO VERBO ENCARNADO   78
I.   Três Fatores Fundamentais   78
II.   A Relação de Cristo com o Espírito Santo   83
III.   O Teste de Cristo Feito por Satanás   84

CAPÍTULO VI - A TRANSFIGURAÇÃO DO VERBO ENCARNADO   88
I.   A Importância   89
II.   A Razão   90
III.   A Realidade   93
IV.   Uma Apresentação do Reino   93
V.   A Aprovação Divina   96

CAPÍTULO VII - OS ENSINOS DO VERBO ENCARNADO   97
I.   Os Principais Discursos   98
Conclusão   158
II.   Parábolas   158
III.   Ensinos Especiais   160
IV.   Conversas   161

ÍNDICE

CAPÍTULO VIII - OS MILAGRES DO VERBO ENCARNADO 162
 Conclusão 168
CAPÍTULO IX - OS SOFRIMENTOS E MORTE DO VERBO ENCARNADO 169
 I. Nos Tipos 169
 II. Na Profecia 173
 III. Nos Sinóticos 179
 IV. Nos Escritos de João 180
 V. Nos Escritos de Paulo 191
 VI. Nos Escritos de Pedro 212
 VII. Na Carta aos Hebreus 213
CAPÍTULO X - A RESSURREIÇÃO DO VERBO ENCARNADO 218
 I. A Doutrina no Antigo Testamento 221
 II. A Doutrina no Novo Testamento 225
  Conclusão 243
CAPÍTULO XI - ASCENSÃO E INTERCESSÃO DO VERBO ENCARNADO 244
 I. A Ascensão 245
 II. A Intercessão 256
CAPÍTULO XII - O SEGUNDO ADVENTO DO VERBO ENCARNADO 261
CAPÍTULO XIII - O REINO MESSIÂNICO DO VERBO ENCARNADO 293
 I. Assegurado pelos Pactos de Jeová 295
 II. Suas Várias Formas 309
CAPÍTULO XIV - O REINO ETERNO DO VERBO ENCARNADO 331
 I. A Soltura de Satanás 332
 II. A Revolta Sobre a Terra 332
 III. O Passamento do Céu e da Terra 333
 IV. O Julgamento do Grande Trono Branco 334
 V. A Criação do Novo Céu e da Nova Terra 336
 VI. A Descida da Cidade-Noiva 337
 VII. A Renúncia do Aspecto Mediatorial 339

VOLUME 6

PNEUMATOLOGIA 351
 Prefácio(que todo estudante deveria ler) 351
CAPÍTULO I - O NOME DO ESPÍRITO SANTO 354
 I. O Tríplice Nome da Divindade 355
 II. Títulos Descritivos 366
CAPÍTULO II - A DIVINDADE DO ESPÍRITO SANTO 370
 I. Atributos Divinos 371
 II. Obras Divinas 373
  Conclusão 392
CAPÍTULO III - TIPOS E SÍMBOLOS DO ESPÍRITO SANTO 393
 I. Óleo 393
 II. Água 396

ÍNDICE

III.	Fogo	397
IV.	Vento	398
V.	Pomba	399
VI.	Penhor	400
VII.	Selo	400
VIII.	Servo de Abraão	401
	Conclusão	401

Capítulo IV - O Espírito Santo e a Profecia — 402
I.	O Autor da Profecia	402
II.	O Sujeito da Predição	405
	Conclusão	411

Capítulo V - O Espírito Santo no Antigo Testamento — 412
I.	De Adão a Abraão	412
II.	De Abraão a Cristo	416

Capítulo VI - O Caráter Distintivo da Presente Era — 426
I.	Uma Intercalação	427
II.	Um Novo Propósito Divino	427
III.	Uma Era de Testemunho	428
IV.	Israel Dormente	428
V.	O Caráter Especial do Mal	429
VI.	Uma Era de Privilégio Gentílico	429
VII.	A Obra do Espírito Santo no Mundo	430

Capítulo VII - A Obra do Espírito Santo no Mundo — 431
I.	O Restringidor do Cosmos	431
II.	O Que Convence os Não-salvos	434
	Conclusão	442

O Espírito Santo em Relação ao Cristão — 444

Capítulo VIII - Introdução à Obra do Espírito Santo no Crente — 444

Capítulo IX - A Regeneração e o Espírito Santo — 448
I.	A Necess dade	448
II.	A Comunicação da Vida	450
III.	Aquisição da Natureza de Deus	452
IV.	Introdução na Família de Deus	453
V.	Herança da Porção de um Filho	454
VI.	O Propósito de Deus para a sua Eterna Glória	454
VII.	A Base da Fé	456
	Conclusão	465

Capítulo X - Habitação do Espírito Santo — 466
I.	De Acordo com a Revelação	468
II.	Em Relação à Unção	475
III.	De Acordo com a Razão	476
IV.	Em Relação ao Selo	478

Capítulo XI - O Batismo no Espírito Santo — 480
I.	A Palavra ΒΑΠΤΙΖΩ	480

7

ÍNDICE

II.	Os Textos Determinantes	482
III.	A Coisa Realizada	492
IV.	A Clareza	497
	Conclusão	499

A RESPONSABILIDADE DO CRENTE — 501

CAPÍTULO XII - INTRODUÇÃO À RESPONSABILIDADE DO CRENTE — 501
I.	Motivos Inteligentes	501
II.	Obrigações Prescritas	503
III.	Dependência do Espírito	505
IV.	Palavra de Deus	506
V.	Uma Transformação Espiritual	510
VI.	A Terminologia Usada	511

CAPÍTULO XIII - O PODER PARA VENCER O MAL — 514
I.	O Mundo	516
II.	A Carne	519
III.	O Diabo	529
	Conclusão	530

CAPÍTULO XIV - O PODER PARA FAZER O BEM — 532
I.	O Fruto do Espírito	533
II.	Os Dons do Espírito Santo	547
III.	A Oferta de Louvor e Ação de Graças	552
IV.	O Ensino do Espírito	553
V.	A Direção do Espírito	556
VI.	A Vida de Fé	559
VII.	A Intercessão do Espírito	560
	Conclusão	561

CAPÍTULO XV - CONDIÇÕES EXIGIDAS PARA A PLENITUDE — 562
I.	"Não Entristeçais o Espírito de Deus"	563
II.	"Não Extingais o Espírito"	577
III.	"Andai no Espírito"	587

CAPÍTULO XVI - DOUTRINAS RELACIONADAS — 593
I.	A Participação do Crente na Morte de Cristo	598
II.	A Perfeição	605
III.	A Santificação	606
IV.	O Ensino Sobre a Erradicação	607
	Conclusão	610

CAPÍTULO XVII - UMA ANALOGIA — 611
I.	O Estado de Perdição	611
II.	O Objetivo e o Ideal Divinos	612
III.	O Dom de Deus	612
IV.	A Obra da Cruz	613
V.	O Lugar da Fé	614
	Conclusão	615

NOTAS — 619

ÍNDICE

CHAFER 7

SUMÁRIO DOUTRINARIO	**15**
Adão	15
Adoção	17
Advogado	19
Alma e Espírito	20
Amor	21
Anjos	23
Anticristo	25
Antropologia	26
Apostasia	27
Arrependimento	29
Ascensão	30
Autoridade	31
Babilônia	32
Batismo Real	35
Batismo Ritual	36
Bibliologia	44
Blasfêmia	47
Carnalidade	49
Carne	51
Casamento	53
Castigo	54
Cegueira	56
Ceia do Senhor	59
Céu	59
Chamamento	61
Chifre	63
Confissão	64
Consciência	66
Conversão	67
Convicção	68
Coração	71
Corpo	71
Credos	73
Criação(veja Evolução)	74
Cristão	76
Cristianismo	78
Cristologia	80
Crítica	85

5

Índice

Cruz	86
Culpa	88
Cura	89
Demonologia	91
Depravação	94
Deus	95
Dia do Senhor	97
Dias	97
Discípulos	100
Dispensações	101
Dispersões de Israel	103
Dizimar(veja Mordomia)	106
Eclesiologia	107
Eleição	110
Encarnação	115
Era(veja Dispensações)	116
Escatologia	116
Esperança	119
Espírito Santo	119
Espiritualidade	120
Estado Intermediário	120
Eternidade	121
Evangelho	123
Evangelização	124
Evolução	127
Expiação	128
Fé	130
Filiação	132
Genealogia	133
Gentios	134
Glória	136
Governo	137
Graça	138
Hades	139
Herança	141
Homem do Pecado	142
Homem Natural	142
Humildade	143
Igreja(veja Eclesiologia)	143
Imortalidade	143
Imputação	144
Infinidade	147
Inocência	147
Inspiração	147

ÍNDICE

Intercessão	148
Interpretação	149
Israel	151
Jeová	152
Jerusalém	153
Jesus	155
Judaísmo	155
Julgamento	158
Justiça	160
Justificação	161
Justo	165
Lei	165
Línguas	166
Logos	167
Louvor	168
Mandamentos	168
Mediação	171
Messias	172
Milagres	172
Milênio(veja Reino)	172
Ministério	174
Misericórdia	174
Mistério	174
Mordomia	175
Morte	177
Mulher	179
Mundo	180
Noiva	181
Nome	183
Números	183
Obediência	184
Onipotência	184
Onipresença	185
Onisciência	185
Oração	186
Ordenança	187
Ordenar	188
Pactos	188
Pão	190
Paracleto	193
Paraíso	193
Parousia	194
Paternidade de Deus	194
Paz	196

7

ÍNDICE

Pecado	197
Pedra	198
Perdão	199
Perfeição	203
Permanência	204
Poder	206
Posição da Cabeça	207
Posição e Estado	208
Predestinação	208
Pregação	209
Preordenação	210
Presbíteros	210
Presciência	212
Primícias	214
Profecia	216
Propiciação	216
Propiciatório	218
Providência	219
Punição	219
Purificação	220
Queda	222
Recompensa	223
Reconciliação	224
Redenção	225
Regeneração	226
Rei	227
Reino	227
Ressurreição	229
Retidão	230
Revelação	230
Sábado	231
Sacerdócio	232
Sacrifício	233
Salvação	234
Salvação Infantil	235
Sangue	238
Santidade	241
Santificação	242
Santo	251
Satanás	251
Segurança	252
Segurança Eterna	255
Separação	256
Sepultado	257

ÍNDICE

Sião	258
Sofrimento	259
Substituição	261
Tabernáculo e Templo	262
Tempos Gentílicos	263
Tentação	265
Teologia Paulina	266
Tipos	267
Transfiguração	268
Trevas	268
Tribulação	270
Trindade	271
Trono	271
Unigênito	272
Vida	272
Vontade	273

CHAFER 8

AGRADECIMENTOS	277
ÍNDICE GERAL DA OBRA	281
ÍNDICE DE AUTORES	309
CATECISMOS, CREDOS, DICIONÁRIOS E ENCICLOPÉDIAS	319
ÍNDICE REMISSIVO	323
NOTAS	373

ÍNDICE DE AUTORES

ÍNDICE DE AUTORES

A

ABBOTT, E. A. III e IV, 697.
AGOSTINHO, I & II, 50, 251, 301, 302, 451, 452, 617; III & IV 69
ALEXANDER, A. B. D., III & IV, 27; V & VI, 19.
ALEXANDER, W. LINDSAY, xxx.
ALFORD, DEAN, xxx.
ANDERSON, SIR ROBERT, III & IV, 485, 487, 625.
ANGUS-GREEN, VII & VIII, 147-148.
ANSELMO, III & IV, 136, 138, 157.
ARISTÓTELES, I & II, 171, 309, 626.
AUBERLEN, C. A. I & II, 592; III & IV, 615; V & VI, xxx.

B

BARCLAY, ROBERT, Apology I & II, 56.
BARDESANES, III & IV, 478.
BARNABÉ, III & V, 137, 479, 604, 612, 757.
BARNES, ALBERT, III & IV, 599; V & VI, 344.
BAUR, III & IV, 145.
BAVINCK, HERMAN, VII & VIII, 221.
BAXTER, RICHARD, I & II, 307.
BEECHER, HENRY WARD, V & VI, 307.
BENGEL, III & IV, 615, 620.
BINNEY, THOMAS, III & IV, 343.
BOETTNER, LORAINE, V & VI, 403.
BOWNE, I & II, 227.
BRADBURY, JOHN W. V & VI, 488.
BREWSTER, D. I & II, 307.
BRIGGS, C.A. III & IV, 619.
BROOKES, JAMES H. III & IV, 290, 615.
BROWN, JAMIESON & FAUSSET, I & II, 277, 699, 705; V & VI, 413.
BRUCH, J. F. I & II, 238.
BULL, I & II, 449, 577.
BULLINGER, E. W., VII & VIII, 137.

BUSHNELL, HORACE, I & II, 324; VII & VIII, 235.
BUTLER, I & II, 113, 188, 612.
BUTTMANN-THAYER, III & IV, 697.
BUXTORF, I & II, 285, 287.

C

CALVINO, JOÃO, I & II, 161, 303, 682, 699; III & IV, 77, 78, 263, 270, 615; V & VI, 378, 389, 390, 458.
CARLYLE, THOMAS I & II, 2047, 679.
CARSON, ALEXANDER I & II, 118.
CARVER, WILLIAM OWEN, VII & VIII, 308.
CASTENOVE, I & II, 73.
CELLERIER, J. E. VII & VIII, 308.
CHALMERS, THOMAS, I & II, 209.
CHANNING, WILLIAM ELLERY I & II, 293; III & IV, 72, 762.
CHARLES, III & IV, 690, 766.
CHARNOCK, I & II, 218.
CÍCERO, I & II, 182, 310.
CIPRIANO, BISPO DE CARTAGO, III & IV, 478, 610, 612.
CLARKE, ADAM, I & II, 220.
CLARKE, SAMUEL, I & II, 164, 244, 744.
CLARKE, WILLIAM NEWTON, V & VI, 220.
CLEMENTE DE ALEXANDRIA, III & IV, 478, 609, 610, 611.
COCCEIUS, JOHANNES, V & VI, 267.
COOK, JOSEPH, I & II, 302.
COOKE, R. J, VII & VIII, 309.
COOKE, WILLIAM, I & II, 166, 182, 203, 222, 426, 434, 490, 510, 772, 777, 778; V & VI, 23, 28, 359, 373, 620, 622.
COQUEREL, M. I & II, 292.
COWPER, WILLIAM, V & VI, 469.
CRAWFORD, T. J., III & IV, 73.
CREMER, A H., I & II, 115. 589.
CRISÓSTOMO, I & II, 434, 486, 487; III & IV, 309.
CRISP, III & IV, 79, 80.
CUDWORTH, I & II, 173.
CUMMING, J. ELDER, V & VI, 366, 367, 406 e 622.
CUNNINGHAM, WILLIAM, I & II, 395, 776, 778; III & IV, 257, 259, 265, 272, 620, 764.

D

DABNEY, R. L. III & V, 594.
DALE, JAMES W., III & IV, 52, 358, 762, 764; V & VI, 481, 623.

ÍNDICE DE AUTORES

DALE, R. W., III & IV, 55, 133, 153, 763.
DARBY, J. N., III & IV, 124, 404, 620, 763.
DAVIDSON, A. B., I & II, 280, 412, 774; V & VI, 52, 620.
DAWSON, I & II, 778.
DELITZSCH, FRANZ, I & II, 285, 546, 590, 592, 778; III & IV, 117, 620.
DENNEY, JAMES I & II, 409, 687, 688; III & IV, 54; V & VI, 229, 621.
DE WETTE, III & IV, 309.
DIBELIUS, MARTIN, V & VI, 112, 620.
DICK, JOHN, I & II, 58, 188, 263, 302, 380, 768, 772, 774.
DIETRICH, I & II, 285.
DILLMANN, VII & VIII, 211, 310.
DODS, MARCUS, III & IV, 160.
DOEDERLEIN, JOHN C, I & II, 306.
DORNER, I. A., I & II, 385, 431.
DRUMMOND, HENRY, VII & VIII, 405.
DUNELM, HANDLEY, ver H. C. G. Moule.
DWIGHT, TIMOTHY, I & II, 626, 692, 772, 779 e 780.

E

EDWARDS, JONATHAN, I & II, 221, 571.
ENGLISH, E. SCHUYLER, V & VI, 106.
EUSÉBIO, II & IV, 478, 608 e 612.
EVERETT, I & II, 161.

F

FAIRBAIRN, A. M., I & II, 668 e 779.
FAIRBAIRN, PATRICK, I & II, 26; III & IV, 118.
FAIRCHILD, EDMUND B, V & VI, 623.
FAUSSET, JAMIESON & BROWN, I & II, 699, 705 e 780; V & VI, 413.
FEINBERG, CHARLES LEE, I & II, 387, 401, 403, 776.
FELTHAM, OWEN, I & II, 308.
FENELON, ARCEBISPO FRANCIS S, VII & VIII, 311, 315.
FICHTE, I. H, I & II, 166, 629, 772.
FISHER, GEORGE PARK, I & II, 193, 773.
FLAMMARION, CAMILLE, I & II, 428.
FOSTER, III & IV, 763.
FOSTER, JOHN, I & II, 191.
FOSTER, R. S, I & II, 186.
FREMANTLE, III & IV, 162.

G

GAEBELEIN, ARNO C., I & II, 429, 435, 440, 777; III & IV, 423, 765; V & VI, 177, 621.
GAUSSEN, S. R. L., V & VI, 377, 622.
GERHART, E. V. I & II, 431, 446, 452, 455, 523, 777, 778.
GIESELER, I & II, 301.
GODET, I & II, 229, 388; III & IV, 160, 451, 765; VII & VIII, 765.
GOFF, JOHN, V & VI, 69, 620.
GOOD, MASON, I & II, 201.
GORDON, A. J., III & VI, 357, 622.
GORE, CHARLES, I & II, 361.
GOVETT, R., V & VI, 19, 42, 186, 620, 621.
GRANT, F. W., I & II, 704, 737, 780; III & IV, 184, 258, 276, 424; V & VI, 247, 249, 251, 291, 520, 621.
GRAVES, RICHARD, I & II, 298.
GRAY, JAMES M., V & VI, 413, 622.
GREGÓRIO DE NAZIANZO, III & IV, 137.
GREEN, W. H, I & II, 357, 551, 778.
GREENE, SAMUEL, I & II, 357.
GUILLE, GEORGE E., V & VI, 401.

H

HAGENBACH, III & IV, 609, 610, 765.
HAHN, G. L, I & II, 627, 779.
HALDEMAN, I. M., III & IV, 612, 766.
HALL, ROBERT, I & II, 209, 282, 773.
HAMILTON, I, 167, 193.
HAMILTON, ALAN HERBERT, VII & VIII, 233, 235, 308, 309, 312, 315, 317, 321, 382,
HAMPDEN, I & II, 64, 679.
HARNACK, ADOLF, V & VI, 162, 614.
HARRIS, SAMUEL, I & II, 162, 163, 187, 240, 301, 385, 771, 772, 773, 774, 775, 776.
HARRISON, EVERETT F., V & VI, 226, 227, 621.
HARRISON, NORMAN B., V & VI, 537, 623.
HAWES, E. E, V & VI, 623.
HAWTHORNE, R. R. V & VI, 415.
HEARD, J.B, I & II, 556, 778.
HENRY, MATTHEW, I & II, 672, 769, 779, 780; V & VI, 268, 375, 414, 621, 622.
HESÍODO, I & II, 427.
HIBBARD, F. G, VII & VIII, 234, 312.
HODGE, A. A., I & II, 184, 192, 199, 237, 275, 586, 700, 706, 773, 776; III & IV, 177, 180, 208, 593.
HODGE, CHARLES, I & II, 49, 104, 171, 188, 302, 582, 699, 768, 769, 772, 775, 778, 780; III & IV, 179, 312, 763, 764, 765; V & VI, 88, 206, 458, 620, 621.
HODGE, CASPAR WISTAR, VII & VIII, 210.

Índice de Autores

HOGG, C. F., E W. E. VINE, V & VI, 201, 621.
HOOKER, RICHARD, I & II, 429, 450, 451; III & IV, 597.
HORSLEY, SAMUEL, I & II, 610.
HORT, AND WESTCOTT, I & II, 122.
HOWE, JOHN, I & II, 174, 175, 233, 258, 569, 774.
HUXLEY, JULIAN S., I & II, 193, 197, 542, 547.

I

INÁCIO, BISPO DE ANTIOQUIA, III & IV, 478, 608 ,612.
IRINEU, BISPO DE LEÃO, III & IV, 478, 597, 608, 609, 612, 614, 617.
IRONSIDE, H. A., III & IV, 421, 422, 665, 676, 764, 766; V & VI, 178, 252, 274, 621.

J

JAMIESON, FAUSSET & BROWN, I & II, 699, 705, 780.
JANET, PAUL, I & II, 180, 185, 772..
JENNINGS, F. C., I & II, 463, 473, 511, 777, 778.
JUSTINO, MÁRTIR, III & IV, 478, 606, 607, 608, 609, 612, 614, 617.

K

KANT, IMMANUEL, I & II, 214, 599, 626, 627, 657, 693, 779; VII & VIII, 65, 220, 307, 313.
KELLY, WILLIAM, V & VI, 385, 408, 622.
KENNETT, III & IV, 445, 446.
KEYSER, LEANDER, I, 194, 773.
KING, WILLIAM, I & II, 207, 614.
KNOX, JOHN, III & IV, 615.
KUYPER, A, V & VI, 406, 415, 622.

L

LAIDLAW, R. A., I & II, 547, 563, 576, 577, 592, 598, 778, 779.
LANGE, I & II, 774.
LARKIN, CLARENCE, I & II, 525, 526, 528, 778.
LATIMER, III & IV, 616.
LAWSON, I & II, 771.
LELAND, I & II, 171, 772.
LEPSIUS, I & II, 402.
LEWIS, CHARLES LEE, I & II, 537, 778.

LIGHTFOOT, J. B., V & VI, 19, 45, 385, 620.

LINDSAY, JAMES, I & II, 49, 281, 287, 291, 626, 774, 779.

LOCKE, I & II, 174, 602.

LOCKHART, CLINTON, VII & VIII, 147, 314.

LUCANO, I & II, 201.

LUERING, H. L. E., VII & VIII, 238, 314, 382.

LUTHER, MARTIN, III & IV, 766; V & VI, 621.

M

MABIE, HENRY C., I & II, 672, 781; III & IV, 55, 56, 69, 762.

MACDONALD, I & II, 546, 778.

MACKINTOSH, C. H., III & IV, 51, 121, 122, 762, 763; V & VI, 250, 394, 399, 413, 621, 622.

MACLAREN, ALEXANDER, III & IV, 357.

MANLY, BASIL, I & II, 112, 769.

MARAIS, J. I., I & II, 536, 589, 779.

MARSH, F. E., V & VI, 397, 622; VII & VIII, 311, 315, 382.

MARTENSEN, H. L., I & II, 431, 432, 777; V & VI, 80, 81, 620.

MASTERMAN, E. W. G., VII & VIII, 315.

MATHER, COTTON, III & IV, 616, 617.

MATHESON, GEORGE, I & II, 682.

MAURO, PHILIP, V & VI, 523.

MAURY, MATTHEW FONTAINE, I & II, 537.

MCCONNELL, FRANCIS J., I & II, 645, 779.

MCFARLAND, J. T, VII & VIII, 234, 315.

MCTAGGART, J. M. E., I & II, 506.

MEDLEY, SAMUEL, V & VI, 13.

MELANCHTON, I & II, 687; III & IV, xxx.

MEYER, H. A. W., I & II, 454, 742; VII & VIII, xxx.

MIDDLETON, III & IV, 359.

MILEY, JOHN, I & II, 180, 198, 212, 242, 331, 395, 548, 549, 772, 773, 774, 778; III & IV, 146, 153, 154, 159, 763.

MILLER, HUGH, I & II, 225.

MILTON, JOHN, I & II, 48, 167, 188, 193, 430, 772.

MIVART, GEORGE, I & II, 556.

MOFFAT, III & IV, 690, 696, 766.

MOOREHEAD, III & IV, 697.

MORGAN, G. CAMPBELL, V & VI, 491, 623.

MOULE, H. C. G., I & II, 674, 702, 741, 742, 780; III & IV, 450, 456, 765; V & VI, 615; VII & VIII, 117, 310, 315, 316.

MOULTON AND POPE, I & II, 498.

MÜLLER, JULIUS, I & II, 645, 689; III & IV, 743, 767.

MÜLLER, MAX, III & IV, 743, 766.

N

NARES, EDWARD, I & II, 337
NEANDER, I & II, 305; V & VI, 88, 344, 620.
NEWELL, W. R., III & VI, 390, 622.
NEWTON, ISAAC, I & II, 210, 388, 771.

O

OEHLER, GUSTAV FRIEDRICH, I & II, 283, 285, 411, 574, 576, 590, 591, 774, 777, 778, 779.
OLSEN, ERLING C., V & VI, 182, 223, 252, 621.
OLSHAUSEN, I & II, 108, 769.
ORR, JAMES, I & II, 305, 775; VII & VIII, 84.
OTTMAN, FORD C., III & IV, 682, 699, 766, 767; V & VI, 287, 304, 305, 621.
OVÍDIO, I & II, 600.
OWEN, JOHN, III & IV, 78, 79, 80, 195, 196, 763.

P

PALEY, WILLIAM, I & II, 174, 181.
PARKER, THEODORE, I & II, 76.
PEARSON, JOHN, I & II, 406, 407.
PEDRO, BISPO DE ALEXANDRIA, III & IV, 478.
PETERS, GEORGE N. H., III & IV, 596, 597, 599, 606, 607, 620, 655, 765, 766; V & VI, 93, 262, 327, 344, 620, 621.
PIERSON, ARTHUR, T, III & IV, 356.
PINCHES, T. G., VII & VIII, 317.
PLATÃO, I & II, 88, 171, 178, 182, 183, 188, 190, 191, 427, 593, 600, 708.
PLUMMER, III & IV, 697, 767.
PLUTARCO, I & II, 457, 510, 626, 779.
POPE, E MOULTON, I & II, 498.
PRIESTLEY, JOSEPH, I & II, 296, 297, 296, 297, 335, 775.
PRINCELL, J. G., V & VI, 160.
PITÁGORAS, I & II, 178, 600.

R

RANDLES, MARSHALL, III & IV, 197.
REES, T., VII & VIII, 95, 150, 317, 382.
RICE, W. A., I & II, 306, 775.
RIDDLE, M. B., I & II, 306, 775.

RISHELL, C. W, VII & VIII, 234, 317.
ROACH, MORRIS H., I & II, 246.
ROBERTSON, A. T, VII & VIII, 38, 318.
ROBINSON, I & II, 115.
ROGERS, HENRY, I & II, 769; III & IV, 75
ROSSETTI, I & II, 426.
ROTHE, RICHARD, III & IV, 596.
ROW, C. A, I & II, 537.

S

SANGER, JAMES MORTIMER, III & IV, 188.
SCHAFF, PHILIP, I & II, 112, 122,498, 699, 707, 769, 776, 780.
SCHLEIERMACHER, I & II, 107, 657.
SCHMIEDEL, I & II, 358.
SCOFIELD, C. I., I & II, 288, 302, 439, 440, 564, 774, 775, 778; III & IV, 242, 288, 376, 404, 426, 487, 504, 505, 622, 628, 645, 649, 685, 686, 702, 723, 737, 762, 763.
SÊNECA, I & II, 201, 222.
SHEDD, W. G. T., I & II, 50, 186, 401, 581, 582, 585, 617, 624, 684, 685, 686, 768, 774, 779, 780; III & IV, 178, 181, 200, 610, 762, 763, 764; V & VI, 405, 458, 462.
SHERLOCK, WILLIAM, I & II, 299.
SIMPSON, CARNEGIE, I & II, 672.
SMEATON, GEORGE, III & IV, 52, 762.
SMITH, J. DENHAM, III & IV, 494.
SMITH, J. PYE, I & II, 316, 439.
SÓCRATES, I & II, 88, 183, 191, 192, 427, 578.
SOUTH, ROBERT, I & II, 306, 775.
STEARNS, I & II, 33, 695, 780.
STOCK, JOHN, III & IV, 762.
STORR, V & VI, 345, 346.
STRONG, I & II, 49, 185, 302, 389, 426, 439, 602, 660, 661, 771, 772, 773, 773, 774, 775, 776, 777, 779; III & IV, 76, 175, 763.
STUART, I & II, 769.
SUNDAY SCHOOL TIMES (THE), VII & VIII, 233, 319.
SWEET, LOUIS MATTHEWS, VII & VIII, 131, 382.

T

TAYLOR, FREDERICK, G., III & IV, 641, 766.
TENNANT, FRANK ROBERT, I & II, 657.
TERRY, M. S, VII & VIII, 148, 319.
TERTULIANO, I & II, 56, 301, 434, 486.

Índice de Autores

THAUMATURGUS, GREGORY, V & VI, 64, 619.

THAYER, J. H, V & VI, 369, 457, 621.

TEODORO DE MOPSUÉSTIA, I & II, 209.

THOMAS, W. H. GRIFFITH, I & II, 318, 657, 687, 697, 703, 751, 773, 779, 780; III & IV, 343, 445, 613, 765.

TREGELLES, III & IV, 676, 677.

TRENCH, R. C., V & VI, 159, 165, 620.

TURRETIN, FRANCIS, III & IV, 55, 139.

TWESTEN, AUGUSTUS D, I & II, 780.

TYNDALE, I & II, 115.

U

UNGER, MERRILL F., V & VI, 410, 488, 499, 623.

V

VALENTINE, MILTON, I & II, 188, 772; V & VI, 405, 458.

VAN VALKENBURG, V & VI, 346, 406.

VENEMA, HERMANNUS, I & II, 277, 295, 308, 317, 775.

VERNE, JULES, V & VI, 267.

VINCENT, MARVIN R., *12, 229, 274, 774*.

VOLTAIRE, I & II, 74, 210.

VONDEL, J, 606, 779.

VON GERLACH, OTTO, I & II, 446.

W

WALLER, C. H., *The Authoritative Inspiration of Holy Scripture* (Londres: Blackie & Son, 1887), I & II, 770.

WALVOORD, JOHN F., V & VI, 366, 395 402, 405, 420, 456, 457, 458, 460.

WARDLAW, RALPH, I & II, 328, 330, 775, 776.

WARFIELD, BENJAMIN B., I & II, 339, 340, 358, 393, 405, 409, 415, 769.

WATERLAND, I & II, 297.

WATSON, RICHARD, I & II, 188, 209, 220, 233, 285, 287, 298, 299, 316, 344, 359, 363, 374, 406, 569, 571, 611, 613, 680, 772, 775, 776, 778, 779, 780; III & IV, 181; V & VI, 405.

WATTS, ISAAC, III & IV, 570, 580.

WEBSTER, J. H, VII & VIII, 321.

WEISS, VII & VIII, 210, 321.

WERNER, H, V & VI, 59, 520.

WESTCOTT, AND HORT, I & II, 122, 339; III & IV, 697, 767.

ÍNDICES

WHITAKER, JOHN, I & II, 337.

WHITBY, DANIEL, III & IV, 603, 610, 611, 615; V & VI, 263, 267, 268, 269, 294, 309; VII & VIII, 171, 317, 321, 364.

WILLIAMS, DANIEL, III & IV, 79.

WILSON, R, V & VI, 73.

WINCHESTER, A. B., I & II, 352; VII & VIII, 321.

WITSIUS, I & II, 763.

WOLF, ABRAHAM, I & II, xxx.

WOLLASTON, I & II, 174.

Catecismos, Credos, Dicionários e Enciclopédias

Catecismo Maior de Westminster, I & II, 301, 631, 664; VII, 95.
Catecismo Menor de Westminster, I & II, 250, 675; VII & VIII, 162.
Confissão de Augsburgo, III & IV, 616.
Confissão de Fé de Westminster, I & II, 214, 248, 269, 394; III e IV, 190, 265; V & VI, 17, 357.
Credo da Igreja da Inglaterra, I & II, 363, 407.
Credo de Atanásio, I & II, 239, 301, 304, 363, 406.
Credo Niceno, I & II, 303, 330, 406; V & VI, 357.
Corão, I & II, 305.
Didaquê dos Apóstolos, III & IV, 479.
Encyclopaedia Britannica, 14a. edição, New York, I & II, 187, 199, 580, 600, 602; III & IV, 601, 765.
Epístola de Barnabé, III & IV, 136.
Epístola de Diogneto, III & IV, 136.
Evangelium Infantiae, V & VI, 165.
Formula Consensus Helvetica, III & IV, 763.
International Standard Bible Encyclopaedia (Chicago: Howard-Severance Co., 1915) – agora publicada por Wm B. Eerdmans Publishing Co., Grand Rapids, Michigan, V & VI, 52, 396; VII & VIII, xxx (para citações de artigos assinados, ver nome do autor do artigo).
Jackson, J. B., *Dictionary of Scripture Proper Names* (New York: Loizeaux Bros., 1909), I & II, 284.
New Century Dictionary (New York: D. Appleton-Century Co., 1936), I & II, 196.
New Standard Dictionary (New York: Funk & Wagnalls, 1913), I & II, 200, 241, 390, 536, 678, 772, 773, 774; III & IV, 128; VII & VIII, xxx.
Smith´s Comprehensive Dictionary of the Bible (New York: D. Appleton & Co., 1901), I & II, 439.
Trinta e Nove Artigos, V & VI, 357.

ÍNDICE REMISSIVO

Índice Remissivo

ÍNDICE REMISSIVO

A

ABRAÃO: IV, 414, 624-626.
  PACTO, IV, 647; VII,188-190.
  PROFETA, IV, 624-626.
  SEMENTE ESPIRITUAL NO FIEL, IV, 414.
  SEMENTE FÍSICA EM ISRAEL, IV, 414.
  SENHORIO, IV, 414.
ADÃO, VII, 15-17.
  AMBIENTE, II, 606.
  APOSTASIA, VII, 27-29.
  DOUTRINA DO AT, VII, 15.
  DOUTRINA DO NT, VII, 15-17.
  RELAÇÃO TÍPICA A CRISTO, VII, 15-17.
  RESPONSABILIDADE, II, 607.
  TENTAÇÃO, HISTORICIDADE, NATUREZA, II, 608-615.
ADOÇÃO, III, 236; VII, 17-19.
  ESPIRITUAL, VII, 18-19.
  HUMANA, VII, 17.
ADVERTÊNCIAS GERAIS DO NT, III, 291.
ADVOCACIA, VII, 19-20.
AGNOSTICISMO, I, 160.
  DEFINIÇÃO, I, 193.
ALMA E ESPÍRITO, VII, 20-21.
AMILENISMO, IV, 618-619.
AMOR, VII, 21-23.
  DIVINO, CARÁTER, ETERNO, VI, 537.
    CARÁTER. SACRIFICIAL, VI, 537-538.
      NÃO RETRIBUÍDO E PURO, VI, 538.
      SUPRA-HUMANO, VI, 536.
    OBJETOS. IGREJA, VI, 537.
      ISRAEL, VI, 537.
      MUNDO DOS HOMENS, VI, 536.
ANDAR. RELAÇÃO COM A VIDA ESPIRITUAL, I, 18-23.
ANGELOLOGIA, I, 23-25; II, 425-448; VII, 23-25.
  CRENÇAS PAGÃS, II, 425.
  HISTÓRIA, IDADE MÉDIA, II, 425-426.

ÍNDICES

INTRODUÇÃO, II, 425.
RELAÇÃO À RAZÃO, II, 425.
SATANALOGIA E DEMONOLOGIA, I, 19-23.
Anjo. DEFINIÇÃO, II, 425.
Anjo de Jeová, I, 342-343; II, 442; V, 38-39; VII, 24.
DEIDADE, I, 342-343.
UM DA TRINDADE, I, 343-345.
Anjos, IV, 377; VII, 23-25.
APOSTASIA DOS, VII, 28.
AUTO-DETERMINATIVOS, II, 450-451.
AUTORIDADES, II, 438-439.
DOMÍNIOS, II, 438-439.
PODERES, II, 438-439.
PRINCIPADOS, II, 438-439.
TRONOS, II, 438-439.
CLASSIFICAÇÃO, II, 428; VII, 23-25.
ANJOS ELEITOS, II, 439.
AUTORIDADES, II, 438.
QUERUBIM, SERAFIM, SERES VIVENTES, II, 439.
CRIAÇÃO DOS, II, 432.
DESIGNADOS PARA O MINISTÉRIO, II, 442-443.
ESCOPO DO PECADO, II, 492.
ESPECTADORES DAS CENAS TERRENAS, II, 447.
EVIDÊNCIA BÍBLICA, I, 23-24; II, 425.
EXISTÊNCIA. INCORPÓREA, II, 432-434.
PROPÓSITO, II, 432-433.
FATOS GERAIS, II, 428.
GABRIEL, II, 442.
HABITAÇÃO DOS, II, 435.
INFLUÊNCIA PARA A SANTIDADE, II, 449-450.
LÚCIFER, ESTRELA DA MANHÃ, II, 441.
MIGUEL, II, 441.
MINISTÉRIO DOS, II, 442.
A CRISTO, II, 444-445.
A DEUS, II, 443.
AOS HOMENS, II, 443-445.
NÚMERO DOS, II, 428-430.
PERSONALIDADE DOS, II, 432.
PODER DOS, II, 437.
PROGRESSO EM CONHECIMENTO DOS, II, 446.
REALIDADE DOS, II, 430.
RELAÇÃO AO PROBLEMA MORAL, II, 449.
RELAÇÃO AOS HOMENS, II, 425-427.
RELAÇÃO COM A REDENÇÃO, II, 445.

324

ÍNDICE REMISSIVO

QUEDA DOS, II, 449-453
QUERUBINS. PROTETORES DA SANTIDADE DE DEUS, II, 439.
SERAFINS. PURIFICADORES E ADORADORES, II, 439-441.
SERES VIVENTES. IDÊNTICOS COM QUERUBIM, SERAFIM, II, 440.

ANIMAÇÃO, I, 152-154.
   CARACTERÍSTICAS, I, 152-153.
      PODER, I, 153-154.
      VITALIDADE, I, 154.
   DEFINIÇÃO, I, 152.
   RELAÇÃO AOS CRENTES, I, 154.
   RELAÇÃO AOS INCRÉDULOS, I, 153.

ANIQUILACIONISMO, IV, 743-745.

ANTICRISTO, VII, 25-26.

ANTROPOLOGIA, II, 535-599; VII, 26-27.
   BÍBLICA, CONTRASTE COM A SECULAR, II, 535.
      DEFINIÇÃO, II, 536.
   INTRODUÇÃO À, II, 535-539.
   SECULAR, II, 535.; VII, 26.

APOSTASIA, III, 280; VII, 27-29.
   DEFINIÇÃO, VII, 27.

ARMAGEDOM, IV, 723.

ARMINIANISMO, III, 182; VII, 114.

ARQUEOLOGIA, I, 103-104.

ARREPENDIMENTO, VII, 29-30.
   ISRAEL, IV, 650.
   RELAÇÃO AO CRER, III, 351-352.
   SIGNIFICADO, III, 350.

ASCENSÃO, VII, 30-31.

ASTRONOMIA, II, 428.
   RELAÇÃO COM A RAZÃO, I, 163-165.

ATEÍSMO, I, 190.
   DEFINIÇÃO, I, 190-191.

AUTORIDADE, VII, 31-32.
   CIVIL, VII, 32.

B

BABILÔNIA, VII, 32-34.
   COMERCIAL E POLÍTICA, VII, 32-34.
   ECLESIÁSTICA, VII, 32-34.

BATISMO, VII, 32-44.
   ANTIGO TESTAMENTO, V, 70; VII, 43.
   CRISTÃO. RELAÇÃO AO BATISMO DE CRISTO, V, 74.
   ESPÍRITO, III, 82-73, 104-105, 358-361.
      SIGNIFICADO, II, 329-330.

ÍNDICES

ESPIRITUAL, VI, 480-500; VII, 35-36, 38.
    ATRIBUÍDO A CRISTO, VI, 483-484.
    ATRIBUÍDO AO ESPÍRITO SANTO, VI, 484-492.
    RESULTADO. NOVA CRIAÇÃO, VI, 492-497.
RELAÇÃO À FÉ, III, 358-361.
RITUAL, VII, 36-44.
    EFUSÃO, VII, 38-39.
    IMERSÃO, VII, 39.
    IMERSÃO TRINA, VII, 39.
    MODOS DE, VII, 37.
PREPOSIÇÕES USADAS, VII, 41-42.
SIGNIFICADO DA PALAVRA, VI, 480-482.
SIGNIFICADOS DAS PALAVRAS GREGAS USADAS, VII, 35-36.
TEXTOS ENVOLVIDOS, VII, 40-41.
USO DA PALAVRA, VII, 40.
BATISMO DE CRIANÇAS, VII, 43-44.
BATISMO DE JOÃO.
    ARREPENDIMENTO, V, 68.
BATISTA, JOÃO.
    O BATISTA, VII, 42.
BEM-AVENTURANÇAS, IV, 560-561; V, 103-104.
BÊNÇÃOS, I, 324.
BÍBLIA
    ATITUDES, I, 55-58.
    AUTORIA DUAL, I, 109-112.
    AUTORIDADE DA, I, 7, 64-65, 118-119, 124-137.
        ESPÍRITO SANTO, I, 129-135.
        FONTES, I, 134-137.
            CRISTO, I, 128-129.
            PODER, I, 134-137.
            PROFETAS, I, 131-132.
            RECONHECIMENTO PÚBLICO, I, 129.
            SOPRADA POR DEUS, I, 128-129.
    AUTORIDADE DO AT. CONGREGAÇÃO, I, 131-132.
        REI, I, 132.
        LEVITAS, I, 133.
        OFICIAIS, I, 133-134.
    CÂNON. FORMAÇÃO, I, 124-127.
    CÂNON DO AT. FECHAMENTO, I, 126-128.
        FORMAÇÃO, I, 125-126.
    CÂNON DO NT. FECHAMENTO, I, 127-128.
        FORMAÇÃO, I, 25-126.
    CANONICIDADE, I, 124-137.
    CARÁTER LITERÁRIO, I, 72-75.

ÍNDICE REMISSIVO

CARÁTER SOBRENATURAL, VI, 377-379.
CIÊNCIA E A BÍBLIA, I, 75.
CONHECIMENTO DO CONTEÚDO. CARÁTER ESSENCIAL, I, 6, 146.
  ESTUDO A VIDA TODA, I, 6.
CRÍTICA TEXTUAL, I, 121-123.
DIFICULDADES, I, 103-104.
DIVISÕES, I, 77-86.
ÉTICA, I, 68-69, 75-76.
EVIDÊNCIAS. AUTORIDADE, VII, 32, 46-47.
  CONTINUIDADE, I, 69,70.
HERMENÊUTICA, VII, 46, 149-151.
INSPIRAÇÃO, VI, 35-39; VII, 46, 147-148.
  TEXTOS PRINCIPIAS, VII, 147-148.
JUÍZES DO AT, V, 309.
ORIGEM SOBRENATURAL, I, 64-70.
PACTOS, I, 81-86.
  ABRAÂMICO, I, 82.
  ADÂMICO, I, 82.
  DAVÍDICO, I, 83.
  EDÊNICO, I, 82.
  MOSAICO, I, 82-83.
  NOVO PACTO (IGREJA), I, 83.
  NOVO PACTO (ISRAEL), I, 83.
  NOAICO, I, 82.
  PALESTÍNICO, I, 83.
PERÍODOS DE TEMPO, I, 80-86.
  IGREJA, I, 85-86.
  GENTIOS, I, 85.
  HUMANIDADE, I, 80.
  REINO DO CÉU, I, 84-85.
  PROFÉTICO, I, 83-84.
PROFETAS DO AT, III, 32-33.
PROFETAS DO NT, III, 34-35.
RELAÇÃO AO CONHECIMENTO SECULAR, II, 536-539.
REVELAÇÃO. CRIAÇÃO, I, 67.
  DEUS, I, 65.
  MONOTEÍSMO, I, 66.
  PECADO, I, 68.
  PROFECIA, I, 72.
  REDENÇÃO, I, 67-68.
  TRINDADE, I, 66-67.
    O ESPÍRITO SANTO, I, 67.
    O FILHO, I, 67.
    O PAI, I, 67.

327

ÍNDICES

TIPOLOGIA, I, 72.
REVELAÇÃO DO NT. PRINCÍPIOS DE INTERPRETAÇÃO, IV, 631-633.
USO E VALOR, II, 729-730.
VIVIFICAÇÃO, VII, 46.
BIBLIOLOGIA, I, 63-156; VII, 44-47.
INTRODUÇÃO, I, 63-86.
BLASFÊMIA, VII, 47-49.
DOUTRINA DO AT, VII, 47.
DOUTRINA DO NT, VII, 47-49.
BONDADE. BENEVOLÊNCIA, I, 230.
COMPLACÊNCIA, I, 230.
GRAÇA, I, 230-231, 277.
MISERICÓRDIA, I, 230-231.
BULLINGERISMO. ERRO DA ISRAEL-NOIVA, IV, 420-421, 423-424.

C

CABEÇA, POSIÇÃO DA, VII, 207-208.
CALVINISMO, III, 183-184, 256; VII, 114.
CARNALIDADE, VII, 49-51.
CARÁTER, VII, 49-50.
RELAÇÃO À VIDA ESPIRITUAL, VII, 49-51.
CARNE, VII, 51-53.
MAU CARÁTER, VII, 52.
RELAÇÃO AO CRISTÃO, VII, 51-53.
USOS DA PALAVRA NO NT, VI, 519, 593.
SEGREDO DA VITÓRIA, VI, 523, 528.
CASAMENTO, IV, 486, 546; VII, 53-54.
CASTIGO, VII, 54-51.
DIVISÕES, VII, 55.
CORRETIVO, VII, 55.
PREVENTIVO, VII, 55.
VINDICATIVO, VII, 56.
CAUSA. PRIMEIRA, I, 174-175.
CAUSAÇÃO, I, 171-172.
CEGUEIRA, VII, 56-59.
ESPIRITUAL, VII, 58-59.
CRENTES CARNAIS, VII, 59.
INCRÉDULOS, VII, 58-59.
FÍSICA, VII, 56-57.
JUDICIAL, VII, 57-58.
CEIA DO SENHOR, VII, 59.
CÉU, IV, 742-743; VII, 59-61.
HABITAÇÃO DE DEUS, VII, 60.
DIVISÕES, VII, 59-60.

328

Índice Remissivo

Purificação, III, 116-117.

Chamada [vocação], III, 168, 192, 207-208, 231, 329; VI, 578; VII, 61-63.
Eficaz. Visão arminiana, III, 273.

Chifre, VII, 63.

Comunhão com Cristo, VII, ...

Comunhão com Deus, VI, 502-503.

Conduta de Vida.
Lei inerente, I, 18.
Sistemas, I, 19-20.

Conduta Humana. Sistemas de, V, 100-101.

Confissão, VII, 64-66.

Confissão de pecado.
Novo Testamento, VII, 65-66.
Antigo Testamento, VII, 65.

Conhecimento das Escrituras, I, 5-7.

Consagração, Relação com a Fé, III, 358.

Consciência, VII, 66-67.

Conversão, VII, 67-68.
Distinta da salvação, VII, 68.
Israel, IV, 652.

Convicção, VII, 68-70.

Coração, VII, 71.

Corpo, VII, 71-73.
Humano, VII, 71-72.

Cosmológico, Argumento.
Visão ateísta, I, 172-173.

Cosmos, II, 492-503.
Caráter satânico, II, 492-493.
Controle satânico, II, 493, 494, 495-499, 506.
Desenvolvimento satânico, II, 501-502.
Destruição, II, 503-504.
Impotência, II, 503.
Relação com o cristão, II, 494-495, 501-502.

Credos, VII, 73-74.
Ecumênicos, VII, 73-74.
Pós-reforma, VII, 74.

Crentes, I, 78-80, 323.

Criação, I, 67, 253 320-321; V, 28-29, 31; VII, 74-76.
Novos céus e nova terra, V, 336-337.
Origem em Deus, I, 171-172.

Criações. Dois. Comemoração, IV, 100-125.

Cristã, vida, III, 240-241, 334-341; IV, 396, 455-457, 535-537.
Capacitação divina, IV, 187-191.
Caráter igual a Cristo, IV, 191.

329

Índices

CARÁTER SUPRA-HUMANO, IV, 185-187.
OPONENTES, II, 725-728; III, 336-338.
  CARNE, II, 727.
  DIABO, II, 728.
  MUNDO, II, 726.
PECADO, II, 722.
  EFEITOS, II, 730.
PROVISÕES, II, 729.
CRISTÃO, VII, 76-78.
AUTO-JULGAMENTO, IV, 729.
CLASSIFICAÇÃO, VI, 507-509.
DEDICAÇÃO DA VIDA, VI, 581-582.
DUAS NATUREZAS, VI, 521-522.
ESCRAVIDÃO, VI, 586-587.
NATUREZA PECAMINOSA, II, 722-752.
JULGAMENTO, IV, 728.
NOVO RELACIONAMENTO COM DEUS, V, 138.
OUTROS NOMES PARA, VII, 76-78.
PERMANECENDO EM CRISTO PARA PRODUZIR FRUTOS, V, 143.
PURIFICAÇÃO PARA COMUNHÃO INTERMINÁVEL, V, 141.
POSIÇÃO EM CRISTO, IV, 454-455; V, 139-140; VI, 492-493.
POSIÇÃO. FILHOS DE DEUS, VI, 450-451, 453-454.
RELAÇÃO AO ESTADO DO HOMEM SOB O PECADO, II, 752.
RELAÇÃO AO GOVERNO HUMANO, IV, 544-545.
RELAÇÃO AO IRMÃO FRACO, IV, 548.
RELAÇÃO AO IRMÃO QUE ERRA, IV, 547.
RELAÇÃO AO PECADO IMPUTADO, II, 752-753.
RELAÇÃO AO SISTEMA DO *COSMOS*, IV, 543.
RELAÇÃO AO "VELHO HOMEM", II, 742-743.
RELAÇÃO A OUTROS CRENTES, IV, 545.
RELAÇÃO A SATANÁS, IV, 543.
RELAÇÃO ÀS PESSOAS DA DIVINDADE, IV, 543.
RELAÇÃO AOS INDIVÍDUOS NÃO-SALVOS, IV, 544.
RELAÇÃO AOS LÍDERES DA IGREJA, IV, 544.
RESPONSABILIDADE NA VIDA ESPIRITUAL, VI, 501-615.
INTRODUÇÃO, VI, 501-511.
CRISTÃOS, IV, 382-384.
CRISTIANISMO, VII, 78-80.
CRISTO
AMOR PELOS CRENTES, IV, 491-492.
ASCENSÃO, I, 379; III, 31; IV, 475-476; V, 236, 245-256; VII, 30-31, 83-84.
  ENTRADA NO SANTUÁRIO CELESTE, V, 246-249.
  NUVENS DO CÉU, V, 261; VII, 30.
  PRIMÍCIAS, V, 250.

330

ÍNDICE REMISSIVO

Profecia, V, 252-253.
Ressurreição, lamento, V, 245-251; VII, 30-31.
Autoridade, VII, 31-32.
Batismo, V, 62-75
    Batizador, V, 62.
    Espírito Santo, V, 75.
    Modo, V, 68.
        Evidência exegética, V, 71.
        Evidência filológica, V, 69.
    Propósito, consagração sacerdotal, V, 67-68.
    Relação ao batismo cristão, V, 74.
    Significado, III, 39.
    Taça, V, 76.
    Teorias, V, 64-65.
        Batismo de João para arrependimento, V, 66-67.
        Identificação com o remanescente piedoso, V, 67.
        Separação como Messias, V, 67.
Cabeça da Igreja, IV, 413, 432-441.
Cabeça, posição da, I, 32, 368-369; VII, 207-208.
Confissão de, VII, 64.
Criador, I, 355.
Corpo, II, 566.
Deidade, I, 333-335; V, 16; VII, 80.
    Atributos, I, 361-363; V, 26-27.
        Eternidade, I, 353; V, 26.
        Imutabilidade, I, 354; V, 27.
        Onipotência, I, 354; V, 27.
        Onipresença, I, 354; V, 27.
        Onisciência, I, 354; V, 27.
        Perdoa pecado, I, 356.
    Centralidade, V, 17-18.
    Consciência, I, 399.
    Negação, I, 296; V, 17-18.
    Obras de Deus, V, 27-31.
        Criação, V, 27-29.
        Julgamento, V, 30-31.
        Perdão de pecados, V, 29.
        Preservação, V, 29.
        Ressurreição dos mortos, V, 29.
    Objeções, I, 358.
    Prerrogativas, I, 355.
    Relação ao amor de Deus, I, 297.
    Relação à redenção, I, 296-297.
    Relação à vida cristã, I, 298.

Relacionamento triúno, V, 30-31.
Divindade, filiação, III, 43.
Encarnação, VII, 115-116.
Ensino, I, 14-15.
    Conversas, V, 161.
    Discursos principais, III, 98; V, 158.
    Parábolas, V, 158.
Exaltação, IV, 490-492; V, 136-243.
Filiação, I, 66, 328; VII, 132-133.
    Teorias, VII, 194-196.
Genealogia, V, 55-59; VII, 133-134.
Humanidade, I, 374-381, 391; II, 566; V, 24; VII, 72.
    Essenciais da natureza humana, I, 376-379.
    Heresias primitivas, I, 285-286.
    Liberdade da natureza pecaminosa, V, 56.
    Limitações, I, 378.
    Necessidade, V, 56.
    Profecia, I, 376.
        Antigo Testamento, I, 368.
        Novo Testamento, I, 367.
    Tipos, I, 376.
Impecabilidade, I, 400-402; V, 56-57.
Infância, V, 59-61; VII, 81.
    Sujeito à lei, V, 59-60.
Intercessão, I, 347.
Juiz, I, 356.
Kenosis, I, 382; VI, 582-583.
    "A forma de Deus", I, 384.
    Condescendência, I, 386.
    Controvérsia, I, 382.
    Humilhação, I, 379, 383-384.
    Interpretações, I, 387-389.
Mandamentos de, VII, 166, 205-206.
Messianidade, III, 51-54; IV, 634-635; V, 90-91, 293-309.
    Reino do Milênio, I, 369-373.
Ministério profético, V, 95-161.
Morte, I, 15-17; III, 50-53; IV, 400-401, 416, 718.
    Atitudes, III, 57-58.
    Crucificação. Crime, III, 56-58.
        Profecia, V, 173.
    Cruz. Uma pedra de tropeço, III, 54.
        Loucura, III, 54.
        Não é o único instrumento de salvação, III, 191-192.
    Importância, III, 54-55.

ÍNDICE REMISSIVO

Julgamento, III, 216-218.
Participação da Trindade, III, 63-64.
Por quem Ele morreu? III, 182.
Responsabilidade, III, 60-62.
    Ação unificada das três pessoas, III, 63.
    Parte do Espírito Santo, III, 61.
    Parte do Pai, III, 61-62.
    Sua própria parte, III, 60-61.
Resultados, III, 65.
    Bênçãos aos gentios, III, 111.
    Desapego de princípios e poderes, III, 111-113.
    Fim da lei, III, 66; IV, 517-518.
    Justos julgamentos, III, 107.
    Paz, III, 114.
    Pecados antes da cruz tirados, III, 107.
    Perdão e purificação do crente, III, 106.
    Pregação universal do Evangelho, III, 192.
    Purificação das coisas celestes, III, 116.
    Salvação nacional de Israel, III, 109.
    Substituição, III, 65-84.
        Significado das palavras gregas, III, 66.
    Testemunho da Escritura, III, 198.
Tipos, III, 118-127.
    De acordo com as Escrituras, III, 127.
    Sacrifícios gerais do AT, III, 120.
    Sacrifícios prescritos no AT, III, 122.
    Singular, III, 134.
    Valor para Deus, III, 61.
    Valor. Teorias, III, 132-156.
    Variados, III, 125.
Nascimento, V, 54-59.
Nascimento virginal, I, 365-366.
Nomes, I, 346-351; V, 18-25.
    Anjo de Jeová, V, 38.
    Designações do relacionamento eterno, V, 18-20.
        Expressão exata, V, 20.
        Imagem, V, 20-22.
        Logos, V, 19.
        Primeiro gerado ou primogênito, V, 20-21.
        Unigênito, V, 19-20.
    Designações principais da Deidade, V, 21-26.
        Deus, I, 348; V, 21-22.
        Jeová, I, 346; V, 22-25.
    Filho de Abraão, III, 45.

ÍNDICES

Filho de Davi, III, 45.
Filho de Deus, I, 349; III, 43.
Filho do Homem, I, 349; III, 43.
Messias, V, 35-37; VII, 172.
Palavra, III, 27-30, 35; VII, 167-168.
Senhor Jesus Cristo, I, 351.
Unigênito, VII, 272.
Orações, V, 153-154.
Pessoa, I, 361; III, 26-45.
Sete posições, III, 27.
União hipostática, III, 45.
Pré-existência, I, 333; III, 26-29; V, 13-45; VII, 80.
Afirmações bíblicas, V, 45.
Anjo de Jeová, I, 38.
Implicações bíblicas, V, 45.
Principais passagens, I, 336.
Preservador, I, 353-355.
Profeta, III, 32-34; V, 96.
Recebe adoração, I, 356.
Recompensador, I, 356.
Redentor-parente, V, 86, 171-172.
Rei, III, 31, 42-43, 45; V, 295-309; VII, 227.
Relação à Igreja, IV, 411-412.
Cabeça e Corpo, IV, 432-441; V, 206-207, 236-237; VII, 36, 72-73, 107, 207-208.
Noivo e Noiva, IV, 442-483, 703; VII, 107, 181-182, 207-208.
Pastor e ovelhas, IV, 442.
Pedra Angular e pedras do edifício, IV, 427.
Sete figuras, VII, 108-109, 181-182.
Sumo Sacerdote e reino de sacerdotes, IV, 429.
Último Adão e nova criação, IV, 442-483; V, 138-139.
Videira e ramos, IV, 425; V, 143-144; VII, 204-205.
Relação a Israel, IV, 416.
Relação típica com Adão, VII, 15-17.
Ressurreição, I, 16-17, 323, 370; III, 31. 310-311; IV, 399-400. 420-480, 481-483; VII, 229-230.
Comemorada no dia do Senhor, V, 237.
Doutrina do NT, V, 225.
Importância, IV, 443.
Importância dispensacional, V, 218.
Necessária, IV, 446.
Negligenciada, IV, 442-443.
Negligenciada pela teologia do pacto, V, 218-219, 237-238.
Implicações do AT, V, 221.
Presente padrão de poder, V, 234-237.
Primícias, VII, 214-216.

ÍNDICE REMISSIVO

PRODUZIU NOVA ORDEM DE SER, V, 230.
PROFECIA DO, IV, 447-448.
PROFECIA, AT, IV, 447-448
PROFECIA, NT, IV, 448.
PROFECIAS DE CRISTO, V, 225-227.
PROFECIAS DO AT, V, 222-223.
PROPÓSITO, IV, 455.
PROVAS, IV, 444-446; V, 226-228.
    AFIRMAÇÃO BÍBLICA, IV, 450.
    EXPERIÊNCIA DOS DISCÍPULOS, IV, 448-449.
    IGREJA PRIMITIVA, IV, 444-445.
    PROGRAMA DE DEUS, IV, 446.
    SUA VERACIDADE, IV, 444.
    TESTEMUNHAS OCULARES, IV, 444-446.
    TUMBA VAZIA, IV, 444.
RAZÕES, IV, 448; V, 230-232.
    CAPACITA, IV, 450.
    CONCEDE VIDA, IV, 449-450.
    CUMPRIMENTO DA PROFECIA, IV, 449.
    CUMPRIMENTO DO PACTO DAVÍDICO, V, 231.
    FONTE DE PODER DA RESSURREIÇÃO, V, 232.
    RESULTADO DA JUSTIFICAÇÃO, V, 233.
    SUA PESSOA, IV, 448-449; V, 230.
    TORNOU-SE AS PRIMÍCIAS, IV, 451; V, 234.
    TORNOU-SE CABEÇA DO CORPO, IV, 450.
    TORNOU-SE CABEÇA DA IGREJA, V, 233.
REALIDADE, IV, 452-453; V, 229-230.
RELAÇÃO COM A JUSTIFICAÇÃO, IV, 450-451.
RELAÇÃO COM A MORTE, V, 218.
TIPOLOGIA, V, 221-222.
RESSUSCITA MORTOS, I, 356.
RETORNO PARA A IGREJA, V, 156.
SACERDÓCIO, I, 31-33, 367-369; IV, 429-431; V, 85-87; VII, 30. 232-233.
    ADVOGADO, I, 32.
    DONS ESPIRITUAIS, I, 31-32.
    ENTROU NO SANTUÁRIO CELESTIAL, V, 246-247.
    INTERCESSOR, I, 32.
    ORAÇÃO, VI, 492-494.
    RELATIVO À SESSÃO, V, 256-260.
    TIPOLOGIA, V, 169-170, 247.
SACERDOTE, III, 39-40.
SEGUNDO ADVENTO, I, 379.
    DESTRUIR O HOMEM DO PECADO, II, 487-488.
SESSÃO, III, 39, 310-320.

335

ÍNDICES

SESSÃO PRESENTE NO CÉU, I, 30-32, 142-143; V, 156-157; VII, 84.252-255.

    ADVOCACIA, V, 188; VII, 19-20, 193. 200-201.

    CONCESSIONÁRIO DE DONS, V, 258.

    EDIFICANDO, V, 260.

    ESPERANDO, V, 260.

        INTERCEDENDO, VI, 565.

SEPULTAMENTO, IV, 718; VII, 257-258.

SOFRIMENTOS E MORTE, III, 47-54; V, 169-213; VII, 82-83. 86-88, 233. 238-241, 259.

    APOCALIPSE, V, 189

    COMPARTILHAMENTO DO CRISTÃO, VI, 611-612.

    CONTRASTE ENTRE CRUCIFICAÇÃO E CRUZ, III, 55.

    DEMONSTRAR SABEDORIA, PODER E SACRIFÍCIO DE DEUS, III, 62.

    EPÍSTOLA AOS GÁLATAS, V, 200.

    EPÍSTOLA AOS HEBREUS, V, 214-215.

    EPÍSTOLAS AOS CORÍNTIOS, V, 197-198.

    EPÍSTOLAS AOS TESSALONICENSES, V, 211.

    EPÍSTOLAS DA PRISÃO, V, 203.

    EPÍSTOLAS DE PAULO, V, 191.

    EPÍSTOLAS DE PEDRO, V, 212.

    EPÍSTOLAS PASTORAIS, V, 211.

    EVANGELHO DE JOÃO, V, 180.

    HISTÓRIA DOS SINÓTICOS, V, 179.

    JOÃO BATISTA, V, 180.

    PRIMEIRA JOÃO, V, 188.

    PROFECIA DE CRISTO, V, 178.

    PROFECIAS DOS HOMENS, III, 61-62.

    PROFECIAS DO AT, V, 173-174.

    DOUTRINÁRIAS, V, 176.

    HISTÓRICAS, V, 173-176.

    RELAÇÃO COM ISRAEL, V, 184.

    RELAÇÃO COM O MUNDO, V, 180-183.

    ROMANOS, V, 191.

    SOFRIMENTO VICÁRIO EM GERAL, III, 68-70.

    TERMINOLOGIA, III, 128-131.

    TEORIAS DE VALOR, VII, 86-88.

    TIPOLOGIA, V, 169-213.

    MÓVEIS DO TABERNÁCULO, V, 170-172.

        OFERENDAS LEVÍTICAS, V, 170-173.

    VALOR, VI, 613-615.

    VALOR PARA O PAI, III, 61-62.

    TEANTRÓPICA, PESSOA, V, 58-61; VII, 115-116.

TENTAÇÃO, II, 469-471, 506-507; V, 118-127; VII, 265-266.

    ESFERA DA HUMANIDADE SOMENTE, V, 79-80.

    PASSAGENS DO NT, V, 82-83.

Índice Remissivo

Relação ao cristão, V, 84-87.
Relação ao Espírito Santo, V, 82-83.
Relação ao propósito de Deus, V, 81-82.
Relação a Satanás, V, 88-89.
Transfiguração, V, 92-96; VII, 268.
    Atestação divina, V, 99.
    Importância, V, 93-94.
    Propósito, V, 93-95.
    Realidade, V, 95-96.
    Relação com o pré-milenismo, V, 92.
    Relação com o reino messiânico, V, 92-93, 95-96.
    Relação com o segundo advento, V, 93-94.
    Relação com a teologia do pacto, V, 92.
Último Adão, V, 56-58.
    Relação ao primeiro Adão, V, 56-58, 81-82.
União hipostática, I, 105-108, 352-353, 374, 390-402; V, 55-57.
    Definição, I, 390.
    Divindade, I, 391.
    Divindade e humanidade preservadas, sem confusão ou alteração, I, 392-396.
    Estrutura da doutrina, I, 391.
    Humanidade, I, 391-392.
    Relacionamentos, I, 397-402.
        Com a humanidade, I, 400.
        Com a natureza do pecado, I, 400.
        Com o Espírito Santo, I, 398.
        Com o Pai, I, 397.
        Com o pecado, I, 400.
        Com os anjos, I, 399.
        Com os anjos caídos, I, 399.
        Com os crentes, I, 402.
        Consigo mesmo, I, 398.
Vida, I, 377-379.
    Acusações de blasfêmia, VII, 48.
    Ascendência humana, I, 377-378.
    Blasfemado pelos judeus, VII, 47.
    Infância, I, 398-399.
    Lavagem dos pés dos discípulos, V, 141-143.
    Ministério, I, 322.
    Ministério pós-ressurreição, I, 141.
    Nomes, I, 377.
    Obediência, III, 53-54.
    Relação ao Espírito Santo, V, 83.
    Sofrimentos, III, 48-54.
        Compaixão divina, III, 50.

ÍNDICES

PREDIÇÃO DA MORTE, III, 51-54.

SANTIDADE ULTRAJADA, III, 49-50.

CRISTO COMO ADVOGADO, III, 311-314.

CRISTO COMO INTERCESSOR, III, 314-316; IV, 432; V, 258

CRISTO COMO MEDIADOR, III, 71; VII, 171.

RENDIÇÃO, V, 339.

CRISTO COMO MESTRE, V, 97-161.

CRISTO COMO PROFETA, IV, 399, 417, 625, 633-634.

CRISTOLOGIA, V, 13-339; VII, 80-85.

INTRODUÇÃO, IV, 375-379.

CRITICISMO. BÍBLICO, VII, 85-86.

BÍBLICO. TIPOS, VII, 85-86.

CRUZ, VII, 86-88.

CRISTÃO, VII, 88.

JULGAMENTO, IV, 728-729; VII, 87.

CULPA, II, 678-679; III, 129; VII, 88.

CURA, VII, 89-91.

ERRO DOS QUE PRATICAM SOBRE A CURA DIVINA, VII, 89-91.

RELAÇÃO COM A MORTE DE CRISTO, VII, 89-91.

D

DANIEL, PROFETA, IV, 625.

DECRETOS DE DEUS, I, 248.

DEFINIÇÃO, I, 248-255.

DESIGNAÇÃO DIVINA, I, 254.

ETERNIDADE, I, 251-252.

FINAL, I, 259.

IMUTÁVEL, I, 266.

INCONDICIONAL, I, 251-252.

LIVRE, I, 251.

MANIFESTAÇÕES, I, 273-279.

MANIFESTADO EM GRAÇA, I, 276.

MANIFESTADO NA CRIAÇÃO, I, 273.

MANIFESTADO NA ORAÇÃO, I, 256.

MANIFESTADO NA PRESERVAÇÃO, I, 275.

MANIFESTADO NA PROVIDÊNCIA, I, 275-276.

MANIFESTADO NO PROGRAMA DAS ERAS, I, 273-275.

MANIFESTADO NOS MILAGRES, I, 276.

OBJEÇÕES: I, 259, 269-272.

OBJEÇÃO DA JUSTIÇA DE DEUS, I, 269.

OBJEÇÃO DE QUE A PREGAÇÃO SE TORNA INÚTIL, I, 271-272.

OBJEÇÃO DE QUE O PECADO É COMPULSÓRIO, I, 269-270.

OBJEÇÃO DO AMOR DE DEUS, I, 270.

OBJEÇÃO DO FATALISMO, I, 271.

ÍNDICE REMISSIVO

OBJEÇÃO DO INCENTIVO RESTRITO, I, 270-271.

OBJEÇÃO DO SOFRIMENTO HUMANO, I, 271-272.

ORDEM: III, 177-181.

ARMINIANA, III, 181.

INFRALAPSARIANA, III, 179.

SUBLAPSARIANA, I, 267; III, 180.

SUPRALAPSARIANA, I, 266; III, 178.

PERFEIÇÃO, I, 248-250.

PERMISSÃO DIVINA, I, 259.

PRIMEIRA CAUSA, I, 250-251.

PROBLEMA DA VONTADE, I, 259.

RELAÇÃO À ELEIÇÃO, I, 254.

RELAÇÃO À PREDESTINAÇÃO, I, 254.

RELAÇÃO À RETRIBUIÇÃO, I, 254.

RELAÇÃO À SOBERANIA, I, ...

RELAÇÃO AO PECADO, I, 249-251, 254-259.

RELAÇÃO AOS AGENTES MORAIS, I, 252-253.

SÁBIO, I, 251.

DECRETOS ELETIVOS, VII, 114.

DEÍSMO, I, 203.

DEFINIÇÃO, I, 203.

DEMONÍACA, POSSESSÃO, II, 529-532; VII, 91-93.

RELAÇÃO À INFLUÊNCIA DO DEMÔNIO, II, 529-532.

DEMÔNIOS, ATIVIDADES DOS, II, 528.

CARÁTER, II, 529-531; VII, 91-93.

ESPÍRITOS SEM CORPO, II, 529; VII, 91-92.

ÍMPIOS, VII, 92.

MAUS, II, 530-531.

PROCURAM UM CORPO, II, 529-531; VII, 92.

CLASSES, II, 525.

IDENTIDADE, II, 524-525.

PECADO COM AS FILHAS DOS HOMENS, II, 525-528.

RELAÇÃO AO ESPIRITISMO, II, 528-529.

RELAÇÃO COM CRISTO, II, 531.

RELAÇÃO COM SATANÁS, II, 524-525.

DEMONOLOGIA, II, 524-532; VII, 91-93.

CRENÇAS PAGÃS, II, 457-458.

DEPRAVAÇÃO, II, 714.; III, 167-168, 208-213, 225-227, 337-338, 344; VI, 611; VII, 52, 94-95, 142-143, 269.

CEGUEIRA ESPIRITUAL, I, 139-140, 159, 190.

RELAÇÃO AO CRISTÃO, II, 752.

REMÉDIO, II, 717.

DESTRUIÇÃO DE JERUSALÉM, V, 116-117.

DEUS, VII, 95-97.

ÍNDICES

Antropomorfismos, I, 207-208.
Autoridade por criação, VII, 31.
Blasfêmia contra, VII, 48.
Caráter absoluto de, I, 166-167.
Conhecimento de, I, 168-205.
Criador, I, 174-175.
Definição, I, 213; VII, 95-97.
Doutrina Bíblica, I, 65-66.
Espírito, I, 208-209.
Nomes e títulos, I, 208-289; VII, 95-97.
    Adonai, I, 281-282, 287-288; VII, 96.
    Adonai Jeová, I, 281-288.
    A Primeira Pessoa, I, 282.
    A Segunda Pessoa, I, 282.
    A Terceira Pessoa, I, 282.
    O Espírito de Cristo, I, 289.
    O Espírito de Deus, I, 289.
    Compostos com El, I, 281; VII, 95-96.
    Compostos com Jeová, I, 281.
    Deus dos Exércitos, I, 281.
    Elohim, I, 281-282, 284-287.
    El Elyon, I, 282-288.
    El Olam, I, 282-288.
    El Shaddai, I, 94, 281-288.
Epítetos do AT, I, 288.
    Jeová, I, 281-284; VII, 96.
    Jeová Elohim, I, 281-288.
    Jeová-Jireh, I, 288.
    Jeová-nissi, I, 288.
    Jeová-raah, I, 288.
    Jeová-rapha, I, 288.
    Jeová Sabaoth, I, 281-288.
    Jeová-shalom, I, 288.
    Jeová-shammah, I, 288.
    Jeová-tsidkenu, I, 288.
Segunda pessoa: O Senhor Jesus Cristo, I, 281-282.
Títulos plenos do NT: Pai, Filho e Espírito Santo, I, 281-289.
Todo-poderoso, I, 281.
Obra salvadora, III, 203-255.
    Paternidade, I, 66-314; IV, 416; VII, 194-196.
    Crentes, I, 331; VII, 195, 253.
    Criação, I, 327; VII, 196.
    Judeus, I, 328.
    Relacionamento íntimo, VII, 195.

ÍNDICE REMISSIVO

SENHOR JESUS CRISTO, I, 328-327; VII, 194-195.
PESSOA, I, 206.
PLURALIDADE. TRINITÁRIA, I, 312.
SER E ATRIBUTOS, I, 174-177, 184, 186, 213-246.
    AGENTE E OBJETO EXIGIDO, I, 308-311.
    AMOR, I, 229-230; VII, 21-23.
    ATIVIDADE ETERNA, I, 308.
    AUTO-SUFICIÊNCIA, I, 310.
    BONDADE, I, 230-231.
    CONSTITUCIONAIS, I, 236.
    ETERNIDADE, I, 239-241; VII, 121-123.
    GLÓRIA, VII, 136-137.
    GRAÇA, VII, 138-139.
    IMUTABILIDADE, I, 241.
    INCRIADO, I, 174.
    INFINIDADE, I, 239; VI, 142.
    JUSTIÇA, I, 227; VII, 160.
    LIBERDADE, I, 239.
    MISERICÓRDIA, VII, 174.
    ONIPOTÊNCIA, I, 233; VII, 184.
    ONIPRESENÇA, I, 243; VII, 185.
    ONISCIÊNCIA, I, 217; VII, 185-186.
        VISÃO ARMINIANA, III, 268-269.
    PERSONALIDADE, I, 217.
    RETIDÃO, VII, 230.
    SANTIDADE, I, 226; VII, 241-242, 269.
    SENSIBILIDADE, I, 225.
    SIMPLICIDADE, I, 237.
    SOBERANIA, I, 245.
        VISÃO ARMINIANA, III, 270-273.
    UNIDADE, I, 238-239.
    VERDADE, I, 231.
    VONTADE, I, 232; VII, 273-274.
DEZ MANDAMENTOS, IV, 553-556.
DIA DA EXPIAÇÃO, III, 123-124; VII, 257-258.
DIA DE CRISTO, I, 15; IV, 400; VII, 99.
DIA DE JEOVÁ, IV, 382, 400, 709, 780.
DIA DO SENHOR, I, 15; IV, 271-279; V, 241; VII, ...
    ABENÇOADO POR DEUS, V, 242-243.
    DESIGNADO SOB A GRAÇA, IV, 473-474.
    DIA DA GRAÇA, V, 242.
    DISTINTO DO DIA DO SENHOR, IV, 474.
    INDICADO POR EVENTOS, IV, 474-476.
    INDIVIDUALMENTE COMPROMETIDOS, V, 242.

Profecia do, IV, 473-474; V, 241.

Testemunho da história da Igreja, IV, 479.

Testemunho dos pais da Igreja, IV, 477-479.

Dias, VII, 97-100.

Discípulos, VII, 100-101.

Relação com os apóstolos, VII, 101.

Relação com os crentes, VII, 100.

Discurso do Cenáculo, I, 142-144; III, 38; V, 136-158.

Discurso do Monte das Oliveiras, III, 38; V, 113-136.

Relação ao escopo profético, V, 115-116.

Dispensações divinas, IV, 386-390, 415-416, 452, 461-462, 508-510, 550-553; V, 100-101, 238-239; VI, 444-445; VII, 101-103.

Consciência, I, 80.

Definição, I, 80.

Espírito Santo, VI, 467.

Governo humano, I, 80-81; VII, 137-138.

Graça, I, 81.

Igreja, IV, 388-389, 471-479, 530-548, 551-552, 695-696, 710-712, 719; V, 182; VI, 426-430.

Caráter de intercalação, VI, 427.

Novo propósito divino, VI, 427-428.

Privilégio gentílico, VI, 429.

Relação com Israel, VI, 429.

Relação com o mal, VI, 429.

Testemunho, VI, 428.

Inocência, I, 80.

Lei ou Mosaico, I, 81; IV, 388, 462-471, 471-473, 512-518, 550-551; V, 238-239.

Pré-mosaico, IV, 510-512, 519-529; V, 238.

Promessa, I, 81.

Reino, I, 81; IV, 389, 552-553; V, 240.

Termos usados, VII, 101-103.

Dizimar, VII, 106-107.

Dons Espirituais, IV, 432-435; V, 258; VI, 547.

Definição, VI, 547-548.

Evangelização, VII, 124-125.

Propósito, VI, 584-550.

Dualismo, I, 204-205.

Ético, I, 204-205.

Filosófico, I, 204-205.

Psicológico, I, 204-205.

Teológico, I, 204-205.

E

Eclesiologia, IV, 375-589; VII, 106-109.

Divisões, I, 12; IV, 396, 398.

Índice Remissivo

A igreja organicamente, IV, 396-397, 403-498.
A igreja organizacionalmente, IV, 396, 421-422, 499-507, 680-687.
Vida cristã, IV, 397-398.
Introdução, IV, 375-402.

Educação Teológica. Currículos, I, 8.
Exegese, I, 7.
Propósito, I, 7.
Tarefa, I, 8-9.

Eleição, I, 254, 265-267; III, 166-203, 257-258, 327-328; VI, 436-438; VII, 109-114.
Abraão, III, 169-171.
Caráter eterno, III, 172-173, 229-231.
Ciro, III, 171.
Doutrina geral, VII, 109-114.
Idéias, III, 183-184.
Idéias de duas escolas calvinistas, III, 184-187.
Igreja, VII, 111-112.
Imutável, III, 174-175.
Israel, VII, 110-111.
Objeções, III, 176-177; VII, 112-113.
Parcialidade, VII, 112.
Vontade humana, VII, 112-113.
Relação com a mediação, III, 175-176.
Relação com a morte de Cristo, III, 174-175.
Relação com a presciência, III, 173-174.
Relação com a redenção, III, 185-187.
Relação com a retribuição, I, 267-269.
Revelada, III, 169-172.
Termos usados, III, 168-169.
Universalidade, III, 166-167.
Verdades essenciais, III, 172-175.

Encarnação, I, 322-323, 360-373; III, 30; IV, 398-399, 717-718; V, 46-168; VII, 72, 80-82, 114-115.
Escopo, V, 46
Importância da, V, 49-50.
Introdução, V, 46-53.
Método, I, 365-367.
Predição do AT, V, 46-53, 60-61.
Implicações, V, 46-53.
Profecias, V, 51-53.
Tipos, V, 50-51.
Profetizada, IV, 638-639, 708-709.
Propósito messiânico, IV, 398-399.
Propósito redentor, IV, 398-399.
Propósitos, I, 14, 366-373; VII, 114-115.

343

ÍNDICES

Cabeça da nova criação, I, 369-370.
Destruir as obras de Satanás, I, 369.
Fiel Sumo Sacerdote, I, 368-369.
Redentor-parente, I, 371-373.
Revelar Deus, I, 366-368.
Revelar o homem, I, 368.
Sentar-se no trono de Davi, I, 370-371.
Relação com a revelação, I, 366-368.
Semente, IV, 636
Entendimento. Humano. Limitações, I, 99-100.
Eras. Programa divino, I, 10-11, 273-275.
Programa divino. Evidência Bíblica, I, 10-11.
Relação à teologia sistemática, I, 10-11.
Erradicacionismo, VI, 608-610.
Escatologia, IV, 392-395, 593-761; VII, 98-99, 116-118.
Introdução, IV, 593-600.
Escrituras. Interpretação Arminiana, III, 278-296.
Atitudes, I, 55.
Esperança, VII, 118.
Espírito Santo, I, 67, 404-419; VII, 118-119.
Apagado pela resistência, VI, 565-566.
Atividade no milênio, VI, 405-407.
Atributos de Deus, VI, 371-373.
Amor, VI, 372.
Eternidade, VI, 371.
Fidelidade, VI, 372-373.
Onipotência, VI, 371-372.
Onipresença, VI, 372.
Onisciência, VI, 372.
Santidade, VI, 372-373.
Veracidade, VI, 373.
Blasfêmia contra o, I, 408-409; VII, 47-48.
Caráter, I, 419.
Deidade, I, 404-409; VI, 351-352, 354, 370-392.
Associado com Deus, I, 406-408.
Atributos de Deus, I, 407-408.
Chamado Deus, I, 406.
Negado, I, 297-298.
Relação com a vida cristã, I, 297-298.
Dons, VI, 548-553.
Doutrina do AT, VI, 402-411.
Entristecido pelo pecado, VI, 564-566.
Evidência do AT, I, 409-416.
Evidência do NT, I, 416.

ÍNDICE REMISSIVO

FRUTO DO, III, 339-340; VI, 534-548.
  ALEGRIA, VI, 540-541.
  AMOR, VI, 536-540; VII, 21-23.
  BENIGNIDADE, VI, 543-544.
  BONDADE, VI, 544-545.
  DOMÍNIO PRÓPRIO, VI, 546-548.
  FIDELIDADE, VI, 544.
  HUMILDADE, VII, 142.
  MANSIDÃO, VI, 545-546.
    LONGANIMIDADE, VI, 542-543.
    PAZ, VI, 541-542.
  NEGLIGENCIADO, VI, 352-353.
  NOME, V, 16-30.
  NO AT. ABRAÃO A CRISTO, VI, 416-425.
  NO AT. ADÃO A ABRAÃO, VI, 412-416.
  OBRA DE ADVOGADO, VII, 19-20.
    BATIZANDO CRISTO, V, 75-76.
    BATIZAR, III, 81-83, 318-319; V, 139; VI, 387-388, 397, 419, 480-501, 602-604; VII, 35-36, 144-145.
    CAPACITAÇÃO, III, 339-340.
    CARÁTER MUNDIAL, VI, 430.
    CONVENCER, III, 207-220; V, 146-148; VI, 379-381, 434-443; VII, 68-70, 125.
    CRIAR, VI, 374-376, 412-414.
    DERRAMAMENTO NO MILÊNIO, VI, 408-411.
    DOTAÇÃO SOBERANA NO AT, VI, 416-419, 473-474.
    EMPENHO, VI, 376, 414-415.
    ENCHIMENTO, VI, 388-389, 419-420, 468, 498-499, 512-514.
    ENSINO, I, 143-145; V, 148-150; VI, 554-557.
    GERAR CRISTO, V, 55-56; VI, 380.
    HABITAÇÃO OU UNÇÃO, I, 141-145; II, 729-730; III, 253-254, 318, 325-326; IV, 537-542, 586; V, 143-146; VI, 387, 396-397, 429, 466-479, 498, 565; VII, 251-252.
    ILUMINAÇÃO, I, 141-145; III, 209, 211, 213-218; V, 148-150; VI, 383-385, 554-557; VII, 46.
    INSPIRAÇÃO DAS ESCRITURAS, VI, 376-380, 419-425.
    INTERCESSÃO, V, 154-155; VI, 388-391, 561-562; VII, 147.
    LOUVOR E AÇÃO DE GRAÇAS, VI, 553-554.
    ORIENTAÇÃO, VI, 557-560, 586-587.
    PARACLETO, V, 145-146; VI, 384-386; VII, 191.
    PENHOR, VI, 392-400.
    PODER PARA A VIDA ESPIRITUAL, VI, 531-532.
    PRODUZIR FRUTOS, V, 143-145.
    REGENERAÇÃO, III, 235; V, 139; VI, 382-383, 448-465, 498.
    RESTRINGIR O MAL, I, 418; II, 487; IV, 698-699; VI, 381-382, 431-434.
    REVELAR A VERDADE, VI, 415-416.
    REVELAR O FUTURO, VII, 116.

ÍNDICES

Santificar, VI, 391-392.

Segurança, VII, 251-254.

Selar, III, 319-320; VI, 388, 400-401, 419-420, 478-479.

Testemunho, VI, 386-387.

Ungir ou habitar, VI, 387, 396-397, 419, 466-479, 498-499, 565-566.

Obra de convencer, I, 140-141, 418.

Obra governamental, I, 411-413.

Obras de Deus, VI, 373-392.

Personalidade, I, 404-406; VI, 354, 356, 370.

Processão do, VI, 357, 359.

Profecias do, VI, 405-411.

Relação com a carne, I, 418.

Relação com a criação, I, 410-411.

Relação com a Igreja, IV, 411-412, 417, 537, 698-699.

Relação com a profecia, VI, 402-411.

Autor, VI, 402-405.

Relação com Israel, IV, 416-417.

Relação com o cristão, I, 418; VI, 444-501.

Introdução, VI, 444-447.

Relação com o diabo, I, 418.

Relação com o Filho, I, 417

Relação com o mundo, I, 418

Relação com o Pai, I, 417

Relação com o sistema do mundo, VI, 431-447.

Relação do AT com indivíduos, I, 413-416.

Relacionamentos, I, 417-418.

Resistência ao, VI, 581.

Tipos e símbolos, VI, 393-401.

Água, VI, 396-397.

Fogo, VI, 397-398.

Óleo, VI, 393-396.

Pomba, VI, 399-400.

Servo de Abraão, VI, 401.

Vento, VI, 398-399.

Títulos, I, 417.

Títulos descritivos, VI, 366-369.

Espiritualidade, VII, 119.

Estado Eterno, IV, 714, 725-726, 737-761.

Classes de pessoas, IV, 739-742.

Esferas de existência, IV, 742-743.

Teorias, IV, 743-750.

Estado futuro dos ímpios, VII, 177-178, 267-269.

Estado Intermediário, II, 564; IV, 392, 737-739; VII, 71-72; 119-120.

Corpo do, IV, 738-739.

Índice Remissivo

Distinto do sono da alma, IV, 738.
Localidade, IV, 737-738.
Eternidade, VII, 120-122.
Definição, VII, 120.
Relação ao tempo, VII, 121.
Evangelho, VII, 122-123.
Tipos, VII, 122-123.
Eterno, VII, 123.
Graça de Deus, VII, 122.
Reino, VII, 122.
Evangelista do NT, uso da palavra, VII, 126.
Evangelização, VII, 123-126.
Definição, VII, 124.
Método do NT, I, 8-9.
Propósito do NT, VII, 124-125.
Evolução, I, 194-198; II, 540-545; VII, 126-127.
Ateísta, I, 194-195, 197.
Definição, I, 194.
Homem, I, 185.
Naturalista, II, 541.
Teísta, I, 194; II, 541.
Teoria, I, 196.
Expiação, III, 128, 136-165; VII, 127-129.
Doutrina do AT, VII, 127-128.
Doutrina do NT, VII, 128.
Teorias. Comercial, III, 40, 136-139.
Governamental, III, 139, 142-155.
Identificação, III, 142.
Influência moral, III, 142.
Marturial, III, 141-142.
Pagamento a Satanás, III, 137-138.
Satisfação, III, 155-156
Universalismo, III, 140-141.
Uso teológico, VII, 128-129.

F

Fé, I, 53-54; VII, 129-131.
Caráter essencial, VI, 615.
Dom de Deus, VII, 129-130.
Relação a apelos especiais, III, 365-368.
Relação ao arrependimento, III, 350-355.
Relação ao batismo, III, 358-361.
Relação ao confessar Cristo, III, 356-357.
Relação ao conhecimento, VII, 129-130.

ÍNDICES

Relação à rendição, III, 361-363.
Relação à restituição, III, 364-365.
Relação às obras, III, 283-288
Significados da palavra, VII, 130.
Filho do Homem, III, 43-44.
Filhos. Governo da casa, IV, 546-564.
Filhos de Deus, III, 235-236.
Filiação, VII, 131-132.
Filosofia e Cristianismo, I, 190-191.

G

Genealogia, VII, 132-133.
Cristo, VII, 132-133.
Gentios, I, 78-79; IV, 377-378, 436-437, 660-672, 705-706, 712, 739-740; VI, 429-430; VII, 133-135.
Advertências do NT, III, 292.
Julgamento nacional, IV, 377-378, 670-672, 705-706.
Origem, VII, 133.
Tempos dos, IV, 660-672, 705-706; VII, 262-263.
Glória, VII, 135-136.
Glorificação, III, 342; IV, 479-482; VI, 605-606.
Governo, VII, 136-137.
Humano, VII, 136.
Graça, III, 221-255; VII, 137-138.
Base. Morte de Cristo, III, 221-224.
Capacitação divina para cumprir os padrões, IV, 537-542.
Caráter em Deus, III, 69-70.
Comum, VI, 433-434.
Definição, III, 60-61.
Distinta da lei, IV, 530-531.
Distinta da misericórdia, VII, 137.
Distinta do amor, VII, 137.
Distinta dos ensinos do reino, IV, 558-567.
Ensinos da, IV, 533, 534-535, 535-542.
Era da, IV, 530-548.
Manifestação universal da, IV, 532-533.
Padrões supra-humanos de conduta, IV, 535-537.
Preceitos da, IV, 533-535.
Relação com os cristãos, IV, 386.
Relação com Israel, IV, 585-586.
Relacionamentos, IV, 542-548.
Riquezas da, V, 181-182.
Caráter, III, 227-229.
Cidadania celestial, III, 243-244, 343.

348

ÍNDICE REMISSIVO

Conteúdo, III, 229-255.
Filhos de Deus, III, 244-245.
Herança, III, 251.
Libertação do poder das trevas, III, 240.
Segunda obra da, VI, 466.
Visão Arminiana, III, 270-273.

H

Hades, VII, 138-140.
Doutrina do AT, VII, 138-139.
Doutrina do NT, VII, 140.
Herança, VII, 140.
Heresia, VII, 27.
Hermenêutica, I, 50-51, 106, 146-151.
Definição, I, 147.
Princípios, I, 147-151.
Contexto, I, 149.
Exegese completa, I, 150-151.
Indução total, I, 149-150.
Objetividade, I, 151.
Propósito da Bíblia, I, 147-148.
Propósito de cada livro, I, 147-148.
Recipientes da mensagem, I, 148-149.
Homem, I, 184-185.
Constituição, II, 553-554.
Criação, I, 47-50.
À imagem de Deus, I, 207-211; II, 568; VII, 26-27.
Ensinado por Deus, I, 87.
Habitado por Deus, I, 323.
Limitações, I, 159.
Não-salvo. Relação a Satanás, II, 481-482, 510-511, 512-514, 720-721.
Natureza imaterial, I, 184-185; II, 188-224; VII, 26-27.
Caráter, II, 188-200.
Caráter moral, II, 191-195, 226-227.
Consciência, II, 222-223, 281-282.
Constituição, II, 207-218.
Alma, II, 208-210.
Carne, II, 214-215.
Coração, II, 213-214.
Dicotomia ou tricotomia? II, 207-218.
Espírito, II, 210-213.
Mente, II, 216-217.
Criacionismo, II, 201-204.
Inocência original, II, 190-191, 224-238.

ÍNDICES

Intelecto, II, 191, 218-219.
Origem, II, 187-189.
Pré-existência, II, 201-202.
Sensibilidade, II, 219.
Traducianismo, II, 204-206.
Vontade, II, 219-221.
Natureza material, I, 184; VII, 26-27.
Efeitos da queda, II, 176-177.
Escatologia, II, 176-184.
Estrutura, II, 173-177.
Na criação, II, 172-184.
Relação ao pecado, II, 182-183.
Significado da palavra *corpo*, II, 182-183.
Origem, II, 160-171.
Criação, II, 165-167.
Revelação, II, 165-167.
Tempo, II, 167-171.
Teoria evolucionista, II, 160-165.
Posição da cabeça, VII, 206-207.
Ressurreição, I, 323.
Homem do Pecado, II, 460, 486-487, 508-510; IV, 25-26; V, 120, 276-277; VI, 431-432; VII, 141.
Homem Natural, VII, 141.
Humanidade. Divisões de acordo com Paulo, VI, 504-506.
Humildade, VII, 142.

I

Idealismo, I, 200.
Definição, I, 200.
Ídolos. Blasfêmia contra, VII, 47-49.
Igreja:
Apostasia, VII, 27-29.
Autoridade como esposa de Cristo, IV, 491.
Caráter. Um edifício, IV, 409-410, 427-429.
Intercalação, IV, 406-408, 710-711.
Organismo, IV, 403-498.
Uma nova criação, IV, 454-461.
Começo no Pentecostes, IV, 411-412, 719-720.
Corpo de Cristo, I, 12-17.
Distinta de Israel, I, 13-17.
Distinta de Israel, IV, 397-402, 413-419.
Exaltação, IV, 491, 702-703, 720-721.
Glorificação, IV, 491-492, 702, 720-721.
Natureza, IV, 692-693.
Noivas como tipos, VII, 256-257.

ÍNDICE REMISSIVO

NOMES E TÍTULOS, IV, 408-409.

ORGANISMO. HISTÓRIA DA DOUTRINA, IV, 403-404.

PROFECIA DE CRISTO, IV, 409-410.

RELAÇÃO COM A GRANDE TRIBULAÇÃO, IV, 691-699.

RELAÇÃO COM CRISTO, IV, 420-498.

    CABEÇA E CORPO, IV, 432-441; VI, 426-428; VII, 35-36.

    NOIVO E NOIVA, IV, 484-498, 702-703, 722-723; VI, 426-428; VII, 106-109, 179-181, 206-207.

    PASTOR E OVELHAS, IV, 422-425.

    PEDRA ANGULAR E PEDRAS DO EDIFÍCIO, IV, 427-429.

    SETE FIGURAS, VII, 108, 179-180.

    SUMO SACERDOTE E REINO DE SACERDOTES, IV, 429-432.

    ÚLTIMO ADÃO E NOVA CRIAÇÃO, IV, 442-483; VI, 492-497.

    VIDEIRA E RAMOS, IV, 425-427, 460-461; VI, 504; VII, 204-205.

SECTARISMO DO TEMPO PRESENTE, IV, 420, 502-503.

ÚLTIMOS DIAS, IV, 700-701, 718-719.

UNIDADE DOS CRENTES, V, 151-156.

USO DA PALAVRA NO NT, IV, 404-406.

IGREJA, FORMAS DE GOVERNO, VII, 136-137, 209-211.

IGREJA CATÓLICA, I, 57.

IGREJA ORGANIZADA, IV, 499-507.

ASSEMBLÉIA LOCAL, IV, 501-506.

CONCEITO DE ROMA, IV, 499.

CULTO, IV, 503-504.

    ENSINO DO NT, IV, 500.

    FORMAS DE, IV, 504-505.

    GOVERNO, IV, 504-505.

    GRUPO DE ASSEMBLÉIAS LOCAIS, IV, 506-507.

    IMPORTÂNCIA, IV, 499.

    ORDEM, IV, 505-506.

    ORDENANÇAS, IV, 505.

    PÓS-MILENISMO, IV, 499.

    SEM REFERÊNCIA À LOCALIDADE, IV, 507.

ILUMINAÇÃO, I, 6, 52-53, 138-145.

ESPÍRITO SANTO, I, 141-145.

RELAÇÃO COM A INSPIRAÇÃO, I, 89-90.

RELAÇÃO COM A REVELAÇÃO, I, 89-90.

IMORTALIDADE, II, 561-562; VII, 142-143.

DEFINIÇÃO, VII, 142-143.

IMPUTAÇÃO, II, 694-713; VII, 143-145.

DA JUSTIÇA DE CRISTO AOS CRENTES, III, 81, 83, 215-216, 237-238; V, 138-139, 191-193; VI, 441-442, 494-496; VII, 77-78, 144-145, 160-161, 229.

DO PECADO DE ADÃO À RAÇA HUMANA, VII, 16-17, 25, 143-145, 176-178.

DO PECADO DO HOMEM A CRISTO, III, 76-81; VII, 229.

351

Teorias, II, 707-710.
Incapacidade, III, 208-213, 362-363; VI, 434-436, 448-450, 612-613; VII, 44-45, 56-59, 74-76, 123-126.
Incrédulos, filhos da desobediência, II, 481-482.
Inferno, IV, 750-756.
Infinidade, VII, 146.
Inocência, VII, 146.
Inspiração, I, 50, 64, 99-123, 323.
    Alegações bíblicas, I, 100-101.
    Autoria dual, I, 109-112.
    Caráter, I, 99-101.
    Definição, I, 100.
    Doutrina oposta, I, 99-100, 102-105.
    Importância, I, 101-120.
    Objeções, I, 102-104.
    Passagens-chaves, I, 113-120.
    Relação com a iluminação, I, 88-90.
    Relação com a revelação, I, 88-89.
    Teorias, I, 105-108.
        Conceito, I, 106.
        Ditado, I, 105.
        Graus, I, 106.
        Mística, I, 107-108.
        Natural, I, 107.
        Parcial, I, 106.
        Verbal e plenária, I, 108.
    Verbal, plenária, objeções, I, 120-122.
Intercessão, VII, 147.
Interpretação, I, 146-151; VII, 44-45, 147-150.
    Regras de, VII, 147-150.
Intuição, I, 160-161.
    Caráter, I, 161.
    Definição, I, 160.
    Relação com a teologia, I, 160.
    Relação com a tradição, I, 162-163.
Israel, IV, 645-647, 707-708, 712-715, 716, 722-723, 724-725; VI, 428-429; VII, 150-151.
    Apostasia, VII, 27-29.
    Arrependimento, IV, 650.
    Bênçãos, IV, 648-659.
        Nação eterna, IV, 648-650.
        Rei eterno, IV, 654.
        Reino eterno, IV, 655-656.
        Terra eterna, IV, 650-654.
        Trono eterno, IV, 654-655.

ÍNDICE REMISSIVO

CONVERSÃO NACIONAL, III, 109-111; IV, 652-654.
DISPERSÕES, VII, 102-105.
    ASSÍRIA E BABILÔNIA, VII, 103-104.

    EGITO, VII, 103-104.
    MUNDIAL, VII, 102-105.
DISTINTO DA IGREJA, IV, 399-402, 484-489.
ELEIÇÃO, IV, 644, 649-650.
JULGAMENTO DE, IV, 487-489, 650-651.
PACTOS, IV, 647-659.
    ABRAÂMICO, IV, 647-648.
    DAVÍDICO, IV, 648.
    MOSAICO, IV, 648.
    NOVO, IV, 648-649, 656.
    PALESTÍNICO, IV, 649-654.
RELAÇÃO COM JEOVÁ. ESPOSA APÓSTATA, IV, 485-486.
    SERVOS, IV, 418.
RESTAURAÇÃO, III, 19-21; IV, 651-652; V, 270-271; VII, 102-105.
VOCAÇÃO (CHAMAMENTO), VII, 61-63.

J

JERUSALÉM, VII, 152-153.
    DESTINO, VII, 153.
    NOVA CIDADE DE DEUS, V, 270-271.
JESUS, VII, 154.
JOÃO BATISTA, V, 62-65.
    MINISTÉRIO DE, III, 40.
    NASCIMENTO SOBRENATURAL, V, 63.
    NAZIREU, V, 63.
    PRECURSOR DO MESSIAS, V, 63-65.
    PROFETA, IV, 626-629, 716-717; V, 63-65.
    PROFETIZADO, V, 63.
    SACERDOTE, V, 65.
JUDAÍSMO, IV, 406-407, 510-518, 575-589, 605-606; VII, 78-79, 112-113, 154-156.
    ANULADO, IV, 588-589.
    DISPOSIÇÃO DIVINA DE, IV, 605-606.
    DISTINTO DO CRISTIANISMO, I, 69-71; VII, 154-155.
JUDEUS, I, 78-79; IV, 378-382, 740-742.
    ADVERTÊNCIAS DO NT, III, 288-291.
    CEGUEIRA ESPIRITUAL, I, 138-140.
    HISTÓRIA, I, 85-86.
    PACTOS, IV, 379.
    RESTAURAÇÃO, I, 139; V, 115-117; 132-136; VII, 56-57.
JULGAMENTO, IV, 728-737; V, 29-30, 110-111; VI, 441-442; VII, 156-159.

353

ÍNDICES

Anjos, IV, 735-736; VII, 158.

Cristãos, IV, 702-703, 729-732; VI, 570-573.

    Auto-julgamento, VII, 54-55, 156-159.

    Castigo, VII, 54-56, 156-159.

    Obras, VII, 156-159.

    Cruz, IV, 728-729.

    Gentios, V, 130-136; VI, 430; VII, 133-134, 156-158.

    Grande trono branco, IV, 728-729, 736; V, 334-336; VII, 159-160.

    Israel, IV, 487-489, 724-725, 725-726, 732-734; V, 110-111, 125-130; VI, 428-429; VII, 156-158.

    Cegueira, VII, 56-59.

    Natureza pecaminosa, III, 102-105; VI, 524-527; VII, 36-37, 51-52, 156-157, 195-196, 256.

Opressores de Israel, IV, 654-655, 716, 724-726, 734-736.

Satanás, VII, 457, 558-559.

Julgamento, Dia do, VII, 97-98.

Justiça, VII, 159.

Justificação, III, 129-130, 238-239, 308-309; V, 138; VII, 159-163.

    Definição, VII, 159-163.

    Doutrina bíblica, II, 673-678.

    Obra de Deus, VII, 159-160.

    Relação à justiça imputada, II, 674-678.

    Relação à ressurreição, IV, 450-451.

    Relação ao perdão, II, 675-678.

    Repousa na morte de Cristo, VII, 162.

Justo, VII, 163-164.

L

Lei, VII, 164-165.

    Inerente, III, 87.

    Libertação, III, 323-324.

Liberdade da Vontade, I, 259-265; VII, 272-273.

Línguas, VII, 165-166.

Livre-arbítrio nos Sistemas de Teologia, I, 253.

Logos, I, 96-97, 109-110; V, 18-20; VII, 166-167.

Louvor, VII, 167.

M

Mal. Caráter na era da igreja, VI, 428-429.

    Problema da origem do mal, II, 69, 72-73.

Mandamentos, VII, 167-170.

    De Cristo, VII, 169-170.

    De Moisés, VII, 168-169.

Materialismo, I, 172-173, 198-199.

    Definição, I, 198.

Mediação, VII, 170.

ÍNDICE REMISSIVO

MESSIAS, V, 35-37; VII, 170-171.
MILAGRES, I, 94, 276-277; V, 162-168; VII, 171.
    ANTIGO TESTAMENTO, V, 163.
    NOVO TESTAMENTO, V, 163-164.
MILAGRES DE CRISTO, V, 162-168.
    PROPÓSITO, V, 164-165.
    TERMOS USADOS, V, 165-168.
MILÊNIO, I, 15.
    PARTICIPAÇÃO GENTÍLICA, III, 111-112.
MILÊNIO E MILENARISMO, VII, 171-172.
    AMILENISMO, VII, 171-172.
    ANTIMILENISMO, IV, 618-619.
    CONSIDERAÇÃO PÓS-REFORMA, IV, 616-619.
    ENSINO DO NT, IV, 595, 604-606.
    HISTÓRIA, IV, 601-619.
    PAIS DA IGREJA, IV, 606-614.
    PÓS-MILENISMO, VII, 171-172.
    PRÉ-MILENISMO, IV, 619-620; VII, 171-172.
    REFORMA. RESTAURAÇÃO PARCIAL, IV, 615-616.
    SIGNIFICADO ORIGINAL, IV, 601-602.
    TEORIA DE WHITBY, IV, 617.
MINISTÉRIO, VII, 172-173.
    TREINO, I, 8-9.
MINISTRO, AUTORIDADE, I, 323.
MISERICÓRDIA, VII, 173.
    PROPICIATÓRIO, VII, 173.
MISSÕES. ENSINO BÍBLICO, IV, 416.
MISTÉRIO, VII, 173-174.
MISTÉRIOS DA BÍBLIA, IV, 439-440, 589, 710-711.
MISTICISMO, I, 55-57.
    BÍBLICO, I, 57.
    CRISTÃO, I, 56-57.
MOISÉS, PROFETA, IV, 625.
MONISMO, I, 204.
MONOTEÍSMO, I, 67.
MORDOMIA, VII, 174-175.
MORTE, VII, 175-178.
    CARÁTER E JUÍZO, II, 561-563.
    ESPIRITUAL, VII, 177.
    FÍSICA, VII, 176.
    JULGAMENTO DO PECADO, VII, 175-176.
    SEGUNDA, VII, 177-178.
MOSAICA, LEI, III, 85-86; IV, 417, 512-518, 575-589; VII, 164-165, 168-169.
    ANULADA, IV, 575-583.

ÍNDICES

Aplicação a Israel, IV, 517-518, 577.
Começo no Sinai, IV, 515-517.
Contraste com os ensinos do reino, IV, 557-558.
Interpretação de Cristo, V, 105-108.
Propósito, IV, 513, 514-515, 579-582; VI, 149-150, 597-598.
Recebida por escolha, IV, 515-517.
Relação com o tempo do reino, IV, 514-518.
Similaridade com os ensinos do reino, IV, 556-558.
Terminou com a morte de Cristo, IV, 517-518, 577.
Mosaicas, instituições. Oferendas, III, 123-124.
Mulher, VII, 178.
Mundo, III, 336-337; VII, 179.
Controlado por Satanás, VI, 517-518.
Segredo da vitória, VI, 518.
Usos da palavra no NT, VI, 519-520.

N

Nascimento Virginal, V, 54-59.
Natureza Adâmica, VI, 520, 594-599.
Relação à morte de Cristo, VI, 600-602.
Natureza Divina. Presença, III, 325-326.
Nirvana, IV, 749-750.
Noiva, VII, 179-181.
Nome, VIII, 181-182.
Números, VII, 182-183.

O

Obediência, VII, 183.
Onipotência, VII, 183-184.
Onipresença, VII, 184.
Onisciência, I, 217-225; VII, 184-185.
Arquétipa, I, 218-219.
Conteúdo, I, 217-218.
Definição, I, 217-220.
Efeito prático, I, 222-223.
Relação com a liberdade de Deus, I, 222.
Relação com a presciência, I, 217.
Relação com a sabedoria, I, 223-224.
Relação com o pecado, I, 222.
Relação com os agentes morais, I, 218-219; 220.
Visão de Clarke, I, 220.
Ontologia. Definição, I, 186-187.
Oração, I, 276; III, 248; VI, 450-452; VII, 185-186, 252-253.
Base da, IV, 391-392.

Índice Remissivo

Intercessória, IV, 432; VII, 147.
Oração do reino, V, 108-109.
Oração sacerdotal de Cristo, VI, 493-495.

Nova base em Cristo, V, 153-154.
Relação ao enchimento do Espírito, VI, 563-564.
Orações de Cristo, V, 153-154.
Ordem, VII, 187.
Ordenanças, IV, 504-505; VII, 186-187.
Batismo, VII, 35-36.
Santa ceia, VII, 39.

P

Pacto da Redenção, V, 34-35.
Pactos, I, 82; V, 34-35.
Abraâmico, IV, 647-648; V, 295-298; VII, 187-189
Provisões eternas, V, 296-298.
Nação, V, 296-298.
Posse da terra, V, 297-298.
Bíblico, VII, 187-189.
Davídico, IV, 648; V, 298-309; VII, 187-189.
Profecias do AT, V, 302-309.
Profecias do NT, V, 298-302.
Relação com a ressurreição de Cristo, V, 231-232.
Com Israel, IV, 647-649.
Graça, I, 82; IV, 510, 570-571.
Mosaico, IV, 647-648; VII, 187-189.
Novo, VII, 187-189.
Novo com Israel, IV, 647-648, 656-657.
Obras, I, 82; IV, 556, 569-570, 571573, 585-586.
Anulado, IV, 585-586.
Palestínico, IV, 650-655; VII, 187-189.
Redenção, I, 82.
Reino messiânico assegurado, V, 295-309.
Panteísmo, I, 201-203, 244-245.
Budismo, I, 201-202.
Definição, I, 201.
Pão, VII, 189-191.
Significado geral da comida, VII, 189-190.
Significado simbólico, VII, 190-191.
Significado típico, VII, 189-190.
Parábolas de Cristo, V, 158-161, 324-327.
Parábolas do reino, IV, 410-411.
Propósito, V, 158-160.

ÍNDICES

Tipos, GERAL, V, 160-161.
    MESSIÂNICAS, V, 160.
PARACLETO, VII, 191-192.
PARAÍSO, VII, 192.
PARCERIA COM CRISTO, III, 246-248.
PAROUSIA, VII, 192-193.
PÁSCOA, III, 122-123.
PAULINA, TEOLOGIA, VII, 265.
    REVELAÇÃO, IV, 375-376.
    DOUTRINA DA IGREJA, IV, 376.
    SALVAÇÃO PELA GRAÇA, IV, 375-376.
PAZ, III, 114-116; VII, 195.
PECADO, I, 26-27, 255-260; III, 214-215; IV, 674, 728-729; VI, 440-441, 521-522; VII, 195-197.
    CONFISSÃO DO, VII, 63-66.
    DEMONSTRAÇÕES IMPORTANTES, II, 631-632.
    DISPOSIÇÃO, II, 760-767.
    DO CRISTÃO, I, 21-22, 33.
        EFEITO SOBRE DEUS, II, 738-740.
        EFEITO SOBRE SI, II, 730-738.
        PREVENÇÃO, II, 729-730; VI, 565-567.
            BÍBLIA, VI, 566.
            HABITAÇÃO DO ESPÍRITO SANTO, VI, 566.
            INTERCESSÃO DE CRISTO, VI, 566-567.
        DOUTRINA BÍBLICA, II, 628-673.
        ERRADICAÇÃO, VI, 608-611.
        IMPERDOÁVEL, VII, 47-49, 201-202.
        IMPUTADO, II, 694-710.
            RELAÇÃO COM O CRISTÃO, II, 710-713.
            REMÉDIO DIVINO, II, 670-671.
            TEORIAS DA IMPUTAÇÃO, II, 707-709.
        NATUREZA, II, 482-484, 628-631, 649-651, 652-656.
            DEFINIÇÕES, II, 656-657.
            NÃO-CRIADO, I, 256.
            OFENSA À PESSOA DE DEUS, II, 657-662.
            OFENSA ÀS LEIS DE DEUS, II, 662-667.
            SEMPRE MALIGNO, II, 723.
        NATUREZA ESSENCIAL, I, 256-257.
        ORIGEM. PREVISÃO NA PRESCIÊNCIA DE DEUS, II, 636-646.
            CÉU, II, 646-647.
            HUMANA, II, 651-653.
        ORIGINAL, II, 678, 682-684.
            RELAÇÃO COM A DEPRAVAÇÃO, II, 684-691.
            RELAÇÃO COM O CRISTÃO, II, 740-752.
            REMÉDIO DIVINO, II, 691-693.

ÍNDICE REMISSIVO

        TRANSMITIDO, II, 690-691.

        VISÃO ARMINIANA, III, 268-269.

        PERDÃO DO PECADO PARA O NÃO-REGENERADO, II, 724-727.

        PERMISSÃO DE DEUS, I, 258-260; II, 505-507, 633-636; III, 48.

        RAZÕES, II, 634-635.

        PESSOAL, II, 638-681.

        CULPA, II, 679-680.

        DEFINIÇÃO, II, 656-667.

        ORIGEM, II, 638-653.

        PERDÃO, II, 670-673.

        PESSOA QUE PECOU PRIMEIRO, II, 647-649.

        RELAÇÃO COM A JUSTIFICAÇÃO, II, 673-678.

        TERMOS. CLASSIFICAÇÃO, II, 668-670.

    PREVENÇÃO DE DEUS, I, 256.

    REDENÇÃO DO, III, 93-96.

    RELAÇÃO COM A LIVRE ESCOLHA, II, 634.

    RELAÇÃO COM A RETRIBUIÇÃO, II, 755-759.

    RELAÇÃO COM A VIDA SANTA, II, 725-726.

    RELAÇÃO COM O MAL, II, 632-633, 646.

    RELAÇÃO COM O "VELHO HOMEM", II, 743-744.

    REMÉDIO, II, 722-754; VI, 566-578.

        AUTO-JULGAMENTO, VI, 570-571.

        CASTIGO, II, 754-755; VI, 571-573.

        CONFISSÃO E ARREPENDIMENTO, VI, 573-578.

        PURIFICAÇÃO, VI, 565-570.

    REMÉDIO DIVINO, II, 691-693.

    RESPONSABILIDADE, I, 259.

    SIGNIFICADO DA PALAVRA, VI, 596-598.

    TERMOS BÍBLICOS, II, 668-670.

    TRIUNFO FINAL SOBRE TODO PECADO, II, 760-767.

    UNIVERSALIDADE, II, 680-681.

PECADO PARA A MORTE, VII, 202.

PECADOS DOS SALVOS E NÃO-SALVOS CONTRASTADOS, II, 723.

PEDRA, VII, 197-198.

PENTECOSTES, IV, 411-412, 719.

PERDA DA COMUNHÃO COM DEUS, III, 294-295.

PERDÃO. OBRIGAÇÃO HUMANA DO, VII, 201-202.

PERDÃO DE PECADO, II, 671-673; III, 72-81, 128, 232-233, 311-314; IV, 390-391; V, 32; VI, 396-397; VII, .76-78, 63-66, 201-202.

    ANTIGO TESTAMENTO, II, 672-673.

    BASE, II, 672; IV, 76-77.

    CRISTÃO, III, 106-107, 232-233, 311-314; V, 141-143, 188-189; VI, 396-397, 566-578; VII, 202, 219-220.

    DOUTRINA DO AT, VII, 201-202.

EXIGÊNCIA HUMANA, IV, 390-391.

NÃO-SALVO, VII, 201-202, 219-220.

NOVO TESTAMENTO, II, 673.

REINO MESSIÂNICO, VII, 162.

PERDIDO, ESTADO DE, III, 225-227.

PERFEIÇÃO, VI, 606-607; VII, 202.

DEFINITIVA, VI, 606-607.

POSICIONAL, VI, 606.

USO BÍBLICO DA PALAVRA, VI, 606.

PERMANECER: VII 203-205.

PERSEGUIÇÃO, VII, 25-26.

PLURALISMO, I, 205.

PNEUMATOLOGIA, VI, 351-619.

ESCOPO, VI, 351.

PODER, VII, 205-206.

POLIGENISMO, II, 551-552.

POLITEÍSMO, I, 199-200.

DEFINIÇÃO, I, 199.

POSIÇÃO E ESTADO, VII, 207.

POSITIVISMO, I, 204.

PÓS-MILENISMO, IV, 217.

POVO DO PACTO, RELAÇÃO AO ARREPENDIMENTO, III, 353-354.

PRÉ-ADAMITISMO, II, 171.

PREDESTINAÇÃO, I, 254, 265-268; III, 169, 230-231, 327-331; VII, 207-208.

RELAÇÃO COM A ELEIÇÃO, I, 254, 265-266.

RELAÇÃO COM A RETRIBUIÇÃO, I, 254, 265.

PREGAÇÃO, VII, 208.

PRÉ-MILENISMO, IV, 619-620.

PREORDENAÇÃO, VII, 209.

RELAÇÃO COM A PREDESTINAÇÃO, VII, 209.

PRESBÍTEROS, VII, 209-211.

USO DA PALAVRA NO NT, VII, 210.

TIPOS, VII, 210-211.

PRESCIÊNCIA, I, 253; VII, 211-213.

RELAÇÃO AO DECRETO, VII, 211-213.

RELAÇÃO À ONISCIÊNCIA, VII, 211-213.

RELAÇÃO À PREORDENAÇÃO, VII, 211-213.

PRESERVAÇÃO, I, 93-94, 155-156, 275.

PRIMÍCIAS: VII, 213-215.

CRISTÃOS PRIMITIVOS, VII, 214.

CRISTO, VII, 214.

ESPÍRITO SANTO, VII, 214.

ISRAEL, VII, 214-215.

PRIMEIROS CRENTES NA LOCALIDADE, VII, 214.

ÍNDICE REMISSIVO

REINO DOS CRENTES, VII, 214.

PROFECIA, I, 28-30, 71-72; V, 52; VII, 116-118, 215.

CAMINHOS PRINCIPAIS, IV, 631-704.

CRISTANDADE APÓSTATA, IV, 680-687.

CRISTO, IV, 631-643.

GENTIOS, IV, 660-672.

GRANDE TRIBULAÇÃO, IV, 688-699.

IGREJA, IV, 700-704.

PACTOS DE ISRAEL, IV, 644-659.

SATANÁS, MAL, HOMEM DO PECADO, IV, 673-679.

CARÁTER. PROCLAMAÇÃO, IV, 621-622.

PREDITIVA, IV, 621-622.

CLASSIFICAÇÃO, IV, 629-630.

CONCEITO BÍBLICO, IV, 621-630.

CONTEÚDO, IV, 594.

CUMPRIDA, I, 29-30.

DISCURSO DO MONTE DAS OLIVEIRAS, V, 115.

ÊNFASE PRIMÁRIA, IV, 595.

EVENTOS EM ORDEM, IV, 621-630.

HISTÓRIA, IV, 624-630.

MESSIÂNICO, IV, 378, 380, 631-643.

DOIS ADVENTOS, IV, 636-643, 708-709.

NEGLIGENCIADA PELOS TEÓLOGOS, IV, 593-594.

NÃO-CUMPRIDA, I, 29-30.

RELAÇÃO COM A ESCATOLOGIA, I, 29-30.

RELAÇÃO COM A HERMENÊUTICA, IV, 596-597.

RELAÇÃO COM A VIDA CRISTÃ, IV, 598-599.

RELAÇÃO COM O DECRETO DE DEUS, IV, 599-600.

RELAÇÃO COM O ESPÍRITO SANTO, VI, 402-411.

RELAÇÃO COM OS PACTOS, IV, 624.

TEMAS DO AT, IV, 705-709.

TEMAS DO NT, IV, 710-714.

TESTADA PELO CUMPRIMENTO, IV, 623-624.

PROFETA, IV, 621-622.

ANTIGO TESTAMENTO, IV, 622.

ESCOLHA, IV, 623.

MENSAGEM, IV, 622-623.

NOVO TESTAMENTO, IV, 622.

PODER, IV, 623.

PROFETAS, I, 133-134.

ABRAÃO, IV, 624-625.

DANIEL, IV, 625.

FALSOS, IV, 629.

JOÃO BATISTA, IV, 626-629.

Índices

Moisés, IV, 625.
Profissão de fé, III, 282-284.
Prolegômenos, I, 47-59.
Propiciação, III, 99-101, 189-191, 232-233, 365-370; V, 187-188; VII, 215-217.
Doutrina do AT, VII, 216.
Doutrina do NT, VII, 216-217.
Propósito Divino. Execução, III, 327-331.
Propósitos Divinos, IV, 413, 437-438.
Protestantismo, I, 57-58.
Providência, I, 92-93, 275-276, 324.
Definição, I, 92.
Determinativa, I, 275-276.
Diretiva, I, 275.
Permissiva, I, 275.
Preventiva, I, 275.
Providência e governo de Deus, III, 328-330; VII, 136-137, 218.
Punição, II, 754-759; VII, 218-219.
Relação com o cristão, II, 754-755.
Açoite, II, 755.
Castigo, II, 754-755.
Retribuição, II, 755-759.
Punição futura, IV, 750-756; VII, 218-219.
Purgatório, IV, 749.
Purificação, VII, 219-220.
Do cristão, VII, 220.
Do não-salvo, VII, 220.
Doutrina do AT, VII, 220.
Purificação, céu, III, 116-117.

Q

Queda da graça, III, 295-296.
Queda do homem, I, 138; II, 620-627; VII, 26-27, 27-29, 221-222.
Resultados: II, 620-621; VII, 26-27, 221-222.
Depravação, II, 623-624.
Morte espiritual, II, 622-623.
Morte física, II, 627.
Sujeição a Satanás, II, 622.
Visão arminiana, III, 267-269.
Quietismo, I, 56-57.

R

Racionalismo, III, 257.
Ênfase Arminiana, III, 273-277.
Razão, I, 163-164.

362

ÍNDICE REMISSIVO

REALIZAÇÕES, I, 164.
    VALOR, I, 163-164.
REALISMO, I, 200.
    DEFINIÇÃO, I, 200.
RECOMPENSA, PERDA DA, III, 292-294.
RECOMPENSAS, VII, 222-223.
    CRISTÃO, IV, 721-722, 731.
RECONCILIAÇÃO, III, 102-104, 130-131, 189-191, 231-232; V, 197-199, 209-211; VII, 127-129, 223-224.
REDENÇÃO, I, 68-69, 371-373; V, 200-203; VII, 224-225.
    CONTEÚDO, III, 75-76, 93-96, 130, 189-191, 231-232.
        ARMINIANO, III, 184.
        ASPECTOS DISPENSACIONAIS, III, 186-188.
        EXTREMO LIMITADO, III, 183.
        F.W. GRANT, III, 184.
        MODERADO ILIMITADO, III, 183-184.
        MODERADO LIMITADO, III, 183.
        DOUTRINA DO AT, VII, 224-225.
        DOUTRINA DO NT, VII, 225.
        ENSINO BÍBLICO, III, 75-76, 93-96, 130, 189-191, 231.
REDENÇÃO DO CORPO, VII, 71-72.
REGENERAÇÃO, III, 81, 82, 235-236; VII 76-78, 225-226.
    AQUISIÇÃO DA NATUREZA DE DEUS, VI, 452-453.
    BASEADA NA FÉ, VI, 456-465.
    COMUNICAÇÃO DA VIDA, VI, 450-452.
    NECESSIDADE DA, VI, 448-450.
    PROPÓSITO DE DEUS, VI, 454-456.
    RESULTADOS. COMPAIXÃO DIVINA PELO MUNDO PERDIDO, VI, 452.
        CONHECIMENTO DE DEUS, VI, 451.
        NOVA REALIDADE NA LEITURA DA BÍBLIA, VI, 451.
        NOVA REALIDADE NA ORAÇÃO, VI, 451.
        RECONHECIMENTO DA FAMÍLIA DE DEUS, VI, 451-452.
REI, VII, 226.
REINO, VII, 226-227.
    DE CRISTO, IV, 395-396, 400-401, 703-704; V, 331-346; VII, 84-85.
    DE DEUS, IV, 395-396, 648-650; V, 293-295; VII, 226-227.
    DO CÉU, I, 84-85; V, 293-295; VII, 59-60, 226-227.
        FORMAS. CONSUMAÇÃO, V, 327-330.
            JUÍZES, V, 309.
            MISTÉRIO, V, 322-327.
            REINO DAVÍDICO, V, 309.
            FORMAS DO, V, 309-330.
            OFERECIDO, V, 315-320.

ÍNDICES

Reino Messiânico, IV, 519-530, 552-553, 601-620, 625-629, 655-656, 703-704, 708-709, 713-714, 725-726; V, 293-309; VII, 80-85, 63-66, 66-67, 97-99, 171-172, 179-181.

Anunciado, IV, 626-629.

Assegurado pelos pactos, V, 295-309.

Caráter profetizado. Centrado em Jerusalém, V, 311-312.

Celestial, V, 311.

Espiritual, V, 314-315.

Estabelecido no retorno do rei, V, 314.

Mundial, V, 313-314.

Relativo a Israel, V, 312-313.

Teocrático, V, 310-311.

Terrestre, V, 313-314.

Ensino de Cristo, IV, 526-529, 558-566.

Exigências de entrada no, V, 132-136.

Habitantes do, IV, 418, 557; V, 132-136, 312-315.

Oferecido, IV, 602-603; V, 315-320.

Oração, IV, 564-565.

Posposto, IV, 380-382, 525-527, 603-604; V, 91-92, 93-95, 320-322.

Ilustrado, IV, 380-382.

Profecia, IV, 519-530, 602-603.

Antigo Testamento, IV, 519-524, 602.

Novo Testamento, IV, 524-526, 527-529.

Profecia do, V, 309-315.

Realizado, V, 327-330.

Rejeitado, IV, 603-603; V, 320-322.

Religião. Conteúdo, IV, 384-385.

Ressurreição, IV, 392-393, 481-483; V, 29-30; VII, 15-17, 228-229.

Cristã, IV, 481-483, 701-702, 719-721.

Doutrina bíblica, II, 558-564.

Restitucionismo, IV, 746-749.

Retidão, VII, 229.

Retribuição, I, 254, 265, 267-269.

Revelação, I, 87-98; VII, 45-46, 74-76, 229-230.

Caráter, I, 90-91, 98.

Caráter progressivo, IV, 549-550.

Comunicação direta, I, 94-95.

Conteúdo, IV, 413.

Definição, I, 87.

Modos, I, 91-98.

Relação com a iluminação, I, 89-90.

Relação com a inspiração, I, 88-89.

Relação com a razão, I, 87-88.

Relação com a teologia, I, 165.

Revelação e natureza, I, 91-92.

ÍNDICE REMISSIVO

Romanismo, I, 57-58.

    Erro a respeito da cruz, III, 49.

S

Sábado, IV, 462-471; V, 238-241; VII, 97-99, 230-231.

    Anulado na era da Igreja, V, 239-240.

    Caráter judaico, IV, 465-466.

        Desconhecido antes de Moisés, IV, 463-464.

        Ensino de Cristo, IV, 466-467.

        Ensino em Atos, IV, 467-468.

        Ensino nas Epístolas, IV, 467-470.

        Profecia do, IV, 470-471.

        Sinal da era mosaica, IV, 464-467.

        Criação, IV, 462-463.

    Descanso criativo de Deus, V, 238.

    Instituição como lei, V, 238-239.

    Reinstituído no reino, V, 240.

Sabelianismo, VI, 362-364.

Sacerdócio, VII, 231-232.

    Antigo Testamento, IV, 430-432.

    Doutrina do NT, VII, 232.

    Sistema do AT, VII, 231-232.

Sacerdócio dos crentes, III, 243; IV, 429-432.

Sacrifício no AT, III, 108-109, 130-131; VII, 232-233.

Salvação, VII, 233-234.

    Antigo Testamento, III, 19-21, 109-111.

    Doutrina, VI, 418-420.

    Base, III, 22-23, 64, 205-206, 349-368.

    Dom de Deus, VI, 613-614.

    Escopo, III, 20-22.

    Fonte, III, 20-22, 203-204.

    Importância, III, 25-26.

    Meios, III, 64.

    Motivo de Deus, III, 23-25.

    Participação trinitária, III, 203-255.

    Resultados. Libertação do pecado e limitações humanas, III 334-341.

    Apresentado sem falta, III, 342-348.

        Significado, III, 20-22.

    Termos, III, 349-368.

    Crer e arrepender-se, III, 350-356.

        Crer e confessar Cristo, III, 356-357.

        Crer e confessar o pecado, III, 364.

        Crer e orar, III, 365-368.

        Crer e render-se a Deus, III, 361-364.

CRER E SER BATIZADO, III, 358-361.

TRINTA E TRÊS MILAGRES, III, 229-255.

SALVAÇÃO INFANTIL, VII, 234-237.

RELAÇÃO À ELEIÇÃO, VII, 237.

SANGUE, VII, 237-240.

PURIFICAÇÃO, VII, 238-239.

SACRIFICIAL, VII, 237-238.

SANGUE DO PACTO, VII, 239-240.

SANTIDADE, VII, 240-241.

SANTIFICAÇÃO, I, 324, 391-392, 607-608; VII, 241-249.

DEFINITIVA, IV, 479-480; VI, 607-608.

EXPERIMENTAL E PROGRESSIVA, VI, 607-608.

POSICIONAL, III, 246-247; VI, 607.

USO BÍBLICO DA PALAVRA, VI, 607.

SANTO, VII, 250.

SATANÁS, VII, 91-93, 250.

ANTIGO TESTAMENTO, II, 468-469.

AUTORIDADE SOBRE O *COSMOS*, II, 495-499.

CARÁTER, II, 497-491.

ANTIDEUS, II, 479.

ANTIVERDADE, II, 479.

ASSASSINO, II, 482-483.

INVERDADE, II, 481-488.

ORGULHO AMBICIOSO, II, 480-481.

PAI DA MENTIRA, II, 484-485.

PECAMINOSO, II, 488-491.

CARREIRA, II, 459-478.

CONTROLE DOS HOMENS, I, 139-141.

CRIAÇÃO, II, 461-462.

ESTADO ORIGINAL, II, 460-462.

EVIDÊNCIA BÍBLICA, II, 468-470.

IMPORTÂNCIA, II, 454-455.

JULGAMENTO, III, 113-114, 337-338; IV, 673-674, 712-714, 724-725, 726, 729-730.

NA CRUZ, II, 471-475.

FINAL, II, 462-463, 475-475, 612-613.

EXPULSO DO CÉU, II, 475-477.

LANÇADO NO LAGO DE FOGO, II, 478.

LIGADO AO SEGUNDO ADVENTO, II, 477-478.

LIBERTAÇÃO NO FIM DO MILÊNIO, V, 332.

MILAGRES, V, 162-163.

NOMES E TÍTULOS, II, 454.

NOVO TESTAMENTO, II, 469-471.

OPOSIÇÃO AO CRISTÃO, III, 337-338.

QUEDA, II, 456-457, 461-463.

Revolta final, V, 332-333.
Seu pecado, I, 260.
Sua doutrina, II, 518-523.
Pecado original, II, 464-468.
Caráter, II, 451-453, 462-463, 465-468, 507-508, 647-649.
Motivo, II, 508-510.
Personalidade, II, 455-456.
Presente habitação, II, 464-466.
Rebelião, VI, 582-583.
Relação com Adão, II, 607-608.
Relação com o crente, II, 457-458, 514-516, 727-728; IV, 542-543; VI, 530-532, 592-593.
Relação com os cultos religiosos, II, 522-523.
Relação com os não-salvos, II, 720-721; VI, 435-436.
Tentação de Cristo, V, 83-85.

Satanologia, II, 454-523.
Cosmos satânico, II, 492.
Introdução, II, 454-458.
Método satânico, II, 510-523.
Motivo satânico, II, 505-511.
Objeções, II, 457-458.

Segundo Advento, I, 379; III, 31-32; IV, 639-643, 650-652, 681-682, 703-704, 713-714, 723-725; V, 122-136, 261-292; VII, 80-85, 192-193.
Certeza de cumprimento, V, 123-125.
Distinção das vindas, V, 268-292, 328.
Eventos envolvidos, IV, 640-641.
Incerteza do tempo, V, 125-129.
Julgamentos, V, 130-136, 270-292.
Maneira, V, 125-126.
Previsão. Transfiguração, V, 89-90, 93-95, 282-284.
Profecias do AT, V, 269-292.
Profecias do NT, V, 269-292.
Retorno para a Igreja, IV, 694-695, 701-703; V, 156-157, 268-269.
Teorias falsas, V, 263-267.

Segurança, VII, 251-254.

Segurança Eterna, III, 256-348; VII, 254-255.
Base, III, 301-320.
Advocacia de Cristo, III, 311-314.
Amor de Deus, III, 305-307.
Batismo do Espírito, III, 318-319.
Habitação do Espírito Santo, III, 318.
Intercessão de Cristo, III, 314-316.
Morte de Cristo, III, 309-310.
Onipotência de Deus, III, 304-305.
Propósito soberano de Deus, III, 301-304.

ÍNDICES

Regeneração do Espírito Santo, III, 316-317.
    Selo do Espírito Santo, III, 319-320.
Resposta de Deus à oração de Cristo, III, 307-308.
Ressurreição de Cristo, III, 310-311.
Base na experiência cristã, VII, 254-255.
Base na Palavra de Deus, VII, 254-255.
Visão Arminiana, III, 259.
    Apelo às Escrituras, III, 278-297.
    Ênfase na experiência e razão humana, III, 273-277.
    Principais doutrinas soteriológicas, III, 264-273.
Visão Calvinista, III, 298-320.
Visão de Agostinho, III, 259.
Visão de Armínio, III, 259-260.
Visão Luterana, III, 260-261.

Sensibilidade, I, 225-232.
    Amor, I, 225-226.
    Bondade, I, 225-226.
    Definição, I, 225.
    Demonstrada na natureza, I, 226.
    Justiça, I, 227-229.
    Modos, I, 226-227.
    Santidade, I, 226-227.
    Verdade, I, 231-232.

Separação, VII, 255.

Sepultados, VII, 256-257.

Sermão do Monte, IV, 560-566; V, 97-113.
    Ambiente, V, 100-103.
    Aplicação primária no reino, V, 100-101.
    Bem-aventuranças, V, 103-106.
    Caráter distintivo, V, 103-113.
    Crítica, V, 103.
    Posposição da aplicação, V, 113-114.

Servo de Jeová, V, 175-176.

Sião, VII, 257.

Simbolismo. Bíblico. Cegueira, VII, 56-58.
    Bíblico. Pão, VII, 189-191.

Sociedade de Amigos, I, 56.

Socinianismo, III, 262, 267-268.

Sofrimento, VII, 257-260.

Soteriologia, III, 19-374.
    Introdução, III, 19-25.

Sublapsarianismo, I, ...

Substituição, VII, 260-261.

Supralapsarianismo, I, 266-267.

T

Tabernáculo e templo, VII, 261-262.
Teísmo, I, 166-167.
    Definição, I, 165-166.
    Divisões, I, 168.
        Bíblico, I, 168-169, 206-290.
        Naturalista, I, 168-170.
    Relação com a Teontologia, I, 166.
Teleologia, etimologia, I, 48-49.
Tempos dos Gentios. Limites, VII, 262-263.
Tentação, VII, 263-265.
    Deus, V, 79-80.
    Fontes da, III, 336-339.
        A carne, III, 337.
        O diabo, III, 338.
        O mundo, III, 336.
    Significado, V, 78-79.
        Solicitação para o mal, V, 78-79.
        Testar para provar virtude, V, 78-79.
Teofanias, V, 38-40.
Teologia. Classificações, I, 48-49.
    Ciência da. Exigências essenciais, I, 50-54.
    Etimologia, I, 47.
    Sistemática, I, 9-11.
        Declínio moderno, I, 5.
        Definições, I, 9, 49-50.
        Divisões, I, 58.
        Integral, I, 54-55.
        Relação com a Bíblia, I, 8.
        Relação com Missões, I, 9-10.
        Usos da palavra, I, 47-50.
Teologia do Pacto, IV, 509-510, 645; VII, 100-102, 122-123, 187-189.
    Visão da ressurreição de Cristo, V, 218-221.
Teologia Natural, I, 166-189.
    Argumento antropológico, I, 183-186.
    Argumento cosmológico, I, 171-177.
    Argumento ontológico, I, 186-188.
    Argumento teleológico, I, 177-183.
    Argumentum a posteriori, I, 170-186, 189.
    Argumentum a priori, I, 170, 186-189.
Teólogos, I, 50, 51, 52, 63.
Teontologia, I, 159-419.
    Definição, I, 159.
    Introdução, I, 159-165.

Índices

Teorias anti-teístas, I, 190-205.
Testemunhar, IV, 434-435; VI, 428.
Tipologia, I, 26-28, 72; III, 118-127; IV, 412, 429-430, 476-477, 491-496; V, 50-51, 80-83; VI, 393-401; VII, 15-17, 30-31, 143-145, 179-181, 189-191, 219-220, 237-240, 256-257, 260-261, 261-262, 265-266.
    Cristo, I, 26-27.
        Redentor-parente, I, 371-373.
        Definição, I, 26-27.
        Escopo, III, 119.
    Igreja. Eva, IV, 492-495.
    Rebeca, IV, 495.
    Morte de Cristo, V, 80-83.
    Princípios, I, 26-27.
    Sacrifícios do AT, III, 120-124.
    Significado, III, 118-120.
Tradição, I, 57-58, 162-163.
    Relação à instituição, I, 162-163.
    Tipos, I, 162-163.
        Presente, I, 162.
        Remoto, I, 162.
Transfiguração, VII, 266-267.
    Uso do NT, V, 78-79.
Transmigração e reencarnação, IV, 743.
Trevas, VII, 267-269.
Trevas espirituais. Formas, I, 138-139.
Tribulação, VII, 269.
Tribulação, Grande, IV, 374-380, 688-699, 708, 713, 722-724; V, 113-115, 118-123; VII, 267-269.
    Natureza, IV, 691-692.
    Relação com a Igreja, IV, 691-699.
Trindade, I, 66-68, 199-200, 291; V, 30-31; VI, 355; VII, 270.
    Analogias, I, 293-294.
    Assumida pelas Escrituras, I, 314-315.
    Definição geral, I, 301-304.
    Doutrina do NT, VI, 365-366.
        Elementos essenciais, I, 301-302.
        Evidência do AT. Divindade atribuída em geral, I, 316-317.
        Elohim, I, 315-316.
            Evidência do NT, atributos de Deus, I, 320-322.
            Adoração de Deus, I, 324-325.
            Nomes de Deus, I, 320.
            Obras de Deus, I, 322-324.
        Igualdade nos membros, VI, 359.
        Implicações do AT, VI, 364-366.

Índice Remissivo

Mistério, I, 293-294, 306, 308.
Objetada como irracional, I, 293-419.
Trinitarianismo, I, 291.
Definição, I, 166, 301.
Erro do sabelianismo, I, 294-295.
Erro do triteísmo, I, 294.
Introdução, I, 291-306.
Negação da divindade de Cristo, I, 295-298.
O termo *pessoa*, I, 295-296.
Provas, I, 307-325.
Razão, I, 307-314.
Revelação, I, 314-325.
Antigo Testamento, I, 315-319.
Novo Testamento, I, 319-325.
Relação com as Escrituras, I, 300.
Relação com Cristo, I, 296-297.
Relação com o Espírito Santo, I, 299.
Relação com o judaísmo, I, 305-306.
Relação com o maometanismo, I, 305-306.
Relação com os unitarianos, I, 305-306.
Verdadeira ênfase, I, 305-306.
Triteísmo, VI, 364.
Trono, VII, 270.

U

União com Cristo, III, 81-85, 224-225, 233-234, 237-239; VI, 492-493, 496-497, 503-504, 602-604; VII, 35-36, 203.
Unigênito, VII, 271.
Unitarianismo, VI, 361.
Universalismo, IV, 745-746.
Universo. Destruição do, V, 333-334.
Preservação do, V, 29, 33.
Teorias de sua causa, I, 138.

V

"Velho homem" no cristão, II, 743.
Vida, VII, 271-272.
Vida espiritual, V, 142-145; VI, 388-389, 467, 497, 502-619; VII, 271-272.
Base, natureza pecaminosa julgada, III, 102-106.
Carnalidade, I, 140-141.
Comunhão, IV, 70-71.
Condições. Negativas, VI, 564-588.
Andar no Espírito, VI, 588-593.
Entrega, VI, 581-583.

Índices

Não apagar o Espírito, VI, 578-588.
Não entristecer o Espírito de Deus, VI, 564-578.
Condições para o enchimento do Espírito, VI, 563-593.
Conflito incessante, VI, 516-517.
Dependência do Espírito Santo, VI, 506-507, 588-593.
Doutrinas relacionadas, VI, 594-611.
Exemplo de Cristo, VI, 583-586.
Índice. Atitude com relação à Bíblia, VI, 507-510.
Métodos, I, 20-21.
Motivo, I, 21.
Necessidade, I, 144-145.
Oponentes, VI, 516-532, 591-593.
    Carne, VI, 520-529, 591-592; VII, 51-53.
    Mundo, VI, 517-520, 591.
    Satanás, VI, 530-531, 592-593.
Padrões, I, 20.
Realizada pelo Espírito Santo, VI, 515-516.
Relação à entrega, VI, 511.
Relação à lei de Moisés, VI, 505-506.
Resultados. Poder para fazer o bem, VI, 533-562.
    Poder para vencer o mal, VI, 515-532.
Termos descritivos, VI, 512-514.
Vida de fé, VI, 560-561.
Vida Eterna, IV, XXX; VII, 271-272.
    Cristã. Possessão, IV, 394-395.
    Mosaica. Herança, IV, 393-394.
Vida Futura. Teorias concernentes à, IV, 743-750.
Vontade, I, 232-236; VII, 272-273.
    Características, I, 233-236.
    Consciência que o homem tem dela, I, 262-265.
    Definição, I, 232.
    Livre, I, 233.
    Onipotência, I, 233-236.'

Notas

Volume 7

Sumário Doutrinário

1 *Scofield Reference Bible*, 1250.
2 *Standard Dictionary*, edição de 1913.
3 *Scofield Reference Bible*, 724-25.
4 James Orr, *International Standard Bible Encyclopaedia*, II, 749.
5 *International Standard Bible Encyclopaedia*, II, 1256.
6 *Scofield Reference Bible*, 1343.
7 *International Standard Bible Enciclopaedia*, I, 321, edição de 1915.
8 *International Standard Bible Encyclopaedia*, verbete "Faith", II, 1088.
9 Louis M. Sweet, *International Standard Bible Encyclopaedia*, II, 1198-99.
10 Nota do Tradutor: Em nossa versão portuguesa usada (e mesmo no grego) a expressão *"nações que são salvas"* não aparece. Por isso a argumentação do autor perde a força.
11 *Scofield Reference Bible*, 16.
12 E. W. Bullinger, *A Critical Lexicon and Concordance to the English and Greek New Testament*, 6a. edição, revisada, 368.
13 Bullinger, *Ibid.*, 368-69.
14 *Ibid.*, 369.
15 *Ibid.*, 370.
16 Citado por f. E. Marsh, *Emblems of the Holy Spirit*, 173.
17 Rollim T. Chafer, *The Science of Biblical Hermeneutics*, 75-78.
18 T. Rees, *International Standard Bible Encyclopaedia*, 1254-5.
19 *Scofield Reference Bible*, 1351-52.
20 *Scofield Reference Bible*, 922.
21 *Scofield Reference Bible*, 156-57.
22 C. W. Hodge, na *International Standard Bible Encyclopaedia*, II, 1129-30.
23 Ibid., 1130.
24 Herman Bavinck na *International Standard Bible Encyclopaedia*, II, 1093.
25 *Scofield Reference Bible*, 1214.
26 Publicação em 10 de Novembro de 1928.
27 Alan H. Hamilton, num artigo para *Bibliotheca Sacra*, 343-45 (não consta o número nem a data da publicação).
28 B. B. Warfield, *Two Studies in the History of Doctrine*, 239 (citado por Hamilton, Ibid., 343).
29 Ver Richard Watson, *Theology*, II, 57 e sgts.
30 H. L. E. Luering, *International Standard Bible Encyclopaedia*, I, 489, edição 1915.
31 *International Standard Bible Encyclopaedia*, 2291.
32 *Scofield Reference Bible*, 4.

Notas

Volume 7

Sumário Doutrinário

3 Scofield Reference Bible, 1356.

4 Standard Dictionary, edição de 1913.

5 Scofield Reference Bible, 1324-25.

6 James Orr, International Standard Bible Encyclopaedia, II, 749.

   International Standard Bible Encyclopaedia, II, 1956.

6 Scofield Reference Bible, 1343.

7 International Standard Bible Encyclopaedia, I, 921, edição de 1915.

8 International Standard Bible Encyclopaedia, verbete "Faith", II, 1088.

9 Louis M. Sweet, International Standard Bible Encyclopaedia, II, 1109-00.

10 Nota do Tradutor: Em nossa versão portuguesa usada (e mesmo no grego) a expressão "ímpios que são salvos" não aparece. Por isso a argumentação do autor perde a força.

11 Scofield Reference Bible, 16.

12 E. W. Bullinger, A Critical Lexicon and Concordance to the English and Greek New Testament, 6a. edição revisada, 503.

13 Bullinger, Ibid, 503-04.

14 Ibid, 306.

15 Ibid, 376.

16 Citado por L. E. Marsh, Emblems of the Holy Spirit, 273.

17 Rollin T. Chafer, The Science of Biblical Hermeneutics, 75-78.

18 T. Rees, International Standard Bible Encyclopaedia, I, 234-5.

19 Scofield Reference Bible, 1351-52.

20 Scofield Reference Bible, 922.

21 Scofield Reference Bible, 150-57.

22 C. W. Hodge, na International Standard Bible Encyclopaedia, II, 1129-30.

23 Ibid, 1130.

24 Hermann Bavinck na International Standard Bible Encyclopaedia, II, 1093.

25 Scofield Reference Bible, 1214.

26 Publicado em 10 de Novembro de 1928.

27 Alan H. Hamilton, num artigo para Bibliotheca Sacra, 343-45 (não consta o número nem a data de publicação).

28 B. B. Warfield, Two Studies in the History of Doctrine, 259 (citado por Hamilton, Ibid, 344).

29 Ver Richard Watson, Theology, II, 57 e segs.

30 H. E. Jacobs, International Standard Bible Encyclopaedia, I, 459, edição 1915.

31 International Standard Bible Encyclopaedia, 2291.

32 Scofield Reference Bible, 4.

Sua opinião é importante
para nós. Por gentileza envie
seus comentários pelo e-mail
editorial@hagnos.com.br

Visite nosso site: www.hagnos.com.br

Esta obra foi impressa na
Imprensa da Fé.
São Paulo, Brasil.
Inverno de 2020.